D1007980

Über den Dichter Thomas Mann liegen einige gewichtige Biographien vor. Kurzkes Buch unterscheidet sich darin von ihnen, dass es ihm nicht um eine Rekonstruktion einer Autobiographie ging, sondern um eine kritische Verarbeitung der Zeugnisse – seien es Thomas Manns Auskünfte über sich selbst oder Informationen anderer über ihn. Als ausgewiesener Kenner der Werke von Thomas Mann hat sich der Autor vor allem auf diese bisher viel zu wenig beachtete Quelle gestützt: »Als Mensch war Thomas Mann versiegelt und ließ niemanden in sein Herz blicken. Mit virtuoser Disziplin hielt er eine Fassade aufrecht, ohne die zu leben er unerträglich gefunden hätte. Nur im Werk war er frei, nur hier teilte er sich mit, auch seine Geheimnisse, geschützt durch die indiskrete Diskretion der Kunst.«

»Wichtiger aber als die Kenntnisse, die Kurzke seinen Vorgängern voraus hat, ist seine Haltung. Kurzke ... nimmt ihn ernst in seinem Leidensgrund und sieht ihm dennoch nicht alles nach; er verzichtet aufs billige Besserwissen und ist nach allen Seiten gerecht. Ein faireres, nobleres Bild von Thomas Mann wird man nicht finden«. *Die Zeit*

Hermann Kurzke, geb. 1943 in Berlin, ist Professor für Neuere deutsche Literaturgeschichte in Mainz. Er veröffentlicht seit über 25 Jahren Bücher und Aufsätze zu Thomas Manns Leben und Werk. Publikationen u. a.: ›Thomas Mann-Forschung 1969–1976‹ (1977), ›Thomas Mann. Epoche – Werk – Wirkung‹ ([3] 1997); als Herausgeber zusammen mit Stephan Stachorski: Thomas Mann, ›Essays‹. (Bd. I–VI, S. Fischer Verlag, 1993–1997).

Er ist einer der Herausgeber der *Großen kommentierten Frankfurter Ausgabe* der Werke von Thomas Mann, deren erste Bände im Herbst 2001 im S. Fischer Verlag erscheinen.

Hermann Kurzke

THOMAS MANN

Das Leben als Kunstwerk

Fischer Taschenbuch Verlag

Mit 40 Abbildungen

Veröffentlicht im Fischer Taschenbuch Verlag GmbH,
Frankfurt am Main, Oktober 2001

Lizenzausgabe mit freundlicher Genehmigung
des Verlages C. H. Beck oHG, München

Druck und Bindung: Clausen & Bosse, Leck
Printed in Germany
ISBN 3-596-14872-3

Here is the best picture
ever made of me!

Thomas Mann

Inhalt

I. Kind und Schüler

II. Frühes Lieben erstes Dichten

III. Vor dem Ruhm

IV. Thomas und Heinrich

V. Der Weg zur Ehe

VI. Ehrgeizige Pläne

VII. Juden

VIII. Krieg

IX. Orientierungsversuche

X. Familie, auch kein Spaß

XI. Im Zauberberg

XII. Republikanische Politik

XIII. Homoerotik der Lebensmitte

XIV. In Acht und Bann

XV. Joseph und seine Brüder

XVI. Haß auf Hitler

XVII. Doktor Faustus

XVIII. Pein und Glanz

XIX. Bis zum letzten Seufzer

XX. Die letzten Dinge

Anhang

I. Kind und Schüler

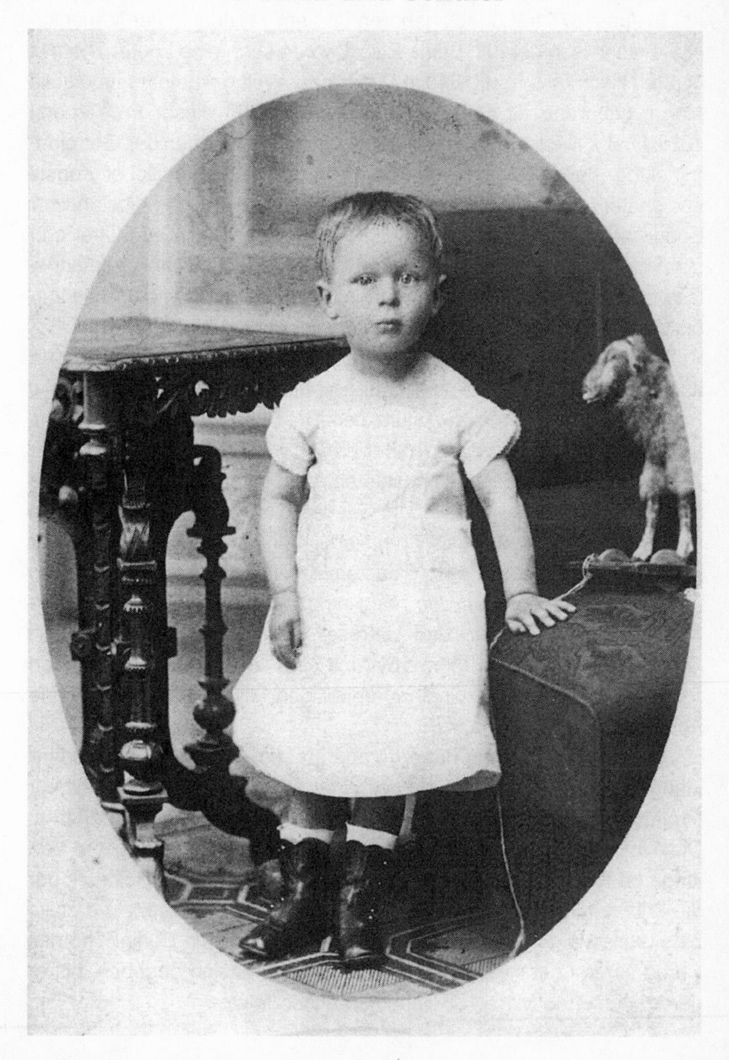

Lübeck, 1877

Chronik 1875–1894

Thomas Mann, oder, um genau zu sein, Paul Thomas Mann wurde am 6. Juni 1875 in Lübeck geboren und am 11. Juni in der Marienkirche evangelisch getauft. Seine Eltern waren sehr feine Leute: Thomas Johann Heinrich Mann, 1840 in Lübeck zur Welt gekommen, und Julia Mann, geborene da Silva-Bruhns, die das Licht dieser Erde zuerst 1851 in Brasilien erblickt hatte. Der Vater war Inhaber der Getreidehandlung „Johann Siegmund Mann“, ferner Niederländischer Konsul und später Steuersenator der Stadt Lübeck, die 1871 als selbständiger Bundesstaat dem Deutschen Reiche beigetreten war. Die Mutter entstammte einer wohlhabenden deutsch-brasilianischen Kaufmannsfamilie. Der ältere Bruder Heinrich wurde 1871 geboren, die nachgeborenen Geschwister Julia 1877, Carla 1881 und Viktor 1890.

Thomas Mann absolvierte, wie es in seinen Kreisen üblich war, anstelle der Volksschule oder Grundschule von Ostern 1882 an eine Privatschule, das Progymnasium des Dr. Bussenius, in dem sechs Klassen zu bestehen waren, außer drei Grundschulklassen die Sexta, Quinta und Quarta des Gymnasiums. In der Quarta blieb er das erste Mal sitzen und mußte das Jahr wiederholen. Er wechselte Ostern 1889 ins Gymnasium, das renommierte Katharineum in der Lübecker Königstraße. Er besuchte dort, da zum Kaufmann bestimmt, nicht den humanistischen, sondern den realgymnasialen Zweig. Nach Untertertia (zweimal), Obertertia und Untersekunda (zweimal) ging er, fast neunzehn Jahre alt, im März 1894 mit dem sogenannten Einjährigen (der Berechtigung zum einjährig-freiwilligen Militärdienst), aber ohne Abitur von der Schule ab.

Die Getreidehandlung hatte gerade erst (im Mai 1890) ihr hundertjähriges Bestehen gefeiert, als der Vater am 13. Oktober 1891 mit nur 51 Jahren starb. Er verfügte testamentarisch die Auflösung der Firma. Die Mutter verließ Lübeck wenige Monate später und zog mit den jüngeren Kindern Julia, Carla und Viktor nach München. Heinrich, der die Schule ebenfalls vor dem Abitur verlassen hatte, arbeitete damals bereits als Volontär beim jungen S. Fischer Verlag in Berlin. Thomas wurde vorerst bei verschiedenen Lehrern in Pension gegeben, bis er der Mutter Ende März 1894 nach München folgte.

Horoskop

Die Konstellation war glücklich; die Sonne stand im Zeichen der Jungfrau und kulminierte für den Tag; Jupiter und Venus blickten sie freundlich an, Merkur nicht widerwärtig; Saturn und Mars verhielten sich gleichgültig: nur der Mond, der soeben voll ward, übte die Kraft seines Gegenscheins um so mehr, als zugleich seine Planetenstunde eingetreten war. Er widersetzte sich daher meiner Geburt, die nicht eher erfolgen konnte, als bis diese Stunde vorübergegangen.

Lächelnd kokettiert Goethe am Anfang von *Dichtung und Wahrheit* mit dem Stand der Sterne zum Zeitpunkt seiner Geburt. Thomas Mann seinerseits blinzelt zu Goethe hinauf, wenn er von seiner Geburtsstunde behauptet:

Der Planetenstand war günstig, wie Adepten der Astrologie mir später oft versicherten, indem sie mir auf Grund meines Horoskops ein langes und glückliches Leben sowie einen sanften Tod verhießen.

Er ist sich zwar, wie sein Jaakob, nicht sicher, ob die Sternkunde zu den wahren und nützlichen Dingen zu zählen sei oder nicht eher zu den Greueln.[1] Aber er hat sich 1926 ein Horoskop stellen lassen.[2] Es ist richtig, daß der Planetenstand dort als günstig beschrieben wird, sofern die einflußreichsten Sterne im eigenen oder in befreundeten Zeichen stehen. Von langem Leben und sanftem Tod aber schwieg die astrologische Deutekunst. Thomas Mann hat hier ein bißchen nachgeholfen.

Auch als er das sternenkundige Gutachten in den Roman *Joseph und seine Brüder* hineinzauberte, nahm er nur, was er brauchen konnte, und ließ das Hinderliche weg. Der Stundenzeiger bei Josephs Geburt gibt eine idealisierte Version des eigenen Horoskops wieder. „Ich habe ihm mein eigenes zugeschrieben."[3]

Die Sonne stand demnach im Scheitel, was in Wirklichkeit nicht ganz zutraf, und im Zeichen der Zwillinge, während im Osten das Zeichen der Jungfrau heraufkam. Zu Ninurtu (Saturn) hatte sie einen Gedrittschein, was „ein Fingerzeig ist auf Anteil an den Geschehnissen in den Reichen der Erde".[4] Das sollte sich bewahrheiten. Vor allem aber steht Josephs, das heißt Tommys Geburt im Zeichen des Merkur (des babylonischen Nabu, des griechischen Hermes, des ägyptischen Thot), des geläufigen Mittlers und witzigen Schreibers, der zwischen den Dingen zum Guten redet und den Austausch fördert, der aber auch, schwächlich und anschlußbedürftig, erst durch die Gesellschaft näher bestimmt wird, in die er gerät. Es ist in unserem Falle die des gefährlichen Nergal (Mars), des Unheilstifters, der dem Hermeskind Härte gibt, und die der lockenden Ischtar (Venus), „deren Teil ist Maß und Anmut, Liebe und Gnade." Sie gipfelt um jene Stunde und sieht sich mit Merkur und dem Monde freundlich an. Auch steht sie im Stier, „und die Erfahrung lehrt, daß das Gelassenheit gebe und ausharrende Tapferkeit und den Verstand ergötzlich gestalte." Von Nergal empfängt allerdings auch Venus einen Gedrittschein, aber das ist nicht einmal schlecht, es bewirkt, daß sie nicht süßlich und fade schmeckt, sondern markant und gewürzt.

Zwischen Sonne und Mond spielt sich letzten Endes alles ab. Der Mond ist stark. Trifft zu ihm Nabu, der Gescheite, „so wird weit ausgegriffen in der Welt." Nabu ist der Mittler zwischen Sonne und Mond, zwischen der Vaterwelt, die im Zeichen des majestätischen Jupiter steht, und der Mutterwelt, die es mit Venus hält. Die Vaterwelt wird die der Pflicht und der Verantwortung und der bürgerlichen Gesellschaft sein, die Mutterwelt die des Traumes und der Verlockung, der Liebe und des Todes. Zwischen beiden wird Thomas Mann die Hermesrolle zu spielen versuchen.

Sonntagsglocken

Seine Geburt sei leicht und glücklich gewesen, wie die seiner Geschwister.[5] „Bei Sonntagsglocken wurde er geboren."[6] Irgendeiner Unlust, das Dunkel des Mutterschoßes mit dem hellen Tage zu vertauschen,[7] gedenkt der Dichter nicht. Es liegt ihm daran, sein Leben in einem gesegneten Licht erscheinen zu lassen. „Ich bin geboren am Sonntag den 6. Juni 1875 mittags zwölf Uhr", schreibt er 1936.[8]

Ein Sonntagskind war Thomas Mann, das stimmt. Es war aber nicht zwölf Uhr, als er den ersten Luftzug tat, sondern, wie man der standesamtlichen Beurkundung entnehmen kann,[9] ein Viertel nach zehn Uhr. Zur Mittagsstunde ist Goethe geboren (wenn er nicht seinerseits literarisch nachgeholfen hat): „Am 28sten August 1749, mittags mit dem Glockenschlage zwölf, kam ich in Frankfurt am Main auf die Welt."[10]

Die Neigung, seinem Leben einen „Lauf" zu geben, eine schöne und stimmige Ordnung, war stark bei Thomas Mann. Im *Lebensab-*

riß wird er aus Gründen der Zahlensymmetrie verkünden, er werde mit siebzig sterben[11] – eine schwere Lungenoperation 1946 deutet er später als notdürftige Erfüllung dieser Prophezeiung.[12] In *Meine Zeit*, geschrieben 1950, vertieft er den Rhythmus der Vierteljahrhunderte. 1875 geboren, 1900 *Buddenbrooks* fertig, 1925 *Der Zauberberg*. Das alles stimmt nur ungefähr, aber es tat gut, es so zu sehen. „Meine Zeit – sie war wechselvoll, aber mein Leben in ihr ist eine Einheit. Die Ordnung, in der es zahlenmäßig zu ihr steht, erregt mir das Wohlgefallen, das ich an aller Ordnung und Stimmigkeit finde."[13] Immer wird ihm an der Zeitmessung liegen. „Kindisches Vergnügen einen neuen Monat zu beginnen."[14] Lebenslang wird er Gedenktage und Einschnitte aller Art mit besonderer Aufmerksamkeit notieren. Sogar den Sonntag heiligte er auf seine Weise – nicht daß er das Arbeiten unterlassen hätte, aber er trug im Tagebuch die Datumszeile in rot ein.[15]

Er *wollte* sein Leben geordnet. Ein „in sich geschlossenes Lebenskunstwerk" sollte es sein.[16] In Wahrheit hat er einen verzweifelten Kampf gegen das andrängende Chaos geführt. Das innere Chaos drohte durch die Faulheit und Traumverlorenheit der frühen Jahre, die unausgelebten homoerotischen Neigungen und den Wunsch, sich gehen zu lassen. Das Chaos der äußeren Geschichte brachte 1894 den Verlust der Lübecker Herkunftswelt und 1933 den der Münchener Wahlheimat, dann die Wohnungswechsel im Exil, die erneute Heimatlosigkeit in den Vereinigten Staaten und noch im hohen Alter den Umzug in die Schweiz. Heute wollen touristisch interessierte Thomas Mann-Städte mit seinen Lebensspuren idyllische Klassikerpflege treiben, aber es ist nicht mehr viel da. Spät, sehr spät hat die Stadt Lübeck das sogenannte Buddenbrookhaus, das Haus der Großeltern in der Mengstraße gekauft. Die architektonischen Bleibsel dieses Lebens zeichnen in Wirklichkeit eine Katastrophenspur. Vom Buddenbrookhaus stand seit Mai 1942 nur noch die Fassade,[17] und die verschiedenen sonstigen Elternhäuser in Lübeck sind ganz vom Erdboden verschwunden. Von dem Münchener Haus in der Poschingerstraße gibt es nur noch die Grundmauern, auf denen ein Nachkriegsneubau errichtet wurde. Die amerikanischen Wohnstätten sind in privater, an Vergangenheiten nicht interessierter Hand. Das letzte Wohnhaus in Kilchberg bei Zürich hat 1996 ein Bankier gekauft.

Erst in den Tagebüchern des Alters hat das Sonntagskind die Beschönigungszensur gelockert. „War nicht das *ganze* Leben peinlich.

Es gab wohl selten ein solches Ineinander von Qual und Glanz." (20. September 1953)

Ob die Geburt wirklich so leicht und glücklich war?

Im Schatten der Marienkirche

Eine Niederkunft ist etwas Intimes und Privates, sie erfolgte, wie damals üblich, auch im Falle Thomas Manns zu Hause, wahrscheinlich Breite Straße 38. Eine Taufe hingegen ist etwas Öffentliches. Sie bedeutet die Aufnahme nicht nur in die Kirche, in diesem Fall die evangelisch-lutherische, sondern auch in die bürgerliche Gesellschaft, mit der diese Kirche allzu innig verquickt war. In Sankt Marien getauft werden: das war gesellschaftlich gesehen der beste Platz. Während die Lübecker im 19. Jahrhundert ihren Dom verfallen ließen, in ihrer Katharinenkirche Bauschutt lagerten und das noch vor dem Holstentor gelegene prächtige Renaissance-Stadttor abrissen, hielten sie der an Markt und Rathaus gelegenen Marienkirche die Treue.[18]

Im *Zauberberg* erzählt der alte Hans Lorenz Castorp seinem Enkel von der Taufschale, die schon seit Generationen das von den Köpfen der neugeborenen Castorps rinnende Taufwasser aufgenommen hatte – beziehungsweise der Manns, denn in diese Schale ist auch das Wasser vom Köpfchen des fünf Tage alten Thomas abgeflossen. Der Küster goß es dem Pastor in die hohle Hand, „und von da lief es über deinen Schopf hier in die Schale. Aber wir hatten es gewärmt, damit du nicht erschrecken und nicht weinen solltest, und das tatst du auch nicht, sondern im Gegenteil, du hattest vorher geschrien, so daß Bugenhagen es nicht leicht gehabt hatte mit seiner Rede, aber als das Wasser kam, da wurdest du still, und das war die Achtung vor dem heiligen Sakrament, wollen wir hoffen."[19] So mag es sich bei Thomas' Taufe auch zugetragen haben, wir nehmen es an. Bezeichnend freilich ist die schalkhafte Stilisierung der Szene durch den *Zauberberg*-Autor. Im Geschrei bei der Predigt läßt er bereits den Protest gegen die Bürgerkirche und ihre Rhetorik durchblicken, in der Stille beim Taufwasser die Ehrfurcht vor einem unbestimmbar Höheren.

Die Marienkirche ist nicht nur ein Raum des 19. Jahrhunderts. Um ein halbes Jahrtausend ältere, mächtigere Erfahrungen füllen ihre hallende Weite. Sie gehört zu den Orten, „an denen man, den Hut in der Hand, in eine gewisse, ehrerbietig vorwärts wiegende Gangart, ohne Benutzung der Stiefelabsätze verfällt." Sie vermittelt ein Doppeltes: die bürgerliche Fassade und ihr Gegenteil, die Stimmung des Todes. Seine Vaterstadt nennt Mann 1921 „Totentanz-Heimat",[20] mit Bezug auf „die humoristisch-makabren Schauer, die von der Totentanzmalerei in der Marienkirche ausgingen",[21] jenem spätmittelalterlichen Zyklus von Bernt Notke, der im Zweiten Weltkrieg verbrannte.

Als Thomas Mann in Kalifornien vom Fliegerangriff auf Lübeck hörte und annehmen mußte, daß die Marienkirche Schaden gelitten haben könnte, hatte er nicht viel Mitleid. „Ich denke an Coventry", sagte er in einer BBC-Sendung, „und habe nichts einzuwenden gegen die Lehre, daß alles bezahlt werden muß".[22] Das zielt auf das bürgerliche, das nationalsozialistische, das schuldig gewordene Lübeck. Als es aber nach dem Krieg um Rettung und Wiederaufbau der Marienkirche geht, müht er sich redlich mit Versuchen ab, die nötigen Mittel zusammenzubekommen.[23] Er tut das nicht für die Lübecker Bürger, sondern um der wiegenden Gangart willen. Sankt Marien, so bürgerlich wie geheimnisvoll, Ort der Taufe und des Todes, beschattete außerdem einen Kindheitstraum, das Buddenbrookhaus in der Mengstraße.

Blitz und Donner

Mit „Amen, ich weiß was, Großvater!" beschließt die achtjährige Tony Buddenbrook das Aufsagen der auswendig gelernten Katechismusverse. Was weiß sie?

„Wenn es ein warmer Schlag ist", sprach Tony und nickte bei jedem Wort mit dem Kopfe, „so schlägt der Blitz ein. Wenn es aber ein kalter Schlag ist, so schlägt der Donner ein!"[24]

Als der alte Herr Buddenbrook zu wissen verlangt, wer dem Kinde diese Stupidität beigebracht habe, ergibt sich, daß es Ida Jungmann war, die kürzlich für die Kleinen engagierte Mamsell aus Marienwerder in Westpreußen. Kinderfräulein gab es natürlich nicht nur im Hause Buddenbrook, sondern ebenso im Hause Mann. Sie waren sehr einflußreich. Bis zu Tommys dreizehntem oder vierzehntem Jahr war es Ida Springer, die offenkundig das Modell für Ida Jungmann abgegeben hat.[25] Auch sie wird jenes feine Gespür für Rang und Stand gehabt haben, das in *Buddenbrooks* ironisch charakterisiert wird:[26]

Sie war eine Person von aristokratischen Grundsätzen, die haarscharf zwischen ersten und zweiten Kreisen, zwischen Mittelstand und geringerem Mittelstand unterschied, sie war stolz darauf, als ergebene Dienerin den ersten Kreisen anzugehören, und sah es ungern, wenn Tony sich etwa mit einer Schulkameradin befreundete, die nach Mamsell Jungmanns Schätzung nur dem guten Mittelstande zuzurechnen war ...

Als älterer Bruder mit drei jüngeren Geschwistern erlebt man die eigene Erziehung noch dreimal mit, nämlich wenn sie den anderen widerfährt. Auf diese Weise wird bewußt, was dem Einzelkind oder dem letzten Kind in der Reihe unbewußt bleiben muß, weil sie keinen Abstand dazu haben. Nur das Erkannte kann zur Erzählung werden. Tommy ist nicht Tony; nicht er hat an den einschlagenden Donner geglaubt, aber er hat entweder distanziert beobachtet, wie das Geschichtchen die jüngeren Geschwister beeindruckte, oder er hat sich schon früh am gutmütigen Spott der Erwachsenen über Ida Springer beteiligt. Szenen dieser Art gehören irgendwann zu einem Schatz von Familienlegenden, bei denen der ursprüngliche Erlebniskern immer mehr hinter einer anekdotischen Pointierung verschwindet, die bereits etwas Literarisches hat.

Vom Erfinden hielt Thomas Mann nichts. Er meint sich selbst, wenn er über Shakespeare schreibt: „Er fand viel lieber, als daß er erfand."[27] So dürfen wir annehmen, daß auch diese kleine Szene nicht ausgedacht ist, sondern erlebt, daß sie der Kindheitswelt Thomas Manns entstammt, daß er sie aber schon in einer halb literarisierten Form, als Familienanekdote, überliefert erhielt oder sogar am Prozeß dieser Stilisierung mitwirkte. Auch der ältere Bruder Heinrich kann dabei eine Rolle gespielt haben. Er hatte ein Ohr für solche Schnurren. Als Ältester und auch von seinem Wesen her Entrücktester hatte er den freiesten Blick. Die satirische Optik war Heinrichs Talent; das färbte auf den Bruder ab. Die elegische und die idyllische hingegen waren dessen Eigenes und seiner konservativeren Grundstimmung auf die Dauer gemäßer.

Satire, Elegie und Idylle sind, so Friedrich Schiller mit energischem Willen zur Unterscheidung, Formen, die durch die Suche nach einem Verlorenen und damit durch reflexive Distanz gekennzeichnet sind.[28] Diese Distanz verliert Thomas Mann keinen Augenblick. Als Erzähler seiner Kindheit ist er nie kindlich. Im dichterischen und essayistischen Werk unseres Autors läßt sich sehr vieles über seine Kindheit finden, aber es ist so gut wie immer literarisch gefiltert, hat mindestens erste Bearbeitungsstufen hinter sich, ist erzähl- und gesellschaftsfähig gemacht. Es ist in der Regel satirisch, elegisch oder idyllisch überformt.

Am nächsten kommt man der ungefilterten Wahrheit in den Tagebüchern. Aber als Kind pflegt man keine zu führen. Wann Tommy damit begann, ist nicht klar auszumachen; wohl spätestens mit dreizehn oder vierzehn.[29] Die Aufzeichnungen aus seiner Jugendzeit hat er schon früh aus dem Weg geschafft. „Ich habe es dieser Tage bei mir ganz besonders warm", schreibt er am 17. Februar 1896 an seinen Jugendfreund Otto Grautoff. „Ich verbrenne nämlich meine sämmtlichen Tagebücher –!" Warum? „Es wurde mir peinlich und unbequem, eine solche Masse von geheimen – *sehr* geheimen – Schriften liegen zu haben." Diese Geheimnisse werden sich allerdings erst auf die Jugend- und Jünglingsjahre, nicht auf die Kindheit bezogen haben, weshalb von ihnen erst später die Rede sein soll.

Othellos

Mohrenköpfe hießen damals gebildeterweise, nach Shakespeares Mohrendrama, „Othellos". Der Vater muß ein Mann mit Niveau gewesen sein. An sehr versteckter Stelle[30] erzählt Thomas Mann von einem gewagten pädagogischen Experiment,

das unser Vater einst mit uns Geschwistern anstellte: Er sicherte uns zu, einmal im Leben sollten wir beim Konditor ganz so viel Crèmeschnitten, Othellos und Schaumrollen essen dürfen, wie wir nur wollten. Er führte uns ins duftende Paradies, ließ den Traum Wahrheit werden, – und wir hatten uns zu wundern, wie rasch wir mit unserer unendlich geglaubten Begierde zu Rande waren.

Offensichtlich wollte dieser Vater seinen Kindern nicht einfach irgendwelche Grundsätze überstülpen, sondern diese sich aus eigener Erfahrung bilden lassen. Er hatte damit, vordergründig betrachtet, Erfolg, jedenfalls bei seinem Sohn Thomas, der bei aller Liebe zu Süßigkeiten sein Leben lang maßvoll war im Essen wie im Trinken. In meiner Jugendzeit, so erzählt er als alter Mann, „waren fünf Gänge üblich. Nach dem ersten pflegte ich in einen Nebenraum zu gehen und mich auf ein Sofa zu legen und zu schlafen; der Kellner hatte Weisung, mich zum Pudding zu wecken ..."[31]

Allerdings durchschaute bereits der Knabe den Zweck des großen

Mohrenkopfessens. „Wir *hatten* uns zu wundern“, schreibt Thomas Mann – das Wundern war Pflicht. Der Vater hat sich anscheinend doch nicht enthalten können, seinen Kindern die pädagogisch erwünschte Empfindung vorzuschreiben. Der Junge hat sich das gemerkt. Niemals durfte man in dieser Bürgerwelt mit seiner *wirklichen* Empfindung nach außen treten. Stets gab es statt dessen eine erwünschte Empfindung, die nach außen dringen durfte und sollte. Daß seine Kinder es lernten, die erwartete Rolle zu spielen, war dem Senator Thomas Johann Heinrich Mann am Ende doch wichtiger, als daß sie ihren eigenen Erfahrungen trauten und sie zum Ausdruck brachten. Die eigene Erfahrung, die am Ende dabei heraussprang, das war aber gar nicht jenes Wundern, nicht der Widerwille gegen Süßigkeiten im Übermaß (den ein aufgewecktes Kind auch ohne solche Experimente kennt), sondern die Ironie gegen die verhältnismäßig plumpe Versuchsanordnung.

So war der Vater wohl ein Mann mit Niveau, aber dieses Niveau bezog sich nicht auf die Befreiung des Ichs zu eigener Erfahrung, sondern nur auf die Perfektionierung des Rollenspiels. Die Grundsätze seiner Kinder sollten so aussehen, als stammten sie aus eigener Erfahrung. Ihre Masken sollten glaubwürdiger sein als die Masken der anderen. Sie sollten an ihrem Gesicht festwachsen. Daß einer dem ganzen Erziehungsvorgang gegenüber ironische Skepsis behaupten und hinter die Kulisse blicken würde, war nicht vorgesehen. Die Masken sollten als Natur erscheinen, das war (und ist) der Sinn der bürgerlichen Erziehung. Sie erzielte bei Thomas Mann nur einen Teilerfolg, sofern er zwar sein Leben lang nicht aus der Rolle fiel, aber auch sein Leben lang unter ihr litt.

Bleisoldaten und Götterspiel

Als Kind besaß Tommy eine bis in die Einzelheit vorschriftsmäßige blaue Husarenuniform, die ihm eigens vom Schneider angemessen worden war. Er habe aber kein Gefallen an der militärischen Maskerade gehabt, schreibt der Neunundzwanzigjährige später,[32]

und auch mit Bleisoldaten habe ich ohne rechte Leidenschaft gespielt, obgleich ich sehr prächtige, fast fingerlange mein eigen nannte, Berittene, die absitzen konnten, wobei mich nur der dicke Zapfen störte, den sie zwischen den O-Beinen trugen.

Er hatte, als er das schrieb, seine wegen Untauglichkeit vorzeitig beendete Wehrdienstzeit bereits hinter sich. Sie war abstoßend gewesen – „Geschrei, Zeitvergeudung und eiserne Schmuckheit quälten mich über die Maßen."[33] Er mochte also Grund haben, seine Verachtung des Militärs schon in die Kindheit zurückzuverlegen und das Soldatenspielen durch dicke Zapfen zwischen den O-Beinen zu karikieren. Die Eltern und Verwandten aber haben ihm Husarenuniform und Bleisoldaten jedenfalls mit staatserhaltenden Absichten geschenkt. Ein tapferer Mann sollte doch wohl aus dem Jungen werden.

Aber Thomas war ein träumerisches Kind. Zärtlich liebte er sein Schaukelpferd; es hatte das kindlich-rauhe Fell eines Fuchs-Ponys und „die treuherzigsten Glasaugen der Welt".[34] Viel mehr noch bedeutete ihm das Puppentheater, das eigentlich seinem Bruder Heinrich gehörte. Am allermeisten aber liebte er Rollenspiele.

Ich erwachte zum Beispiel eines Morgens mit dem Entschluß, heute ein achtzehnjähriger Prinz namens Karl zu sein. Ich kleidete mich in eine gewisse liebenswürdige Hoheit und ging umher, stolz und glücklich mit dem Geheimnis meiner Würde. Man konnte Unterricht haben, spazierengeführt werden oder sich Märchen vorlesen lassen, ohne daß dieses Spiel einen Augenblick unterbrochen zu werden brauchte; und das war das Praktische daran.

Kaum verändert baut Thomas Mann dieses Spiel später in die Lebensgeschichte des Hochstaplers Felix Krull ein. Auch das Puppentheater wird aus dem Leben in die Kunst übertragen, erst in die Erzählung *Der Bajazzo*, dann ins Weihnachtskapitel von *Buddenbrooks*.

„Man ist reich bei Ihnen zu Hause", sagt Settembrini zu Hans Castorp im *Zauberberg.*[35] Man *war* reich im Hause Mann wie im Hause Castorp und im Hause Buddenbrook. Was man sich gewünscht hatte, „das bekam man ohne Frage".[36] Dabei brauchte der Junge den Plunder kaum, denn er erfand sich, was er nötig hatte.

Der Tonfall der Idylle stellt sich ein, wenn der Dichter auf seine Kinderspiele zu sprechen kommt. Das „Götterspiel" insbesondere zeigt ihn als unumschränkten Herrscher einer Phantasiewelt. Eine solche Rolle tut natürlich gut. Sie tröstet noch den von der rauhen Wirklichkeit gebeutelten Erwachsenen, der sich aus sentimentalischer Entfernung an seine damalige Göttlichkeit halb komisch, halb wehmütig erinnert:[37]

Ich hüpfte als Hermes mit papiernen Flügelschuhen durch die Zimmer, ich balancierte als Helios eine glanzgoldene Strahlenkrone auf dem ambrosischen Haupt, ich schleifte als Achilleus meine Schwester, die wohl oder übel den Hektor darstellte, unerbittlich dreimal um die Mauern von Ilion. Aber als Zeus stand ich auf einem kleinen, rotlackierten Tisch, der mir als Götterburg diente, und vergebens türmten die Titanen den Pelion auf den Ossa, so gräßlich blitzte ich mit einer roten Pferdeleine, die obendrein mit Glöckchen benäht war …

Auch eine Eisenbahn hatte man ihm übrigens geschenkt. Für Technik konnte Tommy aber lebenslang kein Interesse aufbringen. Daß sie „aufs interessanteste verunglückten", ist die einzige Nachricht, die er von seinen Zügen überliefert hat.[38] Ebensowenig hielt er vom Indianerspiel.[39] Es wird also wohl, vom Standpunkt des Vaters aus gesehen, am Mannesmut gefehlt haben. Daß „die beständige weibliche Obhut, unter welcher der Junge stand, nicht eben geeignet war, die Eigenschaften der Männlichkeit in ihm anzureizen und zu entwickeln", betrübt denn auch Senator Buddenbrook im Falle seines Sohnes Hanno.[40]

Euer Wohlweisheit und Lübecks schönste Frau

„Meine Kindheit war gehegt und glücklich."[41] Wir sind, obgleich alle bisher erwähnten Überlieferungen den Stempel späterer literarischer Überformung tragen, eigentlich nicht berechtigt, diese Aussage zu bezweifeln, denn Berichte über unglückliche Kindheitserlebnisse liegen nicht vor. Vater und Mutter wurden geliebt und geachtet. Der satirische Blickwinkel, aus dem die übrigen Lübecker Bürger gemustert werden, spart sie aus. Um sein Verhältnis zu den Eltern zu charakterisieren, verwendet Thomas gerne[42] den bekannten Vers aus Goethes *Zahmen Xenien:*

Vom Vater hab ich die Statur,
Des Lebens ernstes Führen,
Vom Mütterchen die Frohnatur,
Und Lust, zu fabulieren.

Wieder ist ein gut Teil Stilisierung und neckische Goethe-Imitation beteiligt, aber es ist doch auch etwas Wahres daran. Der Rückblick

Thomas Johann Heinrich Mann, um 1875

aus späten Tagen kennt den Vater nur als lebenslanges Beispiel. „Wie oft im Leben habe ich mit Lächeln festgestellt, mich geradezu dabei *ertappt*, daß doch eigentlich die Persönlichkeit meines verstorbenen Vaters es sei, die als geheimes Vorbild mein Tun und Lassen bestimmte."[43] Was war das Vorbildliche? Nicht wenig: des Vaters Würde und Gescheitheit, sein Ehrgeiz und Fleiß, seine persönliche und geistige Eleganz, die Bonhomie, „mit der er das platte Volk zu nehmen wußte, das ihm in noch ganz echt patriarchalischer Weise anhing". Thomas Mann nennt auch des Vaters gesellschaftliche Gaben und seinen Humor. „Er war kein einfacher Mann mehr, nicht robust, sondern nervös und leidensfähig, aber ein Mann der Selbstbeherrschung und des Erfolges, der es früh zu Ansehen und Ehren brachte in der Welt". Die soziale Stellung des Vaters muß dem Jungen mächtig imponiert haben – zumindest nachträglich. Kein Wunder, denn nicht jedes Kind erlebt solche Szenen:[44]

Noch sehe ich ihn, den Zylinder lüftend, zwischen den präsentierenden Infanterie-Wachtposten vorm Rathaus hindurchgehen, wenn er eine Senatssitzung verließ, sehe ihn mit eleganter Ironie den Respekt seiner Mitbürger entgegennehmen und habe nie die umfassende Trauer vergessen, mit der, als ich fünfzehn Jahre alt war, seine Stadt, die ganze Stadt, ihn zu Grabe brachte.

Als Senator wurde er mit „Euer Wohlweisheit" angeredet. Vielleicht war Thomas Johann Heinrich Mann sogar der eigentliche Regent der Stadt, „denn er verwaltete die Abgaben".[45]

Ludwig Ewers hielt sie für Lübecks schönste Frau:[46] Julia Mann, geborene da Silva-Bruhns. Seine Mutter sei „außerordentlich schön" gewesen, bestätigt Thomas Mann 1930, „mit dem Elfenbeinteint des Südens, einer edelgeschnittenen Nase und dem reizendsten Munde, der mir vorgekommen".[47] Sie spielte Klavier, sang wie eine Glocke und las viel vor, mit melodischer Stimme. Deutschbrasilianerin, im Urwald geboren, katholisch erzogen, fiel sie auf im nebelkühlen Lübeck. Wenn sie erzählte, wie sie bei den lustigen Negern am roten Feuer saß und gebratenes Zuckerrohr lutschte,[48] weitete Sehnsucht die Herzen ihrer Kinder. Von ihr kamen Ferne, Märchen und Musik. Sie förderte die träumerischen Neigungen ihres Zweitgeborenen, und er meinte, sie liebe ihn ganz besonders. „Ich glaube, daß ich, der Zweite, ihrem Herzen am nächsten war."[49]

So viel aus der idyllischen Perspektive. Kühleres hat Thomas Mann der amerikanischen Freundin Agnes E. Meyer anvertraut.[50] „Papa" war demzufolge „eine ziemlich entrückte, auch gefürchtete, ungeheuer beschäftigte Respektsperson." Mama war zwar vertrauter und inniger gewesen, aber zugleich auch eigentümlich kalt. Die Schönheit und die Kälte hat Thomas Mann der Mutter des Thronfolgers in *Königliche Hoheit* mitgegeben. Prinz Klaus Heinrich hat eine verkrüppelte Hand, von der es heißt, daß Mama ihn anhielt, sie auf geschickte Art zu verbergen, „ihn anhielt, gerade dann, wenn er aus zärtlichem Antriebe sie mit beiden Armen umschlingen woll-

Julia Mann, geborene da Silva-Bruhns, um 1875

te. Ihr Blick war kalt, wenn sie ihn aufforderte, auf seine Hand zu achten.“[51]

Solange ihr Mann lebte, hat sie sich an die gesellschaftlichen Normen des Stadtpatriziats gehalten und sie sicher auch häufig gegenüber den Kindern durchgesetzt. Erst nach des Senators Tod zeigte sich, daß sie nie ganz nach Lübeck gepaßt hatte. Es gab in ihr auch andere Interessen. „Unterströmungen von Neigungen zum ‘Süden’, zur Kunst, ja zur Bohème waren offenbar immer vorhanden gewesen und schlugen nach dem Tode ihres Mannes und der Aenderung der

Verhältnisse durch, was die prompte Übersiedlung nach München erklärt."[52] Dort macht sie sogar beim Fasching mit – „was man in Lübeck gewiß mit Grausen vernehmen würde."[53]

Des Senators Vertrauen in die Zuverlässigkeit seiner Ehefrau scheint denn auch nicht hundertprozentig gewesen zu sein. Aus dem Testament spricht die Furcht, daß Julia zu schwach sein könnte. „Allen Kindern gegenüber", so verfügt er, „möge meine Frau sich fest zeigen und alle immer in Abhängigkeit halten. Wenn sie je wankend würde, so lese sie König Lear –".[54] König Lear in Shakespeares Drama überschreibt seinen Besitz seinen Töchtern noch zu Lebzeiten, woraufhin diese ihn als Bettler behandeln.

In seinen literarischen Mutterporträts hat Thomas Mann die fragwürdigen Züge beträchtlich verstärkt. Ob Frau von Rinnlingen, die die Männerwelt berückt,[55] ob Gerda Arnoldsen-Buddenbrook mit ihrem schwarzäugigen Leutnant,[56] ob die Großherzogin, die auf nichts als ihre Schönheit bedacht ist,[57] ob Senatorin Rodde mit ihrer unerschöpften, nie recht befriedigten Lebenslust, ihrem girrenden Lachen und der leicht lüsternen Halb-Bohème ihres Salons[58] – an der Sittsamkeit des Lebenswandels der Muttergestalten werden stets unbestimmte Zweifel genährt. Sie rühren aus der unduldsamen Empfindlichkeit von erwachsenen Kindern gegen jede Abweichung des Lebenswandels der Mutter von Würde und Reinheit, die Thomas Mann noch in der späten Erzählung *Die Betrogene* zum Ausdruck bringt.[59]

So sehr Thomas als Kind die vermeintliche Bevorzugung durch die Mutter genoß, so sehr schlug später doch das vom Vater überlieferte Verantwortungsgefühl durch – in einem Grade, daß er der Mutter wegen ihrer Neigungen zum Süden, zur Kunst und zur Bohème sogar leise Vorwürfe macht. Er selbst wird sich ja vom lockeren Künstlerleben à la Schwabing bewußt abwenden. „Süden" wird später, in der Erzählung *Tonio Kröger*, eine Chiffre für Künstlertum, Libertinage und Verantwortungslosigkeit sein, „Norden" hingegen für Vaterschaft und Pflichtgefühl.

Doch haben wir gute Gründe, das für Literatur und spätere Wertung zu halten. Eine alternde Mutter hat schlechte Karten gegen einen früh Verstorbenen, erinnernd Verklärten. Im wirklichen Kindheitserleben waren die Verhältnisse doch eher umgekehrt. Die Mutter wurde geliebt, der Vater gefürchtet. Der Fünfzehnjährige war dem Vater „mit furchtsamer Zärtlichkeit"[60] zugetan. Sicher hat es für diese Furcht Gründe genug gegeben, spätestens seit der Schulzeit, als

Tommys Widerspenstigkeit offenkundig geworden war. In *Buddenbrooks* werden traumatisierende Zusammenstöße von Vater und Sohn geschildert. Hanno soll ein Gedicht aufsagen – eine seelische Katastrophe entsteht daraus:[61]

„Nun, mein Sohn, laß hören", sagte der Senator kurz. Er hatte sich in einen Lehnsessel am Tische niedergelassen und wartete. Er lächelte durchaus nicht – heute so wenig wie sonst bei ähnlichen Gelegenheiten. Ernst, die eine Braue emporgezogen, maß er die Gestalt des kleinen Johann mit prüfendem, ja sogar kaltem Blick.

Hanno richtete sich auf. Er strich mit der Hand über das glattpolierte Holz des Flügels, ließ einen scheuen Rundblick über die Anwesenden hingleiten, und ein wenig ermutigt durch die Milde, die ihm aus den Augen Großmamas und Tante Tony's entgegenleuchtete, sagte er mit leiser, ein wenig harter Stimme: „'Schäfers Sonntagslied' … Von Uhland."

„Oh, mein Lieber, das ist nichts!" rief der Senator. „Man hängt nicht dort am Klavier und faltet die Hände auf dem Bauche … Frei stehen! Frei sprechen! Das ist das erste. Hier stelle dich mal zwischen die Portieren! Und nun den Kopf hoch … und die Arme ruhig hängen lassen …"

Hanno stellte sich auf die Schwelle zum Wohnzimmer und ließ die Arme hängen. Gehorsam erhob er den Kopf, aber die Wimpern hielt er so tief gesenkt, daß nichts von seinen Augen zu sehen war. Wahrscheinlich schwammen schon Tränen darin.

„Das ist der Tag des Herrn", sagte er ganz leise, und desto stärker klang die Stimme seines Vaters, die ihn unterbrach: „Einen Vortrag beginnt man mit einer Verbeugung, mein Sohn! Und dann viel lauter. Noch einmal, bitte! 'Schäfers Sonntagslied' …"

Das war grausam, und der Senator wußte wohl, daß er dem Kinde damit den letzten Rest von Haltung und Widerstandskraft raubte. Aber der Junge sollte ihn sich nicht rauben lassen! Er sollte sich nicht beirren lassen! Er sollte Festigkeit und Männlichkeit gewinnen … „'Schäfers Sonntagslied'! …" wiederholte er unerbittlich und aufmunternd …

Aber mit Hanno war es zu Ende. Sein Kopf hing tief auf der Brust, und seine kleine Rechte, die blaß und mit bläulichen Pulsadern aus dem unten ganz engen, dunkelblauen, mit einem Anker bestickten Matrosenärmel hervorsah, zerrte krampfhaft an dem Brokatstoff der Portiere. „Ich bin allein auf weiter Flur", sagte er noch, und dann war es endgültig aus. Die Stimmung des Verses ging mit ihm durch. Ein übergewaltiges Mitleid mit sich selbst machte, daß die Stimme ihm ganz und gar versagte und daß die Tränen unwiderstehlich unter den Lidern hervorquollen.

Thomas Mann war nicht ganz so weichlich wie seine Romanfigur. Er starb ja auch nicht mit fünfzehn. Aber auch wenn sich diese Szene im wirklichen Leben nicht genauso abgespielt haben wird, deutet sie doch an, worum es ging. Thomas war dem Vater nicht männlich genug. Die Husarenuniform und die Bleisoldaten mögen Versuche gewesen sein, etwas dagegen zu tun.

Daß der Junge das insgeheim billigte, zeigt seine spätere Entwicklung. Er entfernt sich von der Mutterwelt, weil er sie, wie Tonio Kröger, als ein wenig liederlich empfindet. Wahrscheinlich tat er seiner Mutter damit bitteres Unrecht, denn nicht in ihr lag das Problem, sondern in ihm, nicht sie war liederlich, sondern er hatte Angst vor dem eigenen inneren Chaos. Die Billigung der Vaterwelt konnte deshalb den Konflikt nicht aus der Welt schaffen. Die Vaternachfolge bestimmt zwar seine gesellschaftliche Erscheinung, aber mehr auch nicht. Er spielt die Rolle, die der Vater ihm vorgelebt hat, aber er trägt sie wie eine Maske. Sein Herz ist bei der Mutter, während er sich sein Leben lang ordentlich anzieht.

Ein „Mann" zu werden wie der Vater war das Lebensziel. „Ist der Künstler überhaupt ein Mann?" Das fragt Tonio Kröger[62] – nicht ohne das Mütterliche geschickt zu vereinnahmen. Das Weichliche und Träumerische, was dem Mannsein entgegensteht, muß in den Dienst des Künstlertums als Beruf gezwungen werden. Es wird mit geballter Faust gebändigt und in den Keller der Seele verdrängt. Dort sitzen, an die Ruderbänke gefesselt, die sehnsüchtigen Sklaven, die, lebenslänglich demselben dumpfen Takte folgend, die Galeere des Werkes in Fahrt halten.

Wie dem Mütterlichen (der Lust zu „fabulieren") das dichterische Werk entspricht, so dem Väterlichen das essayistische Werk („des Lebens ernstes Führen"). Es war männliche Lebenspflicht, dem Fabulieren durch etwas Pflichtbewußtes Paroli zu bieten, das sich der Forderung des Tages stellte. Den kämpferischen Antifaschisten Thomas Mann, der sich nicht schweigend und träumend ins traute Heim der inneren Emigration zurückzieht, verdanken wir dem Vater. So mag man von Verdrängung des Mütterlichen reden, aber kommt je etwas Großes ohne Verdrängung zustande?

„Meine Kindheit war gehegt und glücklich" – das heißt zunächst nur, daß Thomas Mann es 1930 so sehen wollte. Es heißt, daß er die Leiden dieser Kindheit von späterer Warte aus für sinnvoll hielt. Denn natürlich hat er gelitten wie jeder von uns, wollte er die Geborgenheit der Ammen-, der Kinderfrauen- und der Mütterwelt nicht preisgeben, opponierte er dem väterlichen Leistungsdruck und widerstand der Einfügung in die Männerwelt. Zum Glück hatte der Vater keine Begabung zum Tyrannen. Seine Versuche, sich durchzusetzen, wurden von heimlicher Melancholie und eigener Weichlichkeit hintertrieben. Er wollte zunächst Heinrich, dann Thomas zum Erben der Firma erziehen. Aber er war dann einsichtig genug, in seinem Testament die Auflösung der Firma anzuordnen. Weder Heinrich noch Thomas traute er ihre Leitung zu. Heinrich bescheinigt er testamentarisch „träumerisches Sichgehenlassen und Rücksichtslosigkeit gegen andere".[63] Von Thomas hielt er mehr. „Tommi wird um mich weinen." Doch der so Eingestufte weiß, daß er damals das Vertrauen nicht verdiente. „Ich war ein leichtsinniger Junge, als ich meinen Vater verlor."[64] Daß aus seinem zweiten Sohn auch einmal, wenn auch auf ganz anderen Wegen, ein Senator werden sollte, wenn auch nur ehrenhalber[65] – der Vater hätte es nicht gedacht, aber es hätte ihn gefreut. Noch als Achtzigjähriger will Thomas Mann ihm gefallen, wünscht er sich, „er hätte wenigstens meinen Weg noch etwas weiter verfolgen und sehen können, daß ich mich eben doch, gegen alles Erwarten, auf meine Art als sein Sohn, sein echter erweisen konnte."[66] Er wollte im hohen Alter unbedingt noch einmal nach Lübeck.[67] Warum? Um Vatergeist zu atmen. Tochter Erika riet damals von der Reise ab. Ihr Vater weiß zwar, was eine so schöne Lebenskrönung kostet, ahnt die Umständlichkeit und Peinlichkeit der zu erwartenden Begegnungen, aber den Ausschlag geben sentimentale Regungen, nämlich „der Gedanke an 'Papa' u. ein Gefühl für biographische Rundung". Sein Leben sollte doch ein Kunstwerk sein! „Papa" sollte doch recht behalten gegen die „liederliche" Mama!

Bett und Schlaf, elegisch

Als Kleinkind schlief Tommy in einem Gitterbettchen mit grüner Gardine.[68] Geboren wurde er in einer gewichtigen Mahagoni-Lagerstätte, die dann auch eine Reihe von Jahren in seinen Junggesellenquartieren aufgeschlagen stand. Eines davon (Marktstraße 5 in

Schwabing) verewigt er spaßeshalber 1898 in der Erzählung *Der Kleiderschrank*. „Dieses Zimmer war erbärmlich kahl, mit nackten, weißen Wänden, von denen sich drei hellrot lackierte Rohrstühle abhoben wie Erdbeeren von Schlagsahne. Ein Kleiderschrank, eine Waschkommode nebst Spiegel ... Das Bett, ein außerordentlich mächtiges Mahagonimöbel, stand frei in der Mitte des Raumes.“[69]

Der Wunsch und die Lust, in dem Bett zu schlafen, in dem man geboren wurde, verrät jene Rückneigung ins Kindliche, die der Aufsatz *Süßer Schlaf!* so begehrlich schildert. Thomas Mann schlief gerne. Der Schlaf ist die mütterliche Gegenmacht zur väterlichen Tageswelt der Pflichten und Geschäfte. Das Bett ist der Ort der Träume und des Dichtens. „Le poète travaille“ soll über dem Bett des symbolistischen Dichters Saint-Pol-Roux gestanden haben. Das Bett ist der gegenbürgerliche Ort der Philosophie, der Religion und der Kunst. Das Bett, „dies metaphysische Möbelstück, in dem die Mysterien der Geburt und des Todes sich vollziehen“, ist der Ort der Heimkehr aus der Verzweiflung in jenen eigentlichen und glücklichen Zustand, „worin wir, warm, unbewußt und mit emporgezogenen Knien wie einst im Dunkel des Mutterleibes, wieder angeschlossen gleichsam an den Nabelstrang der Natur, Nahrung und Erneuerung an uns ziehen auf geheimnisvollen Wegen ...“

Der alternde Thomas Mann schlief schlecht. Oft nahm er Tabletten. Als Baby aber will er, wie sein Felix Krull,[70] ein ruhiges Kind gewesen sein, „kein Schreihals und Störenfried, sondern dem Schlummer und Halbschlummer in einem den Wärterinnen bequemen Grade zugetan“. Den Schlaf und das Vergessen habe er geliebt schon zu einer Zeit, da er noch kaum etwas zu vergessen hatte. Als die Pflichtenwelt in die Schlummerherrlichkeit eindringen will, schlägt er sich ohne Zögern auf die Seite des Mutterdunkels. Die rechte Inbrunst sei in seinen Schlaf erst gekommen, „als das erste Lebensalter der Freiheit und Unantastbarkeit vorüber war und die Widrigkeit des Lebens in Gestalt der Schule meinen Tag zu entstellen begann.“

Die Schule ist Vaterwelt, Pflicht, „Wirklichkeit“, der erste Einbruch jenes Grauens der Verstoßung aus dem Paradies, das in nie zu verwindenden Schocks immer wiederkommt, vor denen nur der Schlaf flüchtigen Schutz gewährt. „Nie schlafe ich tiefer, nie halte ich süßere Heimkehr in den Schoß der Nacht, als wenn ich unglücklich bin, wenn meine Arbeit mißlingt, Verzweiflung mich niederdrückt, Menschenekel mich ins Dunkel scheucht ...“

Strecken, Kürzen, Verderben

Den „Lehrkörper" imaginieren Hanno Buddenbrook und sein Freund Kai als wirklich vorhandenes Geschöpf, „eine Art Ungeheuer von widerlicher und phantastischer Gestaltung".[71] Der Tonfall des Schulkapitels ist satirisch. Nach allen Regeln der Kunst zieht der Romancier die Lehrer durch den Kakao.

Er nahm sein Notizbuch zur Hand und blätterte schweigend darin; da aber die Ruhe in der Klasse vieles zu wünschen übrigließ, erhob er den Kopf, streckte den Arm auf der Pultplatte aus und bewegte, während sein Gesicht langsam so dunkelrot anschwoll, daß sein Bart hellgelb erschien, seine schwache und weiße Faust ein paarmal kraftlos auf und nieder, wobei seine Lippen eine halbe Minute lang krampfhaft und fruchtlos arbeiteten, um schließlich nichts herauszubringen als ein gepreßtes und ächzendes 'Nun …'. Dann rang er noch eine Weile nach ferneren Ausdrücken des Tadels, wandte sich schließlich wieder seinem Notizbuch zu, schwoll ab und gab sich zufrieden. Dies war so Oberlehrer Ballerstedts Art und Weise.[72]

Ins Elegische wechselt der Ton beim Rückblick auf die Spiele des viereinhalbjährigen Hanno:[73]

Diese Spiele, deren Tiefsinn und Reiz kein Erwachsener mehr zu verstehen vermag, und zu denen nichts weiter nötig ist als drei Kieselsteine oder ein Stück Holz, das vielleicht eine Löwenzahnblüte als Helm trägt: vor allem aber die reine, starke, inbrünstige, keusche, noch unverstörte und uneingeschüchterte Phantasie jenes glückseligen Alters, wo das Leben sich noch scheut, uns anzutasten, wo noch weder Pflicht noch Schuld Hand an uns zu legen wagt, wo wir sehen, hören, lachen, staunen und träumen dürfen, ohne daß noch die Welt Dienste von uns verlangt … wo die Ungeduld derer, die wir doch lieben möchten, uns noch nicht nach Anzeichen und ersten Beweisen quält, daß wir diese Dienste mit Tüchtigkeit werden leisten können … Ach, nicht lange mehr, und mit plumper Übermacht wird alles über uns herfallen, um uns zu vergewaltigen, zu exerzieren, zu strekken, zu kürzen, zu verderben …

Die Welt legt Hand an in Gestalt der Schule. Auch Thomas Mann erlebt sie als Vergewaltigen und Exerzieren, als Strecken, Kürzen und Verderben. „Die Schule war doch eigentlich eine Angstpartie", schreibt er noch als Einundsiebzigjähriger.[74] Am schlimmsten war Turnen – „trotz Willri so ungefähr das Widrigste, was ich bislang erlebt."[75] Wir sehen ihn vor uns an Reck und Barren, den Felgaufschwung oder den Schulterstand ausübend, leidend an unaufhebbarer Lächerlichkeit, wohl nicht so selbstsicher wie es später dem verklärenden Memoirenblick eines Mitschülers erscheint: „Er übte diesem Unfug gegenüber souverän passive Resistenz, faßte Reck und Barren nur gleichsam symbolisch mit den Fingerspitzen an und streifte dieses seiner unwürdige Gerät mit einem vor Verachtung förmlich blinden Blick."[76] Das Abgangszeugnis weist für Turnen ein „mangelhaft" aus.[77] Zum Zorne seines Vaters legt auch Hanno Buddenbrook einen stummen, reservierten und beinahe hochmütigen Widerwillen gegen Leibestraining an den Tag,[78] und Felix Krull bekennt, daß er „nach Träumerart körperlichen Übungen von jeher durchaus abhold" gewesen sei.[79] Nach Träumerart: Es ist die Kindheit, die in dem Jungen das Widerstandspotential angelegt hat, das ihn frühzeitig gegen die Abrichtungsmethoden der wilhelminischen Bildungsanstalten immunisiert. Die Kindheitsträume speisen jenen Hochmut, der trotz schlechter Zensuren und dreimaligem Sitzenbleiben ein Gefühl unbestimmter Überlegenheit erlaubte. „Ich verabscheute die Schule", „verachtete sie als Milieu, kritisierte die Manieren ihrer Machthaber und befand mich früh in einer Art literarischer Opposition gegen ihren Geist, ihre Disziplin, ihre Abrichtungsmethoden."[80] Das ist eindeutig. Die literarische Opposition lebt von der Traumwelt der Kindheit, die jetzt erst, wo sie verloren ist, ihren ganzen Glanz entfaltet. Das Prinz-Karl-Spiel und das Jupiterblitzen mit der Pferdeleine, die Märchenstunden mit der Mutter, das Mythologiebuch, Andersen und Fritz Reuter: in der Erinnerung sind sie noch viel schöner als im Leben selbst.

Der Haß auf die Schulfolter spiegelt sich vielfältig im dichterischen Werk. „Ich habe keinen Sinn für Tatsächlichkeiten", schreibt ein Enttäuschter.[81] Die Schule, sagt Felix Krull, war schlimmer als das Zuchthaus. „Die Bedingung, unter der ich einzig zu leben vermag, ist Ungebundenheit des Geistes und der Phantasie, und so kommt es, daß die Erinnerung an meinen langjährigen Aufenthalt im Zuchthause mich weniger unliebsam berührt als diejenige an die Bande der Knechtschaft und Furcht, in welche die scheinbar ehrenvollere Disziplin des kalkweißen, kastenartigen Hauses drunten im Städtchen die empfindliche Knabenseele schlug."[82] Er habe sich nie auch nur im geringsten bemüht, aus seinem Widerwillen gegen den despotischen Stumpfsinn der Anstalt ein Hehl zu machen.[83] „Faul, verstockt und voll liederlichen Hohns über das Ganze" habe er die Jahre abgesessen – so wieder Thomas Mann persönlich.[84]

Der Schulhaß ist nicht nur Literatur, es gab ihn wirklich. Der Achtzehnjährige spottet bereits: „Wenn schon Blödsinn – dann schon gehörig. Das ist ein unbestreitbar richtiges Prinzip. Daher geh' ich auch nicht gern zur Schule."[85] Die Erfahrungen, die der Schüler am altehrwürdigen Katharineum machen konnte, waren skurril und lächerlich:

Herr Gottschalk, der große Pädagoge, hatte die schöne Gewohnheit, uns, bevor er uns durchprügelte, zu fragen, ob wir einsähen, daß wir Strafe verdient hätten. Das ängstliche Ja, das zur Antwort ihm ward, pflegte nicht von Herzen, wohl aber aus einer bangen Ahnung zu kommen, daß wir, wenn wir Nein sagten, noch viel mehr Prügel erhalten würden.[86]

Das Abgangszeugnis des Paul Thomas Mann zeigt lauter „befriedigend" und „noch befriedigend", im Zeichnen ein „nur teilweise befriedigend", im Singen „zuletzt befriedigend" und im Turnen, wie bereits erwähnt, „mangelhaft". Wer wenigstens eine gute Deutschnote erwartet, wird enttäuscht; auch auf diesem Feld lautet das Urteil, mündlich wie schriftlich, „befriedigend". Die beste Note hat Thomas in Religion: „recht befriedigend". Felix Krull ging es ähnlich schlecht:[87]

Auch zu diesem Osterfest, nach dem Bankrott meines armen Vaters, verweigerte man mir das Abgangszeugnis, indem man mich vor die Wahl stellte, entweder noch länger die Unbilden einer meinem Alter nicht mehr angemessenen Botmäßigkeit zu ertragen, oder die Schule unter Verzicht auf die mit ihrer Erledigung verbundenen gesellschaftlichen Vorrechte zu verlassen; und in dem frohen Bewußtsein, daß meine persönlichen Eigenschaften den Verlust dieser geringen Vorzüge mehr als wettmachten, wählte ich das letztere.

Die Schule, „dies feindselige Institut",[88] antwortete auf Opposition mit Direktor Wulickes grimmiger Maxime: „Ich will euch eure Karriere schon verderben."[89] Thomas Mann, renitent und souverän, war allerdings ziemlich unempfindlich dagegen:[90]

Ein Lehrer drohte, zufällig nicht mir, sondern einem anderen Schüler, mit den Worten: „Ich werde dir deine Karriere schon verderben!" Am gleichen Tage las ich bei Storm den Spruch: „Was du immer kannst, zu werden, scheue Arbeit nicht und Wachen, aber hüte deine Seele vor dem Karrieremachen." Da wußte ich, daß die Lehrer meine

Erzieher nicht waren, sondern mittlere Beamte, und daß ich meine Erzieher anderswo zu suchen hätte, nämlich in der Sphäre des Geistes und der Dichtung.

„Als Kind wollte ich Konditor oder Trambahnschaffner werden", behauptet der 57jährige spöttisch. „Als ich sah, daß daraus nichts wurde, verzichtete ich überhaupt."[91] Dichter werden heißt nicht Karriere machen. Es heißt Allotria treiben, unbestimmbar bleiben, der Gesellschaft nicht untertänig sein. Die Schule war der Arm dieser Gesellschaft. Nicht Freie bildete sie aus, sondern Knechte. Geborene Knechte zu Knechten auszubilden fand Thomas Mann zwar in Ordnung, aber er selbst wollte keiner sein. Er kannte wohl die Qualen der jugendlichen Existenz, die sich noch nicht auszuweisen vermag und mit allzu verletzbarem Ichgefühl überall Hohn und Verachtung spürt – besonders seitens der Dicken und Soliden, die einen breiten Schatten werfen.[92] Er hatte dennoch die Kraft, auf die Schule nicht leidend wie Hanno zu antworten, sondern mit jenem überlegenen Spott, den er seinem *Bajazzo* mitgegeben hat:[93]

Feststeht, daß ich ein ungeheuer munterer Junge war, der bei seinen Mitschülern durch bevorzugte Herkunft, durch mustergültige Nachahmung der Lehrer, durch tausend Schauspielerstückchen und durch eine Art überlegener Redensarten sich Respekt und Beliebtheit zu verschaffen wußte. Beim Unterricht aber erging es mir übel, denn ich war zu tief beschäftigt damit, die Komik aus den Bewegungen der Lehrer herauszufinden, als daß ich auf das übrige hätte aufmerksam sein können, und zu Hause war mir der Kopf zu voll von Opernstoffen, Versen und buntem Unsinn, als daß ich ernstlich imstande gewesen wäre, zu arbeiten.

„Pfui", sagte mein Vater, und die Falten zwischen seinen Brauen vertieften sich, wenn ich ihm nach dem Mittagessen mein Zeugnis ins Wohnzimmer gebracht und er das Papier, die Hand im Rockaufschlag, durchlesen hatte. –

Sitzenbleiben

Sitzenbleiben macht frei. Die beiden letzten Schuljahre hatte Thomas Mann in heiterster Erinnerung. „Die 'Anstalt' erwartete nichts mehr von mir [...] Ich saß die Stunden ab, lebte aber im übrigen sozusagen auf freiem Fuß."[94] Was er sich später unter Freiheit vorstellte, blieb davon geprägt, im Guten wie im Bösen. Herr Albin zum Beispiel, Gast im *Zauberberg,* ist frei: „Es ist wie auf dem Gymnasium, wenn es entschieden war, daß man sitzenblieb und nicht mehr gefragt wurde und nichts mehr zu tun brauchte."[95] Hans Castorp ist beeindruckt, „denn er selbst war ja in Untersekunda sitzengeblieben, und er erinnerte sich wohl des etwas schimpflichen, aber angenehm verwahrlosten Zustandes, dessen er genossen hatte, als er im vierten Quartal das Rennen aufgegeben und 'über das Ganze' hatte lachen können." Die Ehre, so sinniert er weiter, habe zwar bedeutende Vorteile, aber die Schande nicht minder, ja, ihre Vorteile erscheinen geradezu grenzenlos.

Herr Albin ist lungenkrank und wird sterben. Die Freiheit der Sitzenbleiber kommt auf ihren Gipfel, wenn sie dem Tod verfallen sind. Von einem Todgeweihten kann keiner etwas verlangen. Seine Freiheit ist ehrwürdig, aber auch schimpflich, denn sie entzieht sich der Gesellschaft. Der zum Republikaner gereifte Thomas Mann verbietet sich den Todesluxus. Im *Doktor Faustus* nennt er die deutsche Kriegsbegeisterung von 1914 ein „Hinter-die-Schule-Laufen", wilde Ferien, das Hinwerfen des eigentlich Pflichtgemäßen und das Durchgehen zügelunwilliger Triebe.[96] Die „deutsche Revolution" von 1933 erscheint ihm im gleichen Bilde, als eine „Riesen-Ungezogenheit gegen den Willen des Weltgeistes" und „kindisches Hinter die Schule laufen".[97] Auch Adrian Leverkühn verdammt die Schulflüchtigen. Statt klug zu sorgen, was vonnöten auf Erden, laufe der Mensch hinter die Schule und gebe seine Seele dran.[98] Das zielt auf die Nazizeit. Aber bereits 1919 hat Thomas Mann die Deutschen ermahnt, von den Lustbarkeiten des Chaos Abstand zu nehmen und zu Arbeit und Pflicht zurückzukehren.[99] Das Lob des Sitzenbleibens und der Liederlichkeit wird im Laufe des Lebens immer gedämpfter. Die hübsche Philippika gegen das Abitur, die Thomas Mann sich 1917 erlaubte, hätte er in den republikanischen Jahren nicht mehr für angebracht gehalten. Sie ist höchstpersönlich interessengeleitet, das ist klar:[100]

Wer die neun Klassen des Gymnasiums durchlief, dem sollte man mit einem anerkennenden Händedruck den Ausgang zur Hochschule freigeben und nicht noch ein halsbrecherisches Hindernis davorlegen. Achtzehn, neunzehn Jahre sind überhaupt kein Alter, um jemanden in einem irgend feierlichen und entscheidenden Sinne zu „prüfen". Man versteht da das Leben noch nicht, man liebt die Arbeit noch nicht, man ist vielleicht vorläufig ein träumerischer Faulpelz [...]

Der Autodidakt

Die Bildungsfülle, die Manns späteres Werk verschwenderisch ausstreut, stammt nur zum kleinsten Teil aus der Schule. Vom Mathematikunterricht blieb überhaupt nichts hängen. Selbst einfachste Additionen und Subtraktionen machte der Zögling des realgymnasialen Zweigs sein Leben lang schriftlich. Eine Menge Latein hat er behalten, wie zahlreiche ins Werk eingesprengte Wendungen zeigen. Griechisch hat er nicht gelernt. Senator Buddenbrook glaubte seinem Sohne Hanno, weil er Kaufmann werden sollte, eine Wohltat zu erweisen, „wenn er ihn der unnötigen Mühen mit dem Griechischen überhob."[101] Tommys Englisch soll passabel gewesen sein. Sein Französisch war laut Abgangszeugnis „befriedigend", doch sein Leben lang liebte er diese Sprache nicht. „Mein Negerfranzösisch", so verspottet er sich selbst.[102]

Seine deutsche Bildung erwarb er autodidaktisch und nach Bedarf von Fall zu Fall. Zu Weihnachten 1889 bekam er Schillers Werke geschenkt.[103] Behaglich-begeisterte Stunden will er damit zugebracht haben, „bei einem Teller voll belegter Butterbrote."[104] Der Idealismus und das Butterbrot kommen sich ironisch ins Gehege. Thomas Manns Schiller ist nicht der Mann der freiheitlichen Sonntagsreden. Schon der Knabe bürstet ihn gegen den üblichen Strich. Wenn er, maskiert als Tonio Kröger, *Don Carlos* liest, dann identifiziert er sich nicht vorschriftsmäßig mit dem Freiheitshelden Marquis Posa, sondern in konservativem Trotz mit dem König, dem einsamen und ungeliebten Philipp dem Zweiten von Spanien, der von Posa hintergangen wird.[105]

Und nun kommt aus dem Kabinett in das Vorzimmer die Nachricht, daß der König geweint hat. 'Geweint?' Alle Hofmänner sind fürchterlich betreten, und es geht einem durch und durch, denn es ist ein schrecklich starrer und strenger König. Aber man begreift es so gut, daß er geweint hat, und mir tut er eigentlich mehr leid als der Prinz und der Marquis zusammengenommen. Er ist immer so ganz allein und ohne Liebe, und nun glaubt er einen Menschen gefunden zu haben, und der verrät ihn …

Das Hauptmotiv der Lektüreauswahl der Jugendzeit war die fast atemlose Nachahmung des vier Jahre älteren Bruders. Wie dieser las Thomas Mann Heinrich Heine, dann Hermann Bahr und Friedrich

Nietzsche, ein wenig später auch Paul Bourget. Vielleicht ist bereits die Bemerkung des noch nicht Achtzehnjährigen, er betrachte die Wörter „gut" und „schlecht" als soziale Aushängeschilder ohne jede philosophische Bedeutung,[106] eine Nietzsche-Spur, zurückgehend auf dessen *Jenseits von Gut und Böse*. Spätestens setzt die Nietzsche-Faszination jedoch 1894 ein.[107] Die Heine-Kenntnisse sind noch älter, beeinflussen die Pubertätsgedichte und gehen wohl zuerst auf die Lieder zurück, die die Mutter sang.[108] Für Hermann Bahr hat sich Thomas Mann von 1893 an begeistert. Die Prosaskizze *Vision* trug im Erstdruck die Widmung „Dem genialen Künstler Hermann Bahr". Der Wiener Kritiker galt als der „Mann von übermorgen", wie der neunzehnjährige Heinrich Mann den Freund Ludwig Ewers belehrt: „Dieser Bahr hat vielleicht eine große Zukunft, um so mehr, da er so ganz in der Moderne lebt und empfindet, ihre kleinsten Zuckungen und Veränderungen wahrnimmt und in sich verarbeitet."[109] Bei Thomas brennt das Feuer nur bis 1895. „Das Modernste ist heute die Reaktion", schreibt er noch am 5. März 1895 an Otto Grautoff. „Weißt Du, daß Bahr jetzt auf die Klassiker schwört? Und der ist l'homme de tête und hat immer die richtigen Instinkte für den letzten und kommenden Zeitgeist." Schon zwei Monate später klingt das ganz anders; ein „verrannter Bahrianer" sei er gewesen, heute aber ein wenig reifer als in der Zeit, „wo mein Tagebuch schließlich ebensogut von dem bubenhaft frivolen und falsch sentimentalen Pseudo-Pariser hätte sein können."[110] Von Bahr und, ihm folgend, von Heinrich Mann war der französische Erzähler und Kulturphilosoph Paul Bourget empfohlen worden. Die früheste Bourget-Spur findet sich im Sommer 1894.[111]

Nicht über Heinrich vermittelt, der längst nicht so musikalisch war wie sein Bruder, ist die Faszination durch die Musikdramen Richard Wagners. Die Wagner-Initiation fällt in das Jahr 1893, als Emil Gerhäuser am Lübecker Stadttheater engagiert war.[112] Als altkluger Schülerzeitungsrezensent[113] weiß „Paul Thomas" bereits spöttisch zu berichten, daß ihm „die gewaltigen Wagner-Gerhäuser-Abende der Saison" noch schwer im Magen lägen und ihm deswegen, als Gegenmittel, „Millöckers Kohlensäure-Musik" ganz ausgezeichnet gut tue. Nietzsche wird von Bizets *Carmen* ganz ähnlich sprechen: trockene, heitere Luft nach dem Schweißausbrüche verursachenden Schirokko der Wagnerschen Musik.[114] Die Wagner-Leidenschaft wird Thomas Mann zahlreichen gedichteten Figuren mitgeben, Herrn Friedemann, Gerda Arnoldsen, Detlev Spinell und Gabriele Klöterjahn, Siegmund und Sieglinde Aarenhold und anderen mehr.

Mitschüler

Niemand hält eine solche Opposition ohne Rückendeckung aus. Die Schule mochte so grausam, schlecht und lächerlich gewesen sein wie im berühmten Schulkapitel am Ende von *Buddenbrooks* – sie wurde erträglich durch einige Mitschüler von mehr als durchschnittlichem Rang. „Auf Grund irgendeiner schwer bestimmbaren Überlegenheit" – zu der zum Beispiel eine stupende Fähigkeit gehörte, die Lehrer parodistisch zu imitieren – stand Thomas Mann bei den Outlaws der Klasse „in ungewissem Ansehen".[115] Mit ihnen verband ihn das „Pathos der Distanz" (er bezog die Wendung von Nietzsche),[116] „das jeder kennt, der mit fünfzehn Jahren heimlich Heine liest und in Tertia das Urteil über Welt und Menschen entschlossen fällt."[117] Seine Opposition verband ihn nicht etwa mit den gewöhnlichen Sitzenbleibern. Sein Umgang war vielmehr exklusiv, sozusagen standesgemäß, weder proletarisch noch halbweltmäßig wie der seines Bruders Heinrich, der seit 1891 als Volontär des S. Fischer Verlags in Berlin lebte und die große Freiheit genoß. Der Freundeskreis läßt sich mit „Geist und Adel" umschreiben. Adel: zu seinen engsten Kameraden zählten Hermann Graf Vitzthum von Eckstädt, Sohn eines Zeremonienmeisters bei Kaiser Wilhelm II., Detlev Graf Reventlow und Eberhard Graf Schwerin, das Vorbild für Kai Graf Mölln in *Buddenbrooks*.[118] Der von Schwerin war ein begabter Spaßmacher. Als er Schillers *Glocke* zu rezitieren hatte, fügte er den Zeichenlehrer Dräge in sie ein:

Dumpf begleiten ihre Trauerschläge
Herrn Dräge
Auf dem letzten Wege.

Außer Adel auch Geist: das war der Bruder Heinrich in erster Linie, aber das waren auch die später schriftstellerisch tätigen Otto Grautoff, Korfiz Holm und Ludwig Ewers. Otto Grautoff ist jener Namenlose, den Thomas Mann im *Lebensabriß* als den Sohn eines fallierten und verstorbenen Buchhändlers erwähnt, mit dem ihn eine Freundschaft verbunden habe, „die sich in phantastischem und galgenhumoristischem Spott und Hohn über 'das Ganze', namentlich aber über 'die Anstalt' und ihre Beamten bewährte".[119] Der jahrelange Briefwechsel läßt auf eine tiefe Vertrautheit schließen. „Wir waren wirklich intim", schreibt Mann an Grautoff rückblickend am 28.

März 1895 aus München. „Wir waren schamlos voreinander, geistig, das war so schön und bequem." Und dennoch war Grautoff für ihn ein Schaf. Er übte an ihm die Vivisektion, geißelte an ihm, was er an sich selber haßte – schlechten Stil zum Beispiel.

Von Korfiz Holm, der später beim Verlag August Langen arbeitete und Thomas Mann den Weg zum *Simplicissimus* ebnete, wissen wir, daß er in der Schule Manns Vorturner war. Der einige Jahre ältere Ludwig Ewers war mehr mit Heinrich befreundet als mit Thomas, spielte aber als kritisch beobachteter Schriftstellerkonkurrent schon in der Schülerzeit eine wichtige Rolle. Auch mit Tommys erster Liebe war er vertraut.[120] Auf dem Schulhof des Katharineums schlenderte auch Erich Mühsam auf und ab, der später zum bedeutenden anarchistischen Schriftsteller wurde. Sie sprachen wohl nichts Nennenswertes miteinander, aber sie kannten einander; das Gymnasium war nicht so groß, daß einem eine auffällige Figur hätte entgehen können. Erst 1911 trafen sie sich wieder. Mann lehnte Mühsam später entschieden ab, doch blieb die Feindschaft einseitig.[121]

Neben Geist und Adel sind als dritte Gruppe unbedingt die jüdischen Mitschüler zu nennen, deren sich Thomas Mann 1921 in dem damals ungedruckt gebliebenen Aufsatz *Zur jüdischen Frage* erinnert. Es waren dies der Rabbinersohn Simeon Carlebach, der prononciert häßliche, im Zirkus-, Zigeuner- und Händlermilieu bewanderte Franz Fehér und der intelligente Willi Gosslar, eines koscheren Schlachters Sohn, der sich für Tommys Schauerballaden und andere lyrische Versuche der Knabenzeit interessierte.

Es waren durchweg die Außenseiter, mit denen sich der Sitzenbleiber umgab. Von den Gewöhnlichen aber wird gleich die Rede sein, nämlich dann, wenn es um die erste Liebe geht.

[illegible] Beispiel.

[illegible] Mann [illegible] wissen [illegible]

[illegible] Aus dem Situation [illegible]

[illegible] Mann [illegible]

[illegible]

[illegible]

[illegible]

II. Frühes Lieben erstes Dichten

Lübeck, 1893

Die Verliebtheit in den Mitschüler Armin Martens spielte wahrscheinlich im Winter 1889/90. Auf ihn schrieb der sehnsüchtige junge Mann eine Menge Gedichte, deren er sich später schämte. Im gleichen Winter fand vermutlich auch die Tanzstunde statt, die in *Tonio Kröger* geschildert wird. Das Urbild der „Magdalena Vermehren" hat sich damals in Thomas Mann verliebt. Andere Erfahrungen mit Mädchen aus der Lübecker Zeit lassen sich nur vermuten, aber nicht datieren und nicht namentlich festmachen.

Die Schwärmerei für Williram Timpe, jenen Mitschüler, von dem sich Thomas auf dem Schulhof des Katharineums den aus dem *Zauberberg* bekannten Bleistift lieh, hatte eine längere Dauer, wahrscheinlich vom Herbst 1890 bis zum Herbst 1892.

In der Zeit dieser Leidenschaften war Thomas Mann nicht epischer, sondern lyrisch-dramatischer Dichter. Von den Erzeugnissen jener pathetischen Periode sind nur wenige verwischte Spuren geblieben. Ge-

Armin Martens, um 1889

druckt wurden damals lediglich einige Gedichte, Skizzen und ekstatische Artikel, die in den zwei Heften des *Frühlingssturm,* einer Schülerzeitschrift aus der ersten Jahreshälfte 1893, erschienen sind.

Erste Liebe: Armin Martens

Das *Prager Tagblatt* brachte am 24. Mai 1931 eine Reihe von Antworten auf eine Umfrage mit dem Titel *Meine erste Liebe*. Thomas Mann schrieb mit leichter Hand:[1]

Verzeihen Sie, ich war auf Reisen, in Paris, habe in großem Trubel gelebt und kam nicht dazu, auf Ihre Pfingstumfrage rechtzeitig einzugehen. Ich hätte mich übrigens nur auf meine Jugenderzählung „Tonio Kröger" beziehen können, die von solchen süßen Schmerzen allerlei zu erzählen weiß.

Das klingt unbedeutend. Gemeint ist jedoch nicht Ingeborg Holm, für die Tonio Kröger in seiner Tanzstundenzeit schwärmt. Für sie gibt es kein biographisches Vorbild. Gemeint ist Armin Martens alias Hans Hansen, ein hübscher blonder Knabe, Mitschüler. Auf ihn beziehen sich die süßen Schmerzen. Im hohen Alter, als er anfing, freier über diese Dinge zu sprechen, hat Thomas Mann in einem Brief an Hermann Lange, einen anderen Katharineumsgenossen, das Geheimnis gelüftet:

Denn den habe ich geliebt – er war tatsächlich meine erste Liebe, und eine zartere, selig-schmerzlichere war mir nie mehr beschieden. So etwas vergißt sich nicht, und gingen 70 inhaltsvolle Jahre darüber hin. Mag es lächerlich klingen, aber ich bewahre das Gedenken an diese Passion der Unschuld wie einen Schatz. Nur zu begreiflich, daß er mit meiner Schwärmerei, die ich ihm einmal an einem „großen" Tage gestand, nichts anzufangen wußte. Das lag an mir und an ihm. Sie starb denn auch so dahin, – lange bevor er selbst, dessen Charme schon durch die Pubertät erheblichen Schaden gelitten, als Allererster irgendwo starb und verdarb. Aber ich habe ihm im „Tonio Kröger" ein Denkmal gesetzt [...] Merkwürdig zu denken auch, daß die ganze Bestimmung dieses Menschenkindes darin bestand, ein Gefühl zu erwecken, das eines Tages zum bleibenden Gedicht werden sollte.[2]

Wie eilig er das Literarische einbringt! Als er noch schwärmte, war er natürlich weit entfernt von dem frechen Hochmut, mit dem er hier die Bestimmung des einst Geliebten darauf reduziert, daß er in *Tonio Kröger* zum Gedichte geworden sei. Sollen wir darüber empört sein? Fragen wir lieber, welche Not dahinter steckt. Die allzu flotte Rederei verbirgt etwas: daß er sich der Tiefe seiner einstigen Betroffenheit schämt. Denn das Erleben selbst war noch nicht literarisch. Erst *nach* dem Erleben rettet er sich in die Produktion. Noch später bildet er die Theorien aus, um mit seiner Scham zu Rande zu kommen. Ein Erlebnis *rechtfertigt* sich demzufolge dadurch, daß es zur Kunst wird. Der Literat „erlebt, um auszudrücken".[3] Sein Leben ist nur Stoff. Wenn es gegen Feinde geht, zum Beispiel gegen den Bruder, kann Thomas Mann das noch polemisch zuspitzen. Künstlertum, pointiert er dann, sei „etwas, *wohinter man sich zurückzieht*". Ästhetizismus sei „die gestenreich-hochbegabte Ohnmacht zum Leben und zur Liebe".[4]

Ähnlich grausam wie der Rückblick auf Armin Martens wird auch der Tagebuch-Nekrolog auf den Jugendfreund Otto Grautoff ausfallen (15. Juli 1935):

Durch K[atia]'s Mutter erfuhr ich den Tod O. Grautoffs, meines Schulvertrauten, und des Vertrauten meiner Passion für W. T., den zum Pribislav Hippe Erhöhten. Ich habe mich um den öde gewordenen Wichtigtuer lange nicht mehr bekümmert, nun berührt mich der Tod des Genossen leid- und gelächtervoller Knabenjahre doch kalt und traurig. Dabei kann ich es nicht anders empfinden, als daß er nur zu meinem Leben gehörte und dann selbst etwas sein wollte, tölpelhaft.

Von W. T. (Williram Timpe) wird später zu reden sein. Das Martens-Erlebnis lag vorher. Als Hans Hansen im *Tonio Kröger* ist Armin vierzehn.[5] Da die Wintersonne ihre Spaziergänge bescheint, wird sich Thomas Manns erste Liebe im Winter 1889/90 abgespielt haben, in den Monaten, in denen sie auch gemeinsam Tanzstunde hatten.[6]

Aus dem Brief an Hermann Lange wissen wir, daß Tommy an einem „großen Tage" seine Leidenschaft gestanden hat und daß Armin nichts damit anfangen konnte. Die erste Liebe endete mit einer Demütigung, die Thomas Mann nie verwunden hat. Der Blond-Blauäugige hat ihn ausgelacht. Wir wissen ein wenig darüber, weil Armins Schwester Ilse vieles behalten und weitererzählt hat.[7] Sie ist dem Leser des Romans *Königliche Hoheit* als Hofdame Fräulein von Isenschnibbe bekannt, die so kurzsichtig war, daß sie die Sterne nicht sehen konnte.[8] Ilse Martens erinnerte sich noch im hohen Alter an ein gefühlvolles Gedicht Thomas Manns, dessen Refrain „Was hat der bleiche Tod Dir angetan" von Armin auf plattdeutsch mit der spöttischen Bemerkung abgekühlt wurde: „Ich weiß nicht, aber frag ihn mal."

Daß seine empfindsamen Ergüsse verulkt wurden, mußte der verliebte junge Mann nicht nur von seinem Angebeteten einstecken, sondern auch von seinem Bruder Heinrich, der sie in Briefen an Ludwig Ewers vom November 1889 und vom 27. März 1890 höhnisch niedergemacht hat. Die erste Äußerung ist allgemeinerer Natur, aber schon schlimm genug:

Ich bin von den Gefühlsprodukten einer halbwüchsigen liebenden Seele, mit denen der glückliche Dichter auch mich zuweilen verfolgte, immer stillschweigend oder laut lachend zur Tagesordnung übergegangen. In den „Dramen" finden sich neben all den Unmöglichkeiten, die Du in Deiner klassischen Kritik hervorhebst, doch immerhin ein paar – wenn auch noch so verbrauchte – Gedanken, wie Oasen im Sand. Sand ist schon langweilig. Aber das Wasser in seiner Lyrik ist doch noch langweiliger. Und es ist – Gott sei's geklagt – alles Wasser, nichts als Wasser, in dem ganze Rudel von Enten und Gänsen in Gestalt von „Ach!!!"'s und „Oh!!!"'s vollkommen unmotiviert herumschwimmen … Brrr! …

Die zweite Äußerung ist noch verletzender, weil sie die homoerotische Wesensart dieser Gedichte aufs Korn nimmt:

Da ich indes gerade beim Kritisieren bin, so möchte ich Dir noch ein paar Worte über die Lyrik meines vielversprechenden Bruders sagen, mit der Du ja so sehr einverstanden scheinst. Du kannst ihm diese paar Worte mit Vorsicht beibringen. Bei Lektüre seiner letzten Gedichte (die ich beifüge) bin ich aus dem peinlichen Gefühl gar nicht herausgekommen, das mir in ähnlicher Weise nur Platen, der Ritter vom heiligen Arsch, verursacht hat. Diese weichliche, süßlich-sentimentale „Freundschafts"-Lyrelei

– als an deiner Brust ich ruhte …
– als um den Freund den Arm ich schlang,
Und ich in süßer Lust mich wiegte …

Wenn das wahres Gefühl ist (traurig genug, wenn dies der Fall ist!) – so danke ich für Obst, nehme nicht mal Käse, sondern französischen Abschied. – –

Daß Ewers Tommy das „mit Vorsicht" beibringen sollte, macht die Sache natürlich nicht besser.

An einem großen Tag seine Leidenschaft eingestehen, Gedichte schreiben und herumzeigen, sich winden zwischen Glück und Peinlichkeit: wie gut versteht das jeder Verliebte! Das frühe Outing endete mit einer tiefen Erniedrigung. Andere stecken so etwas weg, ein hochempfindlicher Poet wie Thomas Mann nicht. Aus diesem Urschock, der durch andere Demütigungen noch vertieft wurde, erklärt sich vieles in seinem späteren Verhalten. Gefühle sind lächerlich, man darf sie nicht zeigen, homoerotische schon gar nicht. Die Liebe wirft einen aus der bürgerlichen Gesellschaft heraus. Sie macht einen sogar bei den Literaten im engsten Freundeskreis unmöglich. Man muß sie verstecken, verleugnen, ironisieren. Gedichte, in denen das Herz lebt, sind unkünstlerisch. Der Schaffende darf nicht empfinden. Künstlerisch sind nur die kalten Ekstasen des Artisten. „Liegt Ihnen zu viel an dem, was Sie zu sagen haben, schlägt Ihr Herz zu warm dafür, so können Sie eines vollständigen Fiaskos sicher sein. Sie werden pathetisch, Sie werden sentimental, etwas Schwerfälliges, Täppisch-Ernstes, Unbeherrschtes, Unironisches, Ungewürztes, Langweiliges, Banales entsteht unter ihren Händen, und nichts als Gleichgültigkeit bei den Leuten, nichts als Enttäuschung und Jammer bei Ihnen selbst ist das Ende ..." So spricht Tonio Kröger.[9]

Armins Schmelz war mit der Pubertät verflogen. Thomas Mann hat seinen weiteren Lebensweg ohne Sympathie, ja, mit Abneigung verfolgt. Ende 1898 macht er sich Notizen über ihn, um sie in irgendeiner Dichtung zu verwerten. Armin erzähle jedem offen und heiter über seine Liebschaften. Aus der Garnison kommend, äußere er: „Ich habe es verlernt, mit anständigen Mädchen umzugehen."[10] Das gefällt Thomas Mann so wenig wie, daß Armin sich in zwei stadtbekannte Tänzerinnen gleichzeitig verliebt. Noch bitterer stößt ihm auf, daß Armin auch ein Verhältnis mit der Schwester Julia Mann anzettelt. Es kommt zu Skandalen, Martens muß die Konsequenzen ziehen und wandert 1899 in die damalige deutsche Kolonie Südwestafrika aus. Verschuldet und völlig verarmt stirbt er am 1. April 1906 in Windhuk.

Seiner Schwester hatte er vorher noch ein Tagebuch aus der Zeit des Herero-Aufstands geschickt. Sie sollte Tommy, der ja gerade berühmt zu werden begann, bitten, ihm einen Verleger dafür zu vermitteln. Daß der Dichter des *Tonio Kröger* etwas unternommen hätte, davon fehlt jede Spur. Sein Kondolenzbrief an Ilse Martens erwähnt kein solches Engagement und ist halb förmlich, halb ratlos:

Liebe Ilse!

Ja, ich habe die Nachricht heute durch meine Frau und dann durch Lula empfangen. Es geht mir wie Dir: Ich kann es mir nicht vorstel-

len, kann eigentlich nicht daran glauben. Armin und tot, das reimt sich nicht, das will mir nicht in den Sinn. Du weißt, was er meiner ersten, frischesten, zartesten Empfindung gewesen ist. Was soll ich sagen? Es widerstrebt mir, gefühlvolle Sätze darüber zu machen. Ich drücke Dir herzlich die Hand und bitte Dich, Deiner Mutter meine Teilnahme auszusprechen.

Dein alter
Thomas Mann

Williram Timpe

„Hast *du* nicht vielleicht einen Bleistift?" fragt Hans Castorp, totenbleich und herzklopfend, Frau Clawdia Chauchat. Es folgt das berühmte französische Gespräch, an dessen Ende Clawdia, einen ihrer nackten Arme erhoben, die Hand an der Türangel, über die Schulter leise zu Hans Castorp sagt: „N'oubliez pas de me rendre mon crayon." (Vergessen Sie nicht, mir meinen Bleistift zurückzugeben.) In der erzählten Zeit sechs Wochen später erfahren wir, daß er den Stift zurückgegeben und etwas anderes dafür empfangen hat.[11]

Die Bleistiftleihe wiederholt einen Vorgang aus der Schülerzeit. Hans Castorp war dreizehn Jahre alt, Untertertianer, ein Junge mit kurzen Hosen. „Auf dem Hofe, der mit roten Klinkern gepflastert und von einer mit Schindeln gedeckten und mit zwei Eingangstoren versehenen Mauer gegen die Straße abgetrennt war" – also für jeden Ortskundigen unverkennbar auf dem Schulhof des Katharineums – fragt Hans einen Mitschüler, in den er verliebt ist, namens Pribislav Hippe, Sohn eines Gymnasialprofessors, mit blaugrauen Kirgisenaugen und hochsitzenden Backenknochen, ob er ihm nicht einen Bleistift leihen könne. Gern, sagt dieser. Du mußt ihn mir nach der Stunde aber bestimmt zurückgeben. „Und zog sein Crayon aus der Tasche, ein versilbertes Crayon mit einem Ring, den man aufwärts schieben mußte, damit der rotgefärbte Stift aus der Metallhülse wachse." Wir erfahren noch, daß sich Hans die Freiheit nahm, den Bleistift etwas zuzuspitzen, „und von den rotlackierten Schnitzeln, die abfielen, bewahrte er drei oder vier fast ein ganzes Jahr lang in einer inneren Schublade seines Pultes auf". Daß die Rückgabe des Stiftes sich in den einfachsten Formen vollzog, hält der Erzähler uns mitzuteilen ebenfalls für wesentlich.[12]

Williram Timpe, um 1895

Die geschilderten Szenen stammen aus dem Roman *Der Zauberberg*. Ausleihe und Rückgabe sind dort poetische Maskierungen für einen Sexualakt. Aber es gab ihn wirklich, diesen Bleistift, er ist nicht nur ein dichterisches Symbol. Der „Bleistiftschnitzel W. T.'s" gedenkt das Tagebuch vom 15. September 1950. Auch als Thomas Mann am 3. Juni 1953 durch Lübeck spaziert, kommen ihm „Willri Timpe und der Bleistift" in den Sinn. Sicher hat er genau wie Hans Castorp seinerzeit auch die Schnitzel im Pult aufbewahrt.

„W. T." ist Williram Timpe, genannt Willri, der Sohn des Oberlehrers Dr. Johann Heinrich Timpe, bei dem Thomas Mann nach dem Tod des Vaters und dem Wegzug der Mutter vom Herbst 1892 bis irgendwann 1893 in Pension war. „Thomas, es ist elfe durch!" pflegte der Doktor zu rufen, wenn sein junger Gast zu lange las.[13] Wann sich Tommy in Willri verliebte, ist nicht mit restloser Sicherheit zu sagen. Jedenfalls nicht mit dreizehn, wie im Falle der literarischen Verwandlung in Hans und Pribislav, denn „Willri" war später als „Armin". Wahrscheinlich also mit fünfzehn, im Jahr nach dem Armin-Winter. Dann bezöge sich der derb verständnislose Therapievorschlag des Bruders Heinrich (im Brief an Ludwig Ewers vom 21. November 1890) auf Willri:

'ne tüchtige Schlafkur mit einem leidenschaftlichen, noch nicht allzu angefressenen Mädel – das wird ihn kurieren. Sage ihm das aber nicht. Ironisiere die Geschichte; das hilft. Nur nichts tragisch-ernst nehmen! Er will „meine Ansicht" durch Dich wissen. Sage ihm also das inhaltsschwere Wort „Blödsinn".

Wenn das Ganze, wie im *Zauberberg*, zwei Jahre gedauert hat,[14] wäre die Schwärmerei im Herbst 1892 eingeschlafen. Das wäre genau in der Zeit, von der an sie im gleichen Hause wohnten. Das ist nicht unbedingt ein Widerspruch. Die täglich-häusliche Nähe mag eher desillusionierend gewirkt haben als die Schwärmerei aus der Ferne, die Aussprache und Berührung scheute.

Aber mit welchen Gefühlen mag der verbummelte Gymnasiast bei Timpes eingezogen sein! Wir glauben, daß Angst in ihm aufstieg, jene Beklemmung, die Hans Castorp erfaßt, als er erkennt, daß er mit Frau Chauchat auf engem Raume eingesperrt ist, eingesperrt „mit Unumgänglichem oder Unentrinnbarem, – in beglückendem und ängstlichem Sinn Unentrinnbarem. Es war hoffnungsreich und zugleich auch unheimlich, ja bedrohlich."[15] Wir glauben aber auch, daß Timpes Zauber bei Alltagsgeschwätz und gemeinsamem Zähneputzen schnell verflog, während Frau Chauchat noch viele Monate lang ein unerreichbarer Traum bleiben konnte.

Anders als Armin war Willri ein Musterschüler, aber „nicht dies", nicht das Intellektuelle war der Grund, „weshalb Hans Castorp sich den Bleistift von ihm geliehen hatte."[16] Es war die Faszination des Körpers, es waren die graublauen Kirgisenaugen, die hochsitzenden Backenknochen und die Beine in den kurzen Hosen. Daß die Turnstunden „trotz Willri" das Widrigste gewesen seien,[17] deutet an, daß es erregend war, Willri beim Turnen zuzuschauen – während Thomas selbst ja, nach Träumerart, körperlichen Übungen abhold gewesen ist.

Gewarnt durch den Fall Armin Martens, blieb dieses Mal der „große Tag" aus, an dem die Schwärmerei dem bewunderten Mitschüler gestanden worden wäre. Wenn wir weiter der Darstellung im *Zauberberg* folgen, dann hat Tommy nichts gesagt, sondern sein Geheimnis bewahrt und sich mit der Sublimierung zufriedengegeben. Daß der Gegenstand je zur Sprache gebracht werden könnte – es gab keinen Gedanken daran; „dazu eignete er sich nicht und verlangte auch nicht danach". Hans Castorp hatte, so heißt es eine Seite später, sich an sein stilles und fernes Verhältnis zu Hippe gewöhnt. Er begnügte sich mit den Gemütsbewegungen, die mit dem Verliebtsein verbunden waren, mit der Spannung, ob jener ihm heute begegnen, dicht an ihm vorübergehen, vielleicht ihn anblicken würde, mit den „lautlosen, zarten Erfüllungen, mit denen sein Geheimnis ihn beschenkte".[18]

Daß die Liebe wortlos ist, begegnet im Werk Thomas Manns immer wieder. Gustav von Aschenbach (im *Tod in Venedig)* spricht kein einziges Mal mit dem schönen Knaben Tadzio. Hans Castorp weiß seinem Verhältnis zu Hippe keinen Namen zu geben, denn ein Name bedeutet „Unterbringung im Bekannten und Gewohnten, während Hans Castorp doch von der unbewußten Überzeugung durchdrungen war, daß ein inneres Gut, wie dieses, vor solcher Bestimmung und Unterbringung ein für allemal geschützt sein sollte". Felix Krull schließlich liefert die wortreiche Theorie dazu:[19]

Von zarten und schwebenden Dingen heißt es zart und schwebend reden, und so werde eine zusätzliche Betrachtung hier behutsam eingerückt. Nur an den beiden Polen menschlicher Verbindung, dort, wo es noch keine oder keine Worte mehr gibt, im Blick und in der Umarmung, ist eigentlich das Glück zu finden, denn nur dort ist Unbedingtheit, Freiheit, Geheimnis und tiefe Rücksichtslosigkeit. Alles, was an Verkehr und Austausch dazwischen liegt, ist flau und lau, ist durch Förmlichkeit und bürgerliche Übereinkunft bestimmt, bedingt und beschränkt. Hier herrscht das Wort, – dies matte und kühle Mittel, dies erste Zeugnis zahmer, mäßiger Gesittung, so wesensfremd der heißen und stummen Sphäre der Natur, daß man sagen könnte, jedes Wort sei an und für sich und als solches bereits eine Phrase. Das sage ich, der, begriffen in dem Bildungswerk meiner Lebensbeschreibung, einem belletristischen Ausdruck gewiß die erdenklichste Sorgfalt zuwendet. Und doch ist mein Element die wörtliche Mitteilung nicht; mein wahrstes Interesse ist nicht bei ihr. Dieses vielmehr gilt den äußersten, schweigsamen Regionen menschlicher Beziehung; jener zuerst, wo Fremdheit und bürgerliche Bezuglosigkeit noch einen freien Urzustand aufrechterhalten und die Blicke unverantwortlich, in traumhafter Unkeuschheit sich vermählen; dann aber der anderen, wo die möglichste Vereinigung, Vertraulichkeit und Vermischung jenen wortlosen Urzustand auf das vollkommenste wiederherstellt.

Dem Mann des Wortes geht es um das Wortlose. Die Wortmillionen, die er im Laufe seines Lebens gezeugt hat, umhüllen Urschweigen. Das viele Reden ist die Außenseite, die als Innen ein Unaussprechliches beschwört, ein Heiliges, das im Kern erotisch ist. Den wortlosen Urzustand des Traumes wenigstens mit Worten zu umkreisen, wenn er denn schon nicht wirklich werden darf, das ist die Triebkraft des rastlosen Formulierens. Des Wortestroms tiefste Sehnsucht ist das Verstummen.

Denn niemals tut das wirkliche Leben einer solchen Sehnsucht Genüge. Immer muß sie Traum bleiben. Daß Thomas Mann Hippe zum Dreizehnjährigen macht, das Erlebnis also aus dem Höhepunkt der Pubertät ins Vorpubertäre zurückverlegt und damit in gewissem Grade entsexualisiert, hat im Roman insoweit Sinn, als die verwirklichte Sexualität dort einer Frau, Clawdia Chauchat nämlich, die Hippe typologisch wiederholt, zugeschrieben wird. Die Bleistiftleihe ist, so gesehen, eine frühe Vorahnung dessen, was sich sexuell erst im Verhältnis zu einer Frau erfüllt. Daß das Bleistift-Erlebnis im Roman nicht einem Sechzehn- und Siebzehnjährigen, sondern einem Dreizehnjährigen zustößt, soll es gegen die Annahme sichern, es habe sexuelle Handlungen zwischen Hans und Hippe im Gefolge gehabt. Thomas Mann hat kein Doppelleben geführt. Er hat sich nicht heimlich zu jungen Männern geschlichen, um Verbotenes zu tun. Er war viel zu scheu dazu. „Selbst mit dem Apollo von Belvedere hätte ich nie zu Bett gehen mögen.“[20] Das wirklichkeitsreine Traumreich der Erfüllungen in der Phantasie war ihm wichtiger als die immer unvollkommene wirkliche Berührung. „Wie kann man mit Herren schlafen.“[21] Wenn man die Quellen nicht von vornherein der Verdrängung des „Eigentlichen“ verdächtigt, dann sagen sie aus, daß Thomas Mann, vom vereinzelten Onanieren und ungeplanten geschlechtlichen Explosionen in den Nächten abgesehen (Vorfälle, die er mit komischer Pedanterie in den Tagebüchern protokolliert), seine sexuellen Erfahrungen mit Frauen gemacht hat, auch wenn seine Träume immer wieder jungen Männern galten.

Ist so etwas überhaupt möglich? Offensichtlich. Anders hätte die lange Ehe mit Katia Pringsheim nicht glücken können. Die praktizierte Sexualität gehört in Manns Welt nicht zum Bereich des weltverlorenen Rausches, sondern zu dem der rauhen Wirklichkeit, in der man seine Pflicht tut. Die Räusche sind Träume. Sexualität ist nicht das Reich der Freiheit, der Entgrenzung und Erfüllung, sondern eine von Impotenzängsten gepeinigte, vom Versagen bedrohte und deshalb unter ständiger Kontrolle und luststörender Selbstbeobachtung vollzogene Melange aus Pflicht und seltenem Gelingen. Die altbekannte *tristitia post coitum* bezeichnet auch das Empfinden Thomas Manns, der den nachfolgenden „Reue- und Verelendungszustand" für ein wesentliches Charakteristikum des Geschlechtsakts hält.[22] Alles im realen Akt Unerfüllte, in einer stets begrenzten Wirklichkeit auch Unerfüllbare aber zog das homoerotische Traumreich an sich. Es wollte keine Wirklichkeit, es brauchte sie nicht.

Im *Lebensabriß* berichtet Mann von „spät und heftig durchbrechender Sexualität" und fügt hinzu, er spreche von der Zeit um sein zwanzigstes Jahr.[23] Sein zwanzigstes Jahr verbrachte Thomas Mann bereits in München. Die Lübecker Schülerlieben liegen zeitlich so deutlich davor, daß sie nichts damit zu schaffen haben können.

Im Juli 1950, in der Zeit seiner Leidenschaft für den Kellner Franz Westermeier, kommt Thomas Mann auf die beiden frühen Liebesgeschichten zurück. „Aufgenommen ist er", so schreibt er über Franz, „in die Galerie, von der keine 'Literaturgeschichte' melden wird, und die über Klaus H. zurückreicht zu denen im Totenreich, Paul, Willri und Armin."[24] Keines dieser Erlebnisse datiert ins zwanzigste Lebensjahr. Paul Ehrenberg lernt Thomas erst mit vierundzwanzig kennen.[25] Beim Durchbruch der Sexualität haben die Menschen, denen die homoerotischen Passionen galten, keinen aktiven Beistand geleistet.

Aber vielleicht Frauen? Dienst- und Kindermädchen wie bei Felix Krull? Prostituierte? Seifensieder Unschlitts Tochter? Serenus Zeitbloms Mädchen aus dem Volke? Das Münchener Mädchen, vor dem er den Brackenburg nicht genug gespielt hat? Das Blumenmädchen, das Thomas Buddenbrook so glücklich gemacht hat? Wir wissen nichts.

Der versunkene Schatz

„Treue", dachte Tonio Kröger. „Ich will treu sein und dich lieben, Ingeborg, solange ich lebe!" So wohlmeinend war er. Aber eine leise Furcht und Trauer flüsterte in ihm, daß er ja auch Hans Hansen ganz und gar vergessen habe. Sie behielt recht, die hämische Stimme, obgleich Tonio die Flamme seiner Liebe noch eine Weile schürte und nährte, weil er treu sein wollte. „Und über eine Weile, unmerklich, ohne Aufsehen und Geräusch, war sie dennoch erloschen."[26]

Soweit die Literatur. Im Leben behielt die Stimme nicht recht. Wie einen Schatz bewahrte Thomas Mann das Gedenken an Armin Martens, jene „Passion der Unschuld". Wie einen Schatz läßt er Tony Buddenbrook ihre nicht realisierte Liebe zu Morten Schwarzkopf hegen. „Sie rief sich alles ins Gedächtnis zurück, was sie in vielen Gesprächen von ihm gehört und erfahren hatte, und es bereitete ihr eine beglückende Genugtuung, sich feierlich zu versprechen, daß sie dies alles als etwas Heiliges und Unantastbares in sich bewahren wollte." Das heimliche Spiel der Verliebten kann alles poetisieren. Daß der Scheibenhonig ein Naturprodukt ist – „da weiß man doch, was man verschluckt"[27] –, ihr Leben lang sagt sie das, und nur sie selber weiß, daß es nicht um den Scheibenhonig geht. Noch ihr Politisieren hat einen verliebten Neben-, nein, Hauptsinn: „Daß der König von Preußen ein großes Unrecht begangen, daß die 'Städtischen Anzeigen' ein klägliches Blättchen seien, ja selbst, daß vor vier Jahren die Bundesgesetze über die Universitäten erneuert worden, das würden ihr fortan ehrwürdige und tröstliche Wahrheiten sein, ein geheimer Schatz, den sie würde betrachten können, wann sie wollte."[28]

Die Liebe zu Morten ist, wie die Knabenlieben ihres Autors, eine „Passion der Unschuld". Vielleicht wurde auch Tommy einmal von einem Freund so geküßt wie Tony von ihrem Morten (wenngleich es wahrscheinlicher ist, daß er davon nur träumte): „sie sah ihn nicht einmal an, sie schob nur ganz leise ihren Oberkörper am Sandberg ein wenig näher zu ihm hin, und Morten küßte sie langsam und umständlich auf den Mund. Dann sahen sie nach verschiedenen Richtungen in den Sand und schämten sich über die Maße."[29] Nicht Bettgeschichten, sondern Scheibenhonig, der König von Preußen und ein halb mißglückter Kuß sind der Inhalt des versunkenen Schatzes.

„Ewige Knabenliebe" (Tagebuch 3. Juni 1953). Immer wieder folgen einander Schwärmerei, Unmöglichkeit der Verwirklichung und Heilighalten der Erinnerung. Immer wieder ist das Verliebtsein wichtiger als sein Gegenstand. Nach ihrer Affäre mit dem schönen Joseph fügt sich die Frau des Potiphar wieder vollkommen in die Bedingungen ihrer Ehe und ihres Standes. Thomas Mann kennt ihr Innerstes, denn es ist das seine:[30]

Und doch ruhte auf dem Grunde ihrer Seele ein Schatz, auf den sie heimlich stolzer war als auf alle ihre geistlichen und weltlichen Ehren, und den sie, ob sie sich's eingestand oder nicht, für nichts in der

Welt dahingegeben hätte. Ein tief versunkener Schatz, der aber immer still heraufleuchtete in den trüben Tag ihrer Entsagung [...] Es war die Erinnerung – nicht einmal so sehr an ihn, der, wie sie hörte, nun Herr geworden war über Ägyptenland. Er war nur ein Werkzeug, wie sie, Mut-em-enet, ein Werkzeug gewesen war. Vielmehr und fast unabhängig von ihm war es das Bewußtsein der Rechtfertigung, das Bewußtsein, daß sie geblüht und geglüht, daß sie geliebt und gelitten hatte.

Verlorene Gedichte und Dramen

Thomas Mann ist Epiker, so entschieden wie sonst kaum ein Dichter. Aber er hat nicht so angefangen. Es dauerte ziemlich lange, schreibt er später, „bis gegen mein zwanzigstes Jahr, daß die Vermutung, zum Erzähler bestimmt zu sein, sich in meinem Bewußtsein zu festigen begann".[31] Der Vierzehnjährige unterzeichnet: „Th. Mann. Lyrisch-dramatischer Dichter."[32]

Die frühen Dramen und Lyrica sind vernichtet oder verloren. Es gibt von ihnen nur wenige Spuren. Die ersten Gedichte waren an Armin Martens gerichtet.[33] Ihre Machart verraten Heinrich Manns spöttische Zitate: „– – als an deiner Brust ich ruhte ... / – als um den Freund den Arm ich schlang, / Und ich in süßer Lust mich wiegte ..."[34] In der Tanzstundenzeit entstand Liebeslyrik im Ton von Heine und Storm.[35] Weiteres ahnen wir, wenn wir uns an Tonio Kröger erinnern, der ja ebenfalls „ein Heft mit selbstgeschriebenen Versen" besaß[36] und, als sein Herz lebte, bei der nächtlichen Überfahrt nach Dänemark, einen „Sang an das Meer, begeistert von Liebe" dichtete:

> *Du meiner Jugend wilder Freund,*
> *so sind wir einmal noch vereint ...*[37]

Aber das Gedicht „ward nicht fertig, nicht rund geformt und nicht in Gelassenheit zu etwas Ganzem geschmiedet". Die frühe Lyrik war offenbar pathetisch und sentimental. Der gereifte Thomas Mann aber wird ironisch und artistisch schreiben.

In den „Dramen" seines damals vierzehnjährigen Bruders gebe es, so Heinrich Mann an Ludwig Ewers,[38] immerhin ein paar wenn auch noch so verbrauchte Gedanken. Schon der Zwölfjährige hat als Verfasser von „kindischen Dramen" von sich reden gemacht[39] – „dämliche kleine Theaterstücke, die vor Mutter und Tanten mit mir aufzuführen ich meine Schwestern zwang."[40] Eines davon hatte den Titel *Mich könnt ihr nicht vergiften.*[41] Thomas spielte darin einen tückischen Herbergswirt, der einen jungen Ritter zu vergiften und zu berauben gedenkt, aber von seiner schönen, ihm sonst willfährigen Tochter, die den Ritter liebt, daran gehindert wird ... – „kindischer, abenteuerlicher Unsinn, dessen Erfindung mit Erlebnis, mit Gefühl nicht das Geringste zu tun hatte."[42] Auch *Aischa* könnte ein Drama gewesen sein; der Vierzehnjährige zitiert daraus die vielsagenden Worte: „Noch keine Nachricht!"[43] Das Schaurige und Pompöse war sein Fach. Als Tertianer dichtete er eine Romanze auf den heroischen Tod der Arria,[44] der Frau des Paetus, die, wie Plinius der Jüngere berichtet, mit ihrem Mann im Jahre 42 nach Christus den Freitod gewählt hat. Ihr Titel war *Paete, non dolet* (Paetus, es schmerzt nicht), wuchtig eröffnete sie mit der Zeile „Tief in Romas finsterstem Gefängnis", die auf eine Ballade in Trochäen hindeutet.[45]

Als Sechzehn- oder Siebzehnjähriger stand Thomas Mann zeitweise unter dem Einfluß Schillers – wie sein Bajazzo dachte und empfand er so lange im Stil eines Buches, bis ein anderes seinen Einfluß auf ihn ausgeübt hatte.[46] *Die Priester* hieß ein extrem antiklerikales Drama in Blankversen, von dem ein Aktschluß in Erinnerung blieb:

Wenn das nicht der Leibhaftige selbst getan,
So tat's zum Mindesten die Geistlichkeit.

Seine fromme Großmutter habe sich tief bekümmert über den liberalen Fanatismus gezeigt, „der doch nicht mehr als eine leere und angenommene Attitüde war".[47]

In der ersten Münchener Zeit hat Mann wenigstens den ersten Akt zu einem Märchenspiel in Versen mit dem Titel *Der alte König* geschrieben. Theaterruhm muß ihm vorgeschwebt haben, denn er bezeichnet es ausdrücklich als Bühnendichtung. Gedichte will er damals viel weniger geschätzt haben. „Kürzlich habe ich nur allerlei Lyrik fertig gebracht", tiefstapelt er. „Zu Gedichten gehört ja kein Fleiß und keine Ausdauer. Ich mache sie gewöhnlich abends beim Einschlafen." Wahrscheinlich waren sie auch danach. Wir kennen lediglich den Zweizeiler:

Ich schaffe treu. Mit allen Hunden
– naht da die Jägrin Leidenschaft.

Thomas Mann gibt ihn in einer späten Tagebuchnotiz preis,[48] in offenbar akutem Zusammenhang, denn die Eintragung beginnt mit dem Vermerk: „Nächtliche Heimsuchung." – Einzig *Mama* könnte eine Erzählung gewesen sein, wie der Zusammenhang des Briefes, aus dem wir diesen Titel, aber sonst nichts wissen, nahelegt.[49]

Von all diesen Texten spricht Mann ohne Rührung, in verächtlichem Ton. Sentimentalität, Pathos, Pomp und Tendenz sind ihm später zuwider, ja peinlich. Daß er diese Arbeiten vernichtet hat, ist kein Zufall. Der „lyrisch-dramatische Dichter" mußte dem Epiker weichen.

Frühlingssturm und andere unreife Sachen

Der Frühlingssturm hieß die Schülerzeitschrift, die Thomas Mann von Mai bis Juli 1893 mit Otto Grautoff zusammen herausgab. Ein Doppelheft (Juni/Juli) ist erhalten, von einem anderen (Mai) gibt es Nachrichten. Als „philosophisch-wühlerischer Leitartikler" habe er dort geglänzt, schreibt Mann im Rückblick.[50] Das wird sich auf den Titeltext beziehen, in dem der junge Paul Thomas, dies sein kaum verhüllendes Pseudonym, das verstaubte Lübeck durch einen Frühlingssturm aus seiner erstickenden Hülle befreien will, ferner auf eine Verteidigung Heinrich Heines gegen moralisierende Philister (unter dem Titel *Heinrich Heine, der „Gute")*. Der junge Redakteur gefällt sich in einer pubertären Opposition, pathetisch und altklug, aber natürlich auch begabt.

Im *Frühlingssturm* erschienen ferner die Gedichte *Zweimaliger Abschied*, *Nacht* und *Dichters Tod*, die Prosaskizze *Vision* und einige kleinere Texte. Biographische Nachrichten lassen sich aus ihnen nicht gewinnen, denn das meiste ist Pathos aus dritter Hand und entbehrt völlig eines persönlichen Ausdrucks – wie die folgende Probe aus *Dichters Tod*.

> *Noch einmal laß wild dich umschlingen,*
> *o Leben, du blühende Fey!*
> *Noch einmal laßt schäumend erklingen*
> *die Becher in jauchzender Reih'!*[51]

Nach allem, was wir bisher von unserem Helden wissen, waren schäumende Becher, waren Wein, Weib und Gesang seine Sache nicht. Auch der *Zweimalige Abschied* ist gestelzt. Ein junger Mann sagt dort einem Mädchen am Meeresstrand tränenfeucht Lebewohl für immer, im „Abendglühen eines kurzen Tags, an dem das Glück uns in den Armen hielt ..." Die Beziehungspünktchen sollen den Leser zu allerlei Ergänzungen ermutigen, sind aber wahrscheinlich eher Ausdruck davon, daß der Dichter die Szene nie erlebt hat und ihr deshalb auch kein genaueres Profil zu geben vermag. Am anderen Morgen folgt dann der offizielle Abschied am Bahnhof mit Blumenstrauß und Eltern. „Wir logen beide" heißt es, als sie sich förmlich „Auf Wiedersehen!" sagen, denn abends am Meere hatten sie doch schon gewußt: „Nie, – niemals wieder".[52]

Immerhin spricht aus der sentimentalen Szenerie schon das Bewußtsein, daß die große Liebe keinen Platz auf Erden hat, daß jede Verwirklichung sie befleckt und daß sie nicht ins bürgerliche Leben eingepaßt werden kann. In *Buddenbrooks* wird es zwei Paare geben, die zugunsten von Pflichtehen auf ihre Liebe verzichten, um sie als reinen Traum zu bewahren: Thomas Buddenbrook, der nicht sein Blumenmädchen heiratet, sondern die reiche und kühle Gerda, und seine Schwester Tony, die auf den Studenten Morten Schwarzkopf verzichten muß, aber durch den Schatz der Erinnerung an ihn auch die Kraft hat, den Erdenschmutz von zwei katastrophalen Ehen auszuhalten.

Die beste Arbeit aus der *Frühlingssturm*-Zeit ist die Skizze *Vision*[53]. Der Kasus ist grausamer als in den Gedichten und deshalb vielleicht ein bißchen wahrer. Es geht um die sadistische Bezwingung einer Verliebten, im Grunde um eine Vergewaltigungsphantasie. Das erzählende Ich phantasiert sich hinein in die Rolle dessen, der die keimende Liebe des weiblichen Gegenübers, ihr Pulsieren und flehendes Zucken kalt beobachtet und sie mit seinem Blick zugleich befriedigt und tötet. „Aber schwer und mit grausamer Wollust lastet mein Blick." Lieben ist Vernichten, flehenden Widerstand Brechen, Demütigen. Nun müssen wir nicht annehmen, daß Thomas Mann solches einer Frau angetan hat. Viel plausibler ist es, ihn in der Rolle der Frau zu sehen. Die Skizze ist dann Ausdruck seiner Angst vor Vergewaltigung. Das Werkzeug ist der Blick. Blicke können töten. Wer durchschaut ist, ist erledigt, das weiß später Tonio Kröger.[54] Die Tatwaffe der Vergewaltigung ist die Erkenntnis. Lieben heißt auch Erkanntwerden. Thomas Mann hat Angst vor der Rolle des Verliebten, dessen Leidenschaft einem unbeteiligt sezierenden Blick ausgesetzt ist.

In *On Myself* erwähnt Thomas Mann, daß er in den erzählerischen Versuchen jener Zeit „den wunderlichen Prosastil der von Hermann Bahr geführten Wiener Symbolistenschule" freudig genau kopiert habe. Er habe damals eines seiner Schülerprodukte, „ein Stück übertrieben-sensitiver und koloristischer Prosa“, betitelt *Farbenskizze*, an eine Lübecker Zeitung geschickt. Ein schnoddriger Redakteur habe unter den gedruckten Ablehnungszettel die Worte geschrieben: „Wenn Sie öfters solche Einfälle haben, sollten Sie wirklich etwas dagegen tun.“[55] Wahrscheinlich sind *Vision* und *Farbenskizze* identisch gewesen, denn aufdringliche Farbmalerei ist das wichtigste Gestaltungsmittel des Textchens. Ein Kristallkelch, halb voll blassem Gold, davor hingestreckt eine mattweiße Mädchenhand, über die sich eine hellblaue Ader schlängelt, am Finger ein duffsilberner Reif, blutend darauf ein Rubin.

Daß er die Wiener Symbolisten kopiert, sollte uns nicht dazu veranlassen, dem Text jede Qualität abzusprechen. Ein allerdings nicht ganz unparteiischer Zeuge bemerkt zu diesem Thema, Nachahmung sei in gewissen Grenzen eher ein Zeichen von Talent als von hoffnungslosem Persönlichkeitsmangel.[56] Neben den manieristischen Farbspielereien finden sich bereits Züge, die ins Kommende vorausweisen. Mit dem Blick demütigen wird Gerda von Rinnlingen Herrn Friedemann.[57] Das Geäder auf der Hand hat auch Irma Weltner, die Geliebte des Zynikers in *Gefallen;* auch dort kippt die Lust in Rache um.[58]

Mädchen in Lübeck

Mit autobiographischen Äußerungen zu diesem Thema hat der Dichter uns nicht verwöhnt. Wir hören lediglich von „Tanzstunden-Erotik“[59] und von einer braunbezopften Tanzstundenpartnerin, der weitere Liebeslyrik gegolten habe[60]. Für alles andere sind wir auf die teils überscharfen, teils verwischten Spuren angewiesen, die das Erlebte im dichterischen Werk hinterlassen hat. Für die Tanzstunde immerhin gibt es zuverlässige Zeugen. François Knaak hieß in Wirklichkeit Rudolf Knoll, war Ballettmeister in Hamburg und kam im Winter nach Lübeck, um in den ersten Kreisen der Stadt Unterricht zu geben.[61] Im Winter 1889 fanden die Stunden im Hause Mann in der Beckergrube statt. Thomas soll ein guter und liebenswürdiger, aber scheuer und zurückhaltender Tänzer gewesen sein, wie sich eine Kursteilnehmerin erinnert. Auch Hans Hansen, pardon, Armin Martens war mit von der Partie. Ob es die blonde Inge Holm, Tonio Krögers Angebetete aus der Tanzstundenzeit, in Wirklichkeit gegeben hat, ist ungewiß. Die Erzählung weiß von ihr nur wenig Charakteristisches zu melden – nur daß sie „auf eine gewisse, übermütige Art lachend den Kopf zur Seite warf, auf eine gewisse Art ihre Hand, eine gar nicht besonders schmale, gar nicht besonders feine Kleinmädchenhand zum Hinterkopfe führte, wobei der weiße Gazeärmel von ihrem Ellenbogen glitt", und daß sie „ein Wort, ein gleichgültiges Wort, auf eine gewisse Art betonte, wobei ein warmes Klingen in ihrer Stimme war".[62] Das Händemotiv deutet auf dem Umweg über die nicht besonders feine Schulmädchenhand der Clawdia Chauchat[63] zurück auf Pribislav Hippe, von diesem auf Williram Timpe, so daß die Schwärmerei für Inge auch die versetzte Gestaltung eines homoerotischen Erlebnisses sein könnte.

Magdalena Vermehren aber, „mit dem sanften Mund und den großen, dunklen, blanken Augen voll Ernst und Schwärmerei", die Tonios Gedichte versteht und oft hinfällt beim Tanzen,[64] hat es gegeben. Sie hieß in Wirklichkeit Magdalena Brehmer.[65] Eine Tochter von ihr lebte noch bis vor kurzem in Lübeck und erzählte hochbetagt einem jeden, der es hören wollte, daß ihre Mutter doch überhaupt nicht hingefallen sei beim Tanzen. Dabei traten Tränen in ihre Augen.

In seinem Brief aus Berlin vom 16. September 1891 gibt Heinrich Mann dem Freunde Ludwig Ewers, der offenbar die Befürchtung geäußert hatte, ein „Urning", also ein Homosexueller zu sein, den folgenden Rat:

Ich rate Dir, möglichst alle Ausgaben zu vermeiden, bis Du 10 Mark beieinander hast. Dann lenke die beschleunigten Schritte in die Straße (ich habe vergessen, wie sie heißt) vis-à-vis der Ägidienkirche. Das Haus, oben rechts in der Gasse, hat von außen ein blankmessingnes Stiegengeländer, und drinnen befindet sich die Pension Knoop, deren eine Pensionärin mir einst meine ersten normalen sinnlichen Seligkeiten verschaffte. Das sind liebe Erinnerungen, so was. –

Daß Thomas Mann, angesichts seiner engen Vertrautheit mit Heinrich und Ewers und angesichts einer ähnlich gelagerten Problemstellung, über das genannte Lübecker Bordell informiert war, dürfen wir annehmen. Das Haus mit dem Messinggeländer kehrt außerdem im *Doktor Faustus* wieder.[66] Möglicherweise hat Heinrich seinem Bruder ähnliche Empfehlungen gemacht. Er war ja nicht fürs Sublimieren. Eine tüchtige Schlafkur mit einem nicht allzu angefressenen Mädel schien ihm jederzeit angezeigt.[67] Wir behaupten nicht, daß Thomas solchen und ähnlichen Vorschlägen gefolgt sei. Wir können nur sagen, daß Hans Castorp seine sexuelle Initiation einer Prostituierten verdankt.[68] Wir wissen ferner, daß Felix Krull seine Einführung in die höhere Liebestechnik bei einer Prostituierten namens Rozsa absolviert hat, die in manchen Einzelheiten der „Hetaera Esmeralda" im *Faustus,* in anderen der Clawdia Chauchat aus dem *Zauberberg* ähnelt, und von der er erstaunlich genau zu berichten weiß:

Sie war wunderlich ausländischen Ansehens: denn unter einer rotwollenen, vom Wirbel seitwärts gezogenen Mütze hing ihr halbkurz geschnittenes schwarzes Haar in glatten Strähnen herab und deckte teilweise die Wangen, welche vermöge stark vortretender Augenknochen weich ausgehöhlt schienen. Ihre Nase war stumpf, ihr Mund geräumig und rot geschminkt, und ihre Augen, die schief standen, die äußeren Winkel nach oben, schimmerten blicklos und ungewiß in der Farbe, ganz eigen und nicht wie bei anderen Menschen. Zur roten Kappe trug sie eine kanariengelbe Jacke, darunter die wenig ausgebildeten Formen des oberen Körpers sich sparsam, doch schmeidig abzeichneten, und wohl sah ich, daß sie hochbeinig war nach Art eines Füllens, was immer meinem Geschmacke zusagte. Ihre Hand, indem sie den grünen Likör zum Munde führte, wies vorn sich verbreiternde und emporgebogene Finger auf, und irgendwie schien sie heiß, diese Hand, ich weiß nicht, warum, – vielleicht, weil die Adern des Rückens so stark hervortraten. Dazu hatte die Fremde eine Gewohnheit, die Unterlippe vorwärts und rückwärts zu schieben, indem sie sie an der oberen scheuerte.[69]

Er fand lieber, als daß er erfand: Wenn das stimmt, kann Thomas Mann nicht ganz ohne Anschauung gewesen sein, als er diese Zeilen schrieb. Rozsa wird weitaus plastischer beschrieben als zum Beispiel Inge Holm. Auch vom Inneren des Bordells gibt Felix uns genaue Nachricht. Was die sexuellen Handlungen selbst betrifft, herrscht diskretes Halblicht. Immerhin erfahren wir, daß Rozsa beim Verkehr kurze, anfeuernde Zurufe ausstieß, die dem Ausdrucksbereich der Zirkusmanege entstammten, und daß sie eine Art hatte, ihr Bein über das seinige zu legen, „als kreuze sie nur ihre eigenen", denn „alles, was sie sagte und tat, war wundersam ungehemmt, kühn und fessellos".

„Rozsa" war bereits Gesellenzeit. Seine erste sexuelle Initiation war Felix, wenn man vom Glück der Ammenbrust absieht, durch das Kindermädchen Genovefa zuteil geworden. Felix war sechzehn und Genovefa anfangs der Dreißiger, als er die große, wohlgenährte Blondine mit den grünen, erregten Augen und den gezierten Bewegungen eines Abends auf dem dunklen Gange vor der Tür seines Mansardenstübchens trifft – „eine Begegnung, die sich schrittweise ins Innere des Zimmers hinüberspielte und dort zu vollem gegenseitigen Besitze führte."[70]

Daß es auch für Thomas Mann ein bereitwilliges Kinderfräulein gegeben hätte, läßt sich keineswegs mit irgendeiner Sicherheit sagen. Dagegen spricht, daß der *Lebensabriß* den Durchbruch der Sexualität erst auf das zwanzigste Jahr, also auf etwa 1895 datiert. Dafür spricht lediglich, daß Krulls Lebenssphäre damals ganz der Thomas Manns entspricht. Frieda Hartenstein war neunundzwanzig,[71] als Thomas, damals vierzehneinhalb, ihr schrieb: „Wir alle warten hier mit *inbrünstiger* Sehnsucht."[72] Auf einen Brief zwar nur ... Aber er zeichnet als „Freund, Verehrer und Anbeter". Das alles will nichts als eine Möglichkeit andeuten. Wir wissen ja nicht einmal sicher, wer Frieda Hartenstein überhaupt war. *Vielleicht* ein Kindermädchen. Das Wissen um die homosexuelle Veranlagung Thomas Manns sollte nicht dazu verleiten, über Zärtlichkeiten mit Frauen gar nicht erst nachzudenken. „Hübsche Menschen sind eine Freude, ob männlich oder weiblich."[73] Mädchen waren einfach der erlaubte und für den attraktiven jungen Mann aus gutem Hause leicht gangbare Weg. Das muß ja nicht, wie bei Felix Krull, „zu vollem gegenseitigem Besitze" geführt haben. Dem Künstler Thomas Mann wird auch hier eine Andeutung gereicht haben, um das Fehlende folgerichtig zu ergänzen.

III. Vor dem Ruhm

Im Strandkorb, um 1900

Chronik 1894–1901

Ende März 1894 zieht Thomas Mann nach München, tritt im April lustlos eine (unbezahlte) Stelle als Volontär bei einer Feuerversicherung an und kündigt diese Ende August. Damals entsteht die Erzählung *Gefallen*, zum Teil heimlich am Schrägpult während der Bürostunden, die im Oktober in der naturalistischen Zeitschrift *Die Gesellschaft* erscheint und dem Neunzehnjährigen die Türen zu den literarischen Kreisen Münchens öffnet. Seine Lebenssphäre ist das Künstlerviertel Schwabing und das berühmte *Café Central.* Er wird Mitglied eines „Akademisch-dramatischen Vereins", der zum Beispiel Henrik Ibsens naturalistisches Drama *Die Wildente* aufführt; Thomas Mann spielt den Großhändler Werle. Im Wintersemester 1894/95 und im Sommersemester 1895 besucht er an der Technischen Hochschule als unregelmäßiger Gasthörer verschiedene Vorlesungen über Nationalökonomie, Mythologie, Ästhetik, Geschichte und Literaturgeschichte. Vom August 1895 bis zum November 1896 liefert er kleine Beiträge für die von Heinrich Mann redigierte nationalkonservative Zeitschrift *Das Zwanzigste Jahrhundert.*

Literarisch muß Thomas Mann nach dem Erfolg von *Gefallen* in den ersten beiden Münchener Jahren erst einmal viele Rückschläge hinnehmen. Immerhin erscheint *Der Wille zum Glück* (entstanden Dezember 1895) im *Simplicissimus.* Nach vielen verlorenen, gescheiterten oder nie fertig geschriebenen Arbeiten bringt erst *Der kleine Herr Friedemann* (fertig Herbst 1896) den künstlerischen Durchbruch.

Von Juli bis Oktober 1895 reist Thomas mit dem Bruder zusammen das erste Mal nach Italien, nach Palestrina und Rom. Ein zweiter, langer Italienaufenthalt dauert vom Oktober 1896 bis zum April 1898 und führt zunächst, ähnlich wie Goethe das seinerzeit machte, über Venedig und Rom nach Neapel (November 1896), dann zurück nach Rom (Via del Pantheon 57, bis Juli). Den Hochsommer und Frühherbst 1897 verbringen die Brüder gemeinsam wieder in Palestrina, den Winter 1897/98 dann in Heinrichs Wohnung Via Torre Argentina 34. In Italien entstehen zunächst eine Reihe kleinerer, zum Teil verlorener Arbeiten *(Enttäuschung*, *Der Bajazzo, Luischen*, mit Heinrich zusammen das *Bilderbuch für artige Kinder)*, bis im Oktober 1897 die Arbeit an *Buddenbrooks* beginnt.

Im Frühjahr 1898 wird Mann Lektor und Korrektor beim *Simplicissimus* (bis Januar 1900). Er zieht bis 1899 viermal um, stets innerhalb von München-Schwabing. Dort in der Barerstraße, in einem möblierten Zimmer zu sechzig Mark, schrieb er in sein Tagebuch, es gelte nun, die Familie Buddenbrook rasch weiter verfallen zu lassen.[1] Das gelang. Das Manuskript des Familienromans wird am 13. August 1900 an Samuel Fischer nach Berlin geschickt, der sich Ende 1900 zum Druck entschließt und den Roman im Oktober 1901 in zwei Bänden erscheinen läßt. In die lange Wartezeit fallen die Entstehung der Erzählungen *Der Weg zum Friedhof* sowie Vorarbeiten zu *Tonio Kröger, Tristan* und zu dem Drama *Fiorenza*.

Auch in einer gutsitzenden Uniform, den Parademarsch ausübend, hat man sich den jungen Literaten eine Weile vorzustellen. Vom 1. Oktober 1900 an bis zum Dezember absolviert er ein wenig Wehrdienst, bis man ihn gutmütig wegen fortdauernder Sehnenscheidenentzündungen ziehen ließ.

Entscheidung für die Mutter

Der Erzählung *Der Bajazzo* hat Thomas Mann vieles aus seinem eigenen Leben mitgegeben: nicht nur die giebelige alte Stadt mit den gotischen Kirchen und dem altersgrauen Patrizierhause, nicht nur die Bajazzobegabung und das Gedichteschreiben, nicht nur das Puppentheater, die schlechten Noten und die komfortable Erbschaft, sondern vor allem ein stilisiertes Bild von Vater und Mutter. Der Vater in der Erzählung ist, mehr als der in der Wirklichkeit, ein vitaler Mann. Die Macht, zu beglücken oder zu vernichten und dabei gesehen zu werden, verschafft ihm Befriedigung:

Es war ein mächtiger Mann von großem Einfluß auf die öffentlichen Angelegenheiten; ich habe Menschen ihn mit fliegendem Atem und leuchtenden Augen verlassen sehen und andere, die gebrochen und ganz verzweifelt waren. Denn es geschah zuweilen, daß ich und auch wohl meine Schwestern solchen Szenen beiwohnten; vielleicht, weil mein Vater mir Ehrgeiz einflößen wollte, es so weit in der Welt zu bringen wie er; vielleicht auch, wie ich argwöhne, weil er eines Publikums bedurfte. Er hatte eine Art, an seinen Stuhl gelehnt und die eine Hand in den Rockaufschlag geschoben, dem beglückten oder vernichteten Menschen nachzublicken, die mich schon als Kind diesen Verdacht empfinden ließ.[2]

Die Mutter hingegen spielt im Dämmerlicht Klavier, meistens Chopin, und erzählt Märchen, „wie sonst niemand sie kannte“, vielleicht das Märchen vom Mann ohne Schlaf, an das sich der leidenschaftlicher Träumer Thomas Mann so gern erinnert –

die Geschichte jenes Mannes, welcher der Zeit und seiner Hantierung mit so törichtem Eifer anhing, daß er dem Schlafe fluchte. Da gewährte ihm ein Engel die schreckliche Vergünstigung: Er nahm das physische Bedürfnis des Schlafes von ihm, er hauchte auf seine Augen, daß sie wie graue Steine in ihren Höhlen wurden und sich niemals mehr schlossen. Wie dieser Mann sein Verlangen bereut, was er ausgestanden als einzig Schlafloser unter den Menschen, wie er, ein traurig Verdammter, sein Leben hingeschleppt, bis endlich der Tod ihn erlöste, endlich die Nacht, die unzugänglich vor seinen steinernen Augen gestanden, ihn zu sich und in sich genommen – ich wüßte es im einzelnen nicht mehr zu erzählen, aber ich weiß, daß ich am Abend jenes Tages kaum erwarten konnte, in meinem Bettchen allein gelassen zu werden, um mich an die Brust des Schlafes zu werfen, daß ich nie inniger geschlafen habe als in jener Nacht, nachdem ich dieser Geschichte gelauscht.[3]

Der Vater war mächtig und öffentlich, die Mutter melancholisch, träumerisch und intim:

Ich saß in einem Winkel und betrachtete meinen Vater und meine Mutter, wie als ob ich wählte zwischen beiden und mich bedächte, ob in träumerischem Sinnen oder in Tat und Macht das Leben besser zu verbringen sei. Und meine Augen verweilten am Ende auf dem stillen Gesicht meiner Mutter.

Schon während der Schule und auch nach dem Eintritt ins „Leben" in München entschied auch Thomas Mann sich erst einmal für die Mutter, für das Dichten und die Träume, für Bummelei und Bohème, für Wirklichkeitsreinheit und Kunst. Vorerst wohnte er bei ihr, in Schwabing in der Rambergstraße 2, in einer Wohnung, die dann im *Doktor Faustus* als Salon der Senatorin Rodde beschrieben wird.[4] Auch seine späteren Junggesellenwohnungen liegen in Fußgängerentfernung, bequem konnte er bei der Mutter zum Essen vorsprechen. Der Künstler ist ein Kind. „Zwischen Kinderspiel und Kunstübung ist in meiner Erinnerung kein Bruch, keine scharfe Grenze."[5] Wie sein Felix Krull hat er sich für eine unbestimmte, aber fundamentale Freiheit entschieden, „welche mit irgendwelcher Einspannung in ein plump tatsächliches Verhältnis schlechterdings unvereinbar" ist, und für die Vorteile des Traums, nämlich „die unbedingte, enthobene und entbundene Unverantwortlichkeit".[6]

Doch ist die Entscheidung nicht von Dauer. Er habe geruht, sich eine Verfassung zu geben, wird der junge Ehemann am 17. Januar 1906 an den Bruder schreiben. Er wird das wirklichkeitsreine Traumreich verraten und sich auf die Seite der Väterwelt schlagen.

Freiheit

Ein Umzug wäre an sich nichts besonderes. Thomas Manns Umzug nach München aber ist eine wichtige Vorbedingung seines Dichtertums. Erst aus der Ferne wird die Besonderheit der lübeckischen Herkunft bewußt. Erst der Verlust der Kindheits- und Jugendwelt macht die Erinnerungen daran zu Spielmaterial. Wer im Einverständnis mit seiner Umwelt lebt, erfährt diese nicht als mitteilenswert. Wer erzählen will, muß etwas Besonderes zu sagen haben. Aus dem Blickwinkel des so völlig anders gearteten Bohèmelebens in der süddeutsch-katholischen Großstadt war das norddeutsch-protestantisch-hanseatische Lübeck etwas Besonderes, eine verlorene Welt, die zuerst satirisch, später auch elegisch und idyllisch neugeschaffen wurde. Was tut ein Hanseat in der Weißwurststadt? Thomas Mann sucht dort nicht die Literatur – „diese Stadt ist völlig unliterarisch"[7] (aber vielleicht ist das mehr spöttisch als ehrlich) –, sondern ihr Gegenteil. Er findet, es habe seinen Reiz und Nutzen, „in Protest und Ironie gegen seine Umgebung zu leben: das erhöht das Lebensgefühl, man lebt eigentümlicher und selbstbewußter unter diesen Umständen."

Die Bewußtseinsschärfung hatte zwar schon vorher eingesetzt, als mit dem Tod des Vaters, dem Verkauf der Firma und dem Wegzug der Mutter ein rasanter sozialer Abstieg erfolgt war. Aus dem Sohn des Steuersenators der Stadtrepublik, vor dem die einfachen Leute den Hut zogen, war binnen eines Jahres der verbummelte Gymnasiast geworden, von dem keiner mehr etwas erwartete. Er war aufgegeben. Der Wegzug nach München war nur noch die Konsequenz dieses sozialen Schocks. Im Herausfallen aus der Welt der Bestimmung liegt ein wesentlicher Grund dafür, daß der Roman *Buddenbrooks* entstehen konnte. Weil in München alles anders war, entstand aus dem Kontrast jene gleißende Erinnerungsschärfe, die den Roman auszeichnet. Sie vertiefte sich noch in Italien, wo Heinrich und Thomas jedem Kontakt zur Heimat aus dem Weg gingen. „Hörten wir Deutsch sprechen, so flohen wir."[8] Italien bedeutete den Abbruch jeder Verpflichtung gegenüber Lübeck. „Als ich *Buddenbrooks* zu schreiben begann, saß ich in Rom, Via Torre Argentina trentaquattro, drei Stiegen hoch. Lübeck hatte nicht viel Realität für mich, man kann es mir glauben, ich war von seiner Existenz nicht sehr überzeugt. Es war mir, mit seinen Insassen, nicht wesentlich mehr als ein Traum, skurril und ehrwürdig, geträumt vor Zeiten, geträumt von mir und in der eigentümlichsten Weise mein Eigen."[9] Weil seine Vaterstadt ihn nicht wollte und nicht brauchte, weil er sich ihr in keiner Weise verpflichtet fühlte, weil fast alle Brücken abgebrochen waren, fühlte er sich auch frei von irgendwelchen Rücksichten. Er sah keinen Grund, irgendjemanden zu schonen. Wäre der Vater am Leben gewesen, hätte der Sohn als Mitglied der Lübecker Aristokratie niemals einen Roman wie *Buddenbrooks* schreiben können, der so viele Interna aus der eigenen und anderen ersten Familien der Stadt preisgab. Erst das Herausfallen aus der Bürgerwelt machte Thomas Mann zum Künstler.

Subjektiv hat Thomas Mann die Entwurzelung als Befreiung erfahren. Das wurde ihm erleichtert nicht nur durch das Bewußtsein latenter Fähigkeiten und durch das Beispiel seines älteren Bruders, sondern auch durch die simple Tatsache, daß er nicht genötigt war, sein Brot zu verdienen. Empört wehrt sich schon der Neunzehnjährige gegen die Unterstellung, er schreibe für Geld.[10] Aber er hatte leicht reden. Aus der Liquidation der Firma stand ihm eine monatliche Rente in Höhe von 160 bis 180 Mark[11] zu, deren heutige Kaufkraft, in DM umgerechnet, das Zehnfache betragen dürfte. Ein Disput mit Otto Grautoff umreißt ungefähr das Kostenniveau. Die beiden erörtern im September 1894 die Frage, ob man mit 25 Mark monatlich leben könne. Thomas Mann stellt klar: „Von 100 M. monatl. kannst Du grade bescheiden essen, bescheiden wohnen und Dich bescheiden kleiden: weiter durchaus *nichts.*“[12] 180 Mark hingegen war einigermaßen bequem. Die Summe blieb ein schönes Zubrot, auch als Thomas Mann schon ein gut verdienender Autor war. Im Krieg verfiel dann der Wert der Mark, mit ihr der der Rente, und verflüchtigte sich 1923 ganz, als das Ergebnis der Arbeit seiner Väter und Vorväter auf einige Billionstel seines vorigen Wertes schrumpfte.[13]

Daß der frühe Thomas Mann ein so entschiedenes Bewußtsein für reines, der Gesellschaft nicht verpflichtetes Künstlertum an den Tag legt, hat diese ungewöhnlich glücklichen sozialen Bedingungen seines Schaffens zur Voraussetzung. Er weiß das auch und bedankt sich spaßhaft bei der kapitalistischen Weltordnung, daß sie ihm erlaubt habe, der Welt ein Schnippchen zu schlagen. „Ich kenne den Hunger nicht“, antwortet er 1921 auf eine Rundfrage. „In meiner Jugend hatte ich jene 200 Mark monatlich, die vor dem Kriege soziale Freiheit gewährten und mich in den Stand setzten, zu tun, was ich wollte.“[14]

Er war frei in einem seltenen Grade. Thomas Mann ist nicht wie du und ich. Er ist allerhöchst untypisch. Er kann von den üblichen Lebenszwängen absehen – wer sonst kann das? Einen „richtigen“ Beruf hat Thomas Mann, von der kurzen Lektorenzeit abgesehen, nie gehabt. Er war, wie sein gleichgesinnter Bruder Heinrich feststellt, „an nichts gebunden“, aber eben damit auch ein Gezeichneter, der eine unerbittliche Verpflichtung mit sich trug. Bequem ist das nicht. „Wir bedurften der ganzen Widerstandskraft unserer Jugend."[15]

Das Herausfallen aus einer sozialen Welt hat Thomas Mann literarisch oftmals zum Thema gemacht. Der Bajazzo, Tonio Kröger, Felix Krull, Gustav von Aschenbach, Hans Castorp, Joseph, Gregorius: sie alle verlieren ihre Heimat und gewinnen eine bezugslose, zu nichts verpflichtende Freiheit. Sogar das Leben des Soldaten wird Thomas Mann als Befreiung aus der Bürgerlichkeit deuten.[16] Ein konsequenter Abenteurer und Bohemien wird freilich deshalb nicht aus ihm. Immer wieder pocht sein bürgerliches Gewissen. Dann bekommen seine Figuren Sehnsucht nach Blumenmädchen und Speicherarbeitern und blonden Zöpfen. Tonio Kröger, Klaus Heinrich, Joseph und Gregorius suchen den Kontakt zum „Leben" und finden aus der hochgemuten Unverbindlichkeit in die Welt des Sozialen zurück. Biographisch entsprechen solchen Versuchen Thomas Manns Eheschließung und seine politischen Engagements 1914, 1922 und im Exil.

Talent und Erwähltheit

„Was sind Sie für ein begabter Mensch!" soll Ludwig Jakobowski, Redakteur der naturalistischen Zeitschrift *Die Gesellschaft*, ausgerufen haben, als Thomas Mann ihm eine Novelle zeigte.[17] Schon früh hat dieser trotz seines Schulversagens das sichere Gefühl latenter Fähigkeiten. Sein Leben lang wird er das Zeichen der Erwähltheit an der Stirne fühlen. „Einen Künstler, einen wirklichen, nicht einen, dessen bürgerlicher Beruf die Kunst ist, sondern einen vorbestimmten und verdammten, ersehen Sie mit geringem Scharfblick aus einer Menschenmasse. Das Gefühl der Separation und Unzugehörigkeit, des Erkannt- und Beobachtetseins, etwas zugleich Königliches und Verlegenes ist in seinem Gesicht. In den Zügen eines Fürsten, der in Zivil durch eine Volksmenge schreitet, kann man etwas Ähnliches beobachten."[18] Das Prinz-Karl-Spiel der Kindheit bestätigt das Erwähltheitsbewußtsein ebenso wie der Roman *Königliche Hoheit* oder die lebenslange, oft beinahe komische Imitation Goethes. Nicht von ungefähr heißt ein später Roman „Der Erwählte". Ein Gedicht, am 18. Januar 1899 in München entstanden und kurz darauf in der *Gesellschaft* publiziert, bringt diese exklusive Stimmung schon früh selbstbewußt zum Ausdruck:[19]

Monolog

Ich bin ein kindischer und schwacher Fant,
Und irrend schweift mein Geist in alle Runde,
Und schwankend fass' ich jede starke Hand.

Und dennoch regt die Hoffnung sich im Grunde,
Daß etwas, was ich dachte und empfand,
Mit Ruhm einst gehen wird von Mund zu Munde.

Schon klingt mein Name leise in das Land,
Schon nennt ihn Mancher in des Beifalls Tone:
Und Leute sind's von Urteil und Verstand.

Ein Traum von einer schmalen Lorbeerkrone
Scheucht oft den Schlaf mir unruhvoll zurnacht,
Die meine Stirn einst zieren wird, zum Lohne
Für Dies und Jenes, was ich gut gemacht.

Worauf gründet sich das? Daß einen die anderen verachten, schließt Erwähltheitsbewußtsein nicht aus. Es kann einer als mittelloses Flüchtlingskind in ein schwäbisches Dorf verschlagen werden, sich aber, obgleich die bodenständigen Bauern die Hereingeschneiten als hergelaufene Habenichtse betrachten, kraft Schicksal und Herkunft geadelt fühlen. Die soziale Anerkennung ist nicht alles. Viel mehr als ein gesicherter sozialer Rang, der, zur Gewohnheit geworden, gar nichts Auszeichnendes mehr hat, erzeugt der Verlust eines solchen das Erwähltheitsgefühl. Der schnelle Abstieg aus den ersten Kreisen der Stadtrepublik Lübeck in die Schwabinger Halb-Bohème hinterläßt das Gefühl, dem Augenschein zum Trotz etwas Besseres zu sein. Der verbummelte Gymnasiast hat aus dem Verlust seiner sozialen Position nicht den Schluß gezogen, bei den Outcasts werde es doch herrlich sein, sondern, nach kurzer Besinnung, kurzem Sich-Vergleichen mit den Bohème-Kollegen, auch mit so bedeutenden wie Frank Wedekind, Stefan George oder dem Bruder Heinrich, dafür votiert, daß er den Rang seiner Väter wieder erreichen müsse. Sozialer Ehrgeiz ist eines der Motive seines rastlosen Arbeitens. Er wurde ein ziemlich guter Geschäftsmann und verdiente das Geld, das erforderlich war, eine große Familie in schweren Zeiten „standesgemäß" zu unterhalten und „ein Haus zu machen", das dem seines Vaters einigermaßen gleichkam.

Erwähltheitsgefühl und Ehrgeiz helfen natürlich gar nichts,

wenn es am Talent fehlt. Auch hier hat die Herkunft geholfen. Vom Genetischen ist nicht zu reden, aber von der stilvollen Atmosphäre, die den Jungen umgab, vom Wohnen, Kleiden und Essen. Die fein abgestuften Benimmregeln erzeugen schon früh ein Gefühl für das Gehörige, das eingeht in den unbestechlichen Geschmack Thomas Manns. Fast nie begegnen wir bei ihm einer Stillosigkeit. Ästhetik ist sublimierte Verhaltenslehre. Wer weiß, was sich gehört, lernt Wert zu legen auf das genau richtige Wort, die exakt getroffene Stilhöhe. Anders als Heinrich, der oft gerade die Provokation sucht und bewußt den guten Geschmack verletzt, findet Thomas sein Vergnügen am guten Ton. Er schreibt nicht mit dem Beil, wie Heinrich zuweilen, sondern mit einem Satz feiner Schnitzmesser.

Später, in den *Betrachtungen eines Unpolitischen*, hat Thomas seinen Konflikt mit Heinrich auf die Formel Expressionismus contra Impressionismus gebracht. „Expressionismus, ganz allgemein und sehr abgekürzt zu sprechen, ist jene Kunstrichtung, welche, in heftigem Gegensatz zu der Passivität, der demütig aufnehmenden und wiedergebenden Art des Impressionismus" – im Gegensatz also zur Art Thomas Manns – „die Nachbildung der Wirklichkeit aufs tiefste verachtet, jede Verpflichtung an die Wirklichkeit entschlossen kündigt und an ihre Stelle den souveränen, explosiven, rücksichtslos schöpferischen Erlaß des Geistes setzt."[20] Die Verpflichtung gegenüber der Wirklichkeit führt zu einer Art Höflichkeit ihr gegenüber. Dem Leben, wie es nun einmal ist, gebührt Respekt. Thomas Manns Impressionismusdefinition ist unzweifelhaft konservativer Natur. Es wundert nicht, daß ihr eine Polemik gegen die Gattung der Satire, speziell gegen Heinrich Manns sozialkritischen Roman *Der Untertan* folgt. Satirische Formen, im frühen Werk Thomas Manns noch gelegentlich anzutreffen, verlieren sich im späteren Schaffen beinahe ganz. Sie sind zu unhöflich.

Ein metaphysischer Zaubertrank

Die erste Münchener Zeit war die um das ominöse zwanzigste Jahr. Der *Lebensabriß* datiert dorthin die Schopenhauer-Lektüre und berichtet, ihr Wesentliches sei „ein metaphysischer Rausch" gewesen, „der mit spät und heftig durchbrechender Sexualität" zu tun gehabt habe und „eher leidenschaftlich-mystischer als eigentlich philosophischer Art" gewesen sei. Das Erlebnis habe ihm dann geholfen, Thomas Buddenbrook zum Tode zu bringen. Das ist alles sehr eigenartig. Was hat die Lektüre des asketischen Philosophen mit Sexualität zu tun? Was verbindet Leidenschaft und Mystik, und welche Vorstellung von Sexualität hatte der junge Mann, wenn er sie gleich mit dem Tod in Verbindung bringt? Noch vor Freud interpretierte Thomas Mann Libido und Todestrieb psychoanalytisch. Ihr Gemeinsames liegt im Auflösen und Entgrenzen, im Verlust der Individuation und in der Wiedervereinigung mit der Gattung. Das vor allem hatte er von Schopenhauer, und das meinte er mit der leidenschaftlich-mystischen Art.

Zwar gibt es gute Gründe für die Annahme, daß eine zusammenhängende Lektüre von Schopenhauers Hauptwerk *Die Welt als Wille und Vorstellung* erst im Winter 1899/1900 erfolgte,[21] aber das muß keine entscheidende Rolle spielen, da Thomas Mann Schopenhauer schon vorher von Nietzsche kannte und der „metaphysische Zaubertrank“[22] seine Zutaten allesamt auch aus dessen Abhandlung *Was bedeuten asketische Ideale?* beziehen konnte. Es entspricht exakt der Umkehrung, mit der Nietzsche die Philosophie seines Vorläufers vom Askesekopf auf die Triebfüße stellt, wenn Mann die Askese als Antwort erst einmal ablehnt und die Triebgebundenheit der Welt als die eigentliche Aussage erfaßt:

Nicht um „Weisheit“, um die Heilslehre der Willensumkehr, dies buddhistisch-asketische Anhängsel, das ich rein lebenskritisch-polemisch wertete, war es mir zu tun: was es mir antat auf eine sinnlich-übersinnliche Weise, war das erotisch-einheitsmystische Element dieser Philosophie, das ja auch die nicht im geringsten asketische Tristanmusik bestimmt hatte, und wenn mir damals der Selbstmord gefühlsmäßig sehr nahe stand, so eben darum, weil ich begriffen hatte, daß es keineswegs eine Tat der „Weisheit“ sein würde.[23]

Im Schopenhauer-Essay von 1938 vertieft Mann:

Todes-Erotik als musikalisch-logisches Gedankensystem, geboren aus einer enormen Spannung von Geist und Sinnlichkeit – einer Spannung, deren Ergebnis und überspringender Funke eben Erotik ist: das ist das Erlebnis entgegenkommender Jugend mit dieser Philosophie, die sie nicht moralisch, sondern vital, sondern persönlich versteht, – nicht nach ihrer Lehre, ich meine: nach ihrer Predigt, sondern nach ihrem Wesen, – und die sie recht damit versteht.[24]

Aber was soll das alles nur heißen? Wir suchen nach dem Boden der Tatsachen und werden verbal eingenebelt zwischen Erotik und Metaphysik. Wie aber hat er gelebt damals, als Zwanzigjähriger?

Klärchen

Während Kindheit und Jugend fast nur aus Rückblicken rekonstruiert werden können, wissen wir über die frühe Münchener Zeit ein wenig besser Bescheid, weil vom September 1894 an bis 1901 etwa 70 Briefe an den einstigen Mitschüler Otto Grautoff die Zeiten überdauert haben. Allerdings fehlen etliche Schreiben, und andere sind zerschnitten, wahrscheinlich um sie vor unbefugter Neugier zu schützen. Als Thomas Mann 1949 erfuhr, daß diese Briefe noch existierten, erschrak er sehr und bat seinen Informanten, die Briefe zurückzukaufen. „Da ich in einigen Fällen die Anweisung zur Vernichtung gab, kann ich ja nicht gewünscht haben, dass die Mitteilungen in fremde Hände kämen.“[25] Da Otto Grautoff der Vertraute der Passion für Williram Timpe war, ist es natürlich möglich, daß, wie im Falle der frühen Tagebuchverbrennungen, Intimitäten der Grund für die Verstümmelungen dieser Dokumente waren. „Ich halte sie sämtlich für völlig wertlos“, schreibt Thomas Mann im gleichen Brief, während wir froh sind, daß wir wenigstens einen Teil dieser ergiebigen Schreiben zur Verfügung haben.

Seinen autobiographisch eingefärbten Dichter-Helden hat Thomas Mann häufig eine Periode der Lüste mit auf den Weg ihrer Reifung gegeben. „Er war jung und roh gewesen mit der Zeit“, erfährt man über Gustav von Aschenbach, den Helden des *Tod in Venedig*.[26] „Oft bin ich ausgeschweift, denn mein Fleisch war schwach“, bekennt Felix Krull.[27] Von Tonio Kröger, den das Blut seiner Mutter in die Städte des Südens gezogen hat, heißt es, er sei „in Abenteuer des Fleisches“ geraten und tief hinabgestiegen „in Wollust und heiße Schuld“.[28]

Aber das hat Thomas Mann sich nur so ausgedacht. Keine Spur davon überliefern die Briefe an seinen Freund. Da die Abenteuer des Fleisches und die Abstiege in die Wollust auch im dichterischen Werk in keiner Weise konkretisiert werden, brauchen wir den Dichter nicht beim Wort zu nehmen. Prostituierte zum Beispiel beschäftigen seine Gedanken, trotz Rozsa, nur abwehrend[29] – „zu den Dienstmädchen und Dirnen sage ich mit Dir aus vollem Herzen ‘Pfui Teufel’.“ Wenn er diese Sphäre kannte, dann war ihm wohl schon die Pension Knoop vis-à-vis der Ägidienkirche abstoßend erschienen. Der Grautoff-Briefwechsel kennt die heftig durchbrechende Sexualität nur von der Seite des Abwehrkampfs.

Ich sage, du brauchst den Unterleib nicht zu verachten, Du darfst es aber gern; ich thu's nämlich auch. Ich habe mich letzter Zeit nahezu zum Asketen entwickelt. Ich schwärme, in meinen schönen Stunden, für reine ästhetische Sinnlichkeit, für die Sinnlichkeit des Geistes, für den Geist, die Seele, das Gemüt überhaupt. Ich sage, trennen wir den Unterleib von der Liebe![30]

Das ist eindeutig. Von Liebesbeziehungen in dieser Zeit wissen wir nur sehr wenig, aber immerhin mehr als nichts. Ende 1894 entstand wahrscheinlich das Gedicht *Siehst du, Kind, ich liebe dich*, das im Januar 1895 in der *Gesellschaft* erschien.[31] Hier will einer eine philosophische Überlegenheit gegenüber der Liebe aufrechterhalten, fürchtet allerdings, daß das auf die Dauer nicht geht:

Siehst du, Kind, ich liebe dich,
Da ist nichts zu machen;
Wollen halt ein Weilchen noch
Beide drüber lachen.

Aber einmal, unverhofft,
Kommen ernste Sachen, –
Siehst du, Kind, ich liebe dich,
Da ist nichts zu machen!

Weiteres ist von diesem „Kind" allerdings nicht bekannt. Vielleicht existierte es nur in der Phantasie. Aber genau im zwanzigsten Jahr, im Frühsommer 1895, hat es eine kleine Liebesgeschichte gegeben. Als Otto Grautoff ihm vorschlägt, nach Berlin oder Brandenburg zu kommen, schiebt Thomas Mann das hinaus. Zu den Gründen zählt „Klärchen":

Schließlich aber, und das ist der fragwürdigste Punkt, giebt es hier in München irgendwo ein Mädchen, das noch immer nicht genug Rosen von mir bekommen hat, und bei dem ich entarteter Schwächling den Brackenburg noch immer nicht genug gespielt habe. Ich habe keine Lust, diese Andeutung weiter zu ergänzen. Es kommt darauf an, wie lange diese Narrheit bei mir vorhält; ich weiß garnichts.[32]

Wir haben Lust, diese Andeutung weiter zu ergänzen. Rosen schenken: das läßt auf eine zivilisierte Beziehung zu einem eher bürgerlichen Mädchen schließen. Es wird sich nicht um eine Prostituierte oder ein Dienstmädchen gehandelt haben. Den Brackenburg spielen ist ein Fingerzeig auf Goethes Drama *Egmont*. Geht man dem nach, dann läßt sich einigermaßen Begründetes sagen über diese Beziehung. „Wollt Ihr mir nicht das Garn halten, Brackenburg?" fragt Klärchen am Beginn der Szene *Bürgerhaus* im ersten Akt. Brackenburg ist ein treuer Bursche und liebt Klärchen, sie jedoch findet ihn zwar herzensgut, aber er ist ihr nur eine Art Bruder. Hätte sie Brackenburg geheiratet, sie weiß, sie wäre versorgt und hätte ein ruhiges Leben. Egmont aber – „dieses kleine Haus ist ein Himmel, seit Egmonts Liebe darin wohnt" – wird ihr Tod sein. Von ihm, nicht vom Garnhalter schwärmt Klärchen: „Ach, was ist's ein Mann!" Sie singt mit Brackenburg zusammen ein Lied, das mit dem Verspaar endet:

Welch Glück sondergleichen,
Ein Mannsbild zu sein!

Dem Brackenburg treten die Tränen in die Augen. Er weiß, daß er nicht gemeint ist. Er will die Häuslichkeit, sie das Abenteuer, bis zur Aufgabe ihrer Weiblichkeit. „Wär' ich nur ein Bube und könnte immer mit ihm gehen." Die große, gesellschaftlich unmögliche Liebe steht gegen die bürgerlich geordnete Ehe.

Der „entartete Schwächling" fühlte sich offenbar nicht männlich genug seinem Münchener Mädchen gegenüber. Diese fand ihn möglicherweise nett, aber zu mehr reichte es nicht. Jedenfalls war sie wohl eine Persönlichkeit, der sich der junge Thomas Mann unterlegen fühlte. Ein ähnliches Muster wird uns begegnen bei der Werbung um Mary Smith und, in gewissem Grade, auch bei der um Katia Pringsheim, die ihn lange warten lassen wird, bis sie der Verlobung zustimmt. Die Rosen und der Brackenburg-Vergleich lassen darauf schließen, daß Thomas Mann bereits damals nach einem Mädchen Ausschau hielt, das man eventuell heiraten könnte. Er wird dann wohl dafür zu dekadent gewesen sein – jedenfalls schreibt er an Grautoff von einer Gefühlswallung, die den modernen Taugenichts bisweilen befalle, „wenn plötzlich die Sehnsucht ihm kommt nach einem braven und tüchtigen Dasein unter den Leuten, – wenn der Philister in ihm aufsteht." Aber solche Stimmung gehe so schnell wie sie komme, „und der nichtsnutzige Décadent verzichtet eilig wieder darauf, in der Welt etwas zu sein".[33]

Der Kasus hat sich nicht so tragisch entwickelt wie bei Goethe. Es war ja auch kein Egmont da. Die Geschichte verlief im Sande, nachdem Tommy sich nach Italien aufgemacht hatte. Das letzte, was wir erfahren, ist die Mitteilung vom 10. Juli 1895:

Der Abschied von München wird mir aus einigen Gründen recht schwer; aber sie will mir schreiben [...]

Ruhe in allen Souterrains!

Wir bleiben in der Zeit ums zwanzigste Jahr und rekonstruieren eine weitere versteckte Mini-Liebschaft. „Wie in Venedig zuerst, in Traumgenügen und Wonne", so hexameterte Thomas Mann 1919 im *Gesang vom Kindchen*, „so noch einmal wallte das Herz mir, zehn Jahre später."[34] Zehn Jahre später bezieht sich auf Katia Pringsheim 1904. „Wie in Venedig zuerst" muß sich auf Ende Oktober 1896 beziehen; es muß damals eine Liebesgeschichte gegeben haben. Einer „Prinzessin des Ostens" galt sie. Vielleicht war sie, wie Katia, schwarzhaarig mit elfenbeinernen Schultern, „welche kindlich gebildet und anders als die unsrer Frauen".

„Fette Weiber" fand der schmale junge Mann ekelhaft. Was ihn bei Frauen anzog, war das Mädchenhafte und Keusche, das Bräutliche und Elfenhafte, das Kindliche und Unschuldige, das Schmale und Hochbeinige. Dafür gibt es im Leben und im dichterischen Werk zahlreiche Beispiele, von der Schwärmerei für die Schauspielerin Agnes Sorma (1899)[35] bis zu Katia Pringsheim, von Gerda von Rinnlingen im *Kleinen Herrn Friedemann* über Gabriele Eckhof in *Tristan* und Clawdia Chauchat im *Zauberberg* bis zu Rahel und Asnath in der Joseph-Tetralogie, von Rozsa und Zouzou im *Krull* bis zu Esmeralda im *Faustus*. Das Urbild träumt Albrecht van der Qualen alias Thomas Mann als Phantasie im Kleiderschrank.[36] Im unsicheren Kerzenlicht erscheint ihm ein junges Mädchen, ganz nackt, einen ihrer schmalen, zarten Arme zur Decke des Schrankes erhoben, mit Kinderschultern, von welchen ein Liebreiz ausgeht, auf den man nur mit Schluchzen antworten kann ... Die Augen sind schwarz und länglich. Der Mund ist zwar ein wenig breit, aber von einem Ausdruck, so süß wie die Lippen des Schlafes, wenn sie sich nach Tagen der Pein auf unsere Stirn senken ... Sie hält die Fersen fest geschlossen, und ihre schlanken Beine schmiegen sich aneinander.

Die erste größere Arbeit des jungen Dichters, die Novelle *Gefallen*, „ein Früchtchen, das einem den Mund zusammenzieht vor Unreife“,[37] macht keine Ausnahme. Ihr Held, Dr. Selten, teilt mit ihrem Schöpfer einige Lebensverhältnisse, so den nachgymnasialen Umzug von Norddeutschland nach Süddeutschland, das Gedichtemachen und das Vorlesungenhören. Er hat noch „kein Weib berührt“, heißt es verlegen und gestelzt, weil er „noch keine Gelegenheit dazu gehabt hatte“.[38] Er verliebt sich dann in Irma Weltner, eine hübsche Schauspielerin; ihr Rollenfach ist naive Liebhaberin. Ihr Äußeres erfüllt die bekannten Erwartungen:

Kindlich zarte Gestalt, mattblondes Haar, fromme, lustige graublaue Augen, feines Näschen, unschuldig-süßer Mund und weiches, rundes Kinn.

Schmale und weiße Arme und eine helle Kinderstimme vervollständigen das Bild. Irma erhört den jungen Studenten, eine romantische Liebe entspinnt sich. Eines Tages aber muß der junge Mann feststellen, daß seine Freundin, wie in ihrem Gewerbe üblich, Geld nimmt für Freuden, die sie älteren Männern gewährt.

Bei der Überlegung, wieviel an der Geschichte erlebt ist, gehen wir wieder vom Charakteristischen aus, nach dem schon mehrfach bemühten Motto: Er fand lieber, als daß er erfand. Halbwegs charakteristisch wirken der Handkuß, der vom Förmlichen ins Unersättliche hinübergespielt wird, das verliebte Küssen des Treppengeländers, das sie berührt hat, und daß er alles seiner Mama erzählen wolle.[39] Ins Bild der schopenhauerischen Trieblehre und Einheitsmystik paßt es auch, daß Dr. Selten sich keines Handelns bewußt ist, sondern einer still-mächtigen Notwendigkeit folgt, daß die Blicke „tief, tief“ werden und daß um den ersten Kuß die Welt versinkt. Wo die Erzählung ins Sexuelle übergeht, finden sich Beziehungspünktchen. Er erschauert, „wie sie, die für seine Liebesscheu hohe Gottheit gewesen, vor der er sich stets schwach und ungeschickt und klein gefühlt, unter seinen Küssen zu wanken begann ...“

Als Grunderlebnis vermuten wir eine Enttäuschung. Ein hohes Idealbild muß in der Realität beschmutzt worden sein. So etwas kann leicht geschehen, wenn ein sehnsüchtiger, aber nicht eben draufgängerischer Liebhaber sehen muß, wie ein Versierterer im frischen Ansturm die vermeintliche Festung erobert, vor der er lange ehrfurchtsvoll gestanden. Es ist kitschig, kommt aber unter scheuen Menschen häufig vor, daß keiner das klärende Wort sagt, die Frau nicht, weil sie es vom Manne erwartet, der Mann nicht, weil er zart und rücksichtsvoll sein will, und daß an einer solchen Blockade alles scheitert. Thomas Mann war schüchtern wie seine Karikatur Detlev Spinell, der zur Seite blickt, wenn er liebt, um einen schönen Eindruck nicht durch Wirklichkeitsgier zu zerstören.[40] Solches Tun ermuntert die Gegenliebe in der Regel nicht. „Vor Jahren liebte ich ein Mädchen", erzählt der Unbekannte auf der Piazza San Marco in der Erzählung *Enttäuschung,* „sie aber liebte mich nicht, das war kein Wunder"[41] – eine klassische Situation.

Man konnte Thomas Manns Reinheitsanspruch leicht verletzen. „Wenn einer im Stande ist, sich in Kellnerinnen zu verlieben und ihnen vermittels Zehnpfennigstücken Gegenliebe einzuflößen, so ist das Sache der Seelenfeinheit resp. -unfeinheit", schreibt er an Grautoff.[42] Das *fabula docet* der Erzählung *Gefallen* ist das Verlangen nach solcher Seelenfeinheit. „Wenn eine Frau heute aus Liebe fällt, so fällt sie morgen um Geld. Das hab' ich dir erzählen wollen."[43] Aus Liebe: auch das ist ein Fallen. Gerade die Liebe bewahrt sich, das ist die radikale Konsequenz.

„Wie ich sie hasse, diese Geschlechtlichkeit."[44] Was kann man gegen sie tun? Man kann sich zum Beispiel jeden Morgen den ganzen Körper kalt waschen. „Letzteres thut mir sehr gut."[45] Dem Freund Grautoff gibt Tommy das folgende, komisch-altkluge Rezept auf den Weg:

Es ist ein langsames, behutsames Schwächen und Abdorrenlassen des Triebes nötig, wobei alle möglichen intellectuellen Kunstgriffe mithelfen, die einem der Selbsterhaltungsinstinkt suggeriert. Schließlich ist man viel zu sehr homme de lettres und Psycholog, als daß man nicht nebenbei seine überlegene Freude an solcher Selbstbehandlung haben sollte. Irgendwelches Verzweifeln wäre in Deinem Alter unsinnig. Du hast Zeit, und der Trieb zur Ruhe und Selbstzufriedenheit wird die Hunde im Souterrain schon an die Kette bringen. –

Er schmückt sich mit fremden Federn, denn er hat das „Abdorrenlassen" von Nietzsche.[46] Auch die Hunde knurren schon dort, in der für Manns frühes Denken grundlegenden Abhandlung *Was bedeuten asketische Ideale?* – „Ruhe in allen Souterrains; alle Hunde hübsch an die Kette gelegt."[47]

Aus Neapel schreibt Thomas Mann einen weiteren aufschlußreichen Brief an den Jugendfreund.[48] „Woran leide ich?" fragt er. „An der Geschlechtlichkeit ..." lautet der Bescheid, aber „wird sie mich denn zugrunde richten? [...] Wie komme ich von der Geschlechtlichkeit los? Durch Reisessen? – –“ Er hat Angebote, auch für Lustknaben. „Hier und da, unter tausend anderen Verkäufern, schlau zischelnde Händler, die einen auffordern, sie zu angeblich ‘sehr schönen’ Mädchen zu begleiten, und nicht nur zu Mädchen ...“ Aber sie sind wohl nicht zum Ziel gekommen. „Sie lassen nicht ab, sie gehen mit und preisen ihre Waare an, bis man grob wird. Sie wissen nicht, daß man beinahe entschlossen ist, nichts mehr als Reis zu essen, nur um von der Geschlechtlichkeit loszukommen! ...“

Trotz aller Ironie: Das weist alles in dieselbe Richtung. Der sexuelle Durchbruch in der Zeit ums zwanzigste Jahr wurde mit einer gewaltsamen Anstrengung zur Askese beantwortet. Glücklich war der junge Mann damit nicht. Wie denn auch? „Entbehrung ist ein leidiges Wesen, an sich selbst nichts und das Wenige aufzehrend, was der Tag noch allenfalls enthalten könnte.“[49] Der dauernde Schmerz des Verzichts wird umgesetzt in die Höllen und Paradiese der Kunst – „denn menschliche Entbehrung ist gewiß die Quelle einer prophetischen Intuition, die um solchen kümmerlichen Ursprungs willen keineswegs weniger schätzbar ist.“[50] Im Brief vom 25. Oktober 1898, wieder in München, zitiert Mann ausführlich August von Platen, mit dem Hinweis, die folgenden Verse gäben mit einer solchen Schönheit, Klarheit und Knappheit seinen jetzigen Zustand wieder, daß er, anstelle jeder sonstigen Ausführung, die Mühe nicht gescheut habe, sie abzuschreiben:

So ward ich ruhiger und kalt zuletzt,
Und gerne möcht’ ich jetzt
Die Welt, wie außer ihr, von Ferne schaun:
Erlitten hat das bange Herz
Begier und Furcht und Graun,
Erlitten hat es seinen Theil von Schmerz,
Und in das Leben setzt es kein Vertraun;
Ihm werde die gewaltige Natur
Zum Mittel nur,
Aus eigner Kraft sich eine Welt zu baun.[51]

Erkenntnis ist die tiefste Qual der Welt

Im Platen-Ton dichtet Thomas Mann wenig später, in einem Brief versteckt:[52]

Nur eins

Wir, denen Gott den trüben Sinn gegeben
Und alle Tiefen wies, wo Scham und Graun,
Sind ewig fremd den Fröhlichen im Leben,
Die harmlos auf des Daseins Spiele schaun.

Und weil der Menschen Seele zu ergründen
Hohnvoll auch mich der Drang gefangen hält,
Will ich es euch mit schwerem Worte künden:
Erkenntnis ist die tiefste Qual der Welt.

Denn Eines ist es, was in allem Leiden
Uns stark erhält und aufrecht fort und fort,
Ein trostreich Spiel voll höchster, feinster Freuden
den Unglückseligsten: Es ist das Wort.

Das hört sich an, als würde das Erkennen schmerzen. In Wirklichkeit schmerzt der Lebensverzicht, denn das Leben erkennt nur, wer davon ausgeschlossen ist. Glücklich sind nur die Lebendigen und Gewöhnlichen. „Wie ruhevoll und unverwirrbar Herrn Knaaks Augen blickten! Sie sahen nicht in die Dinge hinein, bis dorthin, wo sie kompliziert und traurig werden; sie wußten nichts, als daß sie braun und schön seien. Aber deshalb war seine Haltung so stolz! Ja, man mußte dumm sein, um so schreiten zu können wie er; und dann wurde man geliebt."[53]

Das „Glück" ist immer dumm und bewußtlos. Deshalb läßt es sich nicht durch Berechnung erzielen. Auch die „Liebe" ist bei Thomas Mann das schöne Werk mangelnder Erkenntnis. Eine Liebe, die restlos durchschaut ist, ist tot. Ein Orgasmus, der sich selbst analysiert, kommt gar nicht zustande. „Jede erste Bewegung, alles Unwillkürliche, ist schön, und schief und verschroben alles, sobald es sich selbst begreift."[54]

Renaivisierung! lautet deshalb der Verzweiflungsschrei des Erkennenden. Er liebt seine Hunde – um etwas Unbefangenes um sich zu haben. Aber er selbst ist wie Kleists Jüngling, der vor dem Spiegel die Anmut verlor.[55]

Erst ein langes Leben wird ihn lehren, daß der vermeintlich zerstörerischen Kraft der Erkenntnis eine viel größere Kraft des Lebens gegenübersteht, ständig Neues heraufzubringen. Immer bleibt genug Irrationales übrig. Bei aller Schärfe des kritischen Durchschauens und Erledigens blieb auch Thomas Mann selbst, aus größerem Abstand gesehen, ein großer Naiver, der beharrlich seinen Lebensgesetzen folgte, die er keineswegs erkennend auszuhebeln vermochte.

Die Ellenbogen frei: Der kleine Herr Friedemann

Im letzten Lübecker Jahr war Thomas Mann noch ein „verrannter Bahrianer".[56] In den ersten Münchener Jahren wurde er zum Künstler. Was er vor 1896 geschrieben hat, zählt nicht so recht. Es gibt darin zu viele pathetische und sentimentale Stellen, zum Beispiel in *Gefallen* oder *Der Wille zum Glück*. Es gibt zuviel Mittelmäßiges wie die Essays für das *Zwanzigste Jahrhundert*. Es gibt zu viele kitschige Gedichte wie *Wenn rings der Abendschein verglomm.*[57] Weiteres, wahrscheinlich ebenfalls Mißlungenes, ist verloren; sogar ein Sonett muß dabei gewesen sein, „das erste meines Lebens, aber hübsch; Frau Holm schwamm in Entzücken."[58] Der Briefwechsel mit Grautoff erwähnt zahlreiche unfertige Arbeiten und Werkpläne, wie das Märchendrama *Der alte König*, die Novellen *Aus Mitleid, Mama* und *Piété sans la foi* sowie einen Text, betitelt *Antilocho IX*, was immer das gewesen sein mag. Dazu kommen noch, dem Grautoff-Brief vom 17. Januar 1896 zufolge, *Im Mondlicht* (Palestrina, August 1895), *Begegnung* (Porto d'Anzio, September 1895) und *Zur Psychologie des Leidenden*, wahrscheinlich ein Essay (München, Dezember 1895). Es gab ferner *Walter Weiler* als Vorstufe des *Bajazzo* und *Der kleine Professor* als, möglicherweise, Vorstufe zum *Kleinen Herrn Friedemann*.

Er wird Gründe gehabt haben, das alles zu vernichten. Trotzdem hätten wir es natürlich gern gelesen. Besonders schade ist es, daß *Walter Weiler* und *Der kleine Professor* nicht erhalten sind. Man hätte sonst an der Umarbeitung den künstlerischen Reifungsprozeß jener entscheidenden Jahre im einzelnen dokumentieren können. Seine hauptsächlichsten Tendenzen lassen sich aber auch an den Ermahnungen ablesen, mit denen Thomas Mann die dichterischen Arbeiten des armen Grautoff begleitet, an dem er alles das verhöhnt, was er an sich selber haßt. Besonders gern spießt er klischeehafte und unglaubwürdige Wendungen auf:

So ruhig und würdig Dein Schreiben gehalten ist – Redensarten wie: „bis eine Ohnmacht meine Sinne umfing" kannst Du niemals unterdrücken, wenn Du auch wohl verzeihen wirst, daß ich jedes Mal dabei zu lachen anfange.[59]

Er lacht überhaupt unbarmherzig. Eine Art *test of ridicule* scheidet das Gekonnte vom Mißglückten. Es ist die Ästhetik des *Tonio Kröger*, die sich unverkennbar in jenen Jahren vorbereitet, der Abscheu vor dem Pathetischen und Sentimentalen, Ungewürzten und Unironischen, Täppisch-Ernsten und Banalen. Ein radikal artistischer Standpunkt kommt zum Bewußtsein. „Ich sehe die Welt und mich selbst weder mit moralischen noch mit ärztlichen, sondern mit artistischen Augen an", schreibt der Einundzwanzigjährige entschieden.[60] Er beruft sich auf eine von der Grautoffs wesentlich unterschiedene Anschauung, „eine ästhetische nämlich im Gegensatz zu einer politischen und unausstehlicher Weise auch moralischen". Er zitiert Beispiele Grautoffscher Prosa und hält die seine dagegen:[61]

„Spanien, dessen Bevölkerung die Goldfluth sittlich zu Grunde gerichtet hatte" – das ist mir ein Schlag ins Gesicht. Es heißt: „Spanien, dessen alte Kultur goldig-überreif, wundervoll süß und damit notwendiger Weise auch morsch und reif zum Abfallen geworden war" ... und es ist heute höchstens noch dem Präsidenten eines alldeutschen Vereins gestattet, bei solchen Gelegenheiten den Mund voll Sittlichkeit zu nehmen. –

Entscheidend für das Bewußtsein des künstlerischen Durchbruchs aber ist die folgende Feststellung:[62]

Seit dem „Kleinen Herrn Friedemann" vermag ich plötzlich die diskreten Formen und Masken zu finden, in denen ich mit meinen Erlebnissen unter die Leute gehen kann. Während ich ehemals, wollte ich mich auch nur mirselbst mitteilen, eines heimlichen Tagebuchs bedurfte ...

Sie erscheint ihm so wichtig, daß er sie wenig später noch einmal wiederholt und verdeutlicht:[63]

Seit einiger Zeit ist es mir, als hätte ich die Ellenbogen frei bekommen, als hätte ich Mittel und Wege gefunden, mich auszusprechen, auszudrücken, mich künstlerisch auszuleben, und während ich früher eines Tagebuchs bedurfte, um, nur fürs Kämmerlein, mich zu erleichtern, finde ich jetzt novellistische, öffentlichkeitsfähige Formen und

Masken, um meine Liebe, meinen Haß, mein Mitleid, meine Verachtung, meinen Stolz, meinen Hohn und meine Anklagen – von mir zu geben … Das begann, glaube ich, mit dem 'Kleinen Herrn Friedemann'.

Er schreibt sich frei. Er wird der große Erzähler, den wir kennen. Er ist froh, daß die Zeit der Unreife vorbei ist. „Ich möchte nicht noch einmal 13 noch auch noch einmal 20 sein."[64] Vorbei ist es mit der bekennenden Lyrik, nichts hören wir mehr von schaurigen Dramen. Seit dem *Friedemann* ist sein Stil im wesentlichen fertig. Bis ins hohe Alter wird er sich nur noch verfeinern, erweitern und vertiefen, aber nicht mehr prinzipiell verändern.

Ur-Kram

Was hat es auf sich mit Herrn Friedemann, worum geht es? Vom *Kleinen Professor*, der angeblichen Vorstufe, wissen wir wenig – nur, daß er im November 1894 fertig war und im Januar 1895 der *Gesellschaft*, im März 1895 der *Modernen Kunst* vorlag, die ihn beide nicht druckten, und daß Stoff und Stil nicht mehr bahrianisch waren.[65] Die Friedemann-Erzählung entstand im Mai 1896 und war im September des gleichen Jahres fertig. Daß *Der kleine Professor* eine Vorstufe zum *Kleinen Herrn Friedemann* war, ist eine Vermutung, die sich lediglich auf die Ähnlichkeit des Titels stützt. Gegen diese Vermutung spricht, daß Richard Dehmel das Thema des *Kleinen Professors* für klein hielt im Verhältnis zu *Gefallen.*[66] Von der fertigen Geschichte kann man jedenfalls nicht sagen, daß es sich um ein kleines Thema handle. Im Gegenteil. Nach des Dichters eigener Bekundung geht es um das zentrale Motiv seines gesamten Schaffens, um jenen Thomas Mannschen „Ur-Kram", den Erika Mann noch im Alterswerk *Die Betrogene* wiedererkennt, als sie mit ihrem Vater darüber spricht, daß alle seine Liebesgeschichten dem Bereich des Verbotenen und Tödlichen angehörten, während er doch glücklicher Ehemann und sechsfacher Vater sei. „Ja, ja …" kommentiert der so Erkannte schmunzelnd.[67]

Auch sein Sohn Klaus hat ihn „durchschaut". Seine Diagnose ist glasklar. Er schreibt ins Tagebuch,[68]

dass das Thema der „Verführung" für Zauberer so charakteristisch – im Gegensatz zu mir. Verführungsmotiv: Romantik – Musik – Wag-

ner – Venedig – Tod – „Sympathie mit dem Abgrund" – Päderastie. Verdrängung der Päderastie als Ursache dieses Motivs [...] Bei mir anders. Primärer Einfluss Wedekind – George. – Begriff der „Sünde" – unerlebt. Ursache: ausgelebt. Päderastie. Rausch (sogar Todesrausch) immer als Steigerung des Lebens, dankbar akzeptiert; nie als „Verführung".

Verführung, Sünde, Verdrängung der Päderastie: Ein Leben lang wird es „immer dasselbe" sein, „Ur-Kram". In *On Myself* finden wir eine alles erklärende Passage, die ihrerseits ein Stück aus dem Roman *Joseph in Ägypten* übernimmt:[69]

Auf das durchgehende, mein Gesamtwerk gewissermaßen zusammenhaltende Grund-Motiv aber, das die Geschichte vom kleinen Herrn Friedemann zuerst anschlägt, habe ich viele Jahrzehnte später, in dem ägyptischen Buche meiner Josephsgeschichte einmal hingewiesen: „Wie geringfügig ist, verglichen mit der Zeitentiefe der Welt, der Vergangenheitsdurchblick unseres eigenen Lebens! Und doch verliert sich unser auf das Einzelpersönliche und Intime eingestellte Auge ebenso träumerisch-schwimmend in seinen Frühen und Fernen wie das großartiger gerichtete in denen des Menschheitslebens – gerührt von der Wahrnehmung einer Einheit, die sich in diesem wiederholt. So wenig wie der Mensch selbst vermögen wir bis zum Beginn unserer Tage, zu unserer Geburt, oder gar noch weiter zurückzudringen: sie liegt im Dunkel vorm ersten Morgengrauen des Bewußtseins und der Erinnerung – im kleinen Durchblick sowie im großen. Aber beim Beginn unseres geistigen Handelns gleich, da wir in das Kulturleben eintraten, wie einst die Menschheit es tat, unseren ersten zarten Beitrag dazu formend und spendend, stoßen wir auf eine Anteilnahme und Vorliebe, die uns jene Einheit – und daß es immer dasselbe ist – zu heiterem Staunen empfinden und erkennen läßt: es ist die Idee der Heimsuchung, des Einbruchs trunken zerstörender und vernichtender Mächte in ein gefaßtes und mit allen seinen Hoffnungen auf Würde und ein bedingtes Glück der Fassung verschworenes Leben. Das Lied vom errungenen, scheinbar gesicherten Frieden und des den treuen Kunstbau lachend hinfegenden Lebens; von Meisterschaft und Überwältigung, vom Kommen des fremden Gottes war im Anfang, wie es in der Mitte war. Und in einer Lebensspäte, die sich im menschheitlich Frühen sympathisch ergeht, finden wir uns zum Zeichen der Einheit abermals zu jener alten Teilnahme angehalten."

Im Anfang, wie in der Mitte: Vom 'Kleinen Herrn Friedemann' zum 'Tod in Venedig', der viel späteren Erzählung vom Kommen des „fremden Gottes" spannt sich der Bogen; und was ist die Leidenschaft von Potiphars Frau für den jungen Fremdling anderes als abermals der Einsturz, der Zusammenbruch einer mühsam, aus Einsicht und Verzicht gewonnenen hochkultivierten Haltung: die Niederlage der Zivilisation, der heulende Triumph der unterdrückten Triebwelt.–

Herr Friedemann, bucklig und behindert, hat sich auf ein stilles Leben ohne erotische Erfüllung eingerichtet, als Gerda von Rinnlingen in sein Leben tritt, die Hunde freiläßt und, „eine voll erblühte Marschall-Niel-Rose" im leuchtenden Haar,[70] sein gepflegtes Gleichgewicht zerstört. Der gefeierte Künstler Gustav von Aschenbach, gewöhnt, alle Triebwünsche in die künstlerische Gestaltung hinein zu sublimieren, zerbricht an der unvernünftigen Liebe zu dem schönen Knaben Tadzio. Die Frau des Potiphar hat bisher ein priesterliches Leben an der Seite eines kastrierten Mannes geführt, als der junge Joseph in ihr Leben tritt, an dem ihre Gepflegtheit und Gefaßtheit zugrunde geht, obgleich er ihr, der biblischen Vorlage gemäß, nicht zu Willen ist.

Thomas Manns Lieblingsblume war die Marschall-Niel-Rose.[71] Er „ist" Friedemann, ein lesender und geigespielender Asket, der die Hunde im Souterrain mit Erfolg an die Kette gebracht hat. Das Grundmotiv seines Lebens und Schaffens ist die Angst vor der Leidenschaft, die Angst, daß das sorgsam überwachte Gleichgewicht seines Lebens kippen könnte, die Angst vor der Wiederkehr des Verdrängten und dem Zusammenbruch des treuen Kunstbaus. Genüßlich weiß der Psychoanalytiker Krokowski im *Zauberberg* sie an die Wand zu malen. Nur scheinbar endige der Kampf zwischen der Liebe und der Keuschheit mit dem Siege der Keuschheit. Furcht, Wohlanstand, züchtiger Abscheu, zitterndes Reinheitsbedürfnis, sie unterdrückten die Liebe, hielten sie in Dunkelheiten gefesselt. Aber dieser Sieg sei nur ein Pyrrhussieg, denn der Liebesbefehl lasse sich nicht knebeln, die unterdrückte Liebe trachte sich im Dunkeln und Tiefgeheimen auch ferner zu erfüllen, sie durchbreche den Keuschheitsbann und erscheine wieder, wenn auch in verwandelter Gestalt ...[72]

In jenem Brief an Grautoff aus Neapel vom 8. November 1896 gibt Thomas Mann ein paar Hinweise, wie er selbst die Friedemann-Geschichte versteht. Die Stimmung, die den Grundton der Novelle ausmache, sei „Sehnsucht nach neutralem Nirwana, Frieden und der Untergang im Geschlechtlichen". Nirwana und Frieden einerseits sowie Untergang im Geschlechtlichen andererseits scheinen auf den ersten Blick durchaus gegensätzliche Dinge zu sein. Aber noch vor der expliziten Schopenhauer-Lektüre vereinen sie sich im Zeichen dieses Philosophen und seiner Todeserotik. Der Untergang im Tod wie der Untergang im Geschlechtlichen heben alle Trennung auf in einem Nirwana, das kein Wollen mehr kennt. Als Friedemann seinen Widerstand gegen die Liebe aufgibt und den Kunstbau seines bisherigen Lebens hinwirft, findet er, obgleich er weiß, daß es sein Untergang sein wird, zum Einverständnis mit der schweigenden, unendlich gleichgültigen Ruhe der Natur.[73] Er schließt die Augen, „gehorsam der überstarken, peinigend süßen Macht, der man nicht zu entgehen vermag". Die Leidenschaft ist nicht trennend und individualisierend, sondern vereinigend und auflösend wie der Tod. Etwas Stumpfes und Totes liegt in seinem Blick, als er bereit ist, Frau von Rinnlingen zu folgen, „eine dumpfe, kraft- und willenlose Hingabe". Und so kommt, da sie ihn nicht erhört, auch der Tod im Fluß als widerstandslose Auflösung und Auslöschung, als kraft- und willenlose Hingabe:

Auf dem Bauche schob er sich noch weiter vorwärts, erhob den Oberkörper und ließ ihn ins Wasser fallen. Er hob den Kopf nicht wieder; nicht einmal die Beine, die am Ufer lagen, bewegte er mehr.

Thomas Mann überlebte. Er gab seinen Kunstbau nicht preis, im Leben nicht, wohl aber immer wieder in der Dichtung. Die lebenslange Furcht vor der Heimsuchung ist jedenfalls das zentrale Motiv, das seinem Leben und Werk diese beeindruckende Konstanz gibt. Seine großen Werke sind immer Heimsuchungsgeschichten. Überall zerfallen Persönlichkeiten unter dem Ansturm des Verdrängten. Überall, vom frühen bis zum spätesten Werk, wird ein Verheimlichtes peinlich offenbar. In *Luischen* ist es die schonungsbedürftige Körperlichkeit des fetten Rechtsanwalts Jacoby, die von einer lasziv-heimtückischen Frau vor die Öffentlichkeit gezerrt wird. Thomas wie auch Tony Buddenbrook verzichten auf die wirkliche Liebe zugunsten der bürgerlichen Ordnung, beider Lebensglück zerbricht daran. Der Asketismus des Priors in *Fiorenza* ist nur ein Produkt der fehlgeschlagenen Leidenschaft zu der großen Kurtisane Fiore. Prinz Klaus Heinrich in *Königliche Hoheit* erlebt die Heimsuchung als beschämende Komödie, beim Bürgerball, als er nach wilden Tänzen mit Seifensieder Unschlitts Tochter am Ende mit dem Bowlendeckel auf dem Kopf ertappt wird. Bei Gustav von Aschenbach tritt die Verführung unverhüllt als Homoerotik auf und führt zum Tode. Auch der Kriegsausbruch von 1914 ist eine Heimsuchung, ein ausschweifendes Überbordwerfen der Zivilisation zugunsten urtümlicher Kräfte. Im *Zauberberg* stellen Clawdia Chauchat und Pribislav Hippe die Versuchung zu Formlosigkeit, Gehenlassen und Tod dar. In *Unordnung und frühes Leid* gerät die Welt eines Kindes durch die Liebe aus den Fugen. Im Joseph-Roman wird die Keuschheit nur mühsam bewahrt vor dem heulenden Triumph der unterdrückten Triebwelt. Die Moses-Erzählung *Das Gesetz* schreibt zwar gegen die Baalskulte Jahwes Reinheit und Ordnung vor, aber Moses selbst ist heißblütig, erschlägt im Jähzorn einen Ägypter und kann von den Brüsten seiner Mohrin nicht lassen. Im *Doktor Faustus* überwältigt den keuschen und kühlen Adrian Leverkühn die tödliche Verfallenheit an die Hetäre Esmeralda. Im *Erwählten* ist es der Inzest, in der *Betrogenen* die späte Liebe der schon alternd verzichtenden Rosalie von Tümmler zu dem jungen Ken Keaton, was den Kunstbau der Lebensordnung zerstört. Nur im *Felix Krull* bleibt die Liebe straffrei, dies aber als Märchen und Wunschtraum, bei einem Künstler und Hochstapler, vor dem Horizont des Verzichts auf eine reputierliche bürgerliche Identität.

Die Verführung ging im Leben Thomas Manns hauptsächlich von Knaben und jungen Männern aus. Es ging weniger um die Furcht vor der Leidenschaft überhaupt als vielmehr um die Furcht vor der Homosexualität. Das heißt nicht, daß in der Darstellung dieser speziellen Furcht der ganze Reiz dieser Geschichten läge. Zwar hat Thomas Mann sein Leben lang Angst vor dem Outing gehabt, die Angst des Stigmatisierten, erkannt und gebrandmarkt zu werden. Doch ist das keineswegs alles. Die Dichtung des Gezeichneten wird zwar von dieser Angst in Gang gebracht, bleibt aber nicht in ihrem starren Bann, sondern erhebt sich, aus der Not eine Tugend machend, ins Metaphysische und Religiöse. Die gewendete Gestalt der Angst ist der Wille zur Freiheit, zum wirklichkeitsreinen Traumreich der Kindheit, zur Unabhängigkeit vom Triebe, zur Erlösung von der „Sünde". Für den Schopenhauerianer gibt es zwei Wege zur Befreiung von der Kettung ans Geschlecht: die Kunst und die Heiligkeit. Die Kunst befreit vom Geschlecht, sofern die Welt, rein angeschaut, ein bedeutsames Schauspiel bietet. Die Heiligkeit besteht in der interesselosen Anschauung, bei der das Wollen ein Ende hat und das Rad des Ixion still steht.[74] Der Künstler muß Asket sein. „Daß heute Einer ein Bonvivant und zugleich ein Künstler sein könne, glaube ich nicht."[75]

Ein großes Werk ist mehr als nur ein Resultat seiner biographischen Quellen. Die Furcht vor der Heimsuchung mag in Manns persönlichem Leben Furcht vor der Homosexualität gewesen sein. Wir als Leser dürfen aber auch ganz andere Motive haben. Verschämte Homosexuelle sind zwar eine wichtige Lesergruppe, das wissen wir zum Beispiel von Kuno Fiedler, der vielsagend-eindeutig an den Dichter schreibt: „Es ist wahrscheinlich so, daß sehr, sehr viele Ihnen im Innersten dankbar sind für gewisse Bestätigungen – und dann noch einmal besonders dankbar dafür, dass Sie sie nicht gerade zwingen, sich darüber klar zu werden, *was* ihnen durch Sie bestätigt worden ist."[76] Aber sie sind ersichtlich nicht die einzige Lesergruppe. Die Asketen *aller* Couleur dürfen sich bei Thomas Mann zu Hause fühlen. Und zwar nicht nur die von der strengen Observanz, sondern alle Entbehrenden. Erfahrungen mit Triebverzicht macht schließlich jeder, und auch die Wiederkehr des Verdrängten ist nicht nur in psychiatrischen Kliniken zu finden. Kein Leben kommt ohne Stabilisierungen gegen andrängendes Chaos aus, jedes hat seine zu versteckenden Peinlichkeiten und seine Furcht vor Entlarvung, jedes kennt die Angstlust, die im Fahrenlassen, im Aus-der-Rolle-Fallen liegt, im Zusammenbruch einer Identität, die heute vielleicht noch labiler, noch anfälliger ist als damals, als die bürgerlichen Rollen noch fester waren, die dem chronisch haltlosen Ich Unterschlupf bieten konnten. Einen treuen Kunstbau zu errichten wie Thomas Mann, einem einzigen Verlag und einer einzigen Frau lebenslang die Treue zu halten, die darüberhinausgehende Leidenschaft hinzuopfern und mit festhaltendem Starrsinn die Ordnung aufrechtzuerhalten: es ist billig, das als Verdrängung zu brandmarken, es ist ergiebiger, die Kulturleistung darin zu sehen, die Verzauberung des Leidens und der Leidenschaft in ein großes Werk. Wir hätten dieses Werk nicht, hätte Thomas Mann seinen Leidenschaften für hübsche Kellnerburschen ungehemmten Lauf gelassen. Auch eine Neurose ist „ein kostbares Stück Seele."[77] (Vor Mißbrauch wird gewarnt.)

Das Opernglas

Gleich rücksichtslos wie gegenüber dem eigenen war er gegenüber fremdem Leben. Er opferte sich selbst, aber er opferte auch die anderen. Charlotte Kestner geborene Buff muß seiner Ansicht nach froh sein, daß Goethe sie zu Werthers Lotte gemacht hat. Sie mußte viel geben, aber Goethe noch viel mehr. „Den Göttern opferte man, und zuletzt war das Opfer der Gott."[78] In *Lotte in Weimar* wird Thomas Mann etwas ausführlich gestalten und erklären, was ihm sein Leben lang zum Vorwurf gemacht worden ist: daß er ein kalter Künstler sei, der seine Mitmenschen ausbeute, ihr Vertrauen mißbrauche und sie gnadenlos lächerlich mache.

Seine Mitpatienten nennen ihn den „verwesten Säugling".[79] Detlev Spinell heißt der schönheitsselige Schriftsteller, der in der Erzählung *Tristan* eine lungenkranke Frau mit Hilfe der Kunst tötet (Mordwaffe: Wagners Musikdrama *Tristan und Isolde)*. Sein rundes, weißes, ein wenig gedunsenes Gesicht ist bartlos; nicht etwa rasiert, „weich, verwischt und knabenhaft, war es nur hier und da mit einzelnen Flaumhärchen besetzt." Ferner besitzt Herr Spinell eine gewölbte, poröse Oberlippe, große, kariöse Zähne und Füße von seltenem Umfang. Auf seinem Tische liegt beständig sein Buch, „gedruckt auf einer Art von Kaffeesiebpapier mit Buchstaben, von denen ein jeder aussah wie eine gotische Kathedrale."

Der Schriftsteller Arthur Holitscher war Thomas Mann im Jahr 1900 ein wenig nahegekommen, es hatte ein paar vertrauliche Gespräche gegeben. Als Holitscher eines Tages Manns Schwabinger Wohnung verließ, blieb er aus irgendeinem Umstand auf der Straße einen Moment stehen und schaute sich um. „Da sah ich oben im Fenster der Wohnung, die ich eben verlassen hatte, Mann, mit einem Opernglas bewaffnet, mir nachblicken. Es dauerte indes nur einen Augenblick, im nächsten verschwand der Kopf blitzschnell aus dem Fenster."[80] Im Gespräch mit Arthur Eloesser gibt Thomas Mann ohne Rückhalt zu, daß er in seinem ganzen Leben der Lust gefrönt habe, auf die Straße hinunterzusehen, bestreitet allerdings das Opernglas.[81] Er besitze zwar eins, habe es aber nicht benützt. Wir trauen ihm zu, daß er es doch benützt hat. Auch Katia Pringsheim hat er schließlich mit dem Opernglas betrachtet,[82] wie Klaus Heinrich in *Königliche Hoheit* seine Imma.[83]

Als dann *Tristan* erschien, erkannte Holitscher sich im verwesten Säugling sofort wieder und erinnerte sich plötzlich „an jenes Opernglas, das ein von Natur aus scharfes Auge noch schärfer geschliffen hatte". Trotzdem habe er gute Miene zum bösen Spiel gemacht und erst einige Monate später brieflich einige moralische und künstlerische Bedenken gegen dieses Verfahren geltend gemacht.

In *Bilse und ich* (1906) gibt Thomas Mann seine Lesart des Vorfalls. Er bestreitet nicht, seiner Figur „die Maske eines Literaten, den ich kannte", gegeben zu haben, „eines Herrn von exquisitem, aber lebensfremdem Talent". Aber nicht diesem gelte das Werk: „Ich züchtigte mich selbst in dieser Gestalt, man merke dies wohl." Der Porträtierte habe sich denn auch mit Größe benommen. „Er kam zu mir, um mir recht herzlich die Hand zu drücken", aber die Geste war zu gut für ihn, es folgte, was Schopenhauer die egoistische Reue nennt, die Reue, die nicht den schlechten, sondern den zu guten Handlungen gilt.[84] „Er hatte versucht, den Freien zu spielen, – er war nicht frei. Vergebens hatte er sich und mich über seine wahren Empfindungen zu täuschen versucht. Er kämpfte und unterlag. Nicht lange, so erhielt ich aus der Ferne von ihm einen vergifteten Brief. Und nun, wie ich höre, findet er alles schlecht, was ich schreibe."[85]

Wer hat hier recht? Die Spinell-Figur hat eine künstlerische Notwendigkeit, für die es ganz gleichgültig ist, wer alles als Vorbild beteiligt war. Nur ein ganz schlechtes (und überdies kleines, allzu gut informiertes) Publikum findet sein wichtigstes Vergnügen in der Schadenfreude über die Porträtierten. Alle anderen sehen die Spinell-Figur als Gestaltung des modernen Künstlers par excellence, wie er angesichts des Lebens scheitert. Das große und allgemeine Interesse an der Gestaltung dieser Thematik war gegen das private Interesse Arthur Holitschers abzuwägen. Thomas Mann ist als Künstler radikal. „Ich möchte ein Kunstwerk als etwas Absolutes, bürgerlich Indiscutables betrachtet wissen."[86] Der Schonung von Privatinteressen zuliebe auf eine Pointe zu verzichten fiel ihm außerordentlich schwer. Seine Frau vermochte ihn manchmal dazu zu nötigen. Andere Menschen kaum. Heute verdanken wir dieser Radikalität eine große Zahl von eindringlichen Gestalten. Er sah in die Dinge hinein „bis dorthin, wo sie kompliziert und traurig werden".[87] Das wäre anders nicht gegangen. Die Modelle wurden in einem gewissen Grade geopfert, aber nicht aus privater Gehässigkeit, sondern um des Werkes willen.

Übrigens waren nicht alle verärgert. Tante Elisabeth soll sich geschmeichelt gefühlt haben, wenn man sie als „Tony Buddenbrook" ansprach. Ihr Privatleben war zwar Eigentum der Welt geworden, aber sie war stolz darauf.[88]

General Dr. von Staat

„Aber für politische Freiheit habe ich gar kein Interesse", schreibt Thomas an Heinrich am 27. Februar 1904. „Die gewaltige russische Literatur ist doch unter einem ungeheuren Druck entstanden? Wäre vielleicht ohne diesen Druck garnicht entstanden?" So fährt er fort und beweist damit unwillkürlich, daß Für-politische-Freiheit-kein-Interesse-Haben in der Praxis erst einmal bedeutet, die Reize der Unfreiheit zu preisen.

Sein Sibirien ist der Wehrdienst. Zu seinen Haupterinnerungen daran gehört das Gefühl „eines furchtbaren äußeren Machtdruckes und, im Zusammenhang damit, eines außerordentlich erhöhten Genusses der inneren Freiheit, so, wenn ich in der Kaserne, beim Gewehrputzen etwa (das ich nie gelernt habe) etwas aus Tristan pfiff".[89] Trotzdem war er bereitwillig eingetreten. Der Wehrdienst würde ein gutes Mittel gegen die Dekadenz sein. An Paul Ehrenberg schreibt er erwartungsvoll:[90]

Zu Anfang dieses Monats, und zwar am 6ten (die Sache verdient Genauigkeit) bin ich von einer hochverehrlichen Oberersatz-Commission, der ich die Ehre hatte mich vorzustellen, als tauglich für alle Waffengattungen bezeichnet worden, woraus folgt, daß ich am 1ten Oktober zum Entsetzen aller Feinde des Vaterlandes zur Flinte greifen werde ... Was sagst Du zu der Sache? Was mich betrifft, so bin ich (magst Du das nun glauben oder nicht) vollkommen einverstanden damit und versichere Dich, daß das schadenfrohe und moquante Mienenspiel, mit dem Du seit der zweiten Zeile dieses Absatzes begonnen hast, einfach nicht am Platze ist. Erstens nämlich sehe ich ein, daß es ohne mich ja auf die Dauer nicht gehen würde, mit der deutschen Armee. Zweitens aber stelle ich hochmüthiger décadent es mir äußerst erfrischend vor, einmal ein Jahr lang rücksichtslos und kräftig ausgeschimpft zu werden, wozu ich doch wohl hinlänglich Veranlassung geben werde ... Nein, Scherz bei Seite, ich bin aufrichtig froh, daß ich nicht wieder weggeschickt worden bin.

Wer hätte das gedacht! In den ersten Tagen sah er denn auch richtig gut aus. „Er war in der blitzblauen Extrauniform mit rotem Kragen, silbernen Gardelitzen, blanken Knöpfen und schwarzem Glanzkoppel ein recht propper Soldat."[91] Aber das änderte sich rasch. Aus dem Garnisonslazarett teilte Thomas seinem Bruder Heinrich bereits am

24. Oktober 1900 mit, daß er invalid sei infolge seines rechten Fußes, „der, was ich niemals geahnt, ein Plattfuß ist und durch die Parademarsch-Exercitien sehr schlimm geworden ist". Der Fuß gibt ihm die Chance, zu entweichen. Er soll deshalb viel tausendmal gesegnet sein, „denn wie die jungen Ärzte mir sagen, wird er wahrscheinlich Herrn Dr. von Staat nötigen, mich nach ungefähr 8 Wochen wieder zu entlassen. Ich müsse nur, fügen sie mit vertraulicher List hinzu, immer wieder Schmerzen darin bekommen. Es sind zwei liebenswürdige junge Leute, die täglich im Gefolge des Oberarztes 2mal zu Besuch kommen, meine Werke kennen und stets sehr artig sind."

Ein bißchen Nachhilfe war allerdings nötig. „Ich steckte mich hinter Mamas damaligen Arzt, Hofrath May, den ich im Hochstapler als Sanitätsrat Düsing benutzt habe, einen streberischen Esel, der mit meinem Ober-Stabsarzt befreundet war." Der Oberstabsarzt flüstert mit dem Stabsarzt, der vorher die Auffassung „Macht Dienst. Schluß" vertreten hatte, „und befiehlt ihm, irgend etwas zu sehen, was nicht da ist". Der Stabsarzt steht stramm.

Das ausdrücklich bekundete Verhalten zu Staat und Regierung ist zwar spöttisch, aber nicht verächtlich. Der Vierzigjährige erinnert sich:

Als Knabe personifizierte ich mir den Staat gern in meiner Einbildung, stellte ihn mir als eine strenge, hölzerne Frackfigur mit schwarzem Vollbart vor, einen Stern auf der Brust und ausgestattet mit einem militärisch-akademischen Titelgemisch, das seine Macht und Regelmäßigkeit auszudrücken geeignet war: als General Dr. von Staat.[92]

Daraus spricht bei aller Ironie ein gewisser Respekt. Dementsprechend fehlen aggressive Darstellungen von hohen Repräsentanten des Staates im gesamten dichterischen Werk. Den Roman *Königliche Hoheit* als Serenissimus-Satire zu verstehen geht durchaus fehl, denn das Buch ist monarchistisch, wenn auch nicht im stiernackigen, sondern im reformerischen Sinne. Es ist kein Hoheslied der Demokratie, und Heinrich hat ziemlich recht, wenn er in seiner brieflichen Abrechnung vom 5. Januar 1918 das Personal dieses Romans als „belanglose Statisten, die 'Volk' vorstellen", verhöhnt.

Das „Ich will die Monarchie"[93] aus der Zeit des Ersten Weltkrieges ist insofern kein Ausrutscher, sondern von früh an Manns politisches Bekenntnis. Daß er als Knabe noch den alten Kaiser Wilhelm I. gesehen habe – die greisen Finger der Hand, mit der er winkte, füllten nur einen Teil des weißen Handschuhs aus –, erzählt Thomas Mann in *Meine Zeit* nicht ohne Rührung, desgleichen den alten Feldmarschall von Moltke, der eine wesentlich brausendere Begeisterung erzeugt habe als der junge Kaiser Wilhelm II., „der von Orden in Brillanten funkelnde Erbe des Kaiserthrons".[94] Felix Krull wird eine lange Audienz beim König von Portugal haben. „Der Mensch kommt mit aristokratischen Sinnen zur Welt", versichert er diesem.[95] Herrn Generaldirektor Stürzli hat er vorher erklärt: „Ich finde die Gesellschaft reizend, so wie sie ist, und brenne darauf, ihre Gunst zu gewinnen."[96] Natürlich ist das übertrieben und gespielt. Aber es ist bezeichnend für Thomas Mann, daß er seinen Lieblingspersonen zwar häufig konservative, aber so gut wie nie revolutionäre Rollen zuteilt.

Von einem dem monarchistischen vergleichbaren Interesse an Liberalismus, Kommunismus oder Sozialdemokratie ist in der Zeit bis 1914 nichts festzustellen. In *Buddenbrooks* wird die Revolution von 1848 mit klarer Sympathie für die bestehende Stadtregierung geschildert.[97] Der rebellische Student Morten Schwarzkopf ist ein sympathischer Junge, politisch aber ein Träumer. Es heißt, daß er „seinen gutmütigen Augen einen trotzigen Ausdruck" gab.[98] Die SPD dient als pädagogisches Schreckgespenst. Der Schuldirektor poltert: „Ihr habt euch benommen wie die Sozialdemokraten!"[99] Alles lacht zwar, wählt aber deshalb noch lange nicht sozialdemokratisch. Die Freisinnige Partei „von Eugen Richter, dem fetten Volkstribun"[100] zieht Spott auf sich; die Wendung „frei wie Eugen Richter" ironisiert den Freiheitstiraden drechselnden Müßiggänger. Das wird später im Zivilisationsliteraten der *Betrachtungen* und in der Settembrini-Figur des *Zauberberg* wieder aufleben.

Thomas Mann war zwar Autor beim *Simplicissimus* und in der *Gesellschaft*, also in Blättern, die als mehr oder minder aufsässig galten. Aber was er dort schrieb, war keineswegs oppositionell, jedenfalls nicht in einem irgend pointierten Sinne. Es fällt deshalb nicht so sehr aus dem Rahmen, daß Thomas Mann sich ein gutes Jahr lang (von August 1895 bis November 1896) publizistisch bei einer nationalkonservativen Zeitschrift engagiert hat, betitelt *Das XX. Jahrhundert* und damals herausgegeben von seinem Bruder Heinrich. Acht Beiträge, meistens Rezensionen, hat Thomas für dieses fragwürdige Produkt verfaßt. Sie sind nicht etwa kraß chauvinistisch, aber sie stehen doch klar auf dem Boden der wilhelminischen Machtverhältnisse. Der erste verteidigt die Verurteilung wegen Gotteslästerung, die Oskar Panizza wegen seines Dramas *Das Liebeskonzil* hatte hinnehmen müssen. Der zweite beginnt: „Ein deutscher Sang, der unter fremdem Volke gesungen ward – und doch auf deutschem Boden"; er preist Gardasee-Lyrik. Der dritte, *Ostmarkklänge*, lobt, um dem „bacchantischen Geheul" dionysischer Pathetiker etwas entgegenzusetzen, eine Sammlung nationaler Lieder, „die warme Liebe zum deutschen Vaterland und zur deutschen Sprache bekunden". Apollo contra Dionysos: Nietzsches Frontstellung zeigt schon beim Zwanzigjährigen Wirkung. Auch wenn Mann im *XX. Jahrhundert* meistens hinter seinem späteren Sprachniveau zurückbleibt, enthält der Aufsatz doch auch so bedeutende Sätze wie: „Nun ist ganz sicher der kein Künstler, kein Kenner, der nicht siegreich über seinen Gefühlen steht, sie nicht zu meistern vermag, sondern in ohnmächtig unartikulierten Lauten nur sich Luft zu machen sucht."[101]

Der vierte heißt *Tiroler Sagen* und referiert volkstumsgläubig Geschichten vom Teufel und vom „Gott des Gebirgsvolkes".[102] Der fünfte, *Ein nationaler Dichter*, setzt mit Bourgets *Kosmopolis* dem dilettantisch ästhetisierenden Genußmenschen einen alten Katholiken und Legitimisten entgegen; die Quintessenz lautet:[103]

Nationales Empfinden ist heute überall aufs neue ein literarischer Geschmack geworden, und was in Paris viel mehr nicht als ein Décadencescherz, eine neue Form Renan'scher piété sans la foi zu sein braucht, das hat in Deutschland tiefere Wurzeln, denn die Deutschen sind, als das jüngste und gesündeste Kulturvolk Europas, wie keine andere Nation berufen, die Träger von Vaterlandsliebe, Religion und Familiensinn zu sein und zu bleiben.

Der sechste Beitrag lobt einen Autor, „der einst der Gleichstellung aller Menschen als einem Ideale nachträumte und der es dann gelernt hat, am Anblick mächtiger Persönlichkeiten sich zu begeistern".[104] Der siebte, *Kritik und Schaffen*, ist rein ästhetischer Natur, mit Ausnahme eines kleinen, gleich wieder relativierten Seitenhiebs gegen Georg Brandes, der, als private Persönlichkeit betrachtet, „ein ganz uninteressanter freisinniger Jude" sei.[105] Der achte und letzte Beitrag zeigt einen Adeligen mit wirklichem Ehrgefühl.[106]

Auch wenn da im ganzen zweifellos eine Linie zu erkennen ist, muß man sich doch vor allzu strikten Urteilen hüten. Das meiste wirkt unreif, wie in einer Rolle geschrieben, die der junge Autor eben auch einmal erproben wollte. Wie locker die nationalkonservative Maske saß, erkennt man an dem frivolen Tonfall, in dem Mann gegenüber Grautoff über das Unternehmen spottet. Das „ziemlich einfältige Blättchen", wie er es nennt,[107] habe ihn mit einem Platzregen von Rezensionsexemplaren überschüttet. Er lese immer bloß die Waschzettel und schreibe dann, je nach Laune, eine wohlwollende oder höhnische Note.[108] Das ist natürlich mehr als übertrieben, denn erstens ist keine seiner Rezensionen höhnisch, und zweitens erscheint nach dem eben zitierten Brief überhaupt nur noch ein einziger, der oben als achter erwähnte Beitrag. Aber es zeigt doch wenigstens, daß er nicht als Nationalist *gelten* will.

Zwar spricht Mann auch zu Grautoff an einer Stelle von der „sehr, sehr erhebenden 'nationalen Bewegung'", aber das geschieht ganz und gar in ironischem Tone:[109]

Also Schleiermacher und Fichte haben Deinen Beifall nicht? Nun, das schadet niemandem. Aber dann ist Dein nationales Empfinden doch wohl noch nicht hinreichend erstarkt, denn damit darf man an holprigem Stil keinen Anstoß mehr nehmen; das ist ganz, ganz unpatriotisch. Lies tüchtige Reichstagsreden, lege Dir recht heilige Überzeugungen zu, wirf Deinen guten Geschmack und Deine Skepsis in die Havel und schließ' ans Vaterland, ans teure, Dich mit ganzem Herzen an, wie der Dichter so ungewöhnlich treffend singt.

Der nationale Beiträger kann also gleichzeitig die Heiligtümer der Nation, Fichte, Schleiermacher und Schiller verspotten. (Ans Vaterland, ans teure: das steht im *Wilhelm Tell.*[110]) Wie es wirklich um sein Deutschtum bestellt ist, wollen wir einer Bemerkung über Bier und Wein entnehmen. Denn das Patriotische macht müde,

ein dumpfer Druck beherrscht den Kopf, die Lider sind schwer, träge versagen die Glieder den Dienst, und ein Liter herrlich germanischen Biers hat mir vollends den Blick getrübt. Ach, wenn ich des Chianti gedenke, des dunkel glühenden, mit dem man in Italiens Trattorien das Glas mir füllte![111]

Weder das Politische noch das Nationale brannten ihm damals wirklich auf den Nägeln. Er reagierte offensichtlich in diesem Bereich ganz individuell, nach Lust und Laune, ohne Ernst, Reife und tiefere Überlegung. Seine Herkunft hatte ihm eine konservative Grundstimmung mitgegeben, die sich aber nur als verschwommenes Mißtrauen gegen alles Revolutionäre äußerte und noch nicht zum facettierten Gedankenkristall zusammenschießen wollte.

Italien

Das Lob des Chianti mündet in einen Sehnsuchtsausbruch.

Daß dieser Sommer, der langsam erst naht, schon vorüber wäre! Daß ich mich schon in den Eilzug werfen könnte, um Österreich gelind zu verschlafen und, gleich Fausten, in „lieblicher Gegend" zu erwachen, wo schöne Menschen zum Überfluß mir noch ihr „Buon giorno" zurufen!

Denn dies München – habe ich es noch niemals gestanden? – wie herzlich bin ich seiner überdrüssig! Ist es nicht die unlitterarische Stadt par excellence?

München, einst im Verhältnis zu Lübeck Künstlerstadt, ist nicht mehr weit genug weg, größer noch muß der Abstand zur Heimat sein. Nicht nur der monatliche Wechsel, „der sich in italienischer Währung besser ausnahm,"[112] veranlaßte dazu, sondern der Wille zur Freiheit, der Wille zur Kunst. Der Hauptinstinkt war, sich „so weit nämlich wie nur immer möglich aus deutschem Wesen, deutschen Begriffen, deutscher 'Kultur' in den fernsten, fremdesten Süden auf- und davonzumachen ..."[113] Nein, man darf das *XX. Jahrhundert* nicht so wichtig nehmen. Vorerst noch flieht Thomas Mann aus der Vaterwelt der Pflichten in die Kunst, die Bohème, nach Italien. Italien ist Kultur. Deutschland hingegen: „– ich kann mir nicht helfen: diese vage Tiefe ... das Unsalonmäßige, Ungehobelte, Stumme, Ernste und Einsame der dortigen Kulturart –".[114] Erst ganz allmählich wird sich das Herkunftsbewußtsein wieder durchsetzen. „Gott, gehen Sie mir doch mit Italien, Lisaweta!" wird Tonio Kröger sagen.[115]

„Amen!" das heißt „Schluß!"

Als der Hauptpastor von St. Marien in Lübeck, im Priesterkleide am Sterbebett meines Vaters knieend, sich in lauten Gebeten erging, sprach der Sterbende, nach einigem unruhigen Kopfwenden, ein energisches „Amen!" in die frommen Redereien hinein. Der Geistliche ließ sich dadurch nicht stören, und tat des Amens sogar in seiner Grabrede lobend Erwähnung, während es doch, wie mir, dem halbwüchsigen Jungen, sofort klar gewesen war, nichts weiter bedeutet hatte, als „Schluß!" –[116]

Durchgehend lächerlich zeichnet der frühe Thomas Mann die evangelische Geistlichkeit, verlogen, kunstfremd, phantasie- und verständnislos; ganz im Gegenteil zur katholischen, die sich durch Stil und Vornehmheit auszeichnet. Die prägenden Erfahrungen stammen direkt aus Rom. „Wenn ich hier leben würde, würde ich wahrscheinlich katholisch werden", sagte er scherzend.[117] „Mit Vorliebe besuchte ich San Pietro, wenn der Kardinal-Staatssekretär Rampolla in pompöser Demut die Messe las. Er war eine außerordentlich dekorative Persönlichkeit, und aus Schönheitsgründen bedauerte ich es, daß seine Erhebung zum Papst diplomatisch verhindert wurde."[118] Auch in München ließ sich die katholische Geistlichkeit gut studieren. Das mag in die *Bekenntnisse des Hochstaplers Felix Krull* eingegangen sein. „Geistlicher Rat Chateau war ein eleganter Priester", lesen wir dort. Der „heitersinnliche Kleriker" versteht den jungen Mann, der seinen Vater verlor, lobt seine angenehme Stimme und prophezeit ihm richtig, daß Fortuna sich ihm hold erweisen werde.[119] Der Geistliche Rat ist, ganz im Gegenteil zu seinen protestantischen Amtskollegen, ein Ästhet, und dies nicht etwa in einem profanisierten Sinne, sondern durchaus aufgrund religiöser Initiiertheit: „Und wer eingeweiht ist, das oberste Geheimnis dieser Kirche, das Mysterium von Leib und Blut zu verwalten, – sollte er nicht befähigt sein, zwischen vornehmer und geringer menschlicher Substanz vermöge eines höheren Tastsinnes zu unterscheiden?" Logischerweise ist Chateau Aristokrat. Felix Krull betont, daß die Zugehörigkeit zu einer ehrwürdigen Stufenfolge, wie der katholische Klerus sie darstelle, den Sinn für menschliche Rangordnung viel feiner ausbilde als ein Leben auf der bürgerlichen Ebene.

Gegen die Dekadenz hilft die katholische Kirche – das ist ein weiterer Leitton. „Dem müden Skeptiker", so referiert der Einundzwanzigjährige zustimmend einen Roman von Paul Bourget, „zeigt der alte Katholik, der mit ihm im päpstlichen Garten lustwandelt, die ehrwürdige Gestalt Leo des Dreizehnten, in dem er den Arzt sieht für die seelische Krankheit seines Freundes."[120] Der Papst fasziniert Thomas Mann bis ins hohe Alter. „Empfinde eine nicht leicht zu erklärende brüderliche Teilnahme."[121] Er schreibt einen Papstroman *(Der Erwählte)* und sucht Papst Pius XII. zu einer Privataudienz auf. „Ohne den leisesten inneren Widerstand beugte der Luther-Sproß, der übrigens Luther nicht recht leiden kann, das Knie vor der weißen Gestalt, tief gerührt, und hält diesen Augenblick in Ehren."[122] Er berichtet im Tagebuch (1. Mai 1953):

Am Mittwoch den 29. April Spezial-Audienz bei Pius XII, rührendstes und stärkstes Erlebnis, das seltsam tief in mir fortwirkt. In den rotausgeschlagenen Vorzimmern Begegnung mit Hutchins und Mortimer Adler, die auf meinen Allein-Empfang warten mußten. Dieser im Stehen. Die weiße Gestalt des Papstes vor mich tretend. Bewegte Kniebeugung und Dank für die Gnade. Hielt lange meine Hand. Über den Anlaß des römischen Besuches und meinen Eindruck von der Stadt, wo man in Jahrhunderten wandelt. Über Deutschland, offenbar seine glücklichste Zeit, und die auf Dauer zu erwartende Wiedervereinigung. Die Wartburg, sein Wort darüber und die Einheit der religiösen Welt. Kniete nicht vor einem Menschen und Politiker, sondern vor einem geistlich milden Idol, das 2 abendländische Jahrtausende vergegenwärtigt. Zur Verabschiedung Überreichung der kleinen Gedenk-Medaille. „Ich weiß nicht, ob ich Ihnen vielleicht zur Erinnerung ...“. Darreichung der Hand. „Ist das der Ring des Fischers? Darf ich ihn küssen?“ Ich tat es. Beglückwünschung zu meinem Wirken und Entlassung. Rückweg gewiesen von den Kämmerlingen in lila Seidenmänteln. Durch die Audienz im Stehen erinnert an Napoleon mit Goethe in Erfurt.

Der Besuch soll in Wirklichkeit, vom Standpunkt der anderen Seite aus jedenfalls, viel flüchtiger gewesen sein. Er wird vielleicht nur eine Viertelstunde gedauert haben.[123] Zweifel gibt es sogar daran, ob es wirklich ein Vieraugengespräch gab und nicht vielmehr einen Empfang für eine kleine Gruppe.[124] Auch „Audienz im Stehen“ war natürlich keine Auszeichnung, wie es Thomas Mann die Erinnerung an Goethe bei Napoleon rührend vorgaukelt, sondern das Gegenteil davon. Aber das Bedürfnis nach einer Krönung seines Lebens durch einen Empfang bei der höchsten Autorität der Welt (so muß es ihm vorgekommen sein) war so groß, daß er zu kleinen Schönheitskorrekturen seine Zuflucht nahm. Abrundung des Lebensbaus: wieder ist sie ein starkes Motiv. Auf dem Rückweg ins Hotel kommt er an der Stelle vorbei, wo er als Lebensanfänger vor bald sechzig Jahren einen hochmütigen Prälaten nach Kardinal Rampolla gefragt hatte. „Wie anders nun!“ kommentiert er. „O seltsames Leben, wie es ebenso noch keiner geführt, leidend und ungläubig erhoben.“

Vorher steht noch die Bemerkung im Tagebuchbericht: „Verwandtes Verhalten zur katholischen Kirche wie zum Kommunismus. Gegen beides kein Wort! Mögen andre eifern und Theokratie und Censur fürchten.“ Weil er ein Philokommunist sei, wollte die Kurie ursprünglich die Audienz hintertreiben.[125] Man war nicht schlecht informiert in diesen Kreisen. Man mochte weder Kommunisten noch Protestanten. Diesen Protestanten aber hat man unterschätzt. Er hätte eine lange Privataudienz im Sitzen verdient gehabt.

Der Hauptpastor von St. Marien aber, er hieß Paul Emil Leopold Friedrich Ranke, war ein Feind. Er hat die Familie Mann als „verrottet" bezeichnet.[126] Unverwandelt geht das in *Buddenbrooks* ein. „Neulich nach der Konfirmationsstunde hat Pastor Pringsheim zu jemandem gesagt, man müsse mich aufgeben, ich stammte aus einer verrotteten Familie."[127] Was Ranke tun würde, wenn Grautoff die Buchhändlerlehre aufgäbe, karikiert Thomas Mann boshaft, aber wahrscheinlich treffend:[128]

Er macht sein längstes Gesicht, pfaucht durch die Nase und sagt: „Ach Gätt, mein Ssohn! Du willst den Berruf verrlassen, darein Gätt Dich gessetzt hat?!"

Am Sterbebett des Senators Thomas Buddenbrook erscheint als Ranke Pastor Pringsheim. Er wird niedergemacht nach allen Regeln der Kunst:

In halbem Ornat, ohne Halskrause, aber in langem Talar, erschien er, streifte Schwester Leandra mit einem kalten Blick und ließ sich am Bette auf einen Stuhl nieder, den man ihm zuschob. Er bat den Kranken, ihn zu erkennen und ihm ein wenig Gehör zu schenken; da dieser Versuch aber fruchtlos blieb, so wandte er sich direkt an Gott, redete ihn in stilisiertem Fränkisch an und sprach zu ihm mit modulierender Stimme in bald dunklen, bald jäh akzentuierten Lauten, indes finsterer Fanatismus und milde Verklärung auf seinem Gesichte wechselten … Während er das r auf eine eigenartig fette und gewandte Art am Gaumen rollte, gewann der kleine Johann die deutliche Vorstellung, daß er soeben Kaffee und Buttersemmeln zu sich genommen haben müsse.[129]

Der junge Thomas hat als Kind und Jugendlicher die übliche religiöse Erziehung erfahren. Das Tischgebet war selbstverständlich, jedenfalls im großelterlichen Hause in der Mengstraße. Sonntags mußte Tommy zum Gottesdienst und erinnert sich noch im Alter, daß die Predigt in der Marienkirche immer mit dem „Gnade sei mit euch!" begann.[130] Er wurde konfirmiert, und wir vermuten, daß ihn, als er das Abendmahl nahm, wie Hans Castorp eine Gänsehaut überlief, „das Graupeln und Prickeln wollte gar nicht mehr aufhören".[130a] Seitdem mied er den Gottesdienst. Doch hätte er sich kirchlich trauen lassen, wenn der Schwiegervater nicht so entschieden dagegen gewesen wäre. Seine Kinder wurden selbstverständlich getauft und konfirmiert.[131] Das Beten mit ihnen überließen die Eltern allerdings den Dienstmädchen.[132]

Ein Rabenaas

Die religiösen Kindheitserlebnisse haben zahlreiche Spuren hinterlassen. „Ein freudiger Glaube ist Erbtheil in unserer Familie gewesen," meint der Vater im Testament.[133] Den von Paul Gerhardt ins Lied gebrachten Psalmvers „Befiehl dem Herrn deine Wege" schreibt der Zwölfjährige einem Mitschüler ins Poesiealbum.[134] Die „innige Kraft lutherischer Gesänge", die Thomas Mann 1895 einmal preist,[135] begegnet sonst allerdings vornehmlich als Schnurre und Parodie. Mit fürchterlicher Stimme, die klang, wie wenn der Wind sich im Ofenrohr verfängt, erklingt beim Jerusalemsabend das „Will Satan mich verschlingen" (eine Verszeile aus „Nun ruhen alle Wälder").[136] In dem Paul-Gerhardt-Lied „Nun laßt uns gehn und treten" heißt ein Verspaar „Gib mir und allen denen, die sich von Herzen sehnen ..." „Als T. M. so zu beten lernte", erzählt seine Tochter Erika, „galt das benachbarte Dänemark den Lübeckern durchaus noch als Feind, und da sie 'Dänen' wie 'denen' aussprachen, ging dem patriotischen Tommy der fromme Wunsch gründlich gegen den Strich."[137] Mit den Andachten im Hause Buddenbrook erlaubt sich der Dichter einen Scherz, wenn er die Anwesenden genötigt sein läßt, zu einer feierlichen, glaubensfesten und innigen Melodie die folgenden Worte zu singen:[138]

Ich bin ein rechtes Rabenaas,
Ein wahrer Sündenkrüppel
Der seine Sünden in sich fraß,
Als wie der Rost den Zwippel.
Ach Herr, so nimm mich Hund am Ohr,
Wirf mir den Gnadenknochen vor
Und nimm mich Sündenlümmel
In deinen Gnadenhimmel.

Das kann Thomas in seiner Kindheit nicht gehört haben, jedenfalls nicht in einer Andacht, höchstens im Kabarett, denn da gehört es hin. Es findet sich in keinem Gesangbuch der Zeit.[139]

Satirisch karikiert Thomas Mann auch das Tischgebet. „Hans Castorp faltete seine frisch gewaschenen Hände und rieb sie behaglich-erwartungsvoll aneinander, wie er zu tun pflegte, wenn er sich zu Tische setzte, – vielleicht weil seine Vorfahren vor der Suppe gebetet hatten." Das steht im *Zauberberg*.[140] In *Buddenbrooks* entlarvt sich salbungsvolle Sattheit, die sich mittels des Gebets vor weitergehenden Ansprüchen der Armen salvieren will. Das Leibliche dementiert, wie häufig, das Geistige:

Die Konsulin sprach mit herzlichem Ausdruck das hergebrachte Tischgebet:

Komm, Herr Jesus, sei unser Gast
Und segne, was du uns bescheret hast,

woran sie, wie an diesem Abend ebenfalls üblich, eine kleine, mahnende Ansprache schloß, die hauptsächlich aufforderte, aller derer zu gedenken, die es an diesem Heiligen Abend nicht so gut hätten wie die Familie Buddenbrook ... Und als dies erledigt war, setzte man sich mit gutem Gewissen zu einer nachhaltigen Mahlzeit nieder, die alsbald mit Karpfen in aufgelöster Butter und mit altem Rheinwein ihren Anfang nahm.[141]

Auch Frau Permaneder (Tony Buddenbrook) betet; den Erzähler interessiert daran jedoch lediglich ihre schöne Haltung.[142] Thomas Buddenbrook hingegen betet nicht, wohl aber zitiert er Beten, als es der Familie und der Firma schlecht geht: „Glaubt mir – glaubt mir das eine: Wäre Vater am Leben, wäre er hier bei uns zugegen: er würde die Hände falten und uns alle der Gnade Gottes empfehlen."[143] Erst nach der Schopenhauer-Lektüre, die zuviel war für sein Bürgerhirn, fällt er in seinen Kinderglauben zurück. Ersichtlich findet der Erzähler das nicht lobenswert:[144]

So aber geschah es, daß Thomas Buddenbrook, der die Hände verlangend nach hohen und letzten Wahrheiten ausgestreckt hatte, matt zurücksank zu den Begriffen und Bildern, in deren gläubigem Gebrauch man seine Kindheit geübt hatte. Er ging umher und erinnerte sich des einigen und persönlichen Gottes, des Vaters der Menschenkinder, der einen persönlichen Teil seines Selbst auf die Erde entsandt hatte, damit er für uns leide und blute, der am Jüngsten Tage Gericht halten würde, und zu dessen Füßen die Gerechten im Laufe der dann ihren Anfang nehmenden Ewigkeit für die Kümmernisse dieses Jammertales entschädigt werden würden ... dieser ganzen, ein wenig unklaren und ein wenig absurden Geschichte, die aber kein Verständnis, sondern nur gehorsamen Glauben beanspruchte und die in feststehenden und kindlichen Worten zur Hand sein würde, wenn die letzten Ängste kamen ... Wirklich?

Aber auch das bucklicht Männlein

Auf den ersten Blick überwiegt beim Thema Religion die satirische Perspektive. Die Religion dient zum Kinderquälen wie der Katechismusunterricht am Anfang von *Buddenbrooks*. Doch es gibt auch eine andere Seite. In einem Freundschaftsalbum für Ilse Martens antwortete Mann 1895 auf die Frage nach seinen Lieblingshelden in der Geschichte überraschend: „Christus."[145] Wie ist das gemeint? Zu seinen Lieblingsschriftstellern gehört damals Ernest Renan,[146] der durch ein entmythologisierendes *Leben Jesu* (zuerst 1863) berühmt geworden war. Dazu paßt der Renan-inspirierte Titel einer geplanten Novelle, von der wir sonst nichts wissen: *Piété sans la foi.*[147] Frömmigkeit ohne Glauben: das war es, darum ging es ihm, das fand er modern. „Piété sans la foi ist jetzt in Paris das Feinste."[148]

Auch der kleine Hanno betet, aber bezeichnenderweise nicht aus dem Gebetbuch, sondern aus *Des Knaben Wunderhorn*, rezitiert nicht das kirchlich-bürgerlich Vorgeschriebene, sondern das „bucklicht Männlein".[149] Das Motiv seines Betens ist das Grauen über die Wirklichkeit, so wie sie ist, über die „mystische, traurige und interessante Niederträchtigkeit des Siebentagewerks".[150] Hannos „pavor nocturnus" geht auf dieses Grauen zurück. Er spricht im Traum mit schwerer Zunge (wir ergänzen, was er nur andeutungsweise lallt):[151]

Will ich in mein Gärtlein gehen,
Will mein Zwiebeln gießen;
Steht ein bucklicht Männlein da,
Fängt als an zu nießen.

Will ich in mein Küchel gehen,
Will mein Süpplein kochen;
Steht ein bucklicht Männlein da,
Hat mein Töpflein brochen.

Will ich in mein Stüblein gehen,
Will mein Müßlein essen;

Steht ein bucklicht Männlein da,
Hats schon halber gessen.

Will ich auf mein Boden gehen,
Will mein Hölzlein holen;
Steht ein bucklicht Männlein da,
Hat mirs halber g'stohlen.

Will ich in mein Keller gehen,
Will mein Weinlein zapfen;
Steht ein bucklicht Männlein da,
Thut mir'n Krug wegschnappen.

Setz ich mich ans Rädlein hin
Will mein Fädlein drehen;
Steht ein bucklicht Männlein da,
Läßt mirs Rad nicht gehen.

Geh ich in mein Kämmerlein,
Will mein Bettlein machen;
Steht ein bucklicht Männlein da,
Fängt als an zu lachen.
Wenn ich an mein Bänklein knie,
Will ein bislein beten;
Steht ein bucklicht Männlein da,
Fängt als an zu reden.

Liebes Kindlein, ach ich bitt,
Bet' für's bucklicht Männlein mit!

Erst macht es alles kaputt, und dann will es auch noch ins Gebet eingeschlossen werden! Hanno sagt zum Kinderfräulein: „Nicht wahr, Ida, es tut es nicht aus Schlechtigkeit, nicht aus Schlechtigkeit! ... Es tut es aus Traurigkeit und ist dann noch trauriger darüber ... Wenn man betet, so braucht es das alles nicht mehr zu tun." Wenn Hanno fürs bucklicht Männlein betet, dann, weil er sich identifiziert mit dessen bürgerlich betrachtet schädlichem, aber in einem höheren Sinne verzweifelt wahrhaftigem Treiben. Töpfe, Zwiebeln, Spinnrad, Mus und Wein: der geordnete Haushalt ist letztlich Philistersache und kann die tiefsten, auf irgendeine Erlösung gerichteten Sehnsüchte nicht befriedigen. Es gibt eine nihilistische Religiosität beim frühen Thomas Mann, eine Religiosität aus Verzweiflung. Sie hat mit der vor der Gesellschaft katzbuckelnden Amtskirchlichkeit nichts zu schaffen.

„Ich denke mir", schreibt Walter Benjamin, „daß jenes 'ganze Leben', von dem man sich erzählt, daß es vorm Blick der Sterbenden vorbeizieht, aus solchen Bildern sich zusammenzieht, wie sie das Männlein von uns allen hat."[152] Das Männlein urteilt nicht vom Standpunkt der bürgerlichen Gesellschaft, sondern von dem des Todes aus. Wenn sich bei Thomas Mann Passagen finden, die religiöse Betroffenheit verraten, dann geht es immer um den Tod. Pastor Ranke wird kritisiert, weil er ein Heuchler ist und diese Betroffenheit nicht aufbringt. „Was aber ist denn das Religiöse?" fragt Mann 1931 und antwortet dezidiert:

Der Gedanke an den Tod. Ich sah meinen Vater sterben, ich weiß, daß ich sterben werde, und jener Gedanke ist mir der vertrauteste; er steht hinter allem, was ich denke und schreibe.[153]

So sind die Todesfälle im Leben wie im Roman im Kontrast zum Versagen der kirchlichen Todesverwalter durchaus erschütternd auch in religiöser Hinsicht. Ohne Spott erzählt Thomas Mann vom mystischen Augenblick des Todes der Konsulin Elisabeth Buddenbrook geborene Kröger nach langem, schrecklichem Leiden:

Um halb sechs Uhr trat ein Augenblick der Ruhe ein. Und dann, ganz plötzlich, ging über ihre gealterten und vom Leiden zerrissenen Züge ein Zucken, eine jähe, entsetzte Freude, eine tiefe, schauernde, furchtsame Zärtlichkeit, blitzschnell breitete sie die Arme aus, und mit einer so stoßartigen und unvermittelten Schnelligkeit, daß man fühlte: zwischen dem, was sie gehört, und ihrer Antwort lag nicht ein Augenblick – rief sie laut mit dem Ausdruck des unbedingtesten Gehorsams und einer grenzenlosen angst- und liebevollen Gefügigkeit und Hingebung: „Hier bin ich!" … und verschied.

Alle waren zusammengeschrocken. Was war das gewesen? Wer hatte gerufen, daß sie sofort gefolgt war?[154]

Wer hatte gerufen? Für den Frommen ist die Antwort klar: Christus. Ein lateinisches Gebet des Mittelalters fleht: „In hora mortis voca me!" Rufe mich in der Stunde des Todes. In der Übersetzung von Angelus Silesius wurde es zum Sterbelied. Die letzte Strophe beginnt: „Ruf mir in meiner letzten Not / Und setz mich neben dich, mein Gott."[155]

Wahre Religiosität hat mit Pastor Rankes beflissenen Zeremonien nichts zu tun. Sie ist unbürgerlich. Sie wirft aus der Bahn wie die Liebe und der Tod und die Kunst. Auch die Kunst. Als religiöses Ereignis erlebt Thomas Mann Anfang Mai 1895 eine Aufführung von Goethes *Faust* (der Anfang der Briefstelle fehlt):

[...] hunderten von Engeln. Eine goldene Treppe führt ins Unabsehbare empor, und oben sieht man, das heilige Kind im Arm, die Mater dolorosa; am Fuße den seligen Faust; in der Mitte Grethchen. Und von milden Chören vernimmt man die überirdischen Verse:

Alles Vergängliche
Ist nur ein Gleichnis,
Das Unzulängliche
Hier wird's Ereignis,
Das Unbeschreibliche
Hier ist's gethan,
Das ewig Weibliche
zieht uns hinan.

Vielleicht ist es lächerlich; aber mir wurde fromm und gläubig zu Sinn bei diesem electrisch beleuchteten Blick ins Metaphysische. –[156]

„Vielleicht ist es lächerlich" – er schämt sich ein bißchen; das Religiöse ist genannt. Das öffentliche Frommsein insbesondere ist peinlich, so wie Tonys Gebete am Sterbebett ihres Bruders:[157]

Um fünf Uhr ließ Frau Permaneder sich zu einer Unbedachtsamkeit hinreißen. Ihrer Schwägerin gegenüber am Bette sitzend, begann sie plötzlich, unter Anwendung ihrer Kehlkopfstimme, sehr laut und mit gefalteten Händen, einen Gesang zu sprechen ... „Mach End', o Herr", sagte sie, und alles hörte ihr regungslos zu – „mach Ende mit aller seiner Not; stärk seine Füß' und Hände und laß bis in den Tod ..." Aber sie betete so sehr aus Herzensgrund, daß sie sich immer nur mit dem Worte beschäftigte, welches sie grade aussprach, und nicht erwog, daß sie die Strophe gar nicht zu Ende wisse und nach dem dritten Verse jämmerlich steckenbleiben müsse. Das tat sie, brach mit erhobener Stimme ab und ersetzte den Schluß durch die erhöhte Würde ihrer Haltung. Jedermann im Zimmer wartete und zog sich zusammen vor Geniertheit.

„Mach End, o Herr" ist der Anfang der zwölften und letzten Strophe von Paul Gerhardts Lied „Befiehl du deine Wege". Was Tony durch die erhöhte Würde ihrer Haltung ersetzen mußte, lautet im Zusammenhang:[158]

Mach End, o Herr, mach Ende
mit aller unsrer Noth!
Stärk unsre Füß und Hände,
und laß bis in den Tod
uns allzeit deiner Pflege
und Treu empfohlen sein,
so gehen unsre Wege
gewiß zum Himmel ein.

Im Verlauf des Romans nimmt die religiöse Tiefe zu von Generation zu Generation, sinkt das Religiöse wie ein Stein in Brunnentiefen. Sein Ausdruck wird immer verschämter, versteckter und erstickter. Der alte Johann Buddenbrook ist heiter und irdisch; ihn ficht das Thema nicht an. Von seinem Sohn heißt es bereits, daß er, „mit seiner schwärmerischen Liebe zu Gott und dem Gekreuzigten, der erste seines Geschlechtes gewesen, der unalltägliche, unbürgerliche und differenzierte Gefühle gekannt und gepflegt" habe.[159] Von dessen Söhnen wiederum (Thomas und Christian) erfährt man, daß sie die ersten waren, „die vor dem freien und naiven Hervortreten solcher Gefühle empfindlich zurückschreckten". Thomas sind die großen, mit Tränen gemischten Worte, mit denen Tony zwischen Braten und Nachtisch vom Tod des Vaters zu sprechen liebte, „im höchsten Grade peinlich". Das heißt nicht etwa, daß er hart wäre. Er bewahrt solchen Ausbrüchen gegenüber zwar taktvollen Ernst und gefaßtes Schweigen, aber „gerade dann, wenn niemand des Verstorbenen erwähnt oder gedacht hätte, füllten sich, ohne daß sein Gesichtsausdruck sich verändert hätte, langsam seine Augen mit Tränen". Hanno schließlich betet fürs bucklicht Männlein.

[illegible]

Im Verlauf des Romans [illegible] religiös [illegible] zu [illegible]

[illegible]

[illegible] Liebe zu Gott und dem [illegible]

[illegible]

IV. Thomas und Heinrich

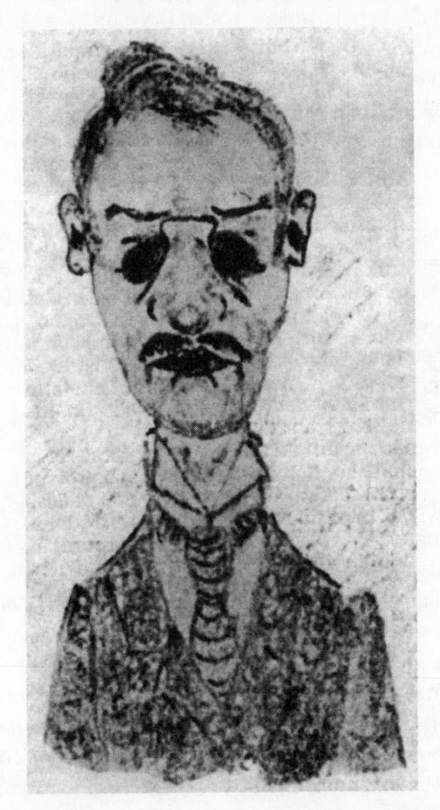

Selbstporträt Weihnachten 1897, dem Bruder Heinrich gewidmet

Chronik 1875–1914

Die Kindheit verlebten die Brüder bis 1889 gemeinsam, bis Heinrich mit achtzehn die Schule verließ, erst in Dresden eine Buchhändlerlehre begann und sich vom April 1891 an bei Samuel Fischer in Berlin als Volontär verdingte. Trotzdem sah man sich gelegentlich. Die Sommerferien 1893 hat Heinrich mit Thomas zusammen verbummelt, und im Frühsommer 1894 waren sie zusammen in Bayreuth.

Der Tod des Vaters am 13. Oktober 1891 machte Heinrich finanziell unabhängig, so daß er von 1892 an ein bewegtes Wanderleben als freier Schriftsteller beginnen konnte. Seine Hauptaufenthaltsorte waren Berlin, Lausanne, Paris, Florenz und Rom, ferner Riva am Gardasee, wo er häufig seiner angegriffenen Lunge wegen zu Sanatoriumsaufenthalten weilte. Bis 1914 hat Heinrich keinen festen Wohnsitz. Bereits 1894 erscheint sein erster Roman *(In einer Familie)*. Ihm folgen Novellen, dann die Romane *Im Schlaraffenland* (1900) und, mit größerem Erfolg, die Renaissancetrilogie *Die Göttinnen* (Ende 1902).

Die intensivste gemeinsame Zeit sind die Jahre von 1895 bis 1901. Von Juli bis Oktober 1895 verbringen die Brüder das erste Mal zusammen mehrere Monate in Italien (Palestrina und Rom). 1895/96 arbeitet Thomas an der von Heinrich herausgegebenen Zeitschrift *Das XX. Jahrhundert* mit. Zu teils kürzeren Begegnungen, teils monatelangem Zusammenleben kommt es auch bei Thomas' zweitem Italienaufenthalt Oktober 1896 bis April 1898. Auf der Rückreise von Florenz weilt Thomas im Frühjahr 1901 einige Tage mit Heinrich im Sanatorium des Alternativmediziners Dr. von Hartungen in Riva am Gardasee, das charakteristische Einzelheiten für „Haus Einfried" in der Erzählung *Tristan* beisteuert (fertig Juni oder Juli 1901). Ausführlichere Kuraufenthalte in Mitterbad (Juli/August 1901) und Riva (November und Dezember 1901) folgen.

Thomas trat immer mehr aus dem Schatten des Bruders heraus. Der Verkaufserfolg von *Buddenbrooks* (erschienen 1901) übertraf Heinrichs Auflagen bald beträchtlich. Der jüngere Bruder wird sehr selbstbewußt. Ende 1903 kritisiert er des Bruders Roman *Die Jagd nach Liebe* so heftig, daß der Zwist nur mühsam zu kitten ist. Auch *Professor Unrat* (erschienen 1905), einer der besten Romane Heinrichs, befriedigt die Ansprüche des Bruders nicht. Familiäres kommt hinzu. Heinrich distanziert sich von den nach seinem Geschmack allzu bürgerlichen Heiraten seiner Schwester Julia (1900) und seines Bruders Thomas (1905). Umgekehrt kann seine zeitweilige Verlobte Ines Schmied (seit 1905) die Sympathie der Familie so wenig erringen wie später die Prager Schauspielerin Maria Kanová, die er 1914 heiratet. Das Ehepaar läßt sich in München nieder.

So bleibt das Verhältnis zwar kollegial, aber doch immer angespannt. Seit etwa 1904 entwickelt sich Heinrich von seinen anfangs eher unpolitisch-konservativen Anschauungen hin zu Politik, Liberalismus und Demokratie *(Die kleine Stadt,* Roman 1909, *Geist und Tat,* Essays 1910). Thomas sieht das mit Befremden. Obgleich der Freitod der Schwester Carla, zu der Heinrich ein sehr inniges Verhältnis hatte, die Solidarität der Restfamilie noch einmal stärkt, kommen die Spannungen endgültig zum Ausbruch, als Thomas sich im Herbst 1914 auf die Seite der deutschnationalen Kriegsbegeisterung stellt. Für Jahre bricht daraufhin der Kontakt zwischen den Brüdern ab.

Papas Tod und Gunst

Der Vater hat den Brüdern nicht viel zugetraut, als er ihnen testamentarisch die Firma wegnahm, aber er hat sie damit auch von einer Last befreit. Sie danken ihm das und wollen sich der Befreiung würdig erweisen. Was er wohl dazu gesagt hätte: das bleibt ein wichtiges Motiv bei allen Entscheidungen, das Leben lang. In ihren Erinnerungen konkurrieren sie um die Gunst der Todesstunde. Beide wollen ihm vor dem Ende besonders nahe gewesen sein. Dem Zwanzigjährigen, schreibt Heinrich später, habe der Sterbende gesagt, „was er längst gemeint, nur verschwiegen hatte: 'Ich will dir helfen.' Schriftsteller zu werden: beiden war es klar; der eine küßte dem andern die Hand, er küßt sie ihm noch heute."[1] Thomas aber erinnert sich „der unvergeßlichen Jugendscene, als H. vor dem todkranken Papa, der auf den Treppenabsatz herausgekommen war, davonlief, während ich mich mit ihm unterhielt, wofür Papa sich beim Abschied bedankte." (Tagebuch 25. Mai 1919)

Thomas Johann Heinrich Mann starb mit 51 Jahren an Blasenkrebs. „Ich wäre so gerne noch bei euch geblieben", hat er an seinem Sterbetag gesagt.[2] Sicher wäre dann alles ganz anders verlaufen. Für seinen Zweiten jedenfalls. Wäre er dann doch Kaufmann geworden, so wie es der Poet Jean Jacques Hoffstede für den jungen Buddenbrook vorschlägt? „Thomas, das ist ein solider und ernster Kopf; er muß Kaufmann werden, darüber besteht kein Zweifel. Christian dagegen scheint mir ein wenig Tausendsassa zu sein, wie? ein wenig Incroyable ..."[3]

In inimicos

„Ich bin geworden, wie ich bin", sagte er endlich, und seine Stimme klang bewegt, „weil ich nicht werden wollte wie du. Wenn ich dich innerlich gemieden habe, so geschah es, weil ich mich vor dir hüten muß, weil dein Sein und Wesen eine Gefahr für mich ist ... ich spreche die Wahrheit."

Diese Worte sagt Thomas Buddenbrook am Ende eines erbitterten Streites mit seinem Bruder Christian.[4] Sie lassen sich auf Thomas und Heinrich Mann übertragen. Christian Buddenbrook gilt zwar als

Porträt von Onkel Friedel, aber das ist nur ein kleiner Teil der Wahrheit. Die Christian-Figur hat darüber hinaus wichtige Züge von Heinrich, gespiegelt in den Ängsten von Thomas. Wenn Christian die Contenance verliert, haltlos besorgt um sein kostbares Ich,[5] so bildet sich darin Heinrichs Unbotmäßigkeit gegenüber dem Elternhaus ab, aber auch die Furcht seines Bruders, gleichermaßen aus der Rolle zu fallen. Wenn Christian sich mit Halbweltdamen herumtreibt, stehen dahinter Heinrichs Umgang mit Prostituierten und die Verachtung des Asketen Thomas für den, der seinen Lüsten ihren Lauf läßt. Wenn Christian Buddenbrook trotz seiner Wehwehchen im Roman den Bruder Thomas überlebt, spukt darin eine angstvolle Ahnung Thomas Manns, daß die krampfige Untadeligkeit seiner Lebensführung vielleicht ungesünder ist als sich gehen zu lassen.

„Das Bruderproblem reizt mich immer", schreibt Thomas an Heinrich am 5. Dezember 1905. Das Werk ist voll von Brüderpaaren, von Thomas und Christian Buddenbrook über Klaus Heinrich und Albrecht in *Königliche Hoheit* bis zu Grigorß und Flann im *Erwählten.* Das große *Joseph*-Epos ist nicht zuletzt, auch wenn Heinrich direkt nicht vorkommt, ein Brüderroman.

Der vier Jahre Ältere, der kühn und rücksichtslos die Schule vor dem Abitur verließ, um eine Buchhändlerlehre anzutreten, der bei S. Fischer, dem aufsteigenden Verlag der literarischen Moderne, als Volontär eintrat, der als Gasthörer an der Berliner Universität Vorlesungen besuchte, der schon früh und aufsässig zu schreiben begann, war für Thomas gewiß erst einmal ein Vorbild, was Unabhängigkeit gegenüber den Anforderungen von Schule, Elternhaus und Gesellschaft betraf. Thomas hat Heinrich bewundert, während sein großer Bruder ihn umgekehrt oft mit Spott und Geringschätzung bedacht hat. Weich, verwundbar und liebebedürftig, war Thomas wehrlos gegen den unbarmherzigen Hochmut des Bruders. Daß er der Schwächere war, stachelte seinen literarischen Ehrgeiz an. In der Literatur würde er sich rächen für das, was er im Leben litt. Es ist schwer, wenn man der Jüngere ist und den Platz am Ziel schon besetzt findet. Noch subtiler ist die Konkurrenz, wenn der ersehnte Platz nicht der des Erben ist, sondern der des Oppositionellen. Auch Thomas war ja aus der Rolle der Väter gefallen und Literat geworden. In einem ohnehin höchst unsicheren Gelände mußte er sich auch noch neben einem schon Erfolgreichen etablieren. Die Notwendigkeit, sich literarisch zu unterscheiden, war elementar. Bis das dafür nötige Können entwickelt war, vergingen freilich Jahre.

In diesen Jahren zeigte sich, daß Heinrich als Opponent nicht zu übertreffen war. Für Thomas blieb deshalb nur die konservative Rolle. Während er bereits Ende 1904 zu einer Lesung nach Lübeck kam und die Aussöhnung mit seiner Vaterstadt suchte, hat Heinrich den Schauplatz seiner Kindheit 1893 ein für allemal verlassen. Thomas aber lag viel an seiner Heimatstadt. „Tommy hört immer gern von Lübeck", schreibt Heinrich am 17. Oktober 1909 an Ludwig Ewers.

Dazu kam der sexuelle Unterschied. Wenn Tommy erfahren hat, wie höhnisch Heinrich seine verliebten Gedichte beurteilt hat, kann er nur sehr gekränkt gewesen sein. Er brauchte Verständnis und Diskretion. Das taktlose Schwatzen, das die Briefe des jungen Heinrich an Ludwig Ewers bezeugen, muß ihn verletzt haben. Es wird ihn veranlaßt haben, sich künftig besser zu verstecken. Auch die Virtuosität der Camouflage verdankt sich so der Konkurrenz mit Heinrich.

Nur ein Teil des Briefwechsels hat die allzu bewegten Zeiten überdauert. Das erste erhaltene Schreiben datiert vom Oktober 1900. Es muß aber schon gleich nach Heinrichs Weggang nach Dresden Briefe gegeben haben. Als noch nicht Vierzehnjähriger berichtet Thomas, daß Heinrichs Gedichte zu Hause vorgetragen worden seien, „unter großem Beifall".[6] Ob diese früheren Briefe verlorengegangen sind oder ob sie Heinrich von vornherein nicht aufbewahrenswert erschienen, ist nicht bekannt. Auch die Gegenbriefe vor 1933 sind mit wenigen Ausnahmen nicht mehr vorhanden. Möglicherweise verschwanden sie mit den zahlreichen Papieren, die 1933 in München blieben.

Briefwechsel entstehen nur, wenn man räumlich getrennt ist. Sie sparen infolgedessen oft die intensivsten persönlichen Begegnungen aus. Die Zeit in Italien, aus der wir keine Briefe haben, war eine solche Zeit. Die Brüder planten mehrere gemeinsame Arbeiten. Wahrscheinlich gehörte anfangs auch *Buddenbrooks* dazu. Sie hätten denselben heimlichen Gedanken gehabt, erinnert sich Heinrich in *Ein Zeitalter wird besichtigt*. „Wir hätten ein Buch gemeinsam schreiben wollen. Ich sprach als erster, aber er war vorbereitet."[7] Von der Hochzeitsreise aus sinniert Thomas rückblickend,[8] das alles sei die Folge davon,

daß wir uns damals in Palestrina eine Art Gipper-Roman ausdachten, der ursprünglich das schöne Lied „Der Onibus fährt durch die Stadt" als Leitmotiv haben sollte. Und schließlich sollte es der Onibus sein, der Biermann ins Gefängnis fährt.

Daraus wurde *Buddenbrooks*. Der skandalöse Biermann war ein Betrüger, der in die Familie Mann hineingeheiratet hatte. Im Roman kommt er als Hugo Weinschenk vor, der die Tochter von Tony Buddenbrook ehelicht, aber dann wegen Betrugs ins Gefängnis muß. Offensichtlich sollte die Familiengeschichte aus der Perspektive der verdrängten Peinlichkeiten erzählt werden. Der Ausdruck „Gippern" ist auch aus dem Grautoff-Briefwechsel belegt und meint eine Art Moquerie über das Ganze, eine intelligente Blödelei voll ironischer Überlegenheit, aber ohne konkrete satirische Spitze. Er bezeichnet wohl auch den Tonfall einer anderen Gemeinschaftsarbeit, die wirklich zustande kam, aber leider seit 1933 verschollen ist, des *Bilderbuchs für artige Kinder.* Das spritzige Werkchen war für die jüngeren Geschwister Julia, Carla und Viktor geschrieben worden und verfolgte das heimliche Ziel, auch sie in ihrer bürgerlichen Sicherheit zu erschüttern. Keinem hat es sich tiefer eingeprägt als dem jüngsten Bruder Viktor, der noch im Alter große Teile auswendig aufsagen konnte.[9] Als Herausgeber figurierte ein Oberlehrer Doktor Hugo Giese-Widerlich mit tückischer Miene, Fischmaul, schütterem Bart und zweireihig hochgeschlossenem Rock. Zeichnungen, Bilder, Balladen folgten. Auch Thomas hat damals ein später vernachlässigtes Talent als Zeichner an den Tag gelegt. Den Höhepunkt bildete die Schillerparodie *Raubmörder Bittenfeld vom Sonnenuntergang überwältigt.* Nicht Bittenfeld, sondern Bubenhand heißt der Verbrecher im Gedächtnis von Erika.[10] Überliefert sind lediglich ein paar Fragmente, eines davon lautet:

Schorke! Kam auch dir die Stunde jetzt,
da dein Blick sich am Erhabnen letzt,
eine Träne deine harte Wange netzt
und das gramzerfressene Gerippe ätzt.
Jene Träne, die aus Eden stammt,
Schorke, so bist du noch nicht ganz verdammt?

Die Brüder fanden sich also im Satirischen, Grotesken und Parodistischen. Mit anderen Worten: Sie fanden sich auf Heinrichs Gelände. Bei Thomas bereitete sich allmählich ein ganz anderer Arbeitsstil vor, ein ironischer, psychologisch-realistischer und ästhetizistischer, nicht aggressiv, sondern eher elegisch wie im Verfallsroman.

Die Brüder lebten zwar viele Monate zusammen in Italien, aber jeder schrieb dann doch sein eigenes Buch. Bei Thomas war es *Buddenbrooks*, bei Heinrich *Im Schlaraffenland.* Beide Romane wurden

1897 in Rom begonnen. Heinrich sprang an die Decke, als ihn das Talent überfiel. „Die Zimmer in den alten römischen Häusern haben unterhalb des echten Plafonds einen falschen aus bemaltem Papier: zwischen beiden laufen die Mäuse. Hoch war es nicht, mein Scheitel stieß wahrhaftig gegen die nachgiebige Bespannung. Dieser Nebenumstand prägte mir den Augenblick des Glücks für mein Leben ein."[11]

Sicher haben sie über vieles geplaudert. Daß er etwas habe beitragen können zu seines Bruders Buch, schreibt Heinrich später in seiner Autobiographie.[12] Ob und wie weit sie einander direkten Werkstatteinblick gewährten, ist eine andere Frage. Schon früh kommt es zu eifersüchtigen Vorwürfen, einander Motive gestohlen zu haben. Aus Thomas' Briefen wissen wir etwas darüber. „In Riva, im Ruderboot", wahrscheinlich im Dezember 1901, muß es eine Szene dieser Art gegeben haben, weil Heinrich des Bruders Romanidee *Die Geliebten* „in oberflächlicher und grottesker Weise" in den *Göttinnen* verwertet habe.[13] Einen anderen Wortwechsel aus dieser Zeit entnehmen wir den *Betrachtungen eines Unpolitischen:* [14]

„Du hältst dich zu lange bei der Kritik der Wirklichkeit auf", so hörte ich aus nächster Nähe. „Aber du wirst schon auch noch zur Kunst gelangen." Zur Kunst? Aber Kritik des Wirklichen, plastischen Moralismus, eben dies empfand ich als Kunst, und ich verachtete die programmatisch ruchlose Schönheitsgeste, zu der die Tugend von heute mich damals ermutigen wollte.

Aber noch früher schon, 1897 in Rom, hat es Streit gegeben. Heinrich gibt in seinem Briefentwurf vom 5. Januar 1918 eine Blitzlichtaufnahme von einem denkwürdigen Vorfall: „'In inimicos' sagtest du, 22jährig am Klavier sitzend in via Argentina trenta quattro, nach rückwärts gewandt gegen mich. So ist es geblieben für dich."

Lorenzo und der Prior

Die Konkurrenzfurcht war nicht grundlos. Beide beschäftigte gleichzeitig die Renaissance. Heinrichs erster großer Erfolg war die Romantrilogie *Die Göttinnen*, in der sich die Herzogin von Assy, strotzend vor innerer Hitze, nacheinander der Freiheit, der Kunst und der Liebe verschreibt und einer schwächlich-dekadenten Gegenwart den von Nietzsches Übermenschenlehre inspirierten Kult der „hysterischen Renaissance" entgegenhält. Thomas aber studierte seit 1900 für das Renaissancedrama *Fiorenza*, das den Moralismus des Asketen Savonarola gegen den Schönheitskult des todkranken Lorenzo de Medici, genannt der Prächtige, siegen läßt. Lorenzo nennt den Mönch seinen Bruder. Die übrigen Künstler zählen alle nicht in der Stunde des Todes. Es gibt nur einen einzigen Gleichrangigen. „Ihr habt Euch neben mir emporgerichtet und atmet so hoch wie ich ... Ihr haßt mich, Ihr verwerft mich, Ihr wirkt gegen mich mit Eurer ganzen Kunst, – seht, und ich, ich bin nicht weit entfernt, in meinem Herzen Euch Bruder zu heißen ..." Savonarola erteilt ihm eine Abfuhr, die von Thomas persönlich sein könnte: „Ich will Euer Bruder nicht sein. Ich bin nicht Euer Bruder." Er will die Feindschaft, will die Konkurrenz: „Ihr sollt mich nicht bewundern, Ihr sollt mich hassen!"[15] Thomas haßte. „Man haßt, wo das zur Macht gelangt, was man verachtet", notierte er im 7. Notizbuch. Der Haß des Asketen gilt nicht zuletzt wieder dem erotisch Überlegenen. Savonarolas dunkles Geheimnis ist es, daß er einst die große Kurtisane Fiore begehrt hatte, aber abgewiesen worden war. Lorenzo hingegen hat sie besessen. Des Priors Askese ist damit im Kern widerlegt. Sie ist nicht Freiheit vom Triebe, sondern durch eine Kränkung erzwungen, durch die Unmöglichkeit, das Sexualziel zu erreichen. Er ist kein Engel, sondern ein Sünder. „Kein Fleisch ist rein. Man muß die Sünde kennen, fühlen, begreifen, um sie zu hassen. Die Engel hassen die Sünde nicht; sie sind nicht wissend." Thomas Mann aber haßt, wie einer, der die Sünde kennt.

Fiore heißt die Kurtisane, Fiorenza die Stadt. Fiorenza zu unterwerfen, da ihm Fiore entkam, ist nun des Priors Streben. Die Macht über die Menge will er erringen. Der Machttraum ist der Ersatz für den gescheiterten Liebestraum. Wenigstens die Menge will er Lorenzo entreißen, der beide hat, Fiore und Fiorenza. Lorenzo seinerseits könnte den Prior durchaus neben sich ertragen. Er insistiert noch einmal, daß sie Brüder seien. Der Prior aber will die Feindschaft. „Ich bin nicht Euer Bruder!" sagt er noch einmal. „Ich hasse diese schnöde Gerechtigkeit, dies lüsterne Verstehen, diese lasterhafte Duldung des Gegenteils!"[16]

Das letztere war allerdings nicht auf Heinrich gemünzt, von dem solch „lüsternes Verstehen" ja gar nicht kam, sondern auf die zwei Seelen in der eigenen Brust. Auch in Lorenzo ist ja etwas von Thomas, nicht nur im Mönch. „Hast Du nicht gefühlt, daß ich dem Lorenzo mindestens so viel von Eigenem mitgegeben habe, wie dem Prior, daß er eine mindestens so subjective und lyrische Figur ist?"[17]

Das ‚Alles verstehen heißt alles verzeihen' war eine Gefahr, die der Ästhet Thomas Mann an sich selber, nicht an Heinrich studiert hatte. Die Auseinandersetzung mit „Heinrich" ist nicht in jeder Hinsicht eine Auseinandersetzung mit der wirklichen Person Heinrich. Sie hat viel Imaginiertes und Projiziertes. „Heinrich" war eine Chiffre für Möglichkeiten und Ängste, die in Thomas selber steckten. „Heinrich" ist eine Rolle in dem Kunstbau, in dem sich Thomas gegen die Ansprüche der Wirklichkeit verschanzt.

Moralismus contra Sinnlichkeit: das trifft dennoch den Kern der Brüderproblematik, der biographischen wie der imaginierten. Als Tommy knapp fünfzehn war, hatte der neunzehnjährige Henry desillusioniert an Ludwig Ewers geschrieben, wenn bei ihm überhaupt von „Liebe" die Rede sei, dann immer von der sinnlichen. „Die 'ideale', platonische existiert einfach nicht."[18] Oder, noch kälter:[19]

Für mich ist „Liebe" Einbildung wie alles übrige. Es sind in mir, bei Beginn des Prozesses, Reizungen der Sexualnerven vorhanden, die überhaupt keinen äußern, sondern nur in mir liegende physiologische und pathologische Gründe haben. Das erste mir begegnende, meinem Geschmack einigermaßen zusagende und – zugängliche Weib wird dann Exzesse veranlassen.

Der keusche Thomas probt im entsprechenden Alter das Abdorrenlassen des Triebes. „Ich bin geworden, wie ich bin, weil ich nicht werden wollte wie du."

Briefwechsel

Der Briefaustausch mit Heinrich ist der bedeutendste erhaltene Briefwechsel überhaupt, weil Heinrich der einzige gleichrangige Kollege war. Den Großen seiner Zeit, Franz Kafka, Bertolt Brecht, Alfred Döblin, Robert Musil, ist Thomas Mann möglichst aus dem Wege gegangen. Sie wären ihm zu anstrengend gewesen. Was er später mit Hugo von Hofmannsthal und Hermann Hesse austauschte, waren geistvolle Höflichkeiten, die nicht ins Innerste reichten. Gerhart Hauptmann, dem Konkurrenten um den Platz des Praeceptor Germaniae, vertraute er erst recht nichts an.

Die erhaltenen Briefe sind ungleich verteilt. Eine erste Gruppe reicht vom 24. Oktober 1900 bis zum 7. Mai 1901. Heinrich war in Italien, Thomas absolvierte erst seinen Militärdienst und machte sich dann auf die Suche nach Geld, um ebenfalls nach Italien zu kommen. Es ist die Zeit, als das Manuskript von *Buddenbrooks* monatelang ungelesen bei S. Fischer lag. Thomas ist literarisch ziemlich deprimiert. „Du erblühst, während ich zur Zeit innerlich arg in die Brüche gegangen bin.“[20] Wir erfahren gar von Selbstmordplänen und ihrer Zurücknahme.[21] Sie stehen im Zusammenhang mit Paul Ehrenberg. Er ist gemeint, wenn die Briefe verschlüsselt von „einem unbeschreiblichen, reinen und unverhofften Herzensglück“ singen und sagen (13. Februar 1901). Vor Einzelheiten schreckt Thomas zurück. „Die versprochenen Confessionen unterlasse ich oder vertage sie doch.“ (28. Februar) „Ausführlichere Confessionen erlasse ich mir, weil Schreiben und Auseinanderklauben die Dinge nur vertieft und übertreibt.“ (7. März) Die homoerotische Veranlassung deutet er verschweigend an: „Es handelt sich um keine Liebesgeschichte, wenigstens nicht im gewöhnlichen Sinne, sondern um eine Freundschaft, eine – o Staunen! – verstandene, erwiderte, gelohnte Freundschaft [...] Grautoff behauptet sogar, ich sei ganz einfach verliebt wie ein Secundaner, aber das ist gesprochen wie ers versteht. [...] Aber in der Hauptsache herrscht ein tief freudiges Erstaunen vor über ein in diesem Leben nicht mehr erwartetes Entgegenkommen. Damit genug. Vielleicht lasse ich mir mündlich einmal mehr entschlüpfen.“ (7. März)

Weiter geht die Vertraulichkeit in persönlichen Dingen nicht. Die meisten Briefe betreffen Literarisches, Austausch über Pläne und fertige Arbeiten, über Erfolge und Mißerfolge, über Rezensionen und Verleger, über Kollegen und Bücher. Dazu kommt gelegentlich die Familie Betreffendes. Das tragende Motiv aber ist die literarische Konkurrenz, das Sich-Vergleichen und Sich-Behaupten, wobei Heinrich vorerst noch die Nase vorn hat.

Die zweite erhaltene Briefgruppe datiert vom 15. September 1903 bis zum 8. Januar 1904 und enthält im Kern eine große Auseinandersetzung um Heinrichs Roman *Die Jagd nach Liebe*. Die Konkurrenzlage hat sich umgekehrt, *Buddenbrooks* ist inzwischen erschienen, Thomas ist in Führung gegangen. Die dritte Gruppe, mit großen Lücken reichend vom 27. Februar 1904 bis zum 11. Juni 1906, betrifft vor allem die Verlobung, die Heirat und das erste Ehejahr. Darüber gibt Thomas gründliche Auskunft; er fühlt sich offenbar zur Rechenschaftsablegung verpflichtet und ist auf diesem Felde weit ausführlicher als vorher über Paul Ehrenberg. Seine reiche Heirat soll nicht zur Trennung der Brüder führen, die er fürchtet. „Weder das Glück“,

Heinrich Mann, 1903

sagt Klaus Heinrich in *Königliche Hoheit,* „noch die Liebe des Volkes wird je bewirken können, daß ich aufhöre, dein Bruder zu sein."[22] Literarisch ist Thomas inzwischen ein Mann von achtzehn Auflagen und fast ein wenig gönnerhaft. „Halten Sie fest an meinem Bruder und lassen Sie ihn niemals fallen!" will er den Verleger Albert Langen ermahnt haben. „*Ein*mal *hat* er einen großen Erfolg."[23] Er selbst ist freilich im Verlobungs- und ersten Ehejahr „quälend unproduktiv".[24] Heinrichs Arbeiten hat er auf eine Weise zu loben gelernt, der die Lüge an die Stirn geschrieben steht. „Ein glanzvolles Buch wieder", schreibt er am 7. Juni 1906 über den Novellenband *Stürmische Morgen*, „das alle Deine Vorzüge zeigt, Dein hinreißendes Tempo, Deinen berühmten 'Schmiß', die entzückende Prägnanz Deines Wortes, Deine ganze erstaunliche Virtuosität, der man sich hingiebt, weil sie zweifellos direkt aus der Leidenschaft kommt."

Der Briefwechsel wird dann unergiebiger, die Schriftsätze werden kürzer, Geburtstage und Weihnachten sind oft der Anlaß. Tommy entbehre den brieflichen Austausch mit ihm, schreibt die Mutter Julia Mann an Heinrich (am 1. Dezember 1908). Aber vielleicht ist das gar nicht wahr. Als vierte Gruppe lassen sich die Briefe vom 27. Mai 1907 bis zum 18. September 1914 betrachten – aus sieben Jahren nur gut fünfzig Seiten. Die Höhepunkte betreffen Familiäres. Es gibt eine schwere Auseinandersetzung zwischen Heinrich und seiner Schwester Julia (verheiratete Löhr) über das Benehmen von Ines Schmied, der Verlobten von Heinrich. Thomas meint dazu zusammenfassend: „Ich finde immer, Geschwister sollten sich garnicht überwerfen können. Sie lachen sich aus oder schreien sich an, aber sie nehmen nicht schaudernd von einander Abschied. Denke doch an die Beckergrube N°. 52! Alles Übrige ist secundär!" (1. April 1909) Anläßlich des Freitods der Schwester Carla erläßt Thomas ein weiteres Manifest jenes heiligen Familiensinns aus der Lübecker Kindheit. „Mein geschwisterliches Solidaritätsgefühl läßt es mir so erscheinen, daß durch Carla's That unsere Existenz mit in Frage gestellt, unsere Verankerung gelockert ist [...] Carla hat an niemanden gedacht, und Du sagst: 'Das fehlte auch noch!' Und doch kann ich nicht anders, als es so empfinden, daß sie sich nicht hätte von uns trennen dürfen. Sie hatte bei ihrer That kein Solidaritätsgefühl, nicht das Gefühl unseres gemeinsamen Schicksals. Sie handelte sozusagen *gegen eine stillschweigende Abrede.*" (4. August 1910) Heinrich sah das anders. Er hatte Carla geliebt.

Trotzdem hilft man einander. Am 27. April 1912 liefert Thomas Mann als Material für Heinrichs *Untertan* Einzelheiten von seiner Musterung und seiner Militärzeit. Die bleibende Solidarität mit dem Bruder zeigen auch finanzielle Hilfen, wenngleich Thomas ein Darlehen an Heinrich bald wieder zurückverlangt, da er sich beim Bau eines luxuriösen Sommerhauses in Bad Tölz übernommen hat. Heinrich seinerseits hilft dem Bruder gegen Vernichtendes aus der Feder des Kritikers Alfred Kerr mit einer klugen Rezension des *Tod in Venedig.*[25] Vorher hatte er ihn schon einmal gegen Richard von Schaukal verteidigt; „Mache" hatte dieser allerorten bei Thomas Mann entdeckt.[26]

Heinrich hatte inzwischen, mit dem Roman *Die kleine Stadt* und seiner Wendung zu Politik und Demokratie, geistig die Initiative ergriffen. Thomas hingegen fühlte sich ausgemustert. Am 8. November

1913 kommt es zu einem Verzweiflungsbrief, von Erschöpfung, Skrupel und Müdigkeit ist die Rede sowie von der Unfähigkeit, sich geistig und politisch eigentlich zu orientieren. Eine „wachsende Sympathie mit dem Tode" sei ihm eingeboren, „mein ganzes Interesse galt immer dem Verfall, und das ist es wohl eigentlich, was mich hindert, mich für Fortschritt zu interessieren." Er freue sich mehr auf Heinrichs Werke als auf seine eigenen. „Du bist seelisch besser dran, und das ist eben doch das Entscheidende. Ich bin ausgedient, glaube ich, und hätte wahrscheinlich nie Schriftsteller werden dürfen."

Den vorläufigen Abschluß bildet der Kriegsausbruch. Er ist für Thomas Mann eine Erlösung. Im Sinne der geschwisterlichen Solidarität kann er zunächst gar nicht glauben, daß Heinrich ernsthaft woanders stehen könnte als er. Ganz arglos spricht er am 18. September 1914 von dem „großen, grundanständigen, ja feierlichen Volkskrieg Deutschlands". Damit bricht der Briefwechsel für Jahre ab.

Plebejer und Tschandalas, Renaissancemänner und das weibliche Kunstideal

„Ich leide unter dem Gefühl des Hasses wie unter keinem anderen", bekennt Thomas Mann im siebten Notizbuch (1903). Kurz darauf: „Am meisten hasse ich die, welche durch die Gefühle, die sie mir erwecken, mich auf die Schwächen meines Charakters aufmerksam machen."[27] Die Probe aufs Exempel bietet das Werk des Bruders. „Ich bin weit entfernt, die 'Herzogin' zu verachten; aber ich *hasse* sie. Dies ist ein Geständnis."[28] Die „Herzogin" (von Assy) ist die Hauptfigur von Heinrich Manns *Göttinnen*. „Nichts auf der Welt ist mir fremder", schreibt Thomas Mann an Richard von Schaukal über Heinrichs Roman. „Mein Bruder und ich haben uns weit von einander entfernt; wir verkehren auch äußerlich kaum noch miteinander: ein Zeichen jedenfalls, daß wir einander ernst nehmen." Als Schaukal daraus das Recht zu einem Ausfall auf Heinrich ableitet, zeigt sich freilich, daß so ein Recht niemand anderem zusteht als Thomas selbst. Er beschwert sich: „Habe ich Ihnen je Veranlassung gegeben, zu glauben, ich könnte [...] an einer Herabsetzung der Leistungen meines Bruders Wohlgefallen haben oder sie irgend gutheißen?[29] Und er beeilt sich, dem Bruder zu versichern, daß Schaukal sich für diese Dummheit keines sehr warmen Dankes von ihm zu versehen habe.[30]

Man haßt einander auf der Menschheit Höhen, aber steht gemeinsam gegen jeden Angriff von weiter unten. Und weiter unten ist alles, was nicht zur Familie gehört.

Heinrich schlägt der Selbstliebe tiefe Wunden, durch sein bloßes Dasein und Sosein. Er erweckt in seinem Bruder Gefühle, die diesen auf die Schwächen seines Charakters aufmerksam machen. Thomas notiert verbittert: „Ich bin im Vergleich mit H., dem Vornehmen, Kalten, ein weichmüthiger Plebejer, *aber* mit sehr viel mehr Herrschsucht ausgestattet. Nicht umsonst ist Savonarola mein Held ...“[31] Ein herrschsüchtiger Plebejer: keine angenehme Selbsterkenntnis. Zur Herrschaft also nicht geboren wie Heinrich, sondern lediglich ein nach ihr sich verzehrender Tschandala. Der daraus entstehende Selbsthaß wendet sich nach außen, wird zum Haß gegen das Prinzip „Heinrich“. Mit den Worten „Uns armen Plebejern und Tschandalas, die wir unter dem Hohnlächeln der Renaissance-Männer ein weibliches Kultur- und Kunstideal verehren“ hatte Thomas im März 1903 schon einmal versteckt und boshaft nach den *Göttinnen* ausgeschlagen. „Es ist nichts mit dem, was steife und kalte Heiden ‘die Schönheit’ nennen.“[32] Ein Plebejer ist kein aristokratischer Machtmensch. Er ist nicht einmal ein „Mann“. Sein Kunstideal ist weiblich, er glaubt „an den Schmerz, das Erlebnis, die Tiefe, die leidende Liebe“. „Tschandala“ ist die Bezeichnung für eine niedrige und verachtete Hindu-Kaste in Indien. Thomas Mann hatte das Wort wohl von Nietzsche, der im *Antichrist* vom „Gegensatz einer *vornehmen* und einer aus *ressentiment* und ohnmächtiger Rache geborenen Tschandala-Moral“ spricht.[33] Im Blickwinkel von Nietzsches christentumskritischem Übermenschentum ist der ressentimentgeladene Asket Mann der geborene Christ. „Nicht umsonst ist Savonarola mein Held.“ An anderer Stelle nennt Nietzsche das Christentum den „Sieg der Tschandala-Werte“ und den „Gesamt-Aufstand alles Niedergetretenen, Elenden, Mißratenen, Schlechtweggekommenen“.[34] Heinrich aber ist vornehm. „Die Popularität ist eine Schweinerei“, sagt sein Konterfei im Roman.[35]

Ohnmächtig und rachsüchtig ist der Tschandala auch als Verschworener der verachteten Kaste der Homosexuellen. Das Triebziel ist für sie nicht erreichbar, jedenfalls nicht, ohne sich zugleich aus der Gesellschaft herauszustoßen. Hinter der Rede vom „weiblichen Kunstideal“ des Plebejers versteckt sich auch das Ideal des leidend-verzichtenden Homosexuellen. Heinrich aber erscheint als Aristokrat und Renaissance-*Mann*.

Die Jagd nach Liebe

Der so Attackierte hatte, in Italien weilend, vom weiblichen Kunstideal und vom Hohnlächeln der Renaissance-Männer vorerst keine Notiz genommen. Er schrieb in Eile seinen nächsten Roman, *Die Jagd nach Liebe*. Die Hauptpersonen sind der dekadente Millionenerbe Claude Marehn und die ehrgeizige Schauspielerin Ute Ende. Eine wildbewegte Geschichte rollt ab, um Geld und Triebe, um Spiel und Glanz und Brutalität, so gut wie ohne Moral, wenn man nicht eine gewisse Trauer dafür nehmen will. Thomas Mann reagiert auf den Roman mit einem überaus heftigen Brief (am 5. Dezember 1903).

Wenn ich zehn, acht, fünf Jahre zurückdenke! Wie erschienst Du mir? Wie warst Du? Eine vornehme Liebhabernatur, neben der ich mir mein Lebtag plebejisch, barbarisch und spaßmacherhaft vorgekommen bin, voller Discretion und Cultur, voller Reserve der „Modernität" gegenüber und in voller Linie historisch begabt, ledig jedes Applausbedürfnisses, eine delicate und hochmüthige Persönlichkeit, für deren litterarische Äußerungen jetzt in Deutschland sehr wohl ein empfängliches erlesenes Publicum vorhanden wäre ... Und nun, statt dessen? Statt dessen nun diese verrenkten Scherze, diese wüsten, grellen, hektischen, krampfigen Lästerungen der Wahrheit und Menschlichkeit, diese unwürdigen Grimassen und Purzelbäume, diese verzweifelten Attacken auf des Lesers Interesse!

Es folgt ein literarisches Niedermachen, bis sich kein Halm mehr regt. Es muß gutgetan haben, seinem Haß einmal Ausdruck zu geben, gewaltigen Ausdruck, fulminanten und überaus gekonnten Ausdruck. Der Radikalverriß kommt am Ende beim Sexuellen an und verteidigt wieder die Zurückhaltung gegen die Libertinage. Was nicht wunder nimmt.

Es bleibt die Erotik, will sagen: das Sexuelle. Denn Sexualismus ist nicht Erotik. Erotik ist Poesie, ist das, was aus der Tiefe redet, ist das Ungenannte, was Allem seinen Schauer, seinen süßen Reiz und sein Geheimnis gibt. Sexualismus ist das Nackte, das Unvergeistigte, das einfach bei Namen Genannte. Es wird ein wenig oft bei Namen genannt in der „Jagd nach Liebe". Wedekind, wohl der frechste Sexualist der modernen deutschen Litteratur, wirkt sympathisch im Vergleich mit diesem Buch. Warum? Weil er dämonischer ist. Man spürt das Unheimliche, das Tiefe, das ewig Zweifelhafte des Geschlechtlichen, man spürt ein Leiden am Geschlechtlichen, mit einem Worte, man spürt Leidenschaft. Aber die vollständige sittliche Nonchalance, mit der Deine Leute, haben sich nur ihre Hände berührt, mit einander umfallen und l'amore machen, kann keinen besseren Menschen ansprechen. Diese schlaffe Brunst in Permanenz, dieser fortwährende Fleischgeruch ermüden, widern an. Es ist zu viel, zu viel „Schenkel", „Brüste", „Lende", „Wade", „Fleisch", und man begreift nicht, wie Du jeden Vormittag wieder davon anfangen mochtest, nachdem doch gestern bereits ein normaler, ein tribadischer und ein Päderasten-Aktus stattgefunden hatte. Selbst in der rührenden Scene zwischen Ute und Claude an des Letzteren Sterbebett, dieser Scene, bei der ich gern vergessen hätte, – selbst da muß unvermeidlich Ute's „Schenkel" in Action treten, und ein Schluß war nicht möglich, ohne daß Ute nackt in der Stube herumging! Ich spiele nicht Frà Girolamo, indem ich dies schreibe. Ein Moralist ist das Gegentheil von einem Moralprediger: ich bin ganz Nietzscheaner in diesem Punkte. Aber nur Affen und andere Südländer können die Moral überhaupt ignorieren, und wo sie noch nicht einmal Problem, noch nicht Leidenschaft geworden ist, liegt das Land langweiliger Gemeinheit. Ich habe mehr und mehr die Identität von Moral und Geist begriffen und verehre ein Wort Börne's, das mir eine unsterbliche Wahrheit zu enthalten scheint: " Die Menschen", sagt er, „wären geistreicher, wenn sie sittlicher wären" …

Notizen eines Antwortentwurfs von Heinrich sind erhalten. Offenbar war er getroffen, denn er beginnt, die Brüderlichkeit wahrzunehmen, die Gleichrangigkeit anzuerkennen. „Wir tragen ganz dieselben Ideale in uns. Du sehnst dich nach der Gesundheit des Nordens, ich mich nach der des Südens […] Es sind zwischen uns Gradunterschiede. Ich habe von dem zigeunerhaften Künstlerthum soviel mehr, dass ich nicht widerstehen kann. Ich bin mehr Romane, fremder und haltloser. Und ich bin so viel kränker." Er verteidigt sich nicht etwa als Renaissance-Mann, sondern als Décadent. „Ich habe die Angst: höre ich auf, ist es aus mit mir." Was die Geschlechtlichkeit betrifft, wehrt er des Bruders Sublimierungen ab als „Geheimnisserei mit körperl. Vorgängen". Noch immer gilt für ihn: „Das Sexuelle eine grauenhaft einfache Sache."

Auf den Angriff vom Dezember 1903 folgte ein nicht erhaltener großer Rechtfertigungsbrief Heinrichs, diesem aus Thomas' Feder eine mühsame Versöhnung (8. Januar 1904):

Du weißt nicht, wie hoch ich Dich halte, weißt nicht, daß, wenn ich auf Dich schimpfe, ich es doch immer nur unter der stillschweigenden Voraussetzung thue, daß neben Dir so leicht nichts Anderes in Betracht kommt! Es ist ein altes Lübecker Senatorssohnsvorurtheil von mir, ein hochmüthiger Hanseateninstinkt, mit dem ich mich, glaub' ich, schon manchmal komisch gemacht habe, daß im Vergleich mit uns eigentlich alles Übrige minderwerthig ist.

So war es wohl, jedenfalls für Thomas. Heinrich war erheblich unabhängiger von der Brüderlichkeit. „Mein Welterlebnis ist kein brüderliches", sollte er 1918 pointieren.[36] Seine *Göttinnen*, seine *Jagd nach Liebe* kommen ohne Anspielungen auf den Bruder aus. Er hatte das nicht nötig. In *Ein Zeitalter wird besichtigt* überliefert er rückblickend eine frühe narzißtische Äußerung von Thomas: „Wie mein Bruder, wir waren beide jung, im gelegentlichen Überdruß sagte: 'Unsere Freunde sind nicht unsere beste Seite.'"[37] Heinrich war schon damals entschieden anderer Meinung: „Mehrere waren aber unsere allerbeste." Er wollte von der Exklusivität des Bruderverhältnisses nichts wissen.

Der Gedankenkrieg schließt gemeinsame Reisevorhaben nicht aus. Im Juni 1904 wollen sich die beiden wieder einmal in Mitterbad treffen, einem Brief der Mutter an Heinrich zufolge. Sogar Pläne für eine gemeinsame Wohnung in München werden gemacht. „Denn Tommy u. ich haben uns schon so nett ausgedacht, wie Du, T. u. ich uns Wohnung in Ludwigshöhe, Soll, Gern oder Nymphenb. zusammen nehmen könnten, etwa 7 Zimmer, er 2, Du 2, ich 3 (für Viccos Besuche), u. uns in die Kosten teilen könnten."[38] Das ist zwar offensichtlich nur ein Wunschtraum der damals 53jährigen Mutter und kam ernsthaft nicht in Frage, aber soviel wird daran schon richtig sein, daß Thomas, und sei es nur der Mutter zu Gefallen, solche Träume spinnen mochte. Die drei Brüder wieder in der Kindheitssymbiose mit der Mutter: das hatte seine Lockung, das hatte eine seelische, wenn auch keine praktische Möglichkeit für sich.

Heinrich und Katia

Das schlagendste Argument gegen solche Träume war natürlich Katia. Im Bann des Muttertraums empfand Thomas seine Hochzeit mit ihr als Verrat an der Wirklichkeitsreinheit der geschwisterlichen

Kindheitshöhle. „Ein Gefühl der Unfreiheit", so schrieb er an Heinrich am 17. Januar 1906, „werde ich freilich seither nicht los, und Du nennst mich gewiß einen feigen Bürger. Aber Du hast leicht reden. Du bist absolut. Ich dagegen habe geruht, mir eine Verfassung zu geben."

Heinrich war zur Hochzeit nicht erschienen. Auch die Mutter war mit Tommys Wahl nicht recht einverstanden. Heinrich hat ihre Briefe zu diesem Thema aufgehoben. Die Mutter beschwört ihn zuerst, trotz aller literarischen Gegensätze und Enttäuschungen das geschwisterliche Band nicht reißen zu lassen. „Bitte, bitte, lieber Heinrich, befolge meinen Rat und ziehe Dich nicht von T[ommy] und L[öhr]s zurück." Sie stand, was die Familiensolidarität betrifft, auf Tommys Standpunkt. „Ihr seid *beide* gottbegnadete Menschen, lieber Heinrich – laß das persönliche Verhältnis zu T. und L. s nicht getrübt werden; wie konnten 1½ Jahre es so ändern, bloß weil Deine letzten Arbeiten nicht durchweg gefielen. Das hat doch mit dem geschwisterl. Verhältnis *nichts* zu *tun!*"[39] Katia ist ihr zu kühl, die Familie Pringsheim zu reich und zu rücksichtslos, die Hochzeit nicht festlich genug. Sie fürchtet, Thomas könne ihr entfremdet werden. Sie hat das Gefühl, ihn hergeben zu müssen,[40] als verlasse er die familiäre Gemeinschaft. Auch Heinrich war offenbar der Meinung, daß Thomas sich verändert habe.[41]

Der junge Ehemann schreibt als erstes die Erzählung *Schwere Stunde.* Thomas Mann „ist" in ihr Friedrich Schiller, der mit dem *Wallenstein* ringt. Es gibt aber auch einen versteckten Bruder. Er hat es angeblich leichter, „der dort, in Weimar, den er mit einer sehnsüchtigen Feindschaft liebte",[42] Goethe also. „Und wieder, wie stets, in tiefer Unruhe, mit Hast und Eifer, fühlte er die Arbeit in sich beginnen, die diesem Gedanken folgte: das eigene Wesen und Künstlertum gegen das des anderen zu behaupten und abzugrenzen ..."

Von seiten des Jüngeren bleibt der Kriegszustand erhalten, trotz des fortgesetzten Briefwechsels in den Jahren nach der Hochzeit. Als *Professor Unrat* erscheint, vertraut Thomas dem Notizbuch einen *Anti-Heinrich* an. „Ich halte es für unmoralisch, aus Furcht vor den Leiden des Müßigganges ein schlechtes Buch nach dem andern zu schreiben", doziert er streng, und: „Das Alles ist das amüsanteste und leichtfertigste Zeug, das seit Langem in Deutschland geschrieben wurde."[43] Dabei wird Thomas Mann wenig später, im *Tod in Venedig*, einen ganz ähnlichen Stoff bearbeiten. Außerdem ist *Professor Unrat*, ebenso wie schon *Die Jagd nach Liebe*, trotz und gerade wegen der grotesken Überzeichnungen ein bedeutendes Buch. Thomas vermochte das nicht wahrzuhaben. Es hätte offenbar seine eigene, noch allzu ungefestigte Person in Frage gestellt. Was er für seine Tugenden hielt, würde in diesem Spiegel als Schwäche erscheinen. Der Verteidigungszustand hielt an.

Denn wohl fühlte sich der frisch Verheiratete nicht. Seinen Schiller läßt er ausdrücken, was er zu Katia nicht sagen konnte:[44]

Die Jahre der Not und der Nichtigkeit, die er für Leidens- und Prüfungsjahre gehalten, sie eigentlich waren reiche und fruchtbare Jahre gewesen; und nun, da ein wenig Glück sich herniedergelassen, da er aus dem Freibeutertum des Geistes in einige Rechtlichkeit und bürgerliche Verbindung eingetreten war, Amt und Ehren trug, Weib und Kinder besaß, nun war er erschöpft und fertig. Versagen und verzagen – das war's, was übrigblieb.

Der erste Roman des jungen Ehemanns beschäftigt sich mit der zurückliegenden Brautzeit, aber zugleich wieder mit dem Bruder. In *Königliche Hoheit* gibt es einen Thronfolger, Prinz Albrecht, und einen zweiten Sohn, Prinz Klaus Heinrich. Albrecht spielt die Heinrich-Rolle, Klaus Heinrich die Thomas-Rolle. Er ist „weichmütig und zu Tränen geneigt", jener aber „war vornehm".[45] Albrecht ist hochmütig. Einmal soll er mehrere Jahre lang kein Wort mit Klaus Heinrich gesprochen haben, „ohne daß ein bestimmter Streitfall zwischen den Brüdern vorgelegen hatte". Etwas Ähnliches scheint auch in Wirklichkeit geschehen zu sein.[46] Klaus Heinrich heiratet eine Milliardärstochter, aus Pflichtgefühl dem Staate gegenüber. Albrecht vertrocknet in vornehmer Einsamkeit. Thomas Mann erlaubt sich hier die Darstellung eines Wunschtraums: daß Prinz Albrecht, der Einsame und Ungeliebte, freiwillig abdanke und ihm den Thron überlasse. Vom Thron aus würde Thomas Mann dann den Plebejer spielen, wie sein Klaus Heinrich:[47]

Was soll ich sagen, Albrecht. Du bist Papas ältester Sohn, und ich habe immer zu dir emporgeblickt, weil ich immer gefühlt und gewußt habe, daß du der Vornehmere und Höhere bist von uns beiden und ich nur ein Plebejer bin, im Vergleich mit dir."

V. Der Weg zur Ehe

München, um 1903

Chronik 1900–1905

Der Weg zur Ehe war biographisch der Weg von Paul Ehrenberg zu Katia Pringsheim. In der Zeit von 1900 bis 1905, um die es hier geht, lebte Thomas Mann in München, von Reisen abgesehen, die ihn unter anderem nach Florenz, Venedig, Riva, Mitterbad, Berlin, Polling, Düsseldorf, Königsberg und Lübeck führten. Von Oktober bis zu seiner baldigen Entlassung im Dezember 1900 diente er als Einjährig-Freiwilliger beim Königlich Bayerischen Infanterie-Leibregiment. Ende 1899 begann die Bekanntschaft mit dem Maler Paul Ehrenberg und seinem Bruder Carl, der Musiker war. Zu Paul entwickelte sich eine komplizierte, homoerotisch grundierte Freundschaft, die ihre akute Phase von 1900 bis 1903 hatte.

Parallel zur Ehrenberg-Affäre hatte Thomas Mann sich im Mai 1901 in Florenz auch in ein Mädchen verliebt. Es soll mit Mary Smith fast zu einer Verlobung gekommen sein. Die Sache verlief aber dann, nachdem noch eine Weile Briefe gewechselt wurden, im Sande.

Im Oktober 1901 war der Roman *Buddenbrooks* erschienen. Thomas Mann arbeitete inzwischen an *Tonio Kröger* (1900–1903), *Tristan* (1901), *Fiorenza* (1900–1905) und *Ein Glück* (1903). Seit 1903 begann sich der Erfolg abzuzeichnen. „Für den 1. Abdruck von 'Tonio Kröger' habe ich 400 (vierhundert) Mark bekommen. Bitte dies herumzuerzählen.“[1] Nach dem Abklingen der Beziehung zu Paul Ehrenberg blickte Thomas Mann sich planmäßig nach einer geeigneten Ehepartnerin um. Vom August 1903 datiert die erste Notiz über Katia Pringsheim. Das Jahr 1904 bringt eine lange Werbe- und Wartezeit, bis am 2. Oktober die Verlobung stattfinden kann. Ihr folgt am 11. Februar 1905 die Hochzeit.

Ein Glück

Als die Liebe zu Paul Ehrenberg endgültig zur Neige geht, im Spätsommer 1903, schreibt Thomas Mann als Auftragsarbeit die Kurzgeschichte *Ein Glück*. Sie ist eine dezente Rache an Paul. In einer kleinen Garnisonsstadt sind die Schwalben angekommen, eine Gruppe von Sängerinnen, die die Offizierskasinos mit harm- und hirnlosen Liedchen zu unterhalten pflegen. Es wird zu einem Ball geladen, bei dem die Offiziere ihre Damen mitbringen. Baron Harry schäkert vor aller Augen, auch vor denen seiner Frau Anna, mit einer Schwalbe. In betörtem Gerangel will er mit ihr Ringe tauschen, zwingt ihr gar seinen Ehering auf. Eine peinliche Situation. Aber die Schwalbe entschuldigt sich bei Baronin Anna, gibt ihr den Ring zurück und küßt ihr demütig die Hand.

Kaum maskiert tritt Thomas Mann selbst als Erzähler auf. Wir wollen in eine Seele schauen, sagt er, im Fluge und nur ein paar Seiten lang, denn wir sind gewaltig beschäftigt. „Wir kommen aus Florenz" – ein Hinweis auf die Arbeit am Renaissancedrama *Fiorenza*. Wir sind unterwegs „in ein Königsschloß" – der früheste Hinweis auf die Pläne für *Königliche Hoheit*. „Seltsame, matt schimmernde Dinge sind im Begriffe, sich zurechtzuschieben" – vielleicht sind damit bereits die Brautwerbungspläne gemeint.

Doch nicht nur als Erzähler ist Thomas Mann erkennbar, sondern auch, getarnt, als literarische Person. Er „ist" Baronin Anna, und der peinliche Flirter ist Paul Ehrenberg. In den Notizbüchern sind die Beweise festgehalten, die wir zu einer Geschichte zusammenfügen wollen.[2] Baronin Anna, so heißt es in *Ein Glück*, liebte ihren Gatten, „liebte ihn feig und elend, obgleich er sie betrog und täglich ihr Herz mißhandelte". Sie litt Liebe um ihn „wie ein Weib, das seine eigene Zartheit und Schwäche verachtet und weiß, daß die Kraft und das starke Glück auf Erden im Rechte sind."[3] Ähnlich litt Thomas Mann. Harrys (Pauls) Welt ist geprägt von Geselligkeit, Gewöhnlichkeit, Liebenswürdigkeit und Leben. Anna aber betrachtet wie Thomas die Lebensfestivitäten von außen. Anna,

gemartert von dem grellen Gegensatz zwischen der vollständigen Leere und Nichtigkeit ringsumher und der dabei herrschenden fieberhaften Erregung infolge des Weins, des Kaffees, der sinnlichen Musik und des Tanzes, saß und sah, wie Harry hübsche und lustige

Frauen bezauberte, nicht, weil sie ihn sonderlich beglückten, sondern weil seine Eitelkeit verlangte, daß er sich vor den Leuten mit ihnen zeige, als ein Glücklicher, der wohlversorgt ist, keineswegs ausgeschlossen ist, keine Sehnsucht kennt ... Wie weh diese Eitelkeit ihr tat, und wie sie sie dennoch liebte! Wie süß es war, zu finden, daß er schön aussah, jung, herrlich und betörend! Wie die Liebe anderer zu ihm ihre eigene zu einem qualvollen Aufflammen brachte! ... Und wenn es vorüber war, wenn er am Schluß eines Festes, das sie in Not und Pein um ihn verbrachte, sich in unwissenden und egoistischen Lobpreisungen dieser Stunden erging, so kamen jene Augenblicke, wo ihr Haß und ihre Verachtung ihrer Liebe gleichkam, wo sie ihn „Wicht" und „Fant" nannte in ihrem Herzen und ihn durch Schweigen zu strafen suchte, durch lächerliches, verzweifeltes Schweigen ...

Alle unglücklich Verliebten verstehen den erbärmlichen Zustand, in dem Baronin Anna schlaflos im Morgengrauen im Bett liegt und über Scherze und Witzworte nachdenkt, die sie hätte finden müssen, um liebenswürdig zu erscheinen, Träumen nachsinnt, wie sie, vom Schmerze schwach gemacht, an seiner Schulter weinen und er sie mit einem seiner leeren, netten, gewöhnlichen Worte zu trösten suchen würde. Wenn er nur einmal krank würde! Eine Welt von Hoffnungen erstünde daraus, in der er als leidender Pflegling hilflos und zerbrochen vor ihr läge und endlich, endlich ihr gehören würde ...

Tonio Kröger

Den leidenden Geist, der von Festes Rand sehnsüchtig auf das Leben blickt, kennen wir aus der Erzählung *Tonio Kröger,* jener Geschichte eines hochgescheiten Künstlers, der in das blond-naive Leben und seine harmlos-nette Gewöhnlichkeit verliebt ist, jene aber nicht in ihn. Auch hier wird das Ehrenberg-Erlebnis verarbeitet. „Euer Tonio Kröger" unterzeichnet Thomas Mann am 8. Februar 1903 eine Postkarte an die Brüder Ehrenberg. Wie Baronin Anna sich nach Harry sehnt, so sehnt sich Tonio „nach dem Harmlosen, Einfachen und Lebendigen, nach ein wenig Freundschaft, Hingebung, Vertraulichkeit und menschlichem Glück".[4] Tonios Schülerliebe zu Hans Hansen geht zwar, wie wir gesehen haben, auf die Schwärmerei für Armin Martens zurück. Aber auch Paul Ehrenberg hat in der Erzählung eine tiefe Spur hinterlassen. Wieder einmal muß man nur die Geschlechter vertauschen. Für Hans Hansens weibliche Wiederholung als „Ingeborg Holm“ ist kein weibliches Vorbild bekannt. Der tief verschlüsselte, damals höchstens für die Beteiligten selbst lesbare biographische Horizont ist die Sache mit Paul. Woher wissen wir das? Wir müssen nur der Fährte folgen, die Thomas Mann selbst gelegt hat. Denn er leiht seinem in Inge verliebten Tonio Worte, die er selbst einst an Paul gerichtet hat. Tonio erklärt Lisaweta seine Sehnsucht nach den „Wonnen der Gewöhnlichkeit“. Er hätte einfach gern einen Freund, einen menschlichen Freund. „Aber bislang habe ich nur unter Dämonen, Kobolden, tiefen Unholden und erkenntnisstummen Gespenstern, das heißt: unter Literaten Freunde gehabt.“[5] Die Wendung stammt direkt aus dem Leben. Das siebte Notizbuch hat sie bewahrt: „P. ist mein erster und einziger menschlicher Freund. Bislang habe ich nur unter Dämonen, Kobolden, tiefen Unholden und erkenntnisstummen Gespenstern, d. h. unter Litteraten Freunde gehabt ...“[6]

„Damals lebte sein Herz“, nämlich als Tonio Hans und Inge liebte.[7] Damals schrieb er auch Gedichte. Was war gewesen in all der Zeit, in der er zum Künstler geworden war, fragt er, als er Hans und Inge in Aalsgaard wiedersieht. „Erstarrung; Öde; Eis; und Geist! Und Kunst! ...“[8] Paul war der Anlaß, als Thomas Mann mit heißem Herzen ins Notizbuch schrieb:

Was war so lang? –
Erstarrung, Öde, Eis. Und Geist! Und Kunst!
Hier ist mein Herz, und hier ist meine Hand
Ich liebe Dich! Mein Gott ... Ich liebe Dich!
Ist es so schön, so süß, so hold, ein Mensch zu sein?[9]

Das Gedicht ist pathetisch und sentimental, ungewürzt und unironisch. Man sieht an ihm, was Thomas Mann meinte, wenn er Tonio zu Lisaweta sagen ließ: „Liegt Ihnen zu viel an dem, was sie zu sagen haben, schlägt ihr Herz zu warm dafür, so können Sie eines vollständigen Fiaskos sicher sein. Sie werden pathetisch, Sie werden sentimental.“[10] Die Herzensfreundschaft zu Paul ist „unlitterarisch“.[11] Ein Künstler darf das Herz nicht auf der Zunge tragen. Was an seinem Werk Bekenntnis ist, muß er sorgfältig verstecken. Aus seinem Verhältnis zu Paul hat Thomas Mann eine für den Menschen im Künstler verheerende Lehre gezogen: „Das Gefühl, das warme, herzliche Gefühl ist immer banal und unbrauchbar, und künstlerisch sind bloß die Gereiztheiten und kalten Ekstasen unseres verdorbenen, unseres artistischen Nervensystems.“[12]

Damals lebte sein Herz ... Tonio Krögers Pathoskritik hängt mit der Verdrängung des der Erzählung zugrundeliegenden Erlebens zusammen. Pathos wäre Gefühl, Offenheit, Preisgabe. Ironie hingegen ist Tarnung. Ironie heißt, sich nicht bei einer Leidenschaft, bei einem Gefühl ertappen lassen, heißt überlegen bleiben und unangreifbar sein. „Ironie heißt fast immer, aus einer Not eine Überlegenheit machen."[13] Pathos ist lyrisch oder dramatisch, Ironie episch. Alles Lyrische ist bekenntnishaft und deshalb peinlich, alles Theatralische ist zu laut und zu direkt. Lyrik und Drama sind fundamental pathetisch. Erzählen allein kann ironisch und diskret sein.

Die Abkehr von der Homoerotik und die Hinwendung zur Ehe bereiten sich insgeheim schon am Ende des *Tonio Kröger* vor, wo auf die Formkunst und auf die homosexuellen Neigungen August von Platens angespielt wird. Tonio begründet seine Bürgerliebe zum Lebendigen und Gewöhnlichen biblisch, mit dem Brief des Paulus an die Korinther: „Fast will mir scheinen, als sei sie jene Liebe selbst, von der geschrieben steht, daß einer mit Menschen- und Engelszungen reden könne und ohne sie doch nur ein tönendes Erz und eine klingende Schelle sei."[14] Thomas Mann hat die Stelle bei Goethe gefunden, der am 25. Dezember 1825 zu Eckermann sagte, daß August von Platen die Liebe fehle und man deshalb auf ihn den genannten Spruch des Apostels anwenden könne. Tonio Kröger argumentiert mit Goethe gegen Platen; gegen den (vermeintlich) kalten Künstler, der seine nicht gelebte Homosexualität in hochartifizielle Formkunst verwandelte; zugunsten von Wärme und Bürgerlichkeit. Die aber gibt es nur in der Ehe, nicht in der Homosexualität, die einen aus der bürgerlichen Gesellschaft ins Kalte hinausstößt. Der Krögerschen Absage an Platen zugunsten der Bürgerliebe wird die Absage an Paul Ehrenberg zugunsten von Katia Pringsheim folgen.

Ich liebe dich! Mein Gott ... ich liebe dich!

In den *Gesammelten Werken in dreizehn Bänden* kommt der Name Paul Ehrenberg nur ein einziges Mal vor, im *Lebensabriß* von 1930. Man kann an der Passage studieren, wie Thomas Mann vor der Öffentlichkeit seine Geheimnisse zu bewahren wußte:[15]

Herzlich befreundet war ich zu jener Zeit mit zwei jungen Leuten aus dem Jugendkreise meiner Schwestern, Söhnen eines Dresdener

Malers und Akademieprofessors E. Meine Neigung für den Jüngeren, Paul, der ebenfalls Maler war, Akademiker damals und Schüler des berühmten Tiermalers Zügel, außerdem vorzüglich Violine spielte, war etwas wie die Auferstehung meiner Empfindungen für jenen zugrunde gegangenen blonden Schulkameraden [Armin Martens], aber dank größerer geistiger Nähe sehr viel glücklicher. Karl, der Ältere, Musiker von Beruf und Komponist, ist heute Akademieprofessor in Köln. Während sein Bruder mein Porträt malte, spielte er uns in seiner bewundernswert gebundenen und wohllautenden Art 'Tristan' vor. Wir führten, da auch ich etwas geigte, zusammen seine Trios auf, fuhren Rad, besuchten im Karneval miteinander die Schwabinger 'Bauernbälle' und hatten oft, bei mir oder den Brüdern, die gemütlichsten Abendmahlzeiten zu dritt. Ich hatte ihnen das Erlebnis der Freundschaft zu danken, das mir sonst kaum zuteil geworden wäre. Mit gebildeter Harmlosigkeit überwanden sie meine Melancholie, Scheu und Reizbarkeit, einfach indem sie sie als positive Eigenschaften und Begleiterscheinungen von Gaben nahmen, die sie achteten. Es war eine gute Zeit.

Malen, Musik und Bauernbälle, das hört sich hübsch an. Aber so einfach ist es nicht gewesen. Verwehte Spuren davon, daß es um mehr ging, nämlich um die „zentrale Herzenserfahrung meiner 25 Jahre", haben sich da und dort erhalten, in Notizbüchern, Tagebüchern und im dichterischen Werk. Ein zusammenfassender Rückblick nach mehr als drei Jahrzehnten im Tagebuch vom 6. Mai 1934 vergleicht die Liebe zu P[aul) E[hrenberg] mit der zu K[laus] H[euser] und mit den Schülerlieben zu A[rmin] M[artens] und W[illiram] T[impe]:

[...] suchte in alten Notizbüchern [...] und vertiefte mich in Aufzeichnungen, die ich damals über meine Beziehungen zu P. E. im Zusammenhang mit der Romanidee der „Geliebten" gemacht. Die Leidenschaft und das melancholisch psychologisierende Gefühl jener verklungenen Zeit sprach mich vertraut und lebenstraurig an. Dreißig Jahre und mehr sind darüber vergangen. Nun ja, ich habe gelebt und geliebt, ich habe auf meine Art „das Menschliche ausgebadet". Ich bin, auch damals schon, aber 20 Jahre später in höherem Maße, sogar glücklich gewesen und durfte wirklich in die Arme schließen, was ich ersehnte [...]

Das K. H.-Erlebnis war reifer, überlegener, glücklicher. Aber ein Überwältigtsein wie es aus bestimmten Lauten der Aufzeichnungen aus der P. E.-Zeit spricht, dieses „Ich liebe dich – mein Gott, – ich

Paul Ehrenberg, 1902

liebe dich!", – einen Rausch, wie er angedeutet ist in dem Gedicht-Fragment: „O Horch, Musik! An meinem Ohr weht wonnevoll ein Schauer hin von Klang –" hat es doch nur einmal – wie es sich wohl gehört – in meinem Leben gegeben. Die frühen A. M.- und W. T.-Erlebnisse treten weit dagegen ins Kindliche zurück, und das mit K. H. war ein spätes Glück mit dem Charakter lebensgütiger Erfüllung, aber doch schon ohne die jugendliche Intensität des Gefühls, das Himmelhochjauchzende und tief Erschütterte jener zentralen Herzenserfahrung meiner 25 Jahre. So ist es wohl menschlich regelrecht, und kraft dieser Normalität kann ich mein Leben stärker ins Kanonische eingeordnet empfinden, als durch Ehe und Kinder. –

Hier sind wir der Wahrheit offenkundig näher als bei den Schwabinger Bauernbällen. Wir wollen im folgenden alles zusammentragen, was die Selbstzensur übersehen oder durchgelassen hat. Die ältesten Bleibsel sind eine Adressennotiz 1899,[16] ein Neujahrsglückwunsch Ende 1899,[17] eine Widmung auf einer Photographie, datiert vom 6. März 1900,[18] und eine Geburtstagsnotiz zum 8. August 1900,[19] das erste ausführliche Zeugnis ein Brief vom 29. Juni 1900[20] an Paul, der sich, möglicherweise den ganzen Sommer über, in Wituchowo bei Posen aufhielt. Das Schreiben berichtet amüsant von der Musterung und vom Münchener Kulturleben. Von Liebe ist allenfalls andeutungsweise die Rede, in der Schilderung eines ausgestellten Bildes von einer jungen Mädchengestalt, die ein Herz in der Hand hält, mit dem sie auf freche und graziöse Art kokettiert, vor ihr kniend ein junger Mann, in der Brust eine große Schnittwunde, den Blick fanatisch, verzückt und leidend aufwärts gerichtet. „Das Bild hat großen Eindruck auf mich gemacht, woraus wohl ohne Weiteres folgt, daß es malerisch nicht fünf Pfennige werth ist." Thomas Mann dürfte sich als der mit der Schnittwunde empfunden haben, daher der große Eindruck.

Der Briefwechsel mit Grautoff, der vom 11. Juli 1900 an wieder erhalten ist, weiß von P. E. erst am 19. Dezember etwas zu melden. Schon jetzt ist die charakteristische Gegenüberstellung von ironisch-hochmütigem „Geist" (Thomas Mann) und naiv-liebenswürdigem „Leben" (Paul) deutlich erkennbar:

Gestern Abend freilich war ich mit Paul Ehrenberg, der mich überredet hatte, unnöthiger Weise in „Margarethe" von Gounod. Es waren ganz liebe Stunden. Ich saß, neben diesem rechtschaffenen, ungetrübten, kindlichen, ein bischen eitlen aber unbeirrbar treuherzigen Kameraden, auf meinem Polster und lauschte ohne allzu viel Erregung und anstrengende Betheiligung einer sanften, süßen, unschuldvollen und friedlichen Musik ...

Im Winter 1900/01 muß die Liebe tiefer geworden sein, denn Thomas schreibt am 13. Februar 1901 an Heinrich von „einem unbeschreiblichen, reinen und unverhofften Herzensglück", das ihm gezeigt habe, „daß es in mir doch noch etwas Ehrliches, Warmes und Gutes giebt und nicht bloß 'Ironie', daß in mir doch noch nicht Alles von der verfluchten Litteratur verödet, verkünstelt und zerfressen ist". Heinrich muß nachgefragt haben, aber Thomas scheut vor genaueren Mitteilungen zurück. Grautoff hingegen hat wohl mehr gewußt. An ihn schreibt Thomas am 22. Februar 1901, daß er zwar die größte Lust habe, Heinrich seinen ganzen Roman zu beichten, aber sich davor auch fürchte. „Andererseits habe ich natürlich wieder eine wahre Sehnsucht, das Ganze breit auseinander zu rollen und mich eingehend zu erklären." Was genau es zu erklären gab, wissen wir nicht. Das einzige direkte Zeugnis aus dem Winter 1900/01 ist ein Brief an Paul vom 19. Januar, der um Verzeihung für vorzeitiges Verschwinden von einer Geselligkeit nachsucht. „Ich hatte, (über Tolstoi, Luther, Christenthum und dergleichen, glaube ich,) so viel abstoßend dummes Zeug von mir gegeben, daß ich schließlich vor mir selbst davonlief und mir hastig die Bettdecke über die Ohren zog. Mein Schamgefühl ist peinlich stark entwickelt." Das ist die schonungsvolle Version. Mit dem Weglaufen war aber etwas anderes beabsichtigt: dem Geliebten einen Augenblick des Nachdenkens zu bereiten:

Er kannte es so wohl, dies Fortgehen, dies schweigende, stolze und verzweifelte Entweichen aus einem Saale, einem Garten, von irgendeinem Orte fröhlicher Geselligkeit, mit der verhehlten Hoffnung, dem lichten Wesen, zu dem man sich hinübersehnt, einen kurzen Augenblick des Schattens, des betroffenen Nachdenkens, des Mitleidens zu bereiten …[21]

Danach kam wohl die Bauernball- und Radfahrzeit. „Weißt Du noch", schreibt Thomas Mann am 22. November 1949 an Carl Ehrenberg, „wie wir früh morgens zum Aumeister radelten (Dein Rad hieß 'die Kuh', weil es immer einen kotigen Bauch hatte) und nach dem Kaffeetrinken mit Steinen nach leeren Bierflaschen warfen?" Vielleicht sind sie damals auch nach Linderhof gefahren, vielleicht hat Paul damals den König Ludwig II. von Bayern für „knallverrückt" erklärt, woraufhin Thomas ihn wortreich zurechtgewiesen und seine Liebe zu Ludwig erklärt hat.[22] Rudi/Paul scheint das nicht begriffen zu haben. „Nach seiner Gewohnheit in solchen Fällen, das heißt, wenn ein Standpunkt ihm allzu neu war, bohrte er seine blauen Augen, bei entrüstet aufgeworfenen Lippen, abwechselnd in mein rechtes und linkes Auge, während ich sprach."

Mit den Brüdern zusammen war immer etwas los. Paul kenne keine Bummelei, notiert sich Mann im Frühjahr 1901, er sei immer irgendwie „in netter Weise" beschäftigt[23]. Spöttisch wird die Wendung auch in zwei Briefen an Otto Grautoff erwähnt (8. Januar und 20. Februar 1901). „In netter Weise" wird zum Leitmotiv, zunächst geplant für *Die Geliebten*, ausgeführt dann im *Doktor Faustus*.[24]

Als der Fasching vorüber ist, am 20. Februar 1901, fühlt Thomas sich veranlaßt, Otto Grautoff zu rügen. Dieser hatte sich verliebt, und Verliebte pflegen sich unmöglich zu benehmen. „Wenn Du mir einen großen Gefallen thun willst, so sprich nur von dem pfiffigen kleinen Geschöpf, das von Deinem schönen Herzen Besitz ergriffen hat, nicht mehr als von 'Deinem Mädel'." Das sei nicht zutreffend und wirke überdies gar zu zusammenziehend. Wie sein Adrian Leverkühn (im Faustroman[25]) mag Thomas Mann den Ausdruck „Mädel" nicht. Im übrigen habe Grautoff sich kolossal falsch benommen.

Die Franzosen sagen: Wenn der Deutsche graziös sein will, so springt er zum Fenster hinaus. Etwas Ähnliches gilt meistens auch von „uns Todten", wenn wir „erwachen" [eine Anspielung auf Ibsens Drama Wenn wir Toten erwachen*], d. i. wenn wir einmal Menschen sein möchten. Meistens! Es gehört sehr viel Geschmack und Stilgefühl dazu, da nicht zu outriren, sich nicht zu verzerren. Na, Stil ... es weiß eben nicht Jeder, was das ist [...] Du machst mich nervös, wenn Du Fasching spielst, und schon darum bin ich froh, daß der Fasching vorüber ist. Nervös machtest Du mich zum Beispiel (und augenscheinlich nicht nur mich) durch das blöde Gekreisch, mit dem Du gestern im Café L. Paul Ehrenberg empfingst. Es ist dumm und roh, zu glauben, daß dies, selbst in der Fastnacht, die richtige Art ist, ihm zu begegnen. Dir kann es ja gleichgültig sein, was er von Dir denkt, da hast Du Recht. Ich fürchte nur, daß er manchmal nicht weiß, was uns – Dich und mich – eigentlich verbindet.*

Paul ist nett und gesellig, offen und gesprächig, er muß den einsamen und grüblerischen Thomas Mann ohne langes Fackeln mitgezogen haben auf die Seite des Lebens. Ausstellungen, Ausflüge, Radfahrten, Konzerte, Kaffeehaus, Oper, Bälle, Besuche, Musizieren bildeten einen bunten Reigen. Auf 1901 zu datieren ist wohl auch das schon mehrfach anzitierte Fragment eines Liebesgedichts, das sich in zwei Teilen im siebten Notizbuch findet. Es lautet im Zusammenhang:[26]

Dies sind die Tage des lebendigen Fühlens!
Du hast mein Leben reich gemacht. Es blüht – –
O horch, Musik! – – An meinem Ohr
Weht wonnevoll ein Schauer hin von Klang –
Ich danke dir, mein Heil! mein Glück! mein Stern! –

Was war so lang? –
Erstarrung, Öde, Eis. Und Geist! Und Kunst!
Hier ist mein Herz, und hier ist meine Hand
Ich liebe Dich! Mein Gott ... Ich liebe Dich!
Ist es so schön, so süß, so hold, ein Mensch zu sein?

Paul malt ein Bild von Thomas Mann – allerdings gefällt es dem Porträtierten nicht. Hans Hansen liebt Pferdebücher,[27] Paul war Pferdemaler. Thomas schreibt ihm nett und bissig im Mai 1901: „Heil und Sieg Deinem Schaffen! Was wird es dann? Eine ungeheure Kuh? Du sagtest ja, Du wolltest von mir zum Rindvieh übergehen."[28]

Der Sommer 1901 bringt eine vorübergehende Abkühlung. Thomas Mann meldet sich bei Paul am 18. Juli 1901 aus Mitterbad bei Meran, beginnend mit einer wortgewaltigen Entschuldigung, daß er so lange nicht geschrieben habe. Auch ein Brief an Grautoff vom 6. November 1901 klingt so, als habe man sich längere Zeit nicht gesehen, und als sei jeweils der Winter bei Thomas Mann die heiße Zeit:

Für mich im Besonderen markirt sich der Wiederanfang der „Saison" durch das Wiedersehen mit Paul Ehrenberg, das neulich gelegentlich eines Mittagessens bei Bekannten sich ereignete. Und gestern Abend, bei uns, habe ich auch sein Geigenspiel wiedergehört. Er ist der Alte ... Auch ich bin der Alte: Noch immer so schwach, so leicht verführt, so unzuverlässig und wenig ernst zu nehmen in meiner Philosophie, daß ich des Lebens Hand ergreife, sobald es mir sie lachend entgegenstreckt. Sonderbar! Alljährlich, um die Zeit, wenn die Natur erstarrt, bricht in die sommerliche Vereisung und Verödung meiner Seele das Leben ein und gießt Ströme von Gefühl und Wärme durch meine Adern! Ich lasse es geschehen.

Störend allerdings, daß Paul einen Wochen-Wandkalender führt für seine gesellschaftlichen Verpflichtungen, schmerzlich, wenn man sich als einen Termin unter anderen dort wiederfindet.[29] Im Januar 1902 kommt es zu einer Krise. Thomas Mann fühlt sich vernachlässigt. Er fragt brieflich an, in der Hoffnung, Pauls Ohr „zwischen den beiden Bauernbällen" zu erreichen:

Wo ist der Mensch, der zu mir, dem Menschen, dem nicht sehr liebenswürdigen, launenhaften, selbstquälerischen, ungläubigen, argwöhnischen aber empfindenden und nach Sympathie ganz ungewöhnlich heißhungrigen Menschen, Ja sagt –? Unbeirrbar? Ohne sich durch scheinbare Kälte, scheinbare Abweisungen einschüchtern und befremden zu lassen? Ohne zum Beispiel solche Kälte und solche Abweisungen aus Bequemlichkeit und Gleichgültigkeit damit erklären zu wollen, 'daß ich mich erst wieder an ihn gewöhnen müsse', sondern aus Neigung und Vertrauen unverbrüchlich zu mir hält? Wo ist dieser Mensch?!? – Tiefe Stille. Und wenn irgendwo ein Cello oder Contrabaß ein bißchen pizzicato machte, so wäre es eine Stimmung wie im 'Lohengrin', Akt I, nach dem 'Wer hier im Gotteskampf ...'[30]

Das Notizbuch vermerkt: „P. kam den 30. Januar nachmittags."[31] Er regelt die Sache in netter Weise. Es wird gewesen sein wie im *Doktor Faustus*, wo es Adrian ist, der jenen schmerzlich unverhüllten Brief schreibt. „Sofort, eiligst, ohne jede quälende Verzögerung, erfolgte damals ein Besuch des Empfängers in Pfeiffering, eine Aussprache, die Versicherung ernstlichster Dankbarkeit – eine einfache, kühne und treuherzig-zarte Verhaltensweise offenbarte sich, eifrig darauf bedacht, jeder Beschämung vorzubeugen."[32] Ausgeführt Ende August 1946, war diese Szene bereits im Notizbuch von 1902 für den *Geliebten*-Plan entworfen worden (wo Mann sich mit einer Frauenrolle maskiert hätte): „Der Brief an ihn, sehr gewagt. Darauf sein sofortiger Besuch, sein Dank, sein Vorbeugen jeglicher Beschämung ihrerseits. Freundschaftsschluß. Treueversprechen."[33] Es kann aber sein, sinniert eine andere Notiz, daß der Brief, trotz seines vornehmen Benehmens, mehr verdorben als genützt hat. „Er ist doch ein bischen genirt. Das Anschmiegende, Zutrauliche, das er manchmal hatte, scheint dahin. Seine Unbefangenheit ist doch ein bischen gestört."[34]

Eine weitere Krise folgt bereits im April 1902. Sie beginnt mit Manns Irritation durch die „rassige Familie". Die Brüder Ehrenberg fasziniert, so vermerkt das Notizbuch, eine „temperamentvolle", „rassige" und „leidenschaftliche" Familie, die „den Teufel im Leibe" hat, was Thomas entsetzlich findet. „Ich habe das nun so oft gehört, daß ich einfach Angst vor dieser fürchterlichen Familie habe. Höre ich nur ihren Namen, so komme ich mir schon so lahm und blutarm vor, daß mich eine plötzliche hoffnungslose Müdigkeit befällt und ich innerlich zusammensinke ...“[35] Im Faustroman erzählt Rudi Schwerdtfeger (Paul Ehrenberg), der von Ines Institoris (Thomas Mann) geliebt wird, ständig von Gesellschaften, wo er sich wieder einmal habe blicken lassen müssen. Auch bei Rollwagens sei er gewesen, „wo die beiden rassigen Töchter seien“. Ines kommentiert: „Wenn ich das Wort ‘rassig’ höre, wird mir schon angst und bange.“ Jeden wiege Rudi in der Illusion, er sei am liebsten bei ihm. „Er komme um fünf Uhr zum Tee und sage, daß er versprochen habe, zwischen halb sechs und sechs Uhr irgendwo anders zu sein, bei Langewiesches oder Rollwagens, was gar nicht wahr sei. Danach bleibe er bis halb sieben, zum Zeichen, daß er hier lieber sei, gefesselt sei, daß die anderen warten könnten – und sei so sicher dabei, daß einen das freuen müsse, daß man sich womöglich wirklich darüber freue.“[36]

Der Flirtstreit

Daraus entwickelt sich der „Flirtstreit“, in dem Thomas Mann, „obgleich ich Herzschmerzen hatte“, mit der Vernunft auf Pauls Seite zu stehen versucht. „Ein so freier und keuscher Mensch“, notiert er, „wie sollte er sich nicht das harmlose Narkotikum des Flirts gestatten können!“ Die grundsätzliche Erkenntnis folgt: „Übrigens ist er für den Flirt *geboren* und *nicht* für die Liebe oder die Freundschaft. Auch unsere Freundschaft ist ein Flirt, und ich bin ganz sicher, daß sie weniger Reiz für ihn hätte, wäre sie es nicht.“[37] Aber was ist, wenn nur einer flirtet und der andere liebt?

Auch Baron Harry in *Ein Glück* war ein Flirter. Baronin Annas Verhältnis zu ihm wird radikalisiert in der Beziehung Ines-Rudi im *Faustus*. Aus den Ehrenberg-Notizen hat der Dichter etliche Formulierungen wörtlich in den Roman übertragen – so wenn er Ines klagen läßt über Rudis Nettigkeit und Stutzertum, über die fürchterliche Künstlergeselligkeit, über ihr Grauen vor der geistigen Leere und Nichtigkeit, die bei einer durchschnittlichen Einladung herrschten,

in grellem Gegensatz zu der damit verbundenen fieberhaften Erregung infolge des Weins, der Musik und des Unterstroms von Beziehungen zwischen den Menschen. Manchmal könne man mit Augen sehen, wie einer sich mit jemandem unter mechanischer Wahrung der gesellschaftlichen Formen unterhalte und dabei mit seinen Gedanken völlig abwesend sei, nämlich bei einer anderen Person, die er beobachte ... Und dabei der Verfall des Schauplatzes, das fortschreitende Dérangement, das aufgelöste und unsaubere Bild eines Salons gegen Ende der 'Einladung'. Sie gestehe, daß sie manchmal in ihrem Bett eine Stunde lang weine nach einer Gesellschaft ..."[38]

Der Verlauf des Flirtstreits illustriert das Klima jener melancholischen Liebesgeschichte am besten. Wir kennen die Einzelheiten:

Und es folgte jenes lange Gespräch mit seinem Bruder über Damenverkehr, Flirt und künstlerische Anregung durch das Weib, bei dem ich anfangs so seine Partei nahm, daß er behauptete, ich spräche ihm „aus der Seele" – und dann, müde gemacht durch die „rassige Familie" und manches Andere, immer tiefer verstummte ...

Paul entschuldigt sich auf dem Heimweg. Vor einer Litfaßsäule mit einem Anschlag zu einem Liederabend, für den Mann sich interessiert, bleiben sie stehen. Paul verächtlich: „Geistliche Lieder, – ne, da geh' ich nicht hin!" Thomas stellt sich mit einer nervösen Bewegung noch einmal vor die Säule. „Werde keine Zeit haben!" korrigiert sich Paul hastig. Thomas denkt: „Welche Furcht er vor meiner Verachtung hat! Wie er mir oft, auf ein Zucken meiner Miene hin, ungeschickt merklich nach dem Munde spricht!"[39]

Paul kommt, kurz nachdem Thomas dies aufgeschrieben, merkt, daß der Freund traurig ist, sucht den Kontakt wiederzufinden. „Später, als ich mich, mit dem Rücken gegen das Zimmer, ins offene Fenster lehnte, sagte er laut: 'Rück' gefälligst ein bischen bei Seite, daß ich auch da Platz habe!' lehnte sich neben mich und begann, nach diesem möglichst cordialen Eingang, ein intimes, ruhiges, und kameradschaftliches Gespräch. Schließlich war er glücklich wieder so weit, daß er behaglich den Arm auf meine Schulter stützte. Ich ließ es geschehen. Wessen könnte ich ihn zeihen? Auch war ich ja schon wieder besiegt ..." Das Ende ist dennoch traurig:[40]

Wir schieden als „Freunde". Lange war ich ihm nicht so hoffnungslos fern. Wie ich ihm einmal sagte: „Berge und Abgründe ..." Sieht er sie? Will er sie nicht sehen? Durch ihn weiß ich nichts über ihn. Alles, was ich weiß, sah mein trauriges Auge.

Thomas will ihn ein bißchen quälen. „Beim Abschied auf der Straße löste ich meine Hand sehr rasch aus der seinen." Er tut so, als wisse er nicht, ob und wann er kommen könne. Er will damit Paul zum Kommen zwingen. „Aber er kam keines Weges." Das wird Detlef über Lilli sagen (in *Die Hungernden*[41]) und Tonio Kröger über Inge.[42] Sie kommen nicht, so wenig wie Paul. Dergleichen geschieht nicht auf Erden. Dabei hatte Thomas sich schon die Themen für eine Aussprache zurechtgelegt. „Was ich ihm als Erklärung zu beichten habe, ist erstens das mit der rassigen Familie, zweitens der Eindruck des Flirt-Gesprächs auf mich, drittens seines Bruders Erzählung von seinen Zotereien, viertens die 'Geistlichen Lieder'. Es ist ein bischen wenig, ein bischen dünn, vielleicht gewagt. Aber ich werde es schon zu arrangiren wissen. Ob er kommt?"[43]

Durch flirtende Zutraulichkeit hatte der Gesellige den Einsamen gewonnen, der nun mehr wollte. Er liebte Pauls glückhafte Naivität, litt aber zugleich darunter, daß er nicht verstanden wurde. Paul seinerseits wird darüber ganz anderer Meinung gewesen sein. Etwa im Februar oder März 1902 hat es sich zugetragen, daß Thomas die Verwandtschaft mit Hamlet exklusiv für sich behalten wollte:[44]

Hamlet –: seine enthusiastische Schwäche, die Hyperästhesie seines Gewissens, seine Reflektionskrankheit, seine hitzige Phantasie und sein Versagen der Wirklichkeit gegenüber, sein Pessimismus, sein Erkenntnis-Ekel (was Ophelia, die Frauen, die Höflinge, das ganze Dasein betrifft) (Es genügt ihm, zu durchschauen, um angewidert zu sein) – – – ecce ego!"

P. antwortete nicht ohne Wichtigkeit:

„Das ist wahr ... Es hält einem einen Spiegel vor!"

Und meine Seele stimmte ein ungeheures Gelächter an ... Mein guter Junge! Niemals war er mir ferner! Er gleicht dem Hamlet wie ich dem Herkules!

Ähnlich höhnisch wirkt die folgende Aufzeichnung:[45]

P.: In Deutschland ist die Schwäche und Ehrfurcht allem Ausländischen gegenüber gar zu stark.

Ich.: daß du das sagst, ist der beste Beweis dafür, daß es nicht mehr der Fall ist: Wär's noch der Fall, wäre dies Gefühl noch allgemein üblich, unerschüttert u. in Kraft, so wärest doch du der Letzte, daran zu rütteln. Etc.

P.: So. Das ist sehr freundlich.

Ich: O ja, das ist ganz freundlich.

Vom Sommer 1902 gibt es dann noch ein paar Briefe, originell, spöttisch, gesprächig im Kulturellen, aber ohne Intimitäten. Thomas Mann will nach Riva am Gardasee. Wieder ist erst für den November ein Wiedersehen zu erwarten. Nicht eben begeisternd klingt die Ankündigung davon: „Bei meiner Rückkehr, Mitte November, finde ich Dich dann schon in München vor, worauf ich mich gewissermaßen freue. Ja, ich kann auch liebenswürdig sein."[46]

Im Jahre 1903 geht es bergab. „P. ist so gemein, daß man nicht glauben kann, er könne jemals sterben. Er ist der Weihe und Verklärung des Todes nicht werth."[47] Das letzte harmonische Zeugnis ist ein Gedicht, das einem Brief an Paul vom 19. Juni 1903 beilag. Thomas kommentiert es mit zierlicher Ironie. „Die artigen Verslein, die ich darauf abzulagern mich nicht entbrechen konnte, nimmst Du wohl mit in den Kauf. Sind sie schlecht, so sind sie doch wohlgemeint. Und auf das Herz, *da* kömmt es auf an!" Das Gedicht lautet dann:[48]

Hier ist ein Mensch, höchst mangelhaft:
Voll groß und kleiner Leidenschaft,
Ehrgeizig, eitel, liebegierig,
Verletzlich, eifersüchtig, schwierig,
Unfriedsam, maßlos, ohne Halt,
Bald überstolz und elend bald,
Naiv und fünf mal durchgesiebt,
Weltflüchtig und doch weltverliebt,
Sehnsüchtig, schwach, ein Rohr im Wind,
Halb seherisch, halb blöd und blind,
Ein Kind, ein Narr, ein Dichter schier,
Schmerzlich verstrickt in Will' und Wahn,
Doch mit dem Vorzug, daß er Dir
Von ganzem Herzen zugethan!

Anders als bei dem ekstatischen Fragment von den Tagen des lebendigen Fühlens aus dem Jahre 1901 haben wir hier ein sorgfältig geformtes Gebilde vor uns. Sein Wert liegt mehr in der Selbsterkenntnis als im Ausdruck des Gefühls für Paul, der konventionell bleibt („von ganzem Herzen zugetan"). Die Liebe ist zur Literatur geworden.

Kurz darauf erhält die Beziehung eine tiefe und letztlich tödliche Wunde. Ein Brief an Otto Grautoff deutet am 29. August 1903 erstmals die auf Katia Pringsheim gerichteten Pläne an.[49] Mit Paul muß es zu wilden Zerwürfnissen gekommen sein, wie man einer Postkarte an ihn vom 29. September 1903 entnehmen kann.[50] Es gab einen Streit, ähnlich wie im *Doktor Faustus,* als Adrian Leverkühn dem Freund Rudi Schwerdtfeger seine Heiratspläne eröffnet hat. Das Wort „menschlich" nehme sich unpassend, ja beschämend aus in Adrians Munde, sagt Rudi, und Adrian kontert: „Daß ich mit Menschlichkeit nichts zu tun habe, nichts zu tun haben darf, sagt mir einer, der mich mit staunenswerter Geduld fürs Menschliche gewann und mich zum Du bekehrte, einer, bei dem ich zum erstenmal in meinem Leben menschliche Wärme fand."[51] Von da an rückt Ehrenberg ins zweite Glied, die Briefe werden knapp und unergiebig, die Begegnungen immer seltener. Auch heiratet er bald (die Malerin Lilly Teufel).

Diese ganze Geschichte ist zu erinnern, wenn man vom Widerspruch zwischen „Geist" und „Leben" bei Thomas Mann spricht. Der Anschauungsunterricht für das blond-naive, blauäugige „Leben" geschah durch Paul. Für Geistiges ist er nicht zu gebrauchen. Ironie versteht er nicht. Noch bei wirklichen Verachtungskundgebungen sagt er höchstens „Das ist ja recht freundlich."[52] Auf der erwähnten Postkarte vom September 1903 rät Thomas Mann ihm davon ab, Nietzsche zu lesen, und ordnet ihn der Welt der *Zauberflöte* zu. Das ist keine Ehre, sondern eine Demütigung. „Zauberflöte" ist eine Chiffre für kuhwarme Menschlichkeit. „Rührend, dieser Geist milder und froher Humanität", mokiert sich Mann. „'Tugend', 'Pflicht', 'Aufklärung', 'Liebe', 'Menschlichkeit', – die lieben Leute glaubten noch daran! Heute ist all das angefressen und zernagt ... Warum willst du eigentlich Nietzsche lesen? Laß es lieber noch!"

Er hatte sich das mit der *Zauberflöte* vorher überlegt und bereits aufgeschrieben.[53] Der Pfeil war gespitzt, als er ihn vom Bogen ließ. Jahre später drückt er ihn Doktor Überbein in die Hand, der in *Königliche Hoheit* das Menschlichkeitspathos noch einmal verspotten darf.[54]

Pauls Tod

Aus der Folgezeit gibt es, abgesehen von verklärenden Erinnerungen ans Damalige („Ich habe ihn geliebt, und es war etwas wie eine glückliche Liebe"[55]), nur noch sporadische Begegnungen. „Glückwunsch [zum Ehrendoktor] von Paul Ehrenberg, der mich rührte." (Tagebuch 13. September 1919). „Zum Thee bei Paul Ehrenberg in Schwabing", hält das Tagebuch vom 2. Januar 1921 fest. „Brief von Paul Ehrenberg aus finanzieller Not und Gedankenlosigkeit über meine eigene Lage. Es ergriff mich, diese Schriftzüge wieder zu sehen ...“ (31. März 1933). „Neuer Brief von P. Ehrenberg, dem ich 800 M leihe“ (10. April 1933). Nach dem zweiten Krieg wird ihm mitgeteilt, die Brüder Ehrenberg hätten sich dem Nationalsozialismus angenähert gehabt.[56] Thomas Mann ist nicht davon überzeugt. „Schrieb nach dem Thee an den blinden Opitz über die Begegnung mit Carl Ehrenberg und das sich Unsichtbarhalten Pauls ... das sich aus seinem schlechten Benehmen in jener Geldsache von 1933 oder 34 vollkommen erklären läßt.“[57]

Dann, am 22. November 1949: „Nachricht vom Tode Paul Ehrenbergs [...] Erinnerungsvoll bewegt.“ Verspätet kommen noch Grüße von Paul an, der zum Dank „für einen vor vielen Jahren geleisteten Freundschaftsdienst“ ein Bild zu schenken wünscht. „Vielleicht kommt es noch.“ (1. Dezember 1949) „Brief von Carl Ehrenberg, mit näheren Daten über Pauls Tod.“ (1. Januar 1950) Das ist alles.

Keuschheit

Die ganze Geschichte klingt kaum je enthusiastisch, kaum je glücklich. Was fand Thomas eigentlich an Paul? Ein auffallender Zug kehrt immer wieder: Paul wird „Reinheit“ zugeschrieben,[58] ebenso Rudi im *Doktor Faustus*.[59] Ein „keuscher Mensch“ sei er,[60] ein Mensch ohne Laster, „ein reiner Mensch“, präzisiert Ines im *Faustus*, „daher seine Zutraulichkeit, denn Reinheit ist zutraulich.“[61] Das hat Thomas Mann am meisten überzeugt. Es entspricht dem Notizenbefund:[62]

Wir sprachen über Geschlechtlichkeit, über die prekäre Lage, wenn man Weiber nicht mag sondern höchstens Frauen und ein appetitliches Verhältnis zu theuer ist; auch daß uns beiden schon von ärztlicher Seite gerathen sei, eine Liaison mit einer verheirateten Frau einzugehen. Ich möchte ihm, von hier ausgehend, meine Empfindungen für ihn beleuchten, möchte ihm sagen (auch wenn es nicht wahr sein sollte), daß diese Freundschaft auch vom Standpunkt des Nervenarztes aus etwas Glücklicheres für mich ist, daß sie als Quietiv, als Reinigungs- und Erlösungsmittel von der Geschlechtlichkeit auf mich gewirkt hat.

Die „reine“ (homoerotische) Liebe erscheint hier als Erlösung von der (heterosexuellen) Geschlechtlichkeit. Das ist eine höchst ungewöhnliche, geradezu abenteuerliche Gefühlslage. Im Schmerz lag das Glück. Gerade weil Paul nur ein Flirter war und nichts Ernsthaftes wollte, konnte die Reinheit bewahrt bleiben, die offensichtlich zu Thomas Manns stärksten Impulsen gehört hat.

Im Faustroman ist es die Kunst, die reinigt. Das von Adrian für ihn geschriebene Violinkonzert dient Rudi zur Reinigung von der sexuellen Affäre mit Ines Institoris.[63] Jahrzehnte später sucht Thomas Mann nach einer theoretischen Erklärung. Die Homoerotik ist rein, weil sie der Welt der Zeugung gleichgültig gegenübersteht. Sie ist deshalb zur Sublimierung besonders geneigt und geeignet. „Kultur entfernt die Triebe von ihren ursprünglichen Zwecken", so heißt es mit ausdrücklichem Bezug auf die gleichgeschlechtliche Passion in einer später ausgeschiedenen Passage des *Doktor Faustus*.[64] Keuschheit ist nichts düster Gequältes – sie kann frei, heiter, ja übermütig sein.[65]

Du

Mit fast niemand hat sich Thomas Mann geduzt, wenn man vom harmlosen Kindheits-Du mit der engsten Familie und den Lübecker Mitschülern absieht. Paul (und sein Bruder Carl) gehörten zu den wenigen; auch Bruno Walter – bis es zum Du kam, verstrichen 34 Jahre.[66] Außer dem harmlosen gab es ein bedrohliches Du. „Dem Du verfallen", einem „Sklaven-Du", fühlt sich die hohe ägyptische Würdenträgerin, die sich in ihren hebräischen Knecht Joseph verliebt.[67] Das Du, sagt Settembrini im *Zauberberg*, ist „eine widerwärtige Wildheit, ein Spiel mit dem Urstande, ein liederliches Spiel, das ich verabscheue".[68] Da die Liebe Individuationsaufhebung, Entgrenzung und Vermischung bedeutet, ist auch sie ein liederliches Spiel mit dem Urstande vor aller Gesittung. Hans Castorp duzt seine Clawdia gegen alle Gehörigkeit. „Je t'ai tutoyée de tout temps et je te tutoierai éternellement."[69] Ich habe dich immer geduzt und werde dich duzen in Ewigkeit.

Das gefährliche Du war einst, als es zum Bewußtsein kam, im Schutz der Karnevalslizenz entstanden. Dem siebten Notizbuch kann man entnehmen, daß der Münchener Karneval von 1902 mit dem Urstand vor aller Gesittung gespielt hat. Eine promovierte Dame muß den hochmütig Einsamen damals nach durchtanzter Nacht in den Sumpf der Vermischung hinabgezogen haben. „Das Du stammt aus dem Carneval, ist ein Münchener Zug! Siehe Fr. Dr. K. und ich auf einem Sessel um 7 Uhr morgens."[70] Beide auf einem Sessel? Auch Clawdia Chauchat sitzt oder liegt am späten Ende einer Fastnachtsgeselligkeit auf einem Sessel, Hans Castorp erst vorgebeugt vor ihr, dann fast kniend ihr zu Füßen.[71] „Je t'aime", lallt er, „Je t'ai aimée de tout temps, car tu es le Toi de ma vie, mon rêve, mon sort, mon envie, mon éternel désir ..." (Ich liebe dich. Ich habe dich immer geliebt, denn du bist das Du meines Lebens, mein Traum, mein Schicksal, mein Begehren, mein ewiges Sehnen.)

Das Sie schafft Distanz und schützt. Das Du ist öffnend und preisgebend, daher erschütternd bis in die Grundfesten, daher demütigend, wenn ein Unwürdiger es sich erschleicht. Das Leben will den Vornehmen gemein machen, es will ihn herunterziehen auf sein plattes Niveau, bis er zum Gespött mit dem Bowlendeckel auf dem Kopf geworden ist. Das Erniedrigungstrauma geht auf Erlebnisse zurück, wie sie Prinz Klaus Heinrich mit Seifensieder Unschlitts Tochter beim Bürgerball widerfuhren. „Er sah eine Lust in aller Augen glimmen und sah, daß es ihre Lust war, ihn zu sich hinabzuziehen, ihn bei sich unten zu haben. In sein Glück, seinen Traum, mit ihnen, unter ihnen zu sein, drang es von Zeit zu Zeit wie eine kalte, stechende Wahrnehmung, daß er sich täuschte, daß das warme, herrliche 'Wir' ihn trog."[72]

Im Faustroman führen der gewagte Brief und Rudis prompter Versöhnungsbesuch zu einem gemeinsamen Aufenthalt in einem ungarischen Schloß.[73] Als sie von dort zurückkehren, duzen sie einander. „Unseliges 'Du'", kommentiert der Erzähler. „Weder kam es der blauäugigen Belanglosigkeit zu, die es für sich gewann, noch konnte derjenige, der sich dazu herbeiließ, umhin, die – mag sein – beglükkende Erniedrigung zu rächen, die ihm damit geschehen war."

Das Rächen besorgt der Teufel. Er duzt Leverkühn, zu dessen Empörung. „Es ist schon so ein Verhältnis mit uns, zum Du sagen." Er tritt als Zuhälter auf – „Ein Strizzi. Ein Ludewig."[74] Das Hinabziehen ist seine Spezialität.

Literatur und Leben

Die Notizbücher sind keine Tagebücher, die Briefe, was Intimitäten betrifft, meistens unergiebig, das literarische Werk biographisch unzuverlässig. Wir kennen nur verschiedengradige Stilisierungen des Erlebten, nicht das Erlebte selbst. Wir haben das „Leben“, nicht das Leben. Wir haben es zu tun mit einem Autor, der sogar Erlebnisse provoziert, um der Kunst willen. Der Literat erlebt, um auszudrükken. Das Leben wird zum Material. „Ich bin Künstler genug, Alles mit mir geschehen zu lassen, denn ich kann Alles gebrauchen.“[75] Aus dem Herbst der Ehrenberg-Ära gibt es eine hochmütige Notiz dazu.[76] „Sollte ein namhafter Mann und ernster Künstler“, damit meint Thomas Mann sich selbst, „lieber nicht so viel Zeit daran wenden, zwei ewig namenlose Kinder“, das sind die Brüder Ehrenberg (die ein Brief damals als „Liebe Kinder“ anspricht)[77] „mit glänzenden Briefen zu unterhalten? Ich thu es dennoch; habe Würde genug, um viel verschwenden zu dürfen. Solche Briefe sind eine Kunstübung wie eine andere, und da ich nachmittags an das eigentliche, repräsentirende, symbolisirende 'Werk' fast niemals Hand zu legen wage, so sehe ich nicht, wie die Stunden besser zu benützen wären.“ Daß er auch an seinem Leben dichte, fügt er ausdrücklich hinzu. „Und indem ich von meiner Künstlereinsamkeit zu jenem Stückchen Welt ... *schöne Brücken schlage,* dichte ich an meinem Leben.“

Aber gleichzeitig geht er auch dem Leben aus dem Weg, um der Kunst willen. Denn wer lebt und glücklich ist, schafft nicht. Das 7. Notizbuch überliefert einen Novellenplan (ca. 1903). „Ein pessimistischer Dichter, verliebt, verlobt sich, heirathet (das ‚Leben‘). Ist so glücklich, daß er nicht mehr arbeiten kann, schon ganz verzweifelt. Da beobachtet er, daß seine Frau ihn betrügt. Arbeitet wieder.“[78] Der Dichter Axel Martini preist literarisch das brausende Leben, geht persönlich aber vorsichtshalber um zehn Uhr ins Bett. Das Leben ist der verbotene Garten. Jeder von uns, sagt Martini, kennt die begehrlichen Ausflüge in die Festsäle des Lebens. „Aber wir kehren gedemütigt und Übelkeit im Herzen von dort in unsere Abgeschlossenheit zurück.“[79] Was Sie gedichtet haben: Sie haben nichts davon wirklich erlebt? fragt ihn Prinz Klaus Heinrich. Die Antwort könnte von Thomas Mann sein. „Sehr wenig, Königliche Hoheit. Lediglich ganz kleine Andeutungen davon.“

Paul Ehrenberg alias Rudolf Müller alias Baron Harry alias Ingeborg Holm alias Joseph alias Rudi Schwerdtfeger: die Literatur bietet mehr als das Leben. Pauls Name geistert runenhaft durch das ganze Werk, wie der der Esmeralda durch das Leverkühns.[80] Der eigentliche Erlebniskern ist verhältnismäßig mager gewesen. Er hat nur wenige authentische Zeugnisse hinterlassen. Es gibt die Briefe an die Brüder Ehrenberg, die an Heinrich Mann und die an Otto Grautoff. Alles andere ist schon mehr oder weniger literarisiert: die kärglichen Erinnerungen aus späteren Jahren, die Notizbücher und vor allem die Dichtungen. Bereits in den Notizbüchern wechselt die Perspektive zwischen „ich“ und „sie“. Die „sie“-Notizen beziehen sich auf das Verhältnis von „Adelaide“ (Thomas Mann) zu „Rudolf Müller“ (Paul) im Plan für *Die Geliebten* und stellen, obgleich es sich im Kern um Erlebtes handelt, bereits eine erste Stilisierung dar. Die zweite Literarisierungsstufe sind die dichterischen Werke der frühen Jahre, also *Ein Glück*, *Tonio Kröger* und sein Seitenstück *Die Hungernden*, am Rande *Fiorenza, Beim Propheten* und *Gladius Dei.* Die dritte Literarisierungsstufe sind die späteren dichterischen Werke, vor allem *Joseph in Ägypten* und *Doktor Faustus.*

Der Joseph-Roman kann nur wenig brauchen. „Bei Durchsicht des Notizbuches aus der P. E. und Tonio Kröger-Zeit mußte ich feststellen, mit wie sparsamer Auswahl nur die individuell-sentimentale, modern beobachtete Einzelheit leidenschaftlicher Art sich für die Stilistik meines Buches und seiner mythisch-primitiven Welt eignet.“ (Tagebuch 9. Januar 1935) Anders ist es im *Doktor Faustus*, wo viele Seiten auf die Ehrenberg-Notizen zurückgehen. Die P. E.-Geschichte wird dort doppelt erzählt, einmal als Verhältnis Rudi Schwerdtfeger – Adrian Leverkühn, einmal als Verhältnis Rudi Schwerdtfeger – Ines Institoris. Der Ausgang wird radikalisiert. Weil der Künstler das Leben nicht lieben darf, muß Rudi sterben. Als Tatwaffe dient Ines, die ihn erschießt. In der Realität ging es mitnichten so kraß zu, wurde das Verhältnis zu Paul zugunsten von Katia Pringsheim sanft eingeschläfert. Die Literatur verwendet zwar die lebensgeschichtlichen Grundlagen, spitzt sie aber jeweils auf ein anderes Ende hin zu und spielt verschiedene Möglichkeiten durch. Das P. E.-Material wird in fünf verschiedenen Richtungen literarisch ausphantasiert:

1. Der Fall *Tonio Kröger* ist der Wirklichkeit am nächsten. Die Liebe *soll* gar keine Dauer haben und schon gar nicht körperlich realisiert werden. Die eingeschlafene Liebe im Herzen dient der kultivierten Einsamkeit als Produktionsmotor.

2. Dem Fall *Ein Glück* ist Thomas Manns eigenes Erleben ebenfalls sehr nahe. Hier erprobt die leidende Einsamkeit, wie sie sich literarisch rächen könnte, indem sie Paul seine Wertlosigkeit vorführt.

3. In *Joseph in Ägypten* geht es um einen Reinen (Joseph bzw. Paul), der für die Sexualität nicht zur Verfügung steht. Am Fall der Frau des Potiphar spielt Thomas Mann den Angsttraum der Selbst-

zerstörung durch, die die Folge eines auch körperlichen Werbens gewesen wäre, eines Werbens der unkeuschen Nonne um den schönen Mönch.

4. und 5. Im *Doktor Faustus* herrschen die katastrophalsten Varianten. Zuerst Adrian – Rudi: Die Einsamkeit des Künstlers ist hier nicht hintergehbar und deshalb tödlich für das in sie verstrickte Leben. Erfüllung gibt es nur im Werke. Der Künstler tötet das Leben, das nach ihm greift. Dann Ines – Rudi: Hier wird der Fall der sexuellen Realisierung durchgespielt. Wenn die leidende Einsamkeit mit dem „Leben" schläft, ist das eine Art Vergewaltigung, die tödlich endet für das Opfer.

Mary Smith

Auch mitten in der P. E.-Zeit ist Interesse am Weiblichen zu verzeichnen. Es gibt keinen Widerspruch zwischen homoerotischen Passionen und dem Blick aufs andere Geschlecht. Mit dem Heiraten hat Thomas Mann nämlich bereits im Mai 1901 einmal geliebäugelt. Zusammenhängendes wissen wir darüber nur aus dem *Lebensabriß*:[81]

Schon einmal [...] hatte ich dicht vor der Heirat gestanden. In einer Florentiner Pension hatte näherer Umgang mit zwei Tischgenossinnen, Schwestern aus England, sich ergeben, von denen ich die Ältere, Dunkle sympathisch, die Jüngere, Blonde, reizend fand. Mary, oder Molly, erwiderte meine Zuneigung, und ein zärtliches Verhältnis entwickelte sich, von dessen ehelicher Befestigung zwischen uns die Rede war. Was mich schließlich zurückhielt, war das Gefühl, es möchte zu früh sein, es waren auch Bedenken, die die fremde Nationalität des Mädchens betrafen. Ich glaube, die kleine Britin empfand ähnlich, und jedenfalls löste die Beziehung sich in Nichts auf.

In Florenz war Thomas Mann ungefähr vom 26. April bis zum 20. Mai 1901. Er traf dort seinen Bruder Heinrich. Als dieser für kurze Zeit nach Neapel reiste, schrieb ihm Thomas am 7. Mai:

Miß Mary, deren Geburtstag vorgestern war und der ich ein Körbchen Zuckerfrüchte geschenkt habe, hat mir viel Freude gemacht. Aber nun werde ich ihr, glaube ich, zu melancholisch. She is so very clever, und ich bin so dumm, immer die zu lieben, die clever sind, obgleich ich doch auf die Dauer nicht mitkann.

Für den Geburtstag war vielleicht auch die Notiz bestimmt: „Iris-Parfum, 1,25 L[ire] Via Tornabuoni."[82] Im 4. Notizbuch haben wir ferner mehrere Seiten mit Ergebnistabellen von verschiedenen Spielen der Brüder oder von Thomas allein mit „Miß Edith" und „Miß Mary".[83] Das wichtigste Zeugnis aber ist ein Brief an Paul Ehrenberg vom 26. Mai 1901, als Thomas Mann frisch nach München zurückgekehrt war: [84]

Das mit der kleinen Engländerin, die aussah, alsob sie von Botticelli wäre, nur viel lustiger, war anfangs ein sorgloser Flirt, nahm aber später einen ganz merkwürdig seriösen Charakter an – und zwar (o Staunen!) beiderseits. Der Abschied war beinahe bühnenfähig, – obgleich es eigentlich gemein ist, in diesem Tone davon zu sprechen; aber ich spekulire auf Deine angeborene Herzenskälte. Übrigens kann es gern sein, daß in dieser Sache das letzte Wort noch nicht gesprochen ist. Aber wenn Du den Mund nicht hältst, Du Lackl, Du sechsecketer, so dinge ich Meuchelmörder.

Wollte Thomas den Freund eifersüchtig machen? Hat er sich die Verliebtheit nur eingeredet, war die Verständigung von Beginn an nicht innig, das letzte Wort doch schon gesprochen? Der Tonfall des Briefes spricht gegen solche Vermutungen. Wenn man jemanden eifersüchtig machen will, dann wird man das Verliebtsein in den Vordergrund stellen, nicht die Eheabsichten. Wir müssen vielmehr davon ausgehen, daß, wie es bisher schon einige Male zu beobachten war, Homoerotik und Mädchenbekanntschaften bei Thomas Mann auf einander nicht kreuzenden Bahnen verkehren. Er hat keinen Widerspruch empfunden zwischen Heiraten und mit Paul befreundet sein. Eher im Gegenteil. Paul hat ihn fürs Leben gelockert und damit auch für die Heiratsidee geöffnet. In einem Brief findet Mann eine Formel: „Ich habe ihn ein bischen litterarischer und er hat mich ein bischen menschlicher gemacht. Beides war nöthig."[85]

Im Herbst 1901 listet Thomas Mann unter „Buddenbrooks schikken an" auch „Mary Smith" auf.[86] (Aus dieser Notiz kennen wir ihren Familiennamen.) Eine weitere Notiz belegt, daß auch Ende 1901 noch Briefe gewechselt wurden: „Schreiben an: [...] Mary".[87] Das letzte Zeugnis ist die Widmung, die im Spätsommer 1902 im Notizbuch auftaucht[88] und dann 1903, in dem Sechs-Novellen-Bändchen *Tristan,* der Erzählung *Gladius Dei* voranstand: „To M. S. in remembrance of our days in Florence." Der Text ist leicht abgeschwächt gegenüber der Notizbuchfassung: „To Miss – in friendly remembrance of our happy days in Florence."

Die Trägerin des Allerweltsnamens M. S. hat sich bisher nicht identifizieren lassen. Wer eine passende Mary kennt, die im Frühjahr 1901 mit ihrer Schwester Edith in Florenz war, der stehe auf und rede! Vielleicht liegen auf irgendeinem englischen Dachboden noch heute die Briefe Thomas Manns an sie, und keiner weiß davon. Vielleicht hat sich Miß Mary damals auch irgend jemandem schriftlich anvertraut? Ohne weitere Originaldokumente kann man die Geschichte nicht sicher beurteilen. Vielleicht wird sie im *Lebensabriß* wichtiger genommen als sie war. Die homoerotischen Neigungen werden dort ja unter den Tisch gekehrt, und Mary Smith könnte aufgewertet worden sein als Probelauf für den Weg zur Ehe, der dann mit Katia Pringsheim begangen wird.

Geldehen

„Wir waren sehr reich", erzählte Katia Mann als 94jährige und öffnete ihre großen, dunklen, immer noch ausdrucksvollen Augen sehr weit. „Ich hatte eine französische Gouvernante." Beides wiederholte sie am gleichen Abend noch mehrfach.[89]

„Ich fürchte mich nicht vor dem Reichtum." Dieses merkwürdige Geständnis macht Thomas Mann seinem Bruder Heinrich am 27. Februar 1904. Er hat eine Multimillionärstochter geheiratet, und das in Mark des deutschen Reiches gerechnet.[90] Er hat geheiratet wie sein Thomas Buddenbrook, der zwar ein Blumenmädchen liebt, aber die reiche Gerda Arnoldsen heimführt. Das Blumenmädchen, das Thomas Mann nicht heiratet, ist Paul Ehrenberg. Die Abkehr von der Homosexualität ist das persönliche Motiv der Eheschließung. Ihr soziales Motiv ist der Wiederanschluß an die Welt der Väter. Daß er trotz aller Künstler-Libertinage ein Lübecker Bürger geblieben sei, hätte Mann 1895 kaum gesagt, betonte er aber laut im Jahre 1905, kurz nach der Hochzeit.[91] Als er ihr nach München folgte, hatte sich Thomas Mann für die Welt der Mutter entschieden, für Schwabing, die Bohème und das wirklichkeitsreine Traumreich der Kunst. Aber „man kann nicht immer interessant bleiben. Man geht an seiner Interessantheit zugrunde oder man wird ein Meister."[92] Nun kommt die Zeit der Entscheidung für den Vater. Ehe und Familie sind Vaterwelt. Noch im Joseph-Roman werden die Leitmotive so angeordnet sein, daß zur mutterrechtlichen Welt Inzest und Promiskuität, Homosexualität und pflichtvergessenes Versinken im geschlechtlichen Chaos, Faulheit und Regression gehören, zur vaterrechtlichen Welt aber Ehe, Kinder, Arbeit, Fortschritt und Pflicht. Das Antlitz des Vaters wird Joseph im entscheidenden Augenblick vor der Verführung bewahren.[93]

Thomas Mann hat diese Zusammenhänge in seinem Aufsatz *Die Ehe im Übergang* sehr klar erkannt. Die gleichgeschlechtliche Liebe nennt er dort todverbunden, weil unfruchtbar und untreu. „Alles, was die Ehe ist, nämlich Dauer, Gründung, Fortzeugung, Geschlechterfolge, Verantwortung, das ist die Homoerotik nicht."[94] Sie wird mit dem Ästhetizismus in Verbindung gebracht, der wie sie des Todes ist. „Daß alles Künstlertum dazu neigt, zum Abgrunde tendiert, ist nur allzu gewiß."

Der Ehe fehlt die Tendenz zum Abgrund, aber eben deshalb auch die tiefe Leidenschaft. Die ehrliche Anwendung aufs Private folgt:[95]

Hegel hat gesagt, der sittlichste Weg zur Ehe sei der, bei dem zuerst der Entschluß zur Verehelichung stehe und dieser dann schließlich die Neigung zur Folge habe, so daß bei der Verheiratung beides vereinigt sei. Ich habe das mit Vergnügen gelesen, denn es war mein Fall [...]

Das wurde 1925 geschrieben. Was aber geschah wirklich in den Jahren 1900 bis 1905? Wir werfen zuerst einen Blick auf einen Brief an Paul Ehrenberg vom 29. Juni 1900. Sein Thema: Geldehen. Thomas Manns Schwester Julia will den Bankier Josef Löhr heiraten. Paul hat abgeraten. Thomas kritisiert ihn:

War das eigentlich sehr vernünftig von Dir? Man muß in diesen Dingen nicht zu viel Idealismus entwickeln. Jederlei Respect vor der 'Liebe', aber weiter kommt man ohne ihr. Eine Weisheit übrigens, die mir selbst ziemlich widerlich ist. Aber was soll man machen auf diesem minderwertigen Planeten.

Geld oder Liebe? Thomas Mann antwortet: Geld! Die Ehe wurde unglücklich. Das Pochen auf das, was der erfolgreiche Autor später keck seinen „Instinktanspruch auf Würde und behaglichen Überfluß der materiellen Lebensführung" nennt,[96] führte in Julias Fall in eine Katastrophe. In Thomas' Fall nicht, widerwillig geben wir das zu. Immer lebte er geborgen im Wohlstand. Ein paar Jahre Armut hätten wir ihm schon gegönnt, nur so zum Kennenlernen. Hätten ja auch literarisch etwas eingebracht, wären sicher höchst verwertbar gewesen.

Werbung um Katia Pringsheim

Zum Vertrauten der Ehepläne wurde Kurt Martens, ein Kollege, auch hinsichtlich gelegentlicher gleichgeschlechtlicher Anwandlungen. Martens hatte geheiratet, Thomas Mann schrieb ihm am 12. Juli 1902:

Sie haben es sehr gut, mein Lieber, seien Sie niemals undankbar! Ob auch wohl mir Fliegendem Holländer einmal eine „Erlösung" gleich der Ihren zutheil werden wird?

Es folgen Notenlinien mit den Noten e – d – c – c, darunter das „Fänd er ein Weib ..." aus Richard Wagners Oper vom Fliegendem Holländer, jener Sagengestalt, die, vom Teufel zu ewiger Seefahrt verflucht, nur alle sieben Jahre an Land darf und nur erlöst werden kann durch ein treues Weib. Als ein Verfluchter hat sich auch Thomas Mann empfunden.

Lange bevor er Katia Pringsheim persönlich kennenlernte, sah er sie auf einem 1892 gemalten Bild von Friedrich August Kaulbach, betitelt *Kinderkarneval.* Thomas Mann hat in einer Ansprache zu Katias 70. Geburtstag erzählt,[97] wie er als Sekundaner das Bild in einer Zeitschrift sah, es herauslöste und mit Reißnägeln über seinem Schreibtisch befestigte. Die fünf schwarzlockigen Kinder mit Elfenbeinteint in Pierrot-Kostümen, „vier Jungen und ein großäugiges, süßes Mädchen", waren in natura die Kinder des Münchener Mathematikprofessors Alfred Pringsheim, so daß Thomas Mann seine zukünftige Frau schon als Schuljunge dauernd vor Augen gehabt hat. So ein gutes Vorzeichen stärkt später in mancher Anfechtung. Das Original des Bildes hing in Pringsheims Wohnzimmer, wo Thomas Mann es später bewundern durfte.

Bevor er mit ihr Worte gewechselt hatte, hatte er bereits Eindrücke von ihr. Er pflegte sie im Konzertsaal mit dem Opernglas zu beobachten.[98] Er hat sie außerdem häufig in der Trambahn gesehen und dabei auch die hübsche Szene miterlebt, die Katia in ihren Memoiren berichtet:[99]

Als ich aussteigen wollte, kam der Kontrolleur und sagte: Ihr Billet!
Ich sag: Ich steig hier grad aus.
Ihr Billet muß i ham!
Ich sag: Ich sag Ihnen doch, daß ich aussteige. Ich hab's eben weggeworfen, weil ich hier aussteige.

Ich muß das Billet –. Ihr Billet, hab ich gesagt!
Jetzt lassen Sie mich schon in Ruh! sagte ich und sprang wütend hinunter.
Da rief er mir nach: Mach daß d' weiterkimmst, du Furie!

Das habe Thomas so entzückt, daß er beschloß, schon immer habe er sie kennenlernen wollen, jetzt müsse es sein. Er habe die Verbindung bewußt eingefädelt, indem er über Elsa Bernstein, „die unsere Bekanntschaft eifrig begünstigte und offenbar gerne ehestiftete", arrangierte, daß Katia und er zu einem Abendessen eingeladen wurden. Nicht ganz zufällig hätten sie dabei nebeneinander gesessen. Weitere Einladungen seien gefolgt.

Trambahn und Opernglas gehören möglicherweise in den Sommer 1903. Das erste unsichere Zeugnis eines Kontakts überliefert der Entwurf eines Briefes an Otto Grautoff vom 29. August 1903.[100] Thomas Mann beschwört den Freund,

doch ja nichts von der Beobachtung, die ich Dir gestern Abend mittheilte, gegen K–r verlauten zu lassen, auch nicht in der unverfänglichsten Weise. Ich würde ungern vor ihm auch nur halb so lächerlich dastehen wie vor mir selbst. Wenn Du wüßtest, was für Wunder und wilde Mären ich mir in diesen Tagen – und Nächten – habe träumen lassen ... Ich Narr! Ich Geck! der besser thäte, sich auf die Hosen zu setzen und etwas Gutes zu arbeiten, anstatt solchen Zaubermärchen nachzuhangen.

Was für Wunder und Mären mögen das gewesen sein? Was mag er beobachtet haben? Ob es ein Augenspiel mit Katia gegeben hat? Viel mehr kann es zu diesem Zeitpunkt nicht gewesen sein. K–r ist wahrscheinlich Alfred Kerr, der berühmte Literaturkritiker, der Reich-Ranicki seiner Zeit. In ihren Memoiren teilt Katia mit, daß Kerr sie habe heiraten wollen, sie ihn aber nicht, was er dem glücklicheren Nebenbuhler sein Leben lang übel genommen habe.

Die Notizbücher bewahren aus dem Jahre 1903 noch die Wendung „Augen, schwarz wie Teer"[101] – das Gesehene wurde sogleich für eine spätere literarische Verwertung notiert. Katias Augen werden an Imma Spoelmann in *Königliche Hoheit*, an Rahel in *Joseph und seine Brüder* und an Marie Godeau im *Doktor Faustus* weitergegeben. Auch im *Gesang vom Kindchen* kommen sie vor: „Das fremde, ernste Gesichtchen / zeigte die Blässe der Perlen, und dunkle, fließende Sprache / führte darin ein Augenpaar, vorherrschend an Größe ..."[102]

Katia Pringsheim, 1904

Erst im Jahre 1904 bringt Mann mehr und Eindringlicheres über Katia zu Papier. Das wichtigste ist ein Brief an Heinrich vom 27. Februar. Er beweist unumstößlich, daß es im Jahre 1903 noch keine persönliche Begegnung gegeben haben kann, auch kein Abendessen bei Bernsteins. Thomas hat sich Katia danach erst am 10. Februar 1904 persönlich vorgestellt, und zwar im Hause Pringsheim, „nachdem ich sie früher nur gesehen, oft, lange und unersättlich gesehen" – anscheinend mit dem Opernglas und in der Trambahn. Wie bei Hans Castorp

Bücher Debelka

Kübler Straße 2 73079 Süßen
Telefon 07162/73079 Süßen

Quittung

1 Kurzke, Thomas Mann | 25,2

MWST. 7% 16%

Betrag dankend erhalten

D. 10.

vergingen sieben Monate, bis „nach langem, stummem Verhältnis die erste Anrede“ fiel.[103] Wie bei Katia geht auch bei Clawdia Chauchat der Zauber von den Augen aus, „die sich zuweilen, bei einem gewissen Seitenblick, der nicht zum Sehen diente, auf eine schmelzende Weise völlig ins Schleierig-Nächtige verdunkeln konnten“.[104]

Am Tag darauf ist ein großer Hausball mit 150 Gästen aus Literatur und Kunst, in dessen Verlauf die beiden sich genauer kennen lernen. Acht Tage später folgt ein Besuch zum Tee und ein Gespräch zu dritt, mit Katias Mutter. Ein Treffen bei Bernsteins und eine Einladung zum Abendessen stehen für Anfang März in Aussicht.

Den Senatorssohn beeindruckt die Verbindung von Reichtum und Kultur. „Pringsheims sind ein Erlebnis, das mich ausfüllt. Tiergarten mit echter Kultur. Der Vater Universitätsprofessor mit goldener Cigarettendose, die Mutter eine Lenbach-Schönheit, der jüngste Sohn Musiker, seine Zwillingsschwester Katja (sie heißt Katja) ein Wunder, etwas unbeschreiblich Seltenes und Kostbares, ein Geschöpf, das durch sein bloßes Dasein die kulturelle Thätigkeit von 15 Schriftstellern oder 30 Malern aufwiegt ...“[105] Katia ist selten und kostbar wie ein Schmuckstück. Er nennt sie „ein kleines Wunder an allseitiger harmonischer Ausbildung, ein erreichtes Cultur-Ideal“.[106] Geld und Kultur imponieren ihm. Von Liebe ist weniger die Rede.

Von „Riesenfortschritten“ der Angelegenheit spricht ein Brief an Kurt Martens vom 2. April 1904. Vielleicht haben sie im Englischen Garten eine Radfahrt gemacht. Sonst kann noch nicht viel gewesen sein. Katias erstes Urteil fällt ungünstig aus. Im ersten der erhalten gebliebenen Briefstücke an die Trambahnfurie steht die Zeile „weil Sie mich nicht leiden können“.[107] Ihre Brüder verspotten ihn wirkungsvoll als „leberleidenden Rittmeister“.[108] Der Weg zu ihrem Herzen war noch weit. Am 9. April vermerkt das Notizbuch: „Große Aussprache mit K. P.“[109] Von Ende April ist ein Brief vorhanden, der übers Warten klagt und Eifersucht auf Mathematik und Physik erkennen läßt. Denn Katia hatte Abitur gemacht, was damals bei Frauen selten war, und studierte, was noch seltener war, Mathematik. Deshalb war ihre frauenbewegte Großmutter Hedwig Dohm gegen die Verbindung mit Thomas Mann. Daß Ehe und Mutterschaft ihre Enkelin der hohen Wissenschaft entfremden sollten, sah sie nicht gerne. „Sie war eine eifernde Verfechterin der Ehre ihres Geschlechtes und seines unbedingten Anspruchs auf Gleichberechtigung, eine leidenschaftliche Kämpferin für das, was man damals Frauenemanzipation nannte, ja eine anerkannte Führerin dieser Bewegung.“[110] Ihre

Romane handelten, so Klaus Manns Kurzformel,[111] von unverstandenen Frauen, „die unter ihren banausischen Gatten litten, Nietzsche lasen und das Wahlrecht verlangten." Als Thomas Mann ihre Bekanntschaft machte, ließ sie ihn spüren, daß sie ihn „als einen Räuber an dem freien und ebenbürtigen geistigen Streben des Weibes betrachtete."[112] Etwas Wahres war daran. Katia war sehr begabt. Sie war damals 21 und plante ihre Doktorarbeit. Und Thomas Mann war in der Tat kein Feminist. Er hatte sich rechte Blößen gegeben, sich zum Beispiel als erstes Kind einen Jungen gewünscht, es sei „mit einem Mädchen doch keine recht ernsthafte Angelegenheit". Die Äußerung wurde der streitbaren Großmutter hinterbracht. Mann war für sie von da an ein „verdammter alter Anti-Feministe und Strindbergianer".[113]

Aber so weit sind wir noch nicht. In der Chronologie folgt als nächstes die Notiz zum 16. Mai 1904: „Zweite große Aussprache mit K. P. Mit Donnerstag d. 19. Mai begann die Wartezeit."[114] Katia hatte München verlassen und blieb fast den ganzen Sommer lang weg. Was vor der Abreise geschehen war, wissen wir aus einem Brief vom 14. Juli an Kurt Martens:

Dann, am letzten Nachmittag vor ihrer Abreise ließ mich der gute kleine Zwillingsbruder noch eine halbe Stunde allein mit ihr. Es gab einen unsäglich süßen und qualvollen Abschied, der mir noch in allen Nerven und Sinnen liegt, der aber wieder ohne positives Resultat blieb. Unmöglich. Sie kann nicht, kann 'es sich nicht denken', sich nicht entschließen. Solange die Entscheidung nicht unmittelbar vor ihr steht, ist ihr, nach ihren eigenen Worten, Alles ganz leicht, natürlich und selbstverständlich, aber kommt es zur Sache, so sieht sie mich an wie ein gehetztes Reh und ist außer Stande ... Ein Nervenarzt und guter Psycholog, Dr. Seif, der so wie so, wie alle Welt, orientirt war, und mit dem ich eingehend über die Sache sprach, hat mir bestätigt, (was ich längst vermuthete) daß diese Entschließungsangst etwas notorisch Krankhaftes ist. Wenn ich nicht viel diplomatischer und zurückhaltender zu Werke ginge, würde seinen Erfahrungen nach nichts aus der Verlobung werden. Dienstag früh war ich am Zuge, brachte ihr Blumen und fand, da der kleine Klaus eine rührend lange Zeit gebrauchte, um seitab den Gepäckträger zu bezahlen, noch Gelegenheit, ihr zu sagen, wie traurig mir zu Muthe sei. Ihr auch ein bischen? Ein bischen, ja. Sehr vorsichtig. Aber ich bekam doch einen langen Händedruck, und sie sah nur mich an, während der Zug aus der Halle fuhr. Mir ist zum Sterben. Es ist eine Trennung auf fast unabsehbare Zeit.

Ihre Entschließungsangst kann man verstehen. Er muß sie schrecklich bedrängt haben, und daß er ihr Zögern für etwas Krankhaftes hält und einen Nervenarzt zu Rate zieht, zeugt von einem bedauerlichen Mangel an Selbstkritik und Einfühlungsvermögen. Noch im Rückblick der Neunzigjährigen liest sich das recht distanziert. „Ich war zwanzig und fühlte mich sehr wohl und lustig in meiner Haut, auch mit dem Studium, mit den Brüdern, dem Tennisclub und mit allem, war sehr zufrieden und wußte eigentlich gar nicht, warum ich nun schon so schnell weg sollte. Aber Thomas Mann hatte den dringenden Wunsch, mich zu heiraten. Er wollte es offenbar sehr gern und war geradezu draufgängerisch."[115] Einige der Briefe aus der Wartezeit hat er später, um sie für den Roman *Königliche Hoheit* zu verwenden, abgeschrieben. Diese Abschriften sind erhalten, die Originale hingegen verloren. Man weiß deshalb nicht sicher, ob nur das literarisch Verwertbare aufgehoben wurde, das Herzliche und Spontane aber nicht. Denn seine Briefe wirken, obgleich Katia sie „für seine Verhältnisse" sehr leidenschaftlich findet, reichlich gestelzt. Keine Spur davon, daß er je die Haltung verloren hätte, obgleich er es behauptet: „Ich kenne mich, ich verliere die Contenance dort, wo ich liebe und an der Erwiderung solchen Gefühles verzweifeln muß."[116] Seine Art zu werben war nicht gerade lockend. In mancher Hinsicht war er eine Zumutung. Er bot alle Mittel auf, die des radikalen Bekenntnisses wie die schmelzender Rhetorik:

– daß ich mir wohl bewußt sei, nicht der Mann zu sein, um einfache und unmittelbar sichere Gefühle zu erwecken. [...] Wer niemals Zweifel, niemals Befremden, niemals, sit venia verbo, ein wenig Grauen erregt, wer einfach immer nur geliebt wird, ist ein Trottel, eine Lichtgestalt, eine ironische Figur. Ich habe keinen Ehrgeiz in dieser Richtung. – –

... Daß es meine Schuld ist; und daher mein unablässiges Bedürfnis, mich vor Ihnen zu commentiren, zu erklären, zu rechtfertigen. Kann sein, daß dieses Bedürfnis ganz überflüssig ist. Sie sind ja klug, sind einsichtig aus Güte – und aus ein wenig Neigung. Sie wissen, daß ich mich, persönlich, menschlich, nicht gleich anderen jungen Leuten habe entwickeln können, daß ein (Talent) als Vampyr: blutsaugend, absorbirend wirken kann; Sie wissen, welch kaltes, verarm-

tes, rein darstellerisches, rein repräsentatives Dasein ich Jahre lang geführt habe; wissen, daß ich mich Jahre, wichtige Jahre lang als Menschen für nichts geachtet und nur als Künstler habe in Betracht kommen wollen ... Sie begreifen auch, daß dies kein leichtes, kein lustiges Leben sein und selbst bei starker Antheilnahme der Außenwelt kein gelassenes und keckes Selbstvertrauen zeitigen kann. Eine Heilung von dem Repräsentativ-Künstlichen, das mir anhaftet, von dem Mangel an harmlosem Vertrauen in mein persönlich-menschliches Theil ist mir durch Eines möglich: durch das Glück; durch Sie meine kluge, süße, gütige, geliebte kleine Königin! ... Was ich von Ihnen erbitte, erhoffe, ersehne, ist Vertrauen, ist das zweifellose Zumirhalten selbst einer Welt, selbst mir selbst gegenüber, ist etwas wie Glaube, kurz – ist Liebe ... Diese Bitte und Sehnsucht. ... Seien Sie meine Bejahung, meine Rechtfertigung, meine Vollendung, meine Erlöserin, meine – Frau![117]

Es ging trotzdem nicht vorwärts. „Das Mädchen jetzt", klagt ein Brief an Martens wenige Tage später (am 13. Juni), „mit männlicher Energie vor die Entscheidung zu stellen, hieße ihr, uns beiden zum Leid, das Nein abpressen." So bleibt es vorerst bei gedrechselten Briefen. Im ganzen wird sich das ähnlich abgespielt haben wie in *Königliche Hoheit*, wo Prinz Klaus Heinrich, der wie Thomas Mann eine rein repräsentative Existenz geführt hat, zäh und systematisch um die Hand der spröden Milliardärstochter Imma Spoelmann wirbt. Seine eigenen Briefe fast wörtlich im Roman zu verwenden hat der Dichter keine Scheu. Notizen aus der Werbezeit, teils schon flüchtig literarisiert, finden sich im Materialienkonvolut zum Roman. Einige davon lauten:[118]

Geträumt (mehrmals) daß ich K.'s Brief in Händen hielt. Einmal war er sehr lang und so wunderlich gefaltet, daß ich den Anfang nicht finden konnte.

Ihre Naivität ist außerordentlich, sie ist souverän und macht verstummen. – – Dies fremdartige, gütige und doch egoistische, willenlos höfliche kleine Judenmädchen! Ich kann mir kaum noch vorstellen, daß sie je das Ja über die Lippen bringen wird. (Nervöse Entschließungsangst.)

Ein Brief, parfümirt, mit ihrer Klein-Kinderschrift. Da das Fenster offen steht, hat er durch die Vermischung seines Duftes mit der frischen Luft etwas seltsam Lebendiges und körperlich Gegenwärtiges angenommen. Führt er ihn zum Gesicht, so ist es wie der Duft eines sauberen und wohlgepflegten Menschen, der eben von draußen, aus Wind und Kühle ins Zimmer kommt.

[...] „Wunderseliger Traum": Sie wies drohend Jemanden zurück, indem sie auf mich deutete und erklärte, daß sie mich liebe. Schmerzl. Enttäuschung beim Erwachen. Aber der Traum wirkt noch im Gemüthe.

Erste Liebesscene in ihrem Zimmer, wo sie ihm, mit Erlaubnis der Baronin „ihre Bücher zeigt." – Später im Garten.

Ende August endlich scheint sich die Wende anzubahnen. Tonio Kröger hatte das „Leben" geliebt, aber das Leben nicht ihn. Nun kommt es ihm entgegen, „etwas absolut und unglaublich Neues".[119] Sogar gemeinsam „dumm" zu sein wie das blauäugige Leben schlägt er vor:[120]

„Klugheit" nämlich ist etwas gründlich Gemeines. „Klug" ist, wer täglich nur zwei Brödchen ißt, vorsichtig lebt, vorsichtig liebt und zu vorsichtig ist, sein Leben entschlossen an seine Liebe zu binden. „Dumm" ist alles Naive, Edle und Gläubige, alle tapfere Hingabe auf Erden. „Dumm" wollen wir sein, – meine Katja! –

Das Berechnende bleibt freilich, trotz aller durch die Rhetorik hindurchschimmernden Gefühlserschütterung. An der Herzensfront siegen würde nicht reichen. Er mußte sich auch sozial behaupten. Zwar sagte ihm die Mischung von Geld und Kultur bei den Pringsheims zu, doch kleinlaut machte sie ihn nicht. War er nicht selbst ein Besonderer? Er erklärte Katia, wieso sie eine Prinzessin und er ein Prinz sei. Er sei nach Herkunft und persönlichem Wert durchaus berechtigt, auf sie zu hoffen. Sie werde „schlechterdings nicht hinabsteigen, schlechterdings keinen Gnadenakt vollziehen", wenn sie eines Tages vor aller Welt die Hand ergreifen werde, die sich ihr so bittend entgegenstrecke.[121] Wie ein Mann, so heißt es auch im *Gesang vom Kindchen*, „warb ich, um die Geliebte, fußend auf tüchtiger Leistung."[122] Er fühlte sich gleichrangig, auch ohne goldene Zigarettendose. Aber sah man das auch auf der anderen Seite so?

Prinz und Algebra

„Imma ist ein bißchen zu schnippisch“, berichtigt Katia im Alter, „so war ich eigentlich nicht. Ich habe schon mal ganz gern ein bißchen Überlegenheit durchblitzen lassen, doch Imma ist zu outriert nach meiner Meinung – aber ich kenne mich ja nicht so genau.“[123] Das muß nicht heißen, daß der Wesenskern des Verhältnisses im Roman nicht zum Ausdruck gekommen wäre. Jedenfalls bietet die Dichtung eine Innenschau, die die spärlichen sonstigen Quellen um wesentliche Gesichtspunkte ergänzt.

Im Roman schenkt Prinz Klaus Heinrich Imma Spoelmann eine herrliche Rose, aber sie riecht modrig. Sie ist ein Bild dafür, wie das Literarische das Leben tötet. Sie hat „keine Seele“.[124] Imma zeigt dem Prinzen dann ihre Bücher, wie Katia sie einst Thomas gezeigt hat.[125] Sie sieht dabei seinen sonst sorgfältig versteckten verkrüppelten Arm – Künstler bei Thomas Mann sind immer irgendwie verkrüppelt –, er verliert die Fassung, sinkt vor ihr nieder, umarmt sie, stammelt „Kleine Schwester ...“, – und sie küßt sein Gebrechen, seine Hemmung, die verkrüppelte Hand. Offenbar liebt sie seine Schwäche, nicht seine Fähigkeit, dieselbe zu verstecken. Einige Zeit später kommt es zu einem aufschlußreichen Gespräch, das, mag es sich nun in Wirklichkeit zugetragen haben oder nicht, für die Seelenlage Thomas Manns bezeichnend ist. Klaus Heinrich kämpft, so lesen wir, darum, daß Imma sich hinauswage aus der frostigen und reinen Sphäre der Algebra und der Sprachverspottung „in die fremde Zone, jene wärmere, dunstigere und fruchtbarere, welche er ihr zeigte“. Aber sie bedauert es schon wieder, daß sie damals beim Bücherzeigen beide die Haltung verloren haben. Ihm hat es wohlgetan, aber sie spöttelt spitz, sie sei nicht dazu da, daß er sich bei ihr von seinem prinzlichen Dasein erhole. Es ist ein leeres, nur formales, nur gespieltes Dasein wie das des Künstlers. „Sie sind zum Schein zur Schule gegangen, Sie sind zum Schein auf der Universität gewesen, Sie haben zum Schein als Soldat gedient und tragen noch immer zum Scheine die Uniform; sie erteilen zum Scheine Audienzen und spielen zum Schein den Schützen und der Himmel weiß, was noch alles; Sie sind zum Schein auf die Welt gekommen, und nun soll ich Ihnen plötzlich glauben, daß es Ihnen mit irgend etwas ernst ist?“ Er verlangt von ihr Vertrauen. Sie: „Nein, Prinz Klaus Heinrich, das kann ich nicht.“ Immer, wenn sie ihn beobachtet, empfindet sie Kälte und Angst. „Sie halten sich aufrecht und stellen Fragen, aber nicht aus Teilnahme, es ist Ihnen nicht um den Inhalt der Frage zu tun, nein, um gar nichts ist es Ihnen zu tun, und nichts liegt Ihnen am Herzen. Ich habe es oft gesehen, – Sie sprechen, Sie äußern eine Meinung, aber Sie könnten ganz ebensogut eine andere äußern, denn in Wirklichkeit haben Sie keine Meinung und keinen Glauben, und auf nichts kommt es Ihnen an als auf Ihre Prinzenhaltung [...] Wie könnte man Vertrauen zu Ihnen haben? Nein, es ist nicht Vertrauen, was Sie einflößen, sondern Kälte und Befangenheit, und wenn ich mir auch Mühe gäbe, Ihnen näherzukommen, so würde mich diese Art von Befangenheit und Unbeholfenheit daran hindern." Er beredet sie zwar weiter, immer wieder, aber das, was er ihre Entschließungsangst nennt, bleibt, „diese Scheu, ihr kühles und spöttisches Reich zu verlassen und sich zu ihm zu bekennen."

Die Wende kommt im Roman etwas anders als im Leben. Klaus Heinrich beginnt nämlich, etwas ernst zu nehmen, den Zustand der Staatsfinanzen, und studiert mit Imma volkswirtschaftliche Bücher, mit heißem Gesicht. Wenn er den Kopf erhob, „begegnete er Imma Spoelmanns Augen, die übergroß, flammend und unverwandt, über den Tisch hinweg eine dunkel fließende Sprache führten." Bald kommt es zur Verlobung. „Kleine Schwester", sagt er beim Tanz zu ihr, und: „Kleine Braut ..."

Verlobung und Hochzeit

Was Katia schließlich überzeugt hat, wissen wir nicht. Der September 1904 bringt endlich die Zusage, der 4. Oktober die Verlobung. Wie wenig „natürlich", wie angestrengt das Ganze vonstatten ging, ist kaum zu übersehen. Das Hegelzitat von den besonders sittlichen Ehen, bei denen auf den Entschluß zur Ehe erst die Neigung folge, wird vom biographischen Befund bestätigt. Die Sachlage bessert sich auch durch die Verlobung nicht grundlegend. Der vorher so wortgewandt, so ergreifend Vertrauen gefordert hatte, notiert sich im Herbst 1904:[126]

Völlig darf ich mich ihr ja doch nicht mittheilen. Meinem Gram, meinen Qualen ist sie nicht gewachsen. Aber ohne diese Kluft würde ich sie wohl weniger lieben. Ich liebe nicht, was gleich mir ist oder was mich auch nur versteht.

Gleich nach der Hochzeit, im März 1905, entsteht die Schiller-Studie

Schwere Stunde. „Schiller“ betrachtet dort die schlafende Gattin.[127] „Eine schwarze Locke ringelte sich über die Wange, die von der Blässe der Perlen schien.“ Er redet sich gut zu, schwere Zweifel übertäubend:

Mein Weib! Geliebte! Folgtest du meiner Sehnsucht und tratest du zu mir, mein Glück zu sein? Du bist es, sei still! Und schlafe! Schlag jetzt nicht diese süßen, langschattenden Wimpern auf, um mich anzuschauen, so groß und dunkel, wie manchmal, als fragtest und suchtest du mich! Bei Gott, bei Gott, ich liebe dich sehr! Ich kann mein Gefühl nur zuweilen nicht finden, weil ich oft sehr müde vom Leiden bin und vom Ringen mit jener Aufgabe, welche mein Selbst mir stellt. Und ich darf nicht allzusehr dein, nie ganz in dir glücklich sein, um dessentwillen, was meine Sendung ist ...

Von der Verlobung selbst sind keine Einzelheiten bekannt, wohl aber von der darauffolgenden Vorstellungsreise zu Katias Verwandten in Berlin-Tiergarten. Wieder ist (in einem Brief an Heinrich vom 23. Dezember 1904) fast nur von Anstrengung die Rede. Es gelte andauernd, sich stramm zu halten, oft genug laufe das „Glück“ auf ein Zähne Zusammenbeißen hinaus. „Die letzte Hälfte der Werbezeit – nichts als eine große seelische Strapaze. Die Verlobung – auch kein Spaß, Du wirst das glauben.“ Gesellschaftliche Verpflichtungen, hundert neue Menschen, sich zeigen, sich benehmen. Dazwischen „tagtäglich die fruchtlosen und enervirenden Extasen, die dieser absurden Verlobungszeit eigentümlich sind“ – was immer er damit meinen mochte.

Die Begegnung der beiden Familien verlief freilich im wesentlichen positiv. Außer der frauenbewegten Großmutter waren eigentlich alle für diese Hochzeit, und so wurde sie denn auf den 11. Februar 1905 festgesetzt. Der reiche Schwiegervater richtete das Heim ein, einschließlich Telefon. Thomas Manns bisheriges Mobiliar fand keine Gnade vor seinen Augen. „Das ist Klapperwerk“, sagte Herr Spoelmann abschätzig.[128] Papa Pringsheim duldet nicht, daß der Schwiegersohn sich beteiligt. Die Mutter Julia beschwert sich, „man fühlt sich ja kaum Herr im Hause“.[129] In einem Brief an ihren Ältesten schildert sie das Hochzeitsfest recht genau. Es war nicht viel damit. Friseur, Standesamt, mittags ein Empfang bei Pringsheims in der Arcisstraße, fünfzehn Personen nur (auch Heinrich und Carla fehlten), wenige knappe Reden und Toasts – Vater Pringsheim hätte die Sache am liebsten privatissime abgetan –, gegen sechs Uhr Aufbruch des jungen Paars nach Augsburg, von dort Weiterfahrt zur Hochzeitsreise nach Zürich, wo man im Hotel Baur au Lac auf großem Fuße lebte. Die Adressen allerdings von zwei Züricher Nervenärzten und einem Hypnotiseur finden sich im damaligen Notizbuch ...[130]

Auch eine kirchliche Trauung fand nicht statt. Wenn schon, dann hätte es eine katholische Trauung sein müssen. „Eine protestantische Trauung sei ohne Schönheitswert", meint der gedichtete Herr Aarenhold,[131] wie Samuel Spoelmann ein Porträt von Alfred Pringsheim. Thomas hätte schon kirchlich heiraten wollen, hatte er doch vorher an Heinrich geschrieben, er sei schließlich Christ und aus guter Familie.[132]

Daß der richtig festliche Start ausgeblieben war, tat später manchmal ein bißchen weh. Was im Leben unerfüllt geblieben war, gönnte sich Thomas im Roman. Klaus Heinrich und Imma heiraten feierlich vor allem Volk in der Hofkirche, und Oberkirchenratspräsident D. Wislizenus predigt über den Spruch „Er wird leben, und man wird ihm vom Golde aus Reich Arabien geben."[133] In der trüben Wirklichkeit des Februar 1905 aber hatte Julia Mann Grund zu klagen. Zu nichts anderem sei sie geladen, als mit dem jungen Paar zu dinieren. Sie findet, Thomas hätte auftreten müssen und sprechen: „Nein, so lieb, wie ich Katia habe, der Tradition und dem Sinne meiner Eltern und Voreltern will ich treu bleiben u. verlange eine kirchliche Trauung!"[134] Das Schlimme aber sei, daß die Braut selbst, im Einverständnis mit dem Vater, der religionslos sei, nicht auf der kirchlichen Trauung bestehe. „Ach, Heinrich", seufzt sie, „ich war ja *nie* mit dieser Wahl einverstanden." Sie zweifelt ein wenig an Katias Liebe, sie findet sie kühl.

Das Glück, es war Arbeit und Pflicht, ein „strenges Glück", wie die Formel in *Königliche Hoheit* lautet. Ein Verteidigungsbrief an Heinrich meint, das Glück sei ihm nicht zugefallen, er habe sich „ihm *unterzogen*, aus einer Art Pflichtgefühl, einer Art von Moral, einem mir eingeborenen Imperativ."[135] Mit anderen Worten: das Leben war ein *Werk*. „War nicht Leben und Werk mir immer eines gewesen?" fragt der *Gesang vom Kindchen*, fortfahrend: „Nicht Erfindung war Kunst mir, nur ein gewissenhaft' Leben; / Aber Leben auch Werk, – ich wußt' es niemals zu scheiden."

Die Voraussetzungen waren also nicht einfach, nicht die günstigsten. Daß dem Entschluß zur Ehe schließlich die Neigung folgte, ist fast ein kleines Wunder. Problematisch blieb sie immer, aber unglücklich war die Ehe nicht. Dazu Näheres in einem späteren Kapitel.

Katia, literarisch

Er verwendet sie sofort und immer wieder. Schon im Mai 1904 begegnet in der Schwabing-Novelle *Beim Propheten* kaum verhüllt ein Novellist, der die Lesung des verstiegenen Dichterpropheten Daniel besucht, obgleich er „ein gewisses Verhältnis zum Leben" hat.[136] Dies hat er, weil er kein Schwabinger Literatengeschöpf aus der eisigen Sphäre von Geist und Kunst mehr zu sein glaubt, seit er um Katia Pringsheim wirbt. Sie kommt als „Fräulein Sonja" vor und ist auch hier etwas seltsam Unpersönliches: „ein unglaubhafter Glücksfall von einem Geschöpf, ein Wunder an allseitiger Ausbildung, ein erreichtes Kulturideal". Auch ihre Mutter tritt auf. Sie hat in ihrem prachtvollen Hause „Türumrahmungen aus Giallo antico"; daß dieses bei Pringsheims ebenso bestellt war, wissen wir aus einem Brief.[137] Mit der kleinen Erzählung will Mann sich vom Milieu der Schwabinger Bohème abgrenzen, um bürgerlich salonfähig zu erscheinen. Im Gespräch mit „Frau Pringsheim" entfaltet der Novellist seine Theorie davon, was den Schwabingern à la Daniel fehle: „Vielleicht das Menschliche? Ein wenig Gefühl, Sehnsucht, Liebe?" Ersichtlich empfahl er damit sich selbst. Obwohl, was hatte er den Schwabingern eigentlich voraus? Noch war das „Leben" nur Programm, noch war auch er nichts als ein Literat.

Der Literat „erlebt, um auszudrücken", schrieb Mann später in einem Aufsatz.[138] Wie der junge Ehemann seine Frau sogleich, im März 1905, in der Schiller-Erzählung *Schwere Stunde* unterbrachte, davon war schon die Rede. Daß er dann die gesamte Brautzeit in einem Roman verwendet, *Königliche Hoheit* (konzipiert seit 1903, geschrieben 1906–1909), haben wir ebenfalls bereits erwähnt, obgleich längst nicht alle aus dem Leben ins Werk übertragenen Einzelheiten hier ausführlich gewürdigt werden konnten, der „Tigersinn" des Vaters nicht[139] und nicht seine goldene Zigarettendose, das indianische Blut Immas (anstelle des jüdischen bei Katia) nicht sowenig wie die im Roman in einen Ausritt verwandelte Radfahrt, bei der Katia Sieger blieb.

Peinlicher ging es aus, als er gleich darauf weitere Details aus seiner neuen Lebenswelt auspackte und den Reichtum, Berlin-Tiergarten, einen Vater mit knarrender Stimme, ein Eisbärfell und die jüdischen Zwillinge Siegmund und Sieglinde auftreten ließ. Das geschah in der im Sommer 1905 geschriebenen Erzählung *Wälsungen-*

blut. Sie endet mit dem Geschwisterinzest auf dem Eisbärfell. Es ging um eine nicht recht gewollte Verlobung. Sieglinde soll einen korrekten deutschen Beamten heiraten, ist aber gänzlich zufrieden in ihrer Geschwisterhöhle und hat keine Lust auf jenen Herrn von Beckerath. Aber „endlich, nachdem sie ihm oft genug gesagt, daß sie ihn nicht liebe, hatte Sieglind begonnen, ihn prüfend, erwartungsvoll, stumm zu betrachten, mit einem glänzend ernsten Blick, der begrifflos redete wie der eines Tieres – und hatte Ja gesagt."[140]

Thomas Mann ist sonst kein Beckerath. Nur an dieser einen Stelle streift die Erzählung seine Wirklichkeit. Es kann sein, daß er hier seine Angst gestaltete, nie wirklich in die fremde Familie aufgenommen zu werden, seine Angst, Katia und ihre Sippe könnten sich inzestuös zusammenkugeln und ihm als Fremdling den Eintritt ins innerste Geheimnis für alle Zeit verwehren.

Aber er war auch ohne das zu weit gegangen. Als sich das zwar unzutreffende, aber nicht überraschende Gerücht verbreitete, er hätte eine heftig antisemitische Novelle geschrieben, die überdies die Familie seiner Frau fürchterlich kompromittiere,[141] mußte er den Druck der Geschichte stoppen. Sie erschien dann erst viele Jahre später. „Ein Gefühl von Unfreiheit, das in hypochondrischen Stunden sehr drükkend wird, werde ich freilich seither nicht los", schreibt Thomas an Heinrich, „und Du nennst mich gewiß einen feigen Bürger." Aber wie konnte er nur glauben, er könne sich der neuen Familie als Stoff ebenso hemmungslos bedienen wie er es seinerzeit, mit der Heimat zerfallen, von Italien aus mit den Verwandten in Lübeck gemacht hatte? An Verständnis für die Schmerzen, die er anderen durch wirkliche oder vermeintliche Porträts zugefügt hat, fehlte es ihm sein Leben lang. Auch jetzt reagierte er auf die Kränkung seiner unbedingten Kunstfreiheit mit einer radikal ästhetizistischen Verteidigungsschrift, seinem ersten bedeutenden Essay, betitelt *Bilse und ich,* geschrieben Dezember 1905/Januar 1906. „Die Wirklichkeit, die ein Dichter seinen Zwecken dienstbar macht, mag seine tägliche Welt, mag als Person sein Nächstes und Liebstes sein; er mag dem durch die Wirklichkeit gegebenen Detail noch so untertan sich zeigen, mag ihr letztes Merkmal begierig und folgsam für sein Werk verwenden, dennoch wird für ihn – und sollte für alle Welt! – ein abgründiger Unterschied zwischen der Wirklichkeit und seinem Gebilde bestehen bleiben – der Wesensunterschied nämlich, welcher die Welt der Realität von derjenigen der Kunst auf immer scheidet."[142]

Viel später erst und dann viel vermittelter taucht Katia literarisch wieder auf, und zwar in *Joseph und seine Brüder* und im *Doktor Faustus.* Im biblischen Roman hat Rahel, Jaakobs Geliebte, Züge von Katia bekommen, die rührende Schmalheit und Feinheit der Schultern, das schwarze Haar, das liebliche Gesicht, vor allem aber wieder die Augen, „voll süßen Dunkels", „eine tiefe, fließende, redende, schmelzende, freundliche Nacht, voller Ernst und Spott".[143] Ferner gibt ihr Thomas Mann die schwere Geburt der Tochter Erika mit, als Geburt von Joseph; an ihrer zweiten Geburt (Benjamin) läßt er sie sogar sterben.[144] Sie hat eine Schwester Lea, die zwar triefäugig, aber tüchtig im Gebären ist und sechs Söhnen sowie einer Tochter das Leben schenkt. Rahel ist die Liebliche, Lea die Leibliche. Es kommt ja dann bekanntlich zur Doppelhochzeit. Jaakob hatte sieben Jahre lang um Rahel gedient, aber in der Hochzeitsnacht wird ihm in völliger Dunkelheit Lea unterschoben. „Lea's war die Wirklichkeit, aber die Meinung war Rahels."[145]

Versucht man die Rückübersetzung ins Gelebte, so ergibt sich zweierlei. Rahel ist Katia, sofern sie lieblich ist nach der beschriebenen Art, das ist ganz unbestreitbar. Aber auch Lea ist Katia, sofern sie die Mutter der Sechse ist, tüchtig fürs Leben. Sie gleicht ihr zwar äußerlich nicht, aber von der Konstellation her. Sie ist, wie auch ihr Vater, der reiche Erdenkloß Laban, zu betonen nicht müde wird, die für die Gesellschaft Richtige, weil Erstgeborene. Wir folgern weiter ins Ungewisse. Die Doppelehe mit Lea und Rahel war von der Bibel vorgegeben. Doch wie immer ließ sich eigener Lebensstoff in die fremden Muster eintragen. War Lea nicht Katia, also die Pflicht? War Rahel nicht Paul Ehrenberg, die pflichtvergessene Neigung? Die Doppelhochzeit drückt aus, daß die Sinne von unfruchtbaren und verantwortungslosen homoerotischen Träumen heimgesucht werden, während die Realität fruchtbar, sozial und sexuell ist. Im Leben hatte die von ihrer Ausstrahlung her etwas knabenhafte Katia wohl die Fähigkeit, beides zu geben, also auch das homoerotische Begehren wenig zu stillen. Aber der Konflikt schwelte weiter. Im Joseph-Roman wird Jaakob dafür bestraft, daß er so exklusiv seine Liebe zu Rahel auf Kosten seiner Pflicht gegenüber Lea betrieben hat. Gott nimmt ihm die Geliebte. Spät erst erkennt Jaakob den Sinn. Rahel, die Liebliche, starb am Wege und wurde dort bestattet ohne Aufwand. Sie lebt fort in Jaakobs Gedächtnis, auch ohne ägyptische Wickelkunst. Als es für Jaakob ans Sterben geht, will er nicht in Ägypten begraben werden, sondern in seinem Heimatland, aber nicht neben Rahel, der allzu sehr Geliebten, sondern im Erbbegräbnis bei

Abraham und Sara, bei Isaak und Rebekka und, er sagt es ausdrücklich, bei Lea, der Fruchtbaren, der Mutter der Sechse. Das ist eine Entscheidung für die Pflicht und gegen die Liebe.

Ich habe sie geliebt, ich habe sie zu sehr geliebt, aber nicht nach dem Gefühle geht es und nach des Herzens üppiger Weichheit, sondern nach der Größe und nach dem Gehorsam. Es schickt sich nicht, daß ich am Wege liege, sondern bei seinen Vätern will Jaakob liegen und bei Lea, seinem ersten Weibe, von der der Erbe kam.[146]

Dies ist erneut zu übersetzen als pflichtbewußte Abkehr vom Luxus der Verliebtheit, als Abkehr von der Homoerotik zugunsten von Ehe und Bürgerpflicht.

„Daß sie die schönsten schwarzen Augen von der Welt hatte, stelle ich voran, – schwarz wie Jett, wie Teer, wie reife Brombeeren"[147]: das können nur Katias Augen sein. Sie werden im Faust-Roman jener Marie Godeau gegeben, der Adrian Leverkühn die Ehe anzutragen gedenkt. Für die biographische Entzifferung entscheidend ist die Zeitfolge der Ereignisse. Er will heiraten, kurz nachdem es mit Rudi Schwerdtfeger zum Du gekommen ist. Der Erzähler freut sich, daß dieser Plan die Lösung „aus der elbischen Bindung an Schwerdtfeger" bedeuten würde, und ist geneigt, den Eheplan „als bewußtes Mittel dazu" zu verstehen. Das erinnert sehr an Manns entsprechende Pläne. Rudi wird zugemutet (und vielleicht wurde das auch Paul zugemutet), daß die ganze Mühe, mit der er den Einsamen „mit staunenswerter Geduld fürs Menschliche gewann" und ihn zum Du bekehrte, nur eine „Einübung ins Menschliche" und eine „Vorstufe" zur Ehe sein sollte. Was „zwischen Adrian und Rudolf Schwerdtfeger sich abspielte, und wie es sich abspielte, – ich *weiß* es" sagt Serenus Zeitblom, „und möge man zehnmal den Einwand erheben, ich könnte es nicht wissen, da ich nicht 'dabei gewesen' sei." Er weiß es, weil er eben doch dabei war, höchstpersönlich, damals im Jahre 1903.

Die Entscheidungssituation der Jahre 1903 und 1904 war außerordentlich komplex. Was hatte er zu erwarten, was würden die Folgen sein? Würde sein Kunstbau halten oder brechen? Er wußte es selbst nicht. Je nach Stimmungslage erzählte er die eine oder andere Variante schon einmal probeweise durch. Die optimistische Möglichkeit, die den schon gefaßten Ehebeschluß hoffnungsfroh bekräftigt, steht zuerst in *Beim Propheten.* In *Königliche Hoheit* wird sie ins grandios Märchenhafte stilisiert und hinaufgetrieben bis zur Versöhnung des Künstlers mit dem Leben und dem Volke. In beiden Fällen wird dem Happy End zuliebe ein Teil der Problematik ausgeklammert. *Schwere Stunde* gestaltet dann den heimlichen Vorbehalt des Künstlers als Ehemann, und *Wälsungenblut* seine Angst, letztlich doch kein inneres Recht zu haben auf das Eindringen in die Bürgerwelt. Rahel und Lea stellen die Spaltung und die tapfere Synthese dar, die in diesem Leben gelebt wurden, so gut es ging. In *Doktor Faustus* schließlich kommt noch einmal der Katastrophenfall zu Wort, daß die Künstlereinsamkeit nicht erlöst wird, daß ihr das „Leben" nicht zukommt und daß sie immer die Mörderin alles Lebendigen sein muß. Es ist der alte Konflikt. „Hart ist die Kunst, aber unser Herz ist weich."[148]

VI. Ehrgeizige Pläne

München, 1906

Auf die Eheschließung folgen ziemlich prompt die ersten vier Kinder: Erika (geboren am 9. November 1905), Klaus (18. November 1906), Golo (27. März 1909) und Monika (7. Juni 1910). Ein Zweierpärchen stellt sich Jahre später ein (Elisabeth am 24. April 1918 und Michael am 21. April 1919). Am 30. Juli 1910 tötet sich die Schwester Carla in der Wohnung der Mutter in Polling. Die Jahre von 1905 bis 1914 sind eine Zeit relativen Ruhms und Wohlstands, mit Vortragsreisen, Kuren und Urlaubsaufenthalten, sonst aber, wenn man von einem Eisenbahnunglück absieht, ohne auffallende äußere Ereignisse. Ein stattliches Sommerhaus wird gebaut, 1908 in Bad Tölz. Ein großes Familienhaus in München-Bogenhausen, Poschingerstraße 1 (heute Thomas-Mann-Allee 10) folgt und wird am 5. Januar 1914 bezogen. Von 1912 bis 1913 ist Thomas Mann Mitglied im Zensurbeirat der Königlich Bayerischen Polizeidirektion.

An Dichtungen werden vor allem das Drama *Fiorenza* (1905), die Erzählungen *Wälsungenblut* (1905) und *Schwere Stunde* (1905), der Roman *Königliche Hoheit* (1909) und die Erzählung *Der Tod in Venedig* (1912) fertiggestellt. Ins Auge gefaßt, aber nie zu Ende gebracht werden ein Roman über Friedrich den Großen, ein Münchener Gesellschaftsroman (betitelt *Maja* oder *Die Geliebten)* und die Erzählung *Ein Elender.* Angefangen werden die *Bekenntnisse des Hochstaplers Felix Krull* (Schreibbeginn 1910) und *Der Zauberberg* (Schreibbeginn 1913). Die wichtigsten Essays der Zeit sind *Bilse und ich* (1906), *Versuch über das Theater* (1907), *Süßer Schlaf!* (1909) und *Auseinandersetzung mit Wagner* (1911). Der wichtigste Essayplan ist *Geist und Kunst;* eine amorphe Notizenmasse hat die Zeiten überdauert, das meiste davon geschrieben im Jahr 1909.

Größe!

„Bisweilen kehrt sich mir vor Ehrgeiz der Magen um", hatte Thomas Mann schon am 6. November 1901 an Otto Grautoff geschrieben. „Der Ruhm scheint sich mir nicht völlig versagen zu wollen, *obgleich* ich ihn begehre." Mann schrieb damals an *Fiorenza*, einem seiner ehrgeizigsten Produkte. „Das Leiden darf nicht umsonst gewesen sein. Ruhm muß es mir bringen!" sagt Savonarola dort.[1] Thomas Mann nimmt die Formulierung auch für sich selbst in Anspruch: „Wie? Das Leiden sollte umsonst gewesen sein? Es sollte der Kunst verloren gehen [...], es sollte ihm keinen Ruhm bringen dürfen? So spricht der Ehrgeiz. So *rechtfertigt* sich aller Ehrgeiz ..."[2]

Die Anspannung ist ungeheuer. Jeden Vormittag eine „Stelle", mehr geht nicht. Bei diesem Tempo nicht davonzulaufen, das Angefangene auch fertigzumachen, dazu gehört, versichert Mann 1907, eine Geduld, ein verbissener Starrsinn, eine Selbstknechtung des Willens, unter der die Nerven oft bis zum Schreien gespannt sind.[3] Selbstliebe und Selbsthaß treiben ihr Spiel mit ihm. Das Geschriebene erscheint ihm „zuweilen so neu und schön, daß ich in mich hineinlache – und zuweilen so läppisch, daß ich mich auf die Chaiselongue setze und zu sterben glaube." Die Selbstverliebtheit war zur Stabilisierung eines aufs äußerste angespannten Ichs lebensnotwendig. Von „jener Leidenschaft für sein Ich, die unauslöschlich in seiner Tiefe brannte", spricht ein Thomas Mann sehr ähnlicher Schiller in *Schwere Stunde*. „Zuweilen brauchte er nur seine Hand zu betrachten, um von einer begeisterten Zärtlichkeit für sich selbst erfüllt zu werden."[4]

Die zweite Lebenshilfe, nach dem Narzißmus, war der Ruhm, die Bewunderung des Publikums. „Das Repräsentieren macht mir Spaß", schreibt Thomas an Heinrich. Er zieht sich gut an, berichtet Erika später – „muß dennoch manchmal korrigiert werden, da er grün nicht von blau unterscheiden kann."[5] Von Auftritt zu Auftritt wird er sicherer. „Die Zeitungen brachten verliebte Personal-Beschreibungen, so keck und podiumsicher war ich gewesen."[6]

Der Ruhm allein reicht ihm nicht. Er will außerdem auch noch geliebt werden. Als Kurt Martens ihm prophezeit, er werde mehr kühle Hochachtung empfangen als herzliche Liebe, bestreitet er dieses mit dem Hinweis auf *Buddenbrooks* und *Tonio Kröger*. Warum sollten die Deutschen ihm die Liebe verweigern? „Was werden sie an meinem menschlichen Theil auszusetzen haben? Ich war ein stiller, höflicher Mensch, der sich durch seiner Hände Arbeit einigen Wohlstand gewann, ein Weib nahm, Kinder zeugte, die Premièren besuchte und ein so guter Deutscher war, daß er es nicht länger als vier Wochen im Auslande aushielt. Muß denn durchaus auch noch gekegelt und getrunken sein?"[7]

Der größte Feind des Ehrgeizes ist die Erschöpfung. Nun, da er aus dem Freibeutertum des Geistes in einige Rechtlichkeit und bürgerliche Verbindung eingetreten war, Weib und Kinder besaß, „nun war er erschöpft und fertig", so heißt es von Schiller in *Schwere Stunde*. Der schon bekannte Gedanke findet sich auch hier: „Soll das Leiden umsonst gewesen sein? Groß muß es mich machen!"[8]

Schiller kämpft mit dem *Wallenstein*. Auch Thomas Mann hat den Willen zum Schweren, auch er sucht nach kampfeswürdigen Gegenständen in jener Zeit. Die Jahre bis zur Eheschließung waren entscheidende Entwicklungsjahre gewesen.[9] Die jetzt folgende Lebensepoche mußte die Erträge bringen. Der Wiederanschluß an dieVäterwelt durch die reiche Heirat verpflichtete zum Erfolg. Aber unter einer solchen Überspannung kommt so leicht nichts Gutes zustande. Das Jahrzehnt bis 1914 ist, dichterisch gesehen, Krisenzeit. Aus keiner Phase haben wir so viel Liegengebliebenes, nie Fertiggestelltes. Das „strenge Glück" war ein angestrengtes Glück. Der Ehemann will Größe. Er will der repräsentative Nationaldichter werden, wie sein Gustav von Aschenbach, von dem es heißt, daß die Unterrichtsbehörde Stücke aus seiner Feder in die Schul-Lesebücher übernahm.[10] Auch dieser Wunschtraum sollte sich schließlich erfüllen. Der persönliche Adel allerdings, der Aschenbach zum fünfzigsten Geburtstag verliehen wurde, scheiterte im Falle Thomas Manns am Ableben des Kaiserreichs. Ersatz bot 1919 der erste Ehrendoktor, gleich stolz verwendet: „Bei der Anmeldung erstmalige Benutzung des Doktor-Titels."[11]

Fiorenza

Fiorenza, „ein Traum von Größe und seelischer Macht",[12] ein Fall von „Ruhmeserotik",[13] Produkt von „Ruhmeslust, Ruhmesangst eines in zartem Alter vom Erfolg Umstrickten",[14] ist unter Qualen direkt vor der Hochzeit fertig geworden. Daß er die letzte Szene in Utting am Ammersee schrieb, allein mit seiner Mama, von sich begeistert war und das Ende so gut fand, daß er es eigens im Tagebuch mitteilte, und zwar mit „lila Tinte", wissen wir aus einer Tagebuchnotiz vom 6. Dezember 1919. Überprüfen können wir das nicht, denn die Originaltagebücher von 1904/05 hat Mann später in Kalifornien verbrannt. Er war jedenfalls sehr stolz auf das Stück und kümmerte sich immer wieder um Aufführungen, mit mittlerem Erfolg. Auch seine Tochter Erika hat die Fiore einmal spielen müssen, 1929 in Bielitz hinter Kattowitz. Aber das war wohl keine so gute Idee.

Daß er ein Drama schrieb, den „Versuch eines Liedes im höheren Tone"[15] machte, bezeugt vor allem wieder Thomas Manns Ehrgeiz, denn immer noch galt dem herrschenden spätklassizistischen Geschmack das Drama als höchste Gattung. Daß er im zweiten Kapitel des *Versuchs über das Theater* (1907) diese Meinung bekämpft, ist ebenfalls Ehrgeiz, denn natürlich möchte er der Gattung, die er selbst am besten beherrscht, dem Roman nämlich, den höchsten Platz verschaffen. Der *Versuch* ist eine Schrift „gegen das Theater".[16]

Trotzdem ist der Dichter schwer beleidigt, als Alfred Kerr, der berühmte Kritiker, sein Drama bissig verhöhnt. „Der Verfasser ist ein feines, etwas dünnes Seelchen, dessen Wurzel ihre stille Wohnung im Sitzfleisch hat."[17] Das war respektlos und gemein und traf nur ganz tief innen etwas Richtiges. Um so schlimmer. Auch von „Geklemmtem, Untergekrochenem" stichelt Kerr – möglicherweise eine gut informierte Anspielung auf des Dichters Lebensbund mit Katia Pringsheim, bei der Kerr einst abgeblitzt war. Mann will ihn in die Schranken weisen. Er schreibt an den ihm gewogenen Kritiker Julius Bab: „Wissen Sie, warum Kerr von Größe nichts wissen kann? Weil er niemals ein großes Werk getan hat."[18] Das mag zwar sein, aber ebenso gilt, was Kerr andeutet, daß ein Schauspieler der Größe nicht schon groß ist, und daß Thomas Mann damals die Größe mehr will als hat. Immerhin weiß dieser die Lage wenigstens zu thematisieren und intellektuell das beste aus ihr herauszuholen. „Man sollte nicht besitzen", sagt sein Lorenzo de Medici, nicht Reichtum, Ruhm und Erfolg. „Sehnsucht ist Riesenkraft; doch der Besitz entmannt!"[19]

Das Geklemmte und Untergekrochene: Kerr hat geahnt, welche Gewalt Thomas Mann sich antun mußte. Ein nicht freiwillig und souverän Vergeistigter, sondern ein von seinen Trieben zum Geist Genötigter ist ja auch sein Savonarola, der Prior von San Marco. Das Autobiographische an *Fiorenza* hat Mann in seinen Selbstauslegungen stets unterdrückt. Es ist die Urszene der Demütigung, die auch hier wieder vorkommt, das Ausgelachtwerden für das Begehren, die Verstoßung vom Leben und der eisige Zwang zum Geist. Der

Prior sei verliebt in sie gewesen, erzählt die Kurtisane Fiore.[20] Sie freut sich der Macht, die ihr damit über seinen trüben Hochmut zugefallen ist. Aus Neugier läßt sie es sich treffen, daß er eines Tages ums Dunkelwerden allein mit ihr im Zimmer ist.

Da stöhnte er und ward zu mir gezogen und flüsterte und schluchzte und gestand ... Und da ich ihm zum Schein erstaunt sein Tun verwies, befiel es ihn wie Rasen, unmenschlich schier, und keuchend lag er mir an mit Betteln und mit Lechzen, ihm zu gehören. Ich nun, mit Abscheu und Entsetzen, stieß ihn von mir, – mag sein, ich schlug nach ihm, weil er sein gieriges Klammern nicht lösen wollte. Und wie ich das getan, riß er sich empor mit einem Schrei, heiser und unverständlich, und stürzte fort, die Fäuste vor den Augen.

Zwei Träume treiben das Leben, der Liebestraum und der Machttraum. Wo die Liebe verwehrt ist, bleibt die Macht. Fiore demütigt Savonarola, statt ihrer unterwirft er Florenz.

Heldentum: Friedrich der Große

„Ich bin nun dreißig. Es ist Zeit, auf ein Meisterstück zu sinnen."[21] Der Ehrgeiz brennt. Einen Roman über einen bedeutenden, in der wilhelminischen Kaiserzeit hochgeachteten preußischen König schreiben heißt, sich als Nationaldichter zu empfehlen. Auch wenn die Heldenverehrung durch ein Element Nietzschescher Psychologie gebrochen werden sollte – „einen Helden menschlich-*allzu*menschlich darstellen, mit Skepsis, mit *Gehässigkeit,* mit psychologischem Radicalismus und dennoch positiv, lyrisch, aus eigenem Erleben" –, gibt doch die „Größe" der Figur den Ausschlag. „Das Entscheidende ist, daß ein Stoff, mit dem ich es Jahre lang aushalten soll, an sich, als Gegenstand, eine gewisse *Würde* besitzen muß [...] Das giebt Stolz im Tragen, giebt Halt, läßt aushalten ..."[22] Das Anmaßende des Unterfangens liege freilich darin, „daß ich, der Lyriker, die *Größe* darzustellen unternehme. Denn dazu gehört Wissen um die Größe, Erfahrung, Erlebnis in der Größe ... Habe ich sie?" Und rückblikkend nennt er *Fiorenza* und *Schwere Stunde* Vorstudien zum Thema der Größe. Narzißtisch exaltiert fährt er fort: „Aber wenn mir im Großen gelingt, was, wie ich höre, mir im Kleinen gelungen ist: Größe fühlbar zu machen, intim und lebendig darzustellen, – so soll mein Stolz keine Grenze kennen."

Es gelang nicht. Lediglich eine Sammlung von Notizen und Exzerpten ist erhalten, hauptsächlich aus der ersten Jahreshälfte 1906. Eine dieser Notizen deutet ein verborgen Persönliches der Stoffwahl an:[23]

Friedrichs spätere gleichgeschlechtliche Neigungen. *Es ist sehr ruhig zu zeigen, wie aus dem Alter und aus ungeheurer* Überlegenheit *ein erotisches Verhältnis zu schönen und unbedeutenden jungen Männern, ein Verhältnis wie des Mannes zum Weibe hervorgeht.*

Das wurde nie ausgeführt. 1914 schreibt Mann zwar einen kriegstauglichen Essay *Friedrich und die große Koalition*, der sich jedoch großenteils aus anderen Quellen nährt und von der ursprünglichen Intention nur weniges verwirklicht.

Daß diese ursprüngliche Intention auch etwas mit Manns Ehe zu tun hatte, und zwar in feindseliger Hinsicht, geht aus zwei Briefen hervor. An Heinrich schreibt Thomas am 26. Januar 1910, daß, wer schon vor *Königliche Hoheit* einen *Friedrich* plante, an ein „strenges Eheglück" innerlich wohl nie so ganz geglaubt habe. „Was nicht hindert, daß man praktisch daran glauben kann." Ein Brief an Ernst Bertram zwei Tage später präzisiert, daß, wer einen *Friedrich* schreiben wolle, an die Synthese von Hoheit und Glück wohl nicht recht glaube. „Friedrich", das kann man daraus schließen, ist die Figur des privatim unglücklichen, vom Leben ausgeschlossenen Herrschers, der, homoerotisch veranlagt, Frau und Familie als verächtliche Pflichtübungen möglichst von sich fernhält und, einsam ragend, sich von schönen Windhunden umschmeicheln läßt. Auch Thomas Mann hatte damals einen schnellen Hund, den leicht verrückten aristokratischen Collie Motz, der als Perceval in *Königliche Hoheit* wiederkehrt. Der Eheroman war machbar, der *Friedrich* aber, zu groß und zu kühn, blieb liegen.

Die mißglückte Bilse-Schrift und andere Aktionen

Bilse und ich ist die wichtigste poetische Selbstreflexion der Frühzeit. Sie verteidigt den Ästhetizismus gegen den Vorwurf, in *Buddenbrooks* werde lediglich die Lübecker Bürgerwelt abkonterfeit. Es stehen infolgedessen wichtige Sätze in dieser Schrift. Etwas anderes ist ihr Tonfall. Er ist ganz unangemessen hochmütig und bietet ein weiteres Zeugnis für die Verunsicherung Thomas Manns in jenen Jahren des ungeheuren, aber im innersten Kern ziellosen Ehrgeizes. „Eines Tages hörte ich einen Dichter sagen", behauptet er – und zitiert dann seelenruhig seine eigene Figur Tonio Kröger.[24] „Dieser Dichter schien mir auf melancholisch-witzige Weise das auszudrücken." „Dann aber schien mir der Dichter noch an ein zweites zu rühren." Das mag Ironie sein, aber es ist eine gequälte, eine mißglückte, eine wenig souveräne Form von Ironie.

Als radikalen Ästhetizismus mag man Sätze beachtlich finden wie den folgenden, daß der wahre Liebhaber des Wortes sich eher eine Welt verfeinden werde, als eine Nuance zu opfern.[25] Aber das sind schöne Phrasen. Biographisch werden in dieser Zeit nicht nur Nuancen, sondern fertige Erzählungen *(Wälsungenblut)* und große Werkpläne *(Friedrich)* geopfert. Die Bilse-Schrift behauptet mit Anstrengung eine Position, die ihr Autor gar nicht durchhält. Wenn Frau Katia später, beim harmlosen *Gesang vom Kindchen*, „Widerstreben gegen die Darstellung des Intimsten" an den Tag legt und Tommy nötigt, zwei Verse zu streichen, „ohne die die Stelle sehr schwach ist",[26] werden bei *Königliche Hoheit* erst recht Rücksichten erforderlich gewesen sein. Es gab seit der Eheschließung wieder Diskretionsprobleme. Thomas Mann konnte nicht mehr so rücksichtslos ehrlich sein wie in *Buddenbrooks*, mußte demonstrieren und verschweigen und diplomatisch sein. Der Roman sei ein bißchen populär verlogen, gesteht der Autor in einem Brief.[27] In der Tat. Emphatisch zitiert die Bilse-Schrift Friedrich Schlegel: „Der Künstler, der nicht sein ganzes Selbst preisgibt, ist ein unnützer Knecht."[28] Aber hat Thomas Mann etwa sein ganzes Selbst preisgegeben? „*Völlig* darf ich mich ihr ja doch nicht mittheilen", schrieb er ins Notizbuch im Herbst 1904.[29]

Statt dessen glaubte er der Öffentlichkeit im Herbst 1905 den Vorschlag unterbreiten zu sollen, ihn doch als einen zu betrachten, „der in die Literaturgeschichte kommt".[30] Das hat sich zwar bewahrheitet, aber muß man so angeben? Die polemische Ader in Thomas Mann ist stark, aber nicht immer, wenn sie schwillt, sind die Anlässe gut gewählt. Ganz so unrecht hatte Arthur Holitscher schließlich nicht, wenn er gekränkt war über das Porträt, das Thomas Mann ihm in *Tristan* zuteil werden läßt. Es war nicht nötig, den Vorgang noch einmal öffentlich breitzutreten und den ohnehin Geschädigten in der Bilse-Schrift einen Schwachen und Unfreien zu nennen. Daß Thomas Mann selbst, hätte man ihn porträtiert, so souverän gewesen wäre, wie er behauptet,[31] ist unwahrscheinlich. Er war empfindlich. Aber die ganze Reizbarkeit und erboste Einseitigkeit jener Jahre erklärt und entschuldigt sich aus der seelischen Überspannung, in die er sich hineinmanövriert hatte.

„Ich hatte keine Lust mehr, einen so albernen Freund mit mir zu schleppen": [32] Einen feierlichen „Scheidebrief" erhielt damals, datiert vom 14. Oktober 1905, auch der Literat Richard von Schaukal. Einige Jahre lang hatte er Thomas Mann gelobt. Dann wagte er es, *Fiorenza* schlecht zu finden, schlimmer noch: gar nicht zu Ende zu lesen. Mann war inzwischen berühmt genug, er brauchte Schaukal nicht mehr und verabschiedete ihn ausdrucksvoll. „Ich erkläre unser Verhältnis für dringend ruhebedürftig und schlage vor, daß wir einander vorläufig vergessen."[33]

Auch als der seelisch Überbürdete sich 1910 mit dem Kulturphilosophen Theodor Lessing einließ, fehlte es ihm ersichtlich an des Hasses würdigeren Gegenständen. Die Schrift *Der Doktor Lessing* macht einen Kritiker, der Thomas Mann angegriffen hatte, auf eine Weise nieder, die ungebührlich ist. Der den Willen zum Schweren für sich in Anspruch nimmt, sucht sich hier ein leicht zu erledigendes Opfer. Innerlich unzufrieden, verstrickt er sich in niedriges Gezänk. Daß er sich mit Lessing eingelassen habe, bekennt er, sei im Grunde „ratloser Thätigkeitsdrang" gewesen.[34] „Das Geheimnis ist, daß ich mit dem 'Hochstapler' nicht anfangen konnte; aus gequälter Unthätigkeit schlug ich los." Zwar sind auch die *Bekenntnisse des Hochstaplers Felix Krull*, deren erste Arbeitsphase von 1910 bis 1913 reichte, nicht eigentlich ein würdiger Gegenstand, aber doch ein wahrhaftiger, sofern der Narzißmus, das Schauspielertum und die Freude an schönen Knaben hier auf ihre Kosten kommen. Zwar blieb auch dieser Roman damals als Fragment liegen, aber doch als ein geglücktes Fragment, aus dem später eines der erfolgreichsten und beliebtesten Werke Thomas Manns werden wird.

Der Essay *Geist und Kunst* sollte sich dem Range nach mit Schillers Aufsatz *Über naive und sentimentalische Dichtung* vergleichen können, hätte also das Kriterium Größe erfüllt. Aber „der Gegenstand führte ins Ungemessene, und die essayistische Disziplin des Verfassers reichte nicht aus, ihn zu komponieren. So blieb der Plan als amorphe Notizenmasse liegen."[35] Die Notizen sind erhalten und ergiebig, jedoch in vieler Hinsicht widersprüchlich. Ob er sich als analytischer europäischer Literat oder eher als synthetischer deutscher Dichter verstehen solle, ist dem unermüdlich Suchenden damals durchaus nicht klar.

Auch der Novellenplan *Ein Elender*, der mit Lessing und Kerr zusammenhängt und sittliche Entschlossenheit demonstrieren sollte, blieb unausgeführt. Vielleicht war das gut so – es mochte ihm an Größe, wenn auch nicht am Willen zu ihr, gefehlt haben.

Der Ausbruch des Ersten Weltkriegs beendet die Ära der Unsicherheiten und Verspannungen. Die „Größe", die aus sich selbst heraus zu erzeugen ihm nicht gelang, kommt ihm nun von der Geschichte her entgegen. Sofort erkennt Mann das als seine Chance. Sofort macht er den Krieg zu seiner Sache. Auch das erwies sich zwar später als Irrtum, aber aus der Schaffenskrise half es doch heraus.

Arbeitstag und Alkohol

Immerhin lernte er in der Zeit des Ehrgeizes das Arbeiten. „Jeden Vormittag ein Schritt, jeden Vormittag eine 'Stelle', – das ist einmal meine Art, und sie hat ihre Notwendigkeit."[36] Weniger als dreißig Zeilen am Tag machen unzufrieden.[37] Hatte er als Bohemien manchmal bis mittags, ja bis drei Uhr nachmittags geschlafen,[38] sitzt der Ehemann nun möglichst regelmäßig, auch am Sonntag, auch im Urlaub, von neun bis zwölf oder halb eins am dichterischen Werk, worauf Spaziergang, Mittagessen, Ruhe, Briefeschreiben oder Quellenstudium, Abendbrot, Geselligkeit, manchmal Vorlesen, sonst Musikhören, Lesen und Tagebuchschreiben folgen. Zuviel Gesellschaft macht nervös; Theater, Wein und Gespräch bis in die tiefe Nacht sind eine Aufpulverung, die sich am folgenden Tage straft – „und sich in Gottes Namen denn strafen möge! Am Ende gehört die Sünde zum sittlichen Haushalt."[39] Auch nächtliche Pollutionen, erwünschte und unfreiwillige, stören bei der Arbeit, wie manche Tagebuchstellen verraten. Zornig erwacht man, wenn ein Traum den Lebenssaft zum Rinnen gebracht hat, und bringt danach den ganzen kostbaren Vormittag nichts mehr zustande.

Arbeit ist nötig um des Seelenheiles willen,[40] nicht arbeiten ist Sünde und „ein scheußliches Gefühl" obendrein, denn ohne Arbeit ist kein Leben.[41] „Man fühlt sich eigentlich doch nur und weiß nur etwas von sich, wenn man etwas macht. Die Zwischenzeiten sind greulich."[42] Greulich sind auch Zeiten der Krise, wenn die Arbeit stockt. Dann geht es auch einmal weniger genau zu mit dem Arbeitstag, da wird länger geschlafen und am hellichten Vormittag einkaufen oder Haareschneiden gegangen. Kam er mit seiner Arbeit nicht weiter, so teilte seine tiefe Verstimmtheit sich allen mit, die um ihn waren.[43] Wird etwas fertig, wird ohne Pause, meist am nächsten Tag, mit den Vorarbeiten für das nächste Werk begonnen. Was bei solcher Unermüdlichkeit im Laufe des Lebens zusammenkam, es sind mit Briefen und Tagebüchern täglich bestimmt fünf Blatt gewesen, jährlich 1800, in sechzig Schaffensjahren über hunderttausend engbeschriebene Seiten – man wird mit dem Staunen nicht fertig. Darunter eine ungeheure Anzahl an Briefen, drei bis vier ist der Tagesdurchschnitt, handschriftlich, ausführlich und liebevoll die meisten, erst später wird auch diktiert, an manchen Tagen zehn Briefe. Eingehende Schreiben werden, wenn sie wichtig sind, gleich am nächsten oder übernächsten Tag beantwortet. Andere liegen länger, aber eine Antwort erhielt beinahe jeder, der an Thomas Mann schrieb. Briefe, das war seine Art, die Menschen aus der Ferne zu lieben, aus der Einsamkeit auszubrechen und sich doch vor Zudringlichkeit zu schützen. „Der Welt das Ihre zu geben und sich dennoch leidlich vor ihr zu *bewahren* ist ein Kunststück, das gelernt sein will.“[44]

Nicht Streß und Druck oder Aufgepulvertheit und Manie bringen ihn in Arbeitsstimmung, sondern Ausgeschlafenheit und Frische, „reine Luft, wenig Menschen, gute Bücher, Friede, Friede ...“[45] Er lebte, vom Rauchen abgesehen, einigermaßen gesundheitsbewußt und mied Exzesse aller Art. „Ein Sportsmann war ich nie, muß aber auf Gehbewegung halten und habe große Freude daran, im offenen Automobil über Land zu fahren.“[46] In der Münchener Frühzeit spielt Radfahren eine große Rolle. Sogar Reiten kam vor, auf dem Weg nach Mitterbad: „Ich ritt eine Art Schlachtroß von sagenhaftem Körperbau aber mit dem Temperament eines Faultiers und den Launen eines unausgeschlafenen Esels.“[47] Zur Mäßigkeit im Essen und Trinken zwingt ein nervöser Magen. Kaffee ist unbekömmlich, Süßigkeiten, Likör oder Cognac hingegen sind beliebt. Zur Inspiration taugt der Alkohol nicht, nur zur Abspannung. Ein Glas Bier zum Abendbrot verschafft Lehnstuhlbehagen und eine Stimmung von „Es ist vollbracht.“[48] Anders ist es mit Zigarren und Zigaretten, sie helfen beim Werk. „Beim Schreiben rauche ich.“[49] Freier Himmel ist nur zum Träumen und Entwerfen gut, die Ausführung verlangt den Schutz einer Zimmerdecke.

Romane, Erzählungen, ein Drama, Essays, Reden, Briefe, Tagebücher – die Schreibleistung ist ungeheuer. Er lebt nicht um des Lebens, sondern um des Schreibens willen. „Er arbeitete nicht wie jemand, der arbeitet, um zu leben, sondern wie einer, der nichts will als arbeiten, weil er sich als lebendigen Menschen für nichts achtet, nur als Schaffender in Betracht zu kommen wünscht."[50]

Warum vermählt' ich mich?

Thomas Mann hat nicht geglaubt, daß Katia ihn betrüge, und niemand wollte ihm das einblasen. Vielleicht aber hat er Angst gehabt, daß es irgendwann so kommen könnte wie in der nachstehenden Szene:[51]

Man denke sich den folgenden dichterischen Charakter. Ein Mann, edel und leidenschaftlich, aber auf irgend eine Weise gezeichnet und in seinem Gemüt eine dunkle Ausnahme unter den Regelrechten, unter „des Volkes reichen, lockigen Lieblingen"; vornehm als Ausnahme, aber unvornehm als Leidender, einsam, ausgeschlossen vom Glücke, von der Bummelei des Glücks und ganz und gar auf die Leistung gestellt. Gute Bedingungen, das alles, um die „Lieblinge" zu überflügeln, welche die Leistung nicht nötig haben; gute Bedingungen zur Größe. Und in einem harten, strengen und schweren Leben wird er groß, verrichtet öffentlich ruhmvolle Dinge, wird mit Ehren geschmückt für seine Verdienste, – bleibt aber in seinem Gemüt eine dunkle Ausnahme, sehr stolz als ein Mann der Leistung, aber voll Mißtrauen in sein menschliches Teil und ohne Glauben daran, daß man ihn lieben könne. Da tritt ein junges Weib in sein Leben, ein lichtes, süßes, vornehmes Geschöpf. Sie liebt ihn um deswillen, was er tat und litt, sie verschmäht alle lockigen Lieblinge und erwählt ihn. Sein ungläubiges Entzücken lernt den Glauben. Sie wird seine Frau, und er ist in der Ehe fern von Eifersucht. „Sie hatte Augen ja und wählte mich." Sie ist seine Versöhnung mit der Welt, seine Rechtfertigung, seine Vollendung, sie ist sein menschlicher Adel in Person. Und nun wird durch eine teuflische Ohrenbläserei dieser Mann langsam mit dem Verdacht vergiftet, daß sein Weib ihn mit irgend einem glatten und gewöhnlichen Burschen hintergehe. Langsam, unter Qualen zerfrißt der Zweifel seinen Stolz, seinen jungen Glauben an das Glück. Er ist dem Zweifel nicht gewachsen, er ist nicht sicher, die bittere Erkenntnis stellt sich ein, daß seinesgleichen nie sicher sein kann, daß er sein Leben niemals auf Glück und Liebe hätte gründen dürfen und daß mit dem Glauben an dieses Liebesglück nun auch sein Leben vernichtet ist. „Warum vermählt' ich mich?!"

Wovon redet Thomas Mann? Immer „... von mir, von mir ...", das weiß die Bilse-Schrift.[52] Jedes Wort ist auf ihn selbst gemünzt, – obgleich er hier doch die Handlung von Shakespeares *Othello* erzählt, der Meister des Doppelsinns.

Maja

Als Gesellschaftsroman war *Maja* geplant. Warum wurde nichts daraus? An Heinrich schreibt Thomas damals, daß der *Friedrich* Größe habe, er sich aber die Geduld und die Bescheidenheit nicht mehr zutraue, „zwei, drei Jahre die Bürde *irgend eines* modernen Romans zu schleppen".[53] Die Textsorte Gesellschaftsroman hatte, wie man sieht, damals seine Achtung nicht, sie war überdies Heinrichs Arbeitsfeld. Dazu kamen wohl private und allerprivateste Bedenken. Es hätte die Münchener Gesellschaft porträtiert werden müssen. Hier aber galt es ja wohl doch inzwischen manche Rücksichten zu nehmen. Die allerprivatesten mögen sich auf den Stoff bezogen haben, denn im Kern sollte *Maja* das Verhältnis zu Paul Ehrenberg behandeln. Der Plan wurde nicht ausgeführt, das Notizenmaterial jedoch sorgfältig verwahrt. Seine Hauptmasse kam erst Jahrzehnte später im *Doktor Faustus* zum Zuge. Die Münchener Bedenken waren inzwischen gegenstandslos geworden, ja, es erschien sogar erwünscht, die Münchener Gesellschaft kritisch einer Strukturlinie 'Vorgeschichte des Faschismus' zuzuweisen. Auch den Ehrenberg-Bedenken gegenüber verhielten sich sowohl Thomas Mann selbst wie auch seine Ehefrau freimütiger als in der Frühzeit ihrer Ehe. Der Öffentlichkeit blieben diese Hintergründe ohnehin undurchschaubar, da ihr die biographischen Quellen nicht zur Verfügung standen.

Das Eisenbahnunglück

Am Abend des 1. Mai 1906 erlebte Thomas Mann ein veritables Eisenbahnunglück. Er war um 19 Uhr in den D 21 gestiegen, den Nachtschnellzug von München nach Dresden, wo er nach zwölfstündiger Fahrt um 6.50 Uhr hätte ankommen sollen. Gegen 21.30 Uhr, in Regenstauf kurz hinter Regensburg, krachte es ganz fürchterlich, denn der vornehme Fernzug hatte infolge einer defekten Weiche einen stehenden Güterzug vom Gleis gestoßen. Es gab mehrere Verletzte und hohen Sachschaden. Der Dichter saß im hinteren Zugteil, wo es nur ein Schlingern und einen kräftigen Stoß zu verarbeiten gab. Der Gepäckwagen aber war gleich hinter der Lok eingestellt gewesen und wurde stark beschädigt.[54]

Wenn man Literat ist, ist ein solcher Vorfall ein Himmelsgeschenk. Es ungenutzt zu lassen war Thomas Manns Art nicht, er machte sich gleich Notizen und baute sie zweieinhalb Jahre später zu einer kleinen Erzählung aus. Das Unglück ist in ihr nur Vordergrund. Tieferliegend geht es um Ehrgeiz und Repräsentieren, um Ruhm und Angst. Das einzige, was den Reisenden wirklich bewegt, ist das Schicksal seines Manuskripts – „mein Bienenstock, mein Kunstgespinst, mein kluger Fuchsbau, mein Stolz und Mühsal".[55] Ein stattliches Konvolut soll es sein. Es befindet sich im Koffer, und der ist im Gepäckwagen.

Der Held der Erzählung ist unterwegs zu einer Lesung. Er macht das gern. „Man repräsentiert, man tritt auf, man zeigt sich der jauchzenden Menge." Danach will er Urlaub machen und dabei ein wenig schreiben. Deshalb hat er das Manuskript mitgenommen. Aber von der Spitze des Zuges kommen Hiobsbotschaften. Eine Trümmerwüste soll da sein, alles durcheinander, zerfetzt und zerquetscht. Räumungsarbeiten sollen vorgenommen werden – Räumungsarbeiten mit seinem Manuskript! „Ich hatte keine Abschrift von dem, was schon dastand, schon fertig gefügt und geschmiedet war, schon lebte und klang, – zu schweigen von meinen Notizen und Studien, meinem ganzen in Jahren zusammengetragenen, erworbenen, erhorchten, erschlichenen, erlittenen Hamsterschatz von Material."

Im Mai 1906 hatte Thomas Mann gerade angefangen, an *Königliche Hoheit* zu schreiben. Der Bienenstock und Fuchsbau existierte in Wirklichkeit noch gar nicht, von einem „stattlichen Konvolut" konnte keine Rede sein, und was immer er damals im Gepäck hatte, ein fertig gefügtes Romanmanuskript war es nicht. Thomas Mann will sich jedoch offenbar als einer präsentieren, der ein solches Konvolut hat. Er stellt sich in der Erzählung als zielsicher und unbeirrt produzierender Schriftsteller vor. Das war damals sein größter Traum. Er stilisiert sich zum Selbstsicheren und Erfolgreichen, den auch etwas so Elementares wie ein Eisenbahnunglück nicht aus der Bahn werfen kann. Er will sich als Mann zeigen – im Gegensatz zu jenem Monokel-Kavalier in Gamaschen, der vorher „kraft seines Herrenrechtes" den Schaffner als Affenschwanz beschimpft hat, beim Unglück selbst aber kindisch und ängstlich um Hilfe ruft.

Der Staat, unser Vater, und ein aufgeklärter Monarch

Sieh diesen Schaffner an mit dem Lederbandelier, dem gewaltigen Wachtmeisterschnauzbart und dem unwirsch wachsamen Blick. Sieh, wie er die alte Frau in der fadenscheinigen schwarzen Mantille anherrscht, weil sie um ein Haar in die zweite Klasse gestiegen wäre. Das ist der Staat, unser Vater, die Autorität und die Sicherheit. Man verkehrt nicht gern mit ihm, er ist streng, er ist wohl gar rauh, aber Verlaß, Verlaß ist auf ihn, und dein Koffer ist aufgehoben wie in Abrahams Schoß.

Es ist nicht nur Ironie, wenn Thomas Mann sich im *Eisenbahnunglück* als „Untertan Wilhelms II." charakterisiert. Er ist das nicht nur rechtlich, sondern auch aus Überzeugung. Er ist konservativ. Weil es nur selten einen Grund gab, das ausdrücklich zu sagen, trat diese Tatsache erst 1914 ins öffentliche Bewußtsein.

Er wußte Idee und Erscheinungsbild eines konservativen Staatsgefüges zu unterscheiden. Jener „Herr" in Gamaschen, der den Schaffner anschnauzt, wird satirisch karikiert als negatives Beispiel für die Schichten, die im Wilhelminismus das Sagen haben. Für angemaßten Standesdünkel hat Mann nichts übrig, wohl aber für die ruhig ausgeübte, in Sache und Person gegründete Autorität. Das Manuskript ist heil geblieben, „der Staat, unser Vater, gewann wieder Haltung und Ansehen". Das Unglück aber hat für einen Augenblick, es ist wie bei Kleist im *Erdbeben in Chili,* alle gleich gemacht. Ein Sonderzug nimmt die Fahrgäste auf. In ihm gelten keine Privilegien. Alle stürmen zuerst die Wagen erster Klasse. Denen, die wirklich einen Fahrschein erster Klasse haben, Thomas Mann zum Beispiel und dem Herrn in Gamaschen, nützt das nichts. „San S' froh, daß Sie sitzen!", mit dieser Auskunft des Volkes müssen sie sich bescheiden. Und das Mütterchen in der zerschlissenen Mantille, die vorher aus der zweiten Klasse gewiesen worden war, setzt sich nun strahlend in die erste.

Es war, „als ob das allgemeine Unglück Alles, was ihm entronnen war, zu *einer* Familie gemacht hätte", heißt es bei Kleist.[56] Menschen aller Stände vermischen sich und teilen miteinander, was sie aus der Katastrophe gerettet haben. Von „Kommunismus" ist auch im *Eisenbahnunglück* die Rede. Der Herr in Gamaschen macht einen Versuch, „sich aufzulehnen gegen den Kommunismus, gegen den großen Ausgleich vor der Majestät des Unglücks". Der Staat, unser Vater, sorgt zwar allmählich für die alte Ordnung, aber unverkennbar ist in einem solchen Augenblick, daß Form und Gesittung und Ständetrennung nur ein mühsamer Versuch sind, das wahre Wesen der Dinge, das chaotisch, ungegliedert, kommunistisch ist, notdürftig unter Kontrolle zu bringen. Unvermeidlich tritt es immer wieder hervor, im Kriege zum Beispiel. Auch 1914 kommt es zu einer Art Kommunismus. Der Krieg ist für Thomas Mann „der nie erhörte, der gewaltige und schwärmerische Zusammenschluß der Nation in der Bereitschaft zu tiefster Prüfung", die Reichen werden neun Zehntel ihres Besitzes abgeben müssen, „eine deutsche Kommune, freiwillig und voll Ordnung, wird sein, damit Deutschland bestehe".[57]

Auch der Roman *Königliche Hoheit* ist, politisch gesehen, ein konservatives Buch. Eine verrottete Monarchie wird wirtschaftlich saniert. Das geschieht durch die Kapitalspritze eines amerikanischen Multimillionärs. Eingeworben wird sie durch die Ehe des Prinzen mit dessen Tochter. Hier wird nicht etwa der kapitalistischen Bourgeois-Republik das Wort geredet, sondern einer physiokratisch reformierten Monarchie. Die Reform kommt von oben. Das Volk will nicht mitregieren, sondern will sich im Herrscherpaar repräsentiert sehen, „will irgend etwas wie seine Seele in seinen Fürsten dargestellt sehen, – nicht seinen Geldbeutel", will sich „stolz und herrlich" dargestellt sehen.[58] Obgleich es Rezensionen gibt, die dem Roman eine demokratische Tendenz zusprechen, so ist doch klar, daß es sich um Demokratie im Sinne der *Betrachtungen eines Unpolitischen* handelt: „Die Demokratie [...] kommt von oben, nicht von unten."[59] Thomas Manns politischer Traum ist das Staatsmodell des aufgeklärten Absolutismus. Ein Bündnis von Macht und Geist muß an die Spitze, dann läßt sich alles ordnen. Daß er am bestehenden Kaiserreich zwar manche Kritik geübt hat und Wilhelm II. nicht liebte, kann nicht darüber hinwegtäuschen, daß dieser Staat im wesentlichen seinen politischen und ökonomischen Vorstellungen entsprach.

Auch das Konservative des Romans dient dem Ehrgeiz. Der Autor, der infolge seiner Eheschließung zu den ersten Kreisen gehörte und gehören wollte, spricht schon, als er die ersten Zeilen von *Königliche Hoheit* schreibt, davon, daß einmal *Glanz* davon ausgehen solle.[60] Ein Oppositioneller hätte andere Wünsche. An Martens schreibt Mann denn auch damals, daß von ihm des weiteren „demokratische" Werke nicht zu erwarten seien.[61] „Soweit ich meine künftige Produktion übersehe, hat sie mit Demokratie allerdings nicht das Mindeste zu schaffen."

Zensor Antizensor

Es paßt ins staatstreue Bild, daß Thomas Mann von April 1912 bis Mai 1913 dem Zensurbeirat der Königlich Bayerischen Polizeidirektion angehörte. Er trat aus, als ein Beschluß des „Schutzverbandes deutscher Schriftsteller", dem er ebenfalls angehörte, ihn dazu nötigte. Denn dort hielt man die Mitgliedschaft im Zensurbeirat für unvereinbar mit der im Schutzverband, für unvereinbar überhaupt mit der Würde des Schriftstellers. „Das ist mir zu dumm", schreibt Mann an Kurt Martens am 26. Mai 1913, erklärt seinen Austritt aus dem Schutzverband und fährt fort, daß er natürlich auch sein Amt im Zensurbeirat niederlege, „weil ich mich nicht der liebenswürdigen Unterstellung aussetzen will, ich hätte mich gegen Geist, Freiheit und Kollegenschaft auf die Seite der Polizei gestellt. Als Unbeamteter und Unorganisierter ist mir schließlich am wohlsten." Ende 1918 wird er sich allerdings zum Eintritt in einen „Lichtspiel-Censur-Beirat" bereden lassen.

Dennoch sollte kein falscher Eindruck aufkommen. Thomas Mann war ein Liberaler in diesen Dingen. Seine Tätigkeit als Zensor geschah in der Absicht, „die Aufseher der öffentlichen Ordnung vor Eingriffen in Werke von Dichtungsrang zu warnen".[62] Bereits 1907 hatte er verlautbart, daß die Zensur ein kulturhemmender Faktor sei.[63] 1911 unterzeichnete er einen Aufruf gegen die Polizeiverbote der Werke Frank Wedekinds.[64] Sein Gutachten über Wedekinds *Lulu* empfahl die ungekürzte Freigabe des umstrittenen Werks.[65] Wedekind mißverstand die Zensortätigkeit, zankte mit Thomas Mann und ließ sich erst durch dessen Demission als Polizeiorgan versöhnen. Die *Lulu*-Aufführung wurde trotzdem verboten, Thomas Mann war in der Minderheit.

Es ging bei der polizeilichen Überwachung Wedekinds stets um das Sexuelle, pardon die Sittlichkeit. Aber der Asket Thomas Mann ist kein Mucker. Als Gutachter in einem Pornographieprozeß hat er damals die Kunst als eine tiefe und gefährliche Sache bezeichnet, „der mit den Werturteilen volkspädagogischer Sittsamkeit nicht beizukommen ist". Das Geschlechtliche sei eine der Wurzeln der Kunst. „Sie ist nicht müde geworden, es zu behandeln: auf erhabene und auf graziös oder grotesk obszöne Art; aber wenn es eine obszöne Kunst gibt, – eine unmoralische, unzüchtige Kunst gibt es nicht, denn Kunst ist wesentlich Zucht, sie ist stets eine positiv sittliche Emanation des Menschengeistes und der unzüchtigste Gegenstand wird von ihr, wenn ich mich so ausdrücken darf, sittlich absorbiert."[66]

Wie Jappe und Do Escobar sich prügelten

Mit dem *Tod in Venedig,* sagt man, kehre die Homoerotik auf die Tagesordnung zurück. Genau genommen geschieht das schon ein wenig früher. Im November und Dezember 1910 schreibt Mann als Auftragsarbeit die kleine Erzählung *Wie Jappe und Do Escobar sich prügelten.* Sie spielt am Strand im Travemünde der Kindheit und Jugend. Ein Ich tritt auf, das Thomas Mann ausreichend ähnlich ist. Ferner zwei Freunde, deren einer, Johnny Bishop, im wirklichen Leben als Mitschüler Johnny Eckhoff vorkam.

Johnny und Brattström lagen vollständig nackt auf dem Rücken, während es mir angenehmer war, mein Badetuch um die Hüften gewickelt zu haben. Brattström fragte mich, warum ich das täte, und da ich nichts Rechtes darauf zu antworten wußte, so sagte Johnny mit seinem gewinnenden, lieblichen Lächeln: ich wäre wohl schon etwas zu groß, um nackend zu liegen. Wirklich war ich größer und entwickelter als er und Brattström, auch wohl ein wenig älter als sie, ungefähr dreizehn. So nahm ich Johnny's Erklärung stillschweigend an, obgleich sie eine gewisse Kränkung für mich enthielt. Denn in Johnny's Gesellschaft geriet man leicht in ein etwas komisches Licht, wenn man weniger klein, fein und körperlich kindlich war als er, der das alles in so hohem Grade war. Er konnte dann mit seinen hübschen blauen, zugleich freundlich und spöttisch lächelnden Mädchenaugen an einem hinaufsehen, mit einem Ausdruck, als wollte er sagen: 'Was bist du schon für ein langer Flegel!' Das Ideal der Männlichkeit und der langen Hosen kam abhanden in seiner Nähe, und das zu einer Zeit, nicht lange nach dem Kriege, als Kraft, Mut und jederlei rauhe Tugend unter uns Jungen sehr hoch im Preise stand und alles mögliche für weichlich galt.[67]

Johnny bewahrt sich seine Kindlichkeit und Mädchenhaftigkeit. Das muß Tommy gefallen haben. „Er sah aus wie ein kleiner magerer Amor, wie er da lag, mit erhobenen Armen, seinen hübschen blond- und weichlockigen, länglichen, englischen Kopf in die schmalen Hände gebettet.“ Er kleidet sich elegant, „nämlich in echte englische Matrosenanzüge mit blauem Leinwandkragen, Schifferknoten, Schnüren, einer silbernen Pfeife in der Brusttasche und einem Anker auf dem bauschigen, am Handgelenk eng zulaufenden Ärmel“.

Thomas Mann hat zwar in einem späten Brief geschrieben: „Mit der Homosexualität sind Sie übrigens ein bißchen zu rasch bei der Hand. Bei dem kleinen Johnny Bishop habe ich mir nun wirklich nichts Böses gedacht.“[68] Wir dürfen aber immerhin feststellen, daß die Beschreibung des Johnny Bishop derjenigen Tadzios im *Tod in Venedig* sehr weitgehend gleicht. „Weichheit und Zärtlichkeit bestimmten ersichtlich seine Existenz. Man hatte sich gehütet, die Schere an sein schönes Haar zu legen [...] Das englische Matrosenkostüm, dessen bauschige Ärmel sich nach unten verengerten und die feinen Gelenke seiner noch kindlichen, aber schmalen Hände knapp umspannten, verlieh mit seinen Schnüren, Maschen und Stickereien der zarten Gestalt etwas Reiches und Verwöhntes.“[69]

Die Prügelei selbst findet zwischen zwei schon etwas älteren Jungen statt, „beide schon gewaltige Flegel“.[70] Der Verlauf ist nicht so wichtig, denn die eigentlichen Hauptpersonen sind zwei Zuschauer, die Ich-Figur, die wir der Einfachheit halber Tommy nennen wollen, und jener Johnny Bishop. Beide sind keine Kämpfer. Tommy fühlt sich zum Zuschauen verpflichtet, trotz seiner Scheu, sich, „unkriegerisch und wenig beherzt wie ich war“, auf den Schauplatz mannhafter Taten zu wagen. Johnny ist überlegener, bei aller Kindlichkeit männlicher. Auf dem Weg zum Kampfplatz singt er einen Gassenhauer, „mit einer unanständigen Variante, die von der frühreifen Jugend dafür erfunden worden. Denn so war er: In aller Kindlichkeit wußte er schon mancherlei und war nicht zu zimperlich, es im Munde zu führen.“ Als der Kampf dann in Harmlosigkeiten endet, wendet Johnny sich ab. „Er war hergekommen, weil ihm etwas Reelles mit blutigem Ausgang geboten werden sollte. Da die Sache in Spielerei verlief, so ging er.“

Der Tod in Venedig

Das einzige geglückte *und* große Werk der hier in Frage stehenden Vorkriegsjahre ist *Der Tod in Venedig*, die Geschichte eines repräsentativen Nationaldichters, dessen Haltung, Form und Lebenskunstbau an der Liebe zu dem schönen Knaben Tadzio zugrunde geht. Der Ur-Kram kommt wieder, die Heimsuchung, die schon Herrn Friedemann ins Wasser trieb. Es ist nicht unwahrscheinlich, daß die Gelungenheit des *Tod in Venedig* der Wiederzulassung des verdrängten Themas der Homoerotik zu verdanken ist. Ein Krampf hat sich gelöst. Die frühen Bilder sind wiedergekommen, die aus der Lübecker

Schülerzeit. „Ehemalige Gefühle, frühe, köstliche Drangsale des Herzens, die im strengen Dienst seines Lebens erstorben waren und nun so sonderbar gewandelt zurückkehrten, – er erkannte sie mit verwirrtem, verwundertem Lächeln.“[71] Aschenbach sinnt und träumt wie einst Thomas Mann am Lido, „langsam bildeten seine Lippen einen Namen“, den Armins oder Willris.

Es handelt sich nicht um einen pflichtbewußten Eheroman, sondern um einen pflichtvergessenen Fall von Knabenliebe bei einem überanstrengten Münchener Schriftsteller. Näher am Selbstgelebten geht es ja kaum. In der Tat war auch Thomas Mann in Venedig gewesen, im Jahre 1911, und hatte dort am Lido, wie sein Gustav von Aschenbach im Grand Hôtel des Bains logierend, einen polnischen Edelknaben am Strand beobachtet. Dieser Baron Wladyslaw Moes ist zwar nicht entfernt von gleicher Wichtigkeit wie die zur „Galerie“ Gehörigen (von Armin Martens bis Franz Westermeier), aber immerhin hat es ihn wirklich gegeben.[72]

Bis ins einzelne aus dem eigenen Leben genommen sind auch Werk und Schaffenspsychologie Gustav von Aschenbachs. Thomas Mann stellt ihn vor als den Verfasser seiner nichtgeschriebenen Werke, nämlich als Autor „der klaren und mächtigen Prosa-Epopöe vom Leben Friedrichs von Preußen“, als den Künstler, der den „figurenreichen, so vielerlei Menschenschicksal im Schatten einer Idee versammelnden Romanteppich, ‘Maja’ mit Namen, wob“, als den Schöpfer der Erzählung *Ein Elender,* die „einer ganzen dankbaren Jugend die Möglichkeit sittlicher Entschlossenheit jenseits der tiefsten Erkenntnis zeigte“, und als den Verfasser der Abhandlung über Geist und Kunst, „deren ordnende Kraft und antithetische Beredsamkeit ernste Beurteiler vermochte, sie unmittelbar neben Schillers Raisonnement über naive und sentimentalische Dichtung zu stellen“.[73] Ferner macht er ihn, versteckt, aber kenntlich, zum Schöpfer einiger seiner gedichteten Figuren. Es sind dies Thomas Buddenbrook („die elegante Selbstbeherrschung, die bis zum letzten Augenblick eine innere Unterhöhlung, den biologischen Verfall vor den Augen der Welt verbirgt“), Lorenzo de Medici („die gelbe, sinnlich benachteiligte Häßlichkeit, die es vermag, ihre schwelende Brunst zur reinen Flamme zu entfachen“), Savonarola („die bleiche Ohnmacht, welche aus den glühenden Tiefen des Geistes die Kraft holt, ein ganzes übermütiges Volk zu Füßen des Kreuzes, zu *ihren* Füßen niederzuwerfen“), Prinz Klaus Heinrich („die liebenswürdige Haltung im leeren und strengen Dienste der Form“) und (wahrscheinlich) Felix Krull („das falsche, gefährliche Leben, die rasch entnervende Sehnsucht und Kunst des geborenen Betrügers").[74] Noch direkter aus den eigenen Sorgen gegriffen sind die Aussagen zur Schaffenspsychologie. Daß Aschenbachs Werke nicht in einem Wurf entstanden, sondern „in kleinen Tagewerken aus aberhundert Einzelinspirationen zur Größe emporgeschichtet"[75] seien, das ist nicht nur eine Reminiszenz an Nietzsche, der Wagner ironisch einen Miniaturisten nennt,[76] sondern eine Wahrheit vom Schreibtisch Thomas Manns. Auch das Stichwort Größe kommt wieder vor. Gustav von Aschenbach ist nicht groß, aber wie Nietzsches Wagner weiß er, wie man die Wirkung der Größe erzeugt. Er sei „der Dichter all derer, die am Rande der Erschöpfung arbeiten, der Überbürdeten, schon Aufgeriebenen, sich noch Aufrechthaltenden, all dieser Moralisten der Leistung, die schmächtig von Wuchs und spröde von Mitteln, durch Willensverzückung und kluge Verwaltung sich wenigstens eine Zeitlang die Wirkungen der Größe abgewinnen".[77] Das dürfte ein präzises Innenporträt Thomas Manns in jenen Jahren sein.

Neben den Werken, die er ihm gab, und der Schaffenspsychologie hat Mann in Gustav von Aschenbach aber vor allem seine tiefsten Lüste, seine tiefsten Ängste gestaltet. Würde der fremde Gott seinen Kunstbau hinwegfegen? Die Rettungsaussichten scheinen gering. Die Wahrheit, „bitter wie sie sei", verlangt schließlich das Eingeständnis, „daß alles Geistig-Gedankliche nur schlecht, nur mühsam und kaum je auf die Dauer ankommt gegen das Ewig-Natürliche".[78] Wer die Schönheit angeschaut mit Augen, ist dem Tode schon anheimgegeben. „Mit Erstaunen bemerkte Aschenbach, daß der Knabe vollkommen schön war."[79] Die Einzelheiten folgen. „Allein es war wohl an dem, daß der Alternde die Ernüchterung nicht wollte, daß der Rausch ihm zu teuer war." „Und zurückgelehnt, mit hängenden Armen, überwältigt und mehrfach von Schauern überlaufen, flüsterte er die stehende Formel der Sehnsucht, – unmöglich hier, absurd, verworfen, lächerlich und heilig doch, ehrwürdig auch hier noch: 'Ich liebe dich!'" „Haupt und Herz waren ihm trunken, und seine Schritte folgten den Weisungen des Dämons, dem es Lust ist, des Menschen Vernunft und Würde unter seine Füße zu treten." „Was galt ihm noch Kunst und Tugend gegenüber den Vorteilen des Chaos?" „Und seine Seele kostete Unzucht und Raserei des Unterganges."

Thomas Mann ist nicht so weit gegangen wie sein Aschenbach, hat wohl nicht trunken die Stirn an Moes' Türangel gelehnt, sondern sich vermutlich damit begnügt, die Linien des jugendlichen Körpers am Strande genau zu beobachten. „Mit Tadzio", behauptet er, „hätte ich im Ernste garnichts anzufangen gewußt."[80] Aber er kennt seine Gefährdung und weiß, daß er eine Rolle spielt, die jederzeit unter dem Ansturm der Leidenschaft zerbrechen kann. Aschenbach sagt es: „Die Meisterhaltung unseres Stiles ist Lüge und Narrentum, unser Ruhm und Ehrenstand eine Posse, das Vertrauen der Menge zu uns höchst lächerlich, Volks- und Jugenderziehung durch die Kunst ein gewagtes, zu verbietendes Unternehmen." Eine bittere Erkenntnis, wahrheitsliebend, wenn auch nicht ganz wahr. Denn die Tapferkeit, mit der die Meisterhaltung gespielt wurde, hat auch ihre Wahrheit, der Leidenschaft besinnungslos sich hinzugeben ist nicht wahrer als sich ihr zu verweigern.

Ein Tod in Polling

Polling bei Weilheim war ein Malerort.[81] Ländliche Stille, aber auch ein Hauch von Bohème zogen Thomas Manns Mutter Julia Mann nach einigen Jahren in Augsburg erst kurzzeitig und seit etwa 1906 ganz nach Polling. Der Ort ist bis heute geprägt von einer riesigen ehemaligen Klosteranlage. „Liberalitas Bavarica" steht über dem wuchtigen Portal der Klosterkirche aus Tuffstein.

Ihre Kinder haben sie dort oft besucht. Im Juli 1903 waren Thomas und Heinrich eine Weile zusammen in Polling; die letzten Seiten der *Jagd nach Liebe* entstanden dort. Für Viktor war Polling der von Erinnerungen verklärte Ort zahlreicher Ferien und eines einjährigen Landwirtschaftspraktikums. Als Läutbub ließ er sich am Glockenseil der Klosterkirche emporfliegen.[82] Auch die Töchter kamen gelegentlich. Als Carla sich 1910 vor ihren Augen umgebracht hatte, ging die Mutter zeitweise nach München zurück, zog aber 1913 wieder nach Polling. 1923, als die Inflation gerade ihr Vermögen einschmolz, starb sie nicht weit entfernt in Weßling. Ihre Söhne, alle drei, waren am Sterbebett zugegen.[83] Thomas Mann ist sehr bewegt. „Ich glaube nicht, daß ich in meinem Leben schon einmal so traurig gewesen bin."[84] Julia Mann fand ihre letzte Ruhestätte im Grabe ihrer Tochter Carla auf dem Münchener Waldfriedhof. Alle drei Brüder hätten geweint, erzählt Erika, jeder in einem anderen Moment.[85]

Carlas Freitod dreizehn Jahre früher hatte eine tiefe Erschütterung für die Mutter und die Geschwister bedeutet. Wir kennen die Vorgän-

Carla Mann, um 1903

ge aus Briefen der Mutter an Heinrich Mann, aus Heinrich Manns Bericht *Carla*, aus Viktor Manns Schilderung in *Wir waren fünf*, aus Thomas Manns Bericht im *Lebensabriß* und, am ausführlichsten, aus der Übertragung der Ereignisse in den Roman *Doktor Faustus*, wo Polling als Pfeiffering wiederkehrt, die Mutter als Senatorin Rodde und Carla als Clarissa. Da man die Geschichte kaum besser erzählen kann als dort, folgen wir stellenweise dem 35. Kapitel dieses Romans,[86] ohne die Übernahmen im einzelnen kenntlich zu machen. Was aus den anderen Quellen zu wissen nötig ist, fügen wir hinzu.[87]

Carla war Schauspielerin, ehrgeizig, aber ohne durchschlagenden Erfolg. Ihre Laufbahn stockte in der Provinz. Als Frau liebte sie, mit Gesichtskosmetik, Zigaretten und wagenradgroßen Hüten, eine mondäne und verführerische Aufmachung, während sie doch zugleich jede männliche Annäherung spöttisch, kühl und keusch von sich wies. Ein einziges Mal nur erlag sie, und das ausgerechnet der Routine eines Schürzenjägers und Provinz-Lebemanns mit feiner Wäsche und viel schwarzen Haaren auf den Händen, verweigerte sich aber seitdem seiner Begierde, voll Angst, er möchte unter die Leute bringen, daß sie seine Geliebte gewesen.

Unterdessen hatten sich der beruflich Enttäuschten erlösende Aussichten eröffnet. Der sie ihr bot, war Arthur Gibo, ein junger elsässischer Industrieller, der sich in die spöttische Blondine verliebt hatte. Er versprach, sie aus einem verfehlten Beruf zu lösen und ihr dafür, als seiner Gattin, eine gesicherte Existenz zu bieten. Die Widerstände seiner Familie gegen die Schauspielerin, eine „boche" noch obendrein, hoffte er zu überwinden.

Carla freute sich. Da erhob sich das Gespenst ihrer Vergangenheit und trieb sie in den Tod. Jener Lump mit den behaarten Händen erpreßte sie mit seinem ehemaligen Triumph. Arthurs Angehörige, Arthur selbst würden von seinem Verhältnis zu ihr erfahren, wenn sie ihm nicht neuerdings zu Willen wäre. Verzweifelte Szenen müssen sich zwischen ihm und seinem Opfer abgespielt haben. Er machte kein Hehl daraus, daß er sie nie freigeben würde. Sie würde im Ehebruch zu leben haben, – das würde die gerechte Strafe sein für das, was der Mensch ihr feiges Unterkriechen im Bürgerlichen nannte.

Ein anonymer Brief, von Carlas Liebhaber in der dritten Person handelnd, tat sein Werk bei Familie Gibo. Arthur kam nach Polling, um seine Verlobte zur Rede zu stellen. Sein Herz war eng. Nach einem Streit mit ihm eilt die Unglückliche mit einem flüchtig-wirren und blinden Lächeln an der Mutter vorbei in ihr Zimmer und schließt sich ein. Das letzte, was von ihr laut wird, ist das Wassergurgeln, womit sie die Verätzungen zu kühlen sucht, die das Gift ihr im Schlund verursacht hat. Sie hatte danach noch Zeit gehabt, sich auf die Chaiselongue zu werfen. Dunkelblaue Stockungsflecken an ihren schönen Händen und in ihrem Gesicht deuteten auf einen rapiden Erstickungstod, die jähe Lähmung des Atemzentrums durch eine Dosis Zyansäure, mit der man wohl eine Kompanie Soldaten hätte töten können. Auf dem Tisch lag ein an ihren Verlobten gerichteter, hastig geschriebener Bleistiftzettel des Wortlautes: „Je t'aime. Une fois je t'ai trompé, mais je t'aime." Einmal habe ich dich betrogen, aber ich liebe dich. Es war der 30. Juli 1910.

Thomas, der sich in Bad Tölz aufhielt, erfuhr davon telefonisch noch am gleichen Abend und fuhr in nächster Frühe nach Polling. Arthur Gibo gab sich untröstlich. Ich liebte sie hinlänglich, um ihr zu verzeihen, meinte er. Alles hätte gut werden können, sagte er. Schon –, meint der Mann-Clan, wenn er nicht solch mattes Familiensöhnchen gewesen wäre und Carla eine verlässigere Stütze an ihm gehabt hätte. „O wäre er doch ein *Mann* gewesen und hätte sie wenigstens *beruhigt,* da er selber alles Unglück heraufbeschworen hat u. allein alles wußte!"[88] Er habe ihr Gedächtnis nicht geehrt. Sie hätte ihn gar nicht geliebt, soll er später behauptet haben.[89] Noch ärger soll Arthurs Mutter gewesen sein. „Diese Hyäne Gibo ist eine große knochige finsteräugige Frau, die früher Fabrikarbeiterin u. Milchmädchen war!!!, u. hat eine junge Millionärin als Schwiegertochter haben wollen; auf *Familie* sieht sie nicht." So schreibt Julia Mann an Heinrich, Frau Gibo seinem satirischen Arsenal feilbietend.

Familiensinn, Momentaufnahme

„Ich weine viel, mein Heinrich, wenn ich alleine bin: ich beklage ja nicht, daß Carla es *mir angetan,* sondern daß *sie* so, ohne zu sprechen, alles Schwere *allein* getragen hat u. so, ohne *gehalten* zu werden, einen solchen Tod wählte."[90] Die Mutter leidet am meisten. Sie ist tief erschüttert, sie hätte so gern geholfen.

Heinrich hat Carla besonders geliebt. Ihren Tod erfährt er als Mysterium.[91] Er war gerade in Südtirol. Er glaubt, in der Todesstunde Carlas Stimme gehört zu haben. „Gegen Mittag erging ich mich in einem kahlen Garten [...] da wurde ich gerufen: ich meinte, aus dem Haus. Ich war so wenig vorbereitet, daß mir im ersten Augenblick nicht einfiel: hier ruft niemand mich bei meinem Vornamen. Später am Tage kam das Telegramm mit der Nachricht." Bei Erklärungen will Heinrich sich nicht aufhalten, aber die Frage stellt er doch, welche Wege eine solche Botschaft genommen haben muß, in einem Augenblick, in dem „der Sendende mit dem stärksten Akt seines Lebens, dem beschlossenen Tod, beschäftigt ist". Es folgt die Gottesfrage. „Weiß nicht", sinniert er, „ich weiß es nicht. Ich habe mich enthalten – gleich weit von den Geheimnissen und ihrer Profanierung. Soviel ich mich erinnere, habe ich in meinen Schriften den Namen Gottes nie erwähnt. Aus Scheu? Um das Unbekannte nicht zu verantworten? Vielleicht aus Entgegenkommen für eine Konvention des Zeitalters. Oder, im Gegenteil, als unwillkürlichen Protest gegen diese seine Trägheit.“

Viktor Mann ist in seiner Schilderung deutlich abhängig vom 35. Kapitel des *Faustus,* wie denn überhaupt dieser Roman ihm erst das Notdürftigste an Orientierung gegeben hat, um ihn zu seiner biographischen Schilderung *Wir waren fünf* zu befähigen. Er war menschlich viel zu robust, um zum Literaten zu taugen. Er war Bauer, Corpsstudent, Offizier und Pferdeliebhaber, blond, blauäugig und gewöhnlich, innerlich weit entfernt von den Subtilitäten der übrigen Mann-Kinder; nur so wurde es möglich, als Bruder und Onkel von mehreren Ausgebürgerten das Dritte Reich in Deutschland unbeschadet zu überstehen. Auf Carlas Tod reagiert er wohl betroffen, aber doch auch peinlich unpassend. „Du hast noch vier, wir sind noch bei dir“, stammelt er, um die Mutter zu trösten.[92]

Was Lula (Carlas Schwester Julia Löhr) bewegte? Sie kam erst zum Begräbnis. Sie nahm, wenn wir der Darstellung im *Faustus* folgen, in zarter Würde die Beileidsbezeugungen entgegen. Im Gespräch mit ihr hat Tommy eher den Eindruck, daß sie Carla beneidet als daß sie sie betrauert. Auch sie wird später, im Sommer 1927, den Tod von eigener Hand finden. Sie wählt den Strick. Von ihrem Tod ist Tommy tief erschüttert. Er hat ihn als einen Blitz empfunden, der dicht neben ihm niedergegangen war.[93] Denn was Carla für Heinrich war, war Lula für Thomas: sein „weiblich Neben-Ich“,[94] ihm seelenverwandt in ihrer Lebensscheu. Ihre Neigung zum Morphium, so hatte sie ihm gestanden, rührte her vom Gattenekel, „was der Bankier nur zu oft von ihr wollte, konnte sie ohne das erlösende Gift nicht prästieren“. Nun war sie jammervoll gescheitert, und damit ein Stück von Tommys eigener Seele. Es war das Stück, das den Kunstbau hegte und sich nach Ordnung und Familie sehnte. „Meine Schwester war die inkarnierte Konvention“, hat Heinrich 1927 über Lula gesagt. „Daran lag ihr mehr als an allem anderen: nicht aufzufallen; zu erscheinen, wie man muß. Daran ging sie zugrunde.“[95]

Heinrich ging Lula aus dem Weg. Tommy aber wollte die Familie unbedingt zusammenhalten. Er beschwört Heinrich: „Du machst Dich nach meiner Auffassung eines Mangels an Selbstachtung schuldig, wenn Du *Einen von uns* für einen gemeinen Philister hältst.“[96]

Die Gefahr bestehe, „daß der Bruch zwischen Dir und Lula etwas so Definitives wie Carla's Tod, ja etwas dem Tode Carla's ganz Aehnliches wird." So ist es gekommen. Im Ersten Weltkrieg kommt Tommys Zerwürfnis mit Heinrich dazu und fügt sich in die Reihe der Untaten am Familiensinn. „Schmerz? Es geht. Man wird hart und stumpf. Seit Carla sich tötete und Du fürs Leben mit Lula brachst, ist Trennung für alle Zeitlichkeit ja nichts Neues mehr in unserer Gemeinschaft." (An Heinrich am 3. Januar 1918)

Während ihn Lulas Tod im Innersten trifft, reagiert Thomas auf Carlas Tod mit einer Art von Protest. Sie hätte das nicht tun dürfen.

Mein geschwisterliches Solidaritätsgefühl läßt es mir so erscheinen, daß durch Carla's That unsere Existenz mit in Frage gestellt, unsere Verankerung gelockert ist. Anfangs sagte ich immer vor mich hin: „Einer von uns!" Was ich damit meinte, verstehe ich erst jetzt. Carla hat an niemanden gedacht, und Du sagst: „Das fehlte auch noch!" Und doch kann ich nicht anders, als es so empfinden, daß sie sich nicht hätte von uns trennen dürfen. Sie hatte bei ihrer That kein Solidaritätsgefühl, nicht das Gefühl unseres gemeinsamen Schicksals. Sie handelte sozusagen gegen eine stillschweigende Abrede.

Das schreibt Thomas an Heinrich am 4. August 1910. Noch zwanzig Jahre später erscheint ihm Carlas Freitod „wie ein Verrat an unserer geschwisterlichen Gemeinschaft", wie das Aufkündigen einer Solidarität, die er „den Wirklichkeiten des Lebens im letzten als ironisch übergeordnet empfand, und deren die Schwester für mein Gefühl bei ihrer Tat vergessen hatte".[97]

Kann Ironie Leben retten? Nur wer aus einer starken Familie kommt, kennt das Gefühl, im tiefsten Lebensschmutz immer ein Besonderer zu bleiben. Aber wer stolz ist, will nicht nur nehmen, sondern auch geben. Um vor sich selbst bestehen zu können, mußte man dem Anspruch dieser Familie gewachsen sein, und das hieß, etwas Besonderes fertigzubringen. Aber weder Carla noch Julia war es gelungen, sich aus dem Sumpf der Mittelmäßigkeit herauszuziehen. Sie sind nicht gestorben, weil es ihnen an Familiensolidarität gefehlt hätte, sondern weil sie den Anspruch nicht erfüllen konnten.

Tommys Protest ist deshalb sicherlich nicht angemessen. Ihm liegt ein persönliches Motiv zugrunde: die Angst vor der Bedrohtheit, vor der lebenszerstörenden Heimsuchung. Beschwörend ruft er sich und den Seinen zu: Haltet sie aufrecht, die zusammenbrechende Welt! Ihr seht doch, was sonst geschieht! Der Katastrophen sind ja auch nicht wenige in dieser Familie. Es ist schwer, die Haltung zu bewahren. Den Freitod seines Sohnes Klaus wird er später mit ganz ähnlichen Worten von sich weghalten wie den seiner Schwester Carla.

Wenn niemand zusah, hat er aber auch ganz anders reagiert. Mama schickt Andenken an Carla, auch ein wenig Haar von ihr als Kind. Er ist ergriffen. „Ich betrachtete es nachmittags im Garten und gedachte dabei meines Abschieds von der Toten in Polling, als ich sie, allein mit ihr im Zimmer, bevor der Sarg geschlossen wurde, auf die Stirn küßte."[98]

Selbstabschaffungspläne

Heinrich und Thomas erfüllten den Familienanspruch auf ihre Weise. „Es ist ein altes Lübecker Senatorssohnvorurtheil von mir", schreibt Thomas an Heinrich am 8. Januar 1904, „daß im Vergleich mit uns eigentlich alles Übrige minderwerthig ist". Das ist halb im Spaß gesagt, aber hilft doch gegen die Welt. Man bringt sich dann nicht so leicht um. Dem Zwanzigjährigen noch stand der Selbstmord gefühlsmäßig sehr nahe.[99] Er kannte „Depressionen wirklich arger Art mit vollkommen ernst gemeinten Selbstabschaffungsplänen". Auch Todessehnsucht war ihm nicht fremd: „Ich wünsche mir im Grunde nichts Besseres, als einen soliden Typhus mit befriedigendem Ausgang."[100] Heinrich behauptet allerdings, seit dem Erfolg von *Buddenbrooks* habe er den Bruder nie wieder am Leben leiden gesehen.[101] Das war zwar ein klein bißchen vergiftet und, denkt man an die Altersdepressionen, falsch außerdem. Aber Selbstmord? Das kam nicht mehr in Frage. Thomas Mann billigt Selbstmorde nicht. Sie sind ein pflichtvergessenes Verletzen der Schonung, derer wir doch alle bedürfen. Sie reißen jenen Abgrund auf, den mit disziplinierter Lebenskunst zu überbrücken unser aller Aufgabe ist. Wenn anderen die Nerven reißen, seien es Carla oder Julia, seien es Klaus Mann oder Ernst Toller, seien es literarisch Raoul Überbein in *Königliche Hoheit* oder Leo Naphta im *Zauberberg*, gilt es um so mehr, sich zusammenzunehmen, sich nicht anstecken zu lassen. „Er hätte es ihnen nicht antun dürfen", schreibt Thomas Mann am 22. Mai 1949 ins Tagebuch: „Er" ist der älteste Sohn Klaus, „ihnen" bezieht sich auf Katia und Erika, die weinen. Thomas selbst versteift statt dessen den Rücken. Es ist seine Art, mit den Einbrüchen des Lebensgrauens fertig zu werden.

Klaus seinerzeit pries immer schon den Tod. Er müsse etwas ganz Herrliches sein, der schönste Moment, das große Aus-sich-selber-Heraustreten.[102] Das geht bis ins Frivole. In Berlin werde ich vielleicht ermordet, schreibt Klaus an Erich Ebermayer, „was mich andererseits auch wieder reizen könnte".[103]

VII. Juden

München, um 1910

„[...] dagegen war seine Gattin einfach eine häßliche kleine Jüdin in einem geschmacklosen grauen Kleid."[1] Solche Leute gibt es bei Thomas Mann. Das Jüdische ist unverkennbar eine wesentliche Kategorie. Baronesse Ada, die Tochter der eben erwähnten häßlichen kleinen Jüdin, wird wie folgt eingeführt:

Das Gesicht ließ zwar mit seinen vollen und feuchten Lippen, der fleischigen Nase und den mandelförmigen, schwarzen Augen, über denen sich dunkle und weiche Brauen wölbten, nicht den geringsten Zweifel aufkommen über ihre wenigstens zum Teil semitische Abstammung, war aber von ganz ungewöhnlicher Schönheit.

Die Stellen stammen aus der Erzählung *Der Wille zum Glück* (geschrieben im Dezember 1895). Derlei beschränkt sich aber nicht auf die Frühzeit; Juden kommen in fast jedem größeren Werk Thomas Manns vor. Als wollte er ein Klischee bedienen, gibt es jüdische Ärzte, jüdische Bankiers, jüdische Kunsthändler und jüdische Musikagenten. Fast immer tragen sie auch charakteristische körperliche und geistige Merkmale. Die jüdischen Zwillinge Siegmund und Sieglinde in *Wälsungenblut*, die vor Sieglindes christlicher Hochzeit noch schnell einen Inzest begehen, aus Rache, weil man Sieglinde die Assimilation an den Christentölpel Beckerath zumutet, setzen einer antisemitischen Deutung nur wenig Widerstand entgegen. Zumal Siegmunds Antwort im Schlußabsatz auf Sieglindes Frage, was nun werden solle, der Hinweis beigegeben wird, daß für einen Augenblick „die Merkzeichen seiner Art sehr scharf auf seinem Gesichte" hervorgetreten seien. Die Antwort sollte ursprünglich lauten: „Beganeft haben wir ihn, – den Goy." So stand es noch in den Druckfahnen. Die Erzählung sollte Anfang 1906 in der *Neuen Rundschau* erscheinen. Der Rundschau-Redakteur Oscar Bie beanstandete den Schluß, so daß der Autor ihn abmilderte in „Er wird ein minder triviales Dasein führen, von nun an." Thomas Mann las die Geschichte dann im Hause seiner Schwiegereltern vor, wo man sie ausgezeichnet fand. Dennoch kursierte bald darauf in München das Gerücht, er habe eine heftig antisemitische Novelle geschrieben, in der er die Familie seiner Frau fürchterlich kompromittiere.[2] Man hielt die Angelegenheit für einen Racheakt und sah Thomas Mann gewissermaßen in der Rolle eines Beckerath, der sich rächte für die

Erniedrigungen, denen er durch das vornehme jüdische Haus ausgesetzt gewesen sei. Das war zwar Unsinn, aber Thomas Mann ließ den Druck sofort stoppen. „Was hätte ich thun sollen? Ich sah meine Novelle im Geiste an und fand, daß sie in ihrer Unschuld und Unabhängigkeit nicht gerade geeignet sei, das Gerücht niederzuschlagen."

Über „Unabhängigkeit" hatte Thomas vorher mit Heinrich diskutiert. Heinrich hatte den ursprünglichen Schluß richtig gefunden. Thomas verteidigte den Kompromiß, der nur für den Rundschau-Druck, nicht für die Buchausgabe gelten sollte.[3]

Bie hat insofern recht, als die jüdischen Ausdrücke ein bischen aus dem Style fallen, was für einen Schlußtrumpf sich gewiß nicht ohne weiteres verbietet, aber ebenso gut auch vermieden werden kann. Du sagst: Das Charakteristische der Wohlanständigkeit opfern ist Kitsch. Aber man kann auch sagen: Die Kunst ist gerade äußerst charakteristisch zu sein, ohne irgend eine stilistische Empfindlichkeit zu verletzen. Und „beganeft" durchbricht den Styl, das muß man zugeben. Vorher ist all dergleichen vermieden, umschrieben, verhüllt. Das Wort „Jude, jüdisch" kommt nicht vor. Der jüdische Tonfall ist nur ganz discret ein paar mal angedeutet. Von Herrn Aarenhold ist gesagt, er sei „im Osten an entlegener Stätte geboren". Zu dieser Art ironischer Discretion paßt „beganeft" nicht, obgleich es psychologisch durchaus begründet ist. Und der Styl ist mir, unmoralischer Weise, beinahe noch wichtiger, als die Psychologie ... Ich sage das Alles nur, um zu rechtfertigen, daß ich Bie für die Rundschau nachgebe. Im Buche soll der von Dir so gut befürworteten Fassung wieder ihr Recht werden.

Hier wird ästhetisch argumentiert, nicht rassistisch. Es geht um das Charakteristische und um die stilistische Stimmigkeit. Wenn Thomas Mann die Erzählung zurückzieht, dann nicht etwa, weil er sie selbst für antisemitisch gehalten hätte, sondern um gar keine Debatte darüber aufkommen zu lassen. Aus Rücksichtnahme auf seine Familie opfert er nicht etwa irgendeinen Antisemitismus, sondern eine ästhetische Pointe. „Ich muß anerkennen, daß ich menschlich-gesellschaftlich nicht mehr frei bin", schreibt er an Heinrich. Anfangs habe er einigermaßen ins Gebiß geschäumt, aber jetzt sei er gleichmütig. Was gut an der Geschichte sei, nämlich die Milieu-Schilderung, die er wirklich für sehr neu halte, ließe sich wohl auch ein andermal verwenden. Aber dann folgen noch jene inzwischen berühmten Sätze voll schlechten Gewissens, weil er die Freiheit der Kunst gesellschaftlichen Rücksichten geopfert hat:

Ein Gefühl von Unfreiheit, das in hypochondrischen Stunden sehr drückend wird, werde ich freilich seither nicht los, und Du nennst mich gewiß einen feigen Bürger. Aber Du hast leicht reden. Du bist absolut. Ich dagegen habe geruht, mir eine Verfassung zu geben.[4]

Die Rücksichten bleiben lebenslang wirksam. *Wälsungenblut* erschien zu Lebzeiten Thomas Manns nur in einer limitierten Luxusausgabe (1921) und in einer französischen Übersetzung. Die ersten dreißig Exemplare der Luxusausgabe enthielten als Beigabe ein Doppelblatt mit dem ursprünglichen Schluß.

Eine weitere jüdische Figur aus der Frühzeit der Ehe ist der Arzt Doktor Sammet in *Königliche Hoheit*. „Seine Nase, zu flach auf den Schnurrbart abfallend, deutete auf seine Herkunft hin."[5] Bei der Geburt von Prinz Klaus Heinrich hat sich gezeigt, daß er tüchtig ist. Es kommt zu einem Gespräch mit dem Großherzog:

„Sie sind Jude?" fragte der Großherzog, indem er den Kopf zurückwarf und die Augen zusammenkniff …

„Ja, Königliche Hoheit."

„Ah. – Wollen Sie mir noch die Frage beantworten … Haben Sie Ihre Herkunft je als ein Hindernis auf Ihrem Wege, als Nachteil im beruflichen Wettstreit empfunden? Ich frage als Landesherr, dem die bedingungslose und private, nicht nur amtliche, Geltung des paritätischen Prinzips besonders am Herzen liegt."

„Jedermann im Großherzogtum", antwortete Dr. Sammet, „hat das Recht, zu arbeiten." Aber dann sagte er noch mehr, setzte beschwerlich an, ließ ein paar zögernde Vorlaute vernehmen, indem er auf eine linkisch leidenschaftliche Art seinen Ellenbogen wie einen kurzen Flügel bewegte, und fügte mit gedämpfter, aber innerlich eifriger und bedrängter Stimme hinzu: „Kein gleichstellendes Prinzip, wenn ich mir diese Bemerkung erlauben darf, wird je verhindern können, daß sich inmitten des gemeinsamen Lebens Ausnahmen und Sonderformen erhalten, die in einem erhabenen oder anrüchigen Sinne vor der bürgerlichen Norm ausgezeichnet sind. Der Ausgezeichnete wird guttun, nicht nach der Art seiner Sonderstellung zu fragen, sondern in der Auszeichnung das Wesentliche zu sehen und jedenfalls eine außerordentliche Verpflichtung daraus abzuleiten. Man ist gegen die regelrechte und darum bequeme Mehrzahl nicht im Nachteil,

sondern im Vorteil, wenn man eine Veranlassung mehr, als sie, zu ungewöhnlichen Leistungen hat. Ja. Ja", wiederholte Dr. Sammet. Es war die Antwort, die er mit zweimaligem Ja bekräftigte.

Es ist auch die Antwort Thomas Manns, jedenfalls für die Zeit vor 1914. Sie erkennt im Juden den Außenseiter, sieht darin aber einen Vorzug. Sie ist nicht etwa gegen die rechtliche Gleichstellung, aber ihr Interesse gilt nicht dieser. Es gilt der Bevorzugung durch Leiden. Das Argument ist mißbrauchbar, sofern einer daraus schließen könnte, wenn Leiden so fruchtbar mache, warum solle man dann etwas dagegen tun? Doch darum geht es nicht. Es geht um das faktische Leiden, das nicht beseitigt ist. Es geht um die Diskriminierung als Tatsache, die deshalb nicht verteidigt wird, aber, in ihrer unbestreitbaren Vorhandenheit, auch adelt, zumindest in entsprechend begabten Fällen.

Die Argumentation ist außerordentlich typisch für den Vorkriegs-Thomas Mann. Er wiederholt sie 1907 in dem kleinen Essay *Die Lösung der Judenfrage*, wo er, bevor er sich „ernsthaft" zur Sache äußert, „en artiste" spricht. „Ein Künstler", so führt er aus, „wird seiner eigenen Natur nach nicht sehr aufrichtig den allgemeinen humanen Ausgleich von Konflikten und Distanzen wünschen können", denn er lebt vom Charakteristischen, von der Besonderheit und der aristokratischen Ausnahme. Er wird deshalb geneigt sein, „in allen denen seine Brüder zu sehen, von welchen das Volk betonen zu müssen glaubt, daß es 'schließlich – auch' Menschen sind. Um dieser Verwandtschaft willen wird er sie lieben und ihnen allen den Stolz, die Liebe zu ihrem Schicksal wünschen, deren er selbst sich bewußt ist."[6]

Antisemitismus?

„Mann ist unverkennbar ein großer Freund der Juden", vermerkt mißbilligend 1934 der nationalsozialistische Antrag auf Aberkennung der deutschen Staatsangehörigkeit.[7] Er gelte als Judengenosse, der die Rassenmischung verherrlicht habe, bestätigt Thomas Mann schon 1913.[8] In unseren Tagen aber wird Thomas Mann immer häufiger eines zumindest unterschwelligen Antisemitismus bezichtigt. Die Argumentation bleibt meistens sehr fragmentarisch, zählt jüdische Gestalten aus dem dichterischen Werk auf, von Naphta bis Saul Fitelberg, vermißt eine Darstellung des Holocaust im Faustroman und zitiert vereinzelte krasse Tagebuchäußerungen sowie mißverständliche Wendungen aus den Essays. Durchgehend beziehen die „Stellen" ihre Anstößigkeit aus einem Sprachgefühl, das erst nach Auschwitz entstanden ist. Wenn Thomas Mann im Sommer 1907 jenen Essay *Die Lösung der Judenfrage* schreibt, dann assoziiert der heutige Leser unvermeidlich Endlösung und Wannsee-Konferenz. Damals aber wurde einfach ein Problem diskutiert, das es gab: wie die Konflikte mit der jüdischen Minderheit am vernünftigsten zu lösen seien. Thomas Manns Antwort ist: Fortsetzung der Assimilation, Europäisierung der Juden, Kulturförderung, Begünstigung von Taufen und Mischehen. Um diese Vorschläge als Antisemitismus zu etikettieren bedarf es einer großen Portion von jener pharisäischen Selbstgerechtigkeit der Nachgeborenen, die niemals vor solchen Entscheidungen standen.

Thomas Mann aber hat sich entschieden, und zwar projüdisch. Er hat in eine jüdische Familie hineingeheiratet, hat sein Leben lang in einem jüdischen Verlag publiziert und dem Rat jüdischer Lektoren vertraut. Er hatte zahlreiche jüdische Freunde und Briefpartner, von Samuel Lublinski und Max Brod, Maximilian Harden und Julius Bab, Hermann Broch, Franz Werfel und Arthur Schnitzler bis zu Bruno Walter, Theodor W. Adorno und Sigmund Freud. Da er selbst ein Außenseiter war, empfand er die Juden schon früh als Brüder. Juden sind wie Künstler den seßhaften Bürgern überlegen, sind hellsichtiger, leidensfähiger und ausdrucksstärker.

Der Titel *Die Lösung der Judenfrage* ist überdies gar nicht von Thomas Mann. Es handelt sich um den Kollektivtitel einer von Julius Moses veranstalteten Rundfrage an einhundert Persönlichkeiten, darunter zahlreiche Juden. Niemand hat diesen Titel damals anstößig gefunden. Es wurden drei Antwortvorschläge gemacht: 1. die Assimilation der Juden durch Taufe und Mischehe, 2. ihre Fortentwicklung nicht als Rasse, sondern ausschließlich als Konfession und 3. die weitgehende Selbstverwaltung der Juden in den Ländern, in denen sie leben, oder in einem einzurichtenden Judenstaat in Palästina. Keiner dieser Vorschläge ist antisemitisch. Thomas Mann hält es theoretisch wie praktisch mit dem ersten, der Assimilation. Er sei, sagt er, „ein überzeugter und zweifelloser 'Philosemit'" und glaube, daß ein Exodus der Juden das größte Unglück bedeuten würde, das unserem Europa zustoßen könnte. Er fährt fort:[9]

Diesen unentbehrlichen europäischen Kultur-Stimulus, der Judentum heißt, heute noch, und zumal in Deutschland, das ihn so bitter nötig hat, in irgendeinem feindseligen und aufsässigen Sinne zu diskutieren, scheint mir so roh und abgeschmackt, daß ich mich ungeeignet fühle, zu solcher Diskussion auch nur ein Wort beizusteuern.

Also ein Philosemit. Ein subtiles Argument dagegen lautet, er habe seinen Antisemitismus öffentlich verdrängt wie die Homosexualität, um heimlich desto mehr Lüste daraus zu ziehen. Das könnte richtig sein, wenn Thomas Mann in unseren Tagen lebte, in einer Zeit und Gesellschaft, in der Antisemitismus nicht öffentlichkeitsfähig ist. Damals aber wäre eine Unterdrückung antisemitischer Impulse durchaus nicht nötig gewesen. Im Gegenteil hätten sie den Dichter, der im Ruch des Intellektualismus und Internationalismus stand, dem deutschen Durchschnitt näher gebracht. Während man die unterdrückte Homoerotik unter der Oberfläche des Werkes allenthalben auffinden kann, im autobiographischen Subtext, in ausgeschiedenen Partien, im Tagebuch, auf dem Umweg über die Quellen, bleibt eine solche Suche im Falle des Antisemitismus ergebnislos. Was es an „Stellen" gibt, hat stets einen besonderen Kontext und darf nicht einfach zum Generellen hochgerechnet werden.

Das Judenmädchen

Eine unwillig sehnsüchtige Notiz aus dem Sommer 1904 lautet: „Dies fremdartige, gütige und doch egoistische, willenlos höfliche kleine Judenmädchen! Ich kann mir kaum noch vorstellen, daß sie je das Ja über die Lippen bringen wird."[10] Die jüdische Herkunft Katias war dem jungen Dichter durchaus gegenwärtig, doch war sie kein Hindernis, sondern ein Reiz. Sowohl die Familie ihres Vaters Alfred Pringsheim wie auch die Familie ihrer Mutter Hedwig Dohm waren jüdisch. Seit Generationen waren sie aber auch wohlhabend und kultiviert.[11] Was Thomas Mann über „die Lösung der Judenfrage" dachte, war in Katias Elternhaus geschehen: Assimilation, kulturelle Hebung, Taufe. Warum sollte da nicht auch noch die Mischehe folgen? „Kein Gedanke an Judenthum kommt auf, diesen Leuten gegenüber; man spürt nichts als Kultur." So Thomas an Heinrich am 27. Februar 1904. Das kultiviert Jüdische ist auszeichnend, es bleibt dabei. Die neugeborene Tochter Erika verspreche, sehr hübsch zu werden. „Momentweise glaube ich, ein klein bischen Judenthum durchblicken zu sehen, was mich jedesmal sehr heiter stimmt."[12]

Katias Romankonterfei Imma Spoelmann ist nicht jüdischer, sondern indianischer Herkunft. Als Kurt Martens das mit Geringschätzung vermerkt, kennt Tommy keinen Spaß. „Ein freches, unfreiwillig komisches Persönchen minderer (?) Rasse konntest Du sie unmöglich nennen, ohne daß es Dir persönlich am nötigen guten Willen zum Verständnis fehlte, und das ist schade, denn ich konnte meiner Frau Dein Buch nicht vorenthalten, und – wir hätten so nett miteinander verkehren können. Aber Du wußtest wohl, was Du thatest."[13]

Er ärgerte sich nicht nur wegen Katia. Ein Quentchen Indianerblut fühlte er selbst in seinen Adern rollen, von seiner im brasilianischen Urwald geborenen Mutter her, und er war stolz darauf. Blutmischung störte ihn nicht. Daß sein erster Enkel, Amerikaner von Geburt, deutsches, brasilianisches, jüdisches und schweizerisches Blut hat, ist ihm eine Tagebuchaufzeichnung wert.[14]

Thomas Mann – war der nicht Jude?

Noch in den fünfziger und sechziger Jahren konnte man diese Frage häufig hören. Es waren nicht nur die Ausbürgerung, der Internationalismus und das Literatentum, was diesen Autor in den Ruf brachte, Jude zu sein, sondern gezielte Aktionen von rechts. Bereits 1907 hatte der antisemitische Literarhistoriker Adolf Bartels geschrieben, in der Décadence-Literatur seien selbstverständlich auch Juden vertreten, woraufhin innerhalb einer Aufzählung auch Heinrich und Thomas Mann genannt werden – allerdings mit dem einschränkenden Zusatz, daß sie als Söhne eines Lübecker Senators schwerlich reine Juden seien.[15] Man belehrt ihn, er erklärt das aber für Lügen und hält (1910) die These einer „jüdischen Blutzumischung" für nicht endgültig widerlegt. Im übrigen, so schließt er patzig, steht für ihn im Fall Thomas Mann unabhängig vom biologischen Befund fest: „Literarisch gehört er auf alle Fälle zu den Juden."[16] Selbst diese feinsinnige Unterscheidung verwischt sich in der Folgezeit immer wieder. In der ziemlich obskuren Berliner *Staatsbürger-Zeitung* wurde am 1. Dezember 1912 eine Liste publiziert, die unter dem Titel *Die jüdischen Autoren des S. Fischer Verlags* auch Thomas Manns Namen enthielt. Thomas Mann dementiert: „Wenn ich Jude wäre, würde ich hoffentlich Geist genug besitzen, mich meiner Abstammung nicht zu schämen; da ich *keiner* bin – und zwar mit keinem Tropfen meines Blutes – kann ich nicht wünschen, daß man mich für einen halte."[17] Die

Zeitung druckt dieses Dementi jedoch mit dem Zusatz ab, daß Mann mit einer Dame aus jüdischem Stamm und Blut vermählt sei und folgert kühn: „solche Rassenmischung wird biologisch recte nach *jüdischer* Seite hin verrechnet". Thomas Mann dementiert erneut, zumal der weiter unten zu charakterisierende Theodor Lessing inzwischen die These von Bartels weitergetragen hatte.

Meine Frau ist die Tochter des Ordinarius für Mathematik an der Münchener Universität, Professor Alfred Pringsheim, und mütterlicherseits die Enkelin der bekannten Schriftstellerin Hedwig Dohm. Daß ich also eine Mißheirat eingegangen sein sollte, will meiner Bescheidenheit nicht sogleich einleuchten. Ebenso wenig aber habe ich mir träumen lassen, daß ich durch diese Heirat zum Juden geworden und daß meine Person und namentlich meine Arbeit nun „biologisch nach der jüdischen Seite hin zu verrechnen" sei.[18]

Daß Thomas Mann freilich Kategorien wie Blut und Abstammung nicht unwichtig sind, ist aus der abschließenden Erwägung des Dementis deutlich zu erkennen:

Wenn ich dem hie und da auftauchenden Irrtum von meiner jüdischen Abstammung ruhig und bestimmt widerspreche, so geschieht es, weil ich eine wirkliche Fälschung meines Wesens darin erblicke und weil, wenn ich als Jude gälte, meine ganze Produktion ein anderes, falsches Gesicht bekommen würde. Was wäre das Buch, das meinen Namen bekannt gemacht hat, was wäre der Roman „Buddenbrooks", wenn er von einem Juden herrührte? Ein Snob-Buch. [...]

Was einen Forscher wie Professor Bartels an meiner und meines Bruders Produktion fremdartig anmutet, wird wohl, teilweise wenigstens, auf jene lateinische (portugiesische) Blutmischung zurückzuführen sein, die wir tatsächlich darstellen. Wenn er Richard Dehmel einen „slawischen Virtuosen" nennt, so möge er uns „romanische Artisten" nennen. Juden sind wir nun einmal nicht.

Bei der Rechten nützte das natürlich alles nichts. Adolf Bartels befand, daß auch portugiesische Blutzumischung „ziemlich bedenklich" sei, „da das portugiesische Volk von allen europäischen das rassenhaft schlechteste ist: man vergleiche Meyers Konversationslexikon, wo die Mischung mit Arabern, *Juden,* Indern und *Negern* hervorgehoben wird." Der „Semi-Kürschner", das Nachschlagewerk der Antisemiten, zitiert dieses Diktum, nachdem er die ganze Debatte ausführlich referiert hat.[19] Es folgen weitere Giftigkeiten, zum Beispiel, daß die Porträtradierung Max Oppenheimers „klar den jüdischen Spuren im Mischlingsgesichte" nachgegangen sei und daß die „Päderastie" im *Tod in Venedig* „widerlich, unnatürlich", mit einem Worte: jüdisch sei. Der auf „Mann, Thomas" folgende Artikel des Werkes heißt übrigens „Mann im Mond" und enthält die Feststellung: „ist nach einer Kölner Sage Jude."

Den gräßlichen Bartels ließ das Thema nicht los. „Zum Judentum leiten schon die Brüder *Heinrich* und *Thomas Mann* aus Lübeck über", so steht es 1942 in der achtzehnten (!) Auflage seiner *Geschichte der deutschen Literatur*,[20] beider Mutter sei Portugiesin gewesen, „also möglicherweise nicht ohne Juden- und Negerblut, und beide haben auch eine Jüdin geheiratet". Den Roman *Königliche Hoheit* nennt Bartels eine „oratio pro populo iudaico". Die Quintessenz des Abschnitts über Heinrich Mann lautet: „Selbstverständlich steht er heute auf der Schwarzen Liste." Der Abschnitt über Thomas endet mit der zufriedenen Feststellung: „Er wurde im Dezember 1936 aus der deutschen Volksgemeinschaft ausgestoßen, wie vorher schon sein Bruder Heinrich, seine Tochter Erika und sein Sohn Klaus."

Der Harden-Prozeß

Spezifisch als Juden berühmt oder, je nach Standort, berüchtigt waren die Publizisten Maximilian Harden, Alfred Kerr und Theodor Lessing. Sie bildeten keine Gruppe, im Gegenteil, sie haßten einander. Zu allen bestehen persönliche und sehr persönliche Beziehungen. Harden war als Herausgeber der *Zukunft,* deren Bedeutung in der Kaiserzeit der des *Spiegel* heute ähnelte (bei allerdings viel geringerer Auflage), eine Machtzentrale des literarischen Lebens. „Mein Interesse für den Publizisten Maximilian Harden sieht der Bewunderung zum Verwechseln ähnlich", äußerte Thomas Mann 1905.[21] „He was without doubt the most important and interesting publicist Germany has produced", schrieb er später einem amerikanischen Doktoranden.[22] Er suchte Hardens Anerkennung, lobte ihn 1906 in *Bilse und ich* als unbestechlich wahrhaftigen Liebhaber des Wortes, der sich eher eine Welt verfeinden würde, als eine Nuance zu opfern,[23] und wechselte mit ihm gelegentlich anerkennende Briefe. Im Januar 1916 verfaßte er einen Protestartikel gegen das Verbot der *Zukunft,* der jedoch aus Zensurrücksichten nicht gedruckt wurde.[24] Wenig später allerdings gab Harden, der den Krieg zuerst bejaht hatte, seine Wandlung vom antidemokratischen Saulus zum zivilisationsliterarischen Paulus bekannt, auf die in den *Betrachtungen eines Unpolitischen* versteckt angespielt wird.[25] Er wurde damit zum politischen Gegner. Thomas Mann antwortete darauf mit einem spitzigen Artikel, der jedoch ungedruckt blieb.[26]

Zwischen 1907 und 1909 war Harden in drei aufsehenerregende Gerichtsverfahren verwickelt.[27] Er hatte aus sicherer Quelle, nämlich von dem abgesetzten Reichskanzler Bismarck, Informationen über die Homosexualität von Philipp Fürst zu Eulenburg, einem engen Vertrauten Kaiser Wilhelms II., erhalten. Er machte in der *Zukunft* so lange und so penetrant von diesem Wissen Gebrauch, bis man ihn vor Gericht brachte. Den ersten Prozeß gewann er, da Eulenburgs Homosexualität von Zeugen bestätigt wurde, einen zweiten verlor er, da Eulenburg einen Meineid schwor, einen dritten, der Eulenburg „entlarvte", gewann er wieder. Das Ganze ist vor dem Hintergrund zu sehen, daß Homosexualität damals als „widernatürliche Unzucht" galt und mit Gefängnis bestraft werden konnte. Aber die Deutschen wollten die Umgebung ihres Kaisers nicht verdächtigt sehen. Harden machte sich unbeliebt, obgleich er in der Sache siegte. Thomas schreibt an Heinrich, daß die Abonnentenzahl der *Zukunft* durch die Affäre von 18 000 auf 2000 gesunken sei.[28]

Frau Pringsheim, Katias Mutter, war mit Harden befreundet.[29] Harden soll, als sich die Verlobten bei ihren Berliner Verwandten vorgestellt hatten, zu ihr gesagt haben, es sei eine Freude gewesen, die beiden hübschen jungen Leute zu sehen, worüber Thomas Mann ein kleines bißchen gekränkt war. Hardens Verteidiger war Max Bernstein. Auch Bernsteins waren mit Pringsheims gut bekannt; Frau Bernstein soll Katia und Thomas 1903 oder 1904 zusammen eingeladen haben. Thomas Mann war infolgedessen über den Eulenburg-Prozeß aus erster Hand unterrichtet. Er erlebt ihn als Parteigänger Hardens. Daß es Anständigeres gibt als das denunziatorische Niedermachen eines Homosexuellen, scheint ihm sein Gefühl damals nicht gesagt zu haben. Daß es gerade ihm nicht anstand, so bösartige Homosexuellen-Brandmarkung zu verteidigen, kommt dazu. Über die „Prozeß-Einzelheiten, die Bernstein mir erzählte", wissen wir ein wenig aus einem Brief an Heinrich vom 6. Februar 1908, der sich auf den zweiten (verlorenen) Prozeß bezieht. „Jedenfalls war die Tendenz des Ganzen schamlos. Jede zweite Frage Bernsteins wurde vom Vorsitzenden als 'Suggestiv-Frage' zurückgewiesen." Die Zeugen seien eingeschüchtert worden, dem Gutachter Magnus Hirschfeld, der selber homosexuell sei, habe der Staatsanwalt gedroht, Hardens ausgezeichnete Schlußrede sei von der Presse verstümmelt worden.

Es ist jedenfalls eindeutig, wo Thomas Mann in dieser Sache steht, nämlich auf der Seite des Juden Harden. Das Schlimmste sei, daß sich dessen Gegner in einem „Werdandi-Bund" zusammengetan hätten, „Geheimrath Thode, Wagners Schwiegersohn leider Gottes, sitzt ihm vor, und in einem ersten Aufruf tritt der Bund mit Bieremphase und in unglaublichem Deutsch für Gesundheit und deutsches Gemüth in der Kunst ein. Es ist das Ekelhafteste, was man sich denken kann."[30]

Die offene Frontlinie wird von einer geheimen durchkreuzt. Thomas Mann steht auf der Seite des Juden, der einen Homosexuellen verfolgt, und gegen deutschnationale Antisemiten, die Harden undeutsch und schmutzig finden, ohne aber deshalb Homosexualitätsverteidiger zu sein. Daß Thomas Mann nicht, wie später,[31] gegen die Homosexuellendenunziation aufgetreten ist, hängt wahrscheinlich mit seiner damaligen Lage zusammen. Er hatte sich eben erst eine „Verfassung" gegeben. Er hatte sich mit großer Anstrengung seiner Ehe unterzogen und seine homoerotischen Neigungen willentlich in den Keller seines Gemütes verbannt, so daß er wohl dazu neigte, solche Anstrengung auch von anderen zu verlangen. Dazu kam die Freundschaft mit Bernsteins, die ihrerseits zum Pringsheimschen Kreis gehörten, so daß die Parteinahme für Harden und Bernstein auch aus Familienrücksichten geboten schien. Jedenfalls war Thomas Mann damals kein Kämpfer für die Liberalisierung des Umgangs mit Homosexualität. Aber er war auch kein Antisemit, denn einen Juden niederzumachen wäre nirgends so leicht gewesen wie hier.

Alfred Kerr

Alfred Kerr, schreibt Thomas Mann am 6. April 1943 an Willy Sternfeld, „ist ein guter Hasser – ich habe Proben davon. Wenn es nach ihm gegangen wäre, so wäre ich literarisch längst nicht mehr am Leben."[32] Das hört sich dramatisch an. Kerr war der Starkritiker der Zeit. Er schrieb wie eine allzu straff gespannte Saite, im Lob hymnisch, im Tadel hochfahrend und niederschmetternd. Er war auf seine Art selbst ein Künstler, ein Vorläufer des expressionistischen Stils mit seinen steilen Gebärden, für den „Impressionisten" Thomas Mann also ein Gegner. Schon der Einundzwanzigjährige verziert leichthändig einen kleinen Aufsatz mit einer spöttischen Attacke gegen Kerr. Dieser war von einem Dichter, den er kritisiert hatte, zum Duell gefordert worden. Thomas Mann findet es unbegreiflich, daß ein Kritiker sich bis zu Äußerungen erhitzen könne, die einen Verfasser zu beleidigen geeignet seien. Ein Kritiker sei doch kein Richter, sondern ein Erklärer, er habe doch die Aufgabe, „fremde Persönlichkeiten in sich aufzunehmen, in fremden Persönlichkeiten zu verschwinden, durch sie die Welt zu sehen".[33] Kerr war da wohl anderer Meinung.

Im siebten Notizbuch finden wir die nächste, auf das Jahr 1902 zu datierende Spur. „Wer *rein* ist, ist zutraulich", heißt es da, alle Zurückhaltung beruhe auf Unreinheit und Beflecktheit, dazu in Klammern der Zusatz: „Kerr gegen mich".[34] Etwas Schriftliches von Kerr gegen Mann ist damals nicht bekannt, doch mag es mündliche Äußerungen gegeben haben. Wir schließen jedenfalls, daß Kerr sich irgendwie bissig gegen den jungen Dichter verhalten hat und daß Thomas Mann daraus auf seine „Unreinheit" schloß. Diese ihrerseits wäre antithetisch zu Paul Ehrenberg zu verstehen, denn der Zutrauliche und Reine war damals Paul. Kerr, so darf man annehmen, stand, was die Freundschaft zu Paul betrifft, auf der Gegenseite.

Nicht nur bei Paul, auch bei Katia war Kerr im Weg. Datiert vom 29. August 1903, findet sich im Notizbuch ein Briefentwurf, in dem Grautoff gebeten wird, „K–r" nichts zu sagen über eine nicht näher erläuterte Beobachtung. Aus Katias *Ungeschriebenen Memoiren* wissen wir, daß Kerr sie heiraten wollte, sie ihn jedoch nicht.[35] Das habe er Thomas Mann zeit seines Lebens furchtbar übelgenommen. Hier mag es also ein sehr persönliches Haß- und Neidmotiv gegeben haben.

Die nächste Berührung datiert auf den September 1905. Thomas Mann gibt sein positives Verhältnis zur literarischen Kritik kund und erwähnt in diesem Zusammenhang, daß er dem Doktor Kerr so viel tiefes Amüsement verdanke, daß es barer Undank wäre, öffentlich wider ihn zu zeugen.[36] Das klingt ironisch und ist es wohl auch, obgleich Thomas Mann im Kontext die Kritik, auch die respektlose, verteidigt und bekundet, daß es keinen wahren Künstler gebe, der nicht auch Kritiker wäre. Wenn er sich über Kerr ärgert, dann aus allzu großer Nähe, weil er selbst ein Kritiker ist, mithin aus einer Art von Bruderhaß. In der Tat ähneln manche Ausfälle gegen Kerr denen gegen den Bruder. Auf jeden Fall sind sie nicht antisemitisch, sondern ästhetisch oder persönlich motiviert.

Durch Frank Wedekind übermittelt hatte Thomas Mann am 19. Oktober 1905 sein Drama *Fiorenza* an Kerr gesandt. „Es hat nicht viel für sich, das unmögliche Theaterstück; *was* es aber für sich hat, vielleicht ist das werth, von Ihrer erkennenden Kunst bei Namen genannt zu werden."[37] Da hatte er sich nun also erniedrigt, aber der so Beschenkte schwieg und dankte es ihm nicht. Jahre später versucht er das noch einmal und unterschreibt eine Postkarte, die Frank Wedekind an Kerr gerichtet hatte:[38]

Sehr verehrter Herr Alfred Kerr!
Jemand, den Sie hassen möchte Sie grüßen. Ich freue mich der Vermittlung
Frank Wedekind.
Thomas Mann.

In *Bilse und ich* wird zwei Monate später der Faden wiederaufgenommen. Chiffriert als „Doktor X." wird Kerr erneut die Stelle vom „tiefen Amüsement" vorgehalten. Wir hören, daß sie ihn tief gekränkt haben soll. Es wird ihn wenig getröstet haben, was an neuen Spitzigkeiten der Dichter zu seiner Rechtfertigung vorbringt: [39]

Ich habe Grund bekommen, zu glauben, daß der Kritiker mir das Wort vom „tiefen Amüsement" tödlich verübelt, daß er es für Hohn genommen hat und mir nun spinnefeind ist. Warum? Dank einer Genauigkeit. Hätte ich irgend eine schlappe Phrase gebraucht, von „wahrer Erhebung" oder „erlesenem Genuß" gesprochen, so wäre er mir gewogen geblieben; da ich aber seine Wirkung mit einem zuchtvollen Worte genau zu treffen suchte, ergrimmte er. Er wünscht nicht als Amüseur, er wünscht ernst genommen zu sein. Aber ein Amüsement, das „Tiefe" hat, ist, sollte ich denken, ein sehr ernsthaftes Amüsement. Im ganzen Bereich der Sprache schien mir, um die Wirkung seiner kurzweiligen Analyse, seiner oft ein wenig närrischen Art zu bezeichnen, keine bessere Wortkombination möglich, als die von „Tiefe" und „Amüsement" ... Umsonst, das Wort verletzte. Nur weil es gut war und traf.

Kerr schlug zurück. Der nächste Akt ist eine abschätzige Besprechung des Romans *Königliche Hoheit.*[40] Ein Seitenhieb ohne Namensnennung folgt, den Thomas Mann aber auf sich bezieht. Er beschwert sich bei Heinrich brieflich (am 10. Januar 1910) darüber, daß Kerr die folgenden Sätze in die *Rundschau* eingeschmuggelt habe:

Er prahlt nicht etwa wie *mittlere Romanboßler. Jeder komisch neurasthenische Commis und alter Sanatoriumskunde, der eines Tages Romane schreibt, wird sich in hoher sozialer Stellung schildern und die Achillesverse [sic] novellig vertuschen etc.*[41]

„Neurasthenisch“ und „Sanatorium“ läßt auf präzise private Informationen schließen, und die „hohe Stellung“ deutet wohl in der Tat die Thematik von *Königliche Hoheit* an. Tagelang, schreibt Thomas Mann, sei ihm übel gewesen. „Ich kann Feinde und nun gar eine so ekelhafte Art Feindschaft innerlich nicht brauchen, ich bin darauf nicht eingerichtet.“ Dennoch kündigt er einen Rachefeldzug an, für den Fall, daß Kerr sich einmal stelle und ihn gemeinverständlich angreife.

Es sollte nicht daran fehlen. Kerr stellte sich Anfang 1913, als *Fiorenza* aufgeführt wurde. Ein „giftiges Gejökel“, dem der Ahnungsloseste die persönliche Mordlust anmerke,[42] nannte Mann das, was der berühmte Kritiker am 5. Januar 1913 im Berliner *Tag* von sich gegeben hatte. „Der Verfasser ist ein feines, etwas dünnes Seelchen, dessen Wurzel ihre stille Wohnung im Sitzfleisch hat“, war da zu lesen, und: „Was zu ersitzen war, hat er hier ersessen.“ Das Bildnis der Fiore sei Philologenarbeit. Auch in einem Prinzenroman habe Mann bereits eine gewisse Unmacht in der Gestaltung weiblicher Personen bewährt. Etwas Geklemmtes, Untergekrochenes, Geblütarmes und Flachbrüstiges wird ihm bescheinigt, eine „vorzeitige Rückbildung“, der Winter sei gekommen, bevor der Sommer war.[43]

„Was für ein Charakter!“ schreibt Mann an Hofmannsthal. „Es wissen nämlich nur wenige, wie sehr es sein *Charakter* ist, der hier spricht ...“ Worauf wird hier angespielt? Die unterschwelligen Töne der Kritik laufen auf Persönliches hinaus. Daß Mann seine Triebe mit allzu großem Erfolg unterdrückt habe, ist ihr Tenor. Kerr greife das Pathologische auf, schreibt Mann an Bab. „Denn der Radicalismus macht stets beim Geschlechtlichen halt. Tiefer geht's nicht, denkt er.“[44] Lobesworte hatte Kerr nur für die frühe Erzählung *Der Kleiderschrank* gefunden, in der ein nacktes Mädchen im Kleiderschrank erscheint und mit dem triebhaften Begehren Katz und Maus spielt. Fiore hingegen zwingt ihren Liebhaber zur Askese. Wieviel wußte Kerr von Manns Askese, wieviel von den unterdrückten homoerotischen Neigungen? Wahrscheinlich fürchtete Mann dergleichen. Wenn es um etwas anderes gegangen wäre, hätte er sich in seinen relativ zahlreichen Äußerungen über diese Affäre gewiß deutlicher ausgedrückt. Mindestens hat Kerr Zweifel an seines Gegners Männlichkeit gehabt. Daß ein „Unmännlicher" ihn bei Katia ausgestochen hat, vielleicht war es das? Der Autor der *Fiorenza*-Kritik hege gegen ihn „eine längst eingestandene private Gehässigkeit", schreibt Mann in einem Brief, „deren Ursprünge Ihnen aufzudecken mich viel zu weit führen würde, die aber seinem Charakter, seiner Menschlichkeit das elendeste Zeugnis ausstellt."[45] Er habe, seit er jene schmutzigen Possen gelesen habe, das unerträgliche Gefühl des Besudeltseins.

Den Kritiker Julius Bab bittet er, zu lesen, was Lorenzo zu Fiore sagt: „Du, – die Süße, Eine, der Ruhm, der Glanz, die Liebe und die Macht, das Ziel der Sehnsucht", und ihm dann zu sagen, ob *Fiorenza* „Philologenarbeit" sei oder nicht. Und auch die venezianische Todesdichtung solle er lesen.[46] Tagelang habe er sich nach Kerrs Kritik „für ein fleißiges Literaturwürmchen gehalten". Aber im nächsten Brief an Bab gibt er zu, daß „die weibliche Allegorie", also die Gestalt der großen Kurtisane Fiore, von ihm selbst kaum halb geglaubt sei. Stimmt ja auch; mit solchen Frauen, mächtig und sinnlich, hatte das Literaturwürmchen keine Erfahrung. Kerr hatte nicht völlig Unrecht; verletzen kann ja nur, wer etwas Richtiges trifft.

Wohl aber hatte Mann mit polnischen Knaben am Lido Erfahrung. Auch über den *Tod in Venedig* hat sich Kerr geschwind geäußert.[47] Erst amüsiert er sich über Verwandtschaftsrezensionen, weil sowohl die Schwiegeroma Hedwig Dohm als auch Heinrich Mann den *Tod in Venedig* besprochen hatten. Ironie steht ihm reichlich zu Gebote. „Siehe, wie fein und lieblich es ist, wenn Brüder einträchtig beieinander wohnen." Dann kommt es dicker. „Großmama – ich finde hier einen verhüllten Kitschling. Einen, der statt eines Ichs Haltung zeigt." Es hagelt Bisse: Stille mit Geschmack anstelle von Dichterkraft. Alles zusammengedrockst. Das Erotische unerlebt: „Das Gefühl des Mannes für den Knaben bleibt umrißlos, das Gebiet frei von Entdeckungen." Alles Verbotene entschärft: Für die Herstellung liest er Sachen aus dem klassischen Altertum nach. „Jedenfalls ist hier Päderastie annehmbar für den gebildeten Mittelstand gemacht."

Nicht zu Unrecht sieht Mann darin einen „giftigen Angriff".[48] Er schreibt darüber an Hans von Hülsen am 20. April 1913, erregt und aufgewühlt:[49]

Was wollten Sie dem Verfasser denn auch vorwerfen? Daß er verlogen, schmutzig und niederträchtig bis zum moralischen Elend ist?

Aber er weiß ja, daß er das alles ist und will es sein. Er steht jenseits von Anständig und Unanständig [...] Sie sind zornig über eine schlechte That, aber er ist „dämonisch". Was wollen Sie da machen!

Eine Ankündigung folgt, bezogen auf den Erzählungsplan *Der Elende,* der leider nie realisiert wurde – wir wüßten sonst mehr:

Aber ich sage ihm das vielleicht besser selbst, eines Tages, wenn ich mich entschließe, die Geschichte zu erzählen, – die Geschichte von mir und ihm, die, in behaglicher Ausführlichkeit vorgetragen, recht unterhaltend werden kann. Aber das eilt weniger, als Ihnen im Augenblick scheinen mag. Ich habe den Menschen ja für immer zum gespenstischen Begleiter.

Eine rätselhafte Anspielung. Was hat die Nicht-Eile mit dem immerwährenden gespenstischen Begleiter zu tun? Wieso eigentlich rechnete Thomas Mann mit diesem „für immer"? Wußte Kerr etwas, hatte er Thomas Mann in irgendeiner Hinsicht in der Hand? Rächte Mann sich deshalb nie offen an ihm? Kerr und Grautoff haben, wie die erwähnte Notiz von 1903 zeigt, einander womöglich gekannt. Grautoff wiederum wußte, was Thomas Mann zu verstecken hatte. Hat er vielleicht nicht dichtgehalten?

Im Weltkrieg und danach teilte Kerr gelegentlich Seitenhiebe aus gegen Manns Kriegsbejahung. Dabei saß er im Glashaus, denn auch er hat 1914 patriotische Gedichte verfaßt.[50] Einen Ausfall gegen die *Betrachtungen* notiert das Tagebuch am 16. März 1919. Daß Kerr seine Wahl in die Berliner Akademie der Künste hintertreiben werde, vermutet eine Notiz am 6. Juli 1919. Fast alle Begegnungen sind feindseliger Art. „Kerr, übrigens schwach, spuckt wieder einmal nach mir, wie mir vorkommt. Was verwundet ist eigentlich nicht die (hier recht stumpfe) Beleidigung, sondern die Absicht zu beleidigen." (4. September 1920)

Der Haß bleibt, die Furcht verliert sich später ein wenig. 1921, in einem vor Drucklegung zurückgezogenen Artikel *Zur jüdischen Frage,* wird Kerr, der Gerhart Hauptmann gefeiert, aber Carl Sternheim verrissen hatte, erwähnt als positives Beispiel dafür, daß Juden literarisch keineswegs nur Juden förderten. Als Argument gegen den völkischen Professor Adolf Bartels darf Kerr hier also einmal eine positive Rolle spielen. Das setzt sich vereinzelt fort. 1926 reisen beide zufällig gleichzeitig nach Paris und treffen einander dort. Komischerweise kommt die ahnungslose deutsche Rechtsfront auf die

Idee, sie säßen im selben Boot. Es ist der Jude Kerr, von dem Hanns Johst 1926 behauptet, er sei „mit seinem jungen Mann, dem gläubigen Thomas", bis nach Paris ausgeglitten.[51] Thomas Mann sieht sich genötigt, zu dementieren, indem er es einen nicht sehr glücklichen Zufall nennt, daß sein Pariser Aufenthalt ungefähr in dieselben Tage fiel wie der Kerrs.[52] Ein antisemitisches Argument findet sich in dieser Erwiderung natürlich nicht, im Gegenteil werden die Münchener Reaktionäre scharf angegriffen. In seinem Reisebericht *Pariser Rechenschaft* gibt Mann dann vor, Kerr zu schätzen ob seines kritischen Talents, aber das war wohl nur Diplomatie, denn er erwähnt zugleich wie beiläufig, daß Kerr ihn „fünf- bis sechsmal zu töten versucht" habe.[53] Kerr bestreitet das nicht ohne zähnefletschenden Frohsinn.[54]

Kurz darauf publiziert er das Spottgedicht *Thomas Bodenbruch*, das vermutlich schon früher, wohl 1913, entstanden ist. Es taugt nicht viel, trifft aber erneut die wunden Stellen. Die ersten drei (von sechs) Strophen lauten:[55]

I

Als Knabe war ich schon verknöchert;
Ob knapper Gaben knurr-ergrimmt.
Hab dann die Littratur gelöchert
Mit Bürger- und Patrizierzimt.
Sprach immer stolz mit Breite
Von meiner Väter Pleite.

II

Ich dichte nicht – ich drockse.
Ich träume nicht – ich ochse.
Ich lasse Worte kriechen,
Die nach der Lampe riechen,
Ich ledernes Kommis'chen.

Ich kenne keine Blitze,
Kein Feuer, das erhitzt.
Ich schreibe mit dem Sitze,
Auf dem man sitzt.

Im Grund bin ich nicht bös –
Nur skrophulös.

III
Voll hemmender Bedenklichkeit
Und zaudernder Entfaltung,
Staffier' ich meine Kränklichkeit
Als „Haltung".

Wenig später, 1928, in einem Beitrag über Bruno Frank, placiert dann Thomas Mann wieder einen kleinen Seitenhieb.[56] Alfred Kerr aus Breslau, ein großer Feuilletonist – er sei der letzte, der's leugnen dürfe, denn er habe es zu schmecken bekommen,

Kritiker Kerr also, frohlebig, sentimental und keck, kurzum, eine entzückende und ausschlaggebende Individuation, hat meine Bücher in spritzig-mordheiteren Kapitelchen ganz einfach zugrunde gerichtet.

Aber bei solchen ironischen Spitzen bleibt es dann auch, jedenfalls in der Öffentlichkeit. Das von 1933 an wieder verfügbare Tagebuch bietet allerdings eine reiche Ernte an unerfreulichen Stellen. Am 2. April 1933 gibt Mann seinem Abscheu Ausdruck gegen ein Land, das „nicht nur die Kerr und Tucholski, sondern auch Menschen u. Geister wie mich zwingt, außer Landes zu gehen". Solidarität mit den Emigranten lernte Mann nur langsam und nicht ohne inneren Widerstand. Wirklich schlimm ist eine einzige, eine private Äußerung: die Tagebuchnotiz vom 10. April 1933. Es muß vorweg gesagt werden, daß die argwöhnische Frage, die sie am Ende stellt, ob die Sache nicht ihre zwei Seiten habe, in der Folgezeit deutlich verneint werden wird. An der konsequenten Gegnerschaft zum Nationalsozialismus darf trotz der folgenden Überlegung nicht gezweifelt werden:

Die Juden ... Daß die übermütige und vergiftende Nietzsche-Vermauschelung Kerr's ausgeschlossen ist, ist am Ende kein Unglück; auch die Entjudung der Justiz nicht. – Geheime, bewegte, angestrengte Gedanken. Widrig-Feindseliges, Niedriges, Undeutsches im höheren Sinn bleibt auf jeden Fall bestehen. Aber ich fange an zu argwöhnen, daß der Prozeß immerhin von dem Range derer sein könnte, die ihre zwei Seiten haben ...

Kerr hatte Berlin verlassen müssen und lebte bereits in Paris im Exil. Die „Nietzsche-Vermauschelung": das hat seine ganz persönliche Seite, denn in der berüchtigten Fiorenza-Kritik hatte Kerr Thomas Mann als „Nietzschelchen" verspottet.[57] Auch die Vokabel „vergiften" stammt aus dieser Ecke. Der alte Haß wird durch das gemeinsame Schicksal der Exilierung nicht geringer. Im Gegenteil: Wieder war Kerr der gespenstische Begleiter, wieder sein feindlicher Bruder, er wurde ihn nicht los. Der Mann sei „unveredelt vom Unglück", weiß das Tagebuch vom 28. Oktober 1934. Über Kerrs Rathenau-Buch bemerkt der Dichter, das psychologische Porträt des unglückselig edel-jüdischen Snobs sei natürlich scharf getroffen, „aber man dankt es dem Porträtisten nicht, der noch unangenehmer ist".[58] „Die alte Spinne", notiert Mann am 19. März 1936, nehme „den alten Haßkampf" wieder auf. „Ich weiß, daß es unter den Emigranten viel schädliches Gesindel gibt, und er gehört dazu." Die Feindschaft ist noch in den Notaten vom 20. April 1940 und vom 25. August 1945 spürbar. Am 22. Oktober 1948 vermerkt das Tagebuch Kerrs Tod ohne Kommentar.

Theodor Lessing

Aus dem Krampf und Ehrgeiz jener Jahre erklärt sich auch eine weitere Feindschaft, bei der Thomas Mann keine besonders gute Figur macht. Wie im Falle Kerr sind die Anfänge in Dunkel gehüllt. Man könnte einen spannenden Roman daraus machen, es würde sich lohnen.

Thomas Mann kannte den Kulturphilosophen, Mathematiker und Mediziner Theodor Lessing (1872–1933), Allroundtalent, Weltverbesserer, Gründer eines Anti-Lärm-Vereins, assimilierter Jude und zeitweise jüdischer Antisemit, aber auch Analytiker dieses Phänomens *(Der jüdische Selbsthaß,* 1930) – Thomas Mann kannte diesen Hans Dampf in allen Gassen wahrscheinlich schon seit frühen Münchener Tagen, von einem Faschingsball im Löwenbräukeller.[59] Lessing lebte von 1895 bis 1901 in Schwabing und war auch danach sehr oft in München. Mehr und offenbar Intimes über Thomas Mann konnte er aus zwei Quellen erfahren. Er kannte Katia Pringsheim seit frühen Mädchenjahren und hörte „manch Konfidentielles in Tagen, wo junger Gefühle schwankende Peripetie der jungen Frau Enttäuschtes, Bitteres, Ungerechtes auf die Zunge drängte".[60] Im Bänkelsängerton dichtet Lessing darüber die Zeilen: „Sein Frauchen Katja gab manch' Konfession mir, / doch ich bewahre strengste Diskretion hier." Die zweite Quelle war Thomas Manns Schwester Carla, die Lessing eine Zeitlang täglich sah. Sie spielte Theater in Göttingen, wo Lessing 1906/07 bei Edmund Husserl Philosophie studierte und Theaterkritiken schrieb. „Mit Tommis Schwester auch im Leinetale, / mit Carla schritt ich ehmals Arm in Arm [...] / Vergessen hat sie's ... 'Lump' und 'Narr' und 'Wicht' / ließ man mich schmähn ... 'Ich kenn den Menschen nicht'." Lessing charakterisiert sie scharf als „eine junge Schauspielerin, die ihre resignierte Chaiselongueexistenz, mit heroischer Sehnsucht nach einem Millionär, mit der Politur ihrer sehr schönen Hände und vieler Romanlektüre ausfüllte". Es muß viele Gespräche gegeben haben, die das, nach allem, was wir wissen, zutreffende Ergebnis zeitigen: „Ich glaube, Thomas Mann gut und scharf zu überschauen. Sollte es Trug sein, so weiß ich doch, daß ich ihn besser kenne, als er mich."

Lessing hatte erheblich früher als Thomas Mann Zutritt zum Hause Pringsheim. Man förderte ihn dort, unter anderem half Vater Pringsheim mit, ihm eine Stelle als Privatdozent in Hannover zu verschaffen.[61] Bevor es zum Krach kommt, wurden Briefe geschrieben, Lessing erwähnt, daß er aus den Jahren 1902 bis 1910 von Mann und Angehörigen deren vierzig besitze.[62] Die meisten davon werden wohl von Carla gewesen sein. Von Thomas Mann an Lessing ist nur ein Brief im Original erhalten, ein zweiter durch Lessings Abdruck bekannt. Der erhaltene Brief (vom 27. Februar 1906) lobt ein Buch von Lessing, was diesen zu der möglicherweise richtigen Annahme veranlaßt, Thomas Mann habe in *Bilse und ich* Begriffe von ihm übernommen (vermutlich das Wort „Erkenntnislyriker").[63]

In den Jahren 1901 bis 1904 war Lessing Lehrer im Landschulheim Haubinda in Thüringen. Seine Frau Maria Stach von Goltzheim, adelig, blond, schön und keine Jüdin, hatte damals ein Verhältnis mit einem Schüler, Bruno Frank, der später zum Schriftsteller wurde und mit Thomas Mann befreundet war. 1904 ging sie mit Frank davon. Lessing soll das Verhältnis geduldet, ja gefördert haben, meint jedenfalls Thomas Mann, der sich über die Affäre genau unterrichtete, denn er gedachte sie literarisch zu verwenden. Halb lüstern, halb verletzt wird Helmut Institoris im *Doktor Faustus* dem Ehebruch seiner Frau mit Rudi Schwerdtfeger zusehen.[64] Lessing seinerseits wendet sich nach dieser Affäre dem Feminismus zu und wird zum beliebten Redner in Sittlichkeitsvereinigungen.

Es lag also untergründig bereits ein Gestrüpp von Widerwärtigkeiten vor, als es 1910 zum Krach kam. Theodor Lessing hatte eine ziemlich unverschämte Satire gegen den Literaturkritiker Samuel Lublinski geschrieben, den er unter anderem als „fettiges Synagöglein", als Espritjuden und als Literaturschwätzer diffamierte. Thomas Mann soll eine schwächliche Gegenerklärung unterzeichnen, beschließt aber, die Sache selbst in die Hand zu nehmen und „dem unverschämten Zwerge gebührend übers Maul zu fahren".[65] Dieses Engagement hatte vordergründig zwei Anlässe. Zum einen fühlte sich Mann Lublinski gegenüber verpflichtet, weil dieser *Buddenbrooks* gelobt und ihn als den bedeutendsten Romandichter der Moderne bezeichnet hatte.[66] Zum anderen diente der Streit dazu, wie Thomas in einem Brief an Heinrich vom 20. März 1910 gestand, seinen Tätigkeitsdrang in andere Bahnen zu lenken, da die Arbeit am *Felix Krull* nicht vorangehen wollte.

Daß er, wenn es sich um den Kampf der Geister und Federn, um Kritik und Polemik handelt, Grausamkeit und sogar Infamie durchaus nicht für etwas Verbotenes oder Entehrendes halte, bekennt Mann in den *Betrachtungen eines Unpolitischen.*[67] Hageldicht prasselt es auf den armen Lessing nieder, mit Vokabeln wie empörend und talentlos, unverschämt und dreist, mit Wendungen wie „bodenlose Unfeinheit" und „ranziges Geschwätz", am schlimmsten aber mit der folgenden Passage, die den Spieß, den der Jude Lessing gegen den Juden Lublinski verwendet hatte, umkehrt:

Herr Lublinski ist kein schöner Mann, und er ist Jude. Aber ich kenne auch Herrn Lessing (wer kann für seine Bekanntschaften!), und ich sage nur so viel, daß, wer einen Lichtalben oder das Urbild arischer Männlichkeit in ihm zu sehen angäbe, der Schwärmerei geziehen werden müßte.

Obgleich Lessing, betrachtet man die verfügbaren Fotografien, ganz passabel aussieht, fährt Mann unter Anspielung auf die Bruno-Frank-Affäre fort:

Demütigende Lebenserfahrungen, deren man sich selbst ihm gegenüber nicht als Waffe bedienen mag, sollten ihn, was Mangel an körperlichem Liebreiz betrifft, altruistisch gestimmt haben, und der gräßlichen Anekdote, er habe einmal mit anderen Schwabinger Ekstatikern beiderlei Geschlechts ganz nackend ein Feuer umtanzt, kann ich mich nicht ohne schwere Gefährdung meines Wohlbefindens erinnern. Wer im Glashause sitzt, lehrt das Sprichwort, sollte nicht mit Steinen werfen; und wer sich als Schreckbeispiel schlechter jüdischer Rasse durchs Leben duckt, verrät mehr als Unweisheit, verrät schmutzige Selbstverachtung, wenn er sich für Pasquille be-

zahlen läßt, deren drittes Wort „mauscheln" lautet. Im Stile des wildgewordenen Provinz-Feuilletons über den „espritjüdischen" Typus zu satirisieren, steht prächtig dem zu Gesicht, der selber in aller Welt nichts weiter als das schwächste und schäbigste Exemplar dieses in einigen Fällen doch wohl bewunderungswürdigen Typus vorzustellen vermag![68]

Das zum Anlaß ganz unverhältnismäßige Riesenaufgebot an Knüppeln, mit denen Mann auf Lessing eindrischt, läßt sich nur erklären, wenn es noch tiefere Gründe gegeben hat. Viele Vertraute der Frühzeit läßt er ja fallen, seit er Erfolg hat, wie Otto Grautoff. Vielleicht gehörte auch Lessing zu denen, die zuviel wußten, und zu solchen mußte Mann Distanz halten, weil sie seiner mühsam aufgerichteten Fassade gefährlich werden konnten. Das ist nur eine Vermutung. Aber immerhin kann man sich ja einmal ansehen, was im einzelnen Lessing von Mann hielt und was er von ihm wußte. Eine kleine, um das Thema „Männlichkeit" gruppierte Auswahl.

Lessing hatte seinen Gegner halbherzig zum Duell gefordert, dieser hatte das Ansinnen zurückgewiesen. Lessing findet das unmännlich. In seiner Bänkelsängervorrede spottet er, ob Tom vielleicht hermaphroditisch sei, und reimt dazu: „Und hört er auf der Straß den Namen *Mann*, / fangen die Beinchen ihm zu zittern an." Er bringt das dann auch noch in Prosa vor. „Tomi, das Weibchen" werde sich indignieren, er gehe nämlich, „wie Katja, sein Mann, mich oft versichert", jeder Gelegenheit, sich heroisch zu benehmen, prinzipiell aus dem Wege.[69]

Welch feines, blasses Bürgerprinzchen! So eine stille, späte Goldschnittseele, nicht vom Weibe geboren; wohl von der lieben Mama bei Wertheim in der „Abteilung für feine kunstgewerbliche Raritäten" billig und mit Geschmack alt-eingekauft ... [...]

Beim großen Lebensfest tanzte er nicht mit. Er blickte, jung schon lorbeergekrönt, Weinerlichkeit unter guten Formen bergend, mit hungrig-heimsüchtigen Augen verächtlich auf die Welt, die er beneidete. Mir wurde er zum epischen Berichterstatter über Seelendinge, die ich Unerlöster litt. Er aber litt nicht. Weder Reue, noch Mitleid. Er goutierte wehmütig bespiegelnd seine Schmerz-Emotiönchen. Nie fühlte ich ihn einverschlungen in starkes Leben. Er schwärmte nie darin, sondern dafür. Er stand draußen, dürftig angezärtelt und ästetelte.

Lessing referiert dann *Tobias Mindernickel*, jene frühe Erzählung

Manns, in der ein Krüppel seinen Hund erschlägt, als dieser gesund und fröhlich ist. Es ist Nietzsches Psychologie des Willens zur Macht, was Lessing daran überzeugt, was er aber dann auch auf den Dichter dieser kleinen Geschichte anwendet.[70]

Anderer Wesen Freude neiden, weil man sich selber freudlos fühlt, den anderen bedrückt sehen wollen, weil man nicht genug Kraft hat, Glück zu verschenken, das ist das Wesen erkrankten Machtwillens [...] Wenn Friedrich Nietzsche heute lebte, und Beispiele brauchte für seine heroische Psychologie der alten Moralaffekte, – für die Herkunft empfindsamen Mitleids aus allzumenschlicher Schwäche, der moralischen Emphatik aus giftigem Ressentiment, der belfernd-kategorischen Forderung aus der Ohnmacht Tyrannengelüste, ... kein anderer Dichter deutscher Gegenwart könnte ihm so klare Belege liefern, wie dieses typische Weib, das beständig unter ästhetischem Vorwande dekadente Moralitäten bespiegelt [...] Thomas Mann ist heimlich ein „Moralist", heimlicher noch eine unethische Seele; zugleich selbstgerecht und weinerlich-altruistisch, zugleich egozentrisch und sentimental!

Das saß. „Elende spreizten sich ethisch", wird Mann 1914 kontern.[71] Das Leben Gustav von Aschenbachs sei männlich und tapfer, wird er betonen müssen.[72] 1918 noch gedenkt er Lessings, als ihm Peter Altenberg in einem *Männlicher Brief* überschriebenen Feuilleton weibliche Artung zuschreibt. Altenberg sei „wie die Juden Kerr und Lessing mein geborener Feind, ein notwendiger Verächter oder doch Verächtlich-macher meiner Existenz." Aber hinzugefügt wird auch: „Ich würde mich nicht 'getroffen' fühlen, wenn nicht alle Voraussetzungen zu solcher Kritik meiner Natur in mir selber wären."[73]

In seiner Geschlechtsehre angegriffen zu werden traf Mann empfindlich. Es gehörte zum Stigma der homosexuell Veranlagten, daß man sie als effeminiert betrachtete. Lessing hätte sich, wenn man den Stil seiner Attacken bedenkt, wohl nicht gescheut, auch die Homosexualitätskarte auszuspielen. Vermutlich hat er davon nichts ausreichend Genaues gewußt. Aber wie Kerr stapft er im Vorhof dieses Wissens herum, in des Dichters feinstem Porzellan.

Thomas Mann kommt darüber nicht hinweg. Als Lessing von Nazi-Schergen ermordet wird, schreibt er an seinen Sohn Klaus herzlos: „War immer schon ein falscher Märtyrer."[74] Gräßlicheres steht im Tagebuch (1. September 1933): „Mir graust vor einem solchen Ende, nicht weil es das Ende, sondern weil es so elend ist und einem

Lessing anstehen mag, aber nicht mir.“ Dem Elenden ein elender Tod, das wäre in Ordnung? Aber das Schicksal, sonst gedächtnisstark in diesen Dingen, rächte sich nicht für diese Bösartigkeit, der eigene Tod wird sanft und würdig sein.

Ein Elender

Als letztes ist zu versuchen, ob die Pläne zur Erzählung *Ein Elender* in das in Sachen Kerr und Lessing verbliebene Dunkel Licht bringen können. Die Notizen geben nur wenig her. Es sind drei, auf 1912/13 zu datieren.[75] Eine zählt *Ein Elender* auf unter der Rubrik „Novellen, die zu machen“. Eine weitere lautet: „*Elender.* Edhin Krokowski aus Linde bei Pinne, Provinz Posen.“ Die Ortsangaben „Pinne“ und „Posen“ kommen aus Lessings Lublinski-Polemik[76] und weisen somit eine Beziehung zu Theodor Lessing und wohl auch zum Thema Ostjudentum aus. Der Name „Krokowski“ begegnet wieder im *Zauberberg*. So heißt dort ein etwas zwielichtiger Psychoanalytiker, der über die Liebe als krankheitsbildende Macht doziert. Die dritte Notiz lautet: „*Zum ‘Elenden’:* S. Kerr über W. Rathenau, ‘Pan’ II Nr. 44.“ Kerrs hier zur Lektüre vorgemerktes Rathenau-Porträt aber ist nicht etwa ein Muster für den „unanständigen Psychologismus“, von dem im *Tod in Venedig* gesprochen wird, sondern liefert Züge zur Figur des Elenden. Kerrs Beobachtungen dachte Mann sich zunutze zu machen. Der „Industriebukoliker“ Rathenau, Chef der AEG, sei, so Kerr, eine weiche Seele von etlicher Schwankheit, ein Mann der Worte ohne Taten. „Wer die Mechanisierung der Welt in der Öffentlichkeit beklagt, sollte sie (wenn er folgestark ist) hindern, – was ein Industrieller nur ganz im geheimen kann.“ Da hat Kerr ja wohl recht. Was er Rathenau vorwirft und was Mann für den „Elenden“ benützen will, ist die Willenlosigkeit, schlimmer noch, das hohle Streben, Entschlüsse zu fassen. „Einer der sich plagen will – aber dann doch zu früh aufhört stark zu sein.“ Ein feiner, weicher Angeber, voller Gesinnungen, ohne Willenskraft.[77]

Als zweite Quelle stehen briefliche Erwähnungen des Plans zur Verfügung. Am ergiebigsten ist hier der Brief an Ernst Bertram vom 13. Januar 1913. „Anständigkeit als Velleität“ sei ihm längst zum Problem, zum Thema geworden, heißt es da. Die Geschichte vom „Elenden“ werde mit ziemlicher Sicherheit eines Tages geschrieben werden. „Habe ich Studien gemacht!! Es könnte eine wirklich gute

'Charakter'-Novelle werden." Die „Studien" beziehen sich vom Zeitpunkt her (Erscheinen der Fiorenza-Kritik) ziemlich klar auf Kerr.

Der ausführlichste Hinweis auf das, was Thomas Mann plante, steht im *Tod in Venedig*. Als die Venedignovelle geschrieben wurde, waren weder Kerrs Rathenau-Kritik noch sein Fiorenza-Verriß erschienen. Kerr als Quelle gehört insofern einer späteren Schicht an als Lessing. Denn auf Lessing beziehen sich die Details, die im *Tod in Venedig* genannt werden. Gustav von Aschenbach wird dort „der Schöpfer jener starken Erzählung" genannt, „die 'Ein Elender' überschrieben ist und einer ganzen dankbaren Jugend die Möglichkeit sittlicher Entschlossenheit jenseits der tiefsten Erkenntnis zeigte". Dieses also die Botschaft. Wenig später erfahren wir auch den Inhalt:

Wie wäre die berühmte Erzählung vom 'Elenden' wohl anders zu deuten denn als Ausbruch des Ekels gegen den unanständigen Psychologismus der Zeit, verkörpert in der Figur jenes weichen und albernen Halbschurken, der sich ein Schicksal erschleicht, indem er sein Weib, aus Ohnmacht, aus Lasterhaftigkeit, aus ethischer Velleität, in die Arme eines Unbärtigen treibt und aus Tiefe Nichtswürdigkeiten begehen zu dürfen glaubt? Die Wucht des Wortes, mit welcher hier das Verworfene verworfen wurde, verkündete die Abkehr von allem moralischen Zweifelsinn, von jeder Sympathie mit dem Abgrund, die Absage an die Laxheit des Mitleidssatzes, daß alles verstehen alles verzeihen heiße, und was sich hier vorbereitete, ja schon vollzog, war jenes „Wunder der wiedergeborenen Unbefangenheit" auf welches ein wenig später in einem der Dialoge des Autors ausdrücklich und nicht ohne geheimnisvolle Betonung die Rede kam.[78]

Nicht mit Sicherheit läßt sich das alles ins Gelebte rückübersetzen, aber einige Anhaltspunkte gibt es doch. Der „weiche und alberne Halbschurke", soviel ist sicher, war von Theodor Lessing inspiriert, dessen Frau ein Verhältnis zu dem Schüler Bruno Frank hatte, dies der „Unbärtige". Des Elenden Motiv, dieses Verhältnis zu dulden oder gar zu fördern, ist kraß: Er habe sich ein Schicksal erschleichen wollen, aus „ethischer Velleität" und aus „Tiefe". Hier liegt Nietzsches Dekadenzpsychologie zugrunde. Wo die tragischen Leidenschaften der heroischen Zeitalter fehlen, helfen dekadente Zeitgenossen der Tragik nach, um Heroik mimen zu können. Es geht um „unmännliches" Verhalten, das sich hinaufstilisiert.

Am merkwürdigsten sind die „Tiefe" und besonders die „ethische Velleität". Mit „Velleität" ist ein nur gespieltes Wollen gemeint, die

Absicht, wie ein Wollender auszusehen, der Wunsch, ein Wollender zu sein, während man doch ein Rohr im Wind ist. Thomas Mann ist als Psychologe immer am subtilsten, wenn er die Regungen, um die es geht, an sich selber studieren konnte. Schon als noch nicht Zwanzigjähriger hat er sich stolz zum *Tout comprendre c'est tout pardonner* bekannt.[79] Ein laxer Psychologe, der nichts verurteilen kann, weil er alles „versteht", der heute diese und morgen jene Rolle durchschaut, auf wen paßt diese Beschreibung besser als auf den jungen Thomas Mann! „Schimpfen, mein Freund, kann jeder", schreibt er am 17. Januar 1896 an Otto Grautoff. „Dem Psychologen steht es wahrlich besser an, zu *verstehen,* zu *erklären.* Verurteilen zeugt *immer* von Verständnislosigkeit und psychologischem Nichtvermögen. Comprendre c'est sourire, Monsieur."

Nehmen wir also an, es gehe um Selbstkritik. Nehmen wir weiter an, diejenige Entwürdigung und Unmännlichkeit, die er als des Elenden Verhalten charakterisiert, sei ihm auch aus eigenem Erleben bekannt. Vielleicht hat er sogar selbst einmal eine Geliebte, einen Geliebten kampflos, mit verstehendem Lächeln, preisgegeben an einen Nebenbuhler? Alles „Kämpfen", war es nicht lächerlich? Der Fatalismus des Ästheten durchschaut und versteht und leidet, aber er kämpft nicht. Das Leiden allenfalls macht ihn zum Helden, nicht das Kämpfen.

Um Katia freilich hat Thomas Mann gekämpft. Wahrscheinlich das erste Mal in seinem Leben. Er hat sie, wie wir sahen, zäh und systematisch belagert und dabei Nebenbuhler wie Kerr ausgestochen. Der alles verstehende Psychologe Thomas Mann hat sich damals zur Absage an die Laxheit des Mitleidsatzes entschlossen, daß alles verstehen alles verzeihen heiße. Er kehrt sich entschlossen ab vom moralischen Zweifelsinn, der nicht an sich und die eigene Liebe zu glauben vermag. Er sagt sich los von der „Sympathie mit dem Abgrund", was man frei in Sympathie mit der Homosexualität übersetzen kann. Er gibt sich eine Verfassung. Er will ein anständiger Bürger sein. Das ist sein ethisches Wollen – manchmal aber vielleicht nur eine Velleität.

Im „Elenden" begegnete ihm einer, der ihn an die Schwäche seiner eigenen Frühzeit erinnerte, an das, was er mit dem Ehe-Entschluß zu überwinden sich vorgenommen hatte. Daß ihm dadurch das „Wunder der wiedergeborenen Unbefangenheit" zuteil geworden wäre, ist ein frommer Wunsch. Wir sahen, wie verkrampft und ehrgeizig, wie bemüht und angestrengt alles ist, was Mann in jenen Jahren treibt.

Das genannte Wunder ist ein Zitat aus *Fiorenza*, wo es sich der Prior zuschreibt.[80] Wie Manns Aschenbach wendet er sich vorher von der ästhetizistischen Laxheit ab. „Ich hasse diese schnöde Gerechtigkeit, dies lüsterne Verstehen, diese lasterhafte Duldung des Gegenteils!" eifert er gegenüber dem Ästheten Lorenzo. Der aber kennt die Psychologie der Dekadenz. Da die Zeit „fein, zweiflerisch und duldsam, neugierig, schweifend, vielfach, unbegrenzt" ist, kann eine Kraft Ungeheures wirken, „die von der allgemeinen Zweifelsucht entschlossen sich abschließt". Man sieht, dies ist der Fall Gustav von Aschenbachs und die Absicht auch seines Schöpfers. Sich von der Zweifelsucht abschließen heißt aber nicht wissen wollen, was man doch weiß. „Ich will das nicht wissen", sagt der Prior, als Lorenzo ihn analysiert. Darf man das? fragt Lorenzo, „Darf man nicht wissen wollen?" Der Prior behauptet: „Ich bin erkoren. Ich darf wissen und dennoch wollen. Denn ich muß stark sein. Gott tut Wunder. Ihr schaut das Wunder der wiedergeborenen Unbefangenheit."

Genau das aber ist nicht wahr. Der Prior ist so befangen, so ehrgeizig, verkrampft und angestrengt wie Thomas Mann selbst. Auch Gustav Aschenbach ist alles andere als unbefangen. Die Größe dieser Erzählung besteht darin, daß die angebliche Unbefangenheit als Krampf und Rolle enttarnt wird, die unter dem Ansturm der wirklichen Leidenschaft zusammenbricht. *Der Tod in Venedig* dementiert das Ergebnis des *Elenden.* Am Programm des *Elenden* ist Aschenbach gescheitert. Die Absage an den Psychologismus hat ja nicht mit der Wiedergeburt der Anständigkeit geendet, sondern mit der Wiederkehr des Verdrängten; die Kündigung der Sympathie mit dem Abgrund endet im Abgrund; in die Mühsal der Ehe bricht die Homoerotik ein. „Die Meisterhaltung unseres Stiles ist Lüge und Narrentum, unser Ruhm und Ehrenstand eine Posse", lallt Gustav von Aschenbach im Halbschlummer, der Erkenntnis absagen führt genauso zum Abgrund wie die Erkenntnis, die „wissend, verstehend, verzeihend" ist.[81] Hier ist kein Ausweg.

In Thomas Manns vermeintlichem Antisemitismus steckt als Kern die Angst vor der Bedrohung des Lebens durch den Geist. Seine Polemiken sind so bitter und ungerecht, weil er gegen sich selber kämpft, gegen sein eigenes besseres Wissen, weil er Angst um seine eigene Haltung, Form und Würde hat. Die Bedrohung durch den unanständigen Psychologismus ist letzten Endes, das zeigt der *Tod in Venedig,* die Bedrohung durch die Wiederkehr der verdrängten Homoerotik. Indem er sie kurz nach der Lessing-Polemik wenigstens literarisch wieder zugelassen hat, hat sich Thomas Mann wenig Luft verschafft. Er wird auch gegenüber der Psychoanalyse allmählich freier werden.

Der Krieg bringt einen Rückfall. Er gibt eine Chance, sich als „Mann“ zu fühlen und die Psychologie erneut zurückzuweisen. „Aber Psychologie ist ja das Billigste und Gemeinste. Es gibt nichts Irdisches, worin sich nicht durch ‘psychologische Analyse’ Erdenschmutz entdecken und isolieren ließe.“[82] Woher er das weiß, ist klar: von sich selbst. Im Krieg aber gelten andere, „männlichere“ Gesetze. Man soll und darf jetzt die Elenden in die Schranken weisen. „Elende spreizten sich ethisch“.[83] Damit war Lessing gemeint. Das Thema „Anständigkeit als Velleität“ reizt ihn zur novellistischen Gestaltung:[84] Aber es betraf ja nicht Lessing, sondern auch Savonarola, auch Aschenbach, auch Thomas Mann selbst. Mußte er solche Anständigkeit denunzieren? Erst in den zwanziger Jahren wird er erkennen, daß die Sympathie mit dem Abgrund politisch dem Faschismus dient. Er wird die Anständigkeit, auch die nur gewollte, nicht mehr niedermachen, er wird mit wirklicher Entschluß- und Willenskraft für sie geradestehen.[85]

VIII. Krieg

München, um 1919

Chronik 1914–1918

Am 1. August 1914 war die Familie im Sommerhaus in Bad Tölz. Thomas Mann stimmte in die allgemeine Kriegsbegeisterung ein. Von verständnisvollen Ärzten ausgemustert, wollte er wenigstens Gedankendienst leisten. Er schrieb zu diesem Zwecke eifrig, gleich im August und September 1914 die *Gedanken im Kriege,* im September oder Oktober dann *Gute Feldpost,* von September bis Dezember *Friedrich und die große Koalition,* vom April zum Mai 1915 den *Brief an die Zeitung 'Svenska Dagbladet', Stockholm,* im Frühjahr 1916 *An die Armeezeitung A.O.K. 10,* vor allem aber von Herbst 1915 bis Frühjahr 1918 die monumentalen *Betrachtungen eines Unpolitischen.* Die Arbeit am *Zauberberg* blieb währenddessen liegen. Die Kriegsschriften brachten ihm zahlreiche Feindschaften ein, vor allem die von Heinrich Mann, der sich in seinem Essay *Zola* (erschienen November 1915) gegen das damalige Deutsche Reich und gegen seinen Bruder stellte. Der Umgang mit dem Gelehrten Ernst Bertram mußte Thomas Mann Ersatz für die verlorenen Gesprächspartner bieten.

Das übliche Leben, Schreibtischarbeit, Theater, Konzerte, Lesereisen, Erholungsaufenthalte in Bad Tölz, geht im Kriege weiter, eingeschränkt durch häufige Krankheiten und im letzten Jahr auch von der Lebensmittelknappheit betroffen. 1917 wird das Tölzer Sommerhaus verkauft und der Erlös in Kriegsanleihen angelegt, die vor der Rückzahlung wertlos wurden. Im März 1918 begann die Arbeit an dem Idyll *Herr und Hund* (beendet Mitte Oktober). Das Kriegsende und die Revolution vom November 1918 spiegeln sich intensiv im Tagebuch. Eine Epoche geht zu Ende.

Soldat und Kriegsmann Aschenbach

„Aber welchen Grund hat ein Dichter wie Thomas Mann", fragte Wilhelm Herzog genervt und irritiert im Dezember 1914, welchen Grund hat der Dichter der *Buddenbrooks*, „Gedanken im Kriege zu äußern, die er während des Friedens wenigstens immer unterdrückt hat?"[1] Welchen Grund hat ein Décadent mit gepflegten Manieren, ausgerechnet etwas so Unzivilisiertes wie den Krieg als etwas Heiliges zu bezeichnen und von Reinigung und Befreiung zu schwärmen? Das ist in mancher Hinsicht die Frage aller Fragen. Manns Verhalten bei Kriegsausbruch gehört zu den großen Rätseln, die eine Biographie lösen muß. Üblicherweise erscheint es als Fehltritt, der dann mit der Wendung zur Republik wiedergutgemacht wird, als eine Art Ausrutscher. Als Erklärung wird meistens nur angeboten, daß damals die große Mehrheit den Krieg bejahte und Mann sich dieser Mehrheit eben anschloß.

Ohne Zweifel hatte auch Thomas Mann teil an der Seelenlage, die diese Mehrheit zu ihrem Verhalten inspirierte. Doch nicht deren Gründe, nicht die Abenteuerlust und das nationale Kraftgefühl, nicht die Sedanprotzerei und das Hundertjährige des Sieges gegen Napoleon in der Völkerschlacht von 1813 sind hier maßgeblich; nicht die allgemeinen, sondern die speziellen Gründe Thomas Manns sollen uns hier interessieren. Der Rausch von 1914 muß sich aus dem bisher beschriebenen Leben erklären lassen, nicht aus der allgemeinen Geschichte. Er will ja auch gar nicht zu dieser allgemeinen Geschichte gehören. „Ich bin einzeln", betont er,[2] mit Kriegsgeschrei in der Nation aufgehen will er nicht. „Donnerworte kommen mir nicht zu." Er ist kein Franzosenfresser. Vor dem Krieg hat er einer deutsch-französischen Gesellschaft „Pour mieux se connaître" angehört.

Die wichtigsten Antworten vorweg in sechs Thesen. 1. Der Krieg befreite aus der Desorientierung und gab dem Leben wieder Sinn und Ziel. 2. Der Krieg befreite aus der Schaffenskrise. 3. Der Krieg gab die Erlaubnis zum offenen Bruderhaß. 4. Der Krieg bot Chancen, den auf Größe gerichteten Ehrgeiz zu befriedigen und Nationaldichter zu werden. 5. Der Krieg erlaubte es, sich als „Mann" zu zeigen, denen zum Trotz, die ihn als Weib, Stubenhocker und feine Goldschnittseele verächtlich gemacht hatten. 6. Auf subtile Weise schien der Krieg sogar Lösungen für den Konflikt zwischen Geist und Leben, zwischen Vaterwelt und Mutterwelt, zwischen Ehe und Homoerotik, zwischen dem Macht- und Erhöhungstraum einerseits und dem Liebes- und Verschmelzungstraum andererseits anzubieten – und nicht nur Lösungen, sondern rauschhafte Synthesen!

Die *Gedanken im Kriege* haben ihre geistige Vorgeschichte im *Tod in Venedig*. Daß die Kunst ein Krieg sei, hatte schon Gustav von Aschenbach behauptet, „auch er war Soldat und Kriegsmann gewesen".[3] Die Äußerung eines Kollegen, daß „soldatischer Geist" in der Venedignovelle sei, vermerkt Mann am 22. August mit Befriedigung.[4] In den *Gedanken im Kriege* wird die Todeserzählung heimlich zitiert. Über die Vorkriegszeit kann man dort lesen, eine „sittliche Reaktion" hätte eingesetzt, „ein moralisches Wieder-fest-werden" und „ein neuer Wille, das Verworfene zu verwerfen, dem Abgrund die Sympathie zu kündigen", ferner habe „ein Wille zur Geradheit, Lauterkeit und Haltung" Gestalt werden wollen.[5] Der wichtigste (vielleicht der einzige) Beleg für diese Zeittendenzen ist das Programm Gustav von Aschenbachs, der im *Elenden* das Verworfene verworfen hatte, der sich abgekehrt hatte vom moralischen Zweifelsinn und von jener Sympathie mit dem Abgrund, der Würde und Strenge sowie meisterliche Klassizität gewonnen hatte.[6]

Aber zum Träger der kriegerischen Vision wird der Aschenbach des zweiten, nicht des fünften Kapitels. Das hochsinnige Programm scheitert ja am Ansturm der Leidenschaft. Haltung und Form und Meisterlichkeit brechen zusammen, die züchtigen Kriegsleute werden „wie Weiber",[7] der Knabe Tadzio führt als Hermes Psychopompos Aschenbachs Seele in den Hades, die Todeswelt siegt, eine Welt der Entgrenzung und Vermischung, der ethischen Gleichgültigkeit und der Lust am Untergang.

Was im *Tod in Venedig* gescheitert ist, soll 1914 auferstehen? Wie ist ein solcher Rückfall möglich? Dadurch, daß 1914 etwas Neues dazukommt, nämlich die wirkliche Geschichte. 1912 noch hat es sich um bloße Velleitäten gehandelt. Thomas Mann gibt das sogar zu. Er habe den Willen zur Absage an die Dekadenz im Herzen getragen, „sagen wir pessimistisch: die Velleität dieser Absage".[8] Geradheit und Haltung waren Attitüden, denen es trotz allem Pathos an einem standfesten Wozu? fehlte. Dieses bot nun überraschend der Krieg. Haltung, Entscheidung und Willenskraft hatten plötzlich einen Gegenstand. Auch der Wunsch, Nationaldichter zu werden, war nicht mehr bloß der ruhmsüchtige Ehrgeiz eines Mannes, der es seiner Frau beweisen wollte, sondern die wirkliche Geschichte umschmeichelte ihn. Die Nation brauchte plötzlich einen Dichter. Thomas Mann konnte sich an die Spitze einer großen deutschen Bewegung setzen. Jetzt konnte er auch seinen *Friedrich* schreiben, wenn auch nur, so der Untertitel des Erstdrucks von *Friedrich und die große Koalition*, als „Abriß für den Tag und die Stunde". Während sein und Aschenbachs Ehrgeiz vor dem Krieg scheitern mußten, weil sie nur eine angestrengte Rolle waren, die vom verdrängten Wahren leicht dementiert werden konnte, bot 1914 zunächst einmal eine verführerische Erfüllung der Synthesenträume und Einheitsutopien des Frühwerks an. Warum ist Deutschland für den Krieg? „Weil es den Bringer seines *Dritten Reiches* in ihm erkannte. – Was ist denn sein Drittes Reich? – Es ist die *Synthese von Macht und Geist* – sie ist sein Traum und Verlangen, sein höchstes Kriegsziel – und nicht Calais oder die 'Knechtung der Völker' oder der Kongo."[9] „1914" ist die wiedergeborene Unbefangenheit aus *Fiorenza,* die neue Geradheit der Venedigerzählung, die Versöhnung von Intellektualismus und Einfalt, von Künstler und Bürger, von Kunst und Leben. So sieht es jedenfalls für einen Augenblick aus in jener Stunde begeistert-todbereiten Aufbruchs. Die apollinische Vaterwelt der Pflichten schien sich mit dem dionysischen Todesrausch der Vermischung und Entgrenzung wunderbar zu vereinigen.

Daß die Vernunft ihn auf die Seite der Kriegsgegner hätte führen müssen, realisierte Thomas Mann erst viel später. In Wirklichkeit war der Krieg, was Tadzio war: die Wiederkehr des Verdrängten, das Schwelgen im dionysischen Verschmelzungstraum und im Todeswunsch. Außerdem gestattet er das Sich-Gehen-Lassen im Bruderhaß, in lustvoll-worterotischen Schimpforgien.

Untergründig hat der Krieg auch etwas mit Homoerotik zu tun. Um die Belege zu finden, muß man ein wenig um die Ecke denken. Die kleine Kriegsschrift *Gute Feldpost,* geschrieben etwa im Oktober 1914, stellt gegen die verbreitete Meinung, die rauhe Wirklichkeit des Krieges sei allem Geistigen fern und feind, die These auf, der Geist sei dem Leben niemals näher als eben jetzt.[10] Der Beweis dafür ist recht privat. Thomas Mann zitiert aus Feldpostbriefen. Soldaten hätten ihm geschrieben, daß der *Tod in Venedig* ihnen niemals näher gewesen sei als jetzt im Schützengraben. Wenn es solche Briefe wirklich gab (sie sind nicht erhalten), dann mochten die Schreiber fasziniert gewesen sein sowohl von der soldatischen Moralität Aschenbachs wie auch von ihrem Gegenteil, dem Todeswunsch. Als tiefsten Grund nennt Mann die Liebe zwischen Geist und Leben. Alles Glück der Welt sei in ihr beschlossen.

Neigte der Geist sich nicht werbend zum Leben und sagte ihm schmeichelnd, daß es die Schönheit sei? Aber wie lächelte nun gar die Natur, wenn das Leben sich huldigend vor dem Geiste neigte, – weil es sich in ihm wiedererkannte! Einige Weise und Dichter haben dafür gehalten, daß hier Eros sei und nirgends sonst, – in diesem zarten, seligen, schmerzlichen, diesem göttlichen Hin und Wider zwischen Leben und Geist.

Einige Weise und Dichter ... Die Stelle ist von sublimem Humor, denn gemeint ist nur ein einziger, Thomas Mann selbst. Das Zitat kommt aus dem *Tod in Venedig.* Gustav von Aschenbach träumt von Sokrates, wie er den Phaidros belehrt, der Ältlich-Häßliche („Geist") den schönen Knaben („Leben"). Aschenbachs Sokrates doziert ergriffen, „daß die Natur vor Wonne erschaure, wenn der Geist sich huldigend vor der Schönheit neige". Er spricht „von der heiligen Angst, die den Edlen befällt, wenn ein gottgleiches Antlitz, ein vollkommener Leib ihm erscheint, – wie er dann aufbebt und außer sich ist und hinzusehen sich kaum getraut und den verehrt, der die Schönheit hat, ja, ihm opfern würde wie einer Bildsäule, wenn er nicht fürchten müßte, den Menschen närrisch zu scheinen".[11]

Das also ist es, was *Gute Feldpost* zitiert. Im Kriege kommen Geist und Leben zusammen wie Sokrates und Phaidros, wie Aschenbach und Tadzio. Und sie kommen endlich so zusammen, daß auch das Leben auf den Geist zugeht, der Knabe nicht nur angeschwärmt wird, sondern Briefe aus dem Felde schreibt. Denn anders als im *Tod in Venedig,* wo es heißt, „daß die Natur vor Wonne erschaure, wenn der Geist sich huldigend vor der Schönheit neige", schreibt *Gute Feldpost:* „Aber wie lächelte nun gar die Natur, wenn das Leben sich huldigend vor dem Geiste neigte."

Natürlich ist das bodenlose Schwärmerei. „Die Fähigkeit des Menschen zum Selbstbetrug ist erstaunlich."[12] Der Knabe Krieg bleibt fern wie alle Knaben im Leben Thomas Manns. *Gute Feldpost* ist geschrieben kurz nach Manns Ausmusterung. Er zieht nicht in den Krieg, sondern himmelt ihn aus der Ferne an.

1914 in Briefen

Die Nachricht vom Mobilmachungsbefehl erreichte Thomas Mann am 30. Juli. „So weit ist es noch nicht gekommen, so lange wir leben", schreibt er an Heinrich. „Ich möchte wohl wissen, wie Du empfindest. Ich muß sagen, daß ich mich erschüttert und beschämt fühle durch den furchtbaren Druck der Realität. Ich war bis heute optimistisch und ungläubig – man ist zu civilen Gemütes um das Ungeheuerliche für möglich zu halten." Das war bewegt, aber noch friedlich. Am 7. August 1914 aber ist das Pathos der Kriegsbegeisterung voll entfaltet. Ohne zu ahnen, daß Heinrich ganz anders denkt, bekennt er:

Ich bin noch immer wie im Traum, – und doch muß man sich jetzt wohl schämen, es nicht für möglich gehalten und nicht gesehen zu haben, daß die Katastrophe kommen mußte. Welche Heimsuchung! [...] Muß man nicht dankbar sein für das vollkommen Unerwartete, so große Dinge erleben zu dürfen? Mein Hauptgefühl ist eine ungeheuere Neugier – und, ich gestehe es, die tiefste Sympathie für dieses verhaßte, schicksals- und rätselvolle Deutschland.

An Samuel Fischer richtet der Heimgesuchte am 22. August einen Brief,[13] der schon einige Thesen der *Gedanken im Kriege* enthält: daß er die Friedenswelt satt gehabt habe, daß „ein Gefühl von Reinigung, Erhebung, Befreiung" ihn ergriffen habe, daß den Deutschen nichts Größeres und Glücklicheres habe geschehen können, als daß die Welt sich gegen sie erhob. Außerdem löst der Krieg auch ein künstlerisches Problem:

In die Verkommenheit meines „Zauberberges" soll der Krieg von 1914 als Lösung hereinbrechen, das stand fest von dem Augenblick an, wo es los ging.

Heinrich hatte sich offenbar noch nicht deutlich zu erkennen gegeben. Er hatte nur angedeutet, daß er kaum Einnahmen habe, weil seine Produktion derzeit unverwertbar sei. Thomas widerspricht heftig, mit einem Argument, das zeigt, daß er am 18. September 1914 noch nicht weiß, wo der Bruder steht:

Kannst Du wirklich glauben, daß durch diesen großen, grundanständigen, ja feierlichen Volkskrieg Deutschland in seiner Kultur oder Gesittung so sollte zurückgeworfen werden, daß es Deine Gaben dauernd abweisen könnte?

Der feierliche Volkskrieg läßt Heinrich unbetäubt. Sanft und kühl erklärt er dem Bruder, daß Deutschland den Krieg verlieren werde.[14] Thomas geht schroff ab. Als die *Gedanken im Kriege* erscheinen, ist auch öffentlich klar: Die Brüder stehen gegeneinander.

Nachdenklichere Töne klingen in einem Brief vom 29. September an. Thomas Mann muß der Lübecker Kollegin Ida Boy-Ed kondolieren. Ihr Sohn ist in Frankreich gefallen. Inzwischen war die Marneschlacht zu Ende gegangen, die den deutschen Vormarsch zum Stehen gebracht hatte. Es war klar geworden, daß es keinen raschen Sieg geben würde. Thomas Manns Gewissen schlägt, weil er nicht im Felde steht. „Der einzig ehrenwerte Platz ist doch eigentlich der im Schützengraben."[15] Aber da will er nicht wirklich hin. Daß er sich das Verlangen der verwundeten Soldaten nach dem Schützengraben, wo der große Blutrausch ist, gar nicht vorstellen könne, schreibt er am 28. Oktober an Annette Kolb. Vom Schreibtisch aus erscheint ihm ein wenig Unglück trotzdem heilsam. „Unser Sieg scheint ja in der Consequenz der Geschichte zu liegen", meint er,[16] aber „pädagogisch genommen" wäre es nicht gut für Deutschland, wenn die Sache so leicht ginge, wie es anfangs schien.[17]

Glücklich war der Schwärmer, als ihn eine Feldpostkarte von Richard Dehmel erreichte: „Vorgestern las ich im Schützengraben Ihre Gedanken über den Krieg (Neue Rundschau). Ich muß sagen, daß mir jedes Wort aus der Seele gesprochen ist [...] Diese stille Vorkämpfer-Arbeit ist vielleicht doch ersprießlicher für die Zukunft als aller Kriegslärm der Gegenwart."[18] Das tat gut. Daß der alte Freund und Förderer im Felde war, der viel jüngere Thomas Mann aber nicht („Herz und Hirn würden es nicht leisten können"), belastete natürlich die Nerven, aber daß Dehmel ihm bestätigte, daß der geistige Kriegsdienst wichtig sei, half ihm auch wieder heraus. Hymnisch endet seine Antwort.

Man fühlt, daß alles wird neu *sein müssen nach dieser tiefen, gewaltigen Heimsuchung und daß die deutsche Seele stärker, stolzer, freier, glücklicher daraus hervorgehen wird. So sei es.*[19]

Von Friedensverhandlungen und obskuren Plänen, dabei Frankreich mit Landgewinnen in Belgien zu entschädigen, spricht ein Brief an den Schwager Heinz Pringsheim, der ebenfalls im Felde stand, vom 15. Dezember.[20] Den letzten Brief des Jahres 1914 erhält Kurt Martens (datiert vom 30. Dezember). „Der Krieg dauert bestimmt noch lange", heißt es jetzt. Das Pathos weicht grundsätzlicheren Überlegungen, die zum *Zauberberg* hinführen. Die Liebe zum Krieg enthüllt sich, auch wenn die Formel noch nicht vorkommt, als Sympathie mit dem Tode:

Aber wie ich nun einmal bin, werde ich der Mahnung, für das Leben gegen den Tod als Künstler Partei zu nehmen, nie folgen können. Ich kann überhaupt nirgends Partei nehmen – ich würde es als Raub an meiner Freiheit empfinden. Was ist vornehmer, *das Leben oder der Tod? Ich weiß es nicht. Was ist* ekelhafter, *der Tod oder das Leben? [...] Diese Fragen, finde ich, soll man in Künstlerfreiheit und – Unverbindlichkeit aufwerfen und lebendig machen, ohne sie zu entscheiden. Schließlich sind Tod und Leben nur aesthetisch ein Gegensatz. Religiös sind sie Eins – dasselbe Mysterium.*

Militärdienst

Daß Mann sich als Soldat schon 1900 nicht eifrig gezeigt hat, davon war bereits die Rede. Über die Maßen quälten ihn damals Geschrei, Zeitvergeudung und eiserne Schmuckheit. 1914 muß er mit Einberufung rechnen. Der Bruder Viktor wird gleich geholt, ebenso der Schwager Heinz Pringsheim. Er selbst aber gehört zu den älteren Jahrgängen des ungedienten Landsturms und fürchtet am 7. August noch nichts. *Gute Feldpost* (September/Oktober 1914) ist eine Verteidigung. „Soldatisch zu leben aber nicht als Soldat" ist das Motto dessen, der am Schreibtisch bleibt.[21] Von denen, die zur Hingabe „zu klug" sind und spöttisch denen im Felde zuschauen, möchte er sich unterscheiden. Daß er immer noch nicht eingezogen sei, schreibt er am 21. Oktober an Hans von Hülsen, aber ihm sei nicht wohl dabei. Ehrenhaft ist eben nur der Schützengraben.[22] „Mein militärisches Verhältnis ist das Ihre", schreibt Mann an Philipp Witkop voller Furcht,[23] „nur daß ich keineswegs unabkömmlich bin und, wenn die Sache lange dauert, was sie wohl sicher thun wird (der hiesige Generalstab rechnet jetzt mit 2 Jahren), schon noch irgendwie drankommen werde." Trotzdem heißt es im Jahresend-Brief an Martens, daß er sich zur Landsturmrolle promptest gemeldet habe. „Woher hast Du es dann, daß wir zum April einberufen werden? Daß wir drankommen, glaube ich auch. Der Krieg dauert bestimmt noch lange."

Er kam nicht dran. Am 1. Oktober 1915 schreibt er an Paul Amann, wie das zuging.

Ungedienter Landsturm par excellence, unterhielt ich zum Soldatentum immer nur symbolische Beziehungen. Über meiner Musterung zu Anfang des Krieges waltete die aeußerste Korruption. Der Stabs-

arzt, ein offenbar extrem civiler und den schönen Wissenschaften blindlings ergebener Mann, geriet beim Hören meines Namens in ein erfreutes Dienern und musterte mich aus, „damit ich meine Ruh' hätte". (Wörtlich.) Ein ganz undeutscher Fall von Verderbnis durch die Litteratur.

Vielleicht ging es in Wirklichkeit nicht ganz so gemütlich zu. Erich Mühsam schreibt empört in sein Tagebuch, Thomas Mann habe splitternackt vor irgendeinem Leutnant stehen und auf dessen ungebildete Näselei Auskunft geben müssen.[24] Woher ihm die Kenntnis kam, wissen wir nicht. Wie auch immer, das Ergebnis war jedenfalls die Freistellung. Immer noch allerdings fürchtete Thomas Mann eine Nachmusterung der Ausgemusterten. Leute über vierzig seien zwar vorläufig davon ausgenommen, „aber wenn der Krieg sich weiter in die Länge zieht, kann ich irgendwelche Abenteuer schon noch gewärtigen". Die Nachmusterung kam am 11. November 1916, er wurde wegen Magenschwäche und Nervosität vom Militärdienst freigestellt.[25]

Nur einmal, schreibt Mann im *Lebensabriß,* sei er mit soldatischer Sphäre in Berührung gekommen, im okkupierten Brüssel, wo er einer *Fiorenza*-Aufführung beiwohnte. Auch damals, es war im Januar 1918, sah er nichts von der Front. Sein Kriegserlebnis bestand darin, daß er mit General Hurt frühstückte, „im Kreise seiner Offiziere, schmucker und liebenswürdiger Leute, die alle, Gott wußte, um welcher Verdienste willen, das Eiserne Kreuz erster Klasse auf der Brust trugen". Einer von ihnen habe ihn später als „Herr Kriegskamerad" angesprochen, „und wirklich", meint Thomas Mann, „so hart wie diese Herren habe auch ich den Krieg mich ankommen lassen".[26]

Thomas Mann und die große Koalition

„Die Geheimnisse des Geschlechtes sind tief und werden nie völlig erhellt werden."[27] Merkwürdige Sätze findet man in dem kriegstauglichen Essay *Friedrich und die große Koalition* – Sätze, die dazu veranlassen, auch diesen zunächst so klar tagespolitischen Text nach Lebensspuren abzusuchen. Zwar geht es auch bei den Geheimnissen des Geschlechts erst einmal um die Politik. Frankreich zum Beispiel ist ein Weib, „diese Nation nimmt Damenrechte in Anspruch".[28] Deutschland hingegen ist ein Mann wie Friedrich, den Maria Theresia, ein exemplarisches Weib auch sie, nie anders als „Der böse Mann" titulierte. „Ja, das war er", fügt Thomas Mann hinzu, „und zwar ebensosehr 'Mann' als 'böse'."[29]

„Wo ich bin, ist Deutschland", erklärt Thomas Mann 1938, als er amerikanischen Boden betritt.[30] „Deutschland ist heute Friedrich der Große", verkündet er 1914 in den *Gedanken im Kriege*. Friedrich ist Thomas Mann – die Folgerung drängt sich auf. Zumindest kann man damit experimentieren. An vielen Stellen wird Thomas Mann gedacht haben: Genau wie ich! Fast wie bei mir! Wobei einige narzißtische Übertreibung mit eingeflossen sein mochte, denn manche Parallelen sind zwar real, andere aber nur gewünscht, wieder andere halb befürchtet.

Als Kronprinz war Friedrich ein weibischer und schlapper Philosoph, zwar Wollust demonstrierend, aber heimlich von Impotenz bedroht (denn die Kräfte des Körpers, heißt es in einem Zitat, hätten der Neigung des Willens nicht genügend sekundiert).[31] Als er den Thron besteigt, entpuppt er sich zur allgemeinen Verblüffung als passionierter Soldat. Er liebt die Arbeit so fanatisch, daß der gewöhnliche Menschensinn etwas Dürres, Unmenschliches und Lebensfeindliches darin verspürt. Er hat keine Vertrauten und lebt von seiner Frau getrennt. Ein Asket ist er, ein Mönch wird er mehrmals genannt. „Er hat niemals geliebt", heißt es, ein „Malheur" auf diesem Gebiet habe es gegeben, eine Operation, „und von diesem Zeitpunkt an war irgend etwas kupiert in seiner Natur", und „das Weib hatte seine wenig ehrenvolle Rolle in seinem Leben ausgespielt".

„Offenbar wurde Friedrichs Männlichkeit von dem weiblichen Gegenpol nicht in der üblichen Weise angezogen." Eine Tänzerin, die eine Zeitlang als des Königs Geliebte galt, verdankte dies nach Voltaires spöttischem Wort der Tatsache, daß sie Männerbeine habe. Friedrichs Ehe war eine Scheinehe. Er war „antifeminin" und verlangte dies auch von seinen Offizieren; sie sollten ihr Glück durch den Säbel machen und nicht durch die Scheide.

Ob auch Thomas Mann die Angst verfolgte, im Alter dürr und böse, „kalt, trübe und abstoßend" wie Friedrich zu werden,[32] wissen wir nicht. Auf sicherem Grund stehen wir wieder, wenn Friedrich Begriffe aus dem Umkreis des *Tod in Venedig*, der *Gedanken im Kriege* und des Nachkriegs-Essays *Goethe und Tolstoi* zugeschrieben werden, „moralischer Radikalismus" zum Beispiel, „Entschlossenheit" und „radikale Skepsis" sowie „Ironie nach beiden Seiten hin" und ein nihilistischer „Fanatismus der Leistung".[33] Was Friedrich und

Thomas Mann verbindet, ist ferner der Glaube an den „Drang des Schicksals“ und den „Geist der Geschichte“, an eine überpersönliche, dämonische Macht.[34] Etwas Gewaltiges hat den Décadent Thomas Mann 1914 ergriffen, so daß zu aller Überraschung aus der feinen Goldschnittseele ein Soldat und Kriegsmann wird. Die gleiche Macht hatte auch Friedrich als Kronprinzen gepackt, als aus dem Weichling der König wurde.

Der propagandistische Wert des Friedrich-Aufsatzes ist nicht zu unterschätzen. Er besteht vor allem darin, daß für den völkerrechtswidrigen Einfall im neutralen Belgien ein anregendes Vorbild gefunden wird, Friedrichs Einfall ins neutrale Sachsen nämlich im Siebenjährigen Krieg. „Zum Lachen genau sah ich in der Entstehungsgeschichte unseres Krieges Friedrichs Geschichte sich wiederholen.“[35] Deutschland hat Ideologiebedarf, Thomas Mann liefert gekonnt. Er zweifelt nicht, daß es sich um einen Rechtsbruch gehandelt hat. Friedrich „mußte Schuld auf sich laden, um die Schuld seiner Gegner an Tag bringen zu können.“[36] Als Schopenhauerianer setzt Mann kein Vertrauen in die Handlungsfähigkeit des vernünftigen Menschen. Er unterwirft sich der Fatalität. Auch Friedrich ist nicht der Mann der Vernunft, sondern der Mann des Fatums.

Sein Recht war das Recht der aufsteigenden Macht, ein problematisches, noch illegitimes, noch unerhärtetes Recht, das erst zu erkämpfen, zu schaffen war [...] Nur wenn sich durch den Erfolg herausstellte, daß er der Beauftragte des Schicksals war, nur dann war er im Recht und immer im Rechte gewesen. Jede Tat, die diesen Namen verdient, ist ja eine Probe auf das Schicksal, ein Versuch, Recht zu schaffen, Entwicklung zu verwirklichen und die Fatalität zu lenken.[37]

Man mußte den „Geist der Geschichte“ auf seiner Seite haben, das war es. Das gab eine mächtige Rückendeckung. Das erlaubte sogar, was sonst verboten war. Das Unbürgerliche kam wieder zu seinem Recht. Denn das Soldatische ist unbürgerlich. Thomas hatte zu wählen zwischen Friedrich und Voltaire. „Voltaire und der König: Das ist Vernunft und Dämon, Geist und Genie, trockene Helligkeit und umwölktes Schicksal, bürgerliche Sittigung und heroische Pflicht; Voltaire und der König: das ist der große Zivilist und der große Soldat seit jeher und für alle Zeiten.“[38] Er wählte Friedrich, wählte Dämon und Genie, umwölktes Schicksal und heroische Pflicht. Dabei hatte er sich doch zehn Jahre früher eine bürgerliche Verfassung gegeben, sich für Vernunft und Geist, für trockene Helligkeit und bürgerliche Sittigung entschieden. Es sollte noch eine Weile dauern, bis er wieder zu Voltaire zurückfand.

Die Heimsuchung

„Was die Dichter begeisterte, war der Krieg an sich selbst, als Heimsuchung."[39] Immer wieder nennt Thomas Mann den Krieg eine Heimsuchung, eine tiefe, gewaltige Heimsuchung. Das Wort gehört zum Urkram. Was sein Leben zusammenhalte, heißt es im Joseph-Roman, sei die Idee der Heimsuchung, „des Einbruchs trunken zerstörender und vernichtender Mächte in ein gefaßtes und mit allen seinen Hoffnungen auf Würde und ein bedingtes Glück der Fassung verschworenes Leben". Thomas Mann spricht im weiteren vom scheinbar gesicherten Frieden, vom Leben, das den treuen Kunstbau lachend hinwegfege, und vom heulenden Triumph der unterdrückten Triebwelt.[40]

Auch der Krieg ist der Einbruch einer Leidenschaft in ein durch Bürgerlichkeit, Ehe und Familie nach außen hin kunstvoll geordnetes Leben. Auf den Krieg bezogen ist die Heimsuchung endlich einmal etwas Erlaubtes. Man muß darüber nicht klagen. „Der Menschenfreund sehe zu, daß er nicht durch schlecht angebrachtes Mitleid in ein komisches Licht gerate."[41] Es ist gut, daß man sich einmal gehenlassen darf. Endlich ist sogar die Zerstörung der bürgerlichen Sicherheit etwas beinahe Ersehntes. „Ich werde, wenn der Krieg lange dauert, mit ziemlicher Bestimmtheit das sein, was man 'ruiniert' nennt. In Gottes Namen!"[42] Die große Zeit gibt Deckung für das heimlich immer schon gewünschte Aus-der-Rolle-Fallen. „Wie die Herzen der Dichter sogleich in Flammen standen, als jetzt Krieg wurde! [...] Nun sangen sie wie im Wettstreit den Krieg, frohlockend, mit tief aufquellendem Jauchzen – als hätte ihnen und dem Volke, dessen Stimme sie sind, in aller Welt nichts Besseres, Schöneres, Glücklicheres widerfahren können."[43]

Zola

Auf die schönen Träume prasselte ein Säureguß hernieder. Der Bruder meldete sich. Ein großer Essay von ihm, betitelt *Zola,* von Haß starrend,[44] erschien im November 1915. Er gab vor, von Emile Zola zu sprechen, dem französischen Naturalisten, der mit seinem „J'accuse“ Frankreich über Wahrheit und Gerechtigkeit im Dreyfus-Prozeß aufgeklärt hatte. Auf raffiniert doppelsinnige Weise sprach der Essay aber gleichzeitig von Deutschland und vom Krieg, vom Kampf des Geistes und der Demokratie gegen Ungeist und hörige Unterwerfung. Eine weitere Anspielungsschicht tiefer sprach er schließlich vom eigenen Kampf gegen den Bruder. Was alles Thomas auf sich bezog, zu Recht oder zu Unrecht (meistens wohl zu Recht), erfährt man mit bissiger Zuspitzung, mit Zwischenrufen und Hervorhebungen am besten aus dem Referat, das der unpolitische Betrachter selber vom Zola-Essay gibt:[45]

Diese Wortführer und Anwälte – sie mögen sich später verantworten, wenn sie können –, „das Eine steht fest von vornherein: sie haben es leichter. *Ihre Gesinnung verlangt nicht, daß sie Verbannung und Schweigen“ (Verbannung?* Schweigen?*), „daß sie Verbannung und Schweigen ertragen. Im Gegenteil* ziehen sie Nutzen daraus, *daß wir andern schweigen und verbannt sind; man hört nur sie, es ist ihr günstigster Augenblick. Nicht mehr als menschlich,* wenn sie ihn wahrnähmen und ihren vorgeblichen Patriotismus noch lauter beteuerten, als sie es vielleicht tun würden, wenn nicht wir andern damit in Vergessenheit zu bringen wären. *Man müßte sie sich ansehen, ob es nicht auch sonst schon die waren, die das* Profitieren *verstanden.* Waren sie etwa Kämpfer? *[…] Wie, wenn man ihnen sagte, daß sie das Ungeheure, das jetzt Wirklichkeit ist“ (die Verurteilung Dreyfus'), „daß sie das Äußerste von Lüge und Schändlichkeit“ (es ist von der Verurteilung des jüdischen Hauptmanns die Rede)* „eigenhändig mit herbeigeführt haben, – *da sie sich ja immer in feiner Weise zweifelnd verhielten gegen so grobe Begriffe wie Wahrheit und Gerechtigkeit“ … „Im äußersten Fall, nein, dies glaubten wir nicht, daß sie im äußersten Fall* Verräter werden *könnten am Geist, am Menschen. Jetzt sind sie es. Lieber als umzukehren und, es zurückbannend, hinzutreten vor ihr Volk,* laufen sie mit seinen abscheulichsten Verführern neben ihm her und machen ihm Mut zu dem Unrecht, zu dem es verführt wird. *Sie, die geistigen Mitläufer, sind schuldiger als selbst die Machthaber“ (des Dreyfusprozesses), „die fälschen und das Recht brechen. Für die Machthaber bleibt das Unrecht, das sie tun, ein Unrecht; sie wenden nichts ein als ihr Interesse, das sie für das des Landes setzen. Ihr falschen Geistigen dreht Unrecht in Recht um,* *und gar in Sendung, wenn es durch eben das Volk geschieht, dessen Gewissen ihr sein solltet“ ... „Der ganze nationalistische Katechismus, angefüllt mit Irrsinn und Verbrechen, – und der ihn predigt, ist* euer Ehrgeiz, dürftiger noch, eure Eitelkeit ... Durch Streberei Nationaldichter werden für ein halbes Menschenalter, wenn der Atem so lange aushält; *unbedingt aber mitrennen, immer anfeuernd, vor Hochgefühl von Sinnen, verantwortungslos für die heranwachsende Katastrophe, und übrigens* unwissend über sie, wie der Letzte!“ ... *„Jetzt macht es nichts aus, daß man in eleganter Herrichtung gegen die Wahrheit und gegen die Gerechtigkeit steht; man steht gegen sie und gehört zu den Gemeinen, Vergänglichen. Man hat gewählt zwischen dem Augenblick und der Geschichte, und hat eingestanden, daß man mit allen Gaben* doch nur ein unterhaltsamer Schmarotzer war.“

Thomas Mann bekommt den Zola-Essay im Januar 1916 zu Gesicht. Der Schock läßt den Generalrevisions-Aufsatz, der seit September 1915 unter der Feder ist, zu einem dicken Buch anschwellen. Mehr als zwei Jahre lang wird sich Thomas Mann an der Widerlegung der offenen und unterschwelligen Vorwürfe abarbeiten.

Alles sagen

„Ich will alles sagen, – das ist der Sinn dieses Buches.“[46] Die *Betrachtungen* haben im Erstdruck mehr als sechshundert Seiten. So hemmungslos das Opus ist, als Ausschüttung gesehen, so viel an glänzenden Formulierungen und an geistiger Erkenntnis es enthält, so wenig sagt es doch *alles*. Es klammert vielmehr mit strikter Konsequenz das Private aus. Es ist nicht bekenntnishaft, sondern rhetorisch; es ist in jedem Augenblick auf der Bühne. Es ist rhetorisch noch, wenn es seine Theatralik zugibt. „Ein Rest von Rolle, Advokatentum, Spiel, Artisterei, Über-der-Sache-Stehen, ein Rest von Überzeugungslosigkeit und jener dichterischen Sophistik, welche den Recht haben läßt, der eben redet, und der in diesem Falle ich selbst war“, ein solcher Rest sei zweifellos überall geblieben und habe auch kaum aufgehört, halb bewußt zu sein. So steht es in der nachträglich geschriebenen Vorrede.[47]

Das „Alles sagen“ bedeutet insofern nicht Selbstentblößung, sondern Selbstverteidigung. Nicht die Gewissenserforschung nach innen, sondern die Behauptung nach außen ist die Aufgabe der *Betrachtungen*. Wenn sie von Intimität reden, meinen sie den Konflikt mit dem Bruder Heinrich. Gerade dieser aber wird nicht bekennend erwogen, sondern theatralisch inszeniert. Der Name des Bruders fällt nicht, und was sich wirklich zwischen den Brüdern abgespielt hat vom Herbst 1914 an, kann man allenfalls indirekt erschließen. Ein wahrhaftiges Porträt Heinrich Manns finden wir in den *Betrachtungen* nicht. Am nächsten kommen den Tiefen der Bruderschaft die aggressiven Briefe vom Dezember 1903 und von der Jahreswende 1917/18. Hier sind die Wunden spürbar, die sie einander schlugen, absichtlich und unabsichtlich. Aber auch diese Briefe sagen längst nicht alles. Das Bruderverhältnis gehört zu den Geheimnissen dieses Lebens, zu seinen stets irritierenden, stets stachelnden und deshalb produktiven Dunkelzonen.

Daß der rhetorische Gestus der *Betrachtungen* der des Bekenntnisses ist, davon darf man sich nicht irritieren lassen; es ist eben nur der rhetorische Gestus. Seine Schrift habe die Hemmungslosigkeit privatbrieflicher Mitteilung, schreibt Mann.[48] „Was wahr ist, komme an den hellen Tag." Und er zitiert August von Platen: „Es kenne mich die Welt, auf daß sie mir verzeihe!" Das Zitat ist verräterisch. Platens Lebensgeheimnis war die Homosexualität. Das „Es kenne mich die Welt" gehört deshalb zu Thomas Manns Geheimzitaten. „Es kenne mich die Welt, aber erst, wenn alles tot ist", schreibt der Fünfundsiebzigjährige ins Tagebuch (13. Oktober 1950). „Heitere Entdeckungen dann, in Gottes Namen." Die Tagebücher erst sagen „alles". Die *Betrachtungen* zelebrieren nur den Gestus des Alles-Sagens.

Erotik und Ironie

Von den *Betrachtungen* sind also keine unbekannten Intimitäten zu erwarten. Man muß sie wie die dichterischen Werke ins Leben rückübersetzen. Liebesgeschichten gibt es nicht, auch nicht in heimlichen Anspielungen, aber es gibt eine aufschlußreiche Theorie der Erotik. Die Rede ist von der Selbstverneinung des Geistes zugunsten des Lebens.[49] Wir übersetzen herzlos „Geist" mit „Thomas Mann" und „Leben" mit „blonde Knaben", im Bewußtsein, daß das nicht erschöpfend ist. Der Geist, der sich in das Leben verliebt, muß sich selbst verneinen, da die blonden Knaben nur dann reizend sind, wenn sie ungeistig sind.

Zum starken und schönen Leben gehört der Gedanke der Macht. Nicht der Schriftsteller hat sie, sondern die naiv-gewöhnliche Gegenpartei. Die Selbstverneinung wird als „begeisterte, erotisch berauschte Unterwerfung unter die 'Macht'" charakterisiert. Diese Unterwerfung ist „schon nicht mehr recht maskuliner", sondern – femininer Art, um das Wort zu gebrauchen, das Mann an dieser Stelle vermeidet.

Die Psychologie dieser Erotik hängt also mit glückhafter Unterwerfung zusammen. Noch einmal herzlos gesprochen ist sie masochistisch. Das Wissen des Geistes um diesen „unmännlichen" Masochismus ist der biographisch-psychologische Kern der berühmten Mannschen Ironie. Im „Durchschauen" lebt der „männliche" Herrschaftsgestus, der das Leben „erledigt". Die Unbarmherzigkeit des Durchschauens ist die Rache des Geistes für seine Erniedrigung. Erniedrigt ist er, weil er das Durchschaute liebt und es beileibe nicht ändern will. Er ist Ironiker, nicht Satiriker. Der Begriff des Lebens sei ihm im *Tonio Kröger* zur erotischen Ironie geworden, „zu einer verliebten Bejahung alles dessen, was nicht Geist und Kunst, was unschuldig, gesund, anständig-unproblematisch und rein vom Geiste ist".[50]

Im Kapitel *Ironie und Radikalismus* folgen wuchtige Definitionen.[51] Der Ironiker sei konservativ, heißt es, aber nur, wenn er nicht die Stimme des Lebens bedeute, welches sich selber wolle, „sondern die Stimme des Geistes, welcher nicht sich will, sondern das Leben". Ironisch ist dann zum Beispiel die Lage des Geistes, der nicht die Literatur will, sondern den Krieg.

„Hier ist Eros im Spiel", fährt Mann fort. Der Eros bejaht einen Menschen, abgesehen von seinem Wert. Auch das ist eine masochistische Bestimmung, denn der Geist sollte vom Wert ja wohl nicht absehen, tut das aber bei so manchem Kellnerknaben. Es bleibt bei der Schwärmerei: „darum gibt es zwischen ihnen keine Vereinigung, sondern nur die kurze, berauschende Illusion der Vereinigung und Verständigung, eine ewige Spannung ohne Lösung ..."

„Der Geist, welcher liebt, ist nicht fanatisch, er ist geistreich, er ist politisch, er wirbt, und sein Werben ist erotische Ironie. Man hat dafür einen politischen Terminus; er lautet 'Konservativismus'. Was ist Konservativismus? Die erotische Ironie des Geistes."

Bruderkrieg

Aus *Fiorenza* zitiert Thomas Mann den Satz: „Sehnsucht ist Riesenkraft, doch der Besitz entmannt."[52] Das ist gegen den Bruder gerichtet, dem eine Erfüllungserotik unterstellt wird. Heinrich ist der Genießer, Thomas der Asket.

In der Lebenspraxis aber wird dem „Heinrich" der *Betrachtungen* der Geschlechtsgenuß gar nicht zugetraut. Der Zivilisationsliterat wird als Ästhetizist kritisiert, der die Rolle und Geste des Genußmenschen nur zelebriert ohne Fähigkeit zu ihr. Ästhetizismus, so heißt es, sei „die gestenreich-hochbegabte Ohnmacht zum Leben und zur Liebe".[53] Ästhetizismus ist die „rhetorisch entschlossene 'Menschenliebe'", diese aber ist nur periphere Erotik, „wo sie verkündet wird, wo man sich mit ihr brüstet, da pflegt es im Zentrum zu hapern". Es folgen drei Beziehungspünktchen.

Die „Liebe" als Ideologie steht gegen die Liebe als Praxis. Heinrich wird zum Ideologen erklärt, bei dem es im Zentrum hapert. Das Fatale ist aber, daß jener Ästhetizismus, die Ohnmacht zum Leben und zur Liebe und die periphere Erotik, daß das alles Vorwürfe sind, die in mindestens gleichem Maße auf Thomas passen. Ob überhaupt auf Heinrich, das steht hier nicht zur Debatte, obgleich dessen Erotik aller Wahrscheinlichkeit nach weniger peripher war als die seines jüngeren Bruders. Diesem Vertrocknung und Mangel an Männlichkeit vorzuwerfen hatte Heinrich sicher mehr Grund als umgekehrt Thomas. „Sache derer, die früh vertrocknen sollen, ist es, schon zu Anfang ihrer zwanzig Jahre bewußt und weltgerecht hinzutreten", hatte er am Anfang des *Zola* geschrieben. Thomas ging das über die Hutschnur. Er sah sich veranlaßt, seine Männlichkeit zu betonen.[54]

Als „Bruder" bekämpft Thomas Mann Bestrebungen, die er an sich selber studiert hat. Der „Zivilisationsliterat", den er so lebhaft attackiert, ist er selbst, und er weiß das; „wir sind unter uns", notiert er doppelsinnig.[55] Die *Betrachtungen* sind ein kunstvolles Schattenboxen. Heinrich schreibt über Zola und seine Gegner, meint aber die demokratischen Aktivisten von 1914 und ihre Gegner, im Kern sich selbst und seinen Bruder. Thomas schreibt über das internationalistische Literatentum und die innerlichen Deutschen, meint damit aber fast durchgehend Heinrich und sich selbst. Er nennt den Namen des Bruders kein einziges Mal, spricht ihn aber, in rhetorischen Floskeln versteckt, immer wieder direkt an: „wie stehst du dann vor mir,

Mensch, Künstler, Bruder, mit deinem reißenden Geschwätz?"[56] Sogar von Gesprächen berichtet er, zum Beispiel habe er den Zivilisationsliteraten für Paul Claudel begeistern wollen, aber die Antwort erhalten, es gebe Wichtigeres.[57] Das wird nicht allzu lange vor dem Krieg gewesen sein. Vor allem aber zitiert er maliziös und anonym fast alle Schriften Heinrichs aus den Jahren 1910 bis 1917. Hinter der Maske des Bruders verstecken die *Betrachtungen* alles Widrige, Feindselige und quälend Unverstandene. Man kann aus dem *Zola* und den *Betrachtungen* ganze Gespräche zusammensetzen, und wieder zeigt sich dabei, daß sie sich gegenseitig das vorwerfen, das selber zu sein sie Angst haben.

Nutznießer! lautet einer dieser Vorwürfe. Heinrich hatte, gemünzt auf die Wortführer und Anwälte des Krieges, geschrieben, sie zögen Nutzen daraus, „daß wir andern schweigen und verbannt sind; man hört nur sie, es ist ihr günstigster Augenblick."[58] Thomas antwortet, fast aus der Rolle fallend persönlich: „Mein günstigster Augenblick! Tor, siehst du denn nicht, daß es dein günstigster Augenblick ist, der deine vielmehr?!"[59] Beide glauben, der andere hätte es leichter. Die durch Streberei Nationaldichter geworden waren, stichelt Heinrich, „waren sie etwa Kämpfer?" Nein, sie waren nur unterhaltsame Schmarotzer. Thomas retourniert mit einer lustvollen rhetorischen Kaskade, die das Kämpfertum des Bruders als opernhafte Geste verhöhnt.[60]

Ein Schmarotzer. Denn: „Waren sie etwa Kämpfer?" O nein, nie war ich ein Kämpfer, nie etwas Ähnliches! Ich stand nicht da, eine Hand auf dem Herzen, die andere in der Luft, und rezitierte den Contrat social. Ich sang nicht, daß man irgendwelche 'Herren' an die Laterne hängen müsse, und plädierte nicht auf Abschaffung der großen Männer, weil sie das Niveau drücken. Ich behauptete nicht, daß die Republik das Ideal der Wahrheit sei, verhöhnte auch nicht die ewig mit Leid beladene Menschheit, indem ich tremolierend versicherte, ihr Weg führe „zu etwas sehr Schönem, durchaus Heiterem", nannte ferner nicht jeden einen Idioten oder Schurken, der das nicht glauben konnte, und schrie nicht: „Man achte auf mich, der liebt!" Ich erinnere mich, ich nahm Abstand von all dem. Und folglich war ich kein Kämpfer. Folglich war ich ein Schmarotzer.

„Es ist, meiner Einsicht nach, die Begierde nach Wirkung, die dich corrumpirt", hatte Thomas am 5. Dezember 1903 an Heinrich geschrieben. Dieser schlägt im Zola-Essay zurück: „Aber ihr seid nicht zu dienen da, sondern zu glänzen und aufzufallen." Thomas kontert:[61]

Die Lustspielszene ist zu schreiben, wie der junge Idealist zum Meister des revolutionären Tonfalls kommt und ihm vorhält, es sei an der Zeit, der Augenblick sei da, wo es hervorzutreten, zu handeln gelte. Der Meister wird versagen [...] „O nein, junger Mann, Sie verlangen Falsches von mir [...] Malen Sie sich aus, daß die Macht Hand an mich legte ... Nein, nein, lieber Freund, leben Sie wohl! Sie unterbrachen mich in einer bewegten Seite über die Freiheit und das Glück, die ich beenden möchte, bevor ich ins Bad reise. Gehen Sie, gehen Sie, und tun Sie Ihre Pflicht! Votre devoir, jeunes hommes de vingt ans, sera le bonheur!"

Der Schluß zitiert auf französisch die Schlußsätze von Heinrich Manns Aufsatz *Das junge Geschlecht:* „Eure Pflicht, Zwanzigjährige, wird das Glück sein!"[62] Das Pathetische solcher Sätze kritisiert Thomas ganz zu Recht. Der „Meister des revolutionären Tonfalls" ist ein Theatraliker. Thomas Mann durchschaut ihn, weil er die Versuchungen der opernhaften Geste kennt, weil er das Rollenspiel, die Wirkungssucht, den Willen zur Größe nur allzugut kennt. Was er als „Bruder" durchschaut, ist das, was er aus Friedrich Nietzsches Demaskierung Richard Wagners gelernt hat. Wie Nietzsches Wagner ist Heinrich (ist Thomas) ein wirkungssüchtiger Ästhet, der nichts Echtes kennt, sondern als Schauspieler die Effekte des Echten zu inszenieren weiß. Das Werk lebt nicht, sondern ist „gemacht, gerechnet, künstlich, ein Artefakt".[63]

Trotz des narzißtischen Zuges, der diesen Projektionen eigener Beschwerden auf den Bruder anhaftet, bleibt die Auseinandersetzung repräsentativ. Man sollte sie nicht pathologisieren und damit ihrem Sachgehalt ausweichen. Das Problem der Unfähigkeit des Ästheten zum konkreten Handeln, der Ungeeignetheit des Schriftstellers zu ernsthafter Politik besteht ja wirklich. Auch wenn Thomas Mann das alles an sich selbst studiert hat, bleiben seine Erkenntnisse hörenswert. Daß er sich die Welt nach seinen Bedürfnissen zurechtschneidert, mindert den Erkenntnisgehalt seiner Aussagen nur relativ, nicht absolut. Auch wenn er so weit geht, daß er alle europäischen Kriege zu Bruderkriegen erklärt und damit zu Vorgängen in seinem eigenen Inneren, bleibt jenseits der narzißtischen Maßlosigkeit ein Körnchen Wahrheit.

Meinungen

Vom Standpunkt der heute üblichen Mehrheitsoptik sind die *Betrachtungen* ein reaktionäres Buch, denn sie äußern die dazu passenden Meinungen, bis zur Komik das linksliberale Klischee bedienend. Die anständigste und menschenwürdigste Lebensform, so kann man zum Beispiel lesen, sei die des Gutsherrn.[64] Der vielverschriene Obrigkeitsstaat sei und bleibe die dem deutschen Volke angemessene, zukömmliche und im Grunde von ihm gewollte Staatsform.[65] „Ich will die Monarchie", pointiert der unpolitische Betrachter, weil nur sie die Gewähr politischer Freiheit biete.[66] Das Leben sei streng, grausam und böse zu jeder Zeit.[67] Das „Glück" sei Chimäre, nie werde die Harmonie des Individualinteresses mit dem der Gemeinschaft sich herniedersenken, „und warum die einen immer Herren, die anderen Knechte sein müssen, das erklärst du den Menschen nicht".[68] Dazu kommen nationale Überdrehtheiten. Die Ansicht, daß der deutsche Volkscharakter der vollendetste moralische Apparat sei, den die Welt je gesehen, zitiert er mit inniger Zustimmung.[69] Er erfindet die Formel „exzentrische Humanität des Krieges" und bringt den Satz über die Lippen, daß der Krieg, daß die jahrelang-tägliche Nähe des Todes eine seelische Verfeinerung, Erhöhung, Vertiefung und Veredelung nach sich ziehe.[70] In Einzelfällen mag das sogar richtig ein. Dem heutigen Betrachter sticht freilich das Verrohende des Krieges viel stärker ins Auge.

Man hat die *Betrachtungen* immer an solchen Meinungen gemessen und dabei ausgeklammert, daß das gleiche Buch an zahlreichen Stellen unterscheidet zwischen Sein und Meinung. Das Sein ist das Ausschlaggebende, Meinungen aber sind bloßes Gerede, solange sie nicht mit dem Sein übereinstimmen. Daß in seinem Falle nur die Meinungen konservativ sind, das Sein und der Stil aber internationalistisch, intellektualistisch, literarisch, demokratisch, das ist die entscheidende Grunderkenntnis der *Betrachtungen.* „Konservativ? Natürlich bin ich es nicht; denn wollte ich es meinungsweise sein, so wäre ich es immer noch nicht meiner Natur nach, die schließlich das ist, was wirkt."[71] Auch mit der Kriegsbegeisterung steht es bald nur noch so la la. „Der Krieg ist überlebt und verrottet, das weiß ich."[72]

So gesehen sind auch die krassesten „Meinungen" des Buches: Literatur! Ihr rhetorisches Moment überwiegt ihr sachliches in aller Regel. Thomas ist, wie Heinrich, ein Zivilisationsliterat, natürlich, was denn auch sonst. Er ist doch kein deutschnationaler Bärenhäuter, wer konnte so etwas auch nur einen Augenblick lang denken! In der Tat hat er mit seinem ganzen Schaffen die dekadente Verfeinerung vorangetrieben, nicht etwa irgendeine kraftmeiernde nationale Ertüchtigung. Er weiß das, bis zur Komik genau. Gefährden seine Romane nicht die Fortpflanzungslust? Mit dem Erscheinen von *Buddenbrooks* setze in Deutschland ein nie dagewesener Geburtenrückgang ein. Das Buch sei „ein Merkmal nationalen Gesundheitsabstieges", so schreibt er über das immerhin deutscheste seiner Bücher.[73] Die Literarisierung Deutschlands bedeutet Vitalitätsverfall. In Manns Schaffensjahren „hat sich die deutsche Prosa verbessert; gleichzeitig drang die Anpreisung und Kenntnis der empfängnisverhütenden Mittel bis ins letzte Dorf."

Wenn das Sein entscheidend ist und nicht die Meinungen, was also „ist" Thomas Mann? Ein Ästhet und Literat, ein Künstler ohne Zweifel. Künstler aber haben keine Standpunkte. „Was gelten im Kunstreiche Meinungen?"[74] Ein Künstler ist einer, der den, der gerade redet, recht haben läßt, und wäre es der Teufel selbst.[75] Das ganze aufgeregte Geschrei der *Betrachtungen* ist eine Rolle. Ein unfestes Ich spielt sie, um fest zu werden, um fest zu erscheinen. „Und schwankend faß ich jede starke Hand ..."[76] Der Krieg hatte eine starke Hand geboten. Endlich schien es möglich, einen festen Platz zu finden, eine Persönlichkeit zu werden. „Persönlichkeit ist Sein, nicht Meinen."[77] Aber die Unsicherheit des unbürgerlichen Ästheten und Ex-Bohèmiens, der den Vater verlor, dessen erotische Konstitution in dieser Welt keinen Platz hatte, der sich eine Verfassung geben mußte, bleibt. Mit den *Betrachtungen* versucht er, sich eine politische Verfassung zu geben. Anders als seine Ehe ist sie ohne längeren Bestand.

Versuch einer Versöhnung

Am 27. Dezember 1917 standen in einem Artikel mit der Überschrift *Weltfrieden?* im *Berliner Tageblatt* die Sätze:[78]

„Selbst das größte Gefühl wird klein, wenn es sich aufputzt mit großen Begriffen; ein bißchen Güte von Mensch zu Mensch ist besser als alle Liebe zur Menschheit." So ist es, glaube das nur! Die rhetorisch-politische Menschheitsliebe ist eine recht periphere Art der Liebe und pflegt am schmelzendsten verlautbart zu werden wo es im

Zentrum hapert. Werde besser du selbst, weniger hart, weniger rechthaberisch-dünkelhaft, weniger angreiferisch-selbstgerecht bevor du den Philanthropen spielst ... Es mag einer großen Sukzeß haben, der sehr schön zu sagen versteht: „Ich liebe Gott!" Wenn er aber unterdessen „seinen Bruder hasset", dann ist, nach dem Johannes-Evangelium, seine Gottesliebe nichts als schöne Literatur und ein Opferrauch, welcher nicht steigt.

Heinrich bezog die Zeilen auf sich, mit Recht. Ein Brief ging ab an den Bruder, von dem sich der Entwurf erhalten hat, betitelt „Versuch einer Versöhnung". Heinrich verteidigt sich darin vor allem gegen den Vorwurf des Bruderhasses. Aber der Brief war nicht geschickt. Seine stolzen und salbungsvollen Formulierungen waren nicht geeignet, das Herz des Bruders zu rühren. Allerdings sei Liebe zur Menschheit die Liebe einer Idee, doziert Heinrich, „aber wer sein Herz so sehr in die Weite hat erheben können, wird es des öftern auch im Engen erwiesen haben." Heinrich betont, daß er das Werk des Bruders stets wohlwollend begleitet habe, obgleich er von all dem fast nichts zurückbekommen habe. Er erkennt Richtiges in der Charakterstruktur des Bruders: „Ich wusste, um sicher zu stehen, brauchtest Du die Selbstbeschränkung, sogar die Abwehr des Anderen", aber wer versöhnen will, tut nicht gut daran, den Angesprochenen erst so unbarmherzig zu durchschauen. Er erinnert ferner an alte Wunden. Die Mitteilung von der Geburt seines Kindes sei nicht gut aufgenommen worden. Thomas wird in seiner Antwort das Gegenteil behaupten, Katia habe damals an Heinrichs Frau zart, menschlich und ausführlich geschrieben und habe Frechheiten zur Antwort bekommen.[79] Heinrich wiederum nennt den Zartsinn Überhebung und bekennt sich dazu, daß er daraufhin seiner Frau die „Frechheiten" habe diktieren müssen. – Der Versöhnungsversuch schließt mit einem allzu vorbehaltvollen Angebot. „Vielleicht finden meine heutigen Erklärungen ein besseres Gehör. Das wäre möglich, wenn Deine neueste Klage gegen mich von Schmerz diktirt ist. Dann mögest Du erfahren, dass Du meiner nicht als eines Feindes zu denken brauchst."

Alles zusammen war das mehr eine Selbstbehauptung als ein herzlicher Schritt. Das machte Thomas Mann die Ablehnung leicht. Er wäre wohl zu diesem Zeitpunkt ohnehin nicht versöhnungsbereit gewesen. Da lag ja das Buch mit Hunderten von Seiten gegen Heinrich, die bei einer Versöhnung nicht mehr publizierbar gewesen wären; auch war der Krieg noch nicht zu Ende. Er brauchte ihn als Gegner, das hatte Heinrich richtig erkannt. Und so kam es dahin, daß Thomas' Antwort die Gegnerschaft weiter vertiefte. Sie ist erhalten und datiert vom 3. Januar 1918. Sie ist bitter. „Wie oft Du [...] erbarmungslos meine einfachsten und stärksten Empfindungen mißhandelt hattest, bevor ich mit einem Satz dagegen reagierte, vergißest Du oder verschweigst Du." Extrem sei nicht sein, sondern Heinrichs Verhalten im Kriege gewesen. Er habe nicht zwei Jahre lang gerungen, um auf einen Brief hin, der begreiflicher Weise Triumph atme, „um Dir auf diesen in keiner Zeile von etwas anderem als sittlicher Geborgenheit und Selbstgerechtigkeit diktierten Brief hin schluchzend an die Brust zu sinken". Rhetorisch glänzend, aber tief verletzend und jeden Zugang abschneidend, zieht Thomas die Kernformulierungen des brüderlichen Briefs vernichtend ins Lächerliche. Der Schluß ist lapidar, glänzend gemacht und hoffnungslos. „Schmerz? Es geht. Man wird hart und stumpf. Seit Carla sich tötete und Du fürs Leben mit Lula brachst, ist Trennung für alle Zeitlichkeit ja nichts Neues mehr in unserer Gemeinschaft. Ich habe dies Leben nicht gemacht. Ich verabscheue es. Man muß zu Ende leben so gut es geht."

Heinrich wollte antworten, schickte aber den fertigen Brief nicht ab. Sein Antwortentwurf ist selbstsicher, vornehm, weitsichtig und eindringlich. „Lieber Tommy, vor solcher Verbitterung müsste ich verstummen und die 'Trennung für alle Zeitlichkeit' so hinnehmen wie sie geboten wird. Aber ich will nichts versäumen. Ich will Dir nach Kräften helfen, die Dinge später, wenn alles vorbei ist, gerechter zu sehen." Er bestreitet, daß sein Welterlebnis ein brüderliches sei. „Du störst mich nicht." Ganz wahr dürfte das wohl nicht sein. „Bezieh nicht länger mein Leben u. Handeln auf Dich, es gilt nicht Dir, u. wäre ohne Dich wörtlich dasselbe." Auch das ist, angesichts der gezielten Ausfälle im Zola-Essay, nicht ganz redlich. Aber Heinrich ist den Weg zum Sozialen früher gegangen als Thomas. So kann er gegen den Vorwurf der Selbstgerechtigkeit zielsicher die „wüthende Leidenschaft für das eigene Ich" ins Feld führen, die er dem Bruder ankreidet:

Dieser Leidenschaft verdankst Du einige enge, aber geschlossene Hervorbringungen. Du verdankst ihr zudem die völlige Respektlosigkeit vor allem Dir nicht Angemessenen, eine „Verachtung", die locker sitzt wie bei keinem, kurz, die Unfähigkeit, den wirklichen Ernst eines fremden Lebens je zu erfassen. Um dich her sind belanglose Statisten, die „Volk" vorstellen, wie in Deinem Hohenlied von der „Kgl Hoheit". Statisten hätten Schicksal, gar Ethos? [...] Vermesse aber auch ich mich eines sittl. Willens, wie erscheint er Dir? Unter dem Bild eines komödiantischen Prahlhansen u. glänzenden Machers. Du Armer!

Die Unfähigkeit, ein fremdes Leben ernst zu nehmen, bringt schliesslich Ungeheuerlichkeiten hervor, – u. so findest Du, mein Brief, der eine Geberde der einfachen Freundlichkeit war, athme Triumph! Triumph worüber? Dass alles gut für mich „steht und liegt", nämlich die Welt in Trümmern u. 10 Millionen Leichen unter der Erde. Das ist doch mal eine Rechtfertigung! Das verspricht doch Genugthuungen dem Ideologen! Aber ich bin nicht der Mann, Elend u. Tod der Völker auf die Liebhabereien meines Geistes zuzuschneiden, ich nicht [...]

Die Stunde kommt, ich will es hoffen, in der Du Menschen erblickst, nicht Schatten, u. dann auch mich.

Das ist datiert vom 5. Januar 1918. Hätte es Thomas Mann erreicht, hätte er zu antworten gewußt? Die Diagnose war ja in mancher Hinsicht treffend. Die Wissenschaft wird den Fachterminus nachliefern: Narzißmus. Es ist nicht damit getan, das als Vorwurf auszubreiten und post festum zu verlangen, Thomas Mann hätte sich damals anders verhalten müssen. Der Narzißmus ist eine Produktionsvoraussetzung seines Werks; ihm, so hatte Heinrich ganz richtig festgestellt, „verdankst Du einige enge, aber geschlossene Hervorbringungen". Ohne den Narzißmus wären sie nicht oder nicht so entstanden. Wäre Thomas Mann ein herzlich guter Mitmensch gewesen, wäre er im Sozialen aufgegangen wie die meisten, dann hätte er sein Werk nicht geschrieben. Er konnte sich nicht einfach ändern. Er mußte diesen Weg erst einmal gehen, so weit er gangbar war. Erst als er am Ende der Sackgasse angekommen war, wurde er zu einer Teilumkehr gezwungen. Erst die Versöhnung mit dem Bruder und die allmähliche Wendung zum Republikanismus, die ihr folgte, drängte den Narzißmus ein wenig zurück. Jedenfalls fand er dann neue Feinde, die zur Stabilisierung seines stets bedrohten Ichgefühls verhelfen konnten, und neue Freunde in Form einer Staatsmacht, die ihm endlich Größe zusprach, ihn endlich zum repräsentativen Nationaldichter erklärte, der er in der Kaiserzeit trotz allen Kriegsgeschreis nicht geworden war. „Ich will Dir nach Kräften helfen, die Dinge später, wenn alles vorbei ist, gerechter zu sehen." Heinrich Mann hat dieses Mal recht behalten.

Mystik

In Frieden und Wohlstand können materielle und soziale Befriedigungen in gewissem Grade für den Mangel an Sinn aufkommen. Im Kriege nicht. Sie wurden Thomas Mann auch gar nicht zuteil, jene Befriedigungen, im Gegenteil, er verarmte sogar ein kleines bißchen und errang von 1914 bis 1918 weder öffentliche Ehrungen noch literarische Erfolge. Es waren die schwersten Jahre seines Lebens.[80] Trotzdem hatte er das erste Mal in seinem Leben Stellung bezogen, einen Platz gefunden, Sinn und Ziel erfahren. Was war vorher? Im Rückblick gibt sich dem Erzähler des *Zauberberg*-Romans die Vorkriegszeit bei aller äußeren Regsamkeit als hoffnungslos, aussichtslos und heimlich ratlos zu erkennen.[81] Wenn die Zeit, so meditiert er, der bewußt oder unbewußt gestellten Frage nach einem letzten, mehr als persönlichen, unbedingten Sinn aller Anstrengung und Tätigkeit ein hohles Schweigen entgegensetzt, dann wird Lähmung die Folge sein, seelisch-sittliche, am Ende sogar physische. Der Krieg, der dieses hohle Schweigen beendete, bot nicht, wie es gutwillige Menschenvernunft vorziehen würde, Sinnlosigkeit, sondern Sinnstiftung. Das hat man als Tatsache hinzunehmen, und darum wollen wir bei diesem Punkt noch ein wenig verweilen.

Es ist leicht, große Bereiche dieser Sinnstiftung als bloße Ideologie zu entlarven. Ein Kampf nach außen versöhnt logischerweise nach innen, gemeinsame Not schafft Solidarität, ein starker Gegner gewährt eine starke Identitätserfahrung. Einsame werden plötzlich umarmt, und isolierte Intellektuelle gehen im Volksgewühl auf. Sie empfinden das als Sinngeschenk, dabei ist es nur Identitätspsychologie. Vielen gefällt am Krieg auch die bequeme Möglichkeit zur Flucht aus ziviler ethischer Verantwortung. Er vereinfacht, sei es, daß man aus verzweifelten oder auch nur unerträglich langweilig gewordenen Lagen in das große Abenteuer ausbrechen kann, sei es, daß man alles Böse im Innern nach außen projizieren und eine reinliche Ordnung von Gut und Böse herstellen kann. So ist auch bei Thomas Mann der Zivilisationsliterat der innere Franzose, den in Gestalt des Bruders zu schlagen der Krieg endlich die im Frieden verwehrte Lizenz gibt. Bis dahin ist die „Sinnstiftung“ leicht durchschaubar und der Katzenjammer vorherzusehen, wenn das Gebäude zusammenbricht.

Darunter aber gibt es eine nicht so leicht denunzierbare Tiefenschicht. „Jedermann fühlt und weiß, daß im Kriege ein mystisches Element enthalten ist", schreibt der unpolitische Betrachter, „es ist dasselbe, das allen Grundmächten des Lebens, der Zeugung und dem Tode, der Religion und der Liebe eignet."[82] Der Kunst, der Musik und dem Meere auch, könnte man hinzufügen. Der Krieg wird damit den metaphysischen Grunderfahrungen Thomas Manns beigeordnet, die ihn schon seit frühesten Tagen begleiten. Das kann man nicht mehr mit den Tagesideologien von 1914 erklären.

Ein mystisches Element also. Was heißt das? Mit Schopenhauer verstand Mann unter Mystik vor allem das Nunc stans, das stehende Jetzt, den Augenblick der Zeitaufhebung, in dem sich der Nu zur Ewigkeit öffnet. Der Krieg reißt heraus aus dem gemächlich handeltreibenden Zeitkontinuum der Friedenszeit. Er bringt Schocks, Erfahrungen der Plötzlichkeit, die das Zeitkontinuum zerreißen wie einen Vorhang vor der Ewigkeit. Dieser Vorhang ist, mit Schopenhauers indischer Mystik gesehen, der Schleier der Maja, der uns die Illusion vorgaukelt, wir wären in Raum und Zeit abgeteilte Individuen, während in Wirklichkeit doch alles jederzeit und überall ist. Der Krieg kennt Augenblicke, die mehr Gewicht haben als ein ganzes langes Leben. Er läßt die Zeit nichtig werden wie im Rausch. Der *Zauberberg*-Erzähler weiß von Opiumträumen, in denen der Betäubte dreißig oder sechzig Jahre durchlebt oder sogar die Grenze aller menschlichen Zeiterfahrungsmöglichkeit hinter sich läßt, Träume, in denen die Vorstellungen sich mit einer Geschwindigkeit drängen, als wäre aus dem Hirn des Berauschten etwas hinweggenommen worden wie in einer verdorbenen Uhr.[83]

Ist ein langes Leben besser als ein kurzes? Das kurze kann dicht sein, das lange leer. Ist ein schmerzfreies Leben das höchste Ziel? Alles gleicht sich aus im Blick des unpolitischen Betrachters. „Jede überhaupt menschenmögliche Lebensform ist zuletzt etwas Akzeptables, das Leben füllt sie aus, wie es ist, in seiner Mischung, seiner Relativität von Pein und Behagen, Lust und Qual ..."[84] Ist Krieg schlimmer als Frieden? Es klingt wie Verrat am Leidenden, aber es ist wahr, was Mann sagt: daß der einzelne immer nur seinen Tod stirbt, nicht den der anderen, und daß die Verzehntausendfachung des Todes ihn nicht schrecklicher macht. Es ist wahr, daß wir alle zum bitteren Tode verurteilt sind, nicht nur die Soldaten, und daß es Bett-Tode gibt, so gräßlich wie nur irgendein Feldtod. Es ist auch wahr, daß jedes Herz nur eines begrenzten Maßes von Schrecken fähig ist,[85] *worüber hinaus anderes beginnt: Stumpfheit, Ekstase, oder noch etwas anderes, der Einbildungskraft des Unerfahrenen nicht Zugängliches, nämlich* Freiheit, *eine religiöse Freiheit und Heiterkeit, eine Gelöstheit vom Leben, ein Jenseits von Furcht und Hoffnung, das unzweifelhaft das Gegenteil seelischer Erniedrigung, das die Überwindung des Todes selbst bedeutet.*

Keinem Kriegsverantwortlichen stehen solche Sätze zu. Wenn sie Kriege rechtfertigen, sind sie nicht mehr wahr, sondern ideologisch. Erlaubt sind sie nur als Gefühlsäußerungen derer, die das Getötetwerden vor Augen haben, nicht derer, die töten. Dann aber kann jene religiöse Freiheit und Heiterkeit angesichts des Todes menschenwürdiger sein als das fassungslose Entsetzen vor dem gräßlichen Würger, das heute intellektuell allein zulässig scheint.

Kirche

„Ich bin Christ", hatte Thomas am 27. Februar 1904 an Heinrich geschrieben, aber das war nichts als zweckdienlich in bezug auf seine Verlobung, er hatte ja auch hinzugefügt „aus guter Familie". Ehrlicher war wohl das „Gott kennt mich nicht" aus der Erzählung *Der Kleiderschrank*. Auch im Krieg bedeutet die Mystik keine Hinwendung zur kirchlichen Praxis protestantischer Konfession. Thomas Mann war nie ein Kirchgänger, allenfalls ein unfreiwilliger in Kindheit und Jugend. Seine spätere Religiosität verzichtet auf organisierten Beistand. „Meine Sache ist eher, der Sphinx allein ins Auge zu blicken."[86] Als Kult und Gottesdienst interessiert ihn die katholische Sphäre mehr als die evangelische seiner Herkunft. „Wer weiß, was einem die Lutherkirche ins Haus schickt, wenn man es ihr überläßt", spottet er im *Gesang vom Kindchen* im Hinblick auf die Taufe seines Töchterchens Elisabeth im Jahre 1918, „wohl gar einen öligen Tölpel, welcher mir alles ins Komische zöge".[87] Hingegen haben ihm katholische Ordensschwestern schon in Lübeck imponiert.[88] „Diese Protestantinnen, das ist nicht das Wahre", erklärt Thomas Buddenbrook, zur Rede gestellt, warum er die katholischen Grauen Schwestern den evangelischen vorzieht. „Das will sich alles bei erster Gelegenheit verheiraten ... Kurzum, sie sind irdisch, egoistisch, ordinär ... Die Grauen sind degagierter, ja, ganz sicher, sie stehen dem Himmel näher."[89] Wittenberg spielt keine Rolle in Manns Lebenslauf, aber

Sankt Peter in Rom, wo einst Kardinalstaatssekretär Rampolla in pompöser Demut die Messe las.[90] Religiös hat das freilich nicht viel zu bedeuten. Mit dem christlichen Gott geht der frühe Thomas Mann allenfalls ironisch um. „Der liebe Gott hurrah, hurrah, hurrah", schreibt er an Heinrich nach seiner Entlassung aus dem Militärdienst.[91]

Aber der weltabgewandte Asket hatte selbstverständlich ein Verhältnis zu weltabgeschiedenen Orten, zu Kirchen nämlich. „Was mich betrifft, so habe ich den Aufenthalt in Kirchen von jeher geliebt", sinniert er in den *Betrachtungen,*[92] „und zwar", sagt er, um sich von den gewöhnlichen Bildungstouristen abzuheben, „aus einem Ästhetizismus, der mit Kulturwissenschaft und Handbuchbildung durchaus nichts zu tun hatte, sondern auf das Menschliche gerichtet war." Kirchen sind Orte der Freiheit, der Freiheit von Politik und Gesellschaft.

Zwei Schritte seitwärts von der amüsanten Heerstraße des Fortschritts, und ein Asyl umfängt dich, wo der Ernst, die Stille, der Todesgedanke im Rechte wohnen und das Kreuz zur Anbetung erhöht ist. Welche Wohltat! Welche Genugtuung! *Hier ist weder von Politik noch von Geschäften die Rede, der Mensch ist Mensch hier, er hat ein Herz und macht kein Hehl daraus, es herrscht reine, befreite, unbürgerlich-feierliche Menschlichkeit.*

Er hätte ganz gut Geistlicher werden können, behauptet er damals in einem Brief[93] (nicht sehr überzeugend). Besonders imponiert ihm der knieende Mensch. Was unter bürgerlichen Umständen theatralisch und exzentrisch wirken würde, die Kirche macht es möglich, und dem Unpolitischen sagt es zu vermöge seines antizivilen, anachronistischen, kühn-menschlichen Gepräges. „Diese Haltung kommt sonst nirgends mehr vor", die Religion aber, die Kultstätte, „diese Sphäre des Außerordentlichen gibt das Menschliche frei und macht es schön". Viel später wird er vor Papst Pius XII. knien und ausdrücklich vermerken, wie leicht und natürlich ihm das vonstatten ging.[94]

Er wohnte in München, es handelte sich um katholische Kirchen. Es handelte sich um die ästhetische Nostalgie eines Protestanten, der mit seiner eigenen Kirche nichts mehr anzufangen weiß. „Um Ihre katholische Basis und Bindung sind Sie zu beneiden", schreibt Thomas Mann an Reinhold Schneider. „Mir fehlt diese Geborgenheit, denn mein Protestantismus ist bloße Kultur, nicht Religion."[95] Romantik sei Heimweh nach der katholischen Kirche, sagte Eichendorff.[96] So weit geht Thomas Mann natürlich nicht. Selber kein Kirchgänger, möchte er jedoch den Untergang der Kirche nicht. Der vom Christentum verlorene Boden, das fürchtet er mit Maurice Barrès, werde nicht etwa von der rationalistischen Kultur erobert werden, sondern vom Heidentum in seinen niedrigsten Formen, als Zauberei, Hexerei, theosophische Verirrung und spiritistischer Schwindel.[97] Keine neue Erkenntnis: Wo keine Götter sind, walten Gespenster, schrieb Novalis 1799.[98]

Ästhetische Nostalgie ist etwas anderes als religiöser Glaube, und doch beansprucht Thomas Mann für sich eine Art Frömmigkeit. Sie gilt „dem Ewigen, Wesentlichen, kurz dem *Menschlichen*", dem man in einer Kirche gegenübersteht, „dem üblen Gebrodel irgendeiner Großstadtstraße entronnen, umgeben plötzlich von hallender Stille, farbigem Dämmer, angehaucht vom Duft der Jahrhunderte".[99]

Glauben

Für Zivilisationsliteraten müssen Kirchen Zwingburgen des Aberglaubens sein und Knieende Verräter an der Würde des Menschen. Denn Zivilisationsliteraten wissen Bescheid ... Paradoxerweise sind sie für Thomas Mann die „Gläubigen", sie sind die doktrinären Prediger, die ihm die Kindheit vergällt haben. Sie haben keine Ahnung vom Tode und versagen wie einst Pastor Ranke beim Sterben des Vaters. Der Begriff „Glauben" ist in den *Betrachtungen* negativ besetzt. „Es ist der pfäffische Dünkel, durch den Glauben was Besseres zu sein, die selbstgerechte Bigotterie des Missionars und Pharisäers, verbunden mit beständiger Aggressivität gegen die Elenden, welche nicht 'glauben'." Das sagt Thomas Mann nicht über den Klerus der christlichen Kirchen, sondern über seinen Bruder Heinrich.[100] Religionskritik findet er offenbar billig. Er überläßt sie der Feindseite und karikiert sie im *Zauberberg*, wo Settembrini an Weihnachten einiges sagt[101]

über den Tischlerssohn und Menschheitsrabbi, dessen Geburtstag man heute fingiere. Ob jener wirklich gelebt habe, sei ungewiß. Was aber damals geboren worden sei und seinen bis heute ununterbrochenen Siegeslauf begonnen habe, das sei die Idee des Wertes der Einzelseele, zusammen mit der der Gleichheit gewesen, – mit einem Worte die individualistische Demokratie.

Wie gegen die Demokratie polemisiert Thomas Mann in den *Betrachtungen* auch gegen eine Sozial-Religiosität, die das Paradies auf Erden mit Hilfe von Reformen erreichen will. Es steht fest, daß dieses Ziel nicht erreicht wird, daß die Menschenmassen vielmehr, indem sie es verfolgen, immer begehrlicher, malkontenter, dümmer und irreligiöser werden.[102] „Keine Sozial-Religiosität kann dem Leben der Gesellschaft Versöhnung bringen. Das kann nur wirkliche, das heißt metaphysische Religion, indem sie das Soziale als letzten Endes untergeordnet erkennen lehrt."[103] „Christus bekümmert sich nicht um Politik", soll Martin Luther gesagt haben.[104]

Ausschlaggebend für die Religiosität ist das Verhältnis zum Tod. Die „Sympathie mit dem Tode", die Formel wird in den *Betrachtungen* entwickelt,[105] fehlt bei Settembrini wie bei Heinrich Mann. Frank Wedekind war im März 1918 gestorben, und es hieß, seine letzten Stunden seien von religiösen Bemühungen erfüllt gewesen, er habe um Gott gerungen zu guter Letzt und sei vielleicht im Glauben an ihn entschlafen. Heinrich hielt die Grabrede. Es war einer der Fälle, wo sich die Brüder notgedrungen begegnen mußten, peinlich genug nach dem gerade fehlgeschlagenen Versöhnungsversuch der Jahreswende 1917/18, wahrscheinlich einander in starrem Schweigen ignorierend. Wie würde es der Zivilisationsliterat anfangen, den Gottsucher Wedekind zu entschuldigen? „Die Verpflichtung zum Geiste", sagte er am Grabe, „die wir Religion nennen". Er nahm der Suche des Verstorbenen ihre Würde, indem er ihr die Tagespropaganda für Literatur, Demokratie und Politik unterschob. „Als ich es gehört hatte, als ich diese salbungsvolle Begriffsfalschmünzerei eines ‘freireligiösen’ Sonntagspredigers vernommen, diesem Versuch hatte beiwohnen müssen, eine in letzter Not nach ihrem Heil langende Seele für die Politik zu reklamieren, da setzte ich meinen Zylinder auf und ging nach Hause."[106]

Aber was will er eigentlich? Auf seine dünnen Sympathiebekundungen, seine ästhetischen Nostalgien, seine scheue Achtung, welche Praxis läßt sich darauf bauen? „Wenn ich aber sage: Nicht Politik, sondern Religion, so brüste ich mich nicht, Religion zu besitzen. Das sei ferne von mir. Nein, ich besitze keine."[107] Das ist ernstzunehmen. „Ich darf nicht sagen, daß ich an Gott glaube." Selbst wenn er glaubte, würde es lange dauern, bis er es sagen würde. Eine Art Diskretion gegenüber dem Gottesnamen spricht daraus, ein letzter Restbestand der mythischen Namensscheu aus dem alten Israel, vor allem aber eine Art Bescheidenheit, ein Bewußtsein, mit solchen Worten das

Gemeinte doch nicht erreichen zu können. Die religiöse Diskretion unterscheidet ihn von den meisten ordinierten Kirchendienern, deren gutgemeintes Salbadern mehr Schaden anrichtet, als schweigsame Skepsis es tut.

Nicht Kirche, nicht Religion, nicht Glauben an Gott – was er sich zuschreibt, ist eine scheue Frömmigkeit, verstanden als suchende Freiheit, als Offenheit, Weichheit, Lebensbereitwilligkeit und Demut, als Versuchen, Zweifeln und Irren. Es ist der Zweifel als Glaube. Religiöse Gewißheit macht fett, der Zweifel nicht, „und tapferer, sittlicher, wahrhaftiger möchte es sein, in einer götterlosen Welt gefaßt und würdig zu leben, als dem tiefen und leeren Blicke der Sphinx zu entkommen durch einen Köhlerglauben wie den an die Demokratie". Den „Verrat am Kreuz" nennt Mann einen solchen Versuch. Verschämt bekennt er sich damit zu einer Religion nicht der Erlösung, sondern des Leidens, das nicht durch Floskeln beschwichtigt werden will.

Widersprüche bleiben. Thomas Mann ist mit diesem Thema noch lange nicht fertig. Ganz selten, aber doch immerhin begegnet auch bei ihm das Wort „Gott" im pathetischen Sinne. Deutschland hatte sich 1914 berufen geglaubt zu siegen. Nun ist es ganz anders gekommen, aber vielleicht hat auch die Niederlage ihren Sinn? „Denn ein Zeitalter endigt", so heißt es 1919 im *Gesang vom Kindchen*, „es will sich das menschlich Neue / nicht dem fragwürdigen Sieg: dem ehrlos äußersten Elend / will sich's entbinden [...] Weiß denn ein Volk auch wohl, zu welchem Ende es aufsteht, / wie dein Deutschland tat, und wozu es also ergriffen? / Nur daß Gott es ergriff, das fühlt es mit Recht in der Seele."[108] Die Stelle dürfte Thomas Mann später eher peinlich gewesen sein. Den anderen Pol bildet eine Gottesdefinition, die vom werkdienlichen Interesse geleitet Gott zum obersten Ästheten macht – Gott ist Goethe. So grundsätzlich sie klingt, so wenig darf man sie zum alleinigen Maßstab machen. Sie trägt nicht viel weiter als die pathetische.

Was aber ist Gott? Ist er nicht die Allseitigkeit, das plastische Prinzip, die allwissende Gerechtigkeit, die umfassende Liebe? Der Glaube an Gott ist der Glaube an die Liebe, an das Leben und an die Kunst.[109]

Der Krieg hatte ihn zu einer Generalrevision seiner Grundlagen genötigt und so auch zum ersten Mal zu einem gründlicheren Nachdenken über die christliche Religion. Er erkennt, daß seine ganze Richtung eigentlich ein zustimmendes Verhältnis zum Christentum verlangt. Er erkennt, daß er religiös sein will. Er weiß nur noch nicht, wie das gehen soll ohne Verrat an einer durch Nietzsches Schule gegangenen Intelligenz. Er wird weiter suchen, erst im *Zauberberg*, dann aber vor allem in dem großen biblischen Roman *Joseph und seine Brüder*, und er wird schließlich einen schmalen Pfad finden.

IX. Orientierungsversuche

Mit Schäferhund Lux, auch Lukas genannt, München 1932

Chronik 1918–1921

Über die Zeit vom September 1918 an bis Dezember 1921 wissen wir sehr genau Bescheid, weil die Tagebücher aus dieser Zeit von der Verbrennung ausgenommen wurden; sie wurden als Fundgrube für den Faustroman gebraucht. Thomas Mann nimmt sehr intensiv am Zeitgeschehen teil, an Novemberrevolution und Waffenstillstand, am Untergang der Monarchie, an den Debatten um den Vertrag von Versailles, an der Tragödie der Münchener Räterepublik (April/Mai 1919), am Kapp-Putsch (März 1920) und an den Anfängen der Weimarer Republik.

Nach dem Abschluß der Arbeit an den *Betrachtungen eines Unpolitischen* (März 1918, erschienen Oktober 1918) und an *Herr und Hund* (Oktober 1918, erschienen April 1919) folgt literarisch bis März der *Gesang vom Kindchen* (erschienen April/Mai 1919). Im April 1919 beginnt Mann nach vierjähriger Unterbrechung wieder am *Zauberberg* zu schreiben, arbeitet erst das bereits Vorliegende um und setzt dann fort. Ende 1921 sind etwa zwei Drittel des Romans fertig. Eingeschoben wird immer wieder Essayistisches, so die Arbeit an der Einleitung *Russische Anthologie* (Januar 1921), an *Goethe und Tolstoi* (Juni bis September 1921), an dem Artikel *Zur jüdischen Frage* (September/Oktober 1921) und an dem Aufsatz *Das Problem der deutsch-französischen Beziehungen* (Dezember 1921).

Am 24. April 1918 wird Elisabeth Mann geboren, ein Jahr später, am 21. April 1919, als jüngstes von sechs Kindern Michael. Im August 1919 verleiht die Universität Bonn dem einstigen Sitzenbleiber die Würde eines Ehrendoktors. Anfang Januar 1922 kommt es infolge einer lebensgefährlichen Erkrankung Heinrich Manns zur Versöhnung mit dem Bruder.

Heinrich

„Wurde mir bewußt, daß ich eine einsame, abgesonderte, wunderliche und trübe Existenz führe. H.'s Leben dagegen ist jetzt sehr sonnig." (Tagebuch 29. 12. 1918) Deutschlands Niederlage 1918 mußte Thomas als Sieg Heinrichs, des Zivilisationsliteraten, verstehen. „Die Erinnerung wird wieder wach, wie Heinrich nach dem Zusammenbruch spazierend an meinem Hause, durch die Silberpappel-Allee, vorüberging und voller Genugtuung vor sich hin lächelte. Er hatte 'gesiegt'."[1] Der Haß auf den Bruder bleibt eine Konstante der Jahre 1918–1921. Er scheint geradezu Identität zu verbürgen. Wenn man schon nicht weiß, wohin der Weg führt, dann gibt es einen gewissen Halt, wenn man sich wenigstens seiner Feinde sicher ist. So begegnen die Klischees der *Betrachtungen eines Unpolitischen* im Tagebuch allenthalben, die Kritik an der Frankophilie, an der rhetorischen Demokratie, am sozialen Roman (der *Untertan* sei „platt geschrieben", 23. Dezember 1918), an privater Üppigkeit bei literarischem Armenkult („den Hals in Pelz geschmiegt", 14. März 1920), generell am politischen Ästhetizismus. Das Anti-Heinrich-Vokabular ist nicht sonderlich gewählt: „Frech, dumm, spielerisch und unleidlich" (4. Dezember 1918), „Dummkopf" (20. Januar 1919), „Entsetzlich" (24. November 1919), „Haß" (3. April 1920), „Haßempfindung" (29. April 1920). Zufällige Begegnungen im Theater oder an anderen Orten zerren an den Nerven.[2] Das geht bis zu Halluzinationen. „Glaubte auf dem abendlichen Heimweg am Fluß von hinten Heinrich zu erkennen u. ging in Erregung schnell vorbei. Übrigens kaum wahrscheinlich, daß er es war." (18. April 1921)

Der Haß wird noch gebraucht, die *Betrachtungen* könnten ja nicht erscheinen, wenn er sich mit dem Bruder versöhnte. Die Angst davor verfolgt ihn bis in die Träume. Am 30. September 1918 schreibt er ins Tagebuch:

Mir träumte, ich [sei] in bester Freundschaft mit Heinrich zusammen und ließe [...] ihn aus Gutmütigkeit eine ganze Anzahl Kuchen, kleine à la crême und zwei Bäcker-Tortenstücke, allein aufessen, indem ich auf meinen Anteil verzichtete. Gefühl der Ratlosigkeit, wie sich denn diese Freundschaft mit dem Erscheinen der Betrachtungen vertrage. Das gehe doch nicht an und sei eine völlig unmögliche Lage. Gefühl der Erleichterung beim Erwachen, daß es ein Traum gewesen.

Die Feindschaft wird zwar gepflegt, kann aber ein Tieferes nicht zerstören, das Bewußtsein der Brüderlichkeit. Heinrichs Erfolge ärgern Thomas, aber ohne Häme, sogar mit einer gewissen Bewegung notiert er seine Mißerfolge. Er will, daß Heinrich bedeutend sei, damit auch sein Haß bedeutend sei. „Sehr merkwürdig ist der Fall Heinrich. Seine Stunde ist schon wieder vorüber, trotz seiner Odeons-Rede auf Eisner." (6. Juli 1919) „Heinrichs Stellung, so glänzend sie im Augenblick scheint, ist im Grunde schon durch die Ereignisse und Erlebnisse unterminiert. Seine westliche Orientierung, seine Franzosenanbetung, sein Wilsonismus etc. sind veraltet und welk." (3. März 1920)

Darüber hinaus gibt es auch Zeugnisse wirklicher Solidarität. Als einer den *Untertan* vermöbelt, verweist Thomas Mann ihm die Rangfrage (19. April 1919). Die Unterschriften beider Brüder zieren bestimmte Aufrufe,[3] und nebeneinander erscheinen ihre Antworten auf manche Rundfragen.[4] Als von einer Akademieaufnahme die Rede ist, erwägt Thomas, ob er nur unter der Bedingung der gleichzeitigen Aufnahme von Heinrich annehmen solle (6. Juli 1919). Als er gerüchteweise als Kandidat für den Nobelpreis gehandelt wird, notiert er: „Das Wohlthuendste wäre, wenn man ihn zwischen uns teilte." (21. Mai 1921) Zustimmend zitiert er aus einem Artikel von Egon Friedell: „Man müsse froh sein, zwei solche Kerle zu haben." (17. März 1919) Ähnlich hat Goethe auf die Frage nach seinem Verhältnis zu Schiller reagiert.[5] Trotz allem liebe Thomas seinen Bruder, hatte Friedell behauptet, und werde ihn immer lieben, seinen großen brüderlichen Gegenstern.[6] Auch ein paar gemeinsame Freunde gibt es noch, Ludwig Ewers zum Beispiel, an den Thomas Mann schreibt, man solle einen Zwist wie den ihrigen in Ehren halten und ihm den todernsten Akzent nicht nehmen wollen. „Vielleicht sind wir, getrennt, *mehr* einer des anderen Bruder, als wir es an gemeinsamer Festtafel wären." (6. April 1921)

Politik: Theorie und Praxis

Die Fama will, Thomas Mann habe sich 1922 zur Republik bekannt. Die Wirklichkeit ist komplizierter. In den Tagebüchern von 1918–1921 wird, vor allem in den aufregenden Jahren 1918 und 1919, sehr viel politisiert. Das Spektrum der geäußerten Ansichten ist weit und bunt. Die Meinungen der *Betrachtungen* gelten weiter von der ersten bis zur letzten Seite, vom „Ich bereue kein Wort" (16. September 1918) bis zu „Korrekturen vom Neudruck der 'Betr.' kommen; ich lese sie ohne Qual, oft mit Beifall." (1. Dezember 1921) Die Kapitulation Deutschlands, die der Unpolitische als Erniedrigung und Selbstaufgabe empfindet, löst Empörung und Erschütterung aus. Das konservative Deutschtum hat verloren. „Die Katastrophe und Weltniederlage dieser Geistesrichtung und Sympathie ist da. Es ist auch die meine." (5. Oktober 1918) Das Staatsgefüge scheint sich in debattierende Haufen herrenloser Untertanen aufzulösen.[7]

Es folgt ein Experimentieren mit zahlreichen Positionen. Die Monarchie, die Sozialdemokratie, die Räterepublik, der Kommunismus und allerlei radikalkonservative Bestrebungen: wir finden Äußerungen für und wider alles. Auch für das, was gerade geschieht, sei es auch eine Revolution. Er habe ziemlich kaltes und nicht weiter unwilliges Blut. Revolutionen kämen erst, wenn sie keinen Widerstand mehr fänden – ein Beweis, daß sie berechtigt seien. „Überhaupt sehe ich den Ereignissen mit ziemlicher Heiterkeit und einer gewissen Sympathie zu." (9. November 1918) „Ich heiße die 'neue Welt' willkommen." (10. November 1918)

Auch die Sympathien für Personen geben kein einheitliches Bild. Vom deutschen Kaiser, der den Krupp-Arbeitern unsäglich Triefendes zumutete („Jeder hat seine Pflicht und seine Last, Du an Deiner Drehbank und ich auf meinem Thron!") spricht Thomas Mann mit ironischer Sympathie, notiert „Pastoren-Rhetorik" und „Schiller-Pathetik" (12. September 1918), aber auch Zustimmung: Zum deutschen Volk lasse sich noch am ehesten so sprechen. Wenig später findet er allerdings, daß das Kaisertum ein romantisches Rudiment sei und sich praktisch erübrige (10. November 1918). Respekt gilt Philipp Scheidemann (21. September 1918) und besonders Friedrich Ebert (12. Februar 1919), Verachtung hingegen Karl Liebknecht und Rosa Luxemburg (6. Januar 1919). Eine gewisse Sympathie erweckt Ernst Toller („der uns einmal Eier schickte", 9. April 1919), Haß hingegen der einstige Mitschüler Erich Mühsam, dessen „jargonhaftes Politikertum" anwidert (9. Juli 1919). Gustav Landauer wird für seinen *Aufruf zum Sozialismus* gelobt (22./23. Februar 1919), Kapp hingegen mißfällt (13. März 1920), sein Putsch ist politisch unwillkommen (20. März 1920), weil er möglicherweise die konservative Idee kompromittiere (15. März 1920). Emphatisch gepriesen wird Oswald Spengler, dessen *Untergang des Abendlandes* Juni/Juli 1919 höchst beeindruckt gelesen wird. Viel Zustimmung findet Hermann Graf Keyserling (18. Mai 1919). Daß der George-Sphäre „die Wahrheit und das Leben" gehöre, wird am 1. August 1921 notiert. Der „Typus des russischen Juden, des Führers der Weltbewegung, dieser sprengstoffhaften Mischung aus jüdischem Intellektual-Radikalismus und slawischer Christus-Schwärmerei", stößt auf krasse Ablehnung: „Eine Welt, die noch Selbsterhaltungsinstinkt besitzt, muß mit aller aufbietbaren Energie und standrechtlichen Kürze gegen diesen Menschenschlag vorgehen." (2. Mai 1919) Ein wenig Hoffnung verbreitet nur der *Gesang vom Kindchen.* Das menschlich Neue, wir hörten es schon, wolle sich offenbar nicht dem Siege, sondern dem ehrlos äußersten Elend entbinden.[8]

Endlos ließe sich aus Manns damaligen politischen Anschauungen zitieren. Aber sind sie wirklich so wichtig? Wenn man nämlich auf die politische Praxis schaut, ergibt sich ein ganz anderes Bild. Wir wollen Manns eigene Anleitung befolgen: „In nationalen Dingen ist an dem Meinen und Sagen eines Mannes sehr wenig gelegen; entscheidend vielmehr ist das Sein, das Tun."[9] Den politischen Gedankenexperimenten fehlt ganz und gar der Boden unter den Füßen. Sie bleiben bezugslose Träumereien, vergleichbar den uferlosen „russischen" Diskussionen, praktisch folgenlos wie im *Zauberberg* die Debatten zwischen Naphta und Settembrini. Als Wähler (für die bayerische Nationalversammlung) macht Thomas Mann sein Kreuzchen zwar am 12. Januar 1919 bei der nationalliberalen Deutschen Volkspartei, doch kann sich die DVP nicht auf ihn verlassen, die Reichstagswahl am 6. Juni 1920 findet ihn als entschlossenen Nichtwähler vor. Obgleich Katia anderer Meinung war: „K. will mich bereden, bei der bevorstehenden Reichstagswahl meine Stimme abzugeben u. zwar für die Demokraten, um das Bürgertum zu stützen. Ich würde allenfalls für die Deutsche Volkspartei stimmen." (25. Mai 1920) Aber auch das tat er dann nicht. Gerüchte gab es, er (und Heinrich) hätten sich der USPD angeschlossen (12. März 1919). Mann dementiert (am 18. März 1919)[10], notiert aber am 22. des gleichen Monats, das Gerücht sei nicht sinnlos. Natürlich hat auch das keinerlei wirklichen Halt. Noch eindeutiger ist seine Distanz zu rechtsradikalen Parteibildungsversuchen. Auch wenn man in dieser Zeit Äußerungen findet, die später im Ideenreservoir der Nationalsozialisten auftauchen, ist Manns Berührungsscheu gegenüber solcher Politik doch unverkennbar und unüberwindbar. In der Praxis hat er mit diesen Leuten nichts zu tun.

Bei allem Politisieren ist er insofern ein Unpolitischer geblieben. Wie verhalten sich Unpolitische konkret? Sie sind loyal gegenüber dem jeweils Bestehenden. So hat Thomas Mann, der sich intellektuell so entschieden antirepublikanisch gebärdete, sich praktisch sogleich in den Dienst der Republik gestellt. „Ein republikanisches Amt!" notiert er stolz, als er aufgefordert wird, dem „Lichtspiel-Censur-Beirat" beizutreten (25. Dezember 1918). Er nimmt an und übt das Amt in der Folgezeit auch zuverlässig aus;[11] es legt den Grund für seine guten filmgeschichtlichen Kenntnisse. Wenig später, am 11. Januar 1919, fordert ihn die „Reichszentrale für Heimatdienst" (eine Vorläuferorganisation der heutigen „Bundeszentrale für politische Bildung") zu einer Stellungnahme *Für das neue Deutschland* auf, und wieder reagiert der unpolitische Betrachter ganz bereitwillig: „Der soziale Volksstaat, wie er sich jetzt bei uns befestigen will, lag durchaus auf dem Wege deutscher Entwicklung."[12] Kurz darauf bittet ihn das „Reichsamt für wirtschaftliche Demobilisation", zur Verhütung des wirtschaftlichen Zusammenbruchs das deutsche Volk zu Vernunft und Arbeit im Dienste des neuen Staates zu ermutigen. Folgsam schreibt Mann einen *Zuspruch,* der am 14. Februar 1919 in der *Frankfurter Zeitung* erscheint.[13] Er redet dort zwar allerlei im Geiste der *Betrachtungen,* macht für den inneren Zustand Deutschlands die Kriegsgegner verantwortlich und den Zivilisationsliteraten, aber endet unverkennbar mit einer Aufforderung zur loyalen Mitwirkung:

Der deutsche Arbeiter besinne sich. Revolutionstage sind freilich Feiertage. Es ist begreiflich, daß, wer vormittags die Bastille gestürmt hat, nachmittags nichts Rechtes mehr anfangen mag. Genug aber jetzt der Flitterwochen! Es ist Zeit, zu zeigen, daß das deutsche Volk mit der Freiheit eine ehrbare Ehe zu führen weiß.

Im Mai 1919, nach der Niederschlagung der Räterepublik, unterschreibt Thomas Mann (zusammen mit Heinrich) einen Aufruf, der das Bürgertum dazu auffordert, „seiner Schicksalsgemeinschaft mit dem arbeitenden Volk innezuwerden".[14] Wenig später appelliert ein weiterer Aufruf an die bayerische Regierung, sie möge gegenüber den Führern der Räterepublik, die zumeist drakonisch bestraft wurden, mehr Milde walten lassen.[15]

Von links kam sogar der Vorwurf, er mache es sich gar zu leicht mit der Art, in der er wieder Anschluß finden wolle (1. Dezember 1918). Thomas Mann findet das stark. Doch hatte er immerhin einer kosmopolitischen Erklärung zugestimmt, wie dem Tagebuch vom 16. November 1918 zu entnehmen ist. Er muß sich, während er doch aufgrund der *Betrachtungen* als Nationalist galt, auf eine Weise kosmopolitisch und versöhnlich gegenüber den Intellektuellen anderer Völker geäußert haben, die ihn selbstironisch kopfschütteln ließ: „Wunderte mich über mich [...] Wunderte mich abermals."

Freilich reichte seine Treue zum neuen Regime nicht bis zu den Finanzämtern desselben – „die Steuer war zu deklarieren, u. es werden uns, selbst wenn wir viel hinterziehen, rund 20 000 M abgenommen werden." (25. Mai 1920)

Räterepublik

Im *Doktor Faustus* erzählt Serenus Zeitblom von den peinlichen Eindrücken, die er nach dem Weltkriege bei den Versammlungen gewisser „Räte geistiger Arbeiter" in Münchener Hotelsälen gewonnen habe:[16]

Wäre ich ein Romanerzähler, ich wollte dem Leser eine solche Sitzung, bei der etwa ein belletristischer Schriftsteller, nicht ohne Anmut, sogar auf sybaritische und grübchenhafte Weise über das Thema 'Revolution und Menschenliebe' sprach und damit eine freie, allzu freie, diffuse und konfuse, von den ausgefallensten, nur bei solchen Gelegenheiten einen Augenblick ans Licht tretenden Typen, Hanswürsten, Maniaks, Gespenstern, boshaften Quertreibern und Winkelphilosophen getragene Diskussion entfesselte – ich wollte, sage ich, eine solche hilf- und heillose Ratsversammlung aus qualvoller Erinnerung wohl plastisch schildern. Da gab es Reden für und gegen die Menschenliebe, für und gegen die Offiziere, für und gegen das Volk. Ein kleines Mädchen sagte ein Gedicht; ein Feldgrauer wurde mühsam daran gehindert, mit der Verlesung eines Manuskriptes fortzufahren, das mit der Anrede „Liebe Bürger und Bürgerinnen!" begann und zweifellos die ganze Nacht in Anspruch genommen haben würde; ein böser Kandidat ging mit sämtlichen Vorrednern in ein unerbittliches Gericht, ohne die Versammlung einer eigenen positiven Meinungsäußerung zu würdigen – und so fort. Das Benehmen der in plumpen Zwischenrufen sich gefallenden Zuhörerschaft war turbulent, kindisch und verroht, die Leitung unfähig, die Luft fürchterlich und das Ergebnis weniger als Null. Umherblickend fragte man sich wiederholt, ob man denn der einzige sei, der litt, und war am Ende froh, die offene Straße zu gewinnen, wo schon seit Stunden der Tram-Verkehr eingestellt war und irgendwelche wahrscheinlich sinnlosen Schüsse die Winternacht durchhallten.

Das Original der Szene lesen wir im Tagebuch vom 10. Dezember 1918. Es handelte sich um die erste öffentliche Versammlung des „Politischen Rats Geistiger Arbeiter":

Zum Thee mit K. in die Arcisstraße, von dort später mit K.'s Mutter in den Bayerischen Hof zur Versammlung des „Rats". Franks Rede nicht ohne Anmut, aber sybaritisch und grübchenhaft. Die Diskussion grauenhaft, qualvoll wie immer; der beste war ein kleiner wegwerfend gescheiter jüdischer Student mit dem Band des E. K. Es redeten auch Friedenthal, Michalski, Skanzony, Kaufmann, ein rheinischer Jüngling aus ungeistiger Sphäre, der die Offiziere verteidigte, der Hanswurst Stückgold, ein Gespenst von einem bösen Kandidaten, der mit allen Vorrednern in ein unerbittliches Gericht ging u. s. w. Die Luft fürchterlich. Das Benehmen der Versammlung turbulent, kindisch und verroht. Die Leitung unfähig. Das Ergebnis Minus.

Thomas Mann reagiert als Ästhet; er fährt fort: „Aber Menschentypen lernt man kennen, bei keiner Gelegenheit präsentieren sie sich plastischer, denn als Diskussionredner. Ich muß unbedingt die Leidenschaft der Zeit benutzen und öfter Versammlungen besuchen." In diesem Falle wird, was im Tagebuch selten ist, schon wenige Tage später, am 13. Dezember 1918, eine Literarisierung ins Auge gefaßt, die dann erst nach Jahrzehnten wirklich erfolgte:

Ich dachte heute daran, aus der „Rats"-Versammlung etwas zu machen, werde aber wohl nicht dazu kommen. Das Menschliche ist verlockend: Frank *selber, dann* Kaufmann, Friedenthal, Stückgold, *der* Rheinländer, *der gegen das Volk sprach, das kleine* Mädchen *mit dem Gedicht, der* Feldgraue, *der den Aufsatz vorzulesen begann („Liebe Bürger, liebe Bürgerinnen!"), der* böse Kandidat, *der* Sozialdemokrat, *Gelehrter, der selbst mal Arbeiter war u. den größten Erfolg hatte, von* Skanzoni *(gegen die Menschenliebe),* Michalski, *endlich das* Publikum …[17]

Ende 1918 hatten die Räte auf Reichsebene vorerst ausgespielt, ein parlamentarisches System war beschlossen worden. Am 11. Februar 1919 trat in Weimar die Nationalversammlung zusammen und wählte Friedrich Ebert zum Reichspräsidenten. Thomas Mann notierte mit Befriedigung: „Mutet doch an, wie erster Gehversuch nach dem Kollaps, wie Wiederkehr von Würde und Selbstgefühl." (12. Februar 1919)

In München hatte das Rätesystem jedoch noch ein Nachspiel, die Bayerische Räterepublik, deren kurzes Dasein sich von Anfang April bis zu ihrer Niederschlagung Anfang Mai 1919 fast vor Thomas Manns Haustür abspielte. Was sein Urteil über die Vorgänge betrifft, so zeigt sich eine erstaunlich eindeutige Entwicklung, die innerhalb von vier Wochen von lebhafter Zustimmung zu krasser Ablehnung führt. Am 7. April werden die ersten Maßnahmen der Räteregierung beeindruckt zur Kenntnis genommen, es wird angenommen, daß das Reich dem bayerischen Vorbild folgen werde und daß, wenn der radikale Sozialismus in Deutschland haltbare Formen annehme, auch den Proletariaten der Entente-Länder nichts anderes mehr übrig bleibe. „Man muß erkennen, daß der Kapitalismus gerichtet ist." Bereits am 13. April aber kommentiert Mann die Fehlmeldung, die Räteregierung sei gestürzt, mit der interessanten Feststellung, er hasse „die verantwortungslosen Verwirklicher, die den Geist kompromittieren, wie die Burschen, die für diesmal abgewirtschaftet haben". Er reagiert nach dem Muster: die Idee war gut, nur die Leute waren schlecht. Er fährt leider fort: „Ich hätte nichts dagegen, wenn man sie als Schädlinge erschösse". Es gibt noch mehr Äußerungen dieser Art, aber man sollte fairerweise ergänzen, daß Mann wenig später den schon erwähnten Aufruf zur Milde gegen die Räte-Anhängerschaft unterzeichnet.[18] Auch für Toller setzt er sich ein.[19] Am 17. April heißt es, bezeichnend den Unterschied zwischen Theorie und Interesse hervorhebend: „Mein Verhalten zu den Dingen sehr unsicher, doch gehen meine Privatwünsche auf den Einzug der 'Weißen' und Herstellung der bürgerl. Ordnung." Darauf läuft es dann am Ende auch hinaus. „Die Münchener kommunistische Episode ist vorüber [...] Eines Gefühls der Befreiung und Erheiterung entschlage auch ich mich nicht." (1. Mai 1919) In München aber wird noch tagelang geschossen. „Die Kanonade u. das Maschinengetack war heftig und unaufhörlich. Ich fürchtete für den Ausgang der Sache. Schließlich ist, wie die Dinge liegen, der definitive Sieg der Truppen eine persönliche Lebensnotwendigkeit geworden; der gegenteilige Ausgang wäre eine unausdenkbare Katastrophe." (2. Mai 1919) Als die „greuliche Farce" (4. Mai 1919) zu Ende ist, scheint unser Dichter ganz weit rechts zu stehen (5. Mai 1919):

In der Stadt sind zu meiner Genugthuung die roten Fahnen verschwunden, von der Residenz, dem Kriegsministerium etc. Militärmusik hat am Siegesthor „Deutschland, Deutschland über alles" gespielt. Das Epp'sche Corps ist unter großem Jubel in bester Haltung eingezogen. K.'s Mutter geht es schon wieder zu „militaristisch" zu, aber ich bin voller Einverständnis und finde, daß es sich unter der

Militärdiktatur bedeutend freier atmet, als unter der Herrschaft der Crapule.

Die nahe Begegnung mit wirklicher Geschichte zwingt Thomas Mann, Meinungen hin oder her, letzten Endes auf die Seite des Bürgertums, wohl auch unter dem Einfluß von Katia, die die politischen Traumtänzereien ihres Mannes mit Mißtrauen sah und für seine „Erdung" Sorge trug. Daß die Münchener Revolution diese Erdung nicht hatte, wußte der Dichter dann, wenn er als Ästhet urteilte und nicht als politisierender Privatmann. „Ich finde Bayern urkomisch und sehe kaum mehr als Unfug", konnte er notieren (5. April 1919) Schon früher hatte er sich über einen Landausflug des Ministerpräsidenten Eisner mokiert. Die Revolution ist eine Sache nur der Großstädte, Münchens, Augsburgs, Nürnbergs. „Bayernland ist natürlich keine Arbeiter-Republik von Natur u. auch kein Herrschgebiet für jüdische Literaten selbstverständlich. Eisner war auf dem Lande. Er ist so abgefallen, daß er gesagt hat, keine Macht der Welt brächte ihn wieder hinaus." (10. Januar 1919)

Vereinzelt fürchteten die Manns Plünderungen und mehr, vor allem in der ersten Phase der Revolution. „Ausräumen der Speisekammer durch K. u. die Kinder u. Verstecken von drei Vierteln der Vorräte in verschiedenen Räumen des Hauses." (8. November 1918) „Kommt es extrem, so ist es nicht unmöglich, daß ich infolge meines Verhaltens im Kriege erschossen werde." (11. November 1918) Thomas Mann nimmt sich vor, wenn Plünderer kämen, ihnen 200 Mark in die Hand zu drücken: „teilt sie und macht mir dafür meine Sachen und Bücher nicht entzwei." (19. November 1918) Im April 1919 gibt es dann Angst um die feine Wäsche (17. April), doch hatte Thomas Mann unter den Regenten der Räterepublik zu viele Freunde, als daß sein Haus wirklich hätte gefährdet sein können. Als die „Weißen" einziehen, befürchtet man Verhaftung auf irgend eine Denunziation hin,[20] aber es kommt ganz anders, drei Soldaten erscheinen an der Tür, stellen sich als Angehörige des Schutzdienstes vor und nennen eine Stelle, an die man sich bei eventuellen Überfällen wenden könne (2. Mai 1919).

Revolution in Rußland

Das brüderliche Welterlebnis färbt alles persönlich, auch die Einstellung zur Oktoberrevolution. Mit den *Betrachtungen eines Unpolitischen* war es Thomas Mann das erste Mal gelungen, in seinem Ideensystem Ordnung zu schaffen. Es war eine Freund-Feind-Ordnung: hier Deutschland, da Frankreich, hier Innerlichkeit, da Politik, hier Thomas, da Heinrich. Ein unvorhergesehenes Ereignis wie die Revolution in Rußland, die im Februar/März 1917 unter Fürst Lwow und Alexander Kerenski zunächst als bürgerliche Revolution einsetzte, sich im September als sozialrevolutionäre und im November (nach dem westlichen Kalender) unter Lenin als proletarische und kommunistische radikalisierte, mußte die Leistungsfähigkeit dieses Systems unerbittlich auf die Probe stellen. Thomas Mann war damals nicht in der Lage, eine geschichtliche Erscheinung einigermaßen objektiv aus ihren eigenen Voraussetzungen heraus aufzufassen. Er bezog alles auf sich. Freund oder Feind? Verstehen bedeutete Einordnen in die Antithesenketten der *Betrachtungen,* bedeutete, mit den polemischen Worten des Bruders Heinrich gesprochen, Elend und Tod der Völker auf die Liebhabereien seines Geistes zuzuschneiden.[21] Ist die Revolution westlich-zivilisationsliterarisch oder östlich-unpolitisch? Geschieht sie im Geiste Heinrich Manns oder im Geiste Dostojewskis? Bietet sie Bestätigung oder Kränkung?

Auf die bürgerliche Phase der Revolution reagiert Thomas Mann zunächst sehr verwirrt. „Die russischen Dinge finde ich zum Kopfstehen", schreibt er am 25. März 1917 an Paul Amann. Eine bürgerliche Revolution in Rußland? Wie konnte das überhaupt geschehen? „Es giebt ja keine Bourgeoisie!" Und dann folgt sogleich der Hinweis auf den Autor, der Manns Revolutionsurteil entscheidend steuert: „Was wohl Dostojewski zu alledem gemeint und gesagt hätte?"

Die erste Spur der Revolution in den *Betrachtungen* ist eine im April 1917 niedergeschriebene Bemerkung im Kapitel *Politik*. Es heißt dort spöttisch, „bis zum Jahre 1917, da es sich zur demokratischen Republik erhob", habe Rußland als ein politisch-sozialer Selbstkritik besonders bedürftiges Land gegolten.[22] Die russische Selbstkritik – bei Gogol, bei Gontscharow, bei Turgenjew – ist für Thomas Mann etwas Vorbildliches. Ihr Negativ ist die selbstgerechte Satire des Zivilisationsliteraten, die nur andre schelten will, sich selbst aber von der Kritik ausnimmt. Daß nun Rußland als „demokratische Republik" auf die Seite des Zivilisationsliteraten übergelaufen zu sein scheint, wo man Selbstkritik nicht kennt, stört die Argumentation erheblich. Ein russisches Jakobinertum paßt überhaupt nicht ins russophile System Thomas Manns. Es wird deshalb vorerst ignoriert oder marginalisiert.

Die nächste Spur findet sich in einer ungefähr im Juni 1917 geschriebenen Passage. Der Marxismus ist nicht russisch, denn er ist eine „Verschmelzung von französischem Revolutionarismus und englischer Nationalökonomie"[23] und gehört deshalb auf die Feindseite. Wenig später wird im Kontext einer komplizierten Überlegung angenommen, die „russische Revolution" müsse etwas dem Zivilisationsliteraten Erwünschtes sein. Es komme ja auch ihm „auf das generöse Drunter und Drüber, die Demolierung des Staates, den permanenten Pöbelaufstand, die Revolution" an.[24]

Einer Definition fast nähert sich die folgende, im August 1917 geschriebene Passage, die am Ende auf die Ausrufung der Republik durch Kerenski am 17. September anspielt.[25]

„Dostojewski ist in Rußland vergessen", sagte ein Russe mir vor dem Kriege. Nun, die Revolution beweist es, – diese desperate Katzbalgerei zwischen demokratisch-bourgeoisem Franzosentum und anarchischem Tolstoiismus. Aber wir wissen, daß „vergessen" ein sehr oberflächlicher psychologischer Vorgang ist, und niemand wird uns weismachen, daß die bevorstehende Erklärung Rußlands zur république démocratique et sociale mit russischer Nation irgend etwas Ernstliches zu schaffen habe.

Der Zivilisationsliterat liebt Frankreich und den Westen, Thomas Mann liebt Rußland und den Osten. Deshalb, so heißt es an gleicher Stelle, „gehören Rußland und Deutschland zusammen". Revolution und Republik identifiziert Thomas Mann bis jetzt als französisch-westliche Erscheinungen; sie gehören in die Welt Heinrichs und haben mit russischer Nation nichts Ernstliches zu schaffen. Mit russischer Nation ernstlich zu schaffen aber hat Dostojewski. Thomas Mann bezieht sein Rußlandbild aus der russischen Literatur des 19. Jahrhunderts. Um eine bürgerliche Revolution zu machen, mußten die Russen Dostojewski vergessen.

Ende Oktober 1917 nimmt Thomas Mann im Kapitel *Vom Glauben* erneut zu den Vorgängen in Rußland Stellung.[26] Da die Oktoberrevolution nach westlichem Kalender erst Anfang November stattfand, bezieht sich die folgende Passage immer noch auf die Diktatur Kerenskis, nicht auf die Machtergreifung Lenins. Wieder urteilt Mann im Horizont Dostojewskis, der vorher seitenlang zitiert wird. Der Russe hatte dem Westen den Zusammenbruch des Kapitalismus („alle Banken, Wissenschaften und Juden, alles das wird im Nu zunichte werden") und eine Revolution des vierten Standes prophezeit: „die Proletarier werden sich auf Europa stürzen und alles Alte auf ewig zerstören". An Rußland aber würden die Wogen zerschellen, es werde sich zeigen, in welchem Maße sich der russische Organismus von den europäischen Organismen unterscheide.

Daß Dostojewskis Analyse grundfalsch war, muß auch Thomas Mann konzedieren, aber er stellt sich dieser Erkenntnis nicht, sondern sucht nach Möglichkeiten, die Falschheit herunterzuspielen, um im Tiefsten dann doch bei Dostojewski bleiben zu können. Er schreibt:

Auf andere Weise, als Dostojewski dachte, hat sich gezeigt, daß der nationale Organismus Rußlands von anderer Art ist als die nationalen Organismen Europas, denn in Rußland und noch nicht im Westen brach die Revolution aus [...] dem Bürger-Präsidenten folgte ein genialischer Diktator.

Der „Bürger-Präsident" ist Ministerpräsident Lwow, der „genialische Diktator" Kerenski. „Auf andere Weise" hat Dostojewski recht. Aber eine Umwertung der Revolution deutet sich hier das erste Mal an. Ist sie vielleicht doch etwas Russisches? Die Charakterisierung eines politischen Führers als „genialischer Diktator" paßt nicht ins Schema des bürgerlich-demokratischen Zivilisationsliteraten. Sie ist im damaligen Denken Thomas Manns eher als positive denn als negative Kennzeichnung zu verstehen. Im Sommer 1917 träumte er schon einmal von einem cäsaristischen Führerstaat unter Hindenburg.[27] Und Lenin wird von Thomas Mann als ein Zar, ein Dschingis Khan[28] und, unübersehbar von Naphta im *Zauberberg* inspiriert, als ein „großer Papst der Idee, voll vernichtenden Gotteseifers" charakterisiert, er sei vergleichbar mit Papst Gregor, „der selbst gesagt hat: 'Verflucht sei der Mensch, der sein Schwert zurückhält vom Blute.'"[29]

Rußland war 1917 noch mit Frankreich gegen Deutschland verbündet. Anfang Dezember 1917 schloß Thomas Mann das letzte Kapitel der *Betrachtungen* ab. Der Verstörung durch die Revolution zum Trotz ist der Schluß des Buches wieder russophil. Er spricht vom Beginn der Waffenstillstandsverhandlungen mit Rußland und vom langgehegten Wunsch des Herzens nach „Friede mit Rußland! Friede zuerst mit ihm!" Der unpolitische Betrachter freut sich, daß die Fronten wieder stimmen, weil das unnatürliche Bündnis Rußland-Frankreich, „die Mesalliance der Demokratie des Herzens mit der Demokratie als abgestandener, akademisch-bourgeoiser Revolutionstirade",[30] zerbrochen ist:[31]

Und der Krieg, wenn er weitergeht, wird weitergehen gegen den Westen allein, gegen die 'trois pays libres', gegen die 'Zivilisation', die 'Literatur', die Politik, den rhetorischen Bourgeois.

Vom September 1918 an läßt sich das Urteil über die russischen Dinge in den Tagebüchern verfolgen. Verunsichert durch die Novemberrevolution in Deutschland und die Münchener Räterepublik schwankt es zwar immer wieder, bleibt aber, was das Geistige betrifft, im Grundtenor positiv. Das Praktische ist etwas anderes. Bezeichnend ist die Tagebuchäußerung vom 19. November 1918.

Ich entsetze mich vor der Anarchie, der Pöbelherrschaft, der Proletarierdiktatur nebst allen ihren Begleit- und Folgeerscheinungen à la russe. Aber mein Haß auf den triumphierenden Rhetor-Bourgeois muß mich eigentlich die Bolschewisierung Deutschlands und seinen Anschluß an Rußland wünschen lassen.

Das Pro gibt Thomas Mann später seinem Serenus Zeitblom mit: „Die russische Revolution erschütterte mich, und die historische Überlegenheit ihrer Prinzipien über diejenigen der Mächte, die uns den Fuß auf den Nacken setzten, litt in meinen Augen keinen Zweifel."[32] Das Contra bezieht sich fast immer auf die kulturelle Tyrannei der Bolschewisten, die Verstoßung Dmitri Mereschkowskis zum Beispiel (Tagebuch 20. Januar 1919), der aus Rußland hatte fliehen müssen. Aber das Pro überwiegt bei weitem, der Zahl der Äußerungen nach wie auch was ihre emotionale Temperatur betrifft. „Es unterliegt keinem Zweifel, daß der Idee des Sozialismus, ja des Kommunismus, *als* Idee die Zukunft gehört." (29. November 1918) „Ich konnte nicht umhin, gegen die kapitalistische Internationale die sozialistische zu stellen, die gewiß viel falsches Heilandtum an und in sich hat, aber die Sittlichkeit und Menschlichkeit selber ist im Vergleich mit ihrem verurteilten Gegenstück." (2. Februar 1919) „Meine Teilnahme wächst für das, was im Spartacismus, Kommunismus, Bolschewismus gesund, menschlich, national, anti-ententistisch, *antipolitisch* ist." (22. März 1919) „Man muß erkennen, daß der Kapitalismus gerichtet ist." (7. April 1919) Daß das Pro das Contra besiegen werde, notiert Mann am 30. April 1919: „Wie ist es möglich, nicht mit Sack und Pack zum Kommunismus überzugehen, da er den ungeheueren Vorzug der Entente-Feindlichkeit besitzt? Er hat den Charakter des Unfugs und des kulturellen Hottentottentums, würde ihn aber in Deutschland kaum auf die Dauer haben."

Das Interesse an diesem Gegenstand nimmt danach im Tagebuch stark ab. Der 11. Juni 1919 notiert noch einmal, daß eine Schrift über den Bolschewismus Eindruck gemacht habe, „nachdem ich mich seit einiger Zeit ganz auf den Kultur-Standpunkt gestellt". Zwei Jahre später schämt sich Mann, anläßlich der bitteren Erfahrungen Mereschkowskis, rückblickend seiner bolschewistischen Sympathien. Der „Kulturstandpunkt" siegt: „Familiengespräch über den Bolschewismus. Schamgefühl hinterdrein." (17. Juli 1921) Zermürbt vom Meinungsstreit geht er lieber spazieren. „Man blickt zum Himmel empor, man blickt in die Tiefen des zierlichen und weichen Blätterschlages, die Nerven beruhigen sich, und Ernst und Stille kehren in das Gemüt zurück."[33] Auch die Kapitalismuskritik verliert sich weitgehend. In *Geist und Geld*, geschrieben am 21. März 1921, erzählt Mann von der Monatsrente, die er dem väterlichen Erbe verdankte, und urteilt ganz unverkrampft: „Jedenfalls bin ich persönlich der kapitalistischen Weltordnung von früher her zu Dank verpflichtet, weshalb es mir niemals anstehen wird, so recht *à la mode* auf sie zu spucken."[34]

Die Hoffnung auf Rußland erlischt dennoch nicht. Rußland und Deutschland „sollen Hand in Hand in die Zukunft gehen."[35] „Im Osten begann es", schreibt Mann im Dezember 1921,[36] das Sich-Auflehnen gegen die westliche Zivilisation; mit der Oktoberrevolution beginnt deshalb auch der deutsche Weg in die Zukunft. Mit dem westlichen Jakobinismus Heinrichs, das ist ihm klar geworden, hat die Revolution jedenfalls nichts zu schaffen. In ihr wendet Rußland sein Gesicht wieder nach Osten:[37]

Wer der Auffassung Raum geben wollte, der arme Zar Nikolai sei der europäischen Fortschrittsidee zum Opfer gefallen, befände sich in einem wesentlichen Irrtum. In ihm wurde Peter der Große ermordet, und sein Sturz gab der russischen Volkheit nicht etwa den Weg nach Europa, sondern den Heimweg nach Asien frei.

1922 versöhnt sich Thomas Mann mit seinem Bruder Heinrich und nähert sich in den folgenden Jahren immer weiter an die so lange verhaßten westlich-republikanischen Positionen an. Sofern die russische Revolution „Asien" ist, muß er sie jetzt abwehren, wie sein Hans Castorp sich gegen die „Kirgisenaugen" Pribislav Hippes und Madame Chauchats zu wehren lernen soll. Im Herzen bleibt er freilich ein Russe. „Tiefste Heimat ist ja der Osten", dichtet er im *Gesang vom Kindchen.*[38]

Auf die Dauer erkannte Thomas Mann nicht den Kommunismus, sondern den Faschismus als den ihm zukommenden Gegner. Im weiteren Verlauf seines langen Lebens bleiben die Äußerungen gegenüber dem kommunistischen Rußland im ganzen verhältnismäßig freundlich. Das Bündnis von Rußland und Amerika im Zweiten Weltkrieg befriedigt seine nach Synthesen dürstende Seele. Wanja und Sam scheinen ihm verwandt, kraft einer gewissen fröhlichen Primitivität.[39] Implizit gleitet der sowjetische Kommunismus in der ideologischen Topographie Thomas Manns damit wieder Richtung „Westen", während dem einst im Banne Dostojewskis so verehrten Asiatismus der sechzehnjährige Kampf der Joseph-Romane gilt.

Konservative Revolution

„Wirklich ist es die deutsche Aufgabe, zwischen Bolschewismus und westlicher Plutokratie 'in politicis etwas Neues zu erfinden'." (Tagebuch 3. Dezember 1918) Die von Nietzsche stammende, schon in den *Betrachtungen* begegnende Formel „in politicis etwas Neues"[40] wird konkretisiert als Synthese zwischen rechts und links. „Für die 'Räte', sofern sie sich die Mühsam vom Leibe halten, bin ich im Grunde auch", vertraut Mann am 3. März 1919 seinem Tagebuch an, publiziert aber wenig später, die Räte seien zur Ständevertretung auszubauen.[41] Von einem revolutionären Räte-Staat zu einem konservativen Stände-Staat war für ihn nur ein kleiner Schritt. „Den bloßen Parlamentarismus kann ich nicht wollen. Es kommt ja gerade darauf an 'etwas Neues in politicis zu erfinden' und zwar etwas Deutsches." (3. März 1919) Dieses Neue ist der Gedanke der Konservativen Revolution. Wohl als einer der ersten in Deutschland gebraucht Mann diese paradoxe Wortfügung in einer im Januar 1921 geschriebenen Einleitung zu einer Auswahl russischer Erzählungen. Vom „Dritten Reiche" ist da die Rede, dessen synthetische Idee seit Jahrzehnten über den Rand der Welt emporgestiegen sei, und von der Vereinigung von Konservativismus und Revolution. Nietzsche selbst sei nichts als „konservative Revolution" gewesen.[42]

Die äußerst heterogenen Gedanken der Konservativen Revolution bildeten bekanntlich das Ideenreservoir, aus dem sich dann die Nationalsozialisten bedienten. Es kann deshalb nicht wunder nehmen, daß es in jenen Jahren gewisse Deckungszonen gibt. Auch Thomas Mann verwendet Formeln wie „deutscher Kommunismus" und „nationaler Sozialismus",[43] schwärmt von einer nationalen Erhebung wie 1914, „in Form des Kommunismus denn meinetwegen" (24. März 1919), von der Vergeistigung des marxistischen Klassen-Sozialismus zur Volksgemeinschaft,[44] begrüßt begeistert Oswald Spenglers Schrift *Preußentum und Sozialismus*,[45] liest regelmäßig und gern in der jungkonservativen Zeitschrift *Das Gewissen,* will den deutschen Konservatismus mit dem Sozialismus verbünden (19. Januar 1920) und fordert ein Bündnis zwischen Hölderlin und Marx (1925).[46]

Das alles bleibt sehr vage und widersprüchlich, hinderte aber nicht, daß der Verfasser der *Betrachtungen eines Unpolitischen* damals eine Menge Freunde hatte und Autoren lobte, die später der NSDAP oder verwandten rechtsradikalen Tendenzen anhingen. Das gilt für Ernst Bertram und Hans Pfitzner, für Hanns Johst und Ernst Krieck, für Alfred Baeumler und Oswald Spengler. Zustimmend liest er sogar einmal in einer Zeitschrift des Hitler-Inspirators Dietrich Eckart (8. Dezember 1918).

Ist Thomas Mann deshalb ein Vorläufer des Faschismus? Der konkreten Berührung mit der Politik der sich formierenden rechtsradikalen Bewegungen ging er jedenfalls aus dem Weg. Sehr früh, schon im Sommer 1921, nimmt er von der entstehenden Nazi-Bewegung Notiz und fertigt sie als „Hakenkreuz-Unfug" ab.[47] Bereits 1925, als Hitler noch in Landsberg gefangen saß, erteilt er dem „deutschen Fascismus" ob seiner kulturellen Barbarei eine ausführlichere, entschiedene und weithin sichtbare Abfuhr.[48]

Zur jüdischen Frage

„Einspruch Katja's. Verstimmung und Erregung."[49] Erbost, aber gehorsam zog Thomas Mann den schon fertig gesetzten Artikel *Zur jüdischen Frage* zurück. „Er ist einerseits leichtfertig und andererseits von jenem autobiographischen Radikalismus, zu dem ich neige, und der manchmal meine Stärke sein mag, in so einem Aufsatz aber fehl am Ort ist und Anstoß erregen müßte."[50]

Sogleich verbreitete sich das Gerücht, Thomas Mann habe einen antisemitischen Artikel geschrieben. Damals wie heute gab es diejenigen, „die bereits in der Tatsache, daß jemand ein so markantes Phänomen wie das jüdische nicht geradezu übersieht und aus der Welt leugnet, Antisemitismus erblicken".[51] Der Aufsatz kritisiert den Antisemitismus in jeder Zeile. Spöttisch distanziert sich Mann in dieser Hinsicht sogar von Richard Wagner. Antisemitische Meinungen von seiner Seite kämen einer grotesken Undankbarkeit gleich, „einer Undankbarkeit kolossalischen Stiles, wie sie allenfalls Richard Wagner zukam, aber doch mir nicht." Das autobiographisch Radikale besteht im Einbekenntnis, von Kindheit an den Juden viel zu verdanken. Da war schon in der Schule der Rabbinersohn Ephraim Carlebach gewesen, hübsch und klug, der dem Sitzenbleiber mit unglaublicher Geschicklichkeit einzublasen verstand. Da war das Judenmädchen Katia, deren Beschreibung aus dem *Gesang vom Kindchen* zitiert wird. Da war schließlich das offene Geständnis, es seien bei seinen Lesereisen in die Welt „fast ohne Ausnahme Juden, die mich empfangen, beherbergen, speisen und hätscheln". Wäre der Aufsatz erschienen, die Völkischen hätten das sicher hämisch aufgegriffen. Es war damals ein Gebot der Vorsicht, den Artikel zurückzuhalten, da hatte Katia schon recht. Von heute aus gesehen aber muß man es bedauern.

Die *Betrachtungen eines Unpolitischen* boten, obgleich als „rechts" geltend, den Antisemitismusschnüfflern keine Nahrung. Obgleich sich unter den Gewährsleuten dieses Buches Antisemiten finden, Dostojewski oder Richard Wagner, Houston Stewart Chamberlain oder Hans Blüher zum Beispiel, bedient sich Thomas Mann aus deren diesbezüglichem Arsenal nicht. Im Gegenteil stimmt er der Meinung zu, daß Deutschland erst durch die Einverleibung jüdischer Elemente in seinen Volkskörper jene Erziehung erfahren habe, die seinen Volkscharakter zum vollendetsten moralischen Apparat gemacht habe, den die Welt je gesehen.[52]

Natürlich kann man im Tagebuch wieder „Stellen" finden. „Bayern, regiert von jüdischen Literaten [...] ein schmieriger Literaturschieber wie Herzog, der sich durch Jahre von einer Kino-Diva aushalten ließ, ein Geldmacher und Geschäftsmann im Geist, von der großstädtischen Scheißeleganz des Judenbengels, der nur in der Odeonbar zu Mittag aß, aber Ceconi's [Manns Zahnarzt] Rechnungen für die teilweise Ausbesserung seines Kloakengebisses nicht bezahlte. Das ist die Revolution! Es handelt sich so gut wie ausschließlich um Juden." (8. November 1918) Wieder steht solchen Stellen eine

Fülle anderslautender gegenüber. Es bleibt beim schon bekannten Bild. Das „Jüdische" war ohne Frage eine Kategorie für Thomas Mann. Er steht zu ihr fast immer positiv, aber, wie billig angesichts eines komplizierten Phänomens, hin und wieder auch kritisch. Er denkt ähnlich wie Fontane, der den Juden gelegentlich gern böse gewesen wäre, wenn nicht „das christliche Element in seiner Poplichkeit noch tief drunter stände".[53]

Viel später, im Tagebuch vom 27. Oktober 1945, greift Thomas Mann unsere heutigen Fragen auf. Nach der Lektüre eines „vielleicht allzu vernünftigen Buches über die Judenfrage", das bestreitet, daß die Juden als „Volk" oder „Rasse" betrachtet werden könnten, notiert er:

Wie soll man sie nennen? Denn irgend etwas anderes ist es mit ihnen und nicht nur Mediterranes. Ist dies Erlebnis Anti-Semitismus? Heine, Kerr, *Harden, Kraus bis zu dem fascistischen Typ Goldberg – es ist doch* ein *Geblüt. Hätte Hölderlin oder Eichendorff Jude sein können? Auch Lessing nicht, trotz Mendelssohn."*

Scheuklappen, zweifellos, Reste einer deutschnationalen Deformation des Blickes, eines Denkens in nationalen Typologien, das seine Gefahren hat. Innerhalb dieses Denkens aber, das sollte nicht bestritten werden, hat Thomas Mann die Juden hoch geschätzt, mehr als die Deutschen. Als die Nazis an die Macht kommen, ist sein Platz an der Seite der Juden. „Antisemitismus ist die Schande jedes Gebildeten und kulturell Eingestellten."[54]

Dienstboten

An die Souveränität des „Volkes" glaubte Mann schon in den *Betrachtungen eines Unpolitischen* nicht. „Mein Gott, das Volk! Hat es denn Ehre, Stolz – von Verstand nicht zu reden? [...] Es hat nichts als die Gewalt, verbunden mit Unwissenheit, Dummheit und Unrechtlichkeit."[55] Die engste praktische Berührung mit dem „Volk" hatte der unpolitische Betrachter mit dem Dienstbotenstand. In der Regel scheint man im Hause Mann damals drei Angestellte gehabt zu haben: eine Köchin, ein Kindermädchen und ein Hausmädchen. „Ich befehle drei stattlichen Dienstmädchen und einem schottischen Schäferhund",[56] vermerkt er 1907 mit ironischem Stolz. Um 1930 herum sind es gar fünf – ein weiteres Mädchen und ein Chauffeur sind dazugekommen.[57] Aber das Wahre ist es schon lange nicht mehr damit. „Die Lösung der Dienstbotenfrage liegt völlig im Dunkel."[58] Die politische Philanthropie des Zivilisationsliteraten habe den Instinkt der vornehmen Dienstbarkeit ramponiert. „Während früher der dienende Stand so gut wie der befehlende seine Ehre, Würde und Schönheit hatte, gilt es mehr und mehr in der ganzen Welt für menschenunwürdig, zu dienen [...] Treue, Anhänglichkeit an Haus und Familie kommen nicht mehr vor; diese werden als Ausbeutungsobjekt betrachtet, und eine sozialistisch verängstigte Justiz sanktioniert durch ihr Urteil diese Auffassung, wenn es zum forensischen Zusammenstoß kommt."

Es war zum forensischen Zusammenstoß gekommen, wahrscheinlich im Jahre 1917. Das Kindermädchen Josepha Kleinsgütl, genannt Affa, schon seit über zehn Jahren im Dienst der Familie, hatte sich endgültig als kleptoman erwiesen. In ihrem Zimmer fand sich alles, was man lange gesucht und schließlich verloren gegeben hatte. Klaus Mann erzählt die dramatische Geschichte, wie sein Vater, herzlich bewegt, drei Flaschen seines geliebten Burgunderweines in Affas Zimmer fand, wie Affa heulend behauptete, es sei ihr Burgunder, und wie sie im Streit um den roten Wein sogar die Hand nach dem Dichter erhob.[59]

Ja, das Ungeheuerliche geschah: Sie schlug nach ihm mit geballter Faust und hätte ihm vielleicht das Nasenbein zertrümmert, wäre er nicht mit überraschender Geistesgegenwart beiseite gesprungen. Immerhin traf sie seine linke Schulter, woraufhin er, nach übereinstimmenden Bericht aller Chronisten, vernehmlich „Au!" sagte. Einige Historiker wollen wissen, daß er nach kurzem Nachdenken auch noch hinzufügte: „Da hört sich aber wirklich alles auf!"

Es gab einen Prozeß, und Affa gewann. Klaus Mann schildert die Szene mit großem Vergnügen und, da er wohl nicht persönlich dabeigewesen ist, mit einiger Phantasie:

Sie repräsentierte die unterdrückte Klasse, das Proletariat; sie log mit Schwung und großer Überzeugungskraft. Der Gerichtssaal war bezaubert von ihrem derben Witz, ihrer volkstümlichen Schlagfertigkeit. Sie beherrschte die Szene, glitzerte und triumphierte, Mielein und Zauberer wären am liebsten in den Erdboden versunken, da Affa auf den Burgunder zu sprechen kam. Mit rührender Eloquenz beschrieb sie, wie man versucht hatte, sie des Rotweins zu berauben:

„Nur drei kleine Flascherln – das einzige Andenken, wo ich hab' von meinem Stiefbruder, dem seligen Fregattenkapitän, und da kommen diese Preußen daher, diese Ausbeuter, diese Großkopfeten, und wollen mir die drei Flascherln auch noch nehmen, wo's doch den ganzen Keller voll haben von Schampus und Schnaps und was s' alles saufen ..." Aus dem Publikum kamen Rufe des Abscheus, des Protestes. Je mehr die armen Eltern in sich zusammensanken, desto sieghafter strahlte Affa.

Zurück zu den *Betrachtungen.* Trotz allem, so fährt Thomas Mann in der eingangs angeführten Passage fort, sei das Dienenwollen etwas Unsterbliches. Das Volk empfinde aristokratisch. Herren und Knechte seien, so sagt später Thomas Manns Goethe, „Gottesstände, würdig ein jeglicher nach seiner Art, und der Herr hatte Achtung vor dem, was er nicht war, vorm Gottesstande des Knechtes".[60] Dazu fügt es sich, daß Thomas Mann im Ersten Weltkrieg bekanntlich das Gutsherrliche als „die anständigste und menschenwürdigste aller Lebensformen" bezeichnete.[61] Mit Selbstironie muß allerdings gerechnet werden.

Daß konservative Ansichten aber nicht einfach Bejahung der bestehenden Verhältnisse, daß sie vielmehr auch scharfe Kritik der Herrschenden bedeuten können, wird an gleicher Stelle deutlich. Der Instinkt des Dienenwollens komme nicht mehr auf seine Kosten, wenn die Rangordnung willkürlich und unbegründet sei. „Daß der Aufwärter, der in einer modernen Hotelhalle dem im Ledersessel sich lümmelnden swell den Tee serviert, nicht seinerseits im Sessel sitzt und von dem swell bedient wird, ist nichts als der reinste Zufall." Auch Felix Krull findet, daß vielfach die Bedienenden ebensogut Herrschaften sein und manche von denen, die sich, die Zigarette im Mundwinkel, in den tiefen Korbstühlen räkeln, Kellner abgeben könnten.[62] Das Volk, so wieder der unpolitische Betrachter, wisse zwischen einem wirklichen Herrn und einem bloßen Glückspilz mit vollkommen undemokratischer Sicherheit zu unterscheiden. „Es dient gern und ohne seine Menschenwürde im mindesten beeinträchtigt zu fühlen, wo noch eine Möglichkeit besteht, mit Überzeugung zu dienen. Daß es der Frau Kommerzienrat Mayer ohne Überzeugung und also schlecht, ungetreu, unter Kundgebungen der Aufsässigkeit und nur um des Nutzens willen dient, ist nicht zu verwundern."

Wäre der Umkehrschluß von aufsässigen Dienstboten auf schlechte Herrschaften erlaubt, dann müßte es bei Manns kommerzienrätlich zugegangen sein. In den Tagebüchern von 1918 bis 1921 findet sich nicht der geringste Hinweis auf dienenwollendes Personal, das sich aus aristokratischem Instinkt über die Rangordnung klar gewesen wäre. Daß der empfindliche Herr, dem sie dienten, ein wirklicher Herr und kein neureicher Glückspilz war, haben sie entweder nicht gewußt oder, was wahrscheinlicher ist, Thomas Mann nicht zum Bewußtsein bringen können. Denn was nimmt er vom Personal wahr? Er tadelt Katia „wegen ihrer Schwäche gegen die Dienstboten, namentlich das vergnügungssüchtige und diebische 'Fräulein', dem sie" (was nach dem Affa-Prozeß verständlich ist) „nicht zu kündigen wagt" (12. Oktober 1918). „Empörter Ausbruch gegen das Mädchen Josefa, das sich unlustig zeigte, die Utensilien der Hebamme in deren Wohnung zurückzubringen, da kein Dienstmann zu bekommen war." (21. April 1919) „Brachte vor K.'s Mutter das Unwesen mit den Kindern und Dienstweibern wieder zornig zur Sprache." (1. Mai 1919) „Wut über Schändlichkeiten der Dienstmädchen." (4. Juli 1919) „K. beständig in Mädchen-Kalamitäten." (31. Oktober 1919) „Katja bei Amte, weil die verrückte, schimpfsüchtige und gewalttätige Köchin Knall auf Fall entlassen und Aushülfe zu gewinnen." (22. November 1919) „Schlechtes Mittagessen von grober, diebischer Aushilfsköchin, die heute wieder gegangen." (14. März 1921) „Widrigkeiten im Hausstand; unredliche Köchin, taubes Hausmädchen." (6. April 1919) „Sehr müde, nervös, gereizt durch sachkundiges Geschwätz der Kinder und Redereien des Fräuleins, die den esprit fort spielte." (6. Juni 1921) „Neue Kündigung aller Dienstboten. Ekel und Haß auf das nichtswürdige Gesindel." (15. Juni 1921)

Kriegsende, Revolution und Republik hatten für die untersten Lohnstufen Verbesserungen gebracht, während der Mittelstand die Zeche zahlen mußte. Das ist der Hintergrund der letzten Tagebuchnotiz zum Dienstbotenthema (21. Juni 1921):

Verhandlungen K.'s mit „Stützen". Eine Dresdener Geheimratsgattin kommt in Betracht. Der verarmte Mittelstand zeigt sich zu solchen Stellen fast kritiklos erbötig und scheint in der That praktikabler als das Volk, dessen Rechtssinn und Menschlichkeit der sozialistischen Aufklärung nicht gewachsen ist.

So kam es dann auch. Es sind, in eine Erzählung verwandelt, die Damen Hinterhöfer, zwei ehemals bürgerliche Schwestern, die dann die Ämter der Köchin und des Zimmermädchens versehen, „in Wahrung ihrer Würde als ehemalige Angehörige des dritten Standes".[63]

Die gutsherrlichen Theorien vom dienenwollenden Volk sind vor dem Horizont der großstädtischen Praxis der Nachkriegsjahre offenkundig Makulatur. Mit schwerem Bedauern erkennt der Hausherr diese Sachlage. „Das haustierhafte Knechts- und Magdverhältnis", schreibt er 1925, „ist in den Städten vollends der Zersetzung verfallen, in die Sphäre sozialer Gewissenskritik, Emanzipation und Auflösung gerissen. Jedermann sieht, daß der Dienstbotenstand, als patriarchalisches Rudiment in die Zeit hineinragend, dank jener generösen Unklugheit des Menschen längst innerlich unmöglich geworden ist, und niemand sieht ab, wie es damit werden und enden soll."[64]

Bei aller theoretischen Sympathie für den Bolschewismus war Thomas Mann in der Praxis offenkundig kein Freund des Proletariats. Die ironische Sympathie, die Klaus Mann für Affa aufbringt („Ich begann, Affa zu bewundern. So viel Verderbtheit war eindrucksvoll"), fehlt ihm gänzlich. Nirgends gibt es Verständnis für die Lage der Hausangestellten. Vielleicht hätte er sie nur besser bezahlen müssen, um ihre Dienstwilligkeit zu erhöhen? Statt dessen spricht er von der „generösen Unklugheit", sie über ihre Rechte aufzuklären.

Bei all dem versteckt er sein schlechtes Gewissen. „Ich trage abends wieder den Pelz", notiert er am 21. November 1918, „auch wohl mittags bei Tramfahrten, wobei es mir etwas peinlich ist, mich in der Üppigkeit sehen zu lassen, die leicht Anstoß erregen und böses Blut machen kann, in den 'sozialen Zeiten'." Nicht verarmen, das ist der Wunsch, den er bei Kriegsende anmeldet (21. Oktober 1918). Jahrzehnte später wird er den Ankauf eines Privatstrands erwägen ...[65]

Was geschehen kann, wenn ein sensibler Pelzträger einem Proletarier begegnet, hat Thomas Mann in einer frühen Erzählung schon einmal beschrieben. Detlef, ein tief Erkennender, unglücklich in das Leben verliebt wie Tonio Kröger, verläßt enttäuscht und unerfüllt ein rauschendes Fest. Da begegnet ihm ein Ausgestoßener, „ein verwildertes, ausgehöhltes, rotbärtiges Antlitz":

Sein Blick glitt über Detlefs ganze Gestalt, über seinen Pelzmantel, auf dem das Opernglas hing, hinab bis auf seine Lackschuhe, um sich dann wieder mit diesem lüsternen und gierigen Prüfen in den seinen zu bohren; ein einziges Mal stieß der Mensch kurz und verächtlich die Luft durch die Nase aus ...

Detlef will ihm sagen: Wir sind doch Brüder, sind beide vom Leben ausgestoßen, beide Hungernde. Er wirft ihm gar vor, typisch Künstler, er habe sein Elend ein wenig zur Schau gestellt, um ihm Eindruck zu machen. Für das Soziale an der Sache hat Detlef keinen Sinn, nur für das Ästhetische und das Menschheitliche. Das Bewußtsein, selber auch unglücklich zu sein, wird zum Vorwurf an den Armen, daß er ihn nicht verstehe. Detlef will aufklären, aber er erinnert sich des Anscheins von Wohlleben, mit dem er dem Kutscher gewinkt, seiner silbernen Dose die Zigarette entnommen haben mochte, und steigt stumm in den Wagen, „fassungslos, außer sich über die Unmöglichkeit, hier Klarheit zu schaffen".[66] Nicht viel anders wird es Thomas Mann mit seinen Dienstboten ergangen sein. Sie konnten sich ihm nicht, er konnte sich ihnen nicht erklären.

Ein Trost: Hunde

Was mich betrifft, so empfinde ich die Forderung, 'im letzten Bettler den Menschen zu achten', als unter aller Selbstverständlichkeit, als überheblich, obsolet-humanitär, schönrednerisch und albern. Ich kenne nicht den Aristokratismus des Menschentums, ich 'achte' auch meinen Hund, und wenn der Gute mich grüßt, indem er mir die Vorderpfoten auf die Brust setzt und den getigerten Kopf dazulegt, während ich ihm das magere Schulterblatt klopfe, fühle ich mich ihm näher als manchem Mitgliede des 'Menschengeschlechtes'.[67]

Besser verstanden als von den Menschen fühlte er sich von seinen Hunden. Sein Leben lang hatte er Hunde, zeitweise sogar drei auf einmal.[68] Sie respektierten seine gutsherrlichen Neigungen. Insbesondere galt das für Bauschan, den Hausgenossen von Sommer 1916 bis Anfang 1920. Ein von weither überkommener patriarchalischer Instinkt, so liest man in der autobiographischen Erzählung *Herr und Hund,* bestimme ihn, „im Manne, im Haus- und Familienoberhaupt, unbedingt den Herrn, den Schützer des Herdes, den Gebieter zu erblicken und zu verehren [und] in einem besonderen Verhältnis ergebener Knechtsfreundschaft zu ihm seine Lebenswürde zu finden".[69] Was das wirkliche Volk vermissen läßt, hat Bauschan. Sein bäuerlich derber, treuherzig naiver, widerstandsfähiger und naturverhafteter Charakter stellt „Volk" dar, wie Mann es liebt.

Sein Vorgänger war der schottische Collie Motz, 1905 erworben, 1915 wegen unheilbarer Erkrankung erschossen,[70] der in *Herr und Hund* wie vorher schon in *Königliche Hoheit* unter dem Namen

Perceval auftritt. Auch er wird in die Kategorien dieser idyllischen Soziologie eingeordnet, aber anders als Bauschan spielt er nicht „Volk", sondern „Adel". Percy ist zwar ein wenig verrückt, aber ein Aristokrat. Mit einem Vornehmen verkehrt man von gleich zu gleich, denn auch der Künstler fühlt sich als Aristokrat, genauer noch, als verrückter Aristokrat. Perceval ist ein Alter Ego des Dichters, „Geist", Bauschan hingegen ein Antipode, „Leben".

Infolgedessen ist Bauschan auch kein Ästhet. „Kunststücke, zum Beispiel, verlange ich nicht von ihm; es wäre vergebens. Er ist kein Gelehrter, kein Marktwunder, kein pudelnärrischer Aufwärter; er ist ein vitaler Jägerbursch und kein Professor."[71] Ein guter Springer, nehme er zwar jedes Hindernis, aber es müsse ein wirkliches Hindernis sein, eines, unter dem man nicht durchschlüpfen kann. „Eine Mauer, ein Graben, ein Gitter, ein lückenloser Zaun, das sind solche Hindernisse. Eine querliegende Stange, ein vorgehaltener Stock, das ist *kein* solches, und also kann man auch nicht darüberspringen, ohne mit sich selbst und den Dingen in närrischen Widerspruch zu geraten. Bauschan weigert sich, dies zu tun [...] Schmeichle ihm, prügle ihn – hier herrscht ein Vernunftwiderspruch gegen das reine Kunststück, den du auf keine Weise brechen wirst." Er ist Volk wie Xaver Kleinsgütl, der Hausdiener in *Unordnung und frühes Leid*, „ein sympathischer Bolschewist", der nur gefällig ist, wo es ihm paßt, für andere Pflichten aber sowenig zu gewinnen ist, „wie man gewisse Hunde dazu bringt, über den Stock zu springen". Offensichtlich wäre es gegen seine Natur, meint versöhnlich der Bolschewistensympathisant, „und das entwaffnet und stimmt zum Verzicht".[72]

Bauschan ist zwar kein Künstler, aber er ist Leben, das ein Künstler gestaltet. Was ausgesprochen ist, ist erledigt, sagt Tonio Kröger. Der Künstler tötet das, was er ins Visier seines Wortes nimmt. In ironischer Anwendung dieses Gedankens übernimmt Thomas Mann deshalb die Verantwortung für Bauschans Tod. „Eine schwere Staupe, verbunden mit eitriger Lungenentzündung raffte ihn fort, sehr bald, nachdem ich den Leuten von ihm erzählt [...], und manchmal kann ich den Gedanken nicht unterdrücken, daß da ein Zusammenhang bestehen könnte und, was ich tat, vielleicht nicht gut getan war an der Kreatur, sondern sündhaft."[73] Auch in der Tagebuchnotiz anläßlich von Bauschans Einschläferung geht es um Kunst und Tod. Der Künstler erweist ihm die letzte Ehre mit Zeilen aus einem Gedicht von August von Platen:[74]

Zwar hat auch ihm das Glück sich hold erwiesen,
Denn schöner stirbt ein Solcher, den im Leben
Ein unvergänglicher Gesang gepriesen.

Bauschans Nachfolger, der Schäferhund Lux oder Luchs, später Lukas genannt, erworben am 23. März 1920, eignete sich offenbar zur Literarisierung nicht. Er paßte nicht in die Schablonen „Volk“ und „Adel“, „Geist“ und „Leben“, sondern war ein gewöhnlicher Wachhund. „Luchs ist ein wenig begabtes, kriecherisches, sentimental-wollüstiges Tier, nicht sehr sympathisch; springt aber über den Stock.“ (13. April 1920) „Ging eine Stunde mit Luchs, dessen schlechteste Eigenschaft übler Geruch ist. Er scheint sich in Aashaftem zu wälzen, sodaß man ihn nicht anfassen darf.“ (23. April 1920) Der Meister muß sogar zum Putzlappen greifen. „Abends hatte ich das Tier in meinem Zimmer, wobei es sich verging, sodaß ich aufzuwaschen hatte.“ (8. April 1920) Mit dem Namenswechsel zu „Lukas“ verlieren sich die negativen Notate; man scheint sich aneinander gewöhnt zu haben.

X. Familie, auch kein Spaß

München, zwanziger Jahre

Chronik 1918–1933

Vom Kriegsende bis zur Emigration gibt es aus der Ehe selbst, die stabil ist, nur wenige Daten zu verzeichnen, allenfalls das Intermezzo der Verliebtheit in Klaus Heuser (1927) und die silberne Hochzeit 1930. Was das Ehepaar beschäftigte, waren die literarischen Ereignisse und die Kinder. Relativ direkt wird das Familienleben verarbeitet in *Herr und Hund* (geschrieben 1918), im *Gesang vom Kindchen* (1918/19), in *Unordnung und frühes Leid* (1925) und in *Mario und der Zauberer* (erlebt 1926, geschrieben 1929). Außer zahlreichen Essays füllt die Arbeit an den großen Romanen die Zeit *(Der Zauberberg,* bis 1924, *Joseph und seine Brüder,* seit 1926). Im Jahre 1929 kommt der Nobelpreis für Literatur. Thomas Mann ist auf dem Gipfel seines Ruhms.

Das Leben der zwei ältesten Kinder brachte viel Aufregung ins Haus. Erika, geboren 1905, machte 1924 ihr Abitur, nach mehrfachem Schulwechsel, ging dann als Schauspielerin nach Berlin, 1925 nach Bremen, bald darauf nach Hamburg. Sie war ziemlich erfolgreich, und das nicht nur in den Stücken ihres Bruders Klaus *(Anja und Esther,* Uraufführung 1925 in Hamburg und München), die zwar Verrisse einfuhren, aber die Mann-Kinder republikweit bekannt machten. Sie heiratete 1926 den Schauspieler Gustaf Gründgens, der eben zum großen Star aufstieg. Aber die beiden Exzentriker verstanden sich nur im Theater und lebten immer nur ganz kurze Zeit zusammen. 1927/28 machte Erika mit Klaus zusammen eine Weltreise, bei deren Finanzierung sich der Ruhm des Vaters als nützlich erwies. 1929 wurde die Ehe mit Gründgens geschieden. Beruflich verlagerte sich der Akzent von der Bühne zum Journalismus. Eine Reise nach Afrika 1930 brachte Drogenerfahrungen ein. Erika ließ sich als Automonteur ausbilden und fuhr 1931 bei einer Rallye mit, zehntausend Kilometer in zehn Tagen. Kurz vor der Exilierung gründete sie das Kabarett *Die Pfeffermühle,* das zu einer der erfolgreichsten Unternehmungen des literarischen Exils werden sollte.

Klaus, geboren 1906, wäre 1915 beinahe an einem Blinddarmdurchbruch gestorben. Er hat noch mehr Schulen besucht als seine Schwester, in München erst eine Privatschule, dann die Volksschule, ein Gymnasium, später (mit Erika) das Internat Hochwaldhausen (Frühjahr bis Sommer 1922), dann die Odenwaldschule (1922/23), dann wieder Privatunterricht, an dem weiter teilzunehmen er sich schließlich 1924, ohne Abitur, endgültig weigerte. In den Landschulen hatte er den Geist der Jugendbewegung kennengelernt und wichtige Freundschaften geschlossen, darunter auch homoerotische, die ihn fürs Leben prägten (Elmar und Uto). Trotzdem verlobte er sich als Achtzehnjähriger mit Pamela Wedekind, der Dichtersohn mit der Dichtertochter. Das Volljährigkeitsalter lag damals bei 21, heiraten durfte er noch nicht. Er ging nach Heidelberg, wurde Theaterkritiker in Berlin, reiste nach Hamburg und überallhin, manchmal auch nach Hause. Die Weltreise 1927/28 beendete die Verlobung. Pamela heiratete den viel älteren Dichter Carl Sternheim, was Klaus nicht verstehen konnte. Er schreibt ständig; bis 1932 hat er ein gutes Dutzend Bücher publiziert, darunter bereits eine Autobiographie *(Kind dieser Zeit)*. Seine Theaterstücke provozieren Skandale, werden aber an den großen Bühnen in Hamburg und Berlin, in Wien und in München gespielt. Wie seine Schwester Erika schon lange im Visier der Nazis, muß er Deutschland im März 1933 verlassen.

Anders als seine älteren Geschwister war Golo, geboren 1909, ein recht ordentlicher Schüler. Auch er verbrachte seine Grundschulzeit in einem Privatschülchen, wechselte 1918 aufs Münchener Wilhelms-Gymnasium und 1922 aufs Internat Schloß Salem bei Überlingen am Bodensee, wo er bereits 1926 Abitur machte. Von 1927 bis 1932 studierte er in München, Berlin und Heidelberg Geschichte, Soziologie (bei Alfred Weber) und Philosophie (bei Karl Jaspers). Erst 23 Jahre alt, wurde er zum Doktor der Philosophie promoviert. Im Sommer 1933 begann auch für ihn das Exil, zunächst in Frankreich, von 1940 an in den USA. Die meiste Zeit war er als Professor für Geschichte tätig. 1958 Rückkehr nach Deutschland, seit 1964 freier Schriftsteller, wohnhaft im einstigen Hause der Eltern in Kilchberg, Tod 1994 in Leverkusen.

Monika, die vierte, kam 1910 zur Welt, wurde Schriftstellerin, heiratete 1939 den ungarischen Kunsthistoriker Jenö Lányi, der 1940 vor ihren Augen ertrank, lebte zeitweise wieder bei den Eltern, dann von 1953 bis 1988 auf Capri. Sie starb 1992. Elisabeth, die fünfte, wurde 1918 geboren, heiratete 1939 den Literaturwissenschaftler Giuseppe Antonio Borgese, wurde nach seinem Tod 1952 Publizistin, Meeresforscherin und Professorin für Politische Wissenschaften in Kanada. Michael, der jüngste, ist 1919 geboren, wurde erst Musiker (Bratschist), nach des Vaters Tod Germanist in den USA, heiratete 1939 die Züricherin Gret Moser (drei Kinder) und starb 1977.

Arme kleine Katia

Anders als die Brautzeit ist die Ehe selbst literarisch kaum verwertet worden, aus naheliegenden Gründen. So geben die Dichtungen wenig Auskunft über das Zusammenleben der beiden. Auch aus dem essayistischen Werk erfahren wir fast nichts. Im hohen Alter hat Katia Mann ein bißchen erzählt, in ihren *Ungeschriebenen Memoiren,* die jedoch das Problematische nicht lieben und nur die gepflegte Außenansicht dieser Ehe präsentieren. Ein wenig mehr kann man den Erinnerungen der Kinder entnehmen. Den Satz etwa: „Tatsächlich war Thomas Mann der immer präsenten, der logisch-juristischen Intelligenz der Mutter nicht gewachsen", verdanken wir Golo Mann.[1] Sie (Katia) nannte ihn „Reh", oder auch ein „rehartiges Gebilde von großer Sänfte"[2] – das wissen wir von Erika; „Verfasser Reh" zeichnete er denn auch bei Gelegenheit.[3] „Mielein ist praktisch, aber unordentlich; der Zauberer ist weltfremd und verträumt, aber ordentlich bis zur Pedanterie" – das überliefert Klaus.[4] Monika weiß: „Theoretically he is the head, practically he is the child."[5] Katia, nicht Thomas macht den Führerschein; sie fährt rasant und leichtsinnig.[6]

Das bei weitem wichtigste Schlüsselloch sind die Tagebücher von 1918 bis 1921. Der Erkenntnissuchende muß dankbar sein, daß Thomas Mann sein Leben verschriftlicht hat wie niemand sonst, daß so viel erhalten geblieben ist und daß verständnisvolle Copyright-Erben uns das eindringliche Studium einer exemplarischen Seele gestatten. Denn kaum von seinen besten Freunden weiß man so viel wie von Thomas Mann.

Die ersten Ehejahre waren für Frau Thomas Mann (so nannte sie sich, so stand es auf ihrem Briefkopf) extrem anstrengend. Das „strenge Glück" verlangte viel Disziplin. Sechs Geburten (und zwei Fehlgeburten)[7] innerhalb von vierzehn Jahren, Krieg, Revolution und Inflation, ein schwieriger Mann und angespannte emotionale Verhältnisse: das alles zusammen war keine Kleinigkeit. Kein Wunder, daß immer wieder von Krankheiten und von Kuraufenthalten die Rede ist, daß im Jahre 1912 zum Beispiel sechs Monate Davos für angezeigt gehalten werden. Die damalige Röntgenaufnahme von Katias Lunge ist zufällig erhalten geblieben. Keine Spur von Tuberkulose, sagen die heutigen Experten dazu.[8] So verdanken wir die Anregung zum *Zauberberg* einer Fehldiagnose – denn als Thomas Mann

Katia Mann, um 1920

seine Frau damals besuchte, „auf Besuch für drei Wochen" wie sein Held Hans Castorp, wurde die Idee der „Sanatoriums-Novelle" geboren. Auch in den Tagebüchern von 1918–1921 ist häufig von Katias Überanstrengung, von Krankheiten und von notwendigen Erholungsaufenthalten die Rede. Doch hielt ihr Pflichtbewußtsein sie meistens zu Hause fest. „Verzweifelt über K., die nun doch nach Kohlgrub will", notiert ihr Gatte am 13. Mai 1920 nach längerem Hin und Her. „Die Wahrheit ist, daß sie überhaupt nicht fort will." Ein Arzt hatte, ganz wie im *Zauberberg*, festgestellt, „oben rechts" sei etwas zu hören (9. April 1920), und einen Aufenthalt im Schwarzwald vorgeschlagen. Sie fuhr dann aber doch nach Kohlgrub (27. Mai 1920), nur anderthalb Bahnstunden südwestlich von München.

Im Ehe-Essay von 1925[9] bemerkt Thomas Mann nicht ohne einen

Einschlag von Wahrheit, daß durch die Gleichstellung der Frau und die kulturelle Differenzierung „die unverbrüchliche Zusammensperrung zweier Menschen fürs Leben", die eigentlich „nur bei altväterlicher Einfalt des Gemütes, der Sinne, der Nerven" möglich sei, aufs äußerste erschwert werde. Es sei ein ganz anderes Maß von Rücksicht, Takt, Diplomatie, Zartheit, Güte, Nachsicht, Selbstbeherrschung und Kunst nötig geworden, als in primitiveren Zeiten zu einer glücklichen Ehe gehörten. Selbstverständlich sei die Reizbarkeit außerordentlich gewachsen, auch wenn getrennte Schlafzimmer und auseinandergehende Interessenbetätigung die Reibungsflächen verminderten. „Trotzdem das Beben namenloser Ungeduld in den Stimmen von Ehegatten, selbst in Gesellschaft – ein Ausdruck, der jeden Augenblick eine beschämende Explosion angestauter Mengen von Nervenqual und verzweifelter Gereiztheit gewärtigen läßt." Strindbergsche Erinnerungen meldeten sich bei nur leichter Beobachtung der meisten Ehen, „infernalische Erinnerungen". Man könne leicht den Eindruck gewinnen, daß neunzig Prozent aller Ehen unglücklich seien.

Mit Ironie- oder jedenfalls Denkpünktchen beschließt Mann die Tagebuchnotiz vom 21. September 1919: „K. erzählte, ihr Bruder Peter habe zu Hause erklärt, wir führten eine 'ideale Ehe' ..." So einfach war es ja nicht. Die Tagebücher kennen jedenfalls jene Überreiztheit und jene Explosionen angestauter Nervenqual. Die Anlässe sind meistens harmlos. Einige Schlaglichter mögen das Alltagsleben der Familie illustrieren. „Nachmittags bei Thee war ich leider aus Enervation heftig gegen K. wegen ihrer Schwäche gegen die Dienstboten" (12. Oktober 1918). „Nach dem Essen Verstimmung mit K. 'Schuld' auf beiden Seiten. Sie störte mich, nachdem ich, sehr müde, eben im Stuhle Ruhe gefunden, und ich konnte meinen Verdruß nicht verbergen, leider." (30. März 1919) „Ein neuer Verdruß mit K. beim Frühstück wegen zu großen Butterverbrauchs. Überflüssig und zu bereuen. Es ist aber klar, daß dergleichen immer geschieht, wenn ich irgendwie übermüdet, mitgenommen und darum reizbar bin." (1. April 1919) „Ausbruch einer Spannung zwischen K. und mir." (25. Oktober 1919) Es kommt auch vor, daß Katia „in größten Zorn ausbrach" (am 6. November 1919), wegen finanziellen Leichtsinns von seiten ihres Mannes, aber auch „durch den schlimmen Zustand ihrer Nerven bestimmt". „Nach dem Essen Verdruß mit K., die Glut aus dem Dielenofen in meinen trug, etwas auf den Teppich fallen ließ und unangenehm heftig gegen mich wurde, weil ich die Glut auszutreten suchte, statt sie aufzunehmen." (18. Januar 1920) „Zu Hause Verstimmung mit K., weil nichts zum Abendbrot vorbereitet." (2. März 1920)

Aber die Verstimmungen halten nie lange vor. „Abends noch Versöhnung mit K., die sehr liebevoll." (25. Oktober 1919) Katia hat ihre Rolle als Hausfrau oder genauer: Vorsteherin eines großen Hauswesens ohne Widerspruch angenommen. Sein Leben war ihr Leben geworden. Daß sie „nun einmal sein Zubehör" sei, schreibt sie ohne Groll.[10] Häufig dient sie ihrem Mann auch als Lektorin oder Schreibkraft. Auch wenn es ums Englische geht, schiebt er sie vor, „my wife, who speaks english better than I." (8. Juni 1921) Schmunzelnd erinnert er sich an die Kleistsche Anekdote von Johann Sebastian Bach, „der gewöhnt war, alle Lebensdinge von seiner Frau besorgen zu lassen (wie ich), und bei ihrem Begräbnis, als man Weisungen von ihm verlangte, schluchzend sagte: 'Fragen Sie meine Frau!'" (11. April 1920) War Katia einmal verreist, soll es vorgekommen sein, daß er sich Geld leihen mußte, weil er nicht wußte, auf welcher Bank seines denn war.[11]

Er ist kein autoritärer Gatte. Es fehlt ihm nicht an Verständnis für die Schwierigkeiten ihrer Rolle, „meiner armen kleinen K., die ich liebe" (24. Juli 1919). Von Sorge um sie und von Mitleid ist oft die Rede. „Sorge um K. in diesen Tagen, die nicht gut aussieht und sich vielfach hinfällig fühlt [...] Und wenn sie stürbe, würde ich vergehen vor Traurigkeit, was sie übrigens weiß und aussprach." (11. Oktober 1918) „Große Angst und Sorge um Katja, die sehr hinfällig." (3. November 1918) „Aber K.'s Nerven versagten, sie weinte und 'konnte nicht mehr leben', überwältigt für eine Stunde vom Hausfrauen- und sonstigen Elend der letzten Zeit. War voller Erbarmen." (2. November 1919) Abreisen machen nervös, Katia beginnt zu spät mit Kofferpacken für ihre Kur in Oberstdorf: „Der gewohnte Zustand. Mitleid mit ihr, Wehmut über ihr Fortgehen, aber auch Hoffnung auf Kräftigung für sie und auf Ruhe für mich." (3. September 1920)

Trotz aller Spannungen sieht das nicht nach einer unglücklichen Ehe aus. Daß der Hochzeitstag vergessen wird, muß nicht unbedingt ein schlechtes Zeichen sein, eher bezeugt es die gefestigte Selbstverständlichkeit eines Ehebundes. „Es ist unser *15. Hochzeitstag,* – ich wurde erst beim Abendbrot wieder darauf gebracht dadurch, daß K. Theepunsch bereitete [...] Noch in Feldafing hatte ich das Datum ins Auge gefaßt, dann aber wieder vergessen. Gerührte Zärtlichkeit gegen K." (11. Februar 1920)

Was die Erotik betrifft, waren die Verhältnisse freilich prekär. Die Tagebücher vermerken zwar nicht selten „Beischlaf mit K."[12] Noch seltener wird ausdrücklich das Sinnliche des Vorgangs vermerkt: „Nach dem Abendessen bei K., die mich mit der Hand ihren Körper, Rippen und Brust streicheln ließ, was meine Sinnlichkeit sehr erregte." (12. März 1920) „Mein Verhältnis zu K. einige Wochen lang sehr sinnlich." (12. Oktober 1921) Doch läßt es sich nicht leugnen, daß die problematischen Äußerungen überwiegen. Das beginnt mit so subtilen Unterscheidungen wie: „Abendspaziergang mit Katja, die mich sehr liebt und der ich unendlich dankbar bin." (15. August 1919) Warum dankbar? Einer der Gründe folgt: „Umarmung mit K. Meine Dankbarkeit für die Güte in ihrem Verhalten zu meiner sexuellen Problematik ist tief und warm." (13. Mai 1921) Und noch einmal: „Dankbarkeit gegen K., weil es sie in ihrer Liebe nicht im Geringsten beirrt oder verstimmt, wenn sie mir schließlich keine Lust einflößt und wenn das Liegen bei ihr mich nicht in den Stand setzt, ihr Lust, d. h. letzte Geschlechtslust zu bereiten. Die Ruhe, Liebe und Gleichgültigkeit, mit der sie das aufnimmt, ist bewunderungswürdig, und so brauche auch ich mich nicht davon erschüttern zu lassen." (17. Oktober 1920) Es scheint immer wieder Aufenthalte an Katias Seite gegeben zu haben, bei denen es nicht zum Beischlaf kam. Daß die homosexuelle Veranlagung bei all dem eine ausschlaggebende Rolle spielt, ist nicht nur naheliegend, sondern in einer Tagebuchnotiz auch reflektiert (14. Juli 1920):

Bin mir über meine diesbezügliche Verfassung nicht recht klar. Von eigentlicher Impotenz wird kaum die Rede sein können, sondern mehr von der gewohnten Verwirrung und Unzuverlässigkeit meines „Geschlechtslebens". Zweifellos ist reizbare Schwäche infolge von Wünschen vorhanden, die nach der anderen Seite gehen. Wie wäre es, falls ein Junge „vorläge"? Es wäre jedenfalls unvernünftig, wenn ich mich durch einen Mißerfolg, dessen Gründe mir nicht neu sind, deprimieren ließe. Leichtsinn, Laune, Gleichgültigkeit, Selbstbewußtsein sind schon deshalb das richtige Verhalten, weil sie das beste „Heilmittel" sind.

Wenige Tage später unterhält sich Thomas Mann im Zug angeregt mit einem sympathischen jungen Mann in weißen Hosen und notiert (wenngleich mit Fragezeichen): „Freude hierüber. Es scheint, ich bin mit dem Weiblichen endgültig fertig?" (25. Juli 1920) Das sollte sich zwar nicht bewahrheiten. Daß aber das Geschlechtliche in dieser Ehe ein emotionaler Hochseilakt war, geht aus den Tagebüchern unzweideutig hervor. Aber die Schwierigkeiten auf diesem Gebiet wurden durch Stärken auf anderen ausgeglichen. Katia vorzuwerfen, daß sie ihr Leben hingeopfert habe, ihm, daß er sie als Tarnung mißbraucht habe, trifft nur einen sehr kleinen Teil der Wahrheit. Thomas Mann hat gewußt, was er ihr antat, zumindest vor seinem Gewissen, „dort, wo die Seele keine Faxen macht".[13] Alle Umstände eingerechnet, wird der Weg, den die beiden gegangen sind, wohl der für sie bestmögliche gewesen sein. Wenn sie irre gingen, dann, „weil es für etliche einen richtigen Weg überhaupt nicht gibt".[14]

Einsamkeit

Er hatte seine Geheimnisse. Niemand durfte damals, soviel wir wissen, je in seinen Tagebüchern lesen. Auch Katia nicht. Er schrieb meistens sehr spät am Abend. Solche Tagebücher setzen getrennte Schlafzimmer voraus. Der Intimitätsdruck darf nicht so groß sein, daß weder Zeit zum Schreiben noch Sicherheit vor unerwünschten Einblicken gewährleistet sind.

„Über Einsamkeit und 'Weib und Kinder' wäre manches zu sagen."[15] Er war einsam, auch in der Familie, auch und gerade in Gesellschaft, strebte aber auch nichts anderes an. „Die Sehnsucht nach Einsamkeit und Ruhe gleicht körperlichem Durst." Er hatte mit sich selbst und mit den dort wohnhaften Erinnerungs- und Phantasiewesen reichlich Gesellschaft. „Hat man Tiefe, so ist der Unterschied zwischen Einsamkeit u. Nicht-Einsamkeit nicht groß, nur äußerlich." Wer Tiefe hat, ist immer allein. Es besteht nicht die Gefahr, daß er von der Gesellschaft absorbiert wird. Auch wenn es so aussieht, als sei er ein feiger Bürger. „Die entscheidende Erwägung und Sicherheit bleibt mir, daß ich mich meiner Natur nach im Bürgerlichen bergen darf, ohne eigentlich zu verbürgerlichen."

Er konnte sich anderen nicht gut erklären, die Abgründe seiner Seele jedenfalls nicht. Er hielt die Leute fern, gewiß, und das mochte hochmütig wirken, als brauchte er sie nicht. Aber gibt es nicht auch ein Fernhalten, das eine Bitte um Näherkommen ist? Ein Flehen, den schuldlos Vereisten mit staunenswerter Geduld fürs Menschliche zu gewinnen, wie es einst Paul Ehrenberg gelang? Mit dem kam es noch zum Du, auch mit Kurt Martens, damals am Jahrhundertanfang. Als Ehemann aber friert Thomas Mann wieder ein gegenüber anderen. Der Bruder war eine Gefahr, wirkliche Freunde hatte er nicht.

Sein Herz lag nicht auf der Zunge. Fast alle sahen nur seine bürgerliche Außenseite, hielten ihn als Mensch für einen beamtenhaften Philister und waren nur ganz wenig erstaunt über die Bücher, die dieser schrieb. Waren sie boshaft, fanden sie auch die Bücher nur streberhaft. Sein Leben sah von außen betrachtet so gekonnt aus, daß niemand mit ihm Mitleid hatte. Dabei litt er doch! Wie sehr, das wissen wir aus den Tagebüchern. Überlegen wird geurteilt, das seien lächerliche Leiden gewesen, und die Sache mit den Unterhosen zitiert. („Auch leide ich seelisch und körperlich darunter, daß Nr. 4 aller Unterkleider mir zu klein, Nr. 5 mir zu groß ist.")[16] Er hatte Erfolg, gewiß. Aber er brauchte ihn auch, um die Seelenqual auszuhalten, die ihm zugemessen war.

Das Einsamkeitsleiden schaukelt sich leicht auf. Thomas Mann ist ein frierender Igel, der bei anderen Igeln Wärme sucht, aber von den beiderseitigen Stacheln am Zusammenrücken gehindert wird. Immer weiter wird die Strecke, die einer zurücklegen müßte zu dem Fliehenden. Immer mehr Platz braucht dieser um sich herum, wenn er sich unbedrängt fühlen soll. Wenn aber der Platz statt dessen immer enger wird, wenn alle immer eiliger selber reden wollen, bevor der Langsame, weit Entfernte zum Zug gekommen ist, dann ist Verstummen die Folge. Es ist Bitternis im Verstummen, aber auch Güte und Verzicht: Im Verstummen ist Verständnis dafür, daß die anderen so viel Raum nicht geben können, daß sie den Raum selbstverständlich mit Eigenem füllen wollen und man nicht mehr verlangen darf von seinen Mitmenschen. Thomas Mann war bei aller öffentlichen Beredsamkeit privat extrem schüchtern, schüchtern aus Gewissenhaftigkeit (denn wird man das, worauf es ankommt, wirklich treffen?) und weil er sich für eine Zumutung hielt, in melancholischen Stunden zumindest.

Vater von Sechsen

Von Thomas Mann als Vater gibt es mehrere literarische Ausführungen, in der Regel etwas geschönt. In den *Bekenntnissen des Hochstaplers Felix Krull* ist es Professor Kuckuck, der aus „Siriusferne" auf das Treiben der Jugend, das Flirten seiner Tochter mit Felix blickt.[17] In dem großen biblischen Roman *Joseph und seine Brüder*

Katia Mann 1919, mit (von links nach rechts) Monika, Golo, Michael, Klaus, Elisabeth und Erika

ist Jaakob, der Vater von zwölf Söhnen und einer Tochter, das Urbild der Vaterschaft im gutsherrlichen Vollsinn, als Herr über Haus und Hof, über Frauen und Kinder, Knechte und Mägde, Herden und Haustiere. Des Urbilds Urbild schließlich, von dem alle Vaterschaft sich herleitet, ist Gottvater selbst.[18] Thomas Mann hat diesem Roman viel Familiäres mitgegeben. Das Vorbild für Rahel, um die Jaakob sieben Jahre lang dient, ist Katia. Die sechsunddreißig Stunden währende Geburt ihres ersten Kindes, der Tochter Erika, erkennt man wieder in der schweren Geburt Josephs. Rahels zweiter Sohn Benjamin schließlich, Jaakobs Jüngster, ist in manchen Zügen ein Porträt von Michael Mann, des sechsten und letzten Kindes von Thomas und Katia. Auch die Parteilichkeit des Vaters ist autobiographisch. Es gibt geliebte Kinder, nämlich Klaus, Erika und Elisabeth beziehungsweise Joseph, Benjamin, Ruben und Juda, und weniger geliebte, nämlich Golo, Monika und Michael beziehungsweise im Roman die übrigen Lea-Söhne und die Söhne der Mägde. Erzieherisch betrachtet ist diese Parteilichkeit eine Schwäche. Die Ausgeschlossenen empfinden sie als Ungerechtigkeit, haben aber den Zusammenhang von Vornehmheit und Bevorzugung hinzunehmen. Da Jaakob kein Krieger, sondern ein Sinnierer und Geschichtenerzähler ist, haben seine Söhne zwar Furcht vor seinen ausdrucksstarken Worten und Gebärden, hintergehen ihn aber trotzdem, weil sie wissen, daß er sich nicht wehren kann. Auch er selbst empfindet sich als schwach, im Vergleich mit Abraham zum Beispiel.

Noch näher am eigenen Leben und Erleben ist die im Frühjahr 1925 geschriebene Erzählung *Unordnung und frühes Leid*. Sie spielt im Herbst 1923, auf dem Höhepunkt der Inflation, und „hat sich genau so zugetragen".[19] Deutschland ist moralisch zerrüttet und seelisch verlottert, „das Marktweib, das für ein Ei in trockenem Ton 'hundert Billionen' verlangte, hat damals verlernt sich zu wundern".[20] Auch mit Familie Mann geht es bergab, trotz kleinen Dollarzuflusses. Man kann aus der Erzählung ihren inneren Zustand damals ziemlich genau ablesen, denn das Personal wird nur oberflächlich kostümiert. Abel Cornelius, Professor für Geschichte, wohnt exakt wie Thomas Mann, hat eine gestreßte Hausfrau wie dieser („mürbe und matt von den verrückten Schwierigkeiten der Wirtschaft"[21]) und vier Kinder, nämlich die achtzehnjährige Ingrid, die der 1905 geborenen Erika entspricht, den siebzehnjährigen Bert, der die Rolle des 1906 geborenen Klaus übernimmt, das fünfjährige Lorchen (= Elisabeth, „das Kindchen") und den vierjährigen Beißer (= Michael). Golo und Monika werden nicht verwendet. Biographisch nachweisbar ist auch der Hausdiener Xaver Kleinsgütl, in der Realität der „Windbeutel Ludwig",[22] in der Erzählung „ein Kind und Früchtchen der gelösten Zeit, ein rechtes Beispiel seiner Generation, ein Revolutionsdiener, ein sympathischer Bolschewist".[23] Es spricht so gut wie nichts gegen die Annahme, daß auch das übrige Dienstpersonal mehr oder minder der damaligen Wirklichkeit entnommen ist, nämlich die Kinds-Anna und die beiden aus dem Bürgertum abgesunkenen Schwestern Hinterhöfer, die die Ämter von Köchin und Zimmermädchen versehen und tragikomisch unter ihrem sozialen Abstieg leiden.

„Meine jüngste Tochter saß auf ihrem Schaukelpferd und rief: 'Der Dollar steigt!', wenn die Nase des Pferdes sich hob."[24] Auch den anderen Kindern steigt der Inflations-Karneval unvermeidlich zu Kopf, „der zynische Witz der Inflation, zu dem die respektiertesten Fachleute sich hergaben, all das stimmt die Jugend hochmütig, genußsüchtig und skeptisch". Die jungen Leute, die zum Fest von Ingrid und Bert kommen, sind bunt gemischt, Schauspieler und Spekulanten, Gymnasiastinnen und Kunstgewerblerinnen, Jugendbewegte und Befrackte. Die traditionellen gesellschaftlichen Bindungen lösen sich auf. „Es wurde Trumpf und Mode, die hergebrachten Regeln zu verachten." Allgemein duzt man sich, was im *Zauberberg* wie im Hause Thomas Mann, wo Katia ihren Schwager Heinrich lebenslang gesiezt hat,[25] als disziplinlos galt. Er habe in der Erzählung der Unordnung eine Art von nachsichtiger Huldigung dargebracht, schreibt Mann einige Jahre später[26] – obgleich er die Ordnung liebe. In der Tat schwankt der Vater wie die Jugend zwischen dem Alten und dem Neuen. Der ironische Kulturkonservatismus des Geschichtsprofessors Cornelius ist ohne kämpferische Kraft, denn heimlich sympathisiert er mit dem Neuen. Trotzdem vergleicht er seinen Sohn Bert, der ein Bajazzo ist und Tänzer oder Kabarett-Rezitator oder Kellner in Kairo werden will, mit Max Hergesell, der Ingenieur werden will, oder mit dem Bankbeamten Möller, der als folkloristischer Sänger wirklich etwas kann. „Er möchte gerecht sein, sagt sich versuchsweise, daß Bert bei alledem ein feiner Junge ist, mit mehr Fonds vielleicht als der erfolgreiche Möller; daß möglicherweise ein Dichter in ihm steckt oder so etwas, und daß seine tänzerischen Kellnerpläne bloß knabenhaftes und zeitverstörtes Irrlichtelieren sind. Aber sein neidvoller Vaterpessimismus ist stärker."[27]

Als Vater hatte Thomas Mann wohl, ähnlich wie Cornelius, wenig Autorität, weil er nur in wenigen Punkten die erforderliche Entschiedenheit aufbrachte. Zu oft ironisierte er seine Rolle, so wenn er ein Gedicht über Herrn von Wölbst vortrug, der seine Söhne sölbst erzog, woraufhin sie beide ertranken.[28] Zu viel Verständnis hatte er für die Ausschweifung. Das ist auch in *Mario und der Zauberer* so, wo die Eltern zu schwach sind, um mit den Kindern die ausartende Vorstellung des Zauberers rechtzeitig zu verlassen. Auch diese Geschichte ist in ihrem Kern selbsterlebt.[29] Zugrunde liegt ein Ferienaufenthalt in Forte dei Marmi bei Viareggio im September 1926. Den Zauberer gab es wirklich. Die beiden in der Erzählung namenlosen Kinder, ein achtjähriges Mädchen und ein Junge, sind offenbar Elisabeth und Michael gewesen. Es wird auch den Vater gegeben haben, der nachgiebig war fürs Ausartende, noch weit nach Mitternacht. „Die Kinder waren wach um diese Zeit. Ich erwähne sie mit Beschämung. Hier war nicht gut sein, für sie am wenigsten, und daß wir sie immer noch nicht fortgeschafft hatten, kann ich mir nur mit einer gewissen Ansteckung durch die allgemeine Fahrlässigkeit erklären, von der zu dieser Nachtstunde auch wir ergriffen waren. Es war nun schon alles einerlei."[30]

Die bürgerliche Maske kann man wohl draußen aufsetzen und die Gesellschaft stundenweise damit täuschen. Im jahrelang Alltäglichen der Kindererziehung aber haben Masken keine Kraft. Die Kinder wissen, daß derjenige, den alle Welt nur im feinen Anzug kennt, im Arbeitszimmer eine ausgeleierte Hausjacke trägt und einen Schal wie ein Bohemien.[31] Nur das wirkliche Sein setzt sich durch. Das hieß im Falle Thomas Mann, er konnte eine klassische bürgerliche Erziehung seinen Kindern gegenüber nicht durchhalten, weil er selbst zu viele künstlerische Sympathien für das Unbürgerliche hatte. Zum Fasching kam er in Frack und Zylinder mit Idiotenmaske.[32] Daß er ein Schauspieler von hohen Graden war, davon wissen die Kinder ein Lied zu singen, wenn sie sein Vorlesen rühmen.

So ist denn auch keines der Kinder bürgerlich geworden. Was der Vater nach außen halbwegs unter der Decke zu halten vermochte, tritt bei ihnen offen zutage. Es ist eine Künstlerfamilie, in der alles Autoritäre im Alkahest der Ironie zerging. Die kleine Elisabeth nannte ihren Vater „Tommy".[33] Der Anfang von *Unordnung und frühes Leid* zeigt einen Haushalt mit nur schwacher Eltern-Autorität, aber allseitigem Respekt vor der ästhetischen Selbstpräsentation seiner einzelnen Mitglieder:[34]

Die Großen nennen ihre Eltern „die Greise" – nicht hinter ihrem Rücken, sondern anredeweise und in aller Anhänglichkeit, obgleich Cornelius erst siebenundvierzig und seine Frau noch acht Jahre jünger ist. „Geschätzter Greis!" sagen sie, „treuherzige Greisin!", und die Eltern des Professors, die in seiner Heimat das bestürzte und verschüchterte Leben alter Leute führen, heißen in ihrem Munde „die Urgreise". Was die „Kleinen" betrifft, Lorchen und Beißer, die mit der „blauen Anna", so genannt nach der Bläue ihrer Backen, auf der oberen Diele essen, so reden sie nach dem Beispiel der Mutter den Vater mit Vornamen an, sagen also Abel. Es klingt unbeschreiblich drollig in seiner extravaganten Zutraulichkeit, wenn sie ihn so rufen und nennen, besonders in dem süßen Stimmklang der fünfjährigen Eleonore, die genau aussieht wie Frau Cornelius auf ihren Kinderbildern, und die der Professor über alles liebt.

„Greislein", sagt Ingrid angenehm, indem sie ihre große, aber schöne Hand auf die des Vaters legt, der nach bürgerlichem und nicht unnatürlichem Herkommen dem Familientisch vorsitzt, und zu dessen Linken sie, der Mutter gegenüber, ihren Platz hat – „guter Vorfahr, laß dich nun sanft gemahnen, denn sicher hast du's verdrängt. Es war also heute nachmittag, daß wir unsere kleine Lustbarkeit haben sollten, unser Gänsehüpfen mit Heringssalat – da heißt es für

deine Person denn Fassung bewahren und nicht verzagen, um neun Uhr ist alles vorüber.“

Auch was den Hauptkonflikt der Geschichte betrifft, erweist sich der Vater als hilflos. Die Party beginnt, ein hübscher junger Mann namens Max Hergesell tanzt zum Spaß auch mit dem fünfjährigen Lorchen, verläßt sie aber dann, und Lorchen weint hemmungslos. Es ist wieder einmal der verheerende Einbruch des Liebesdämons in ein geordnetes Leben. Nicht der Professor, dessen Vaterherz zerrissen ist „von den beschämenden Schrecken der recht- und heillosen Leidenschaft“,[35] rettet Lorchen, sondern der Hausdiener Xaver, der Max Hergesell an ihr Bettchen bittet. Ein paar halbverlogen nette Worte, und Lorchen schläft ein, „und nur noch manchmal zittert in ihrem langsamen Atem ein verspätetes Schluchzen nach“.[36]

Erika

„Ich hatte Gefallen an Erika und Klaus, stellte wieder fest, daß ich von den Sechsen drei, die beiden Ältesten und Elisabethchen mit seltener Entschiedenheit bevorzuge.“[37] Erika gehörte zu den Erwählten, war, als Älteste, „Kronprinzessin“.[38] Er hatte die Stirn, die Ungerechtigkeit, die zum Erwähltsein gehört, auch noch ironisch zu zelebrieren. In der Hungerzeit des Ersten Weltkriegs, erzählt Erika,[39] hätten die Kinder alles Essen immer pedantisch geteilt. Eines Tages war eine Feige übriggeblieben, und es war klar, daß sie zwischen den damals vier Kindern geteilt werden mußte, auch die Mutter war dieser Ansicht.

Aber was tat mein Vater? Er gab mir allein diese Feige und sagte: „Da, Eri, iß.“ Ich natürlich fing sofort an zu fressen, die andern drei Geschwister staunten entsetzt, und mein Vater sagte sentenziös mit Betonung: „Man soll die Kinder früh an Ungerechtigkeit gewöhnen.“

In Erikas rückblickenden Schriften stellt sich der Vater in verklärtem Lichte dar. Ein wenig taprig war er, was das Alltägliche betraf, aber humorvoll und gütig. Der Schnurrbart, voluminöser damals als in späteren Jahren, kitzelte, wenn er ihr einen Kuß gab.[40] Er nahm seine Kinder ernst, ließ ihnen viel Freiheit und hatte zwar nicht am Täglichen teil, wußte aber zu außergewöhnlichen Anlässen immer etwas Wirkungsvolles zu tun oder zu sagen. An Weihnachten baute er höchstpersönlich die alte Krippe mit den anmutigen Wachsfiguren auf.[41] Als die Kinder Anfang 1919 unter Leitung von Erika und Klaus ein Theaterstück im Hause aufführten, schrieb er eine witzige Kritik. „Als Luise bewies Herr Klaus viel Biedersinn." Unterzeichnet war sie mit „Dr. Schafskopf", wobei das a, das k und das o durch Kreuzchen ersetzt waren.[42] Gern las er den Kindern vor, zuerst Märchen, später auch Eigenes, er war neugierig auf Reaktionen. „Wenn wir gelacht haben, es ist ja oft sehr komisch, dann hat er sich diebisch gefreut, und wenn wir Tränen in den Augen hatten, dann war er ganz glücklich."[43] Manchmal fielen sie schier von den Stühlen vor Lachen.[44] Zum Vorlesen durften sie ins sonst strikt gesperrte Arbeitszimmer kommen. An das von Leder, Druckerschwärze, Zigarrenrauch und Eau de Cologne bestimmte Aroma erinnern sich die Kinder alle.[45] Der Tonfall des Briefwechsels mit der Ältesten, der früh einsetzt, ist liebevoll launig. „Liebes Erikind, nimm viele herzliche Glückwünsche zu Deinem Wiegenfeste und verzeih auch vielmals, daß wir Dich in bodenlosem Leichtsinn auf die Welt gesetzt! Es soll dergleichen nicht wieder vorkommen, und schließlich ist es uns ja auch nicht besser ergangen."[46]

Als Kind gehörte Erika zur Herzogparkbande, die in Bogenhausen Schrecken verbreitete. „Wir waren eine böse und einfallsreiche Horde damals [...] Wir mystifizierten, logen, täuschten mit Glanz und mit einer Leichtigkeit, die beneidenswert war [...] wir meldeten Maximilian Harden beim Rektor der Universität zum Tee an und entschuldigten ihn bald darauf mit einem von der Trambahn überfahrenen Arm; um alles auszuhecken, trafen wir uns, aus Gründen der Keßheit, in den Hall's der großen Hotels.[47] Mit fünfzehn antwortete Erika auf eine Umfrage, ihr Vater spiele die Gebirgszither mit herzlicher Hingabe.[48] Sie (d. h. genau genommen ihr Konterfei Ingrid) war imstande, „mit hoher, schwankender, ordinär zwitschernder Stimme vorzugeben, daß sie ein Ladenfräulein ist, welches ein uneheliches Kind besitzt, einen Sohn, der sadistisch veranlagt ist und neulich auf dem Lande eine Kuh so unbeschreiblich gemartert hat, daß es für einen Christenmenschen kaum anzusehen ist".[49] Sie war albern, lügnerisch, phantasievoll, verträumt, eine Spielerin. Weil die Eltern ihr erzieherisch nicht gewachsen waren, wurde sie 1922 zusammen mit Klaus der Bergschule Hochwaldhausen in der Rhön anvertraut, einem reformpädagogischen Unternehmen, nicht etwa einer Kaserne. Auch dort kam man den beiden nicht bei. Schon nach vier Monaten war Erika wieder in München, wo sie 1924 mit Ach und Krach ihr Abitur bestand.

Was soll aus dem Kind nur werden? „Erika's Beruf scheint Häuslichkeit und Haustochterwesen." (Tagebuch 29. November 1918) Sie ist damals dreizehn. „Buk uns heute Eierkuchen zum Abendessen. Sympathisch in ihrer Wirtschaftsschürze und oft von aparter Schönheit." Auch während der Geburt ihres Bruders Michael bewährt sie sich: „Erika als stellvertr. Hausfrau, brav." (21. April 1919) Sie wird immer schöner, und das macht ihm Eindruck. „Verliebt in Erika, die mich offenbar liebt und sich meiner Zärtlichkeit freut." (9. Juni 1920)

Hausfrau wurde sie allerdings nicht, sondern Schauspielerin, Kabarettistin, leidenschaftliche Autofahrerin, Kinderbuchautorin, Publizistin und engagierte Hitlergegnerin. Gleich 1933 mußte sie ins Exil. Ihr Privatleben war schwierig. Sie liebte ihren Bruder Klaus und heiratete zweimal Homosexuelle. Die erste Ehe, mit Gustaf Gründgens („Erika wußte das 'Ja'-Wort melodisch vorzubringen"),[50] wurde bald geschieden, die zweite, mit Wystan H. Auden, war eine bloße Paß-Ehe. Erika Mann schwankte zwischen gleichgeschlechtlichen Neigungen und meistens abzuwehrenden Liebhabern. Auch Drogen spielten eine Rolle. Was blieb und Halt gab, war immer wieder das Elternhaus. In der amerikanischen Zeit kehrte sie ganz dorthin zurück und wurde, nach Katia, des Vaters wichtigste Helferin.

Klaus

Als Vater war Thomas Mann das Scheusal nicht, das manche in ihm sehen wollen. Er hat es schließlich nicht leicht gehabt, mit keinem seiner Kinder, die alle ungewöhnliche Wege gingen und ihm noch als Erwachsene immer wieder auf der Tasche lagen. Auch zu Klaus war er, wenn man bedenkt, was in einem so außergewöhnlichen Fall gefordert war, sehr verständnisvoll und durchaus nicht unnahbar. Er verfügte zum Beispiel, wie sich Klaus erfreut erinnert, „über eine Fähigkeit, uns auf der Wiese mit dem Gartenschlauch anzuspritzen, die ihn ganz einfach zu einem Meister in dieser Branche machte".[51] Er hatte eben die lockere Hand. Das wird durch des Vaters Tagebuch bestätigt („machte es ihnen sehr zu dank", 15. Juni 1919). Er war nicht furchteinflößend, sondern im Gegenteil furchtbannend. „Komm heim, wenn du elend bist", hat er zu Klaus gesagt.[52] Sogar die bösen Geister hatten vor ihm Respekt. Eine Zeitlang träumte Klaus regelmäßig von einem Mann, der mit dem Kopf unterm Arm auf ihn zukam. Der Vater riet, dem Manne zu sagen: „Mach sofort, daß du wegkommst. Mein Papa hat ausdrücklich verboten, daß du mich besuchst.“ Klaus tat so, und der Spuk verschwand.[53] Als Katia erschüttert weinte über die Kälte, Lieblosigkeit, Undankbarkeit, Flegelhaftigkeit und Verlogenheit von Klaus' Tagebuch, das sie zufällig offenliegend fand, blieb der Zauberer ruhig, im Bewußtsein ähnlicher Artung. „Den tobenden Vater werde ich nie spielen. Der Junge kann nichts für seine Natur, die ein Produkt ist.“ (Tagebuch 5. Mai 1920)

Die täglichen Aufzeichnungen überliefern zwar auch Zornausbrüche (27. September 1919, 16. April 1921), einmal muß Klaus sogar derb geschlagen worden sein (12. April 1919), aber viel bezeichnender ist die selbstironische Bemerkung, die den erzieherisch notwendigen Nachdruck als gespielt erkennen läßt. „Schließlich ist es Pflicht, sich nicht aus Selbstschonung der unangenehmen Emotion des Zorns ganz zu entschlagen.“ (4. April 1921) Dabei haben Klaus' Streiche den Namen der Familie nicht wenig strapaziert. Daß er heimlich ins Arbeitszimmer eindrang und dort Wedekind las, mochte noch hingehen. Schlimmer waren das immer neue Schulversagen, die Lügen, die eigenmächtigen Reisen, der Geldverbrauch, die Kontakte mit den prominenten Freunden der Familie hinter dem Rücken der Eltern. Trotzdem waren diese immer schnell bereit zu verzeihen, „auf die schönste und klügste Art ließen sie uns gewähren“.[54]

Klaus fühlt sich zum Tänzer berufen[55] und soll eine Weile Tenor werden.[56] Natürlich war er zum Dichter geboren. Auch als solcher machte er früh Schwierigkeiten. Als Paul Geheeb, der Leiter der Odenwaldschule, sich bei Thomas Mann beschwerte, daß Klaus ihn gemein und verleumderisch porträtiert habe, verteidigt der Vater das, was er des Sohnes „Artisten-Naivität“ nennt.[57] Das glänzende Leben, das der hübsche junge Mann in den Zwanziger Jahren führte, verdankte er nicht *nur* seiner Begabung, sondern auch dem Ruhm des Vaters, den er zu nutzen wußte. Aus einem solchen Schatten zu treten mochte schwer, beinahe unmöglich sein, aber Klaus hat es auch nicht ernsthaft genug versucht, oder erst spät. Daß der Vater ihm in ein Exemplar des *Zauberberg* als Widmung hineinschrieb: „Dem geschätzten Kollegen – sein hoffnungsvoller Vater“, das konnte Klaus nicht für sich behalten, das ging durch die gesamte Presse.[58] Aber der Vater hielt trotzdem zu ihm, auch öffentlich. Als die Zeitungen wieder einmal behaupteten, er fände die Arbeiten seines Sohnes zu „sittenlos“, wurde er deutlich: „Ich bin doch kein Stiftsfräulein. Ich weiß nicht, wer das Märchen von meiner würdevoll verständnislosen Haltung dem Jungen gegenüber aufgebracht hat; auf jeden Fall möchte ich es endlich einmal als Märchen kennzeichnen."[59] Er weiß auch, woher politisch dieser Wind pfeift. „Als ersten Anfang fand ich 'Anja und Esther' keineswegs so schlecht, wie eine gewisse Kritik das Stück machen wollte, die junge Literatur unter dem Gesichtspunkt der nationalen Ertüchtigung beurteilt." Klaus Mann war damals neunzehn. In der Gegenwartsliteratur fahndet man nach Neunzehnjährigen dieses Kalibers vergebens.

Die Mann-Kinder, besonders wenn sich zu ihnen auch noch Pamela Wedekind und Gustaf Gründgens gesellten, waren stets für maliziöse Schlagzeilen der Klatschpresse gut, die sie als verkommene Früchtchen einstufte, an denen man sein Mütchen kühlen konnte, wenn der eigentlich gemeinte Vater zu unanfechtbar erschien. Sie waren Vorzeigetypen der Golden Twenties und zierten so manches Illustrierten-Titelblatt. Die Snobs der Großstädte erkannten sich in ihnen wieder, nicht die biederen Gemüter. Für die Nazis waren sie Sumpfblüten der Dekadenz. Sie hatten es leicht, für diesen Standpunkt eine Mehrheit zu finden. Daß mehr in diesem Klaus, dieser Erika steckte, das zeigte sich erst, als sie aus dem Lande vertrieben waren, in dem sie eine schöne Jugend voll köstlicher Freiheiten genossen hatten.

Golo

Angelus Gottfried, dem der Kindername Golo blieb, gehörte zu den Ungeliebten. Daß er häßlich sei, mußte er so oft hören, daß sich diese Vorstellung, nicht zu seinem Glück, in ihm festsetzte.[60] Neben den aufsehenerregend attraktiven älteren Geschwistern mußte sie ihm ja auch glaubwürdig vorkommen. Er hatte kaum eine Chance, neben dem berühmten Vater, der leistungsstarken Mutter und den hochbegabt frechen Klaus und Erika ein konkurrenzfähiges Format zu finden. Das trieb ihn ins Groteske. Schon im Kind bildete sich die Rolle des finster komischen Gnoms aus, schnell bestätigt von einer unerbittlich formulierenden Umwelt, in deren Panoptikum so etwas paßte. Klaus skizziert seinen jüngeren Bruder treffend: „Von skurriler Ernsthaftigkeit, konnte er sowohl tückisch als unterwürfig sein. Er war diensteifrig und heimlich aggressiv; dabei würdevoll wie ein Gnomenkönig."[61] Im Tagebuch des Vaters wird er als „verlogen, unreinlich und hysterisch" beschimpft (24. Januar 1920). Auch „Zorn Golo's wegen" (16. Juli 1921) war wohl nicht selten, denn der Angeklagte bestätigt es in seinen Erinnerungen. Der Vater strahlte Schweigen, Strenge, Nervosität oder Zorn aus. „Nur zu genau erinnere ich mich an Szenen bei Tisch, Ausbrüche von Jähzorn und Brutalität, die sich gegen meinen Bruder Klaus richteten, mir selber aber Tränen entlockten.“[62]

Golo war kein Tunichtgut. Daß auch er in ein Internat verschickt wurde, mag auf die Erkenntnis der Eltern zurückgehen, daß der Knabe sich dort ungestörter würde entfalten können als in einem so exaltierten Zuhause. Der Aufenthalt in Salem tat einerseits die gewünschte Wirkung, entfremdete aber andererseits und logischerweise den Jungen dem Elternhaus vollends. Wichtige Freundschaften kamen hinzu. Anders als Klaus ging Golo mit seinen gleichgeschlechtlichen Neigungen diskret um. In dem Klima scheuer Behutsamkeit in eroticis, das die prekäre Balance zwischen Thomas und Katia erzeugt hatte, kann er sich auch nicht gerade voll akzeptiert gefühlt haben. Bescheid wußten diese allerdings schon. Probleme in dieser Hinsicht gab es auch in Salem. In dem Schulleiter Kurt Hahn hatte Golo einen Charakter kennengelernt, der wenigstens in einem Punkt dem seines Vaters nur zu sehr ähnelte. „Kurt Hahn hatte von Sexualität und sexueller Erziehung nahezu keine Ahnung. Es lag dies daran, daß er die Neigung, die in ihm war, die homoerotische, moralisch mißbilligte und mit einer mir unvorstellbaren Anstrengung des Willens in sich selber erstickt hatte.“[63]

Daß er Schriftsteller im Ernst erst werden konnte, seit Klaus „verschwunden“ war, vermutet Golo im Alter.[64] Daß er dazu bestimmt war, verbarg er sich lange Zeit, „unbewußt wohl darum, weil ich meinem Bruder Klaus nicht ins Gehege kommen und weil ich den Tod meines Vaters abwarten wollte“.[65] Er war vierzig, als Klaus, sechsundvierzig, als der Vater starb. Er mußte lange warten. Erst spät setzt seine Produktion in breitem Strome ein, folgen die *Deutsche Geschichte des 19. und 20. Jahrhunderts* und *Wallenstein,* seine Hauptwerke als Geschichtsschreiber. Sein Stil wird fest, knurrig und treffend, unverwechselbar mit dem des Vaters. Er ließ Thomas Mann als Dichter gelten, fand ihn als Politiker jedoch naiv.

Es hatte in Golos Emanzipationsgeschichte unverschuldet schwere Rückschläge gegeben. 1933 hatte er noch einige Monate in Deutschland zu leben versucht, wurde aber in den Schoß der Familie zurückgezwungen. Er wäre für die Nazis eine willkommene Geisel gewesen und sicher bald verhaftet worden. Seine Erinnerungen überliefern eine Tagebuchnotiz vom 3. Juni 1933, als er gerade in Südfrankreich angekommen war. „Jetzt ist die Familie das Einzige, was mir geblieben ist; das kann nicht gut gehen ...“[66] Gleich danach folgt ein strenges Urteil über den Papa: „Gestern abend mit Heinrich am Meer promeniert; er tut mir wirklich leid, trägt sein Schicksal mit viel Würde, ja selbst mit Charme, und nicht so damenhaft in seinen Schmerzen, von aller Welt beleidigt wie der Alte.“ Den Kosenamen „Zauberer“ verwendet Golo nie. Er schreibt „TM“ oder „der Alte“. Aber er nimmt die Pflichten auf sich, die das Exil ihm diktiert, hilft dem Vater als Redakteur von dessen Zeitschrift *Maß und Wert* und schreibt gelegentlich Artikel in seinem Auftrag. Nach seinem und besonders nach Katias Tod wurde er ein hervorragender Verwalter des Thomas Mann-Copyrights, obgleich er es satt hatte, dauernd nach seinem Vater gefragt zu werden. Sein Haß auf TM nahm im Alter immer mehr zu, so daß seine Schwester Elisabeth sich zu der Mahnung veranlaßt sah: „When you get past the age of thirty, you should stop blaming your parents for what you are.“[67]

Soll man diesen Vater schelten? Er konnte wohl nicht aus seiner Haut, und allzuviel zerrte an ihm. Hätte er sich auch um mehr Verständnis bemüht, so wäre doch die Konstellation, die nun einmal fatal war für den Drittgeborenen, nicht prinzipiell veränderbar gewesen. Golo hat letzten Endes einen höchst respektablen Weg gefunden. Anders als Klaus wurde er nicht ständig am Vater gemessen. Er wurde geachtet als er selbst, auch wenn er innerlich viel dafür gelitten hat.

Monika

Die nächste Ungeliebte war Monika. „Blamiert, da ich die Geburtsjahre der Kinder nicht wußte“ (Tagebuch 23. April 1919) – das bezieht sich auf sie und Golo. Über Monika weiß das Tagebuch so gut wie nichts Herzliches zu berichten. Da sie an Münchens Töchtergymnasium keine Freude hatte, wurde auch sie nach Salem geschickt. Sie versuchte es später dann mit Kunstgewerbe und Musik. Mit immer neuen Träumen und häufigen Liebschaften plagte sie ihre Eltern weidlich. Das Vokabular der Tagebücher des Vaters in bezug auf sie schwankt zwischen renitent (13. September 1934), nervös und deprimiert (24. Dezember 1936), leicht beleidigt (7. August 1941), fatal (9. März 1937), geschmacklos (29. Januar 1939) und unselig (10. Februar 1942). Er ist erbittert über sie und nennt Zerwürfnisse unvermeidlich, „sobald man das Kind als vollsinnigen Menschen behandelt“ (25. September 1941). Sie zahlt es ihm nicht heim. In ihren

Erinnerungen steht nichts Böses über den Vater, aber doch viel Skeptisches. „Ein sanft-fanatischer Sinn für Gleichmaß und ein Sichgleichbleiben kennzeichnete von jeher das väterliche Wesen. So mochte auch mein kindlicher oder elfischer Überschwang ihn etwas verdrossen haben." Ob das Leben im Lichtkreis des Vaters ein Fluch oder ein Segen war, weiß sie nicht. „Er war wie ein Dirigent, der seinen Taktstock gar nicht zu regen brauchte und das Orchester durch sein bloßes Dastehen beherrschte."[68]

In der Ehe fand sie endlich ihre seelische Balance. Um so fassungsloser mußte sie sein, als ein deutsches U-Boot das Schiff torpedierte, auf dem sie mit ihrem Mann nach Kanada unterwegs war. Das Rettungsboot ging unter, „wir riefen einander, ich hörte seinen Ruf, dreimal, und dann nichts mehr. Und dann waren lauter Tote um mich 'rum und ganz schwarze Nacht", am Rand eines lecken Bootes hielt sie sich fest, bis am nächsten Nachmittag um vier Uhr das englische Kriegsschiff sie aufnahm. Einige krisenhafte Jahre verbringt sie an wechselnden Orten und immer wieder bei den Eltern, bis sie 1953 genug hat, nach Capri zieht, sich dort in einen Fischer verliebt, mit dem sie bis zu seinem Tod 1985 eine vor der Welt verborgene Gemeinschaft pflegt.

Wenn man sie auf das Werk des Vaters ansprach, versteckte sie sich hinter vorgetäuschter Unwissenheit. „Ich fühle mich bei solchen Gesprächen dumm gemacht und auch 'in den Wurzeln' angegriffen." Der Vater schenkt ihr seinen *Faustus* mit der Widmung „Für Mönchen, sie wird es schon verstehen." Ihre Reaktion ist zweideutig: „Darin liegt eine flüchtige, schon abgetane Geringschätzung, an deren Stelle sofort Vertrauen tritt."

Sie schrieb auch gedichtähnliche Kurztexte. Gern würden wir etwas anderes sagen, aber sie sind herzlich unbedeutend. Einer ist *Der Vater* überschrieben und lautet: „Rührend, ja erschütternd mutet es an, wenn über das helle knabenhafte Antlitz ein Schatten zieht – das Mahnen daran, daß er das Haupt einer Familie ist, sie ernähren muß und zu jeder Zeit für sie einzustehen hat."[69]

Elisabeth

Daß sie dem in den letzten Jahren kursierenden Gerücht, sie habe schlechte Eltern gehabt, endlich einmal entgegentreten wolle, äußerte sie am 23. November 1997 in Frankfurt beim Jubiläum *100 Jahre*

Thomas Mann bei S. Fischer. Ihr Vater sei vielmehr liebevoll gewesen. Pianistin, Journalistin, Politologin, Meeresbiologin: Elisabeth Mann-Borgese ist eine hochbegabte Frau. „Liebes Kindchen", nennt sie der Vater noch im Alter, in den wenigen Briefen an sie, die zugänglich sind; und zeichnet mit „Dein Herrpapale".[70] Er war sehr lieb zu ihr. „Buk der kleinen Elisabeth Eimer-Sand-Kuchen im Garten. (Tagebuch 21. Mai 1921) Im *Gesang vom Kindchen* hat er ihr das erste literarische Denkmal gesetzt, weitere dann in *Unordnung und frühes Leid* und in *Mario und der Zauberer.* Sein Herz gehörte der Kleinen gleich als sie auf die Welt kam und ihn gefangennahm mit ihren Augen, „die damals himmelblau waren und den hellen Tag widerstrahlten".[71] Daß er sie „vom ersten Tage an mehr liebte, als die anderen vier zusammengenommen", schrieb er an Paul Amann – „ich weiß nicht warum".[72]

Golo Mann brachte Elisabeth 1933 in die Schweiz. Mit einundzwanzig heiratete sie den italienischen Antifaschisten und Literaturwissenschaftler Giuseppe Antonio Borgese, der ihr Vater hätte sein können. Er war damals 57 Jahre alt und starb mit siebzig. Zwei Töchter gingen aus der Ehe hervor. In ihren zahlreichen Büchern und Aufsätzen vermeidet Elisabeth Äußerungen über den Vater. Auch wo es nahegelegen hätte, in ihrem Buch *Aufstieg der Frau,* kommt er so gut wie gar nicht vor, obgleich die These des Buches überdeutlich aus der eigenen Biographie hergeleitet ist. In ihrer Zukunftsvision, die Gedanken Platons aufnimmt, sind die Männer älter und reicher an Erfahrung als die Frauen. Wenn sie gestorben oder sonstwie verschwunden sind, „dann ist der Augenblick gekommen, da die Frau zur Männlichkeit reift [...] Die nun etwa Fünfundvierzigjährige hat ihr Frauenleben voll erlebt, sie hat Kinder aufgezogen, von dem Mann, der sie liebte, gelernt, was ihr, als seiner Schülerin, zu lernen gegeben war. Wenn sie nun selbst imstande ist, 'Weisheit und Tugend zu vermitteln', dann fühlt sie sich ganz natürlich von einer jungen Frau angezogen, die 'danach strebt, sich diese anzueignen'. Sie wird in die Rolle eines Mannes wachsen; sie wird ein Mann werden."[73] Elisabeth Mann-Borgese war fünfundvierzig, als diese Sätze veröffentlicht wurden. Mit dem Schutz der Meere hat sie mehr Anerkennung gefunden als mit dem Weiterdenken platonischer Utopien.

Michael

Michael Mann war ein sehr merkwürdiger Mensch, verspannt und überspannt, schroff und begeisterungsfähig, hochbegabt, aber ausschweifend, ein bucklicht Männlein, dem alles schief geht, obgleich es alles gut machen will. Ich traf ihn 1976 in Zürich. Er hinkte wie Quasimodo, kam prinzipiell nicht zur Sache und schwadronierte schallend über Weltpolitik, wobei er immer die gegenteilige Meinung äußerte wie sein Bruder Golo. Als einer der ersten las er die Tagebücher seines Vaters, denn er sollte sie edieren. Er wollte vieles herauskürzen. „Man wird sehr wählerisch sein müssen: der Mann wußte, warum er sich in die Form zurückzog."[74] Ein Kollege behauptet, über der Tagebucharbeit habe Michael sich selbst verloren. „Diese Tagebücher seines Vaters haben ihn verrückt gemacht, umgebracht." So schlimm kann es eigentlich nicht gewesen sein. Er mußte zwar lesen, daß seine Abtreibung erwogen worden war, (26. September 1918), aber die Entscheidung der Eltern fiel dann doch dagegen aus: „Ich bins zufrieden, freue mich auf das neue Leben." (30. September 1918) Da ist zwar von „Fremdheit, Kälte, ja Abneigung" gegen den Jüngsten schon früh die Rede (13. Februar 1920). „Mischa wackelte, wie gewöhnlich, ein wenig idiotisch im Stuhl" (3. Mai 1920) – auch das ist nicht nett. „Unglückselige Manier Bibi's auf irgendwelche Vorhaltungen zu reagieren. Er kennt keinen Versuch, ruhige und erklärende Worte, was in Heiterkeit geschehen könnte, sondern wird sofort bockig, frech und grob." (10. Juli 1934) Als Musiker aber überzeugt Michael den Vater doch. „Ich freute mich an der Beharrlichkeit von Bibi's Üben, das mich, da ich es als ernste Arbeit empfinde, nicht irritiert." (16. Juni 1933) Leistung und Haltung waren gefordert, im Hause Mann wie anderswo.

Die Tagebuchäußerungen bestätigen, was in *Unordnung und frühes Leid* (1925) schon stand und was Michael, der sich über sein Porträt als „Beißer" immer geärgert hat, infolgedessen endgültig als bare Münze zu nehmen hatte. Beißer, so heißt es in der Erzählung, unterstreiche seine vierjährige Manneswürde durch seine Haltung und den Versuch, seiner Stimme einen tiefen, biederen Klang zu geben. Solche Männlichkeit sei aber mehr angestrebt als wahrhaft in seiner Natur gesichert, „denn, gehegt und geboren in wüsten, verstörten Zeiten, hat er ein recht labiles und reizbares Nervensystem mitbekommen, leidet schwer unter den Mißhelligkeiten des Lebens, neigt zu Jähzorn und Wutgetrampel, zu verzweifelten und erbitterten Tränenergüssen über jede Kleinigkeit [...] Er neigt zur Zerknirschung, hält sich auf Grund seiner Wutanfälle für einen großen Sünder und ist überzeugt, daß er nicht in den Himmel kommen wird, sondern in die 'Höhle'."[75] Das viel undeutlichere, aber auch viel freundlichere Porträt als Benjamin im Joseph-Roman konnte Michael nicht trösten. Der Vater Jaakob hat Joseph verloren und wählt Benjamin nun als Ersatz. „Er liebte den Jüngsten im entferntesten nicht wie Joseph", aber trotzdem „drückte er ihn inbrünstig an sich".[76]

Drogen und Tabletten gibt es auch bei Michael, nicht zu knapp. Er hatte ein Arbeitsköfferchen mit eingebauter Whisky-Bar. Er starb am Neujahrstag 1977 an einer Überdosis von Barbituraten, kombiniert mit Alkohol. „Not everybody knows it was suicide, but it was."[77] Zwei Tage vorher schrieb er mir noch gutgelaunt, er wolle bald nach Deutschland kommen.[78] Seine Asche wurde ins Kilchberger Familiengrab überführt.

[illegible]

neu zu [illegible] und [illegible] Korrektheit und zu [illegible]
[illegible]
[illegible] Sei-
den auf [illegible] und immer kommen wird,
[illegible]
[illegible]
[illegible]
[illegible]
[illegible]
[illegible]
[illegible]
[illegible]
[illegible]
[illegible]
[illegible]
gen [illegible].

XI. Im Zauberberg

München, um 1925

Chronik 1912–1924

Der *Tod in Venedig* war noch nicht ganz fertig, als Thomas Mann im Mai 1912 nach Davos reiste, um seiner Frau, der dort ein von Mai bis September währender Kuraufenthalt verordnet war, für einige Wochen Gesellschaft zu leisten. Die Idee, der tragischen Entwürdigungsgeschichte Gustav von Aschenbachs ein spöttisches Satyrspiel folgen zu lassen, nahm bald Gestalt an und führte dazu, daß die *Bekenntnisse des Hochstaplers Felix Krull* noch einmal liegen blieben – für Jahrzehnte, wie sich erweisen sollte. Die ersten Kapitel des Romans *Der Zauberberg* entstanden von Juli 1913 bis zum Kriegsbeginn. Eine zweite, kurze Arbeitsphase gibt es im Frühjahr 1915. Bis zum Abschnitt *Hippe* war das Buch damals gediehen. Aber die Probleme der Kriegsjahre brannten dem Romanschreiber dann so auf den Nägeln, daß er erst die *Betrachtungen eines Unpolitischen* einschob, dann noch *Herr und Hund* und den *Gesang vom Kindchen,* bis er endlich am 9. April 1919 das *Zauberberg*-Material wieder hervorholte und am 20. April wieder zu schreiben begann, und zwar von vorne an, alles Bisherige überarbeitend. Immer wieder von Essays, darunter *Goethe und Tolstoi* (erste Fassung 1921) und *Okkulte Erlebnisse* (1923), und Reisen unterbrochen, wirkte und webte der Autor an seinem tausendseitigen Romanteppich bis Ende September 1924 mit gewohnter Zähigkeit. Bereits Ende November war der Roman auf dem Markt und fand sofort ein überwältigendes Echo.

Auch der Tonfall verrät etwas. Bis kurz vor Romanschluß ist er spöttisch und spielerisch, ironisch und überlegen. Der Erzähler ist außerhalb. Was seinem Helden geschieht, tut ihm nicht weh. Als aber der Krieg kommt, endet alle Ironie. Der Ton ist jetzt betroffen und geängstigt, düster bis zum Pathos. „O Scham unserer Schattensicherheit!" ruft der Erzähler aus.[1] Jetzt, wo es ganz ernst wird, will er dabei sein. Wie Thomas Mann selbst schämt er sich, daß er nicht Soldat ist. Nie sind ihm bisher die Tränen gekommen, sieben lange Jahre nicht, aber nun, als der Held im Kriege ist, tupft er sich mit der Fingerspitze zart den Augenwinkel. Er verläßt sein ironisches Sofa und begibt sich auf den Schauplatz. Das Tupfen ist eine Geste von Herrn Settembrini, dem beim Abschied von Hans Castorp ebenfalls die Augen feucht geworden sind.[2]

Auch uns steht das Sofa nicht zu. Wir sind nur scheue Schatten am Wege. Unser Blickwinkel ist schräg von unten. Wir blicken auf Thomas Mann wie dieser auf seinen Hans Castorp, als er in den Krieg ziehen muß in einem Schwarm fiebernder Knaben. Wir halten den Atem an, wenn sich den Toten die Zunge löst. Sie sprechen freier als in der Zeit, da sie noch im Lichte weilten und Schmerzen hatten. Der erzählte Schmerz ist nicht mehr der erlebte Schmerz. Er ist körperlos wie alles Durchschaute, transparent wie ein Röntgenbild und zur Kunst erkaltet. Sogar das Tragische bereitet jetzt bisweilen Vergnügen. Die Toten stört das nicht.

Aber erzählen, wieviel leichter ist das als zu leben und zu leiden! O Scham unserer Schattensicherheit! Nicht wir mußten es aushalten, dies Leben voller Qual und Glanz. Selber in Sicherheit, sind wir besserwisserisch und rechthaberisch wie alle Nachgeborenen, die mit Toten Umgang pflegen. Wir wissen zwar wirklich manches besser, wir haben häufig recht. Aber wir sind im Hades nur geduldet. Wir dürfen die Seele nicht zensieren, deren Flug wir erinnernd begleiten. Die Toten sind frei, was soll man ihnen noch vorrechnen? Nicht andere soll man schelten und brechen, sagt der unpolitische Betrachter, sondern sich selbst.[3] Thomas Mann gilt als Narziß, aber ganz fremd war ihm Selbstkritik nicht. „War je einer, dem der Kobold des Hervorbringens im Nacken saß", so fragt er ängstlich-stolz,[4] „ein erfreulicher Mitmensch?" Er wird heute meistens als kalt und hoffärtig, menschenverbrauchend, maskiert und verklemmt eingeschätzt

– ein faszinierendes Scheusal. Vom Standpunkt der Schatten ist das Parteiengezänk. Ob Krethi und Plethi einen gemocht haben, ist nichtig unter dem Blickwinkel der Ewigkeit. In der Welt der Toten gilt: *Tout comprendre c'est tout pardonner.* Oder sogar, wie Tommy im Jugendhochmut den Schulfreund belehrte: *Comprendre c'est sourire, Monsieur!* Auf deutsch (an gleicher Stelle): „Schimpfen, mein Freund, kann Jeder. Dem Psychologen steht es wahrlich besser an, zu *verstehen,* zu *erklären.* Verurteilen zeugt *immer* von Verständnislosigkeit und psychologischem Nichtvermögen."[5]

Als Mensch war Thomas Mann versiegelt und ließ niemanden in sein Herz blicken. Mit virtuoser Disziplin hielt er eine Fassade aufrecht, ohne die zu leben er unerträglich gefunden hätte. Nur im Werk war er frei, nur hier teilte er sich mit, auch seine Geheimnisse, geschützt durch die indiskrete Diskretion der Kunst. Die Biographie seines Herzens steht verzaubert in seinen Dichtungen. Manchmal läßt sich das wirklich Erlebte im Gedichteten zweifelsfrei identifizieren, manchmal nur plausibel machen, ohne beweisbar zu sein. Der Leser ist frei, zu folgen oder nicht. Die Grenze zwischen Fiktion und Wissenschaft soll zwar sichtbar bleiben, wird aber gelegentlich überschritten, im Bewußtsein, daß gerade die Bereiche des Lebens, die ihrer Natur nach keine Dokumente hinterlassen, einer Deutung am dringendsten bedürfen.

Die Pyramide

Der *Zauberberg* ist ein ausartendes Buch. Er ähnelt einem auf die Spitze gestellten Dreieck. Jedes Kapitel ist länger als das vorige. Das letzte ist geradezu eine Ausschweifung. Es hätte nicht anders enden können als durch einen Donnerschlag. Es hätte sonst nie aufgehört.

Eine Lebensform verschwindet, wenn sie zu Ende erzählt ist.[6] Ein Künstler stirbt, wenn er seinen Lebensstoff verbraucht hat. Als der Zauberberg-Roman fertig ist, steht Mann kurz vor seinem fünfzigsten Geburtstag. Die Mitte seiner Jahre ist schon deutlich überschritten. Das sich zur Neige wendende Leben wird allmählich vom Werk verzehrt. Die großen Spätwerke müssen mit immer weniger Lebensstoff auskommen. Immer mehr Sprachstoff wird deshalb gesammelt.

Aus wenig Erlebtem hat Mann viel gemacht. Die wichtigsten Eindrücke fallen in Kindheit, Jugend und frühe Mannesjahre. Eine Beschreibung dieses Lebens muß deshalb unten breit sein. Das Fundament der Pyramide ist ausgedehnt. Jedes neue Stockwerk ist ein Stück schmaler. Immer weniger Inneres ist zu erzählen, mag der Dichter noch so viel Sprachstoff dazuhäufen, mag die große Geschichte ihn mit Ereignissen noch so sehr überschütten. Anders als im ausartenden *Zauberberg,* der in eine stehende Unaufhörlichkeit münden möchte, läuft in der Lebensbeschreibung der Sand gegen Ende immer schneller durch die Enge, und die oberen Stockwerke sind schneller errichtet als die unteren.

Das Samenkorn des *Zauberbergs* ist die Williram-Timpe-Geschichte. Sie wurde bereits bei der Darstellung der Schülerjahre erzählt. Nun fehlt sie uns. Ähnlich wird es gehen mit *Joseph und seine Brüder* und mit *Doktor Faustus,* sofern sie die Paul-Ehrenberg-Geschichte verarbeiten. Was wir im folgenden vom *Zauberberg* biographisch berichten, sind nur noch Lebenskrümel. Den Urkram kennt der Leser schon.

Das Treibnetz

Die Handlung ist schnell erzählt. Der Hamburger Kaufmannssohn Hans Castorp will vor Beginn seiner Ingenieursausbildung einen Erholungsurlaub machen. Er reist deshalb zu seinem lungenkranken Vetter Joachim Ziemßen in ein Hochgebirgssanatorium in Davos, zu Besuch auf drei Wochen. Die Welt des Sanatoriums zieht ihn in ihren Bann. Er verliebt sich in Clawdia Chauchat, diskutiert mit Naphta und Settembrini und bewundert Mynheer Peeperkorn. Aus den drei Wochen werden sieben Jahre. Erst der Kriegsausbruch von 1914 versetzt den jungen Mann abrupt zurück ins Flachland. Als Soldat, verloren im Gewimmel der Schlacht, kommt er uns aus den Augen.

Für dieses bißchen Handlung verbraucht Thomas Mann tausend Seiten. Als Ida Herz im Jahre 1925 Thomas Manns Arbeitsbibliothek ordnete, staunte sie über die riesigen Materialmoränen, die die Arbeit am *Zauberberg* abgesetzt hatte.[7] Sie blieben 1933 in der Poschingerstraße zurück, gingen verloren und lassen sich nur mühsam und unvollständig rekonstruieren. Was sich aus Tagebüchern, Notizbüchern, Briefen und Quellenstudien erschließen läßt, gibt ein ziemlich krauses Bild. Medizinisches, Biologisches, Psychoanalytisches, Philosophisches, Theologisches und Politisches wurde teils aus seriösen, teils aus obskuren Schriften einmontiert. Manchmal trieb Mann gründliche Studien, sehr oft aber begnügte er sich mit zufällig Angeflogenem. Wenn er ein Werk im Kopf hatte, konnte er alles brauchen. Er ging durch seine Welt wie ein Treibnetz, in dem alles Brauchbare hängenblieb. Nicht der Fleiß allein ist Manns Geheimnis, sondern diese Aneignungskraft.

Warum brauchte Thomas Mann diese gewaltigen Materialmassen? Bisher hatte es zwar auch schon Studien gegeben, historische für *Fiorenza,* ökonomische für *Königliche Hoheit,* mythologische für den *Tod in Venedig,* aber doch nicht in diesem Ausmaß. Fiel ihm nichts mehr ein? In gewissem Grade stimmt das. Je mehr das eigene Leben als Quelle erschöpft ist, desto wichtiger werden andere Quellen. Wenn das Ich auserzählt ist, bedarf es der Erweiterung. In großem Maßstab nimmt es Fremderfahrung auf. Diese hat allerdings kein Eigengewicht, sondern wird dem Welterfahrungsraster unterworfen, das die Wahrnehmung immer schon prägt.

So funktioniert auch die Leitmotivarbeit. Weil der gefundene Sprachstoff kein Eigengewicht hat, dient er nur der Bestätigung eines Beziehungsnetzes. Daß Großvater Castorp eine steife Halsbinde trägt, interessiert nicht als Realie, sondern als Leitmotiv; angesichts des Todes vom Kinnzittern bedroht, bedarf man einer solchen Binde. Je weniger Textraum das biographische Samenkorn beansprucht, desto mehr Raum füllt das Angelesene, desto mehr Platz verbraucht die Leitmotivarbeit, die den Fundstücken ihre Stelle anweist, desto höher wird infolgedessen auch der Kunstanspruch. Immer noch zwar spricht Thomas Mann von seinem Urkram, aber vermittelter. Immer größer wird die Kunst, zu einem winzigen Kern von Erlebtem eine riesige Stoffmenge in Beziehung zu setzen. Das Lachen, das Rauchen, das Fieberthermometer und das Röntgenbild: Nichts mehr entgeht diesem weltenordnenden Blick, alles bestätigt irgend etwas und negiert ein anderes.

Der Kern der Sache, daß ein Hamburger Patriziersöhnchen der Heimsuchung durch Tod und Eros ausgesetzt wird, ist natürlich Urkram. Aber in den Einzelheiten findet sich nur wenig Autobiographie. Das Bürgererbe war in *Buddenbrooks* schon verwertet worden, die Brautzeit in *Königliche Hoheit,* die Homoerotik im *Tod in Venedig*. Für den *Zauberberg* blieb nicht genug übrig, war aber auch nicht so viel nötig. Daß Hans Castorp über die gleiche Taufschale gehalten wurde wie Thomas Mann, daß er die Butter am liebsten in Form geriefelter Kügelchen zu sich nahm, daß er eine gute Erziehung genossen hatte, gerade zu sitzen, keine Nägel zu kauen und keine Türen zu werfen gelernt hatte, das alles hat er von seinem Autor, auch daß er ein Erbe ist mit einem Vermögen von vierhunderttausend Mark. Aber er wächst mutterlos auf, ohne das Element, das künstlerisch macht. Er hat nur Kleidungs- und Eßkultur, keine künstlerische Schaffenskraft. Anders als sein Autor macht er Abitur. Er studiert Ingenieurwissenschaften, wovon Thomas Mann gar nichts verstand, in Danzig, Braunschweig und Karlsruhe, alles keine Thomas Mann-Städte. Er ist nicht einfach ein anderes Ich des Dichters. Ähnlich sieht es bei den Mitbewohnern des verzauberten Berges aus. Zu Settembrini, dem Zivilisationsliteraten, liefert zwar Heinrich Mann ein wenig Hintergrund, aber die Figur ist im Kern nicht erlebt, sondern konstruiert und aus Zusammengelesenem montiert, wie in noch höherem Grade der jüdisch-kommunistische Jesuit Leo Naphta. Mynheer Peeperkorn bekommt zwar einzelne Züge von Gerhart Hauptmann, aber in die Tiefe reicht das nicht. Ein biographisch bedeutsames Vorbild für Clawdia Chauchat gab es nicht, trotz einer gewissen Tänzerin mit schiefen Augen[8] und trotz marginaler Erinnerungen an Katia, der das Laster des Nägelkauens nicht unbekannt gewesen sein soll. Wichtig sind lediglich die rückwärtigen Bindungen der schönen Russin an Williram Timpe. Das Timpe-Erlebnis des Gymnasiasten Thomas Mann ist das bedeutendste autobiographische Element des Romans. Aber es wird sehr zurückhaltend eingesetzt. Tausend Seiten hätten sich damit auch nicht füllen lassen.

Es war ursprünglich als eine komische Idee gedacht, daß nicht ein hochentwickelter Künstler wie im *Tod in Venedig,* sondern ein mittelmäßiger Ingenieurstudent der Liebe und dem Tode ausgesetzt werden sollte. Hans Castorps Widerstand ist gering. „Er versuchte, wie es sei, wenn man bei Tische zusammengesunken, mit schlaffem Rükken dasäße, und fand, daß es eine große Erleichterung für die Bekkenmuskeln bedeutete."[9] Da er faul ist, öffnet er sich dem Tode gern, auch der Liebe bereitwillig und abenteuerlustig. Erst der Krieg „befreit" ihn – um ihn dann erst recht heimzusuchen. Als Katastrophe endet, was als humoristische Verführungsgeschichte begonnen hat. Im Kriege kommen Eros und Todestrieb zu ihrem eigentlichen Ziel, der lust- und grauenvollen Auflösung des Individuums in Matsch und Schlamm. Der Roman ist eine gewaltige Entgrenzungsphantasie, voller Lust an der Flucht aus Haltung und bürgerlicher Form, aber auch voller Entsetzen davor. Im innersten Kern schwären die Wunden der nicht ausgelebten Homosexualität. Wie Thomas Mann in Paul Ehrenberg-Zeiten flüstert Hans Castorp erschüttert: „Mein Gott",[10] wenn Clawdia ihn rücksichtslos anlächelt, wenn er träumerisch an ihren Mund und an ihre Wangenknochen denkt oder an „ihre Augen, deren Farbe, Form und Stellung ihm in die Seele schnitt, ihren schlaffen Rücken, ihre Kopfhaltung, den Halswirbel im Nackenausschnitt ihrer Bluse, ihre von dünnster Gaze verklärten Arme". Sie ist von jenem Typus, den wir kennen, hochbeinig und nicht breit in den Hüften, mit kleiner und mädchenhafter Brust.[11] Vom Antitypus schwärmt dann Peeperkorn, der das Leben „ein hingespreitet Weib" nennt, „mit dicht beieinander quellenden Brüsten und großer, weicher Bauchfläche zwischen den ausladenden Hüften".[12]

Knochenlos

Es gibt in diesem Roman keine Harmlosigkeiten. Alles deutet irgendwohin. Joachim Ziemßen lernt Russisch. Es hätte nicht Italienisch sein dürfen, denn das Russische ist ein Codewort, es steht für allerlei Verlockungen. Der Kranke liebt Marusja, die hübsche Russin mit der wurmstichigen Brust, die ihr Lachen nicht im Zaum halten kann. Russisch wird als weiche und verwaschene, gleichsam knochenlose Sprache bezeichnet.[13] Das Motiv „knochenlos" baut eine Brücke zum knochenlosen Husten des Herrenreiters, „ein Husten ganz ohne Lust und Liebe, der nicht in richtigen Stößen geschah, sondern nur wie ein schauerlich kraftloses Wühlen im Brei organischer Auflösung klang".[14] Hans Castorp bemerkt dazu: „Es ist ja gerade, als ob man dabei in den Menschen hineinsähe, wie es da aussieht, – alles ein Matsch und Schlamm." Es ist die Wahrheit, was Castorp da sieht. Von innen ist der Mensch matschig. Die Knochen halten den Matsch zusammen. Form und Schönheit sind nur dünne Hülle und geliebte Illusion.

Nebenan wohnt ein russisches Ehepaar. Geräusche hört Hans Castorp aus diesem Zimmer, „ein Ringen, Kichern und Keuchen, dessen anstößiges Wesen dem jungen Mann nicht lange verborgen bleiben konnte, obgleich er sich anfangs aus Gutmütigkeit bemühte, es harmlos zu deuten".[15] Eine „ehrbare Verfinsterung" seiner Miene ist die Folge, „so, als dürfe und wolle er von dem, was er da hörte, nichts wissen".

Aber es ist wie immer, das nicht zu Verdrängende holt ihn ein. Die Verfinsterung hält nicht stand, trotz aller Ehrbarkeit. Sie malt sich zwar erneut auf seiner Miene, als er im Röntgenlabor sitzt, wo vor ihm Clawdia Chauchat durchleuchtet worden ist, die Russin mit dem

Rundrücken, die er liebt. Der Röntgenblick ins Innere, ins dunstige Gewebe des Fleisches, von dem sich scharf die Knochen abheben, ist ungehörig, und Hans Castorp wendet erst einmal den Kopf beiseite, wieder mit „einer ehrbaren Verfinsterung seiner Miene".[16] Aber nur den Kopf. Seine Weichteile sind der Kirgisenäugigen rettungslos verfallen.

Das Röntgenfoto weist sinnbildlich auf Liebe und Tod. Auf den Tod, weil es das Gerippe zeigt, aber auch auf die Liebe, weil der Blick auf Matsch und Schlamm nur für den Liebenden verlockend ist, der sich vermischen will, vergehen und zerfließen will auf Kosten von Haltung und Form. Den Röntgenapparat soll Hans Castorp so umarmen und an die Brust drücken, als ob er Glücksempfindungen damit verbände – so die Anweisung des Arztes.[17]

Das Sinnlichste was ich je gemacht

„Der Zbg. wird das Sinnlichste sein, was ich geschrieben haben werde, aber von kühlem Styl." (Tagebuch 12. März 1920) Das Sinnlichste? Dieser Castorp habe ein Glied aus Gips, spottete Robert Musil.[18] Sieben Jahre lang wird ihm nur eine einzige Liebesnacht zugedacht, und von der erfahren wir nur aus rätselhaften Andeutungen wie, daß er einen Bleistift zurückgegeben und etwas anderes dafür empfangen habe.[19] Die Rückgabe soll sich in den einfachsten Formen vollzogen haben.[20]

An einer einzigen Stelle ist Thomas Mann doch ein wenig weiter gegangen, in jenem französischen Gespräch, in dem Hans Castorp Clawdia seine Liebe erklärt. „Je t'aime", lallt er, vor ihr kniend, den Kopf im Nacken, und fährt mit geschlossenen Augen zu sprechen fort.[21] Eine ganze Seite lang feiert Hans Castorp den Menschenleib, nicht einen bestimmten, auch nicht einen spezifisch weiblichen oder männlichen, sondern den Leib schlechthin. Das Französische ist ein Versteck, in dem Thomas Mann sich Einzelheiten genehmigt, die er sich im Deutschen so geballt sonst nirgends erlaubt hat. Hymnisch preist Hans das Rückgrat, die Schulterblätter, wie sie sich unter der Haut des Rückens abzeichnen, den Nabel im weichen Bauch, die blühenden Brustwarzen, die Blutgefäße, das dunkle Geschlecht zwischen den Schenkeln. Er begeistert sich für die Achselhöhlen, für die Kniekehlen und für die frische Doppelpracht der Hinterbacken. „Quelle fête immense de les caresser ces endroits délicieux du corps humain!" Welch unermeßliches Fest, diese köstlichen Zonen des menschlichen Leibes zu liebkosen – „Fête à mourir sans plainte après!" Danach will er klaglos sterben.

„Aber von kühlem Styl." Das Pathos wird gedämpft durch die medizinische Halbgelehrtheit, die Hans Castorp sich im Gespräch mit Hofrat Behrens und im Kapitel *Forschungen* zugelegt hat. Sie geben der Szene eine groteske Komik. „Laisse-moi toucher dévotement de ma bouche l'Arteria femoralis", laß mich deine Beinarterie küssen. Hans preist auch den Flaum auf der Haut und die Lymphdrüsen, von denen Behrens ihm gesagt hatte, daß sie vorwiegend „am Halse, in der Achselhöhle, den Ellenbogengelenken, der Kniekehle und an ähnlichen intimen und zärtlichen Körperstellen" gelegen seien.[22] Die erotische Faszination wird gebrochen durch den Abscheu, den der illusionslose naturwissenschaftliche Blick auf den Körper erzeugt. Genau betrachtet ist das Leben widerlich. Sein Herzstück zum Beispiel, die Zeugung: „Keine Fratze und Farce war auszudenken, in der die Natur bei der Abwandlung dieses stehenden Herganges sich nicht ernstlich gefallen hätte."[23] Auf Reinheit bedacht, stößt den Geistigen die allzu enge Verwandtschaft mit dem Tierischen ab. Der Embryo des Menschen, verdickter fötaler Schleim, beleidigt die Humanität, unförmig kauert er in der Mutterhöhle, „in sich gebückt, geschwänzt, von dem des Schweines durch nichts zu unterscheiden, mit ungeheurem Bauchstiel und stummelhaft formlosen Extremitäten, die Gesichtslarve auf den geblähten Wanst gebeugt". Sein Werden erscheint einer Wissenschaft, deren Wahrheitsvorstellung unschmeichelhaft und düster ist, als Wiederholung der zoologischen Stammesgeschichte.

Daß Mann das Körperliche nicht schonend ausspart, gehört zu den Grunderlebnissen der *Zauberberg*-Lektüre. Mancher legt das Buch deshalb vorzeitig aus den Händen. Persönlich hatte Mann kein gutes Verhältnis zu Blut, Fleisch, Schleim und Gallert, woraus eben der Mensch besteht. Es war für ihn Matsch und Schlamm. Als geistiger Mensch stand er auf der Seite des Engels, der den schönen Joseph unmißverständlich über den inneren Greuel allen Fleisches aufklärt:[24]

Ich sage nicht, daß auch nur diese Haut und Hülle vom Appetitlichsten wäre mit ihren dünstenden Poren und Schweißhaaren; aber ritze sie nur ein wenig, und die salzige Brühe geht frevelrot hervor, und weiter innen wird's immer greulicher und ist eitel Gekröse und Gestank.

Thomas Mann möchte dieses Wissen nicht verdrängen. Er ist Schopenhauerianer hierin. Er läßt seinen Hans Castorp im Abschnitt *Schnee* von der menschlichen Mitte träumen, die niemals nur Geist und Vernunft sein kann. Es gibt sie nur „im stillen Hinblick auf das Blutmahl".[25] Nur wer die Abgründe des Fleisches kennt, kann die schwankende Brücke betreten, die der Geist darüber baut. Eine wirkliche Versöhnung von Geist und Körper ist das nicht, höchstens ein schwieriger Waffenstillstand. Sich gelassen anzufreunden mit Gestank und Gekröse war unseres Mannes Sache nicht.

Rauchen

Warum raucht der Mensch? Aus Lust und Liebe zum Tode. Sein Leben lang hat Thomas Mann geraucht, Zigaretten und Zigarren. Schon als Schüler stellt er sich mit einer Bostanjoglo zwischen den Lippen vor,[26] und wenige Wochen vor seinem Tode beobachten die *Lübecker Nachrichten*, daß er „wie immer" eine Zigarette nach der anderen rauche. Das war, meint der Reporter, „die einzige Hemmungslosigkeit".[27] Zwölf Zigaretten und zwei leichte Zigarren am Tag waren die Regel.[28] Thomas Mann war als Raucher so bekannt, daß die Firma Hagedorn & Söhne es 1925 für erwägenswert hielt, eine Zigarre mit dem Namen *Thomas Mann* herauszubringen.[29]

Rauchen ist oppositionell. Es bedeutet, gegen die dressierte Vernünftigkeit der bürgerlichen Gesellschaft etwas Unvernünftiges zu tun. Es ist die Droge derer, die das bürgerliche Spiel zwar mitzumachen bereit sind, aber erlaubte Kompensationen brauchen, um es auszuhalten. Thomas Buddenbrook ist kleinen scharfen russischen Zigaretten verfallen, „er rauchte sie massenweise und hatte die schlimme Gewohnheit, den Rauch tief in die Lunge zu atmen, so daß er beim Sprechen langsam wieder hervorsprudelte".[30] Über den ruinösen Charakter dieser Betätigung ist er sich im klaren, doch seine Widerstandskraft versagt. Der Doktor verbietet ihm die Zigaretten, aber er ist weit entfernt davon, sich dem betäubenden Genuß zu entziehen, im verzweifelten Wissen darum, daß es mit ihm bergab geht.[31]

Hans Castorp raucht nach dem Essen erst eine (natürlich) russische Zigarette, dann eine Zigarre namens Maria Mancini. Er liebt die bürgerliche Arbeit nicht, weil sie „dem ungetrübten Genuß von Maria Mancini etwas im Wege war."[32] Hat man eine gute Zigarre, meint er, „dann ist man eigentlich geborgen, es kann einem buchstäblich nichts geschehn. Es ist genau, wie wenn man an der See liegt, dann liegt man eben an der See, nicht wahr, und braucht nichts weiter, weder Arbeit noch Unterhaltung ...“[33] Das Meer ist metaphysische Sphäre, Sinnbild der Unendlichkeit, der Auflösung von Raum und Zeit. Die Zeit ist eine Illusion, das wahre Sein der Dinge, so steht es im Abschnitt *Strandspaziergang,* ist ein stehendes Jetzt. „War er am Meere spaziert, der Doktor, der diesen Gedanken zuerst empfing – die schwache Bitternis der Ewigkeit auf seinen Lippen?“[34] Wer an der See liegt, schmeckt Ewigkeit. Rauchen ist ein religiöses Tun, Selbsthingabe, Auflösung der Materialität, Selbstverzauberung, Verschweben ins Unbegrenzte. Rauchen ist Vergeistigung. Im Rauch formen sich die dichterischen Visionen.[35] „Beim Schreiben rauche ich.“[36] *Buddenbrooks* entstand „im Qualm unzähliger 3-Centesimi-Zigaretten“.[37] Im Zigarrenarom seines Arbeitszimmers rochen die Mann-Kinder des Zauberers Geist.[38]

Opposition, unbürgerliche Faulheit, Betäubung, Religion – es fehlt nur noch die Sexualität, um die Reihe der unbürgerlichen Mächte voll zu machen. Maria Mancini ist sozusagen eine Frau. Eine Jugendgeliebte Ludwigs XIV. hieß so. „Was ist denn das für eine bräunliche Schöne?“ wird Hans Castorp von Hofrat Behrens gefragt. Die Zigarre ist mit allerlei sexuellen Assoziationen versehen. Eine nach der anderen anzünden, „das geht über Manneskraft“, plaudert Behrens und trägt die Anekdote bei, wie zwei kleine Henry Clays ihn einmal beinahe unter den Rasen gebracht hätten. Das sei fidel gewesen, obgleich er Angst gehabt habe. „Aber Angst und Festivität schließen sich ja nicht aus, das weiß jeder. Der Bengel, der zum erstenmal ein Mädchen haben soll, hat auch Angst, und sie auch, und dabei schmelzen sie nur so vor Vergnüglichkeit. Na, ich wäre ebenfalls beinahe geschmolzen, mit wogendem Busen wollte ich abtanzen.“[39]

Paul Ehrenberg ist Nichtraucher. Genauer, er raucht zwar manchmal, aber eigentlich nur um des Ausdrucks von Behaglichkeit willen, „in Wirklichkeit widersteht es ihm einigermaßen“.[40] Das „Leben“ raucht nicht, das tut nur der Verfall. Auch der Vitalitätsturm Mynheer Peeperkorn raucht nicht,[41] anders als Frau Chauchat, die den Rauch beim Sprechen aus dem Munde sprudeln läßt wie Thomas Buddenbrook und übrigens auch der Zauberer Cipolla. „Den tief eingeatmeten Rauch stieß er, arrogant grimassierend, beide Lippen zurückgezogen, dabei mit dem Fuße leise aufklopfend, als grauen Sprudel zwischen seinen schadhaft abgenutzten, spitzigen Zähnen hervor."[42] Sie leben alle am Abgrund, diese Leute, aber sie haben Sympathie mit dem Abgrund.

Könige kennen keine Ironie

Wer ist der Haupt-Mann der Weimarer Republik, Thomas Mann oder Gerhart Hauptmann? Wer ist der amtierende Stellvertreter Goethes auf Erden? Trotz allem, was er vorzuweisen hatte, muß Thomas Mann Inferioritätsgefühle gehabt haben. Daß ausgerechnet Hauptmann ihn für den Nobelpreis vorgeschlagen hatte,[43] machte die Sache nicht besser. Gerade ihm wollte Thomas Mann nichts verdanken müssen. Als Hauptmann ihn auch noch duzen wollte (wie Peeperkorn Hans Castorp), galt es, sich irgendwie aus der Schlinge zu ziehen.[44]

Gerhart Hauptmann durfte sich kraft seines sozial engagierten Frühwerks als eine Art König der Republik fühlen, und Thomas Mann machte ihm in diesem Sinne seine Reverenz.[45] Alle anderen, Brecht, Musil, Döblin, Hesse, Rilke, George, Hofmannsthal, Tucholsky, Kästner gar verzwergen neben Hauptmann wie Naphta und Settembrini neben Peeperkorn. Zwar ist letzterer kein Mann des Wortes, sondern einer der großen Gebärde, zwar spricht er keinen Satz zu Ende, aber das braucht er auch nicht, schließlich hat er ein majestätisches Haupt mit weißem Flammenhaar und mächtiger Stirnlineatur. Kurz, er ist ein König. Er steht damit außerhalb und oberhalb der bürgerlichen Gesellschaft. Ein König kann nicht im Lift fahren.[46] Er ist kein Intellektueller. „Könige kennen keine Ironie."[47] Ein Ironiker kann nicht König werden.

Daß Ironie nicht reicht, wenn es darauf ankommt, weiß Thomas Mann. Ironie ist nicht das Höchste. Sie kann Großes unterminieren, aber sie selbst ist nicht groß. Thomas Mann sucht das große Gefühl, aber nichts reizt ihn zugleich so sehr zum Lachen. Er sehnt sich geradezu nach Gelegenheiten zu phrasenloser Ergriffenheit. Er schildert den Tod Rahels im Joseph-Roman, den Echos im *Faustus* und ist stolz, wenn er das Sentimentalitätsverdikt überlisten kann und die Tränen kommen. Auch im *Zauberberg,* dem am tiefsten ironischen Produkt Thomas Manns, schämt sich der Erzähler am Ende seiner Sicherheit, gibt die Ironie preis und einem düsteren Pathos Raum. „Wird auch aus diesem Weltfest des Todes, auch aus der schlimmen Fieberbrunst, die rings den regnerischen Abendhimmel entzündet, einmal die Liebe steigen?"[48] Aber immer hat er ein schlechtes Gewissen bei solchen Sätzen.

Peeperkorn ist Huldigung und Karikatur zugleich. Erst als Gerhart Hauptmann sein Ja zu Hitler sagte, verlor Thomas Mann seine Konkurrenzangst. Er wußte nun: Wo ich bin, ist Deutschland. Nicht wo Hauptmann war. Thomas Mann wurde der Kaiser der Emigration. Hauptmann aber hatte abgedankt, als er im Reiche blieb und das Hakenkreuz hißte. Nun war alles klar. „Ich hasse diese Attrappe, die ich verherrlichen half, u. die großartig ein Märtyrertum von sich weist, zu dem auch ich mich nicht geboren weiß, zu dem aber meine geistige Würde mich unweigerlich beruft." (Tagebuch 9. Mai 1933)

Fragwürdigstes

Es folgt ein peinliches Kapitel. Wir verstehen das nicht, wir billigen es nicht. Es ist nur schwer vorstellbar, aber der soignierte Bürger Thomas Mann hat sich verstohlen zu okkultistischen Séancen geschlichen, hat immer wieder einem Medium im Dunkeln die Hände festgehalten, immer wieder ins Rotlicht gestarrt, wo dann zum Beispiel ein albernes Taschentuch von klauenartiger Geisterhand geführt durchs Zimmer schwebte. Seine Beziehungen zur Parapsychologie sind viel tiefer reichend, als es der erste Augenschein vermuten läßt. Wären sie nur aufs Werkdienliche angelegt gewesen, um für den *Zauberberg* ein paar Atmosphärilien zu beschaffen! Aber er wollte mehr, suchte dort allen Ernstes nach dem Wirken unbekannter Mächte. Schon das erste Notizbuch, geschrieben 1894 in München, enthält eine prookkulte Bemerkung.[49] Auch die Erzählung *Der Kleiderschrank* (entstanden 1898) ist in mancher Hinsicht ein *Versuch über das Geistersehen* – um Schopenhauer zu zitieren, einen Gewährsmann, der seinerseits Hellsehen, Somnambulie, Telepathie und ähnliche Phänomene als Zeugnisse 'praktischer Metaphysik', als empirischen Beweis seiner Philosophie betrachtete, wobei ihm Thomas Mann bereitwillig folgt. Im November 1900 fordert ihn Kurt Martens auf, zu einer Séance zu kommen. Martens berichtet darüber später in seiner *Schonungslosen Lebenschronik:* „Ich hatte Gelegenheit, das vielbesprochene 'Blumen-Medium' Anna Rothe zu einer privaten Vorführung ihrer spiritistischen Phänomene zu bekommen. Thomas Mann war der erste, den ich dazu einlud, doch er sträubte sich dagegen mit Gründen, die wohl nur Vorwände waren."[50] Auf Martens' Bericht, der die Anna Rothe als

Betrügerin schildert, antwortet Thomas Mann in einer Weise, die deutlich den Wunsch zu erkennen gibt, jene praktische Metaphysik möge stichhaltig sein: „Ihr Bericht über die séance hat mich geradezu betrübt! War der Betrug wirklich eklatant? Dann bin ich fast froh, nicht dabeigewesen zu sein."[51] Man muß sich mit der Tatsache abfinden, daß Manns Verhältnis zu dieser Sphäre über Jahre hin beinahe das eines Gläubigen ist. Anna Rothe aber wurde 1901 des Betruges überführt und 1902 gerichtlich verurteilt.[52]

Die Anschrift des bekanntesten Parapsychologen seiner Zeit, des Freiherrn Albert von Schrenck-Notzing (1862–1929), findet sich bereits 1899 im dritten Notizbuch.[53] Allerdings hat Mann Schrenck damals wohl als „Spezialist für Nervenkrankheiten" und „Sexual-Patholog"[54] im Auge. Der von verbotenen Sehnsüchten Gequälte hat sich für therapeutische Verfahren interessiert, mit denen er seine sexuelle Veranlagung hätte umpolen können. Zwar hat auch der frühe Schrenck bereits parapsychologische Studien betrieben, aber berühmt war er für etwas anderes. Mehrere Aufsätze von ihm befassen sich mit der „conträren Sexualempfindung". Sein wichtigstes Buch aus dieser Zeit trägt den Titel *Die Suggestionstherapie der krankhaften Erscheinungen des Geschlechtssinnes.*[55] Er hatte (zeitweise mit Sigmund Freud) in Nancy und Paris Hypnosestudien betrieben und galt in den neunziger Jahren als Homosexualitätsspezialist. Sein Biograph Josef Peter berichtet: „Es gelang ihm, krankhafte Störungen des Geschlechtssinnes (besonders die konträre Sexualempfindung) erfolgreich durch hypnotische Suggestivtherapie zu bekämpfen und damit ein neues Verfahren einzuführen, das zahlreiche Patienten anzog."[56]

Als Parapsychologe machte Schrenck erst später von sich reden. In den Jahren 1909 bis 1913 hauptsächlich führte er diejenigen Versuche durch, die dann Anfang 1914 in seinem aufsehenerregenden Buch *Materialisations-Phänomene* beschrieben und photographisch dokumentiert wurden.[57] Eine laute und höhnische Diskussion brach aus. „Aus der offiziellen Gelehrtenwelt hagelte es Proteste", schreibt Thomas Mann dazu,[58] „gegen soviel Verirrung, Leichtgläubigkeit, Dilettantismus und Schwindel. Das Publikum [...] hielt sich den Bauch vor Lachen. Und wirklich, das Buch stellte unseren Ernst auf harte Proben, sowohl durch seinen Text wie durch seine Bildbeigaben, Photographien, die grotesk, phantastisch und albern anmuteten." Aber der Autor des *Zauberbergs* gehörte nicht zu den Spöttern. Zeit seines Lebens habe er in Fragen des Okkultismus „theoretisch ziemlich weit 'links' gestanden" – wobei er unter „rechts" die starr-konservative Leugnung, unter „links" aber „eine radikal-umstürzlerische Gesinnung" versteht, die das Verschiedenste für möglich hält. An Schrenck schreibt er ausdrücklich, „daß an der Realität, der okkulten Echtheit der Phänomene für mich nicht mehr der Schatten eines Zweifels besteht".[59]

Der Krieg kam, und mit ihm „unerträumte Umwälzungen und Abenteuer", so daß die zweite Auflage der *Materialisations-Phänomene*, die 1923 erschien, auf eine völlig veränderte Atmosphäre stieß. „Man hat so viel Ungeahntes hinnehmen, so krasse Dinge über sich ergehen lassen müssen, daß der Entrüstung, die auch jetzt noch aufzubringen man sich bemüht, der rechte Schwung gebricht."[60] Der Krieg hat die Menschen aufnahmelustig für die Welt des Okkulten gemacht. Im Stahlgewitter sind übersinnliche Erfahrungen zu haben. Den Zustand des Soldaten angesichts der unermeßlichen Übermacht des Todes beschreibt Thomas Mann in den *Betrachtungen eines Unpolitischen* als einen freien und gelösten, seinen Anblick als den „eines Berauschten und Verzückten".[61] Nicht von ungefähr ist es deshalb der Soldat und Kriegsmann Joachim Ziemßen, der bei der Séance im *Zauberberg* beschworen wird.

In seiner Sterbestunde wird Ziemßen ein eigentümliches Tun zugeschrieben. Er fuhr wiederholt mit der rechten Hand

in der Gegend der Hüfte über die Bettdecke hin, indem er sie auf dem Rückwege etwas erhob und dann auf der Decke in schabender, rechender Bewegung wieder zu sich führte, so, als zöge und sammle er etwas ein.[62]

Dieselbe Geste wiederholt das Medium Ellen Brand beim Aufwachen aus der Trance:[63]

Einige Minuten lang fuhr sie mit der hohlen Hand in der Gegend ihrer Hüfte hin und her, – führte die Hand von sich fort und mit schöpfender oder rechender Bewegung wieder an sich heran, so, als zöge und sammle sie etwas ein."

Die Erklärung liefert der Essay *Okkulte Erlebnisse*, der bezeugt, woher Thomas Mann die Geste hatte, nämlich von seinem Erlebnis mit dem Medium Willi Sch.:[64]

Vor Einschaltung des Weißlichtes ließ man dem Medium Zeit, zu sich zu kommen. Er traf wunderliche Vorkehrungen, bestehend in schabenden Bewegungen der Hand und des Armes an seiner Flanke, Bewegungen, die, wenigstens in seiner Vorstellung, dem Wiedereinziehen der ausgesandten, aber noch nicht zur Manifestation gelangten organischen Kräfte dienen.

Der sterbende Joachim zieht gleichermaßen diejenigen Kräfte ein, die in seinem Leben nicht zur Manifestation gelangt sind. Das Sterben ist ein Erwachen, die Rückkehr aus einem Traum. Das Leben ist ein Aussenden von Ideen, die sich plastisch verkörpern. Der Ideoplast holt im Sterben seine verkörperten Ideen zurück. Im Tode wird er jederzeit und überall sein, frei sein von der Begrenztheit durch Raum und Zeit. Das eigentlich war es wohl, was Thomas Mann vom Okkulten erwartete.

Man kannte sich. Eine Tagebuchnotiz vom 12. Januar 1919 erwähnt Schrencks Anwesenheit bei einem Abendessen. „Ich empfand und äußerte wohl gelegentlich den Wunsch, einer Séance beizuwohnen", heißt es in *Okkulte Erlebnisse.*[65] „Abends zur Séance des ungarischen Telepathen X." (Tagebuch 27. 1. 1919). „Die Experimente, die mich anfangs erregten, durchaus überzeugend und merkwürdig." Zweimal die Woche, behauptet Tochter Monika, sei er zu solchen Sitzungen gefahren.[66] Bei Schrenck besuchte Thomas Mann nachgewiesenermaßen Sitzungen am 20. Dezember 1922 sowie am 6. und am 23. Januar 1923. Er schrieb darüber drei Berichte, die mit zahlreichen anderen gläubigen Äußerungen (darunter solchen von Ludwig Klages und Alfred Schuler) 1924 in einem von Schrenck herausgegebenen Sammelband erschienen.[67] Für den Essay *Okkulte Erlebnisse* faßte er die drei Sitzungen zu einer einzigen zusammen. Obgleich auch der Essay unverkennbar das Werk eines Faszinierten ist, hält sich Thomas Mann hier etwas bedeckter, mit allerlei rhetorischem Aufwand und mit Hilfe eines ironischen Schleiers, der es erlaubt, die Sache ernst zu nehmen oder auch nicht.

Diese ganze Vorgeschichte mündet ins Kapitel *Fragwürdigstes* des *Zauberbergs* ein. Dort schaltet Hans Castorp am Ende mit energischem Griff das Weißlicht ein. Mit einem Schock bricht die Sitzung ab. Eine ähnliche Handlung hat Mann bei Schrenck erlebt, aber nicht selbst ausgeübt. Ein Bericht aus fremder Feder hat das zufällig überliefert. „Trotz aller vorausgegangenen Mahnungen des Gastgebers richtete plötzlich ein skeptischer Teilnehmer den vollen Strahl einer Taschenlampe auf das Medium. Es zuckte zusammen und wand sich, Schaum vor dem Munde, in konvulsivischen Krämpfen."[68] Mit dem

Weißlichteinschalten übernimmt Hans Castorp die Rolle des Skeptikers, die Thomas Mann nachträglich wohl auch gern gespielt hätte. Er war aber noch keineswegs aus diesem merkwürdigen Bann herausgetreten. Der Schluß des Essays führt einen Eiertanz auf um die Frage, ob man noch einmal zu Schrenck gehen solle oder nicht. „Nein, ich werde nicht mehr zu Herrn von Schrenck-Notzing gehen [...] Ich werde also versuchsweise noch ein und das andere Mal mich zu Herrn von Schrenck-Notzing begeben, zwei- oder dreimal, nicht öfter [...] Ich will auch nicht zwei- oder dreimal noch dorthin gehen, sondern nur noch ein einziges Mal, und dann nie wieder [...]"[69] Aber auch dabei blieb es nicht. Ein am 21. April 1925 geschriebener Brief an Josef Ponten deutet auf Fortsetzungen hin. „Schrenck war für heute abend komplett, wie ich nach meinen eignen jüngsten Erfahrungen erwartet hatte. Die Sitzungen werden in ca. drei Monaten wieder aufgenommen."

Die nächste vernehmliche Spur des okkultistischen Interesses findet sich in der Erzählung *Mario und der Zauberer* (1930). Der Hypnotiseur Cipolla beschäftigt sich unter anderem auch mit „'magnetischer' Übertragung", also mit Fernwirkungen Schrenckscher Machart, bei denen „die Anweisung auf unerforschtem Wege, von Organismus zu Organismus ergeht". Der Erzähler vermerkt dazu recht distanziert, aber immer noch befangen, jeder habe „seine kleinen, neugierig-verächtlichen und kopfschüttelnden Einblicke in den zweideutig-unsauberen und unentwirrbaren Charakter des Okkulten getan, das in der Menschlichkeit seiner Träger immer dazu neigt, sich mit Humbug und nachhelfender Mogelei vexatorisch zu vermischen, ohne daß dieser Einschlag etwas gegen die Echtheit anderer Bestandteile des bedenklichen Amalgams bewiese".[70]

So gibt es Geister im dichterischen Werk immer wieder, den unheimlichen Gondoliere im *Tod in Venedig*, den Mann auf dem Felde im Joseph-Roman, die Erscheinung Goethes in der Kutsche am Ende von *Lotte in Weimar* und den Teufel im *Doktor Faustus*. Dessen Erscheinung in der Dämmerung verweist auf den nickenden Mann in der Sofaecke zurück, den Thomas Mann in Palestrina einst wahrgenommen und zuerst seinem Christian Buddenbrook mitgegeben hat.[71] Vielleicht muß ja ein Dichter Geister sehen können, vielleicht ist Imagination nicht zu haben ohne Halluzinogenität.

In der Entwicklung von den *Drei Berichten über okkultistische Sitzungen* (geschrieben Dezember 1922/Januar 1923, jeweils am Tage danach) über den Essay *Okkulte Erlebnisse* (geschrieben Januar/Februar 1923) zum Abschnitt *Fragwürdigstes* im *Zauberberg* (geschrieben ca. August 1924) nimmt das wirklich Erlebte immer mehr ab, das Fiktive immer mehr zu. Die Sitzungsberichte sind im Kern Protokolle mit einer nur geringen Zutat an Deutung. *Okkulte Erlebnisse* ist ein Essay, der aus den drei Sitzungen eine macht, die Erfahrung komponiert, komprimiert und typisiert sowie mit einer Fülle von Theorieerwägungen versieht. *Fragwürdigstes* integriert *Okkulte Erlebnisse* in ein Vierzig-Seiten-Kapitel, das mit Theorie beginnt, mit dem Auftauchen des Mediums Ellen Brand und einer szenischen Beschreibung ihrer sonderbaren Fähigkeiten zum konspirativen Gläsrücken fortschreitet, woraufhin eine Settembrinische Standpauke die Gegenposition zu Wort kommen läßt: „Und kurzerhand erklärte er die kleine Elly für eine abgefeimte Betrügerin.“[72] Hans Castorp bleibt von da an gehorsam fern, weshalb er die folgenden spiritistischen Experimente nur vom Hörensagen hat, und das sind genau die, die Thomas Mann persönlich erlebt hat, die Taschentuchelevation zum Beispiel und andere Materialisationsphänomene, die mit Schrenckschen Theorien erläutert werden. Erst als letzter Teil folgt die Beschwörung des toten Joachim Ziemßen, ein Ereignis, das übers Selbsterlebte weit hinausgeht und auch mit Schrencks Theorien nicht vereinbar ist, sofern dieser sorgfältig zwischen Okkultismus und Spiritismus unterscheidet und die Spiritisten für Scharlatane hält.[73] Die ganze Vorbereitung zur Beschwörung aber ist wieder pure Biographie – die Versuchsanordnung, das Dunkel, wie die Kette gebildet wird, insbesondere wie Hans Castorp das Medium halten und überwachen muß.

Etwas Mystisches, so heißt es im ersten der drei Berichte, gewinne die Situation einzig durch das ringend arbeitende, unter Stößen sich hin und her werfende, flüsternde, rasch keuchende und stöhnende Medium, dessen Zustand und Tätigkeit „auffallend, unzweideutig und entscheidend an den Gebärakt“ erinnere. „Der sexuelle Einschlag ist so unverkennbar, daß es mich nicht wunderte, nachträglich zu hören, daß Erektionen und selbst Spermaergüsse, die zuweilen aktiv herbeigeführt werden sollen, die psycho-physische Arbeit des jungen Menschen begleiten.“[74] Das Sperma verschwindet in Essay und Roman, wohl dem Gedanken folgend, daß der Vorgang entweder ein Gebärakt oder ein Geschlechtsakt sein kann, aber nicht beides zugleich. Das Gebärakt-Motiv aber wird verstärkt und zusammengefaßt: „Eine männliche Wochenstube im Rotdunkel, mit Geschwätz, Dideldum-Musik und fröhlichen Zurufen!“[75]

Fragwürdigstes geht noch einmal weiter und fundiert die Gebärmotivik zusätzlich im eigenen Vatererleben. „Wir Männer", heißt es mit Anspielung an die schwere Geburt der Tochter Erika,

wenn wir dem Menschlichen nicht ausweichen, kennen aus einer bestimmten Lebenslage dies unerträgliche Erbarmen [...], dies empörte 'Genug!' [...] Man versteht schon, daß wir von unserer Gatten- und Vaterschaft sprechen, vom Akt der Geburt, dem Elly's Ringen tatsächlich so unzweideutig und unverwechselbar glich, daß auch derjenige ihn wiedererkennen mußte, der ihn noch gar nicht kannte, wie der junge Hans Castorp, welcher also, da auch er dem Leben nicht ausgewichen war, diesen Akt voll organischer Mystik in solcher Gestalt kennenlernte, – in was für einer Gestalt! [...] Unmöglich konnte man sie anders als skandalös bezeichnen, die Merkmale und Einzelheiten dieser animierten Wochenstube im Rotlicht, sowohl was die jungfräuliche Person der Wöchnerin in ihrem fließenden Schlafrock und mit ihren bloßen Ärmchen, wie auch was die weiteren Verhältnisse, die unaufhörliche leichtlebige Grammophon-Musik, das künstliche Geschwätz betraf [...] Und keineswegs nehmen wir hier die Person und Lage des 'Gatten' aus – wenn wir Hans Castorp, der ja den Wunsch getan, als den zugehörigen Gatten betrachten dürfen –, des Gatten also, der die Knie der 'Mutter' zwischen den seinen, ihre Hände in seinen hielt.[76]

Aus dem kreißenden Medium Willi Sch. und der „männlichen Wochenstube" im Essay wurde hier eine Familienkonstellation mit Vater, Mutter und Kind, in der die „Mutter" das Medium Ellen Brand, der „Vater" Hans Castorp und das „Kind" Joachim Ziemßen ist. Entscheidend neu ist natürlich, daß Mann im *Zauberberg* aus dem Medium eine junge Frau macht, während er seinerzeit bei Schrenck einen jungen Mann viele Stunden lang an den Händen gefaßt und zwischen seinen Knien gehalten hat. „Das Erotische im 'Pädagogischen'", notiert er beim Wiederlesen der Szene im Alter, „schließlich recht deutlich hervortretend."[77]

Einer ordentlichen Geburt hat eine Hochzeit voranzugehen. Elly wird gefragt, ob sie heute einen Verstorbenen sichtbar machen wolle. Sie flüstert als Antwort auf die Frage „dicht an Hans Castorps Ohr ein heißes 'Ja!'"[78] Rührung und Erschütterung sind bei Hans die Folge, „geboren aus Verwirrung, aus dem täuschenden Umstande nämlich, daß ein junges Blut, dessen Hände er hielt, an seinem Ohre ein 'Ja' gehaucht hatte".

Der eigentlich läppische Okkultismus mit seinem Tischrücken und seinen Taschentuchelevationen ist in Beziehungen geraten zu den biographischen, geschichtlichen und philosophischen Grundproblemen dieses Lebens, zur Homosexualität, zur Ehe mit Katia und zur Geburt Erikas, zum Krieg, zum Tod und zur Lebensphilosophie. Er bekommt ein großes Gewicht. Von Willi zu Elly: das spiegelt Manns eigenen Weg. Es spiegelt seine Probleme mit Ehe und Vaterschaft, sein Gefühl, daß alles das nicht ganz in Ordnung ist, sein Grauen vor Zeugung, Geburt und Tod. Während er sich als Mensch tapfer auf diese Greuel einläßt, distanziert sich sein Hans davon. Auf den Kriegsmann, den er mit Elly zeugte und gebar, will er sich nicht einlassen. Er schaltet das Licht an.

Vom Leben zum Werk

Der Weg vom Erlebten in den *Zauberberg,* vom Leben zum Werk ist kompliziert. Generell handelt es sich um einen Doppelvorgang von Verhüllen und Enthüllen. Enthüllen: *Daß* im Roman von Timpe und Schrenck gesprochen wird, obgleich es sich traditionell gesehen um eher peinliche, nicht recht öffentlichkeitsfähige Themen handelt, deutet auf einen tiefsitzenden Wunsch, gerade deshalb davon zu sprechen. Der Roman gibt eine Möglichkeit, etwas Tabuisiertes auszudrücken, das anders offenbar nicht zur Sprache kommen kann. Es tut wohl, den Schweigezwang zu brechen, die Selbstkontrolle fahrenzulassen und sich bloßzustellen.

Das Enthüllen ist nur möglich, weil die Romanform auch ein Verhüllen gestattet. Das Verhüllen ist die Leistung der Kunst. Weil das Erlebte zum Teil einer Komposition geworden ist, wird es vom Leser nicht mehr dem Individuum Thomas Mann zugerechnet. Aus dem Chaos des Lebens wird die Ordnung der Kunst. Die Ordnung der Kunst verlangt Eingriffe ins Erlebte. So wird aus dem fünfzehnjährigen Timpe der dreizehnjährige Hippe gemacht, die ganze Geschichte zur traumhaften Vorstufe einer anderen entwirklicht und in ein Leitmotivgefüge eingebettet, in dem der Leser die „Kirgisenaugen" nicht mehr als Privaterlebnis des Dichters, sondern als Teil des russisch-asiatischen Motivkomplexes wahrnimmt. Aber es ist eine Art doppelter Optik darin. Wir können uns vorstellen, wie Thomas Mann, sein Geheimnis in Sicherheit wähnend, wissend lächelte beim Gedanken an den ahnungslosen Leser des Hippe-Abschnitts. Wir sehen aber auch den heutigen Leser, der, seit er dieses Wissen teilt, nicht etwa desillusioniert sagt: Ach so, es geht um diesen Timpe damals, sondern der das Raffinement bewundert, mit der das unscheinbare Leben zum edlen Werk gesteigert wurde. „Es ist sicher gut", meint der Erzähler im *Tod in Venedig,* „daß die Welt nur das schöne Werk, nicht auch seine Ursprünge, nicht seine Entstehungsbedingungen kennt; denn die Kenntnis der Quellen, aus denen dem Künstler Eingebung floß, würde sie oftmals verwirren, abschrecken und so die Wirkungen des Vortrefflichen aufheben."[79] Mit letzterem irrte Thomas Mann. Die Kenntnis der Quellen schreckt nicht notwendig ab, sondern vermag auch Rührung und Mitgefühl zu steigern. Heute brauchte Thomas Mann sich nicht mehr zu verstecken.

XII. Republikanische Politik

München, 1929

Chronik 1922–1933

Im Januar 1922 versöhnt sich Thomas Mann mit seinem Bruder Heinrich. Die Wendung zur Republik bereitet sich in den folgenden Monaten vor und wird öffentlich mit dem Vortrag *Von deutscher Republik* (Oktober 1922). Das Presseecho ist lebhaft, positiv bei den großen Zeitungen, höhnisch in den Blättern der Rechten. Bei den Vortragsreisen der Folgezeit stehen jedoch, neben vielen Lesungen aus dem dichterischen Werk, meistens *Goethe und Tolstoi* und *Okkulte Erlebnisse* auf dem Programm, nicht die Republikrede. Thomas Mann ist in den zwanziger und frühen dreißiger Jahren außerordentlich viel öffentlich aufgetreten, auch im europäischen Ausland. Sein Weltruhm wächst und erreicht mit dem *Zauberberg* 1924 und der Verleihung des Literaturnobelpreises 1929 seinen Höhepunkt. Er wird Mitglied des PEN-Clubs, später auch des Rotary-Clubs. Nicht nur als Dichter, sondern auch als Publizist ist er ständig präsent. 1922 erscheint der Essayband *Rede und Antwort,* 1925 *Bemühungen,* 1930 *Die Forderung des Tages.* Der große Essay *Goethe und Tolstoi* wird 1925 eingreifend umgearbeitet. Die Inflation 1922/23 wirtschaftlich zu überleben helfen ihm Dollareinkünfte aus den *German Letters,* das waren acht für eine amerikanische Zeitschrift verfaßte Berichte über das deutsche Geistesleben der Zeit (1922–1928). Der fünfzigste Geburtstag am 6. Juni 1925 wird hochoffiziell, mit Oberbürgermeister und zahlreichen Honoratioren, im Münchener Rathaussaal gefeiert.

Im Januar 1926 reist Thomas Mann als eine Art inoffizieller deutscher Kulturbotschafter nach Paris und dokumentiert diesen der Völkerverständigung dienenden Aufenthalt in dem Bericht *Pariser Rechenschaft.* Im Juni desselben Jahres hält er zur 700-Jahr-Feier der Stadt Lübeck den Festvortrag *Lübeck als geistige Lebensform.* Der Senat ehrt ihn dafür mit dem Titel eines Professors. Der einst dreimal Sitzengebliebene wurde damit akademisch geadelt, nachdem ihm die Philosophische Fakultät der Universität Bonn 1919 bereits den Doctor honoris causa verliehen hatte. Als Mitglied des Gründungsausschusses ist Thomas Mann auch führend an der Einrichtung einer Sektion Dichtkunst der Preußischen Akademie der Künste beteiligt (ins Leben gerufen im November 1926). Sein Platz in diesem Gremium ist auf der Seite der Linken. Die Auseinandersetzungen mit Deutschnationalen und Nationalsozialisten mehren sich, beginnend mit *Kultur und Sozialismus* (1927), einer Richtigstellung gegen Vorwürfe, er habe die

Betrachtungen eines Unpolitischen nachträglich dem demokratischen Zeitgeist angepaßt. Mehr und mehr wird die gesamte Publizistik dem politischen Tageskampf unterworfen, die *Rede über Lessing* (1929), der Vortrag *Die Stellung Freuds in der modernen Geistesgeschichte* (1929), implizit auch die Goethe-Vorträge von 1932 *(Goethe als Repräsentant des bürgerlichen Zeitalters, Goethes Laufbahn als Schriftsteller)*. Der markanteste politische Auftritt ist die *Deutsche Ansprache*, die im Oktober 1930 in Berlin verlesen wurde, unter Störungen durch rechtsorientierte Krawallmacher. Dem unmißverständlichen Kampf gegen den Nationalsozialismus dienen auch die *Rede vor Arbeitern in Wien* (1932) und das *Bekenntnis zum Sozialismus* (Januar/Februar 1933). Die unfreiwillige Emigration im Februar 1933 schneidet Thomas Mann abrupt von seinen bisherigen Publikationsorganen und Auftrittsmöglichkeiten ab, so daß sich sein politisches Denken für eine Weile, von wenigen Ausnahmen abgesehen, in die Welt des Tagebuchs zurückziehen muß.

Die Versöhnung mit Heinrich und die Wende zur Republik

Wir sahen bereits an früherer Stelle, daß Thomas Mann trotz aller bolschewistischen und nationalkonservativen Gedankenträume in der Praxis schon gleich nach Kriegsende ein loyaler Republikaner war. Er liebte sein Deutschland auch als Republik und auch im Unglück. „Holland ist ein recht sehenswertes Land", schreibt er an Ernst Bertram am 4. November 1922, „aber ich bin im Grunde froh, wieder in Deutschland zu sein: all die Sattheit und Intaktheit geht unser einem auf die Nerven." Als Geschichtsfatalist hielt er überdies zur bestehenden Macht. Die bestehende Macht aber war nun einmal die Republik, und so ist es auch unter dieser Optik nicht völlig überraschend, daß Thomas Mann sich im Jahre 1922 auch öffentlich zu dieser bekennt. „Alsob nicht 'die Republik' immer noch das deutsche Reich wäre", schreibt er am 8. Juli 1922 an Bertram. Die „Wende" geht insofern gar nicht so tief und ist kein unerklärlicher Bruch im Leben des unpolitischen Betrachters.

Bevor das ohnehin Faktische aber offenbar werden konnte, mußte das Verhältnis zum Bruder in Ordnung gebracht werden. Die Drohung des Todes bahnte den Weg. Daß Heinrich unversöhnt stürbe, das wollte Thomas nicht. Der Tod ist eine große Macht, er steht über den Meinungen. Die Einzelheiten lassen sich einem Brief an Ernst Bertram vom 2. Februar 1922 entnehmen:

Mein Bruder (ich habe im höheren Sinn ja nur einen; der andere [Viktor] ist ein guter Bursch, mit dem keine Feindschaft möglich wäre) erkrankte vor einigen Tagen schwer: Grippe, Blinddarm- und Bauchfellentzündung, Operation bei Bronchial-Katarrh, der Lungen-Komplikation befürchten ließ. Auch vom Herzen her drohten Gefahren, und drei, vier Tage lang war die Lage sehr ernst. Sie können sich denken, was da alles aufgeregt wurde. Meine Frau besuchte die seine. Man meldete ihm meine Teilnahme, meine täglichen Erkundigungen und berichtete mir von der Freude, die er darüber gezeigt habe. Diese Freude soll auf ihren Gipfel gekommen sein, als ich ihm, sobald dergleichen nicht mehr schaden konnte, einen Blumengruß und einige Zeilen sandte: Es seien schwere Tage gewesen, aber nun seien wir über den Berg und würden besser gehen, – zusammen, wenn es ihm ums Herz sei, wie mir. Er ließ mir Dank sagen und wir wollten uns nun – Meinungen hin und her – „nie wieder verlieren".

So geschah es dann auch. Der fast acht Jahre währende Kriegszustand zwischen den Brüdern wurde mit einem Waffenstillstand beendet, ohne daß es über die strittigen Punkte noch einmal zu einer klärenden Auseinandersetzung gekommen wäre. Das hatte auch sein Peinliches. Konnte man sich nach so lautem und langem Grundsatzstreit einfach wieder nebeneinander sehen lassen? Besonders gegenüber Bertram, dem Helfer in der Weltkriegszeit, mußte Thomas Mann sich verteidigen und erklären. Die Versöhnung mit Heinrich bedeutete eine gewisse Verlegenheit, was an einigen übertrieben pathetischen Wendungen des Briefes („wie die Zeit mich zum Manne schmiedete") erkennbar wird. Die Fortsetzung des Schreibens lautet:

Freudig bewegt, ja abenteuerlich erschüttert, wie ich bin, mache ich mir doch keine Illusionen über die Zartheit und Schwierigkeit des neu belebten Verhältnisses. Ein modus vivendi menschlich-anständiger Art wird alles sein, worauf es hinauslaufen kann. Eigentliche Freundschaft ist kaum denkbar. Die Denkmale unseres Zwistes bestehen fort, – übrigens versichert man mir, daß er die „Betrachtungen" niemals gelesen hat. Das ist gut – und auch wieder nicht; denn von dem, was ich durchgemacht, weiß er also nichts. Das Herz will sich mir umkehren, wenn ich höre, daß er nach dem Lesen einiger Sätze im „Berliner Tageblatt", in denen ich von Solchen sprach, die Gottesliebe verkünden und ihren Bruder hassen, sich hingesetzt und geweint habe. Aber mir ließ der Jahre lange Kampf um Gut und Blut, *den ich bei physischer Unterernährung zu führen hatte, zu Thränen keine Zeit. Davon, und wie die Zeit mich zum Manne schmiedete, wie ich dabei wuchs und auch anderen zum Helfer und Führer wurde, – von alldem weiß er nichts. Vielleicht wird ers irgendwie fühlen, wenn wir wieder zusammen kommen. Noch darf er niemanden sehen.*

Er soll weicher, gütiger geworden sein in diesen Jahren. Unmöglich, daß seine Anschauungen nicht irgendwelche Korrektur erlitten haben. Vielleicht kann von einer gewissen Entwicklung zu einander hin doch die Rede sein: Mir ist so zu Mute, wenn ich mich erinnere, daß der mich zur Zeit eigentlich beherrschende Gedanke der einer neuen, persönlichen Erfüllung des Humanitätsgedankens ist, – im Gegensatz allerdings zur humanitären Welt Rousseau's. Ich werde darüber Ende des Monats im Frankfurter Opernhaus vor der „Zauberflöte" sprechen, gelegentlich der „Goethe-Woche", von deren Programm Sie gelesen haben werden. Es wird offiziell. Der Reichspräsident hat seine Teilnahme zugesagt.

„Es wird offiziell": Man sieht erneut, daß Thomas Mann schon vor dem ausdrücklichen Bekenntnis zu ihr ein Aushängeschild dieser Republik war. Reichspräsident Friedrich Ebert erschien denn auch programmgemäß. Thomas Mann, der ihm schon in den Tagebüchern von 1918–1921 in der Regel positive Zensuren erteilt, kennt Ebert damals bereits persönlich; jedenfalls heißt es in einem Brief vom 19. Februar 1922 ganz beiläufig, er werde ihn ja abends im Club sehen.[1] Ebert war auch anwesend, als Mann am 28. Februar während der Frankfurter Goethewoche einen Festvortrag aus *Goethe und Tolstoi* hielt.

Der Überwinder der Romantik

Die Gedankenarbeit folgt mit einiger Verzögerung nach. Thomas Mann sprang nicht einfach entschlossen in eine ihm fremde Tradition, lief nicht einfach zu den Fahnen Heinrichs über, zitierte nicht einfach dessen Gewährsleute, Franzosen, Aufklärer, Demokraten. Um mit sich einig zu bleiben, suchte er nach Modellen aus seiner eigenen Tradition. Der Vortrag *Von deutscher Republik* beschafft sich seine argumentative Ausstattung deshalb in der Rüstkammer der „konservativen Revolution". Dort hatte man die Kriegsbegeisterung von 1914 als Stunde der nationalen Wiedergeburt gefeiert. Mann versucht, diese Wasser auf die republikanischen Mühlen zu leiten. 1914, die Stunde der Ehre und begeistert todbereiten Aufbruchs, nicht 1918 sei die Geburtsstunde der Republik gewesen.[2] Die Republik soll das „Dritte Reich" der religiösen Humanität begründen.[3] Ausdrücklich als Konservativer[4] spricht Mann für den neuen Staat. Hans Blühers Idee einer staatenbildenden Kraft der Homoerotik wird herangezogen,[5] Nietzsches „amor fati" wird aufgeboten,[6] Stefan George wird bemüht[7] und immer wieder der Romantiker Novalis – alles keine Demokraten.

Von der sittlichen Notwendigkeit des Republikvortrags war Mann sein Leben lang überzeugt, von seiner ästhetischen und gedanklichen Qualität hegte er jedoch zu Recht nur eine geringe Meinung. Daß die *Betrachtungen*, als Dichtung genommen, weit mehr taugen als jene väterliche Ermunterung zur Republik, gibt er in *Kultur und Sozialismus* (1927) offen zu.[8] Noch glaubt er nicht recht an das, was er sagt, und versucht sein besseres Wissen mit viel rhetorischem Klamauk zu übertölpeln. Er ist vorerst nur ein Vernunftrepublikaner, dessen tiefere Sympathien im Grunde weiterhin den Mächten der Vergangenheit gehören.

Im Laufe der Zeit aber findet er ein tragfähigeres Modell für seine Wandlung, als es Novalis, Blüher und George bieten konnten. „Keine Metamorphose des Geistes", so heißt es schon am Ende des Bekenntnisses zur Republik, „ist uns besser vertraut, als die, an deren Anfang die Sympathie mit dem Tode, an deren Ende der Entschluß zum Lebensdienste steht."[9] Vertraut ist ihm diese Metamorphose von Friedrich Nietzsche her. Vielleicht wäre der Republikvortrag besser geglückt, wenn er als Nietzsche-Vortrag angelegt worden wäre. Denn Nietzsche, er bietet Thomas Mann das ideale präfigurative Modell der Wende. Das bestimmende Vorbild ist Nietzsches Abwendung von Richard Wagner. Die geistespolitischen Kontroversen der Gegenwart, behauptet Mann 1929, seien nichts als journalistische Ausmünzungen des Nietzscheschen Kampfes gegen Wagner.[10] Das Neue, das jetzt werden wolle, schreibt der frischgebackene Republikaner Thomas Mann, knüpfe an „an das heroisch bewunderungswürdigste Ereignis und Schauspiel der deutschen Geistesgeschichte, an die Selbstüberwindung der Romantik in Nietzsche und durch ihn".[11] Auch Thomas Mann fühlt sich als ein solcher Überwinder, er hat in sich die Liebe zum Tode überwunden, zur Vergangenheit, zum unpolitischen Obrigkeitsstaat. Daß nicht Umfall und nicht Verrat oder Selbstverrat die richtigen Ausdrücke für die Wende sind, dazu verhalf ihm das Vorbild Nietzsches. „Auch Nietzsches große, stellvertretende Selbstüberwindung, der sogenannte Abfall von Wagner, schien Verrat",[12] aber in Wirklichkeit war er nicht Judas, sondern Johannes, der „zum Evangelisten geworden ist eines neuen Bundes von Erde und Mensch".

Er war, wie Wagner, von dem er sich mit seinem Gewissensurteil gelöst, den er aber bis in den Tod geliebt hat, seiner geistigen Herkunft nach ein später Sohn der Romantik. Daß aber Wagner ein mächtig-glückhafter Selbstverherrlicher und Selbstvollender, Nietzsche dagegen ein revolutionärer Selbstüberwinder war, das macht es, daß jener auch nur der letzte Verherrlicher und unendlich bezaubernde Vollender einer Epoche blieb, dieser aber zu einem Seher und Führer in neue Menschenzukunft geworden ist.

Dies ist er uns: ein Freund des Lebens, ein Seher höheren Menschentums, ein Führer in die Zukunft, ein Lehrer der Überwindung all dessen in uns, was dem Leben und der Zukunft entgegensteht, das heißt des Romantischen. Denn das Romantische ist das Lied des

Heimwehs nach dem Vergangenen, das Zauberlied des Todes; und das Phänomen Richard Wagner, das Nietzsche so unendlich geliebt hat und das sein regierender Geist überwinden mußte, war kein anderes, als das paradoxe und ewig fesselnde Phänomen welterobernder Todestrunkenheit.

Die Zukunft auf Nietzsche bauen, das wollten aber auch die konservativen Revolutionäre, das wollten auch die Nationalsozialisten. Noch wirkt der intellektuelle Republikanismus Thomas Manns wie neuer Wein in alten Schläuchen, nicht ganz vertrauenerweckend, leicht in sein Gegenteil verkehrbar. Noch gibt es viele Stellen, die einen mißtrauisch machen. Die Demokratie sei in gewissem Sinne ja eher ein Hindernis, gestand Thomas Mann leichtfertig 1926 in Paris. „Was heute für Europa not täte, wäre die aufgeklärte Diktatur."[13] Nach wie vor würde er am liebsten überhaupt nicht Partei nehmen. Er sei zu frei, um zu predigen, das schrieb er schon 1906,[14] und er schrieb es noch 1952, als er die Rolle eines Wanderpredigers der Demokratie komisch nannte.[15] Parteinahme sei unhistorisch, historisch sei allein die Gerechtigkeit, so läßt er seinen Professor Cornelius sinnieren.[16]

Billioneneier

Der bewahrende Sinn des Geschichtsprofessors Cornelius wird auf eine harte Probe gestellt durch die Inflation, die alle ökonomisch und moralisch zerrüttet. Für seine Kinder ist es zwar ein Hauptspaß, unter verschiedenen angenommenen Namen in den Laden zu gehen, in dem fünf Sechstausend-Mark-Eier pro Haushalt und Woche abgegeben werden, um so wenigstens zwanzig Eier für die Familie zu erringen, aber moralisch leiden sie Schaden, weil sie schon früh lernen, daß es in einer solchen Welt nur auf den raffiniert inszenierten Schein ankommt, nicht auf das Sein. „Wer, der ehedem mit Talern und Gulden und Kurantmark und dann mit Bismarcks hochbeständiger Reichsmark gerechnet hatte, konnte nun auf seine alten Tage mit Trillionen und Quadrillionen fertig werden?" So fragt Thomas Mann 1942 in seinen *Erinnerungen aus der deutschen Inflation.*[17] Auch er selbst hatte hohe Verluste. Das Vermögen seiner Väter zerrann zu nichts, den eigenen Ersparnissen ging es ebenso, die Kriegsanleihen kamen als wertloses Papier zurück, vom Pringsheimschen

Millionenreichtum waren nur die Kunstschätze geblieben (der Schwiegervater scherzte, er lebe von der Wand in den Mund).[18] Betrogen wurde Thomas Mann darüber hinaus auch noch:

Ich hatte während des Krieges 10 000 Mark in das Landhaus eines Freundes gesteckt, in dem ich gern zu Gast war, und das mir also sozusagen mitgehörte [...] Im Frühjahr 1923 geschah es, daß dieser Freund mir mitteilte, die Umstände hätten ihn leider gezwungen, sein Haus zu verkaufen, und hier seien meine 10 000 Mark zurück; ja, fügte er mit einem Lächeln hinzu, es seien noch dieselben, mit denen ich ihm 1917 ausgeholfen, sie hätten mittlerweile ganz unberührt in seinem Safe geruht. Da stand ich, etwas ungläubig, etwas verlegen, noch nicht ganz begreifend, mit den saubern, fast neuen, hübsch gezeichneten Museumsstücken in der Hand.

Der Freund hieß Georg Martin Richter. Er verkaufte sein Haus im Dezember 1923 für zwei Billiarden Mark.[19]

Thomas Mann konnte das verkraften. Er hatte ein Haus, einen pünktlich zahlenden Verlag, außerdem Deviseneinkünfte. Anderen erging es viel schlimmer. „Noch erinnere ich mich des stolzen, hilflosen Gesichts, mit dem unsere alte Kinderfrau uns eines Tages versicherte, sie wollte sich nun bald zurückziehen und von ihren Ersparnissen leben." Sie hatte einige tausend Mark auf der Bank. Dafür konnte sie sich nicht einmal mehr ein einziges Ei kaufen. Das sind Verbrechen, die sich einbrennen. Später erkennt Thomas Mann genau:

Es geht ein gerader Weg von dem Wahnsinn der deutschen Inflation zum Wahnsinn des Dritten Reiches. So wie die Deutschen ihre Geld-Einheit zur Million, Billion und Trillion anschwellen und schließlich zerplatzen sahen, so sahen sie später ihren Staat zum Reich aller Deutschen, zum Lebensraum, zur europäischen Ordnung, zur Weltherrschaft anschwellen, und werden ihn so auch noch zerplatzen sehen. Das Marktweib, das für ein Ei in trockenem Ton „hundert Billionen" verlangte, hat damals verlernt sich zu wundern; und nichts war seitdem so toll und grausam, daß es sich noch hätte darüber wundern können. Es war während der Inflation, daß die Deutschen es verlernten, auf sich selbst, als Individuen zu bauen, und lernten, alles von der „Politik", vom „Staat", vom „Schicksal" zu erwarten. Sie gewöhnten sich daran, das Leben als ein wildes Abenteuer zu betrachten, dessen Ausgang nicht von der eigenen Arbeit, sondern von unbekannten bösen Gewalten abhängt. Aus den Millionen be-

trogener Arbeiter und Sparer wurde damals eigentlich die „Masse", mit der Dr. Goebbels es dann zu tun hatte. Inflation ist ein Schauspiel, das alle zynisch, hartherzig und gleichgültig macht. Ausgeräubert wurden die Deutschen zu einer Nation von Räubern.

Der Kampf gegen den Faschismus

Aber das ist rückblickende Weisheit. Damals in den zwanziger Jahren erkannte fast niemand, in welche Richtung die Entwicklung ging. Bedenkt man die nebulöse Geistigkeit der Republikrede, dann ist es überaus erstaunlich, daß aus einem solchen Heißluftballon ernsthafte politische Konsequenzen erwachsen sind. Das Jahr 1922 bedeutet nur eine relativ kleine Revision im Verhältnis zu dem, was noch kommt, dem ausgedehnten, zähen und unerbittlichen Kampf gegen den politischen Irrationalismus und den Nationalsozialismus. Vom Oktober 1922 bis zum Januar 1933 verzeichnet die Bibliographie von Georg Potempa 375 publizistische Beiträge, etliche davon in zahlreichen Drucken. Kaum einer davon ist ohne politischen Bezug; auch das Literarische wird fast immer in den Dienst des großen Geisteskampfes gestellt. Was immer sein Herz dazu sagen mochte: Thomas Mann wird in diesen Jahren zum entschiedenen Verteidiger der Weimarer Demokratie.

„Zu spät und zu wenig", so lautete einst ein mit ungeheuerlicher Selbstüberschätzung vorgebrachtes und von vielen nachgeredetes Urteil über Thomas Manns Politisieren.[20] Zu spät: Wer eigentlich sonst unter den Schriftstellern in Deutschland hat den Faschismus so früh öffentlich bekämpft, beginnend 1921, seit 1923 dann mit steigender Häufigkeit und strikter Konsequenz? Zu wenig: Wer eigentlich sonst hat so oft, so sichtbar und so lautstark gegen die Nationalsozialisten Stellung bezogen? Man mag vielleicht noch Heinrich Mann, man mag Kurt Tucholsky nennen – auf jeden Fall bleibt genug antifaschistische Ehre übrig. Von dem großen Antipoden Bertolt Brecht gibt es vor 1933 vergleichsweise wenig Anti-Hitler-Agitation. Man mag auch das bleibend Unpolitische im Argumentieren Manns herausarbeiten, das ökonomisch und machtpolitisch wenig Geerdete, die unbestreitbare konservative Grundschicht – es bleibt auch dann dabei, daß der politische Weg dieses Dichters in den zwanziger Jahren überaus erstaunlich und beachtlich ist. Wer im Ersten Weltkrieg und danach Positionen vertrat wie Thomas Mann, endete meistens als Nationalsozialist, wie viele seiner Weggenossen, wie Ernst Bertram, Hans Pfitzner, Josef Ponten oder Alfred Baeumler.

Thomas Mann nicht. Hatte er 1921 noch einen „dritten Weg" zwischen Rom und Moskau, zwischen Aufklärung und Asiatismus, zwischen West und Ost gesucht, so verkündete er in dem Aufsatz *Deutschland und die Demokratie* 1925 die entschiedene Annäherung an den Westen. Dienst am Leben sei heute Dienst an der Demokratie.[21] Der deutsche „Fascismus" (wie Thomas Mann damals zu schreiben pflegte) ist ein obskurantistischer Rückfall, ist „romantische Barbarei". Sogar Nietzsche wird in diesem Text unter die Demokraten gezählt, nicht ganz mühelos freilich. Es sei nur eine Oberflächenunwahrscheinlichkeit, daß der Geist Nietzsches die ideologische Grundlage einer deutschen Demokratie bilden könne. „Ist er es nicht, der die Demokratie zur Vorbedingung erklärt hat eines neuen Adels", fragt Mann, und ist er nicht „der Prophet eines neuen Bundes von Erde und Mensch?" Das sind freilich verstiegene Wege.

Es bleibt aber nicht bei so vagen Verkündigungen. Immer öfter mischt sich Thomas Mann auch in die ganz konkrete Tagespolitik ein. Mit dem Aufruf *Rettet die Demokratie!* wendet er sich nach dem Tod Friedrich Eberts 1925 gegen die Wahl Paul von Hindenburgs, den er einen „Recken der Vorzeit" nennt.[22] Er mußte dazu immerhin von eigenen früheren Sympathien Abschied nehmen. Daß Hindenburg, ein großer Mann von deutschem Schlage, Reichskanzler zu werden verdiene, stand noch in den *Betrachtungen eines Unpolitischen.*[23] Daß der Führertypus Hindenburg, „dieser große Getreue und Sorgliche", eben doch etwas ausschließlich Deutsches sei, hatte Mann in einem Brief an Paul Amann behauptet.[24]

Davon also galt es Abschied zu nehmen. Die Kandidatur des einstigen Oberbefehlshabers des deutschen Heeres deutet Mann, eine *Zauberberg*-Passage aufnehmend,[25] in einem Brief an Julius Bab vom 23. April 1925 als „Lindenbaum", mithin als Sympathie mit dem Tode. Hindenburg-Wähler haben die von Nietzsche und Thomas Mann vorgelebte Selbstüberwindung der Romantik versäumt.

Als Hindenburg allerdings bei der nächsten Reichspräsidentenwahl im Frühjahr 1932 mit Unterstützung der Mitte-Links-Parteien gegen Hitler kandidierte, soll sich Thomas Mann öffentlich für die Wiederwahl des „Recken der Vorzeit" eingesetzt haben. Er wurde gefragt, ob er eine Wahlrede für Hindenburg halten wolle.[26] Er lehnte zwar ab, trotzdem meinte man auf Nazi-Seite zu wissen, daß er zu den Kreisen gehöre, die sich zur eifrigen Propagierung der Wiederwahl des greisen Feldmarschalls stimmgewaltig gesammelt hätten,[27] druckte maliziös den Anti-Hindenburg-Appell von 1925 ab und äußerte sich höhnisch über des „maßlos überschätzten Literaten" angebliche „schnauzenkalte Überheblichkeit". Die Erklärung ist jedoch einfach. Im Vergleich mit Hitler mußte Hindenburg damals als das kleinere Übel erscheinen.

An konkreten politischen Engagements[28] sind ferner Appelle und Streitschriften gegen die Todesstrafe zu nennen, gegen die Verurteilung des kommunistischen Redakteurs Fritz Rau, gegen die rechtsorientierte *Berliner Nachtausgabe*, gegen die Verurteilung Carl von Ossietzkys, für die Gefangenenorganisation „Rote Hilfe", für Ernst Toller und eine Amnestie der noch immer in Haft befindlichen Anführer der bayerischen Räterepublik sowie für die Gründung einer Sektion Dichtkunst der Preußischen Akademie der Künste. Mehrfach setzte sich Mann für das „Reichsbanner Schwarz-Rot-Gold" ein, eine sozialdemokratisch und republikanisch orientierte Gegenorganisation zu den nationalistischen Wehrverbänden vom Typus „Stahlhelm". In den letzten Jahren der Republik wurde sein Standpunkt immer entschiedener sozialdemokratisch. Die *Deutsche Ansprache* (Berlin 1930) sagte es geradeheraus, „daß der politische Platz des deutschen Bürgertums heute an der Seite der Sozialdemokratie ist."[29] Er unterzeichnete einen *Wahlaufruf an die Partei der Nichtwähler* (September 1930).[30] Er hielt im Oktober 1932 eine prosozialistische Rede vor Arbeitern in Wien und verfaßte noch Anfang Januar 1933 ein programmatisches *Bekenntnis zum Sozialismus*, das am 19. Februar 1933, als Hitler schon Reichskanzler war, vom preußischen Kultusminister Adolf Grimme verlesen wurde und, kurz vor der Gleichschaltung der Presse, in Deutschland noch ein lebhaftes Presseecho hatte.

Daneben gab es immer wieder polemische Scharmützel, die sich direkt gegen die NSDAP richteten. *Was wir verlangen müssen* (1932) fordert die Regierung Papen auf, sich gegen Terroraktionen der Nazis entschiedener zur Wehr zu setzen. *Sieg deutscher Besonnenheit* ist ein Wahlaufruf zur preußischen Landtagswahl am 24. April 1932 und enthält Passagen, die hier, stellvertretend für viele andere, die unmißverständliche Deutlichkeit und Härte von Manns antifaschistischen Stellungnahmen illustrieren mögen:[31]

Darum verabscheue ich das trübe Amalgam, das sich „Nationalsozialismus" nennt, dies Falsifikat der Erneuerung, das, hirn- und ziel-

lose Verwirrung in sich selber, nie etwas anderes als eben Verwirrung und Unglück wird stiften können, diese Elendsmischung aus vermufften Seelentümern und Massenklamauk, vor der germanistische Oberlehrer als vor einer „Volksbewegung" auf dem Bauch liegen, während sie ein Volksbetrug und Jugendverderb ohnegleichen ist, der sich umlügt in Revolution.

Daß der Nationalsozialismus einem kleinbürgerlichen Menschentyp, der in Wahrheit der Gefangene der Vergangenheit ist, die Möglichkeit gewährt, sich als „Revolutionär" zu fühlen, ist in der Tat eine seiner Hauptanziehungskräfte. Eine andre ist seine wüste Freigebigkeit im Versprechen, die jeder, aber auch jeder Art von Unzufriedenheit, der gerechten und ungerechten, mit dem Maule das Ihre gibt, – der gesinnungsloseste Stimmenfang, der je versucht worden. Die Macht um jeden Preis, auf jedem Wege, mit jeder Hilfe: das ist seine „Idee", – die Macht, Deutschland auf den Begriff zurückzuführen, den er, in finsterer Stupidität, sich davon macht. Seine Liebe zum deutschen Volk ist Haß, grün blickender, gierig seine Stunde abwartender Haß auf drei Viertel eben dieses Volkes, die nicht wollen, wie er, nicht die Knüppelherrschaft einer Partei wollen, die nicht einmal eine Partei, sondern ein Mischmasch heterogenster Strebungen, Nöte, Begierden und anderer Idealismen ist.

Kein freier Mensch, kein Deutscher, der an den großen geistigen Überlieferungen seines Volkes hängt, könnte auch nur einen Tag lang atmen in dieser Knechtschaft – und übrigens würde das Atmen ihm abgenommen, denn er würde erschlagen werden. Die Totschlagelust steht dieser „Volksbewegung" an der Stirn geschrieben, und man muß verhindern, daß ihre Märchenseele Gelegenheit finde, sich zu betätigen. Man muß damit zugleich die empörte Gegenwehr verhindern, die ihre Herrschaft unvermeidlich hervorrufen würde, den Bürgerkrieg, der fast unfehlbar den Zerfall des Reiches mit sich brächte. Worauf es ankommt, ist Zeit zu gewinnen: Zeit für die junge deutsche Demokratie, sich zu festigen, zu reinigen, sich ins wahrhaft Soziale fortzuentwickeln, Zeit für Europa, aus Not zur Vernunft zu kommen, der Vergangenheit abzusagen und, ohne blutige Katastrophen, von einem Zeitalter ins andere, in neue Lebensformen hinüberzufinden. Zeit endlich für den sogenannten Nationalsozialismus, sich in seine tausend unholden Elemente aufzulösen und, nicht länger genährt und begünstigt vom Unglück, ins heimatliche Nichts zurückzukehren.

Sieben Gründe für die erstaunliche Politisierung Thomas Manns

Wie kam es eigentlich zu diesem massiven Engagement? Wäre es nicht viel bequemer gewesen, sich nach der Aussöhnung mit Heinrich dem dichterischen Werk zu widmen und sich um Politik nicht mehr groß zu kümmern?

Sieben Gründe nennt der Erzähler des Joseph-Romans für Josephs Keuschheit.[32] Einer davon, der fünfte, ist der Respekt vor dem Vater Jaakob, der das mutterrechtliche Dunkel verabscheut. Der Respekt vor dem Vater ist auch das Fundament der sieben Gründe Thomas Manns. Politik ist Vaterwelt. Der Vater war Senator, ein Mann der öffentlichen Verantwortung, und der Sohn will es ihm gleichtun.

Dem entspricht zweitens, wie im Joseph-Roman, die Abwehr des Rückfalls ins Mutterrecht, das heißt ins vorzivilisatorische Stadium der Tieropfer und Baals-Kulte anstelle der entwickelten Humanität des Monotheismus. Der Faschismus erscheint Thomas Mann als solcher Rückfall. Der Kampf, den er im Kleinen und Inneren hat führen müssen, wiederholt sich im Großen und Äußeren. Er überträgt die Problematik seiner Biographie auf das politische Geschehen. Wie er gegen die eigene innere Gefährdung durch Mutterbindung und Inzestwunsch, Bohème und Homosexualität die Schutzwehr der Bürgerlichkeit aufzurichten gelernt hatte, so sollte ganz Deutschland handeln.

Das läßt sich drittens ins Politische auch insofern übertragen, als die dem nächtlichen Mutterreich entsprechenden politischen Anschauungen, also die Liebe zum Vergangenen, zum Unpolitischen, zum Irrationalen dem Autor der *Betrachtungen* ja nur zu bekannt waren. Der Kampf gegen den Faschismus ist der Kampf gegen die eigene Faszination durch den politischen Obskurantismus, gegen die politischen Konsequenzen der Liebäugelei mit dem Tode.

In welche Gesellschaft er geraten wäre ohne seine Wandlung, das mag der vierte Grund gewesen sein. Der Bertram und Ponten und Pfitzner war er bereits ziemlich überdrüssig, von Spengler hatte er sich abgekehrt, und was sich sonst auf der Rechten tummelte, davor graute ihm mehr und mehr. Vom Faschismus drohte offenkundig die kulturelle Barbarei. Während er in den *Gedanken im Kriege* noch die Ansicht vertreten hatte, Kultur könne auch „Orakel, Magie, Päderastie, Vitzliputzli, Menschenopfer, orgiastische Kultformen, Inquisition, Autodafés, Veitstanz, Hexenprozesse, Blüte des Giftmordes und die buntesten Greuel umfassen",[33] reagierte er, wenn ihm solche Barbarei mit Kulturanspruch konkret auf den Leib rückte, doch schlicht als Bürger, der Rechtsstaatlichkeit und zivilisierte Umgangsformen verlangte. Die kultisch-kulturelle Begründung ihrer Greuel nahm er den Nazis nicht ab.

Um so weniger, als die republikanische Wendung von 1922 den antirepublikanischen Bodensatz aufgerührt und ihm „das chthonische Gelichter" ganz persönlich auf den Hals gehetzt hatte. Die Gegner beflügelten Thomas Mann. Er war schließlich auch ein großer Polemiker. Der Kampf gegen die Linke war in den *Betrachtungen* ausgesungen worden. Es zeigte sich indessen, daß die scharfe Klinge auch nach rechts effektvoll zu führen war. Streitlust, Polemik als Kunst, die aggressive Freude am Wort, das trifft, das ist der fünfte Grund.

Der sechste: Gegner geben Identitätsgefühl. Wer nicht genau weiß, wofür eigentlich er ist, dem hilft es zu wissen, wogegen. Der politisch unfeste Ästhetizist stabilisiert sich durch den antifaschistischen Kampf. Viel später wird Thomas Mann sagen, die Jahre des Kampfes gegen Hitler seien moralisch gute Zeit gewesen, denn damals war klar, was gut war und was nicht.[34] 1921 hatte noch der pure Relativismus geherrscht. Was ist gut, was böse? fragte der Dichter damals. Wir ziehen nur Linien im Wasser. „Aber alle Dinge sind sowohl gut als böse, Gott hat sie so gemacht, und vielleicht geht der Mensch mit Notwendigkeit in die Irre, weil es einen rechten Weg für ihn überhaupt nicht gibt?"[35] Ging es aber gegen Hitler, hatte der im Wasser Linien Ziehende am rechten Wege keine Zweifel mehr.

Die Weimarer Republik ehrte, das ist siebtens zu sagen, sein Engagement durch hochrangige Einladungen. Sie bot ihm, mehr als es das Kaiserreich je getan hatte, die Rolle ihres kulturellen Repräsentanten an. Diese Rolle mußte ausgefüllt werden. Ich bin weit eher zum Repräsentanten geboren als zum Märtyrer, sagte Thomas Mann, als er sich zum Exil bekannte.[36] Es war sehr bitter, aus dem Land vertrieben zu werden und die Rolle des Praeceptor Germaniae zu verlieren. Innerlich hat er diesen Platz nie mehr aufgegeben. Trotzig wird er 1938 beim Betreten des amerikanischen Bodens erklären: Wo ich bin, ist Deutschland.[37]

Johst, Hübscher und die Fliegertröpfe

„Ich liebe Sie sehr“, hatte Thomas Mann am 16. September 1920 an Hanns Johst geschrieben. „Sie stellen Jugend dar, Kühnheit, Radikalismus, stärkste Gegenwart.“[38] Das Pathos sollte sich legen. Der Expressionist Johst hielt sich zunächst zu den Kreisen der Konservativen Revolution und schlug sich dann immer entschiedener auf die Seite Hitlers. Sein wichtigstes Forum vor 1933 war der „Kampfbund für Deutsche Kultur“, eine Art kulturell frisierte SA. In der NS-Zeit machte Johst steile Karriere als Präsident der Reichsschrifttumskammer und SS-Gruppenführer.

Thomas Manns Wendung zur Republik veranlaßte Johst zu einer zornigen Absage, die die rechtsradikale Jugend verteidigte: „Das Schwert ist uns sakral wie Ihnen und Ihresgleichen der Federhalter.“[39] Von da an ist Johst ziemlich regelmäßig unter den Münchener Mann-Gegnern zu finden. Als Thomas Mann sich den frechen Satz entschlüpfen ließ, das deutsche Volk neige dazu, das Ideal des Weibes in der Kuh und das des Mannes im Schlagetot zu erblicken, verteidigt Johst die Schlagetots; sie seien des Volkes Lebendigste gewesen, ohne sie weder Potsdam noch Weimar.[40] Immer wieder schreibt er bissige Artikel – *Thomas Mann als Strandgut auf der Insel der dreißig Särge* heißt einer.[41] Am 10. Oktober 1933 wird er schließlich in einem Brief an Heinrich Himmler Manns Inhaftierung im KZ Dachau vorschlagen.[42]

Thomas Mann hatte, wie dem Tagebuch zu entnehmen ist, zwischen dem 11. und 20. September 1921, also noch vor seiner Aussöhnung mit Heinrich, die *Betrachtungen eines Unpolitischen* für die zweite Auflage um mehr als dreißig Seiten gekürzt. Die Kürzungen galten hauptsächlich der Entschärfung der Polemiken gegen Heinrich Mann und gegen Romain Rolland, ferner wurden einige Seiten über den Konservativismus Deutschlands und einige besonders krasse Passagen über die Humanität des Krieges gestrichen. Die Öffentlichkeit nahm diese Streichungen erst viel später wahr, so daß sie als nachträgliche Anpassung des Buches an die neue Position Thomas Manns erscheinen mußten. Der Angriff kam aus der jungkonservativen Ecke, aus den Kreisen also, die über Manns Wandlung am meisten erschrocken waren, hatte er ihnen mit den *Betrachtungen* doch ein Hauptwerk geliefert, das sie sich nicht nehmen lassen wollten. Der Schopenhauer-Forscher Arthur Hübscher, damals noch wie Johst in jungen Jahren, giftete in den *Münchener Neuesten Nachrichten* am 23. August 1927, „daß man einem Leser, der das undemokratischste Buch Thomas Manns zu kaufen willens ist, nicht stillschweigend eine demokratische Bearbeitung zuschieben sollte".[43]

Thomas Mann verteidigte sich und verteidigte die *Betrachtungen.* Er verteidigte sie kompliziert. „Ich gebe ihre Meinungen preis. Ihre Erkenntnis aber bleibt unverleugbar richtig."[44] Wer sollte das verstehen? Er habe sich vom Volksbegriff der *Betrachtungen* ab und dem Sozialismus zugewendet – wenn auch „nur ethisch-willentlich, nicht seinem vielleicht romantisch-todverbundenen Wesen nach".[45] Das war für eine aufgeheizte politische Atmosphäre viel zu subtil. Hübschers Standpunkt wirkte einleuchtender. Im öffentlichen Bewußtsein blieb er der Sieger. Die angebliche Anpassung der *Betrachtungen* an den Zeitgeist wird Thomas Mann in den folgenden Jahren immer wieder vorgehalten werden. Sie spielt auch in dem Dossier eine Rolle, das die Münchener Politische Polizei seit der zweiten Hälfte der zwanziger Jahre über ihn führte und das später die Munition für Ausbürgerung und Paßverweigerung lieferte.[46] Insofern ist das nicht nur Feuilletongezänk. Johst und Hübscher haben in Sachen Thomas Mann einiges auf dem Kerbholz.

Hübscher war damals Redakteur der auch im Hause Mann täglich gelesenen *Münchener Neuesten Nachrichten.* Die Zeitung hatte trotz der erwähnten Angriffe gleichzeitig um die Mitarbeit des berühmten Autors geworben. Dieser hatte sich jedoch nicht gewinnen lassen und an Hübscher geschrieben:

Gewissen Borniertheiten und Bösartigkeiten widerstrebt meine Intelligenz und mein Charakter. Ich mache kein Hehl daraus, daß ich mit Leuten, die bei Rathenaus Ermordung sagten: „Bravo, einer weniger!" (Münchener Universitätsprofessoren!) nichts zu schaffen haben will, und daß ich die Münchener bürgerliche Presse fürchterlich finde. Und da ich Ihnen gerade an dem Tag schreibe, wo unsere gute, aber mißgeleitete Stadt zu Ehren der beiden Flieger-Tröpfe den nationalistischen Kopfstand vollführt, so will ich auch gleich noch zugeben, daß mir dies Wesen schlimmer erscheint, als „Johnny spielt auf".

Die Sätze spielen auf die beiden deutschen Flieger Günther von Hühnefeld und Hermann Kohl an, die zusammen mit dem Iren Fitzmaurice am 12. April 1928 als erste den Atlantischen Ozean von Ost nach

West überflogen hatten. *Johnny spielt auf* ist eine Jazz-Oper von Ernst Křenek, die der Reaktion mißfiel. Die Flieger wurden als Nationalhelden gefeiert.

Hübscher und sein Redaktionskollege Paul Nikolaus Cossmann veröffentlichten das Zitat ohne Autorisation im Zusammenhang einer kleinen Dokumentation der mißglückten Mitarbeiterwerbung. Thomas Mann antwortete mit der Polemik *Die Flieger, Cossmann, ich*, die gegen Cossmanns Behauptung, er habe sich rein waschen müssen, wohl ganz zu Recht feststellt:[47]

Denn jedes Kind sieht ja, daß er meine Briefe veröffentlicht hat, nicht, um sich rein zu waschen (du lieber Gott), sondern weil seine routinierte Niedertracht in einem von ihnen ein leichtes Wort erspähte, das mir, laut geworden, alle deutschnationalen Press-Erinnyen auf den Hals hetzen mußte.

Es ging um das Wort „Flieger-Tröpfe". Für die Rechtspresse war es in der Tat eine willkommene Gelegenheit zu Angriffen auf Thomas Mann. Die Resonanz der Affäre war beträchtlich.[48] Der *Völkische Beobachter* schmähte in seiner Nummer vom 3. August 1928 den „Villenbesitzer", „Erzeuger des Klaus Mann" und „Freund des Zuchthäuslers Max Hölz" weidlich und zieh ihn gekränkter Eitelkeit. Auch Hanns Johst war wieder mit von der Partie. Man irre in Thomas Mann, schrieb er,[49] wenn man Humanität, Lebensweisheit und menschliche Güte voraussetze. Es gehe ihm „nur um sein liebes Ich". Auch im Antrag der nationalsozialistischen Behörden, Thomas Mann die deutsche Staatsbürgerschaft zu entziehen, werden die „Flieger-Tröpfe" zitiert als Beweis dafür, daß Mann jegliche Achtung vor dem sittlichen Wert einer wirklichen Leistung fehle.[50]

Johst, Hübscher und Cossmann wären für sich genommen nur Mückenstiche. Die zitierten Texte gehören jedoch zu einem ganzen Schlangennest von Gehässigkeiten, die sich um die reaktionäre Entwicklung Münchens drehen. Thomas Mann hatte München schon 1923 „die Stadt Hitlers, des deutschen Faschistenführers, die Stadt des Hakenkreuzes" genannt.[51] Das Hakenkreuz schlug zurück auf seine bekanntermaßen wenig zimperliche Art.

Es braucht trotzdem nicht verschwiegen zu werden, daß auch die andere Seite ihre Tragik hatte. Der Frontverlauf folgt nicht immer der antifaschistischen Orthodoxie von heute. Cossmann, Leiter der Politik-Redaktion der *Münchener Neuesten Nachrichten*, war Jude. Er war rechtsorientiert, verlangte harte Urteile in den Prozessen gegen die Räte-Politiker und verfocht in den zwanziger Jahren prononciert deutschnationale Tendenzen. Das half ihm nichts. 1933 wurde er von den Nationalsozialisten gefangengenommen und 1942 in Theresienstadt umgebracht.

SA im Smoking

Vom Expressionismus führen Wege nach ganz links und nach ganz rechts. Arnolt Bronnen, ein begabter Schriftsteller, ist beide gegangen. Er begann als expressionistischer Erfolgsdramatiker und war befreundet mit Bertolt Brecht. Wenige Jahre später findet man ihn an der Seite von Joseph Goebbels. Weil er als Nationalbolschewist galt, ließ das Interesse der Nazi-Spitzen an ihm nach der Machtergreifung bald nach. Manche hielten ihn auch für einen Juden. Bronnen ging in eine Art innere Emigration. Noch später machte er eine weitere Kehrtwendung und verbrachte seine letzten Lebensjahre im deutsch-demokratischen Ulbrichtstaat. Seine Autobiographie *arnolt bronnen gibt zu protokoll* erschien 1954 im Rowohlt Verlag.

Bronnen hatte 1930 eine höhnische Totschlagrezension gegen ein Theaterstück geschrieben, das sich für christliche Milde im Strafvollzug einsetzte. Thomas Mann sah sich zu einer ritterlichen Handlung genötigt. „Das Christentum", bekräftigte er, „war und bleibt eine großartige Erscheinungsform geistiger Gewissensauflehnung gegen das Nichts-als-Fatale."[52] Das Fatale sah er in Bronnen verkörpert, der „Stimme der eisernen Lerche", die den „Gerechtigkeitswahn" angreift, weil er nichts als Haß auf die deutsche Macht überhaupt sei. „So frech und mißtrauisch ist das Tier", befindet Mann schonungslos, spricht von Schafott- und Grabesmilitarismus und gefälschter Herrenschnauze, die mit dem Monokel im Auge der Macht zum Munde rede und gegen menschliche Anständigkeit Beleidigungen schnarre.

Der Monokelträger fand bald Gelegenheit zurückzuschlagen. Wir folgen seinem Protokoll. Am 17. Oktober 1930 hielt Thomas Mann im Berliner Beethovensaal seine *Deutsche Ansprache,* um das Bürgertum vor der NSDAP zu warnen und auf die Seite der SPD zu führen. Bronnen erfuhr davon und verabredete sich mit einigen Gesinnungsgenossen, darunter Ernst und Friedrich Georg Jünger, die Veranstaltung zu besuchen und dortselbst, wie er das nannte, „eine Diskussion zu entfachen".[53]

Wenige Stunden vor dem Vortrag erfuhr ich durch einen telephonischen Anruf, daß Goebbels zu meiner Unterstützung zwanzig SA-Männer in den Beethoven-Saal schicken werde. Ich war perplex, ich hatte Goebbels gar nichts von der Geschichte gesagt, weil ich ihm soviel Interesse für literarische Größen kaum zutraute, und bat den Adjutanten des Gauleiters – er selber war nicht erreichbar –, diese unglückliche Maßnahme zu stornieren. Aber Graf Schimmelmann erklärte mir, dies wäre ein Partei-Befehl, und überdies wären die Karten bereits gekauft, die Smokinge für die zwanzig SA-Mannen bereits gegen Kaution entliehen.

Die Bronnen-Truppe heizt die Atmosphäre im Saal erst einmal mit kurzen Zwischenrufen an. Ein mächtiges „Oho!" läßt einen Tumult ausbrechen, die Polizei greift ein, Fäuste und Gummiknüppel werden geschwungen. „In Erwartung von mancherlei Hartem vertauschte ich in aller Ruhe und Öffentlichkeit mein Monokel mit einer gewöhnlichen, kaum sichtbar bläulich gefärbten Schnee-Brille – woraus dann später die Legende von meiner Tarnung durch eine riesige blaue Brille entstand." Bronnen wird erst hinausbefördert, dann aber in den Saal zurückgelassen. Dort hatte sich inzwischen der Krach vervielfältigt,

alle schrien gegen alle, und nur einundzwanzig Menschen waren ganz still: der Redner Thomas Mann, der wie verloren in der Brandung stand, und die zwanzig SA-Männer, die in ihren Leih-Smokingen saßen und Angst hatten, sie zu beschmutzen, da man ihnen unter fürchterlichen Drohungen eingeschärft hatte, sich nur geistig zu betätigen.

Thomas Mann aber verließ, geführt von Bruno Walter, der ortskundig war, den Saal über Schleichwege und einen Nebenausgang. „Durch eine riesige schwarze Brille halb unkenntlich gemacht", so malte sich der Vorgang in Walters Erinnerung, habe Bronnen die Demonstrationen dirigiert.[54] Obgleich die Presse zum Teil Anderslautendes meldete, hat die SA damals wohl wirklich ihre Smokinge geschont, und die Tumulte gehen allein auf Bronnen und seine Freunde zurück.

Ernst Jünger

Unter diesen befand sich auch Ernst Jünger. „Wie konnte er es aushalten?“[55] fragte Thomas Mann später. Die Frage hat nur Sinn, wenn er Jünger für einen Mann mit Niveau hielt, der eigentlich zu den Kumpanen nicht paßte, die ihn damals umgaben.

Es ist denn auch von Ernst Jünger kein gedrucktes Wort von einiger Bedeutung gegen Thomas Mann bekannt. An den Ausschreitungen der Bronnen-Truppe hat er sich nicht beteiligt,[56] sie allerdings stillschweigend gebilligt, wie sich Alexander Mitscherlich, der ebenfalls mit von der Partie war, erinnert.[57] Fast wirkt es, als mache Jünger einen Bogen um den Autor, dessen *Tod in Venedig, Betrachtungen eines Unpolitischen* und *Doktor Faustus* ihm geistig nicht fern gewesen sein können, der wie er durch die Schule Nietzsches und der europäischen Décadence gegangen war, der wie er den Nationalismus und die Konservative Revolution ausprobiert hatte. Auch in seiner nationalrevolutionären Zeit schob er, wenn es gegen Thomas Mann ging, andere vor. Sein Bruder Friedrich Georg Jünger hatte im Jahre 1928 ein paar kesse Sätze ausgeworfen.[58] „Thomas Mann, der exakte Darsteller einiger Fäulnisprozesse am menschlichen Bestande, würde uns vollkommen gleichgültig sein, wenn er sich nicht aus seinem luftdicht abgeschlossenen Zauberberg hinausgewagt hätte, um mit seiner Feder nach dem *deutschen Nationalismus* zu stechen.“ (Das hatte Thomas Mann in einer Polemik *Gegen die Berliner „Nachtausgabe“* getan.[59]) Wie sein Bruder war der junge Nationalist stolz auf das Urerlebnis seiner Generation, den Krieg. Er nannte ihn „eine Fanfare der tiefen Gewalten, die nichts Brüchiges, nichts Zweifelhaftes dulden, die mit dem mürben Moralismus aufräumen und dem Menschen einen kosmischen Zugang durch alle Trümmer hindurch eröffnen“. Man müsse „einen Klubsessel im Gehirn haben, um sich heute noch auf den Phrasen einer abgelebten Zeit ausruhen zu können“. Damit meinte er, frech und blind, Thomas Mann.

Um so auffallender ist Ernst Jüngers Schweigen. Angesichts der Unübersehbarkeit Thomas Manns und angesichts einer achtzig Jahre währenden literarischen Produktion, zu der auch mehrere tausend Seiten Tagebuch gehören, wo Jünger sich ohne Rücksichten hätte äußern können, ist das erklärungsbedürftig. Handelte es sich um Hochmut, wie im George-Kreis, wo man Augustinus, Goethe, Kant oder Nietzsche zitieren durfte, aber doch bitte nicht Thomas Mann?

Handelte es sich um Ratlosigkeit? Oder um das tiefere Wissen, daß hier einer zwar meinungsweise auf der anderen Seite stand, aber im Sein doch irgendwie verwandt war? Erst im hohen Alter gibt es ein paar verstreute und wenig ergiebige Interview-Äußerungen. Jünger muß im Zweiten Weltkrieg gelegentlich Thomas Manns Radiobotschaften über BBC gehört haben. Seine Reaktion war negativ. Er habe sich immer geärgert, wenn wieder einmal eine deutsche Stadt in Flammen aufgegangen sei, „und Thomas Mann hielt seine Reden dazu". Allerdings fügt Jünger die Bemerkung an, er bewundere Thomas Mann als außerordentlichen Stilisten. „Er ist einer der wenigen, der Verantwortung für die deutsche Sprache zeigte."[60] Im übrigen hat Jünger die Emigration, anders als die meisten Deutschen, nicht als etwas von Thomas Mann Trennendes empfunden, sondern als etwas Verbindendes; „seitdem er [Thomas Mann] in diese tragische Verwicklung kam, ist er mir wieder sympathisch geworden."[61]

Carl Schmitt sah die beiden im gleichen Boot. „Ernst Jünger ... Strandgut des Wilhelminismus; ebenso Thomas Mann." Man überbringt dem Hundertjährigen diese Äußerung, er zitiert sie, diskutiert sie, verliert aber auch angesichts dieser Provokation kein Wort über Thomas Mann.[62]

Dieser seinerseits hat sich zwar, meistens unter dem Einfluß von Klaus und Erika stehend, in Briefen und Tagebüchern zu scharfen Säuregüssen hinreißen lassen – einen „Wollüstling der Barbarei" nennt er Jünger einmal[63] –, hat sich aber öffentlich zurückgehalten, wohl auch, weil er nichts von Jünger wirklich gelesen hat.[64] Gelegentlich nahm er Sekundäres wahr, so 1933, als er eine Weile über sein Faust-Projekt nachdachte, einen Artikel über den *Arbeiter*.[65] Hätte er Jünger nicht hervorragend im *Faustus* brauchen können, unter den geistigen Wegbereitern der Barbarei? Daß der Typus Jünger dort nicht vorkommt, wirkt wieder wie eine Aussparung. Als Thomas Mann sich in der Nachkriegszeit dann das erste Mal ein wenig ausführlicher mit Jünger befaßt, allerdings auch wieder nur aufgrund von Sekundärliteratur und nur im Tagebuch, ist das Ergebnis nicht Haß, sondern fragende Nachdenklichkeit.

„Die beiden Herren verhielten sich wohl immer respektvoll distanziert."[66] Beide vermieden es, einander ins Gesicht zu sehen. Sie haben eine Art Scheu voreinander gehabt. Vielleicht spürten sie eine Gefahr vom jeweils anderen ausgehen. Vielleicht fürchteten sie sich vor Infragestellungen. Jedenfalls hat keiner über den anderen je ein abschließendes Wort gesprochen.

XIII. Homoerotik der Lebensmitte

Kampen auf Sylt, 1927

Ein zaghaftes Coming out

Es besteht zwar kein Anlaß, die Tagebuchäußerung „Es scheint, ich bin mit dem Weiblichen endgültig fertig?" (25. Juli 1920) überzubewerten, da ihr ja später noch genug Äußerungen folgen vom Typus „Mein Verhältnis zu K. einige Wochen lang sehr sinnlich" (12. Oktober 1921). Schopenhauer hat im Anhang zur *Metaphysik der Geschlechtsliebe* behauptet, daß die päderastische Neigung in dem Alter zunehme, in dem die Fähigkeit, starke und gesunde Kinder zu zeugen, abnehme. „So veranstaltet es die Natur."[1] Um schwächlichen Nachwuchs zu verhindern, lasse sie jenseits der Fünfzig die Gleichgültigkeit, ja Abneigung gegen die Weiber immer mehr zunehmen, so daß, „je mehr im Manne die Zeugungskraft abnimmt, desto entschiedener ihre widernatürliche Richtung wird. – Diesem entsprechend finden wir die Päderastie durchgängig als ein Laster alter Männer."

Als generelle Erscheinung sei es damit bestellt wie immer. Auf Thomas Mann bezogen gibt es jedenfalls deutliche Hinweise, daß das homoerotische Interesse in den zwanziger Jahren zugenommen hat. Es gibt, was Zahl und Deutlichkeit der öffentlichen Äußerungen betrifft, beinahe ein vorsichtiges Outing. Die *Betrachtungen eines Unpolitischen* hatten zwar vollmundig getönt, *alles* zu sagen sei ihr Sinn,[2] aber sie sprachen bei allem „Erkenne, was du bist!"[3] nicht über die Homosexualität. Erst im Nachkriegstagebuch ist Thomas Mann klargeworden, daß „auch" die *Betrachtungen* ein Ausdruck seiner sexuellen Invertiertheit seien (17. September 1919). Die interessante Feststellung war durch die Lektüre des zweiten Bandes von Hans Blühers Werk *Die Rolle der Erotik in der männlichen Gesellschaft* angeregt worden.[4] Den 1917 erschienenen ersten Band, der vom „Typus inversus",[5] also vom homosexuellen Mannestyp, handelt, hatten die *Betrachtungen* zitiert, ohne den Autor zu nennen. Man habe den Eros bestimmt als „die Bejahung eines Menschen, abgesehen von seinem *Wert*".[6] Man kann bei Blüher nachlesen, warum die Stelle Thomas Mann anging. Es ist nämlich kein Spaß, jemanden bejahen zu müssen „abgesehen von seinem Wert". Eros ist ein ernster und furchtbarer, ein verhängnisvoller Gott, kein Bube wie Amor. Einen Menschen herausheben müssen aus allen Wertbeziehungen, „einen Menschen, der vielleicht nichts bedeutet außer dem, was er dem andern ist, bedingungslos bejahen zu müssen", das ist nicht Spiel und Zeitvertreib. Blühers Diagnose beschreibt genau Thomas

Manns Fall: den Gegenstand seiner Liebe, irgendwelche hübschen Kellnerburschen, als wertlos zu empfinden, aber ihm trotzdem ausgeliefert zu sein. „Ein Mensch, welcher liebt, das heißt, vom Eros befallen ist", kündet Blüher mit grandiosem Pathos, „steht in einem geweihten Zusammenhang, der nicht mehr ableitbar ist und dessen Idee aus dem Abgrunde der Menschennatur aufsteigt. Er steht oft da, mit blutendem Herzen sein Schicksal erfüllend." Das gilt vor allem für den mannmännlichen Eros. „Die Wertfrage zerstört hier fast immer die Ruhe des Eros, was tief mit der Natur des Mannes zusammenhängt."

In einem Brief von 1920 kommentiert Mann die Blüher-Stelle noch einmal ironice vom Standpunkt des Moralisten: „Das ist ja eine nette Bejahung, die 'vom Werte absieht'. Ich danke!"[7] Man versteht das nicht, wenn man nichts als diesen Wortlaut kennt. Daß erst über die Quellen, in diesem Falle Blüher, erschließbar ist, worum es eigentlich in diesem Leben gegangen ist, ist eine der wichtigsten Erkenntnisse über die verdeckte Schreibweise, die Thomas Mann in puncto Homoerotik anwendet. Wenn er sich zur „doppelten Optik" bekennt, also zu einem Stil, der verständlich sein soll für die Gröbsten und für die Feinsten, dann dient auch das der Tarnung. Für die Groben gibt es eine ausreichend verständliche Außenseite. Für die Feinen und Allerfeinsten, im Extremfall nur für ihn selbst (denn es gibt sicher genug Stellen, deren geheimen Sinn zu entschlüsseln immer unmöglich bleiben wird), gibt es eine Tiefensinnschicht, die nur für die Eingeweihten bestimmt ist.

Die Selbstzensur lockert sich in den zwanziger Jahren. Die Gesellschaft beginne, schreibt Mann 1922 in *Von deutscher Republik*, „den Bann von Verruf und Verleugnung, der auf der Erscheinung lag, zu lösen, sie mit größerer Ruhe ins Auge zu fassen und ihre Vieldeutigkeit menschlich zu erörtern."[8] Ob innere Entwicklungen unseres Autors die Hauptrolle spielen oder jene allgemeine kulturelle Liberalisierung und sexuelle Emanzipation – jedenfalls gibt es aus den Jahren 1920 bis 1933 wesentlich mehr öffentliche Äußerungen zu diesem Thema aus seiner Feder als in irgendeiner anderen Lebensphase. Die Blüher-Lektüre mag dazu verholfen haben, den Verdrängungsdruck zu lindern, das tabuisierte Gebiet bewußtseinsfähig zu machen und ihm eine Sprache zu geben. Bevor wir Manns öffentliche Aussagen betrachten, wollen wir jedoch erst ins Tagebuch der Jahre 1918–1921 schauen, um vor dem Gedachten das Erlebte zu Wort kommen zu lassen.

Knaben 1918–1921

Wenn wir beiläufige Äußerungen wie „Student Trummler, hübscher Junge“ (4. Dezember 1918) oder „Auf einem Madonnen-Bilde von Ghirlandajo entzückte mich ein überaus anmutiger jugendlicher Heiliger“ (22. Dezember 1918)[9] unberücksichtigt lassen und uns auf die gefühlstieferen Einträge beschränken, stoßen wir auf drei berichtenswerte Beziehungen. Die erste, eine Minigeschichte, begann am 20. Dezember 1918. „Mich beschäftigte ein eleganter junger Mann mit anmutig-thörichtem Knabengesicht, blond, feiner deutscher Typus, eher zart, etwa an Requadt erinnernd, dessen Anblick mir ohne Frage einen Eindruck gemacht hat, von der Art, wie ich ihn seit langem nicht festzustellen hatte [...] Ich gestehe mir bereitwillig, daß ein Erlebnis daraus werden könnte.“ „Ich möchte, abenteuererhafter Weise, den jungen Menschen von gestern wieder treffen.“ (21. Dezember 1918) „Nervös geschlafen infolge erotischer Vorstellungen abends.“ „Vergaß gestern vor Müdigkeit, zu notieren, daß jener hermesartige junge Elegant, der mir vor einigen Wochen Eindruck machte, dem Vortrag beiwohnte. Sein Gesicht, bei leichter Jünglingsfigur, hat durch Hübschheit und Thorheit etwas Antikes, ‘Göttliches’. Ich weiß nicht, wie er heißt, u. es ist gleichviel.“ (30. März 1919)

Tieferen Eindruck machte der zweite Fall, der junge Oswald Kirsten, ein Reederssohn, der Mann während eines Urlaubs in Glücksburg vom 15. Juli bis 6. August 1919 faszinierte. Die Stimmung ist altvertraut: die Luft der Ostsee, die Farben, die Gerüche, die Sprache, der Menschentyp, alles wie damals. „Tonio Kröger, Tonio Kröger. Es ist jedesmal dasselbe und die Bewegung tief. Die Rhederfamilie Kirsten aus Hamburg, mit den beiden weit behosten Söhnen, von denen der Eine einen Armin Martens-Schädel hat. – –“ (24. Juli 1919) Die Erinnerung an Armin Martens, den Jugendfreund, der als Hans Hansen im *Tonio Kröger* wiedererstand, wird sogleich zu einer Linie ausgemalt, die in den Roman *Der Zauberberg* hineinführt: „Kirstens = Hans Castorp“ heißt es am gleichen Tag. „Die Kirstens, die hier große Besitzungen haben, beobachte ich fortdauernd mit Neigung. Sah heute die jungen Leute in ihrem Park Ball spielen.“ (31. Juli) Am 1. August wird Thomas Mann ausführlicher. Die Stelle zeigt uns, wie Hans Castorp in der damaligen Vorstellung seines Schöpfers ausgesehen hat.

Wir sahen abends, wie die beiden jungen Kirsten Männern behülflich waren, ein Boot ins Wasser zu bringen. Der, der mich durch seinen blonden Typus an A. M. erinnert, war nachher mit uns auf der Brükke [...] Seine Beine sind etwas krumm, die Figur, obwohl schlank, neigt zur Vierschrötigkeit, der Gang zum schiffermäßig Wiegenden. Die blauen Augen liegen tief und nahe beieinander [...], die Nase ist aufgeworfen, ohne eigentlich Stumpfnase zu sein, der Teint etwas unrein. Haarfarbe und Kopfform sind wie bei A. M., auch der Körperbau erinnert an ihn. Diese Erinnerung ergreift mich. Jugendstimmung und Jugendschmerz."

Wie Tonio Kröger beobachtet Mann den Bewunderten beim Tanzen. „Von den Jünglingen der 'Meine' zarter und feiner, als der andere, der ganz Schiffertypus. Beim Tanzen legt er die rechte Hand nicht mit der Fläche, sondern mit der Kante an die Taille." (3. August) Der letzte Eintrag (5. August) ist der wichtigste:

Vom jungen Kirsten hatte ich gestern mehrfach unmittelbarere Eindrücke. Er zeigte Photographien am Nachbartisch, wobei ich ihn sprechen hörte, mit ziemlich tiefer Stimme u. stark Hamburgisch, und seine Hand sehen konnte. Bis auf die mißförmige Nase ist sein Gesicht schön und fein. Er scheint eine Neigung zur Absonderung und zum stillen Sitzen zu haben (am Tennisplatz). Wenn ich nicht irre, so hörte ich ihn Oswald nennen. Er hat mich, auch beim Passieren, noch niemals angesehen. Wie mir scheint, vermeidet er es aus Diskretion. Hier wäre denn also das „Nie veraltende", das sich mit Glücksburg „eng verzweigen" wird, der obligate „Lenz", der sich nur halb – (halb?) – entfaltet.

So viel an Gefühl für jemand, den er offenbar das erste Mal aus der Nähe sah! Mit der Einreihung ins nie Veraltende wird dem Erlebnis eine hohe Würde gegeben. Es ist die Würde eines Vorläufers, August von Platens, der in Venedig eine ähnliche erstickte Liebe erlebt und in einem Sonett verewigt hat, auf dessen Anfang Thomas Manns Tagebuchaufzeichnung anspielt:

Weil da, wo Schönheit waltet, Liebe waltet,
So dürfte keiner sich verwundert zeigen,
Wenn ich nicht ganz vermöchte zu verschweigen,
Wie deine Liebe mir die Seele spaltet.

Ich weiß, daß nie mir dies Gefühl veraltet,

Denn mit Venedig wird sich's eng verzweigen:
Stets wird ein Seufzer meiner Brust entsteigen
Nach einem Lenz, der sich nur halb entfaltet.

Glücksburg war Manns Venedig, wenigstens ein paar Tage lang. Abgereist und vielbeschäftigt notiert der Platenimitator allerdings schon kurze Zeit später selbstironisch: „Und an Oswald Kirsten denkst Du garnicht mehr, Doktor?" (12. August) Er hatte den Ehrendoktor der Universität Bonn erhalten, viel Trubel gehabt, auch „K. beigewohnt (leichtsinnig, hoffentlich straflos)"[10] – die Angst vor einer erneuten Schwangerschaft zieht sich eine ganze Weile hin. Oswald Kirsten wird nie wieder erwähnt. Aber kurz nach Glücksburg wird die Hippe-Episode des *Zauberberg* geschrieben (15. August); das O. K.-Erlebnis wird ihr indirekt zugute gekommen sein.

Die dritte erotische Verfallenheit gilt dem eigenen Sohn Klaus. Er ist zwölf, als dem Vater das erste Mal der Verdacht keimt, es sei etwas ungewöhnlich mit dem Jungen. In der Kinderwohnung ist noch Licht:

Es zeigte sich, daß Eissi bei beleuchtetem Zimmer und phantastisch entblößt in seinem Bette lag. Er wußte auf Fragen keine Antwort zu geben. Pubertätsspiele oder Neigung zu schlafwandlerischen Handlungen, die wir schon in Tegernsee wahrnahmen? Vielleicht beides in einem. Wie wird das Leben des Jungen sich gestalten? Jemand wie ich 'sollte' selbstverständlich keine Kinder in die Welt setzen. Aber dies Sollte verdient seine Anführungsstriche. Was lebt, will nicht nur sich selbst, weil es lebt, sondern hat *auch sich selbst gewollt,* denn *es lebt." (20. September 1918)*

Die körperlichen Anzeichen des Erwachsenwerdens verzeichnet das Tagebuch mit Aufmerksamkeit (19. September 1918). "Klaus sehr anmutig" (20. April 1919), heißt es gelegentlich, und „Freue mich, einen so schönen Knaben zum Sohn zu haben." (24. Dezember 1918) Von Mai bis Juli 1920 vor allem hatte das Verhältnis zu dem pubertierenden Sohn eine verliebte Note. „Ich war zärtlich mit Erika, die ich kräftig, braun und hübsch fand, und ließ Klaus meine Neigung merken, indem ich ihn streichelte und ihm zuredete guten Muts zu sein, auch wenn das Leben 'nicht immer ganz einfach' sei. Ich nehme an, daß seine Männlichkeit ihm zu schaffen macht." (25. Mai 1920) Vom 27. Mai an ist Katia verreist, zur Kur nach Bad Kohlgrub. „Nach Tische zärtlich mit Eissi." (14. Juni) „Klaus, zu dem ich mich neuerdings sehr hingezogen fühle" (22. Juni). Im Hintergrund finden „Gespräche über mann-männliche Erotik“ statt, an Carl Maria Weber wird ein langer Brief zu diesem Thema geschrieben, während das Tagebuch verrät: „Verliebt in Klaus dieser Tage.“ (5. Juli) „Eissi, der mich zur Zeit bezaubert“ (11. Juli). „Entzücken an Eissi, der im Bade erschreckend hübsch. Finde es sehr natürlich, daß ich mich in meinen Sohn verliebe [...] Eissi lag mit nacktem braunen Oberkörper lesend im Bett, was mich verwirrte.“ (25. Juli) „Las gestern Abend eine weltschmerzlich zerrissene Novelle Eissi's und kritisierte sie an seinem Bett unter Zärtlichkeiten, über die er sich, glaube ich, freut.“ (27. Juli) „Ich hörte Lärm im Zimmer der Jungen und überraschte Eissi völlig nackt vor Golo's Bett Unsinn machend. Starker Eindruck von seinem vormännlichen, glänzenden Körper. Erschütterung.“ (17. Oktober 1920) Mehr als diese stumme Erschütterung erlaubte sich der Vater selbstverständlich nicht, und auch diese verbot er sich schließlich wieder. Die Notate aus späterer Zeit kehren zur väterlichen Tugend- und Tagesordnung zurück.

Weber, Wyneken, Wickersdorf

Am 4. Juli 1920, in der Zeit, als er in Klaus verliebt war, schrieb Thomas Mann einen langen und detaillierten Brief über Homoerotik an Carl Maria Weber. Warum gerade an ihn? Wer ist überhaupt Carl Maria Weber? Im Tagebuch vom 5. Juli 1920 nennt Thomas Mann ihn bei seinem Künstlernamen „Olaf“. Schon vor dem Ersten Weltkrieg, als Student in Bonn, hat Weber sich um den Dichter bemüht und ihn zu Lesungen eingeladen. In einer Hochschulzeitung schreibt er eine lobende Besprechung des *Tod in Venedig*.[11] Sein Leben lang hält er einen lockeren Briefkontakt zu Thomas Mann aufrecht.[12] Die erhaltenen Briefe sind allerdings so unbedeutend, daß der eine, bedeutende, um so mehr heraussticht. Daß Weber Pazifist war und expressionistischer Schriftsteller, stellt ihn politisch damals auf die Seite der Gegner Thomas Manns. Mit einem dieser Gegner, dem expressionistischen Aktivisten Kurt Hiller, war Weber befreundet. Aber diese Gegnerschaft betraf offenbar nur die Meinungen. „Die besondere erotische Einstellung“, schreibt Mann an Weber in jenem großen Brief, „ist in weltanschaulicher Hinsicht offenbar ebenso indifferent, wie in ästhetisch-kultureller.“ Mit anderen Worten: Man kann einander politisch und ästhetisch feind sein, aber freund aufgrund einer gemeinsamen erotischen Anlage.

Eine weitere Brücke baut die Reformpädagogik. Weber war Lehrer und schloß sich 1921 der von Gustav Wyneken gegründeten und geleiteten Freien Schulgemeinde Wickersdorf an. Thomas Mann hatte Wyneken auch persönlich kennengelernt.[13] Generell hatte er zur Landschul- und Schulreformbewegung gute Kontakte, hatten doch seine Kinder die Internate Hochwaldhausen, Odenwaldschule und Schloß Salem heimgesucht. Warum nicht die vierte berühmte Adresse, die es gab, warum nicht Wickersdorf? Um des Kunstbaus willen. Die Kinder sollten bürgerlich erzogen werden, ihre andersgerichteten Neigungen sollten diszipliniert werden wie der Vater die seinen diszipliniert hatte. Aus den Bekenntnissen von Klaus und Golo wissen wir, daß es in Salem und in der Odenwaldschule eher prüde zuging. In Wickersdorf hingegen wurde dezidiert der Erziehungswert der altgriechischen Knabenliebe gepredigt und praktisch umgesetzt. „Es ist eine seltsame Ironie", schreibt der Gründer schalkhaft, „daß unsere Stätten der Jugendbildung noch immer Gymnasien heißen. Gymnos heißt nackt und Gymnasion die Stätte, wo man nackt der Ausbildung des Körpers oblag."[14] Unter den pädagogischen Führergestalten Hermann Lietz, Paul Geheeb und Gustav Wyneken war der letztere in dieser Hinsicht der konsequenteste. Er hält nicht hinter dem Berge. Der Knabe *soll* den Unterschied gegen die alte Wertung der Jugend erleben. Er soll sich „von der Liebe seines geliebten Führers so umgeben, so getragen, so beschwingt fühlen, daß nichts mehr in seiner Seele an die alte Einstellung sich erinnert, in der der junge Mensch Objekt und Material des Erziehers ist". Das Körperliche gehört ins Konzept. Wyneken gibt zu, nackte Knaben umarmt zu haben, bestreitet allerdings darüber hinaus gehende Handlungen.

Er verlor infolgedessen zweimal seine Stelle als Leiter der von ihm gegründeten und inspirierten Schule, das erste Mal 1910, das zweite Mal Ende 1920. Er antwortet auf die Vorwürfe, die ihm Unzucht mit Minderjährigen und Abhängigen unterstellen, mit der temperamentvollen Verteidigungsschrift *Eros*. „Vielleicht kann", so erklärt er selbstbewußt, „wer nie einen edlen Knaben leidenschaftlich geliebt hat, das Glück, das 'den Griechen die Herzen geöffnet', nicht nachempfinden. Dann möge er mit Bescheidenheit und Ehrfurcht haltmachen vor einem ihm verschlossenen Heiligtum, und nicht gerade die für Entartete und Krüppel halten, denen *beide* Flügel des Eros gewachsen sind."

Carl Maria Weber hatte Thomas Mann auf dem Weg über den beiden befreundeten Schriftsteller Willy Seidel ein Lyrikbändchen geschickt, das zum unmittelbaren Anlaß des großen Briefes wird. Die Gedichte, *Der bekränzte Silen. Verse von einem tröstlichen Ufer* hieß die Sammlung (Hannover: Steegemann 1919), waren unter dem Pseudonym „Olaf“ erschienen, das Thomas Mann im Tagebuch vom 5. Juli 1920 selbst mit „C. M. Weber“ übersetzt. Sie ließen für einen darauf trainierten Blick die homoerotischen Neigungen ihres Verfassers klar erkennen und mögen so den Anstoß gegeben haben, daß Mann sich einem eher fernen als nahen Bekannten so offen anvertraut. „Ich wollte“, schreibt er ihm einleitend, „Sie hätten teilgenommen an dem Gespräch, das ich neulich, an einem lang ausgedehnten Abend, mit Willy Seidel und einem dritten Kunstgenossen, Kurt Martens, über diese Dinge hatte“ – ein Gespräch, das dem Tagebuch zufolge am 1. Juli 1920 stattfand („M. las aus seiner Autobiographie Internats-Abenteuer vor. Gespräche über mann-männliche Erotik, über denen es sehr spät wurde“) – „denn es wäre mir höchst unerwünscht, wenn Ihnen – und anderen – der Eindruck bliebe, daß ich eine Gefühlsart, die ich ehre, weil sie fast notwendig – mit viel mehr Notwendigkeit jedenfalls, als die ‘normale’ – *Geist* hat, hätte verneinen oder sie, soweit sie mir zugänglich ist – und ich darf sagen, sie ist es mir kaum bedingter Weise – hätte verleugnen wollen.“[15] Das ist sehr gewunden, aber im Kern eindeutig, „kaum bedingter Weise“ wird man mit „unbedingt“ übersetzen dürfen – unbedingt zugänglich ist ihm jene Gefühlsart. Weber hat sicherheitshalber noch einmal nachgefragt, und die Antwort lautet, immer noch gewunden, aber letzten Endes unmißverständlich:[16]

„Kaum bedingt“, das heißt: fast unbedingt. *Sie haben das nicht verstanden und loben mich für mein Einfühlungsvermögen. Aber so liegen die Dinge nicht; und ohne ein persönliches Gefühlsabenteuer wäre aus der Goethe-Novelle nicht der Tod i. V. geworden.*

Der davorliegende Brief hatte etwas verschlüsselter, aber für den Kenner doch deutlich genug schon vom *Tod in Venedig* erklärt, daß die Erzählung „hymnischen Ursprungs“ sei und ihr „ein persönlich-lyrisches Reiseerlebnis“ zugrundeliege, das ihn bestimmt habe, die Dinge durch die Einführung des Motivs der „verbotenen Liebe“ auf die Spitze zu stellen. Daraufhin hatte Mann eine Passage aus dem Ironiekapitel der *Betrachtungen* zitiert und gefolgert: „Sagen Sie mir, ob man sich besser ‘verraten’ kann.“ Als in diesem Sinne verräterisch stufte er die folgende Analyse des Verhältnisses von Leben und Geist ein: „Darum gibt es zwischen ihnen keine Vereinigung, sondern nur die kurze, berauschende Illusion der Vereinigung und Verständigung, eine ewige Spannung ohne Lösung ...“[17] Das hält Thomas Mann für eine typisch homoerotische Situation. Auch in der Fortsetzung des Gedankens erschließt sich der homoerotische Sinn über die Quelle. In der zitierten Passage aus den *Betrachtungen* sei, so der vorsichtige Dichter, sein Erlebnis des Erotischen vollkommen ausgedrückt. Es handle sich um die Übersetzung eines Liebesgedichts ins Prosaische, des Gedichtes nämlich, dessen Schlußstrophe beginnt: „Wer das Tiefste *gedacht*, liebt das *Lebendigste.*“ Die Zeile stammt aus dem Gedicht *Sokrates und Alcibiades* von Friedrich Hölderlin, das eine Männerbeziehung verteidigt:

> *„Warum huldigest du, heiliger Sokrates,*
> *Diesem Jünglinge stets? kennest Du Größeres nicht?*
> *Warum siehet mit Liebe,*
> *Wie auf Götter, dein Aug' auf ihn?“*
>
> *Wer das Tiefste gedacht, liebt das Lebendigste,*
> *Hohe Jugend versteht, wer in die Welt geblickt,*
> *Und es neigen die Weisen*
> *Oft am Ende zu Schönem sich.*

Dieses wunderbare Gedicht, so kommentiert Thomas Mann weiterhin, enthalte „die ganze Rechtfertigung der in Rede stehenden Gefühlsrichtung und die ganze Erklärung dafür, die auch die meine ist“.

Man verständigte sich in einer Art Geheimsprache, die sehr genaues Lesen verlangte. Sie war den Eingeweihten und gleich Veranlagten ausreichend zugänglich. Diese wurden vom Tabudruck zusammengehalten, so daß es zu Lebzeiten nie zu einer öffentlichen Debatte über Thomas Manns sexuelle Verfassung kam. Das Geheimnis wurde gewahrt, trotz solcher Mitwisser wie Carl Maria Weber, Kurt Hiller, Kurt Martens und Willy Seidel.

Ungeheure Unzucht

„Las gestern mit Erschütterung Gedichte von Verlaine 'Frauen' und 'Männer', die der Verleger Steegemann geschickt. Ungeheuere Unzucht.“ (Tagebuch 11. August 1920) *Frauen* erschien 1919, *Männer* 1920 in Deutsch und Französisch als Privatdruck für Subskribenten bei Paul Steegemann in Hannover. Der Verleger bat Thomas Mann um eine kleine Stellungnahme. Dieser sagte zu, erstaunlicherweise. Die kleine Liebhaberzeitschrift, wo die Äußerung ursprünglich erscheinen sollte, ging allerdings ein.

Unter dem neutral wirkenden Titel *Brief an einen Verleger* spricht Thomas Mann zwar von Unzucht und Wollust, vermeidet aber jedes Wort, das auf die homosexuelle Natur jener Gedichte hinwiese, so daß der Text später, ohne je Aufsehen zu erregen, in der Aufsatzsammlung *Rede und Antwort* gedruckt werden konnte.[18] Daß die Unzucht dieser Gedichte ihn erschüttert habe, konnte dort jeder lesen, aber die Gedichte selbst kannte keiner. Der Ausdruck „Erschütterung" tritt bei Thomas Mann immer dann auf den Plan, wenn ein homoerotisches Erlebnis seine bürgerliche Sicherheit ins Wanken zu bringen droht. In diesem Fall geht es um Gedichte von drastischer Körperlichkeit, die damals nur ganz versteckt erschienen und bis heute fast unzugänglich sind. Paul Verlaine war nicht zimperlich. Was Thomas Mann als „Unzucht" las, dafür mögen drei (von neun) Strophen des Eingangsgedichts des Bandes *Männer* als Beispiel dienen:

O lästere, Dichter, nicht; besinne Dich!
Es ist oft schön, bei einer Frau zu liegen
Und ihrem weichen Fleisch sich anzuschmiegen;
Manchmal erfreute dieses Glück auch mich.

Herrliches Liebesnest ist ihr Gesäß!
Ich lasse kniend dort die Zunge spielen,
Indes die Finger andern Schacht durchwühlen,
Wie Schweinchen wuscheln durch ihr Freßgefäß.

Allein, wer möchte dich dem Mannsgesäß vergleichen,
Das sich weit wollustreicher noch erwiesen,
Als Freudenblume und als Schönheitszeichen
Von den Besiegten und Leibeigenen gepriesen.

Hymnisch preist auch Hans Castorp den Menschenleib,[19] ebenso viele Jahre später Madame Houpflé den Leib des schönen Felix.[20] „Hymnisch" ist, wir wissen es aus dem Weber-Brief, ebenfalls ein Geheimwort für die homoerotische Ergriffenheit, wie „Erschütterung", wie der Ausruf „Mein Gott!"

Impotenz

'Die Weiber am Brunnen', die im Dezember 1921 geschriebene Rezension eines Romans von Knut Hamsun, handelt zwar nicht direkt von Homosexualität, aber doch von einem verwandten Thema, von der nicht realisierten, hier, der nicht realisierbaren männlichen Sexualität. Das unumstößliche Verbot, der homoerotischen Neigung sexuelle Praxis folgen zu lassen, war für Mann dem Problem der Impotenz verwandt. Nicht dürfen bedeutet, radikal verstanden, so viel wie nicht können. Hamsuns Held Oliver hat bei einer Beinamputation seine Männlichkeit drangeben müssen. Seine Frau hält zu ihm, bringt aber wunderbarerweise Kind auf Kind zur Welt. Er weiß sein Geheimnis trotzdem zu wahren. „Vielleicht fand er dabei sein bescheidenes Glück, jedenfalls hatte er kein anderes. War es also lauter Kunst? Nichts als Kunst."[21] Diese Sätze Hamsuns sind der schmerzliche Hintergrund von Thomas Manns verhaltener Feststellung, der Roman handle „von der Kunst als lebenerhaltender Macht, vom Leben als Kunst, Kunstbehelf..." – das jedenfalls sei seine „gütig-ironische Idee".

Der ob seiner beschädigten Männlichkeit tragikomische Eunuch, der trotz seiner Lächerlichkeit vor dem großen Publikum standhält, ist eine Identifikationsfigur. Thomas Manns Künstler sind immer irgendwie in ihrer Männlichkeit beschädigt. Der impotente Künstler wird vom Weibe erbarmend geliebt; das heißt zugleich angebetet und betrogen. Daß auch Thomas Mann betrogen würde vom Weibe, so weit geht die autobiographische Gleichung zwar nicht, aber doch so weit, daß das Thema Impotenz für ihn ein bedrohliches war. Ist der Künstler überhaupt ein Mann, fragt Tonio Kröger, oder ähnelt er nicht vielmehr jenen päpstlichen Kastraten, die zwar rührend schön singen, jedoch – –.[22]

Eros als Staatsmann

Auch der Republik wird eine homoerotische Rechtfertigung zuteil. Der Krieg habe den mannmännlichen Eros verstärkt, heißt es in *Von deutscher Republik*, er bilde den geheimen Kitt monarchistischer Bünde, und sogar der Terror von rechts berufe sich auf antike Freund-Liebschaften.[23] „Eros als Staatsmann" sei eine seit der Antike geläufige Vorstellung, die noch in unseren Tagen – angespielt wird auf Hans Blühers *Rolle der Erotik in der männlichen Gesellschaft* – geistreich propagiert worden sei. Anders als Blüher will Mann jedoch die Wasser der Homoerotik ins Bett der Demokratie leiten. Die monarchistische Restauration zur Sache dieses Eros machen zu wollen sei im Grunde Unfug. Während die Demokratie in den *Betrachtungen* als weiblich, ja als weibisch galt, hat Mann jetzt in dem amerikanischen Dichter und Homosexuellen Walt Whitman einen Autor gefunden, der ihn die Demokratie männerbündisch zu verstehen lehrt. Daß er damit die Frauen von ihr ausschließt, kommt ihm nicht in den Sinn; in dieser Hinsicht ist er den zeitüblichen Deformationen ausgesetzt. Ein „erotisch-allumarmender Demokratismus" finde sich bei Whitman, der „durch die Liebe von Kameraden, durch die männliche Liebe von Kameraden" den Kontinent unzertrennlich machen wolle.

Über die Ehe

Der Aufsatz *Die Ehe im Übergang*, später entschärfend *Über die Ehe* betitelt, führt alle diese Gedankenreihen zusammen. Er enthält, wie Thomas Mann augenzwinkernd an Tochter Erika schreibt, „eine prinzipielle Auseinandersetzung mit der Homoerotik, ei ei".[24] Die hergebrachte patriarchalische Struktur der Familie ist in Auflösung begriffen. Ein Ausgleich zwischen den Geschlechtern bahnt sich an, der Mann verweiblicht, die Frau vermännlicht. Darin trete die ursprüngliche und natürliche Bisexualität des Menschen zutage. Von ihr wußte Thomas Mann wieder durch Blüher.[25] Als selbst bisexuell Veranlagter steht er positiv zu diesem Vorgang, beurteilt ihn nicht kulturkonservativ als Verfall, sondern als erwünschte Freisetzung einer Grundbefindlichkeit. Im folgenden faltet er dann diese Bisexualität zu einer Theorie der Ehe und der Homoerotik aus. Er weiß sie vortrefflich in sein bekanntes Antithesenschema einzupassen:

Homoerotik	Ehe
Kunst	Leben
Tod	Leben
Künstlertum	Bürgerlichkeit
Ästhetik	Ethik, Moral
unfruchtbar, kinderlos	fruchtbar, kinderzeugend
Zigeunertum, Libertinage	Lebensbürgerlichkeit, Treue

individualistisch	sozial
Verantwortungslosigkeit	Lebensbefehl
Pessimismus	Lebensgutwilligkeit, Bravheit
orgiastische Freiheit	Gebundenheit, Pflicht

Das todverbundene Künstlertum erwächst also aus der Welt der Homoerotik, die lebensverbundene Bürgerpflicht aus der Welt der Ehe. Die Knabenliebe ist, wie der Dichter durch den Mund von Madame Houpflé erklären läßt, „un amour tragique, irraisonable, nicht anerkannt, nicht praktisch, nichts fürs Leben, nichts für die Heirat".[26] Die große, dionysische, alle bürgerlichen Bindungen sprengende Liebesleidenschaft ist homoerotisch. Die Ehe hingegen wird nicht von der Erotik definiert, sondern von der Pflicht zur Familie. Die Ehe kommt deshalb durch einen Entschluß zustande, während die homoerotische Leidenschaft hereinbricht als höheres Ereignis.

Gegen § 175

Sogar konkrete politische Handlungen erwachsen aus dem vorsichtigen Outing der zwanziger Jahre. Bereits 1922 unterschreibt Thomas Mann eine von dem Sexualwissenschaftler Magnus Hirschfeld[27] inaugurierte Reichstagspetition zur Abschaffung des Paragraphen 175 des Strafgesetzbuchs, der seit 1871 die Strafbarkeit der ausgeübten Homosexualität festsetzte und, 1935 noch einmal verschärft, bis 1969 in Geltung war. Bis vor kurzem unbekannt war, daß Thomas Mann auch selbst einen Aufruf geschrieben hat, der 1930 in der Zeitschrift der Homosexuellenbewegung „Gemeinschaft der Eigenen" erschien.[28] Es steht nichts Persönliches darin, schon weil Mann, was ihn selbst betraf, die „widernatürliche Unzucht" körperlich zu praktizieren nicht gesonnen war. Doch unzweideutig setzt er sich für ihre Erlaubtheit ein:

Geschlechtliche Zärtlichkeiten, die zwei erwachsene Menschen miteinander tauschen, und zwar auf Grund einer Gefühlsanlage, die so alt ist, wie das Menschengeschlecht [...] in ungebildeter und taktloser Weise zu bespitzeln, solche „Handlungen", die ihn nicht das Geringste angehen, mit Gefängnisstrafe zu bedrohen und so dem Erpressertum [...] gute Tage zu bereiten – ist eine etwas linkische Art, wie mir scheint, seinen Sinn fürs Sittliche zu erweisen.

Der Paragraph muß fallen.

Klaus Heuser und Amphitryon

„Nach menschlichem Ermessen war das meine letzte Leidenschaft, – und es war die glücklichste." Das steht zu lesen im Tagebuch vom 22. September 1933. Gemeint ist die damals bereits sechs Jahre zurückliegende Verliebtheit in Klaus Heuser, den Thomas Mann als Siebzehnjährigen im August 1927 in Kampen auf Sylt kennengelernt hatte.[29] Zum Abschied schenkt er ihm ein Exemplar der *Buddenbrooks,* „zur Erinnerung an gemeinsam verbrachte Wochen am Meer".[30] Im Gästebuch des Hotels verrät er sich beinahe. „An diesem erschütternden Meere habe ich tief gelebt."[31] Auf die Urlaubswochen folgte im Oktober 1927 ein zweiwöchiger Besuch des jungen Mannes im Hause des Dichters in München, folgten ferner einige Vorsprachen des Betörten in Düsseldorf. „Ich nenne ihn Du und habe ihn beim Abschied mit seiner ausdrücklichen Zustimmung an mein Herz gedrückt", schreibt Thomas Mann am 19. Oktober 1927 an Klaus und Erika. Verschmitzt und geheimnisvoll fährt er fort: „Eissi [Klaus] ist aufgefordert, freiwillig zurückzutreten und meine Kreise nicht zu stören. Ich bin schon alt und berühmt, und warum solltet ihr allein darauf sündigen?" Als der Junge abgereist war, erkundigte sich Thomas Mann bei Golo: „Nun, bist du froh, daß er weg ist, der Grasaff?"[32] „Der Grasaff'! Ist er weg?" fragt Mephisto in Goethes Faust.[33] Klaus Heuser spielt Gretchen, Thomas Mann Faust und Mephisto zugleich.

Die Tagebücher des Jahres 1927 sind nicht erhalten. Sie müssen ergiebig gewesen sein: „Las gestern abend lange in dem Tagebuch von 1927, aus der Zeit meiner Leidenschaft für den Knaben Klaus H." (21. März 1937) Spätere Notate haben jedoch zahlreiche Spuren des Erlebnisses bewahrt. K. H. gehört zur „Galerie" (11. Juli 1950), also zur Reihe der „großen" Erlebnisse, die von Armin Martens und Willri Timpe über Paul Ehrenberg zu ihm reicht und 1950 noch Franz Westermeier aufnehmen wird. Dementsprechend das Pathos und die Erschütterung, dementsprechend die lange Nachwirkung. Am 24. Januar 1934 nimmt das Tagebuch die Sätze auf:

Gestern Abend wurde es spät durch die Lektüre des alten Tagebuchbandes 1927/28, geführt in der Zeit des Aufenthaltes von K. H. in unserm Hause und meiner Besuche in Düsseldorf. Ich war tief aufgewühlt, gerührt und ergriffen von dem Rückblick auf dieses Erlebnis, das mir heute einer anderen, stärkeren Lebensepoche anzugehö-

ren scheint, und das ich mit Stolz und Dankbarkeit bewahre, weil es die unverhoffte Erfüllung einer Lebenssehnsucht war, das „Glück", wie es im Buche des Menschen, wenn auch nicht der Gewöhnlichkeit, steht, und weil die Erinnerung daran bedeutet: „Auch ich". Es machte mir hauptsächlich Eindruck, zu sehen, wie ich im Besitz dieser Erfüllung an das Früheste, an A. M. und ihm folgende zurückdachte und alle diese Fälle als mit aufgenommen in die späte und erstaunliche Erfüllung empfand, erfüllt, versöhnt und gut gemacht durch sie. –

Für die Arbeit am Joseph-Roman vertiefte sich Mann in Aufzeichnungen aus der Paul-Ehrenberg-Zeit und verglich sie mit der Klaus-Heuser-Zeit. „Ich bin, auch damals schon", so heißt es über P. E., „aber 20 Jahre später in höherem Maße", und das bezieht sich auf K. H., „sogar glücklich gewesen und durfte wirklich in die Arme schließen, was ich ersehnte." (6. Mai 1934) Darauf folgen die Sätze:

Das K. H.-Erlebnis war reifer, überlegener, glücklicher. Aber ein Überwältigtsein wie es aus bestimmten Lauten der Aufzeichnungen aus der P. E.-Zeit spricht, dieses „Ich liebe dich – mein Gott, – ich liebe dich!", – einen Rausch, wie er angedeutet ist in dem Gedicht-Fragment: „O Horch, Musik! An meinem Ohr weht wonnevoll ein Schauer hin von Klang –" hat es doch nur einmal – wie es sich wohl gehört – in meinem Leben gegeben. Die frühen A. M.- und W. T.-Erlebnisse treten weit dagegen ins Kindliche zurück, und das mit K. H. war ein spätes Glück mit dem Charakter lebensgütiger Erfüllung, aber doch schon ohne die jugendliche Intensität des Gefühls, das Himmelhochjauchzende und tief Erschütterte jener zentralen Herzenserfahrung meiner 25 Jahre. So ist es wohl menschlich regelrecht, und kraft dieser Normalität kann ich mein Leben stärker ins Kanonische eingordnet empfinden, als durch Ehe und Kinder. –

Mit K. H. werden damals immerhin noch Briefe gewechselt. „Schrieb einen Brief an Klaus Heuser, von dem ich in New York eine Karte hatte." (12. Juni 1934) Die Briefe sind verloren.[34] Ein Jahr später kommt es sogar zu einem Wiedersehen (21. September 1935):

Darin unterbrochen durch den Besuch Klaus Heusers, *der über Zürich gereist, mich 10 Minuten wiederzusehen. Unverändert oder wenig verändert, zart, knabenhaft geblieben mit 24, die Augen die gleichen. Sah viel in sein Gesicht und sagte „Mein Gott". Merkwürdig genug, daß ich hier noch kürzlich seiner gedachte, mit der Dankbar-*

Klaus Heuser, Sumatra 1938

keit, die ich auch in seiner Gegenwart wieder für damals empfand. Er erwartete, daß ich ihn küßte, ich tat es aber nicht, sondern sagte ihm nur vorm Abschied etwas Liebes. Es ging sehr rasch, er mußte bald fort.

Viele Jahre später, am 20. Februar 1942, las Thomas Mann noch einmal nach, was er erlebt hatte.

Las lange in alten Tagebüchern aus der Klaus Heuser-Zeit, da ich ein glücklicher Liebhaber. Das Schönste und Rührendste der Abschied in München, als ich zum ersten Mal den „Sprung ins Traumhafte" tat und seine Schläfe an meine lehnte. Nun ja – gelebt und geliebet. Schwarze Augen, die Tränen vergossen für mich, geliebte Lippen, die ich küßte, – es war da, auch ich hatte es, ich werde es mir sagen können, wenn ich sterbe.

Ein letztes Wiedersehen brachte der September 1954, als Klaus Heuser nach achtzehnjähriger Abwesenheit aus China zurückkehrte. Thomas Mann notiert: „Ist unverheiratet geblieben." Erika spottet: „Da er den Z. [Zauberer = Thomas Mann] nicht haben konnte, hat ers lieber ganz gelassen."[35] Wie entspannt der Ton geworden ist!

Karl Werner Böhm hat 1986 ein Gespräch mit Klaus Heuser geführt, aus dem hervorgeht, daß dieser als junger Mann kaum etwas von der Bedeutung ahnte, die der Dichter ihm zumaß. Küsse oder gar Weitergehendes bestreitet er entschieden. „Ich war sicherlich, auf die argloseste Weise, freundlich und lieb zu ihm, aber mehr nicht. Das war die ganze 'Gewährung'."[36] Die vierzehn Tage in München im Oktober 1927, so schrieb Mann im bereits erwähnten Brief an Klaus und Erika, hätten zu den schönsten Zeiten im Leben des Siebzehnjährigen gehört, er habe es schriftlich von ihm. Klaus Heuser sieht das ganz anders, jedenfalls im Alter. „Nachmittags rief er mich manchmal, kann sein, daß ich mit den Kindern im Garten war, in sein Arbeitszimmer, um mir aus dem, was er gerade geschrieben hatte, vorzulesen. Und fragte mich dann nach meiner Meinung darüber. – Na ja, es hat mich nicht sehr interessiert. Ich habe wohl auch gar nicht richtig zugehört. Ich saß da, auf meinem Stuhl, und hatte nur einen Gedanken: bloß rasch wieder raus in den Garten, zu den Kindern." Über etwas anderes als Literatur zu sprechen scheint Mann nicht in den Sinn gekommen zu sein, und so dürfte auch dieses Erlebnis den alten, schmerzlichen Zwiespalt von Geist und Leben bestätigt haben: Der Geist ist sehnsüchtig verliebt in das Leben, dieses aber bedarf seiner nicht. „Die geheimen und fast lautlosen Abenteuer des Lebens sind die größten", heißt es im selben Brief. In der Tat, Klaus Heuser dürfte nichts davon gewußt haben, was er dem Dichter bedeutete, nichts auch von dem, was der Dichter als tatsächlich darstellte, obgleich es sicher nur in seinem Inneren geschah: „Ich nenne ihn Du" – was Klaus Heuser bestreitet – „und habe ihn beim Abschied mit seiner ausdrücklichen Zustimmung an mein Herz gedrückt."

Aber vielleicht hatte auch Klaus Heuser das eine oder andere zu verdrängen. Ist es eigentlich angenehm, von Thomas Mann geliebt worden zu sein? Zu seinen Blonden und Blauäugigen zu gehören?

Das K. H.-Erlebnis hat auch literarisch Gestalt gewonnen. „Klaus H., der mir am meisten Gewährung entgegenbrachte, gehört die Einleitung zum Amphitryon-Essay."[37] Zum 150. Geburtstag Heinrich von Kleists schrieb Mann im Herbst 1927 eine kleine Studie mit dem

Titel *Kleists Amphitryon. Eine Wiedereroberung,* die im Beisein von Klaus Heuser am 10. Oktober in München vorgetragen wurde. Er habe Stellen zum besten gegeben, auf die „er" nicht ohne Einfluß gewesen sei, vertraut Thomas Mann brieflich seinen großen Kindern Klaus und Erika an. Welche Stellen werden das gewesen sein? Der Vortragstext ist als Zeitungsdruck erhalten.[38] Kleists *Amphitryon* hat die pikante Göttergeschichte zum Gegenstand, wie der verliebte Jupiter in Gestalt des Feldherrn Amphitryon dessen Ehefrau Alkmene besucht. Aber auch der echte Amphitryon kehrt heim. Alkmene steht verwirrt zwischen Mensch und Gott, weist Jupiter jedoch in die Göttlichkeit zurück, sobald sie die Lage erkannt hat. Es ist ziemlich deutlich, wie die Identifikationslinien verlaufen. Thomas Mann erkennt sich in der Rolle des Jupiter wieder, dem es verwehrt ist, von den Menschen wirklich geliebt zu werden. Er möchte nicht nur als Gott verehrt, d. h. als berühmter Künstler bewundert werden, sondern als er selbst, als Mensch angenommen und aus seiner inneren Einsamkeit erlöst werden. Er versteht Jupiter in diesem Sinne als „den einsamen Künstlergeist", der um das Leben wirbt, zurückgewiesen wird und, „ein triumphierend Verzichtender", lernt, sich mit seiner Göttlichkeit zu begnügen. Alkmene „ist" dann Klaus Heuser, der dem Gott den gebührenden Respekt erweist, aber lieber bei den Menschen ist, d. h. mit den Kindern spielt.

Jupiter hatte eine Nacht mit Alkmene, Thomas Mann mit K. H. nicht. Das ist ein Unterschied. Der großen göttlichen Liebe kann die irdisch beschränkte niemals gewachsen sein. Amphitryon (Katia) wird (würde) nach Jupiters Nacht mit Alkmene nie mehr konkurrenzfähig sein. Thomas Mann sah sich einerseits in der Rolle des verzichtenden Opfers. Andererseits war er als verliebter Schwärmer für seine Verhältnisse glücklich genug gewesen und glaubte, bereits in dem wenigen, was ihm widerfahren war, „gelebt und geliebt" zu haben.[39]

Die erwähnte Tagebuchnotiz vom 16. Juli 1950 stellt fest, daß speziell die „Einleitung" zum Amphitryon-Essay Klaus Heuser gehöre. Damit ist eine Passage gemeint, die nicht vorgetragen wurde, sondern nur in der ausführlicheren Druckfassung des Essays zu finden ist. Sie spricht vieldeutig und abgründig vom Glück und Elend eines immer alten und immer neuen Begehrens:[40]

Was ist Treue? Sie ist Liebe, ohne zu sehen, der Sieg über ein verhaßtes Vergessen. Wir begegnen einem Angesicht, das wir lieben, und wir werden nach einiger Anschauung, während welcher unser Gefühl sich befestigt, wieder davon getrennt. Das Vergessen ist sicher, aller Trennungsschmerz ist nur Schmerz über sicheres Vergessen. Unsere sinnliche Einbildungskraft, unser Erinnerungsvermögen ist schwächer, als wir glauben möchten. Wir werden nicht mehr sehen und aufhören zu lieben. Was uns bleibt, ist nichts als die Gewißheit, daß jedes neue Zusammentreffen unserer Natur mit dieser Lebenserscheinung mit Sicherheit unser Gefühl erneuern, uns wieder, oder eigentlich immer noch, sie lieben lassen wird. Dies Wissen um das Gesetz unserer Natur und das Festhalten daran ist Treue. Sie ist Liebe, die vergessen mußte, warum; geglaubte Liebe, die sprechen darf, als sei sie am Leben, weil sie sicher ist, sofort und gesetzmäßig wieder Leben zu gewinnen, wenn sie sieht.

Ein offenherziger Bekenner

Daß die Homoerotik inzwischen eine gewisse zeitklimatische Gunst genieße, schreibt Mann ausdrücklich im Ehe-Essay. Er fährt fort, daß nicht zufällig in Frankreich ein erster Schriftsteller des Landes mit einer leidenschaftlichen Apologie dieser Empfindungssphäre hervorgetreten sei.[41] Gemeint war André Gide mit seinem *Corydon*, erschienen 1924. Eine persönliche Beziehung entstand, als Gide den *Zauberberg* gelesen und darüber Briefe mit Thomas Mann gewechselt hatte. 1925 lernte Klaus Mann André Gide kennen: „Einmal aßen wir auch zusammen am Tisch meiner Eltern in München."[42] Der Vater war nicht zu Hause. Zu einer persönlichen Begegnung mit ihm kam es erst am 11. Mai 1931.[43] Eine weitere Begegnung folgte im Juli des gleichen Jahres.

Anfang Oktober 1929 hat Thomas Mann Gides Autobiographie *Si le grain ne meurt* rezensiert, die unter dem Titel *Stirb und werde* 1930 in deutscher Sprache erschienen war. Der französische Titel spielt auf das Jesuswort an: „Wenn das Weizenkorn nicht in die Erde fällt und erstirbt, so bleibt es allein; wenn es aber stirbt, so trägt es viel Frucht." (Joh 12, 24) Der deutsche Titel ändert das in eine Anspielung auf Goethes Gedicht *Selige Sehnsucht:* „Und so lang du das nicht hast, / dieses: Stirb und Werde! / Bist du nur ein trüber Gast / auf der dunklen Erde." In beiden Fällen geht es um ein Sterben und Wiedergeborenwerden, um eine Art Auferstehung. Sie steht als Chiffre für das Coming out eines Homosexuellen. Zutiefst erschüttert von Liebesstunden mit braunen Knaben in Algerien schreibt Gide ergriffen (und Mann zitiert ihn anteilnehmend): „Ich brachte das Geheimnis meiner Auferstehung mit und zugleich eine innere Bangigkeit, wie sie einst Lazarus, der dem Tode Entrissene, gekannt haben mag. Alles, was mich früher beschäftigt hatte, erschien mir jetzt dürr und wesenlos [...] Ich fühlte mich von Grund auf verwandelt."[44]

Halb neidvoll, halb schaudernd erzählt Mann von einem, der die Preisgabe gewagt hat. Er berichtet von der gesellschaftlichen Vereinsamung, die die Folge des radikalen Bekennertums gewesen sei. Auf der anderen Seite stand, daß auch Gide geheiratet hatte und das Repräsentieren als Notwendigkeit pries. Er kommt mit diesem Mann nicht zurecht. Er hält es, wie Gide selbst, für unmöglich, eine ganz und gar ehrliche Autobiographie zu schreiben. „Trotz allen Willens zur Wahrheit wird", so zitiert er Gide, „wer sein eignes Leben beschreibt, immer nur eine halbe Aufrichtigkeit erreichen; alles ist viel komplizierter, als es sich ausdrücken läßt."[45] Trotzdem behauptet er: „Ihre Autobiographie hat mir tiefen Eindruck gemacht."[46] Einem gewissen Schriftstellertyp genüge das stilisierte und ins Symbol gekleidete Bekenntnis auf die Dauer nicht, „und seit der Lektüre Ihres Buches träume ich bestimmter, als ich es vorher tat, von meiner eigenen Lebenserzählung." In Wirklichkeit mißbilligt er die Direktheit. „Verstimmt gegen ihn durch sein allzu direkt sexuell aggressives Verhalten gegen die Jugend, ohne Achtung, Ehrerbietung vor ihr, ohne sich seines Alters zu schämen, unseelisch, eigentlich lieblos." (Tagebuch 6. Oktober 1951)

Der 1930 geschriebene *Lebensabriß* ist nicht im entferntesten von der Gide'schen Radikalität. Er bietet, um mit Nietzsche zu sprechen, eine „kluge" Autobiographie,[47] keine wahre. Das Thema Homosexualität kommt dort mit keinem Wort vor. Eine wirkliche Lebensbeschreibung hat Thomas Mann nie gegeben. Er hofft weiterhin, die Frage am Ende des ersten Teils von *Stirb und werde* sei zu bejahen: „Wäre es denkbar, daß man im *Roman* der Wahrheit näherzukommen vermöchte, als in der Autobiographie?"

Ein Don Quijote der Liebe

Bei anderen war Thomas Mann durchaus für klare Worte, nur bei sich selber nicht. Aus Unwissenheit und überholter Diskretion habe die Literarhistorie „um die Grundtatsache von Platens Existenz recht albern herumzureden gesucht: um die lebensentscheidende Tatsache seiner exklusiv homoerotischen Anlage."[48] So steht es in dem Versuch über Platen, den Mann im September 1930 verfaßt hat. Der Essay will die Verdrängung beenden. Platen habe diesen seinen tiefsten Impuls gekannt und auch wieder nicht gekannt. Er deute ihn als Dichterweihe zum Höheren und heilige Unterjochung durch das Schöne, irre sich aber darüber, daß seine Liebe durchaus keine höhere, sondern eine Liebe wie jede andere war, wenn auch mit, wenigstens zu seiner Zeit, selteneren Glücksmöglichkeiten. Den ganzen Formkult Platens führt Mann auf die homoerotische Anlage zurück. „'Grad und Art der Geschlechtlichkeit eines Menschen', sagt Nietzsche, 'reichen bis in die höchsten Gipfel seiner Geistigkeit.'" Gedichte sind säkularisierte Gebete, in denen das innere Chaos durch schöne Ordnung gebändigt wird.[49] Wie es bei Platen die strengen lyrischen Formen sind, das Ghasel, das Sonett, die Ode, so sind es bei Mann die epischen Formen, von denen zu sagen ist, daß ihr Charakter „eine kunstpsychologische Affinität zu seinem Eros" besitze.

Platen ist ein Don Quijote, der schwört, „daß Dulcinea von Toboso die schönste Dame unter der Sonne sei, obgleich sie eine Bauernmagd, besser gesagt aber irgendein törichter Student namens Schmidtlein oder German ist". Genau so, ehrwürdig und lächerlich zugleich, fühlte sich auch Thomas Mann. „Ein Don Quijote der Liebe" wie Platen, hat auch er „die Nichts-als-Geradegewachsenheit einiger mittelmäßiger Jungen" in vielsinnige Poesie verwandelt. Auch er kannte „die schauerlich-erbarmungswürdige Komik der Situationen, in die seine Liebesdonquijoterie ihn brachte", wenn er irgendwelche Burschen anschwärmte. Er kannte aber auch den trotzigen Widerstand gegen die Demütigung durch solche Verfallenheit, „die Überlegenheit liebender Selbstentäußerung über den geliebten Gegenstand, die platonische Ironie, daß in dem Liebenden der Gott ist und nicht im Geliebten". Er sagt das eben Angeführte von Platen, daß er aber damit sich selbst beschreibt, geht nicht zuletzt daraus hervor, daß die Aussage, der Liebende sei göttlicher als der Geliebte, ein direktes Zitat aus dem *Tod in Venedig* ist.[50] Auch als er im Alter noch einmal Platens Briefe und Tagebücher liest, denkt er ständig an sich selbst. „In Neapel 'ist die Liebe zwischen Männern so verbreitet, daß man selbst bei kühnsten Forderungen nicht Gefahr läuft, abgewiesen zu werden.' Er stellt aber keine."[51] Wie Platen kürzt er die Namen der Geliebten ab, auf daß einst auch von ihm gesagt werden könne: „Die Philologie hat sie alle nach den Anfangsbuchstaben identifiziert."

Eine Art Maskerade also sind die Aufsätze über Verlaine, Kleist, Gide und Platen, eine Möglichkeit, von sich selbst und eigener Not zu sprechen und doch zugleich zu schweigen. Doppelte Optik, kühn Bekennerisches für Insider, ehrwürdig Korrektes für Outsider.

XIV. In Acht und Bann

Manželka
Femme – Ehegattin

Fotografie

Razítko
úřední

ČESKOSLOVENSKÉ
CURYCH

Podpis majitele
Signature du titulaire – Unterschrift
des Inhabers

a jeho manželky
et de sa femme – und seiner Ehegattin

Konsul:

KONSULÁT REPUBLIKY ČESKOSLOVENSKÉ
CURYCH

Podpis úředníka vydávajícího cestovní pas:
Signature de l'agent délivrant le passeport:
Unterschrift des den Paß ausstellenden Beamten:

2225–34 29350

Bürger der tschechoslowakischen Republik, 1936

Chronik 1933–1936

Die Ernennung Adolf Hitlers zum Reichskanzler am 30. Januar 1933 hatte Thomas Mann noch nicht an Exil denken lassen. Das Leben ging weiter. Am 10. Februar hielt er zum 50. Todestag Richard Wagners im Auditorium Maximum der Münchener Universität den Vortrag *Leiden und Größe Richard Wagners.* Am 11. Februar reiste er mit diesem Vortrag nach Amsterdam, Brüssel und Paris. Ein Urlaub in Arosa schloß sich an, zwangsweise fortgesetzt in Lenzerheide und Lugano (bis Ende April). In Arosa erfuhr Thomas Mann von Verhaftungen und anderen Übergriffen in München, die ihn veranlaßten, vorerst nicht heimzukehren. Im März schon trat er aus mehreren Verbänden aus, vor allem aus der gleichgeschalteten Sektion Dichtkunst der Akademie der Künste, und wurde wenig später aus anderen hinausgeworfen, so aus dem Rotary-Club.

Eine Münchener Denunziation lenkt die Aufmerksamkeit der Polizei auf ihn. Am 16. April erscheint ein von zahlreichen Münchener Honoratioren unterzeichneter *Protest der Richard-Wagner-Stadt München* gegen den Wagner-Vortrag. Es folgen eine Haussuchung und die widerrechtliche Wegführung der Autos. Ein Beschwerdebrief Thomas Manns an den bayerischen Reichsstatthalter Franz Ritter von Epp führt zum Eingreifen Reinhard Heydrichs, der Epp ausschaltet und Ende Mai die Beschlagnahme der Vermögenswerte und im Juni einen Schutzhaftbefehl erwirkt. Thomas Mann wäre also bei einer Rückkehr tatsächlich verhaftet worden. Er war inzwischen nach Südfrankreich gezogen und hatte, nach weiteren Hotelwochen in Bandol, in Sanary-sur-Mer ein Haus gemietet, wo die Familie von Juni bis September 1933 lebte. Der nächste Wohnsitz war dann Küsnacht am Zürichsee (bis 1938).

Im August 1933 wird das Familienhaus in der Münchener Poschingerstraße ohne jede Rechtsgrundlage beschlagnahmt und weitervermietet. Der Rechtsstreit um Haus und Vermögen kommt, obgleich die Reichsfluchtsteuer in Höhe von 97 000 Reichsmark erlegt wurde, nicht von der Stelle. Die Ausbürgerung Thomas Manns wird von der Münchener Politischen Polizei betrieben, während man in Berlin vorerst davon nichts wissen will. Im Januar 1934 wendet sich der mißhandelte Autor deshalb mit einem ausführlichen Brief an den Reichsinnenminister Wilhelm Frick. Nach langem Zögern votiert der zwar im Mai 1935 für die Freigabe von Haus und Vermögen, scheitert aber wieder an

Heydrich, der auf der Ausbürgerung besteht und die Beschlagnahme erneuert. Im November 1936 wird Thomas Mann tschechoslowakischer Staatsbürger, so daß die Aberkennung der deutschen Staatsangehörigkeit, die Anfang Dezember 1936 erfolgt, ihn nicht zum Staatenlosen machen kann.

Literarisch sind die Jahre von 1933 bis 1936 erfüllt von der Arbeit an *Joseph in Ägypten,* dem 1936 in Wien veröffentlichten dritten Band der Joseph-Tetralogie, deren erster *(Die Geschichten Jaakobs)* 1933 und deren zweiter *(Der junge Joseph)* 1934 in Berlin erschienen waren. Der vierte und letzte folgte 1943, als der S. Fischer Verlag seinen Sitz in Stockholm hatte. Die ersten drei Bände wurden in Deutschland noch ganz gut verkauft, während der vierte nur noch ein kleines deutschsprachiges Auslandspublikum erreichen konnte. Daß seine Stimme in Deutschland überhaupt hörbar blieb, war von 1933 bis 1936 ein wichtiges Argument für Thomas Mann, die nationalsozialistischen Behörden nicht durch politische Stellungnahmen zu reizen. Er verhielt sich in den ersten drei Jahren des Exils zwar nicht völlig schweigsam, aber doch sehr vorsichtig. Ein geplantes „Politicum" schob er immer wieder hinaus. Es kam dadurch zu manchen Konflikten mit der literarischen Emigration. Seine eigenen Kinder Erika und Klaus drängten ihn zu einer entschiedeneren Absage. Sie erfolgte endlich Anfang Februar 1936 mit einem Offenen Brief *An Eduard Korrodi.* Von da an trat Thomas Mann wieder häufig und entschieden mit antifaschistischen Stellungnahmen hervor.

Hitler und Friedemann

Über die politischen und geschichtlichen Vorgänge jener Jahre haben schon viele gut und genau berichtet. Sie sollen deshalb hier nur sehr gerafft vorkommen. Wir wollen uns auf das Seelische konzentrieren. Der Verlust von Heimat, Haus und Habe war ein ungeheurer Schock. Nun war er wirklich zusammengebrochen, der treufleißig errichtete Kunstbau dieses Lebens, aber nicht von innen, sondern von außen. Das war verhältnismäßig zwar weniger schlimm, denn Äußeres läßt sich ersetzen. Das erste Exiljahr ist denn auch erfüllt von dem Bemühen, die Ruinen des Glückes wieder aufzurichten, die Familie zusammenzuhalten, ein Haus zu finden, ein Auto zu kaufen und so viel Geld, Möbel und Bücher aus München herauszuschaffen wie irgend möglich.

Auf der Ebene der Deutungen aber ist 1933 die Wiederholung des uralten Friedemann-Schocks. Der Lebensfaden war abgerissen (Tagebuch 13. Februar 1934), die Identität zerstört, die Reputation in Deutschland verloren, der Repräsentant zum Aussätzigen geworden. Das Unterste war nach oben gekommen, das Verdrängte wiedergekehrt. Die uralten Ängste hatten recht behalten. Der Senator saß im Schmutz, wie der sterbende Thomas Buddenbrook, wie Herr Friedemann am Fluß, wie der trunkene Gustav von Aschenbach kurz vor seinem Tode, wie Prinz Klaus Heinrich beim Bürgerball. Der Ruf „Herunter mit ihm!", den Seifensieder Unschlitts Tochter und ihre Kumpane in *Königliche Hoheit* unterdrückt und abgerissen vor sich hin gemurmelt hatten,[1] tönte nun wild und schamlos aus vielen Kehlen. Das mutterrechtliche Chaos hatte gesiegt über die vaterrechtliche Ordnung, das pöbelhafte Geheul der unterdrückten Triebwelt über die bürgerliche Vernunft. Der Vernunftrepublikaner, der Thomas Mann zehn Jahre lang gewesen war, mußte erkennen, daß er verloren hatte. Ein zweites Mal hatten die Mächte gesiegt, denen Thomas Mann 1914 geräuchert hatte und die ihm damals als das Lebensvolle und Geschichtsmächtige erschienen waren. „War das alles nicht 1914 schon einmal da?" fragt der Erschütterte im Tagebuch (18. März 1934). „1933" ist entstanden aus der Sehnsucht nach „1914". „Der Augenblick von damals, nachher so bitter gebüßt, war zu genußreich. Die ganze 'Revolution' galt dem Zwecke, ihn wiederherzustellen." Tatsächlich will der Reclam-Verlag die *Gedanken im Kriege* nachdrucken (Tagebuch 17. März 1934).

Aber 1914 war für Thomas Mann bei allem Pathos eine Schreibtischerfahrung gewesen. Er mußte ja gar nicht hinaus in den Krieg. Dieses Mal aber war er draußen, und die anderen, Begeisterten, waren drinnen. Vom Schreibtisch aus konnte er seinerzeit wohlfeil vom Chaos schwärmen. Jetzt aber waren ihm die Greuel auf den Leib gerückt. So nahe wollte er sie nicht haben. Nicht lustvolles Hineinstürzen ins Chaos ist deshalb seine Antwort, sondern die Verstärkung der bürgerlichen Option, Vernunft und Würde, zähe Behauptung des Kunstbaus gegen das diesen hinfegenwollende Leben.

Jenseits aller präziseren Faschismustheorien stellt Mann die Erfahrung von 1933 in sein uraltes Koordinatenkreuz ein. Seine Beschreibungen sind von Abscheu geprägt, zeichnen das Lügenhafte, das Brutale, das Dumme, immer wieder das Niedrige, billigen Trieben sich widerstandslos Hingebende. Das Untere ist nach oben gekommen. Die Nazi-Spitzen sind „Gangster unterster Sorte".[2] Hitler, „das Vieh mit seinen Hysterikerpfoten",[3] ist der Repräsentant „der ressentimentgequälten Mittelstands-Unterschicht",[4] ein hilflos bemühter Klippschüler und armer Bursche, der seine Hysterie mit Künstlertum, seine stümperhafte Angeregtheit mit Denkertum verwechselt, ein „Exponent der kleinen Mittelklasse mit Volksschulbildung, die ins Philosophieren geraten ist",[5] ein unbescheidener und unverschämter Parvenu. Der deutsche Faschismus ist „Rückfall",[6] „Zurückgehen auf frühere Zustände",[7] Rebarbarisierung und gewaltsame Vereinfachung,[8] gerichtet gegen jene Verfeinerung und Lebensschwäche, die Thomas Mann schon im *Verfall einer Familie* beschrieben hatte. Er ist die rohe Antwort auf die Dekadenz, „der Haß von Vereinfachten gegen die Nüance". Er ist Schwäche, die sich als Stärke maskiert. „Ersatz der [...] Guillotine durch 'das Beil'. Das sind Errungenschaften!"[9] Der Décadent liebt das Brutale, das hatte Nietzsche bereits behauptet.[10]

Die Überwindung der Dekadenz war auch Thomas Mann selbst immer ein Anliegen gewesen. Rückwege zum Einfachen, Naiven und Gesunden hatten stets sein Interesse gefunden, aber fast immer hatte er sie als Rückfälle entlarvt. „Wie ist das Leben stark und schön!" – das rufen die Schwachen.[11] Des Priors von San Marco Wunder der wiedergeborenen Unbefangenheit konnte so wenig überzeugen wie das Ebenmaß Gustav von Aschenbachs. Die künstliche Naivität ist immer zum Scheitern verurteilt, das ist die Lehre Thomas Manns. Sie hat sich auch im Falle des Nationalsozialismus als richtig erwiesen. Die echte Einfalt hingegen überlebt – der Fall Tony Buddenbrook, die ihr Leben lang nicht versteht, was ihr geschehen ist, aber zusammen mit der gleichgearteten Sesemi Weichbrodt das letzte Wort des Romans behält.

Die Herleitung des Faschismus aus der Dekadenzanalyse erklärt aber auch, warum Thomas Mann an einigen wenigen Stellen im Tagebuch die verhaßte Erscheinung nachzuempfinden sucht. „Ich fange an zu argwöhnen, daß der Prozeß immerhin von dem Range derer sein könnte, die ihre zwei Seiten haben ...“ (10. April 1933) „Die Revolte gegen das Jüdische hätte gewissermaßen mein Verständnis [...]“ (20. April 1933). „Aber man muß sich im klaren darüber sein, daß, staatlich-historisch genommen, die deutschen Vorgänge positiv zu werten sind.“ (12. Mai 1933) 1938 wird er einen Essay mit dem Titel *Bruder Hitler* schreiben. Sympathie dürfen wir daraus freilich nicht ablesen. Im Gegenteil: Kein Haß ist so tief wie der Bruderhaß.

Der Koffer

„Furchtbares, ja Tötliches kann geschehen.“ (30. April 1933) Ein schwerer schwarzer Handkoffer, am 10. April 1933 in München aufgegeben, kam in der Schweiz nicht an. „Der Chauffeur Hans, allmählich als Judas erkannt.“ (28. April 1933) Golo Mann erinnert sich:

In einem Brief hatte Thomas Mann mich gebeten, ihm einige Bündel von Notizen sowie eine Anzahl von Wachstuchheften, die sich da und da in seinem Arbeitszimmer befanden, in einem Handkoffer als Frachtgut nach Lugano zu schicken. „Ich rechne auf Deine Diskretion, daß Du nichts von diesen Dingen lesen wirst.“ Eine Ermahnung, die ich so ernst nahm, daß ich mich in seinem Zimmer einschloß, während ich die Papiere verpackte. Als ich mit dem Koffer heraustrat, um ihn zum Bahnhof zu bringen, stand da der treue Hans: gerne werde er mir diese lästige Arbeit abnehmen. Desto besser, warum nicht? Aber der Koffer kam nicht an und war drei Wochen später immer noch nicht angekommen; worüber mein Vater in wachsende Ungeduld, zuletzt geradezu in Verzweiflung geriet.[12]

Ob Hans die Politische Polizei davon verständigt hat oder nicht: jedenfalls hielt der Lindauer Grenzbeamte, er hieß Neeb, es für angezeigt, den Koffer zu öffnen. Er fand darin obenauf Thomas Manns Verlagsverträge, schickte sie listig nach München, um sie, der darin genannten hohen Summen wegen, der Polizei und dem Finanzamt zur Kenntnis zu bringen, wartete ihre Rücksendung ab, packte sie wieder ein und expedierte das Gepäckstück Wochen später nach Lugano weiter. Was sonst im Koffer war, der immerhin 38 Kilogramm wog, hielt er für Manuskripte von dichterischen Arbeiten. In der Tat war ja auch das Typoskript des Joseph-Romans dabei. So etwas interessierte die Behörden nicht. Sie seien gepriesen für ihre Beschränktheit! Obwohl – wir wissen in Wirklichkeit nicht, ob Grenzpolizeikommissar Neeb tatsächlich beschränkt war. Vielleicht war er auch ein nüchterner Mann, der nach Einsicht in die Papiere beschloß, dergleichen gehe die Politische Polizei nichts an, und anstelle des gesamten Inhalts nur die Verlagsverträge nach München sandte. Gleichviel. Der Koffer traf jedenfalls am 19. Mai in Bandol ein. Er schien unberührt und machte doch den Eindruck der Durchwühltheit (Tagebuch 20. Mai 1933). Thomas Mann war ganz gewaltig erleichtert.[13]

Warum die deutschen Finanzbehörden in den nächsten Monaten und Jahren so penibel hinter Thomas Mann her sind, das wissen wir nun. Aber nicht davon kamen die nervösen Erregungszustände, die den Dichter in jenen Wochen häufig heimsuchten. Nicht Verlagsverträge waren die Geheimnisse seines Lebens.

Auch Katia wußte nicht genau, was ihren Mann so abgrundtief ängstigte, ahnte höchstens Ungefähres. „Sie versteht halb und halb meine Furcht wegen des Koffer-Inhalts." (30. April 1933) Aber eben nur halb und halb. Auch sie hat nie lesen dürfen, was den Koffer brisant machte: die Tagebücher, wohl ein halbes Hundert, teils gebunden, teils schwarze Wachstuchhefte, geführt von 1896 bis Anfang 1933. In der Hand jenes Heydrich, der wie ein Bluthund auf Thomas Manns Fährte saß, hätten sie Handhaben genug gegeben, das öffentliche Ansehen des Nobelpreisträgers aufs schwerste zu schädigen, damals jedenfalls. „Furchtbares, ja Tötliches" hätte geschehen können. Heute würden wir diese Dokumente gern lesen. Wir würden besser verstehen, über welchen Abgründen der Verfolgte seinen Lebensbau errichten mußte.

Es kenne mich die Welt

Die Angst zittert lange nach. Bei erster Gelegenheit habe ihr Vater eine Menge Papier verbrannt, erzählt Erika Mann.[14] In Wirklichkeit muß das viel später und viel zögerlicher geschehen sein. Am 8. Februar 1942 existierten die Aufzeichnungen noch: „Nahm die alten Tagebücher an mich und graute mich vor ihnen." Am 20. Juni 1944 erst wird vermerkt: „Begann mit der Vernichtung alter Tagebücher." Aber das Vorhaben wurde abgebrochen. Noch einmal vergeht fast ein Jahr. „Danach alte Tagebücher vernichtet in Ausführung eines lang gehegten Vorhabens. Verbrennung im Ofen draußen." (21. Mai 1945) Zwölf Jahre noch, vielfach gefährdete Exiljahre, hat Thomas Mann die kompromittierenden Hefte mit sich herumgeschleppt. Wozu brauchte er sie? Warum überhaupt schrieb er Tagebücher?

Ich liebe es, den fliegenden Tag nach seinem sinnlichen und andeutungsweise auch nach seinem geistigen Leben und Inhalt fest zu halten, weniger zur Erinnerung und zum Wiederlesen als im Sinn der Rechenschaft, Rekapitulation, Bewußthaltung und bindenden Überwachung … (11. Februar 1934)

Die täglichen Aufzeichnungen haben Halt gegeben. In Zeiten der Bedrohung, so im Jahre 1933, werden sie besonders intensiv geführt. Sie treten sogar an die Stelle des dichterischen Werks, wenn die Lebensangst keine Weiterarbeit daran zuläßt. Er schreibt dann nicht vor dem Zubettgehen, sondern am hellichten Vormittag.

Aber Rechenschaft, Rekapitulation und bindende Überwachung: Das ist nur die sittlich korrekte Antwort, die im Ton Goethische und im Gehalt protestantische. Nicht immer ging es so vorschriftsmäßig zu. Es gibt ja auch das „Falsche, Schädliche und Kompromittierende des Tagebuchschreibens" (8. Februar 1942). Gegen geschlechtliche Attacken sollte die „gebethafte Mitteilung im Tagebuch" Schutz gewähren (31. Juli 1919).[15] „Warum schreibe ich dies alles?" fragt sich Thomas Mann im Tagebuch aus der Zeit mit Franzl. „Um es rechtzeitig vor meinem Tode zu vernichten? Oder wünsche, daß die Welt mich kenne?" (25. August 1950) Das Platensche „Es kenne mich die Welt" – das war es wohl. Er wollte verstanden werden, nicht zu Lebzeiten, das war zu gefährlich, aber irgendwann nach seinem Tode. Dann endlich sollten sie ihn lieben. Die Welt sollte wissen, warum er sich so formvollendet hatte verkleiden müssen. Die ihn für reich, verwöhnt und kalt gehalten haben, sollten ihn als Leidenden kennenlernen. Denn Leiden adelt. Friedrich Nietzsche erklärt es uns – es ist, als hätte er Thomas Mann gekannt:[16]

Der geistige Hochmut und Ekel jedes Menschen, der tief gelitten hat – es bestimmt beinahe die Rangordnung, wie *tief Menschen leiden können –, seine schaudernde Gewißheit, von der er ganz durchtränkt und gefärbt ist, vermöge seines Leidens* mehr zu wissen, *als die Klüg-*

sten und Weisesten wissen können, in vielen fernen entsetzlichen Welten bekannt und einmal „zu Hause" gewesen zu sein, von denen „ihr nichts wißt!" – – dieser geistige schweigende Hochmut des Leidenden, dieser Stolz der Auserwählten der Erkenntnis, des „Eingeweihten", des beinahe Geopferten findet alle Formen von Verkleidung nötig, um sich vor der Berührung mit zudringlichen und mitleidigen Händen und überhaupt vor allem, was nicht seinesgleichen im Schmerz ist, zu schützen. Das tiefe Leiden macht vornehm; es trennt.

Was genau 1944 und 1945 verbrannt wurde, wieviel und warum, das alles wissen wir nicht. Jedenfalls schrieb Thomas Mann weiter Tagebuch, und es gibt keinerlei Anzeichen dafür, daß er nach den Verbrennungen anders oder vorsichtiger geschrieben hätte. Daß er die Aufzeichnungen von 1918–21 bei der Verbrennung aussparte, weil er sie noch für den *Doktor Faustus* brauchte, zeigt, daß ein wenn auch untergeordnetes Motiv des Schreibens und Bewahrens auch die Werkdienlichkeit war. Immer wieder liest er im Tagebuch nach, wenn etwas zu gestalten war – meistens die Liebesgeschichten. Es kann sein, daß er das verbrannt hat, von dem er glaubte, daß es im Werk bereits ausgeschöpft und verwendet war. Es kann aber auch sein, daß er sich selbst auf die Frage Verbrennen oder Bewahren wechselnde Antworten gab, weil seine Stimmung schwankte zwischen der Angst vor den Mitlebenden und dem Werben um die Liebe der Nachwelt.

Haus, Heins, Heydrich

Hätten die Nazis gleich im Frühjahr 1933 Thomas Mann ausgebürgert, seinen Besitz beschlagnahmt und seine Bücher verboten, wäre alles viel einfacher gewesen. Es blieb aber alles in der Schwebe, die Ausbürgerung, die Rückerstattung des Besitztums, der Verkauf der Bücher in Deutschland. Es war zum Verzweifeln. Einerseits am Narrenseil der Hoffnung auf Legalisierung seiner Verhältnisse gezogen, sah sich Thomas Mann politisch zur Vorsicht genötigt. Andererseits hätte ihm aber auch eine entschiedene Kriegserklärung gegen ihn aus seiner schiefen Lage herausgeholfen. Er wartete geradezu auf eine solche, um wirksam protestieren zu können. Als sie dann endlich kam, in Gestalt der Ausbürgerung vom Dezember 1936, reagierte er sofort, deutlich und entschlossen. Den Fehdehandschuh zu einem früheren Zeitpunkt, an dem sich die Nazis noch nicht so endgültig ins Unrecht gesetzt hätten, in den Ring zu werfen, hätte möglicherweise weniger Wirkung gehabt. Man kann heute leicht fordern, er hätte sich früher und mutiger öffentlich distanzieren müssen. Aber die Lage war nicht danach. Er stolperte zwischen verfilztem Wurzelwerk herum, wo wir Spätergeborenen erst den ganzen verhexten Wald erkennen.

Das Wurzelwerk: Das war der zähe Kleinkrieg um Ausbürgerung oder Paßverlängerung, um Haus und Autos und Geld und Verlag. Wie Erika und Golo Mann, Ida Herz, Marie Kurz und andere Freunde nach und nach auf langen und gewundenen Wegen direkt oder über Deckadressen Manuskripte, Bücher, Möbel, das Grammophon, das Tafelsilber, die Kandelaber und den Schreibtisch aus München herausschaffen, das beschäftigt den Tagebuchschreiber mehr als ein Jahr.[17] Ich sehe immer weniger ein, schrieb er am 2. April 1934 an René Schickele, „wie ich dazu komme, um dieser Idioten willen von Deutschland ausgeschlossen zu sein oder ihnen auch nur meine Habe, Haus und Inventar zu überlassen. Ich stehe von dem Versuch nicht ab, diese den Münchener Rammeln aus den Händen zu winden.“ Es waren ja auch wertvolle und geliebte Familienerbstücke darunter, die Taufschale zum Beispiel. Sollte er das alles preisgeben um einer politischen Demonstration willen?

Trotzdem war längst nicht die ganze Habe zu retten. Die meisten Möbel und allerlei Kleinbesitz blieben im Haus, wurden zwangsversteigert und sind verschollen oder zerstört, anderes, vor allem die alten Manuskripte, kam zu Rechtsanwalt Valentin Heins, wo es wahrscheinlich in einer Bombennacht verbrannte – wenn es nicht vorher der Gestapo übergeben wurde.[18] Anderes (wertvolle Bücher) bewahrte der Freund Hans Feist, bei dem es beschlagnahmt wurde und sich, nachdem ein Beamter einfach seinen eigenen Namen hineingeschrieben hatte,[19] in alle Winde zerstreute. Wieder andere Bücher übergab die Politische Polizei der Münchener Stadtbibliothek, die sie 1949 zurückerstattete.[20] Daß die beiden Automobile, „eine Horch-Limousine und ein Buick-Phaeton“, und auch Golos DKW, ohne jede Rechtsgrundlage aus der Garage geholt wurden – „nicht etwa, um sichergestellt, sondern einfach, um fortan von der Münchener SA gefahren und aufgebraucht zu werden“[21] –, dabei blieb es trotz ausführlicher Beschwerden beim Reichsinnenminister.

Durch die Reichsfluchtsteuer, durch Beschlagnahmungen seiner Konten und durch andere Exilierungskosten hat Thomas Mann gewiß die Hälfte seines Vermögens eingebüßt.[22] Auch das war im einzelnen ein Vorgang mit Winkelzügen ohne Zahl. Der deutsche Amtsschimmel arbeitete mit zäher Perfektion. Die Münchener Politische Polizei verlangte fünftausend Reichsmark für ihre „Verwaltungstätigkeit".[23]

Trotz allem ging es der Familie auch im Exil nicht schlecht. Die Angst vor Deklassierung überfällt Thomas Mann am 3. Mai 1933 im Baseler Hotel Drei Könige, dem teuersten Haus der Stadt, wo ein Bier so viel kostet wie um die Ecke ein Glas Champagner. Er hatte einiges Geld in der Schweiz deponiert, den halben Nobelpreis zum Beispiel, der 200 000 Reichsmark eingebracht hatte. Golo Mann hatte noch rechtzeitig 60 000 Reichsmark abheben können, die über die französische Botschaft aus Deutschland herausgebracht wurden. Gottfried Bermann Fischer zahlte weiter gut und pünktlich, und auch die Auslandseinkünfte flossen weiter. Von einer materiellen Bedrohung konnte keine Rede sein. Recht bald kam alles wieder zusammen, eine Villa, wenn auch gemietet, ein Auto (ein Fiat, „da ich zu dieser Marke, die unsere erste war, Vertrauen habe"[24]), ferner Mouche und Bill, zwei Hunde. Letzterer allerdings war ein Tunichtgut. „'Bill' hat Kinder gebissen, wird abgeschafft." (29. August 1935)

Immer wieder sah es so aus, als sei der Besitz in der Poschingerstraße zu retten. Katia rät zwar schon am 28. April 1933, auf Haus und Vermögen innerlich zu verzichten. Aber warum eigentlich? Die Villa war in den ersten Monaten noch ohne weiteres zugänglich, weder bewacht noch verplombt oder versiegelt. Die Manns konnten sie sogar vermieten, am 24. Juni 1933 an eine amerikanische Familie für 600 Mark monatlich. Freilich ist „gefährliche Wut der Mieterin" bezeugt, als die Hausdame Marie Kurz zahlreiche Kisten mit Büchern und Porzellan verpackt (11. August 1933).

Endgültig und wirksam beschlagnahmt wird das Haus erst am 25. August 1933. Rechtsanwalt Heins beschäftigt sich mit dem Fall, macht Eingabe um Eingabe, nährt Hoffnungen fast zwei Jahre lang, obgleich das Haus inzwischen von der Politischen Polizei weitervermietet wird. Die Angelegenheit zieht sich hin. Thomas Mann glaubt längst nicht mehr daran – als es, mit Datum vom 27. Mai 1935, tatsächlich zum Freigabebeschluß kommt! Der Reichsinnenminister Wilhelm Frick schreibt an das Bayerische Ministerium des Innern:[25]

Ich sehe deshalb davon ab, Thomas Mann der deutschen Staatsangehörigkeit für verlustig zu erklären. Ich ersuche ergebenst, die von der bayerischen Politischen Polizei ausgesprochene Beschlagnahme von Vermögensstücken Manns aufzuheben und über das Veranlaßte innerhalb zwei Wochen zu berichten.

Das sieht nach einem Sieg aus, doch bleibt er ohne die erhofften Konsequenzen. Denn wieder vergehen die Wochen. Heins schreibt zunächst von Verschleppung der Angelegenheit.[26] Am 4. September aber, als man schon feiern möchte, kommt die Wahrheit an den Tag.

Zu Hause, vorm Abendessen, dramatisch hereinplatzender Telephonanruf von Heinsens Sozius Bumann: Die Beschlagnahme der Habe sei auf Berliner Weisung erneuert, der Ausbürgerungsantrag werde dort neuerdings geprüft. Heins sehr niedergeschlagen von der Nachricht, die meinen Vermutungen und dem Bilde, das ich mir in den letzten Wochen von der Lage gemacht hatte, entspricht. Enttäuscht bin auch ich, denn die Rettung der Habe hätte mir Freude gemacht. Sie ist nun unwahrscheinlich geworden (die Einziehung kann einfach vonseiten des Landes Bayern, auch ohne Ausbürgerung erfolgen), und mein Hauptwunsch ist, daß Bermann endlich außer Landes gehen möge, damit ich Unabhängigkeit gewinne, – die freilich solange nicht vollständig wäre, als meine Bücher noch nach Deutschland Eingang finden sollen.

Auf Berliner Weisung? Aber die Berliner hatten Thomas Mann doch bisher vor den Münchener Räubern zu schützen versucht? Frick hatte nicht mit der Hartnäckigkeit Heydrichs gerechnet. Woher dessen konsequenter Haß kam, ist ungeklärt. Offenkundig betrachtete er den Fall Thomas Mann als höchstpersönliche Angelegenheit. Er war inzwischen nach Berlin versetzt worden und dort die rechte Hand des Stellvertretenden Preußischen Gestapochefs Heinrich Himmler. In dessen Namen unterzeichnete er am 19. Juli 1935 den erneuten Ausbürgerungsantrag.[27] Er wiederholte und vertiefte sein Gesuch am 25. März 1936 und führte es schließlich, nachdem Adolf Hitler selbst sich befürwortend ausgesprochen hatte, im Dezember 1936 zum Erfolg. Das Haus in der Poschingerstraße wurde 1937 der Stiftung „Lebensborn" zur Verfügung gestellt, die sich die Züchtung rassereiner Arier zum Ziel gemacht hatte.[28] Himmler selbst soll einmal dort gewohnt haben,[29] heidnische Taufen soll es gegeben haben.[30] Der berühmte Vorbesitzer dürfte den Rassereinen als Jude gegolten haben. 1940 wurde das Haus in Mietwohnungen aufgeteilt, 1944 von Fliegerbomben getroffen. Auf den alten Grundmauern wurde 1957 ein Neubau errichtet.

Ein Entschädigungsverfahren (Haus- und Vermögensverluste) endete im gleichen Jahr mit einer Zahlung von 2399 DM an Katia Mann als Erbin. „Das deutsche Volk ist ein anständiges, das Recht und die Sauberkeit liebendes Volk. 'Rechtlich' ist das Wort, das seine Dichter mit Vorliebe auf seine Gesinnung anwenden."[31]

Woher der Haß?

Seine *Buddenbrooks* galten als nationales Buch, er hatte 1914 mit den Deutschen gejubelt, im Kriege die *Betrachtungen eines Unpolitischen* geschrieben und danach so manches gedacht und gesagt, was dem nationalen Sozialismus gefallen konnte. Hätte er nicht im Reiche bleiben können wie Gerhart Hauptmann, hätten seine Bücher nicht dort weiterhin geehrt werden können wie die von Hermann Hesse? Viele dachten so in Hitlers Deutschland, aber nicht genug. Die Haßgefühle gegen Thomas Mann haben viele Quellen. Man nennt ihn jüdisch, marxistisch, intellektualistisch, dekadent, einen Snob, einen kalten Macher. Das Sammelwort dafür ist: undeutsch. Alles, was sie selber waren und doch nicht sein zu sollen glaubten, verfolgten die Deutschen in Thomas Mann. Er war der Sündenbock, der stellvertretend in die Wüste geschickt wurde. Mit diesem „Opfer" glaubten sie sich zu reinigen. Sie verbannten einen Teil von sich selbst, den dekadenten, der ihr menschlichster war.

Am Anfang der Austreibung steht nicht zufällig Richard Wagner, der Prototyp des dekadenten Künstlers. Der *Protest der Richard-Wagner-Stadt München* (April 1933) macht dem undeutschen Snob Thomas Mann das „Recht auf Kritik wertbeständiger deutscher Geistesriesen" streitig.[32] Die den „Protest" unterzeichneten, ein halbes Hundert Münchener Kultur-Honoratioren, darunter Hans Knappertsbusch, Hans Pfitzner, Richard Strauß, Siegmund von Hausegger und Olaf Gulbransson, hatten zum Teil bisher als Kollegen, zeitweise fast als Freunde gegolten. Sie ahnten wahrscheinlich nicht oder nur halb und halb, daß ihr „Protest" die Politische Polizei auf den Plan rufen würde, daß der Schutzhaftbefehl, die Beschlagnahmungen, die Verweigerung der Paßverlängerung seine unmittelbare Folge sein würden. Sie hatten ein Verbrechen auf ihren Hals geladen. Knappertsbusch und Gulbransson bereuten dies bald, jedenfalls vermerkt das Tagebuch Informationen dieser Art. Pfitzner hingegen insistierte, ebenso Hausegger. Dieser beschwerte sich über das „Zurückführen des künstlerischen Schaffens auf niedrige Instinkte".[33] Er zitierte als Beispiel Manns Sätze: „Die Psychoanalyse will wissen, daß die Liebe sich aus lauter Perversitäten zusammensetze. Darum bleibt sie doch die Liebe, das göttlichste Phänomen der Welt. Nun denn, das Genie Richard Wagners setzt sich aus lauter Dilettantismen zusammen." Hausegger wünscht sich statt dessen, daß die Kunst nicht die Ausgeburt krankhafter Überreizung sei, sondern „die schöpferische Urkraft des menschlichen Geistes [...], die uns aus dem tierisch-triebhaften Zustand in die Freiheit im Kantschen Sinne erhebt." Er will die Kunst sauber und geistig, nicht tierisch und triebhaft. Das hört sich gut an, ist aber natürlich nicht wahr. Thomas Mann wird bekämpft, weil er den Sauberkeitsaposteln ihre Verdrängungen demonstriert. Das aus dem eigenen Ich Verdrängte kehrt wieder als Verbrechen an anderen. So kam es, daß Thomas Mann, indem er ausgetrieben wurde, die Sünde des deutschen Volkes zu tragen hatte.

Die Begeisterung von 1933 hatte den Deutschen das schöne Gefühl vermittelt, sie seien Gläubige. Ihr Leben schien einen Sinn zu haben. Nun kam da einer und zweifelte, ein Literat, ein „impotenter Ästhetiker",[34] dessen *Zauberberg* „mit eisgekühltem Intellekt hingeschrieben, ersonnen und konstruiert, in keiner Phase aber gefühlt, erlebt und erkämpft" war,[35] eines jener glaubens- und ziellosen, jener „erneuerungs- und verjüngungsunfähigen Elemente", die sich in die Schweiz zurückgezogen hatten, wo das dekadente Europa über eine letzte Bleibe verfügte.[36] „Nie haben Sie uns einen Weg weisen, nie uns einen Glauben an Volk und Gott vorleben können!" klagte Karl Justus Obenauer, Germanist und hoher SS-Offizier.[37] Glauben ist aber ein anderes als Glaubenwollen. Der nationalsozialistische Glaube mußte verdrängen, was ihm entgegenstand. Aus der tiefen Angst vor dem Nihilismus entstand die blinde Glaubenssucht, die Hitler auszunützen verstand. Vor Thomas Manns ironischem Auge aber hielt kein Pathos stand und schon gar kein falsches. Er hatte ja alles schon durchgemacht. Der Haß auf ihn ist Bruderhaß. Er gilt dem Abtrünnigen des eigenen Glaubens.

Einsam ragend

Warum ihm die Galeere, während andere leer ausgingen? Warum konnte Gerhart Hauptmann, „diese Attrappe",[38] bleiben und das

Hakenkreuz hissen, während den *Zauberberg*-Autor seine geistige Würde zum Märtyrertum berief? Für das er doch gar nicht geboren war! Sein Inneres war von Widerstand, ja von Ekel erfüllt gegen das Exil. Er war doch ein Goethe, und der mußte nie aus der Heimat fort! War nicht sein Münchener Haus wie das am Frauenplan gewesen? „Daß ich aus dieser Existenz hinausgedrängt worden, ist ein schwerer Stil- und Schicksalsfehler meines Lebens, mit dem ich, wie es scheint, umsonst fertig zu werden suche."[39] Ein Stilfehler: Das Leben als schöne Komposition war bedroht. Ein Schicksalsfehler: Er war doch ein Sonntagskind, kein Zigeuner im grünen Wagen. „Die innere Ablehnung des Märtyrertums, die Empfindung seiner persönlichen Unzukömmlichkeit kehrt immer wieder."

Das große Wort „Märtyrer" – man kann immer sagen, so schlimm war es doch nicht. Äußerlich gewiß nicht. Als Haus und Hof und Hund so einigermaßen wieder beisammen waren, kam sogar ein diebisches Vergnügen darüber auf, daß die Münchener nicht hatten verhindern können, „daß wir in der Freiheit in einem schönen Hause leben, daß wir nach Amerika fahren, auch ohne Paß etc." (27. April 1934). Innerlich aber war alles labil. Erregungszustände, Fassungsverlust, Weinkrämpfe, Beklemmungen und Depressionen suchen den aus der Bahn Geworfenen immer wieder heim. „Quälende, tief niedergedrückte und hoffnungslose Zustände, schwer zu ertragen, eine Art seelischer Wurzelhautentzündung, kommen, nach Aufhellungen, immer wieder." (4. November 1933) Hoher Tablettenverbrauch ist die Folge. Er kann sich nicht entscheiden zwischen Trotz und Ergebung. Er weiß nicht wohin. Nizza, Zürich, Basel, Wien, Prag werden diskutiert. Die Irregularität strapaziert die Nerven. Wäre es nicht am besten gewesen, im Frieden aus dem Lande zu gehen (31. Mai 1933), legal auszureisen (16. März 1934)? „Die friedliche Loslösung von Deutschland, die Rückgabe des Meinen, die Überführung des Inventars in das Zürcher Haus würde meiner Beruhigung großen Vorschub leisten." (28. Februar 1934) Sollte er nicht am besten wieder nach München gehen? „Schließlich brauchte man sich nicht zu benehmen wie Hauptmann und Strauss, sondern könnte eine ernste und jedes Hervortreten ablehnende Isolierung bewahren." (20. November 1933) Aber, „das ist meiner Vernunft klar", die Rückkehr ist ausgeschlossen, unmöglich, absurd, unsinnig und voll wüster Gefahren für Freiheit und Leben (20. Juli 1933). Die Furcht wird genährt von Terrornachrichten. Ihm graut vor Erniedrigung, vor Gefängnishöfen, Drillichanzügen, Prügeln, Dreck. „Wird mein Ende elend sein?"

(25. September 1933) Die Vorstellung, in die schmutzigen Hände der Menschen zu fallen, die Theodor Lessing und Erich Mühsam auf dem Gewissen haben, weckt seine ältesten Ängste, reißt sogar seine Mitmenschlichkeit nieder. Ein solcher Tod mag einem Lessing anstehen, aber doch nicht mir (1. September 1933). Sein Grauen schreibt das, nicht er selbst.

Er scheut sich lange, das Tischtuch zu zerschneiden und sich von Deutschland auszuschließen.[40] „Ich würde es für einen Fehler der deutschen Machthaber halten, wenn sie mich durch die Forderung unmöglicher Bekenntnisse ins Emigrantenlager drängten."[41] Er will nicht wahrhaben, daß er in diesem Lager schon ist. Er gerät in eine schiefe Lage, unweigerlich. Er fände es irgendwie schön, wenn die Nazis ihn zurückrufen würden. Man müßte ja dem Ruf nicht folgen. „Ich weiß, daß in Berlin Bedauern über mein Außensein besteht; ich will es nähren u. zum Sprechen bringen, vielleicht eine Aktion im Sinne meiner Rückkehr hervorrufen, die Münchner Ochsen desavouieren."[42] Im nachhinein betrachtet ist das eine ziemlich verrückte Idee. Das einzige, was sie zur Folge hat, ist Enttäuschung, ja Verbitterung der Mitemigranten, denen Thomas Mann lange die Solidarität verweigert. Ich bin keiner wie die sonst draußen, schreit es in ihm, kein Jude, kein Kommunist, kein Asphaltliterat. Ich will nicht, daß die jetzt meine Nächsten sind! Ich bin kein Undeutscher. Ich bin einmalig, mit niemandem zu verwechseln! Meine Stellung ist singulär,[43] ich muß einen Weg finden *zwischen* der hysterischen Gekränktheit der Emigranten und den Mitmachern in Deutschland,[44] muß mich fernhalten von der Ressentiment- und Verzweiflungsliteratur, bin nicht geschaffen, mich im Haß zu verzehren.[45]

Die panische Angst um seine seelische Balance macht ihn blind gegenüber den Leiden der Mitexilierten. Die tiefe Kränkung preßt Ungeheuerlichkeiten aus ihm heraus. Gewaltiges Leiden braucht gewaltige Tröstungen. Weil er sich mindestens so tief gedemütigt fühlt wie Jaakob, nachdem ihn der Knabe Eliphas verbläut hat, träumt auch er einen grandiosen Haupterhebungstraum. War er nicht der letzte Überlebende einer höheren Epoche? Während das Niveau der Zeit sinkt und sinkt, steigt das seine. „Moralisch und kulturell gewinnt meinesgleichen bei zunehmender Applanierung etwas einsam Ragendes." (31. Januar 1935) Er gipfelt sich auf. „Gefühl von Genie." (15. Februar 1935)

Die große Enttäuschung

Der einsam Ragende hat sich zu einer Entscheidung gegen seinen eigenen Sohn zwingen lassen. „Auf wen können wir rechnen", schrieb Klaus Mann an Stefan Zweig am 15. September 1933, „wenn alle die, auf die wir am meisten vertraut haben, uns sitzen lassen, aus Rücksicht auf einen 'deutschen Markt'?"[46] Thomas Mann sorgte sich um das Erscheinen des Joseph-Romans. Klaus mahnt: „Einem Land, das man mit Abscheu verläßt, vertraut man doch nicht sein schönstes Gut an."[47] Er sieht keinerlei Chancen für des Vaters Verlag. „Die Situation von Fischer ist völlig hoffnungslos; entweder er muß sich noch radikaler gleichschalten, oder er wird glatt vernichtet." Die Sache lief dann zwar etwas anders, der Verlag konnte emigrieren, aber im Prinzipiellen behielt Klaus recht, Kompromisse waren auf die Dauer nicht möglich.

Bei Querido in Amsterdam war im September 1933 das erste Heft der von Klaus Mann herausgegebenen Zeitschrift *Die Sammlung* erschienen. Zwar als Literaturzeitschrift konzipiert, machte das Blatt doch von Anfang an deutlich, daß es der Literatur eine politische Sendung beimaß. Eine Notiz im ersten Heft nannte den Namen Thomas Manns unter denen, die ihre Mitarbeit zugesagt hätten. Dem war es recht. „Gegen mein Figurieren auf euerer Liste (der Prospekt war ja recht lecker) habe ich garnichts."[48] Er kündigte sogar einen Beitrag an, über den tapferen Theologen Karl Barth („man wundert sich, daß der Mann noch auf freiem Fuße ist").[49] Aber Gottfried Bermann Fischer war hell entsetzt, als er das erste Sammlungs-Heft zu Gesicht bekam. Er verlangte und erhielt von Thomas Mann ein vage distanzierendes Telegramm, „mit dem ich mir nichts vergebe" (Tagebuch 6. September 1933). Bermann war das aber nicht genug. „Empörende Erpressung", notiert Mann zornig (12. September 1933), schickt aber dann ein schärferes Telegramm, „mit dem ich mir schon viel vergebe, und das dabei nicht genügen wird". Er schreibt einen Brief an Klaus, in dem er sich und Bermann verteidigt.[50] Man sei weit auseinander. Die drinnen hätten ganz andere Maßstäbe als die draußen, „und von diesen wieder leben die, die alle Brücken hinter sich abgebrochen haben, in einer anderen Welt, als die, die das nicht tun konnten". Bermann wolle mit dem Joseph-Roman einen Versuch machen, was er in Deutschland noch ausrichten könne. Es gebe im Reich viele Trotzige und Sehnsüchtige. Die Vorbestellungen gingen in die Tausende.

Ich bilde mir keine Schwachheiten ein; aber die Neugier, wie der Versuch verlaufen wird, ist berechtigt und nicht jede Rücksichtnahme auf ihn sinn- und ehrlos. Wenn es gelingt, wenn das Publikum in Deutschland diesem Buch, dem Werk eines Verfehmten und einem schon stofflich opponierenden Werk einen Erfolg bereitet, ohne daß die Machthaber es daran zu hindern wagen, – man muß zugeben, daß das viel richtiger und lustiger, für die Machthaber viel ärgerlicher, ein eklatanterer Sieg über sie wäre als ein ganzer Stoß Emigranten-Polemik.

Daß er *Die Sammlung* im Fach „Emigranten-Polemik“ ablegt, läßt seine damaligen Wertungen klar erkennen. Er hoffe auf Nachsicht „bei euch stolzen Anti-Opportunisten“. Klaus gewährte sie. Die damals noch nicht Geborenen aber runzeln die Stirn.

Bermann hatte das Telegramm (und ähnliche Erklärungen von René Schickele, Stefan Zweig und Alfred Döblin) zu diesem Zeitpunkt noch nicht öffentlich verwendet. Als aber am 10. Oktober im gleichgeschalteten *Börsenblatt für den deutschen Buchhandel* eine Warnung vor der *Sammlung* gedruckt wurde, sah er sich genötigt, zum Schutz seines Verlages den Behörden eine Mitteilung des Sinnes zu machen, daß seine Autoren über den Charakter der Zeitschrift getäuscht worden seien und jede Gemeinschaft mit ihr ablehnten. Als Beweisstücke gab er die Telegramme preis. Das alles wurde im *Börsenblatt* publiziert und mußte als erste öffentliche Stellungnahme Thomas Manns zum Hitlerstaat erscheinen. Er wußte, daß das nicht gut war. „Klaus telephonierte aus Amsterdam, wo ebenfalls die Nachricht aus Deutschland schon verbreitet. Bereitet auf Gegenerklärung Queridos vor, die ich natürlich finde.“ (14. Oktober 1933)

Klaus seinerseits, bei aller Enttäuschung, reagiert besonnen, vermeidet jedenfalls den Bruch mit dem Vater. „Trauer und Verwirrung“ ist seine erste Reaktion im Tagebuch[51] (15. September), später häuft sich das Wort „bitter“. Er ärgert sich viel mehr über Bermann, Döblin, Schickele und Zweig, auch über Musil („Einschreibebrief von Robert Musil, dass er leider *gezwungen* sei, Mitarbeiterschaft zurückzuziehen“, 24. Oktober), als über seinen Vater, mit dem er mehrere Aussprachen hat. Tapfer führt er die Zeitschrift weiter.

Anfang Dezember kommt es wegen einer anderen Sache zu einem erregten Wortwechsel. Klaus Mann notiert, sein Vater stehe vor der Frage, ob er in den Reichsverband deutscher Schriftsteller (der inzwischen in der Reichsschrifttumskammer aufgegangen war) eintreten solle. „Er wird es schon tun. Jammers genug." (7. Dezember) Er traut dem Vater nicht mehr viel zu. Einen Tag später scheint ihn die Probe aufs Exempel zu bestätigen. „Krach mit Zauberer, weil ich ihn auf die Statuten der deutschen Organisation aufmerksam machte. Sein Nicht-hören-Wollen, Nicht-wissen-Wollen, Flucht in die Gereiztheit." Einen heftigen Wortwechsel „wegen der geforderten Anmeldung bei der Berliner Zwangsorganisation" bestätigt auch des Vaters tägliche Aufzeichnung (8. Dezember), – „die ich zu vollziehen gedenke", setzt er trotzig hinzu, „ohne mich um die Formulare und ihre Bedingungen zu kümmern". Er versucht, seine Ehre zu retten, und schickt Hans Friedrich Blunck, dem damaligen Präsidenten der Reichsschrifttumskammer, den folgenden hochgemuten Text:[52]

Als Ehrenmitglied des im Reichsverbande aufgegangenen S.D.S. [Schutzverband Deutscher Schriftsteller] darf ich wohl annehmen, daß man mich und mein Werk nach wie vor als zum deutschen Schrifttum gehörig betrachtet und hoffe, daß es weiterer Formalitäten in meinem Falle nicht bedarf.

Hierin irrte er. Am 22. Dezember kamen die Formulare mit der Erklärung, sie müßten unterschrieben werden. „Das werde ich nicht tun", schreibt der Gepeinigte nun entschieden ins Tagebuch, „und also ist es wohl der Bruch und das Ende." Bis zum Ende dauerte es zwar noch, weil der halbwegs wohlwollende Blunck nicht insistierte, aber die Einwände von Klaus, von Erika, von Golo, von Katia, die alle mit dem Familienoberhaupt unzufrieden waren, hatten doch Wirkungen gezeitigt und seinem eigenen besseren Wissen zum Durchbruch verholfen, wenn auch vorerst nur bei einem nichtöffentlichen Vorgang.

Das Politicum

Was die Öffentlichkeit betrifft, entscheidet er sich erst einmal für Don Quijote. Drei Jahre lang will er immer wieder etwas gegen die Nazis schreiben und läßt es immer wieder bleiben. „Gestern Abend war ich erregt und verstimmt, da K. andeutete, daß auch Golo, wie seine Geschwister, eine Äußerung von mir gegen das Hitler-Deutschland herbeisehne." (11. September 1933) „Mich beschäftigt dieser Tage wieder der Gedanke einer Äußerung in Gestalt einer ruhig-ernsten Warnung an Deutschland [...] Aber der natürlichen Trägheit kommt eine allgemeine Lähmung zu Hülfe, deren ganze Natur schwer zu ergründen ist." (10. November 1933) „Gespräch mit Reisiger über die lähmenden Hemmungen, die einer literarischen Auseinandersetzung mit den deutschen Verbrechen entgegenstehen, u. unter denen Grauen und Verachtung eine große Rolle spielen. Es widersteht mir ja schon, den Namen des 'historisch' gewordenen, erfolgverklärten Popanzes überhaupt in den Mund zu nehmen. Und wie sich auseinandersetzen mit den steinernen Stehsärgen des Konzentrationslagers Oranienburg?" (11. Februar 1934)

Am 31. Juli 1934 hatte er sich wieder einmal entschlossen, seine Seele zu waschen und in einem Offenen Brief an die *Times* die Welt und England zu beschwören, „ein Ende zu machen mit dem Schand-Regime in Berlin". Auch Katia hatte wieder eine befreiende Äußerung gegen die deutschen Greuel gewünscht, um der Halbheit, der Abhängigkeit, dem unwürdigen An-der-Nase-Herumgeführtwerden ein Ende zu machen (5. August 1934). Aber schon am 11. August räumt er das „Material zum Politicum" wieder beiseite und beginnt mit der Arbeit an einem Feuilletonbeitrag *Meerfahrt mit Don Quijote.* Das Politicum läßt ihm freilich keine Ruhe, vom 17. bis zum 28. August hat es wieder die Nase vorn. Am 30. August fällt endgültig die Entscheidung für Don Quijote. Aber das Gewissen gibt keine Ruhe. „Ich schäme mich zuweilen, daß ich Allotria treibe." (2. September 1934)

Das Hin und Her geht weiter. Am 19. April 1935 plant er erneut ein „Politicum", „ein Sendschreiben oder Memorandum an das deutsche Volk, worin die Gefühle der Welt ihm gegenüber erläutert und es vor dem Schicksal des inimicus generis humani [Feindes des Menschengeschlechts] auf eine warme, wahrhafte Weise gewarnt werden müßte. Es handelt sich abermals um die politische Seelenrettung, deren rechte und angemessene Form ich beständig suche."

Er wäre gern mutiger gewesen und wurde allmählich mutiger. Im März 1935 schrieb er für die Tagung eines Völkerbund-Komitees die Rede *Achtung, Europa!* In der Handschrift trägt sie den Titel *Offene Worte* und schließt mit einem Appell an die Willenskraft, an „den Mut zu einem Ja und einem Nein – diesen Mut, aus dem allein in einer Welt der Verwirrung und Verirrung geistige Autorität zu erwachsen vermag."[53] Aber er selbst hatte diesen Mut noch nicht. Die Schlußpassage blieb im Druck der Rede weg. Die Tagung sollte Anfang April 1935 in Nizza stattfinden. Auf Druck seines Verlegers, der Belastungen im Verhältnis zur deutschen Regierung fürchtete, sagte Thomas Mann seine Teilnahme ab. Bermann hatte behauptet, gerade jetzt stehe in Berlin alles zum besten für ihn, seine Habe solle in vierzehn Tagen freigegeben werden, es gebe Zusicherungen vom Propagandaministerium, die *Frankfurter Zeitung* wolle gar etwas aus seinem Essayband abdrucken (26.–28. März 1935). Thomas Mann fügte sich noch einmal, aber der Wunsch verstärkte sich in diesen Tagen, das Tischtuch zu zerschneiden. „Es ist zu hoffen und zu erwarten, daß auch mit Bermann bald Schluß sein wird und daß schon der Essayband [*Leiden und Größe der Meister*] nicht mehr dort erscheint." (23. März 1935) Erika hätte sich gefreut. Sie war von Anfang an gegen Bermann und wollte den Vater zu Querido führen.

Aber auch Gottfried Bermann Fischer war in keiner einfachen Lage. Er gab sich zwar im Frühjahr 1935 noch optimistisch, aber auch er erkannte allmählich, daß von diesem Staat für den renommierten Verlag des Juden Samuel Fischer auf die Dauer nichts zu erwarten war. Bereits vom Sommer 1935 an unternahm er energische Schritte zur Emigration der Firma. Er erreichte schließlich im April 1936 die legale Verlegung der unerwünschten Teile, darunter der Werke von Thomas Mann und Stefan Zweig, nach Wien, unter Zurücklassung der erlaubten, darunter Hermann Hesse und Gerhart Hauptmann. Durch diese Teilung wich das unerträglich gewordene Zwielicht. Auch von Thomas Mann wurde ein Druck genommen. Bisher hing von seinen Entscheidungen immer auch das Schicksal des ganzen Verlages ab. Eine Erklärung gegen das Regime in Deutschland hätte immer auch den Verlag in Gefahr gebracht. Bedenkt man all die Zwänge, unter denen Thomas Mann stand, all die schwebenden Verfahren und Vorgänge der Jahre von Anfang 1933 bis Anfang 1936, dann wird sein Verhalten verständlich. Er war gefesselt und gelähmt aus vielen Gründen. Er mußte auf zu vieles Rücksicht nehmen. Daß ihm das ersehnte „Politicum" unter diesen Umständen nicht glücken wollte, ist einsichtig. Er war nicht frei genug dafür. Es wäre wahrscheinlich nicht gut geworden, hätte er es sich verfrüht abgenötigt. Erst als er auf Haus und Geld und Paß zu verzichten bereit war, als Bermanns Emigration beschlossen war, als er gelernt hatte, ohne den deutschen Markt zu leben, als er innerlich zum Emigranten geworden war, konnte ein souveränes und mutiges Dokument entstehen.

Die Befreiung

„Sie hielt gewaltig schwer, die Befreiung aus den Banden, die ihn umstrickten und niederhalten wollten; allein der Antrieb, den er sich zu schaffen gewußt, war stärker.“[54] Wieder einmal war eine Wandlung fällig. Dieses Mal war es nicht Klaus, der den Vater ermahnte, dieses Mal war es die Tochter Erika. Leicht war es nicht, es war vielmehr ein Kampf wie der Davids gegen Goliath, aber Erika traf auf eine glücklichere Stunde als Klaus. In der Pariser Emigrantenzeitschrift *Das neue Tage-Buch* war Gottfried Bermann Fischer im Januar 1936 von Leopold Schwarzschild als „Schutzjude des nationalsozialistischen Buchhandels“ bezeichnet worden. Thomas Mann protestierte dagegen in der *Neuen Zürcher Zeitung.*[55] Erika schrieb ihm daraufhin einen erbitterten, aber klugen und rührenden Brief:[56]

Doktor Bermann ist, soviel ich weiß, die erste Persönlichkeit, der, seit Ausbruch des dritten Reiches, Deiner Auffassung nach, Unrecht geschieht, zu deren Gunsten Du Dich öffentlich äußerst. Für niemanden sonst hast Du es bisher getan. [...] Als Resumée bleibt: das erste Wort „für“ aus Deinem Munde fällt für Doktor Bermann, – das erste Wort „gegen“, – Dein erster officieller „Protest“ seit Beginn des dritten Reiches richtet sich gegen Schwarzschild und das „Tagebuch“ (in der N.Z.Z.!!!) [...]

Deine Beziehung zu Doktor Bermann und seinem Haus ist unverwüstlich, – Du scheinst bereit, ihr alle Opfer zu bringen. Falls es ein Opfer für Dich bedeutet, daß ich Dir mählich, aber sicher, abhanden komme, – leg es zu dem übrigen. Für mich ist es traurig und schrecklich.

Ich bin
Dein Kind E.

Erst reagiert die Mutter, Katia Mann, und bringt Richtigstellendes, Erklärendes und Bedenkenswertes vor, aus dem man noch einmal die unerhörte Verwickeltheit der ganzen Situation erkennen kann. Sie wendet sich vor allem gegen den Anschein, Bermanns ausländische Gründung sei Goebbels-hörig und könne im Grunde nur emigrantenfeindlich sein. Dazu kommt Seelisches. Katia verteidigt ihren Tommy, den Zauberer. „Du bist, außer mir und Medi, der einzige Mensch, an dem Z.s Herz ganz wirklich hängt, und Dein Brief hat ihn sehr gekränkt und geschmerzt.“ Daß Erika geradezu mit dem

Vater zu brechen droht, findet sie nicht akzeptabel. „Und für mich, die ich doch nun einmal sein Zubehör bin, ist es auch recht hart."

Auch der Vater antwortet, selbstbewußt. „Schrieb den 12 Seiten langen Brief an Eri zu Ende, für sie und die Nachwelt." (24. Januar 1936) Neben dem, was er sachlich zur Verteidigung Bermanns und zur Kritik an Schwarzschild vorzubringen hat, steht wieder das Persönliche. Er glaubt nicht, daß Erika ihm ihre Liebe werde entziehen können. „Ich bin deswegen ziemlich getrost. Zum Sich überwerfen gehören gewissermaßen Zwei, und mir scheint, mein Gefühl für Dich läßt dergleichen garnicht zu. Wenn ich denke, wie Du manchmal gelacht und Thränen in den Augen gehabt hast, wenn ich euch vorlas [...] Du bist viel zu sehr mein Kind Eri, auch noch in Deinem Zorn auf mich [...] So kommt im Grunde auch Dein Zorn auf mich kindlich von mir her; er ist sozusagen die Objektivierung meiner eigenen Skrupel und Zweifel."

Das war die Wahrheit. Der Brief deutet das bereits an, „was ich um meines Gewissens und Deines Zornes willen wohl werde tun müssen", ein klares Bekenntnis zur Emigration nämlich. Er erwähnt, daß dazu in seinem Falle eine fast tödliche Bereitschaft gehöre. Erika schreibt zurück, unerbittlich in der Sache, stellenweise hart und böse. „Ich verkenne nicht das kotelettbrötchenhafte Deiner Einstellung", höhnt sie schneidend. Einen feinen, exquisiten Extraverlag wolle der Vater gern haben, lieber im Beinahe-Schmutz eines halbgleichgeschalteten Pseudo-Emigrantenverlages publizieren als mit Krethi und Plethi in einem eindeutigen Emigrantenverlag sitzen.

Dieser Brief ist zu lang, es ist drei in der Nacht und ich fürchte, die Töne nicht gefunden zu haben, die zu Dir dringen. Laß mich noch einmal bitten: Überlege es Dir. Vernichte nicht den unzarten Schwarzschild mit einer fürchterlichen Erwiderung in der N.Z.Z., – denk an die Verantwortung, die Dich trifft, wenn Du, nach dreijähriger Zurückhaltung, als erstes Aktivum die Zertrümmerung der Emigration und ihrer bescheidenen Einheit auf Dein Conto buchst, – und an das Schauspiel, das wir „drinnen" bieten. Ich bitte Dich sehr, –
Recht sehr:
E.

Du hast recht: dies alles tut meiner Zugehörigkeit zu Dir im Grunde keinen Abbruch, das aber eben macht das Ganze nur unleidlicher.

Ob das Thomas Mann überzeugt hat? „Geplant ein Offener Brief an

Korrodi; K. verfaßte vormittags Entwurf dazu." (27. Januar) Die Lage hatte sich inzwischen noch zugespitzt. Schwarzschild hatte geschrieben, die deutsche Literatur sei nahezu komplett ins Ausland abgewandert. Eduard Korrodi, der Feuilletonredakteur der *Neuen Zürcher Zeitung*, hatte geantwortet, Schwarzschild verwechsle die deutsche Literatur mit der jüdischen, und auf Thomas Mann verwiesen, dessen Werke noch in Deutschland verlegt würden. Damit hatte Korrodi einen dicken Keil zwischen Thomas Mann und die Emigration getrieben. Dagegen mußte nun doch etwas gesagt werden. Als Erikas Brief eintrifft, ist der Offene Brief an Korrodi bereits beschlossene Sache. Was zu diesem Zeitpunkt darin stehen sollte, wissen wir allerdings nicht, das Tagebuch hält sich, bedenkt man, wie folgenreich dieser Schritt war, ungewöhnlich zurück. Am 29. Januar kommt Erika zu Besuch. „Liebevoll", notiert der Zauberer. „Gespräch mit ihr über die Dinge." Auch jetzt scheint der Inhalt des Offenen Briefs noch keineswegs festgestanden zu haben. Erika schreibt nach dem Besuch erneut einen Brief an den Vater, besorgt, bewegt und zerknirscht. Wie hatte sie ihm gegenübersitzen und jedem Wort von ihm so leidenschaftlich widersprechen können? Sie weiß noch nicht, was kommen wird. „Ich bete zu all unsern Göttern, daß Deine 'Antwort' schön wird."

Das wurde sie, über die Maßen. Beglückt und erleichtert telegraphiert Erika aus Prag: „dank glueckwunsch segenswunsch". „Starke und entscheidende Worte" hatte er gefunden – am 31. Januar ist es dem Tagebuchschreiber bewußt geworden. „Ich bin mir der Tragweite des heute getanen Schrittes bewußt. Ich habe nach 3 Jahren des Zögerns mein Gewissen und meine feste Überzeugung sprechen lassen. Mein Wort wird nicht ohne Eindruck bleiben."

Am 3. Februar standen in der *Neuen Zürcher Zeitung* kühne und souveräne Sätze:[57]

Die tiefe, von tausend menschlichen und moralischen und ästhetischen Einzelbeobachtungen und -eindrücken täglich gestützte und genährte Überzeugung, daß aus der gegenwärtigen deutschen Herrschaft nichts Gutes kommen kann, *für Deutschland nicht und für die Welt nicht, – diese Überzeugung hat mich das Land meiden lassen, in dessen geistiger Überlieferung ich tiefer wurzele als diejenigen, die seit drei Jahren schwanken, ob sie es wagen sollen, mir vor aller Welt mein Deutschtum abzusprechen. Und bis zum Grunde meines Gewissens bin ich dessen sicher, daß ich vor Mit- und Nachwelt recht getan, mich zu denen zu stellen, für welche die Worte eines wahrhaft adeligen deutschen Dichters gelten:*

> *Doch wer aus voller Seele haßt das Schlechte,*
> *Auch aus der Heimat wird es ihn verjagen.*
> *Wenn dort verehrt es wird vom Volk der Knechte.*
> *Weit klüger ist's, dem Vaterland entsagen,*
> *Als unter einem kindischen Geschlechte*
> *Das Joch des blinden Pöbelhasses tragen.*

Der wahrhaft Adelige ist August von Platen. Schon jahrelang hatte Thomas Mann dessen Verse mit sich herumgetragen,[58] um sie im passenden Augenblick zum Einsatz zu bringen. Würde die neue Lebensepoche im Zeichen Platens, des Verstoßenen und Exilierten, stehen, nicht im Zeichen dessen am Frauenplan?

XV. Joseph und seine Brüder

Um 1939

Chronik 1924–1943

Die erste Anregung, die biblische Joseph-Erzählung neu zum Sprechen zu bringen, geht wahrscheinlich auf den April 1924 zurück, als der Kunstmaler Hermann Ebers den Dichter um eine Einleitung zu einer Bildermappe über die Josephslegende bat.[1] Thomas Mann las daraufhin in der alten Familienbibel die Geschichte nach und fühlte sich angeregt, sie ins einzelne auszumalen.[2] Eine Mittelmeerreise im März 1925 lieferte nur wenig Brauchbares, obwohl Kairo, die Pyramiden, Luxor, Karnak und die Königsgräber in Theben berührt wurden. Thomas Mann glaubte immerhin, Echnaton persönlich gesehen zu haben – „Amenophis IV., an dessen glasbedeckter Mumie im Porphyrsarg ich lange in Rührung stand“[3]; es war zwar Amenophis II., aber das tut der Rührung keinen Abbruch. Die Jahre 1925 und besonders 1926 sind mit ausgedehnten Vorbereitungen gefüllt. Im Juni 1926 läuft das Projekt noch unter der Bezeichnung „Novelle“, vom August 1926 an ist dann von einem kleinen Roman die Rede. Er heißt zu diesem Zeitpunkt *Joseph in Ägypten.* Anfang Dezember 1926 werden die ersten Zeilen des Vorspiels geschrieben. Die große Dimension zeichnet sich ab. Nach über zwei Jahren voller Unterbrechungen durch Essays, Reden und Reisen stehen rund vierhundert Seiten. Eine zweite Ägypteninspektion von Februar bis April 1930 gibt Anschauung und Schwung. Es geht danach etwas zügiger voran. Im Juni 1932 sind die beiden ersten Bände fertig, *Die Geschichten Jaakobs* und *Der junge Joseph*, die dann 1933 und 1934 in Berlin erscheinen. *Joseph in Ägypten,* der dritte Band, mit dem erst die Kernzone des Projekts erreicht wird, ist im Oktober 1932 bis zum Kapitel *Joseph bei den Pyramiden* gediehen, als erst die Ausarbeitung des Wagner-Vortrags und dann die Exilierung die Arbeit für viele Monate unterbrechen.

Von 1933 an kann man die Fortschritte im Tagebuch genau verfolgen. Nach unlustigen Bemühungen seit Mai 1933 kommt das Unternehmen erst im August wieder einigermaßen in Fahrt, als Josephs Ankunft im Hause des Potiphar zu gestalten ist. Trotz ständiger Unterbrechungen, unter anderem durch die USA-Reisen 1934 und 1935, wird der dritte Roman im August 1936 fertig und erscheint bereits im Oktober (bei Bermann-Fischer in Wien). Erneut waren die Dimensionen gewachsen, so daß ein vierter Roman, *Joseph der Ernährer,* notwendig wurde. Bevor er ihn in Angriff nahm, erlaubte sich Thomas Mann eine Erholungseinlage: den Goethe-Roman *Lotte in Weimar.*

Ursprünglich als Novelle gedacht (wie üblich), verschlang auch dieses Projekt drei Jahre, vom November 1936 bis zum Oktober 1939, bis, nach weiteren Zwischenarbeiten (wieder zahlreiche Essays und Reden, ferner die indische Erzählung *Die vertauschten Köpfe),* im August 1940 der *Joseph* wieder an die Reihe kommt. Im Januar 1943, nach fast neunzehn ereignisreichen Jahren, ist das große Werk beendet. „Ich war erregt und traurig. Aber so ist es getan, schlecht und recht. Ich sehe darin weit mehr ein Monument meines Lebens, als ein solches der Kunst und des Gedankens, ein Monument der *Beharrlichkeit.*" (4. Januar 1943) „Mit dem Joseph bin ich früher fertig geworden als die Welt mit dem Fascismus." (8. Januar 1943) Ein Nachspiel folgt, die Moses-Novelle *Das Gesetz.* Im März 1943 wird das gesamte mythologisch-orientalische Material endgültig verpackt und weggeräumt.

Anti-Bilse?

Er habe immer nur gefunden, nie erfunden, hatte der *Buddenbrooks*-Autor seinerzeit in *Bilse und ich* verkündet, nicht die Erfindung, sondern die Beseelung mache den Dichter.[4] Von seinen mittleren Jahren an sah er das anders. Anfänger schreiben autobiographisch, Profis aber können mehr. Ein Virtuosenstück im freien Raum zu vollführen ist mehr, als von sich selber zu reden. Zumal allzuviel schon ausgesprochen war vom Lebensstoff. Gemessen am Bisherigen nahm er sich etwas ganz und gar Fremdartiges vor. Zur Gestaltung der Hirtenvölker am Jordan und der mehr als drei Jahrtausende zurückliegenden Hochkultur am Nil würde in Lübeck und München, in Sanary, Küsnacht und Princeton kaum brauchbares Anschauungsmaterial zu finden sein.

Für viele Figuren fehlten geeignete Vorbilder, und doch haben sie alle eine unverwechselbare Physiognomie bekommen. Wer einmal den Joseph-Roman gelesen hat, kann sich Jaakob gar nicht mehr anders vorstellen als braunäugig mit Drüsenzartheiten darunter, Ruben nur als gutmütigen Turm mit dünner Stimme, Laban als Erdenkloß mit hängendem Lid. Viele Personen, die in der Bibel gar nicht oder nur ganz allgemein vorkommen, wie der alte Minäer, der Hausmeier Mont-kaw, die Zwerge Dûdu und Gottliebchen oder der Gefängniswärter Mai-Sachme, sind keine drapierten Allegorien geworden, sondern stehen leibhaftig und glaubwürdig vor uns. Die Hauptpersonen, Jaakob, Rahel, Lea, Joseph, die Brüder (vor allem Ruben, Juda und Benjamin), ferner Potiphar, Mut-em-enet, Teje und Echnaton: sie alle haben gegenüber der knappen biblischen Geschichte ein reich instrumentiertes Seelenleben bekommen. Alles „stimmt“ auf staunenswürdige Weise. Wie hat er das nur gemacht? Der *Joseph* sei seine erste Arbeit ohne menschliche „Modelle“, bestätigt Thomas Mann unser Staunen,[5] die Charaktere seien, im Gegensatz zu seiner früheren Abhängigkeit von einer angeschauten Wirklichkeit, durchaus erfunden.

Aber erfinden, was heißt das? Erfindungen lassen sich zwar stimulieren und begünstigen, aber nicht erzeugen oder gar erzwingen. Der „Einfall“ ist das Entscheidende. Er kommt oder er kommt nicht. Er kommt oft nicht bei der Arbeit, sondern unerwartet, im Halbschlaf, beim Spazierengehen, bei körperlicher Erleichterung. Er fällt herab wie eine Sternschnuppe. Was einem wann einfällt, gehorcht trotzdem gewissen Gesetzmäßigkeiten. Zu ihnen gehört die Atmosphäre. Wenn Thomas Mann sich an seinem Schreibtisch niederläßt, muß die Welt um ihn herum versinken, damit eine andere, zauberhafte heraufsteigen kann. Es macht Freude, vom absolut Fernen, Unerlebten zu sprechen, vom Hirtendasein und vom Schafezüchten, von Kamelen und Brunnen in der Wüste, von Zwergen, ägyptischen Kämmerern und langschädeligen Pharaonentöchtern, und mit spielerischer Genauigkeit zu zeigen, „wie's wirklich war".[6] Es befreit vom Druck der Gegenwart. Aus dem Chaos dieser Gegenwart in die literarisch bereits vorgeordnete Patriarchenzeit hinabzutauchen hat in wilden Zeiten Selbstgefühl und Halt gegeben. Als die Heimat verlorenging, war der Roman „Stütze und Stab", wie Thomas Mann in Anspielung an Psalm 23 schreibt.[7] Am Roman hielt er sich fest, als Deutschland versank. Während jeder Tag Herz und Hirn mit den wildesten Zumutungen bestürmte, schrieb Mann „siebzigtausend geruhig strömende Zeilen". Der Haß auf die Gegenwart inspiriert die Imagination einer Gegenwelt. Die Unruhe der Entstehungsjahre und die Ruhe des großen Werkes bedingen einander.

Die Welt Josephs ist eine Gegenwelt zum Deutschland des 20. Jahrhunderts. Wir betreten sie durch Frau Holles Brunnen, in den Goldmarie fällt, als sie ihre Spindel heraufholen will. „Hinab denn und nicht gezagt!" ermuntert uns das Ende des Vorspiels *Höllenfahrt*. Dreitausend Jahre tief ist der Brunnen. Unten angekommen, sieht es so fremdartig gar nicht aus. Berg und Tal, Städte, Straßen und Rebenhügel, ein trüb und eilig dahinschießender Fluß – die Brunnenwiesen des Märchens zeigen uns eine bereits relativ zivilisierte, von der unseren nicht gar zu unterschiedene Welt. Wir werden sehen, daß (bei Thomas Mann) die Psychologie dieser Menschen fast so ist wie die unsere. Deshalb konnte doch vieles gefunden, mußte nicht alles erfunden werden. Der zweite, genauere Blick zeigt uns dann doch auch hier eine Welt von Quellen und Vorbildern.

Um den Bereich des Erfundenen einzugrenzen, zählen wir zuerst alles Gefundene auf. Da war in erster Linie der biblische Text aus dem ersten Buch Mose. Die Namen, die Hauptfiguren, der Handlungsverlauf und eine rudimentäre Psychologie lagen darin, anders als bei allen bisherigen Romanen, bereits vor.

Die zweite Schicht waren die nichtbiblischen Quellen. Dazu gehören Versionen der Joseph-Erzählung aus anderen altorientalischen Quellen, jüdische Sagen, babylonische Mythen, ägyptische Literatur. Aus diesem Bereich wurde ausgewählt, was sich zum Alten Testament fügte. Auch hier handelte es sich um Finden, nicht um Erfinden. Ein bei der Lektüre gefundenes Detail wird an geeignetem Platz eingepaßt. Es gehört allerdings zu den Wundern dieses großen Werkes, daß Motive und Erzählfäden oft über Hunderte von Seiten hinweg miteinander verknüpft werden, obgleich eine nachträgliche Überarbeitung der Anfänge ja nicht mehr möglich war, weil die beiden ersten Romane schon erschienen waren, als der dritte und vierte geschrieben wurden.

Die dritte Quellenschicht sind Bilder. Die ägyptischen Teile des Romans verwenden unzählige Bildvorlagen. Die Charakterzüge des Potiphar sind aus seiner Gestalt entwickelt, jener riesenhaften Sitzplastik des Prinzen Hemon, zu dessen klugem und feinem Kopf und fetten Gliedern Thomas Mann die Psychologie eines Eunuchen hinzuerfunden hat. Er war ja immer schon ein Meister der Kunst gewesen, das Geistige aus dem Körperlichen abzuleiten. Ähnliche Glanzleistungen gelingen mit Echnaton, dem dekadenten Pharao, dessen überlieferte Gesichtszüge an die „eines jungen, vornehmen Engländers von etwas ausgeblühtem Geschlecht“ erinnern.[8]

Damit ist schon das meiste erklärt. Das Erfinden enthüllt sich doch wieder als ein Finden. Als letzte Inspirationsschicht kommt noch das Autobiographische hinzu. Es steht schon bei der Stoffwahl Pate, denn die Geschichte vom „keuschen Joseph“ besaß natürlich unmittelbarstes Interesse für den keuschen Thomas. Es steckt ferner in der gedanklichen Grundidee, denn der riesige Roman hat die eigene Abkehr von der Sympathie mit dem Tode zu legitimieren. Auch die Politik spielt eine Rolle. Anders als der *Zauberberg,* der ja noch in der Kaiserzeit entworfen wurde, ist der *Joseph* eine republikanische Konzeption. Joseph soll nicht nur dem Trieb widerstehen, er soll auch den Weg eines Künstlers vom nacht- und mondverliebten narzißtischen Hochmut zur politischen Tagesverantwortung zeigen – also Thomas Manns eigenen Weg.

Über das Allgemeine hinaus finden sich ferner zahlreiche Fußabdrücke des eigenen Lebens. Die meisten sind nicht tief, ergeben aber originelle Pointen, die wie Sahnehäubchen sind. Sie haben ihm immer wieder teils diebisches Vergnügen gemacht, teils die Tränen in die Augen getrieben. Am Ende ist die Matrix, die den Einfall steuert und über die Aufnahme eines Gelesenen oder Gelebten in den Roman entscheidet, doch im wesentlichen die gleiche wie immer, weshalb wir schon in den Mittelpunkt des Kapitels „Ur-Kram“ ein Zitat aus dem Joseph-Roman stellen konnten. In der Tat ist es wieder einmal „immer dasselbe", wieder einmal der Einbruch trunken zerstörender und vernichtender Mächte in ein der Fassung verschworenes Leben, wieder einmal das Lied vom scheinbar gesicherten Frieden und des den treuen Kunstbau lachend hinfegenden Lebens.[9]

Sahnehäubchen

Benjamin, der jüngste der Zwölfe, unterhält naheliegenderweise marginale Beziehungen zu Michael, dem jüngsten der Mann-Kinder. Die Nesthäkchen-Rolle, das stämmig Kurzbeinige und der helmartige Haarschopf gehören dazu.

Der alte Minäer oder Midianiter, der Joseph den Brüdern abkauft und nach Ägypten führt, hat es zwischen den wetzenden Fingern, was eine Ware wert ist nach Faser und Maser. Er ist ein Vorfahr des Verlegers Samuel Fischer, dessen Fingerspitzengefühl für den literarischen und kaufmännischen Wert eines Buches die ganze Branche bewunderte.[10] Joseph glaubt eingebildeterweise, der Minäer führe ihn, während dieser den jungen Mann nur ganz beiläufig mitzunehmen beabsichtigt. Thomas Mann hat es freilich in der Hand, die Verhältnisse zu seinen Gunsten zu gestalten. Als Joseph zum Ziel gebracht ist, wird der Kaufmann abserviert. „Die Ismaeliter von Midian hatten ihren Lebenszweck erfüllt [...] – es bedurfte ihrer nicht mehr."[11] Ironisch scheint dahinter das Verhältnis Thomas Manns zu seinem Verleger auf. Samuel Fischer hat Thomas Mann groß gemacht, gewiß – aber nicht auch Thomas Mann ihn? Der Dichter hat jedenfalls Spaß an der Joseph-Identifikation, Spaß daran, sich als kostbare Ware zu fühlen, die vom Minäer zu Markte gebracht wird und einen gepfefferten Preis erzielt. Das ist ein kleines Spiel, mehr nicht, keine tragende Beziehung. Spielerisch huscht Thomas Mann immer wieder hinter eine seiner Figuren. Neckisch zwinkert er dem Leser zu und fordert ihn auf, ein gleiches zu tun, Figuren zu suchen, hinter denen er sein Freud und Leid verbergen, aber auch zugleich offenbaren kann, sofern Vorbilder die Peinlichkeitsblockade lockern, dem Freuen und Leiden eine schamgefeite Sprache geben und es aus seiner windigen Privatheit zu repräsentativer Bedeutung hinaufheben.

Dûdu und Gottliebchen, der böse und der gute Zwerg, der eine, der Joseph ins Unglück reiten will, und der bewundernde Warner und Helfer, der phallische Würdebold und das liebenswürdige Hutzelchen: sind das nicht Lessing und Lublinski, die jüdischen Kritiker?[12] Theodor Lessing, der Elende, der sich ethisch spreizte und in Wirklichkeit boshafte Lust an der Sünde hatte? Samuel Lublinski, der Helfer, der *Buddenbrooks* so prophetisch gepriesen hatte? Manchmal kommt es Thomas Mann so vor. Der eine macht ihn herunter, der andere trägt ihn auf Händen. Kaufe ihn nicht, sagt Dûdu, den Hebräer, denn er ist verdächtig, obgleich er süßes Geschwätz zu machen weiß. „Kaufe, Mont-kaw", wispert hingegen das Hutzelchen. „Gesegnet ist er und wird dem Hause ein Segen sein."[13] Der Potenzangeber Dûdu hat eine großwüchsige Frau. Hatte nicht auch der Zwerg Lessing auf seine Art eine Großwüchsige geheiratet, nämlich eine blonde deutsche Adelige? Die ihn allerdings bald mit einem jungen blonden Schüler betrog, weshalb es mit „Dûdus" Potenz vielleicht doch nicht zum besten bestellt war? Geschieht ihm recht, dem bösen Zwerg! Was hat er mich hänseln müssen wegen mangelnder Männlichkeit! Der Haß auf Lessing gibt Thomas Mann auch Widriges ein, beschädigt seinen sonst so unbestechlichen Geschmack. Doch wollen wir das Spekulieren nicht zu weit treiben. Dûdu und Gottliebchen, Lessing und Lublinski – das ist nur eine schattenhafte Spur, beileibe nicht gesichert. Die Großwüchsige läßt sich ausreichend aus einer ägyptischen Bildvorlage erklären,[14] das antithetische Zwergenpaar ausreichend aus dem Gegensatz von Geist und Trieb. Am Kapitel *Die Zwerge* schreibt Mann seit 10. August 1933. In dieser Zeit wird er drastisch an Lessing erinnert, durch dessen Ermordung nämlich, die er herzlos und immer noch haßerfüllt kommentiert. „Mein alter Freund Lessing ist ja ermordet worden. War immer schon ein falscher Märtyrer."[15] Das kann in den Roman hineingewirkt haben, muß aber nicht.

Immer wieder treten neue Figuren auf, werden neue Gesichter, neue Charaktere gebraucht. Sie kommen nicht aus dem Nichts. Dem Gefängnisamtmann Mai-Sachme hat Mann die Gesichtszüge und das Wesen des Hausfreundes Martin Gumpert gegeben, die runden Augen und den kleinen Mund und das ruhige, nicht zum Erschrecken geneigte Wesen. Er läßt ihn ferner als Arzt und als Schriftsteller dilettieren – auch Martin Gumpert war ein schreibender Arzt. „Heilkunde und Schreibtum borgen mit Vorteil ihr Licht voneinander."[16] Gumpert war vom 31. August 1940 an für einige Wochen zu Besuch. Das war genau rechtzeitig. Ziemlich prompt wird er „verwertet". Vom 20. September an schreibt Mann am Gefängniskapitel.

Rührend ist Mai-Sachme durch seine dauerhaft unglückliche Liebe, zuerst als Knabe zu einem vornehmen Mädchen, dann als Mann zur Tochter der früh Geliebten und mutmaßlich im Alter ein drittes Mal zu ihrer Enkelin. Daran ist autobiographisch richtig nur das Liebesunglück überhaupt. Denn Martin Gumpert liebte Erika Mann und wollte sie heiraten, sie aber versteckte ihm zwar zärtlich sein Oster-Frühstücks-Ei,[17] hielt ihn aber hin und schüttelte ihn schließlich ab.

Heimlich von sich selber zu sprechen befriedigt. Die Erzählung gibt immer wieder Gelegenheiten dazu. Mit Pharaos Satz „Wer es schwer hat, soll es auch gut haben“[18] tut auch Mann sich ein Gutes, denn er zählt sich zu denen, die es schwer haben. „Daß wir in einer Geschichte sind, einer vorzüglichen“, sagt Joseph zu Mai-Sachme, will Thomas Mann aber auch seinen Mitmenschen sagen, die froh sein sollen, seine Zeitgenossen sein zu dürfen. „Du bist aber mit darin, weil ich dich hineinnahm zu mir in die Geschichte.“[19] Charlotte Kestner geborene Buff soll froh sein, daß Goethe sie in seine Geschichte nahm. Katia und Paul sollen froh sein, daß Thomas Mann sie in seine Geschichten nahm. Wenn einer das nicht versteht, erhält er eine Abfuhr wie Otto Grautoff, der Vertraute leid- und gelächtervoller Knabenjahre, der nicht zu wissen schien, „daß er nur zu meinem Leben gehörte“, sondern tölpelhafterweise „selbst etwas sein wollte“.[20]

Mit dem Erzähler zusammen setzt sich Thomas Mann bisweilen auf die Altenbank. Sie sinnieren über die Dinge der Liebe. „Man kennt das alles“, versichern sie einander wiegenden Hauptes.[21] „Um uns Alten noch einmal das Gefühl zu wecken“, sagen Jaakob, der Erzähler und Thomas Mann im Chor, „muß schon was Besonderes kommen.“[22] Und, prophetisch im Hinblick auf die spätere Verfallenheit an Franz Westermeiers hübsche Augen, Beine und Gestalt: „Man denkt wohl: mit fünfundsiebzig kann's so schlimm nicht mehr sein mit der Hörigkeit und knechtischen Lust, aber da irrt man sich. Das hält aus bis zum letzten Seufzer.“[23]

Thamar und Agnes Meyer

„Thamar war fest entschlossen, sich, koste es, was es wolle, mit Hilfe ihres Weibtums in die Geschichte der Welt einzuschalten.“[24] Unerschütterlich, ehrgeizig und strebsam wollte sie nicht abseits wimmeln wie die vielen, sondern die Hauptbahn der Geschichte beschreiten. Sie hatte, von Aufmerksamkeit reglos gebannt, Jaakob zu Füßen gesessen, dem Geschichtenschweren, und hatte sich daraus zusammenreimen können, daß aus dem Stamm Juda der Erlöser kommen werde. Sie begehrte deshalb den Juda, nicht aus dem Fleische, sondern um der Idee willen, weil aus ihm das Geschlecht hervorgehen würde, aus dem einst der Messias kommen sollte. Der greise Jaakob aber war ein wenig verliebt in sie.

Agnes E. Meyer war fest entschlossen, sich mit Hilfe ihres Weibtums in die Geschichte der Welt einzuschalten. So sah das jedenfalls Thomas Mann. Sie hatte ihm zu Füßen gesessen, dem Geschichtenschweren, und sich in ihn verliebt dem Geiste nach, wenn auch nicht im Fleische, denn davon wollte der Gefeierte nichts wissen. Das welterlösende Kind, das sie mit ihm haben wollte, war die Literatur. Unerschütterlich, ehrgeizig und strebsam hatte sie diesem Kinde in Amerika den Weg bereitet, es finanziell gefördert, hilfreich rezensiert und geschickt ins Englische übersetzt.

Thamar ist eine biblische Figur und nicht Agnes Meyers halber in den Roman eingeführt. Die nur sehr vorsichtige Anspielung auf seine reiche amerikanische Gönnerin gehört wieder zu den selbstverliebten Sahnehäubchen, mit denen Thomas Mann sich beiläufig ein Gutes getan hat. Die Bewunderung, die er Thamars und Agnes' Ehrgeiz zollt, kommt ja niemandem so zugute wie ihm selbst. Denn wenn Thamars Ehrgeiz dem kommenden Erlöser gilt, dann muß Agnes Meyers Ehrgeiz doch einem mindestens ebenso bedeutenden Ziel gelten! Er ist ihr Gott. „Ich liebe es, mit der Größe zu spielen", hatte er Agnes anvertraut.[25] Sie antwortet am 16. Januar 1942, als eben die Thamar-Episode fertig geworden war:

Was Sie über Grösse sagen hat mich wunderlich berührt – „Ich liebe es, mit der Grösse zu spielen und auf einem gewissen vertraulichen Fusse mit ihr zu leben." *Es ist Ihnen sicherlich nicht eingefallen dass das viel besser auf mein Leben passt wie auf Ihre Kunst.*

Sie spielt mit der Größe, und sie treibt es weit. Sie fragt am 7. April des gleichen Jahres, ob etwas wie das Bündnis von Jaakob und Gott, zur gegenseitigen Heiligung gestiftet, nicht auch in einer rein menschlichen Begegnung möglich sein könnte, wenn nämlich der eine dem anderen weit überlegen ist? Wirklich sieht sie ihn als Gott – was nicht heißt, daß sie sich selbst klein vorkäme. Der Bund dient zur *gegenseitigen* Heiligung. Auch sie hat deshalb eine Aufgabe. Sie will, daß die Seelenbande, die eine Frau anknüpft, „dem Mann nicht als Netz sondern als Befreiung dienen". Weise gesprochen. Aber so frei sie war, es gelang ihr nicht, Thomas Mann zu befreien, weil er nicht befreit sein wollte in dem von ihr geplanten Sinn.

Agnes hielt sich vom 29. März bis zum 4. April 1942 in Thomas Manns nächster Nähe auf, in Santa Monica, und es gab täglich Begegnungen. Er hatte ihr *Thamar* vorgelesen, ein besonders geglücktes Kapitel. Er nennt es „ein Stück, 'bei dem Sie nicht gestört haben'".[26] Welch eine sonderbare Äußerung! Sie muß offenbar bei anderen Stücken gestört haben. Auch an ihrem letzten Tag in Santa Monica mußte Thomas Mann bei ihr antreten – ohne Katia. „Bei der Meyer im Bungalow. 'Thamar' zu Ende gelesen. Zwischendurch Eugene." (Das ist ihr Mann). „Lunch mit ihr. Verfänglichkeiten mit Verständnislosigkeit begegnet."[27] Sie will partout von Liebe reden, immer wieder, und sie hat eine reichlich direkte Art. Ihr Lieblingsgegenstand ist sein Seelenleben. Sie glaubt, Thomas Mann habe kein Verhältnis zu Menschen, er schreibe völlig unbeeinflußt von Emotionen. Er weiß es besser. „Alles dient der Erklärung, warum ich kein Verhältnis mit ihr anfange. Aber 'Thamar' beweist wenigstens, daß sie 'nicht gestört' hat."

Nein, sie hat im großen Ganzen nicht gestört, sie hat Thomas Mann vielmehr tatkräftig geholfen. Sie hat ihn und seine Kinder immer wieder finanziell und durch ihre Kontakte unterstützt, sie hat ihm die gutbezahlte Stelle in Princeton als „Lecturer in the Humanities" verschafft, durch sie wurde er „Consultant in German Literature" in Washington, eine Sinecure (mit 5000 Dollar Jahresgehalt), durch sie beziehungsweise ihren Mann lernte er Präsident Roosevelt kennen. Er konnte es sich wahrlich nicht leisten, mit ihr zu brechen, auch wenn sie ihm gelegentlich furchtbar auf die Nerven ging. In seinem Dankeschön-Brief nach ihrem Besuch verwendet er die gefällige Floskel: „Dass es meinetwegen noch etwas hätte dauern können, will ich nicht leugnen." Das ist glatt gelogen. Er war froh, daß sie wieder weg war. Der Brief fährt denn auch leichtherzig fort: „Aber nun liegt's zurück, und jeder muss wieder auf seinen zwei Beinen leben und das Seine tun – mit Hilfe der Nachwirkung guter Tage." Das Tagebuch ist wahrhaftiger. Es überliefert hauptsächlich Peinliches aus jenen Tagen, Unterhaltungen „über uns" (30. März), „pénible Gespräche" (31. März), „manches Entsetzliche, in Schranken zu haltende" (3. April), „Verfänglichkeiten" (4. April). Er ist froh, als sich die Aussicht „Dies nähert sich dem Ende" auftut (2. April). In den Briefen schreibt er cordial „Dear Agnes", im Tagebuch aber heißt sie stets nur „die Meyer".

Sie hatte Sendungsbewußtsein und Pioniergeist. „I was traveling undiscovered regions of my own mind.“[28] Sie glaubte, er sei wie sie, eine Bruderseele, ohne es zu wissen. Furchtlos nahte sie sich dem Spröden, Störrischen. Sie glaubte, er sei ohne Liebe.[29] Er aber wußte natürlich: Auch ich habe gelebt und geliebt.[30] Nur durfte das niemand erfahren. Sie kannte das Geheimnis seiner Zurückhaltung nicht. Es fehlte ihr an Verständnis für seine Keuschheit. Warum mußte er sich gegen sie wehren? Weil sie in sein Innerstes greifen wollte. „Sie wollten mich erziehen, beherrschen, verbessern, erlösen.“[31] In der Tat. Ihr Ziel sei, das schreibt sie ihm geradezu, ihn von der Furcht vor der Frau als Verführerin zu befreien. Er möge nicht empört sein über diese dreiste Empfindung. Die deutsche Askese sei zweifellos etwas Höheres als die französische Sündigkeit, die den hochbegabten Rimbaud zerstört habe, aber, so fährt sie fort, „es gibt doch eine mehr liebevolle, höhere Einsicht wo Furcht ganz verschwindet und [die] zur vollen Erlösung führt“.[32] Aber er wollte nicht erlöst werden von seiner Keuschheit, schon gar nicht von der Meyer. Was von Thamar gesagt wird, daß sie schön sei, wenn auch auf eine strenge und verbietende Art, verführerisch, behexend, dämonisch[33] – derlei sagt Mann über dear Agnes nirgends. Sie war damals über fünfzig. Sie war nicht sein Typ, weder geistig noch körperlich. Er hatte keine Angst vor ihr. Er mußte kein Virtuosenstück der Tugend[34] vollbringen, um sie auf Distanz zu halten. Er liebte sie einfach nicht. Er hielt sie für eine Mischung aus Juno und Walküre.[35] Man muß leider annehmen, daß ihn hauptsächlich Komfort, Nützlichkeit und Verpflichtung so lange an ihrer Seite hielten. Er spielte eine ziemlich bewußt kalkulierte Rolle. „Tapfer ausgehalten“, lobt er sich für seine Rollendisziplin (13. Januar 1940). Denn meistens war es anstrengend. „Zerrüttet vom Dreschen leeren Strohs und vom Markieren einer geistigen Anwesenheit, die nicht vorhanden.“ (21. März 1951) Nur selten hatte er Spaß dabei. „Fast ausgelassen verlogener Neujahrsbrief an die Meyer.“ (31. Dezember 1947) Er hat ihr zu geben versucht, was er zu geben vermochte, viele lange Briefe, viel Respekt, viel Dankbarkeit. Aber sein Herz war nicht dabei. Nach Jahren hat sie ihn durchschaut. Golo erwähnt, heißt es im Tagebuch, „Äußerung der Meyer, aus meinen Briefen gehe hervor, daß ich sie verabscheue. Da diese Briefe voll von Ergebenheit, Bewunderung, Dankbarkeit, Fürsorge, selbst Galanterie sind, so ist das eine sehr intelligente Beobachtung.“ (14. Februar 1944) „Tonio, Sie sind hart wie Stein wenn Sie weh tun wollen“, hatte Agnes nach einem Zerwürfnis schon ein knappes Jahr vorher geschrieben.[36]

Vater und Mutter, Katia und Paul

Mehr als nur Sahnehäubchen treffen wir im Zentrum des Romans an, wo im altorientalischen Maskengewimmel die Urkonflikte Thomas Manns ihr verstecktes Wesen treiben: der Entscheidungskampf zwischen Vater und Mutter, das Gegeneinander von Ehe und Homosexualität, die Angst vor Heimsuchung und Überwältigung. Mehrfach kreuzen sich die Spiegelungen des Lebens im großen Werk. Der keusche Joseph ist oft der keusche Thomas. Er ist aber auch dessen Gegenüber, ein schöner Knabe, den Thomas liebt und den er sich als Erzähler jahrelang und täglich neu mit zärtlicher Sympathie vor Augen stellt. „Las [...] das Kapitel 'Von der Schönheit' im 'Jungen Joseph' nach. Scherzen über das Tiefste in mir."[37] Was ist das Tiefste? Der Enthusiasmus für „den unvergleichlichen, von nichts in der Welt übertroffenen Reiz männlicher Jugend".

Die verführerische Mut-em-enet mit dem Schlängelmund, die Frau des Potiphar, auch sie „ist" Thomas Mann. Dämonenbannend schreibt er sich in ihr das Trauma von der Seele, wie es wäre, wenn auch seinen Lebenskunstbau eine Leidenschaft hinwegfegte. Auch Mut hatte sich ja bereits auf ein asketisches Leben als keusche Mondnonne eingestellt, als Joseph ihr Haus betritt und sie, vom Begehren verzehrt, allmählich zur Hexe, zur Venus im Berge, zur bärtigen Ischtar wird. Sich dem Triebe hingeben beseligt und befreit zwar in gewisser Hinsicht, aber mehr noch demütigt und erniedrigt es vor den Augen der eigenen Vernunft und vor denen einer spottlustigen Umwelt.

Der Erzähler warnt allerdings vor der gutgläubigen Annahme, dem Menschen sei es um die Bewahrung ihres mit so viel Sorgfalt errichteten Lebensgebäudes zu tun. „Erfahrungen, die man nicht vereinzelt nennen kann, sprechen dafür, daß er es vielmehr geradeswegs auf seine Seligkeit und sein Verderben abgesehen hat und es niemandem auch nur im geringsten dankt, der ihn davon zurückhalten will."[38] Woher weiß er das? Seine Furcht hat es ihm verraten. Als er Mut-em-enets Verfall zu gestalten hat, sucht er nicht nur in den altorientalischen Quellen. Er vertieft sich vielmehr[39] in Aufzeichnungen, die er in der Zeit seiner Liebe zu Paul Ehrenberg gemacht hatte. Die Passion jener Zeit soll ihm Worte leihen für die ratlose Heimgesuchtheit seiner Heldin. Er ist bewegt. Leidenschaft und Melancholie jener verklungenen Tage sprechen ihn vertraut und lebenstraurig an.

Dreißig Jahre und mehr sind darüber vergangen. „Nun ja, ich habe gelebt und geliebt, ich habe auf meine Art 'das Menschliche ausgebadet'." Es war, trotz und wegen so viel Verzicht, so viel Enttäuschung, seine größte Liebe. Denn

ein Überwältigtsein wie es aus bestimmten Lauten der Aufzeichnungen aus der P. E.-Zeit spricht, dieses „Ich liebe dich – mein Gott, – ich liebe dich!", – einen Rausch, wie er angedeutet ist in dem Gedicht-Fragment: „O horch, Musik! An meinem Ohr weht wonnevoll ein Schauer hin von Klang –" hat es doch nur einmal – wie es sich wohl gehört – in meinem Leben gegeben.

„Wirre, blühende Logik der Liebe", vermerkt dazu der Joseph-Roman.[40] „Man kennt das alles." Was flüstert Mut-em-enet? „O horch, Musik" usw. Der Erzähler fügt beziehungsvoll, damals nur zu seinem, heute auch zu unserem Vergnügen, hinzu: „Man kennt auch das." Denn alles hat Thomas Mann selbst erlebt und erlitten, auch jene Fiebernächte der Liebe, „die eine Folge von lauter kurzen Träumen sind, in welchen immer der andere da ist und sich kalt und verdachtvoll zeigt, sich verächtlich abwendet" in einer Kette unseliger Begegnungen. Hatte er ihm aber geflucht, dem Urheber solcher qualvollen Nächte, fluchte Mut-em-enet ihm?

Keineswegs. Was sie ihm, wenn der Morgen sie von der Folter gebunden, erschöpft auf dem Rande ihres Bettes, zuflüstert von ihrem Orte zu seinem, das lautet:

„Ich danke dir, mein Heil! mein Glück! mein Stern!"

Der Menschenfreund schüttelt das Haupt ob solcher Rückäußerung auf entsetzliches Leiden; er findet sich beirrt und halb lächerlich gemacht durch sie in seinem Erbarmen.

„Mein Heil, mein Glück, mein Stern!" stammt ebenso wie das „O horch, Musik" und das „Ich liebe dich" aus jenem Gedicht an Paul Ehrenberg, das als Geheimtext immer wieder durch Manns Dichtungen mäandriert.

Noch einmal wechseln die Identifikationen, als Jahre später die Zeit der Erlaubnisse kommt und Joseph heiraten darf. Nun wieder mit der Joseph-Maske angetan, erwägt Thomas Mann, wie künftig erlaubt sein kann, was bisher verboten war, nämlich die Sexualität. Was mit Paul nicht hatte sein sollen, mit Katia mußte es sein. „Auch er erkannte", wie Joseph, wie Adam, „das Weib erst, nachdem er zuvor gelernt hatte, was Gut und Böse ist: von einer Schlange, die ihn für ihr Leben gern gelehrt hätte, was sehr, sehr gut ist, aber böse. Er aber widerstand ihr und hatte die Kunst, zu warten, bis es gut war und nicht mehr böse."[41]

Wie Asnath war Katia „die Jungfrau der Jungfrauen" und „der Inbegriff des Mädchens", vorerst nicht gesonnen, ihre Magdschaft aufzugeben. Aber „die Vereinigung heilig-spröder Versiegeltheit mit einer ausgesprochenen Neigung zum Mit-sich-geschehen-Lassen und zum duldenden Hinnehmen ihres weiblichen Loses" machte schließlich möglich, daß der dunkle Bräutigam sie holte, obgleich sie die Arme zum Himmel emporwarf, „hilfeheischend, als griffe sie jemand um die schmale Leibesmitte und risse sie in ein Raubgefährt". Das alles klingt nicht geradezu nach Liebe, sondern viel mehr nach jener wohlüberlegten Pflichtgemeinschaft von zweien, bei denen zu hoffen war, daß die Liebe sich finden würde. Asnath und Joseph, Katia und Thomas – sie führen eine Ehe, bei der zuerst der Entschluß zur Verehelichung da war und dann erst die Neigung folgte.

Zur Jungfräulichkeit gesellte sich Jungfräulichkeit. Nicht vom wonnigen Zerschmelzen und vom markanrührenden Hauch Ischtars ist die Rede in ihrer Hochzeitsnacht, sondern von Blut und Schmerzen beim schwierigen „Zerreißungswerk".

Und ist es nicht auch zum Lachen und Weinen, was die körperliche Natur nach gebräuchlichem Schema den Menschen zugedacht hat, daß sie die Liebe besiegeln, oder, im Fall einer Staatsheirat, sich lieben lernen? Das Lächerliche und das Erhabene schwankten schattenhaft ineinander im Ampelschein auch während dieser Hochzeitsnacht, wo Jungfräulichkeit auf Jungfräulichkeit traf und Kranz und Schleier zerrissen.[42]

„Ich habe das mit Vergnügen gelesen, denn es war mein Fall", schrieb Thomas Mann im Ehe-Essay,[43] zugegebenermaßen in einem etwas anderen, aber nicht weit entfernten Zusammenhang.

Die bedrohliche Mut-em-enet trägt einen Urmutternamen. Sie ist die Große Mutter. Thomas Mann erlebte das Homosexuelle zwitterhaft. Joseph ist „schön wie Weib und Mann, schön von beiden Seiten her".[44] Das Motiv der Zwiegeschlechtlichkeit ist für ihn mystisch und göttlich. Es läßt ihn an ein Platen-Gedicht denken, das ihn lange schon fasziniert hat. „Wie seine spiritualisierte und über-erotische Leidenschaft mir ins Blut ging, als ich liebte!" Er zitiert es im Tagebuch am 25. Februar 1934:

Ich bin wie Weib dem Mann, wie Mann dem Weibe Dir.
Ich bin wie Leib dem Geist, wie Geist dem Leibe Dir.
Wen darfst Du lieben sonst, da von der Lippe weg
Mit ewgen Küssen ich den Tod vertreibe Dir?

Das Zwitterhafte bedroht die Vaterwelt, die auf eindeutiger Trennung bestehen muß, aber es hat für sich die Lockung des Ur-Einen, und so ist das Schlimmste auch wieder das Schönste. Der Baum des Lebens müsse zwitterblütig gewesen sein, erklärt Joseph dem Potiphar, männlich und weiblich zugleich. „Siehe, die Welt ist zerrissen im Geschlecht, also daß wir reden von männlich und weiblich [...] Aber der Welt Grund und des Lebens Baum sind weder männlich noch weiblich, sondern beides in einem."[45]

Mut-em-enet ist eine ungemütliche Person. Ihre Mutterschaft ist nicht bergend, sondern verschlingend wie die Ischtars im Barte,[46] der zwiegeschlechtlichen Fruchtbarkeitsgöttin, die Gilgamesch in die Flucht treibt, weil er, wie Joseph, „nicht wollte ins leidend Weibliche herabgesetzt sein durch einer Herrin männisches Werben, nicht Ziel, sondern Pfeil sein wollte der Lust".[47] In der Ordnung dieses Romans gehören Homosexualität und Mutterwelt zusammen. Zum Mütterreich gehören die lustvollen Greuel, Inzest, Homosexualität und Promiskuität.

Zwei Träume gibt's vom Glück. Schließt sich der eine dir auf, tut sich der andre dir zu. Du kannst von der Mutter träumen oder vom Vater. Der Muttertraum ist der Vermischungstraum. Er will die Körpergrenzen aufheben, will, daß du zerfließt und verströmst in rauschender Vereinigung mit allem, was lebt. Ohne Raum und Zeit läßt er dich frei schweben im leeren Raum und ohne Rücksicht und Folge den Geliebten umarmen wie Mut-em-enet, „Mund an Mund und bei geschlossenen Augen",[48] wie Hans Castorp, der in Clawdia/Pribislavs Umarmung sterben will: „laisse-moi périr, mes lèvres aux tiennes."[49] (Laß mich vergehen, meine Lippen auf den deinen). Die Motive bleiben gleich über lange Zeit. Der Mund ist im *Zauberberg* wie im *Joseph* das Werkzeug der Sinne und der Vermischung der Eingeweide (der obere Ausgang des Verdauungskanals, wie Freud irgendwo häßlich zuspitzt), das Auge das Werkzeug des Sehens und der Erkenntnis.[50]

Denn das Auge ist des Vaters. Der zweite, der Vatertraum ist der Erhöhungstraum. Er ist vertikal gerichtet, nicht horizontal wie der Muttertraum. Er will heraus aus dem Sinnlichen zum Geist, aus dem Dunkel ans Licht, aus der Menge zum Einzelnen, aus der Vermischung zur Individuation. Im entscheidenden Moment, als Josephs Fleisch schon aufsteht gegen seinen Geist, erscheint ihm das Antlitz des Vaters, besorgt spähend, die braunen Augen mit Drüsenzartheiten darunter. Der frühverstorbene Vater hat eine große Macht über Thomas Mann. Der Joseph-Roman gestaltet, bestätigt und unterstreicht die Entscheidung für den Vater, die im *Zauberberg* noch so anfechtbar geblieben war, da doch Hans Castorp immer wieder zurückgefallen war in die Welt der Vermischung und geendet hatte in Matsch und Krieg und Tod.

Die Vaterwelt ist vielfältig vertreten im Roman. Da ist in erster Linie Jaakob, aber da sind auch der alte Minäer, Mont-kaw und Potiphar. Alle sind Väter für Joseph, alle sind der Welt der Vermischung feind, allen gilt es die Treue zu halten, denn alle haben es schwer. Väter haben es schwer. Sie brauchen das lindernde Gute-Nacht, das Joseph dem alten Minäer spricht und mit dem er Mont-kaw zum Tode geleitet. Mit Mont-kaw schließt Joseph einen Bund für Potiphar, daß er den Kastrierten nie verrate. Deshalb erscheint ihm nicht nur Jaakobs Angesicht, sondern auch die gütige Stimme Potiphars, als er die Gründe seiner Keuschheit zusammenzählt.

Es ist nicht so, als wäre die väterliche Welt unbedroht. Das Licht ist schwach und bedarf des Schutzes. Im *Zauberberg* wohnte die Vernunft nur im Kopfe, der Tod aber im Herzen. Der Gedanke war deshalb ohne Kraft. Erst im *Joseph* kommt es zum wirklichen Sieg des Vaterrechts. Erst hier gelingt es dem Lichte, die unteren Mächte in ihren Dienst zu schmiegen. Die Abkehr von der Sympathie mit dem Tode ist in Joseph lebendige Praxis geworden.

Sinn für den Tod allein schafft Starre und Düsternis; Sinn für das Leben allein schafft platte Gewöhnlichkeit, die auch keinen Witz hat. Witz eben und Sympathie entstehen nur da, wo Frömmigkeit zum Tode getönt und durchwärmt ist von Freundlichkeit zum Leben, diese aber vertieft und aufgewertet von jener. So war Josephs Fall; so waren sein Witz und seine Freundlichkeit.

Churchill und die Bibel

Den jungen Winston Churchill beherrschten aggressiv antireligiöse Gedanken – er glaubte das zumindest. Als er nämlich als junger Leutnant in Indien im Feuer der Schlacht in Lebensgefahr geriet, zögerte er nicht, Gott um seinen Schutz zu bitten und ihm, als die Gefahr vorüber war, von ganzem Herzen zu danken.

Thomas Mann leitet mit diesem Erlebnis die kleine Überlegung *Vom Buch der Bücher und Joseph* ein (1944).[51] Daß Widersprüche bestehen zwischen dem wissenschaftlichen Weltbild und dem der Bibel, stört ihn nicht. Wie Churchill geht er davon aus, daß das Herz Gründe hat, von denen der Verstand nichts weiß. Sein Urteil über die Bibelkritik ist religiös völlig gelassen. Sein Verhalten zu diesem konglomerathaften Schriftmassiv, „welches bei hundert sagenhaften, anonymen, pseudonymen und mehr oder weniger historischen Verfassern als Ganzes sich selbst gemacht hat, weshalb ein volles Recht besteht, Gott seinen Verfasser zu nennen", stimme mit dem des jungen britischen Leutnants in Indien völlig überein. Es ist pragmatisch, nicht dogmatisch. „Was ist, vernünftig gesehen, die Bibel? Sie besteht aus einer Menge sehr verschiedenartiger und unleugbar auch verschiedenwertiger literarischer Erzeugnisse des Judentums und Urchristentums: Mythen, Sagen, Novellen, Hymnen und sonstigen Dichtungen, historischen Berichten, Abhandlungen, Spruchsammlungen und Gesetzes-Codices, deren Abfassung oder richtiger deren Niederschrift sich auf einen sehr langen Zeitraum, vom fünften Jahrhundert vor bis ins zweite Jahrhundert nach Christus verteilt. Manche Bestandteile aber reichen ihrem Ursprung nach weit rückwärts über diesen Zeitraum hinaus: es sind Reste und Brocken grauen Altertums, die gleich gewaltigen Findlingen in dem Buche herumliegen." Weit entfernt, den Rang des Buches in Frage zu stellen, gibt ihm diese Genese vielmehr seinen Wert. „Kalender der Weisung und des Trostes, Postille, Textbuch der kreisenden Feste, dessen großen, unverwechselbaren Tonfall wir in allen Stadien des Menschenlebens, bei Taufe, Hochzeit, Begräbnis vernehmen, ist das gewaltige Buch imprägniert von der Andacht, dem frommen Zutrauen, der forschenden Devotion und ehrfürchtigen Liebe langer Generationszüge von Menschen, ein Besitz des Herzens, unentwendbar, unberührbar durch irgendwelche Verstandeskritik."

Von der Offenbarung nichts überzeitlich Wahres zu verlangen, sondern zufrieden zu sein mit der Bibel als einem Zeugnis kondensierter geschichtlicher und kultureller Erfahrung, daraus nicht eine Erniedrigung der Bibel zu folgern, sondern ihr einen hohen, wenngleich nicht absoluten Rang zuzugestehen, das macht Manns theologische Pointe aus. Die Wirkungsgeschichte hat die Bibel gemacht. Deshalb hat er auch keine Bedenken, an der Bibel weiterzudichten, sie humoristisch zu korrigieren, sie zu modernisieren und in spielerischer Wissenschaftlichkeit ihre Ungenauigkeiten philologisch zu erklären und psychologisch plausibel zu machen. Viel wichtiger als das reine weiße Licht ist ihm das im Staub der Geschichte farbig gebrochene. Gegenüber dem theologischen Freund und Pastor Kuno Fiedler, der einst das Kindchen taufte, wendet er ein, daß eine reine Jesus-Botschaft mit einer Kirche überhaupt nicht vereinbar sei.[52] Eine Kirche braucht, unter dem Gesichtspunkt des religiösen Tröstungsbedürfnisses der Menschen, das gebrochene Licht, braucht „ein Dogmengebäude und die ur-populäre Traditions-Verbindung mit dem religiösen Mythos". Es komme nicht darauf an, was Jesus wirklich war, sondern darauf, was aus ihm gemacht wurde. Thomas Mann stellt sich auf die Seite von Dostojewskis Großinquisitor, der einen wiederkommenden Christus fragen würde: Was bist du gekommen, uns zu stören?

Gottvater und das Engeltier

„I believe in God, in the United States of America and in Baseball." So einfach war das für Babe Ruth, einen Baseball-Star der Zeit.[53] „Wir sprachen über Gott und Religion heute, und ich erklärte, beim besten Willen nicht sagen zu können, ob ich glaubte oder nicht." So Thomas Mann 1941 an Agnes Meyer, am Tag vor Weihnachten. Er fährt fort, anspielend auf Voltaires „Ecrasez l'infame!" (aber nicht die Kirche, sondern Hitler meinend): „Ich habe mich aber zuweilen im Verdacht, daß ich glaube; denn ohne einen Glauben kann man 'l'Infame' wohl nicht so hassen, wie ich es eingestandenermaßen tue."

Aus dem Haß also erwächst der Glaube. Er ist in vorderster Linie ethisch-praktisch motiviert. Thomas Mann glaubt, weil er den Glauben braucht. Er kann nur an einen brauchbaren Gott glauben. Mit dem üblichen Gott kann er da wenig anfangen. Für ein höchstes Wesen, das allmächtig und vollkommen wäre und dem Menschen außer demütiger Anbetung nichts Rechtes zu tun ließe, hat er nicht viel übrig. „Nun ja, der Herr tut alles", glossiert sein Erzähler-Spiegelbild diese Betrachtungsweise grämlich.[54] Wenn Gott so wäre, dann könnte er die Welt doch gleich nach seinem Gefallen richten und bedürfte der Menschen nicht. Deshalb ersinnt Thomas Mann einen Gott, der bedürftig ist. Der brauchbare Gott ist der bedürftige Gott.

Der traditionellen religiösen Demütigung des Menschen („Was ist der Mensch, daß du seiner gedenkst, und des Menschen Kind, daß du dich seiner annimmst?" Psalm 8, 5) setzt Thomas Mann eine große Ermutigung entgegen. Was ist Gott, wenn die Menschen seiner nicht gedenken? Er vertraut darauf, daß Gott die Frivolität nicht übelnimmt. „Ich bin überzeugt, daß Er Spaß versteht."[55]

Gott und Mensch brauchen einander. Sie steigern einander wechselseitig. „Reinige die Gottheit, und du reinigst die Menschen."[56] Die Idee Gottes ist für den Menschen eine nie ermüdende Feder, die seine Sehnsucht nach oben spannt, so daß er nicht dauernd zurückfällt in die Tierheit. Der Mensch ist umgekehrt für Gott notwendig, damit Gott sich nicht langweilt. Er ist „das Produkt von Gottes Neugier nach Sich selbst".[57] Eine faszinierende Unterhaltung tut sich für Gott auf – „man brauchte nur an die Ausübung von Gnade und Barmherzigkeit, ans Richten und Rechten, an das Aufkommen von Verdienst und Schuld, von Lohn und Strafe zu denken".[58] Einem höchsten Wesen, das nur sich selbst anschaute und sich selbst genug wäre, ist ein weniger hohes vorzuziehen, daß sich auf Zeit und Welt und Gewimmel einläßt und sogar selber Fleisch annimmt, wenn es nötig scheint. Weil Gott herabsteigen kann und von der reinsten Idee bis hinab zum irdischen Knecht auf allen Sprossen der Leiter zu finden ist, deshalb nur kann er dem Menschen helfen, der seinerseits hinaufsteigen soll und es weit bringen kann in seinen besten Exemplaren. Bis zum „kleinen Gott" kann er es bringen, wie der junge Joseph, als er den Himmelstraum träumt, in dem er höher und höher getragen wird unter dem Protest der Engel, die sich beschweren, daß ein vom weißen Samentropfen Geborener nach dem Obersten Himmel kommen darf. Aber der Herr will es nun einmal übertreiben, macht den Knaben maßloserweise größer als alle anderen Wesen und nennt ihn: „Der kleine Gott".[59] Im Traume nur, versteht sich.

In Wirklichkeit kommt man dahin nicht so leicht. Mühsam klettern wir von Sprosse zu Sprosse, wohl meist hinauf, doch oft auch tief hinab, und ob wir am Ende des Lebens höher sind als am Anfang, steht dahin. Es ist leichter, an einer Sprosse zu kleben als zu steigen. Die Erdenschwere zieht uns hinab. „Was der Christ mit der 'Welt' meint, begreife ich mehr und mehr. Wahrhaftig, man muß ein Mann sein, um trotz ihr 'zu Gott' zu kommen."[60] Er ist ein Mann, der Thomas Mann – gern spielt er mit seinem Namen.

Gott ist nur eine anthropomorphe Projektion, sagen die Religionskritiker, ein sehnsüchtiges Gegenteil unserer Mangelhaftigkeit. Thomas Mann stimmt dem zu, aber er läßt das „nur" weg. Das Projizieren ist doch eine große Sache! Er läßt Abraham Gott „entdecken" und „hervordenken" aus klar erkennbaren Interessen, aber er ruft nicht: Da seht, es gibt ihn gar nicht wirklich, sondern im Gegenteil: Laßt uns alle mitmachen, laßt uns Gott entdecken und gemeinsam arbeiten an seinem Bilde. Die Menschen brauchen Gott, „immer ahmen sie nur die Götter nach, und je wie das Bild ist, das sie sich von ihnen machen, danach tun sie".[61] Gott braucht die Menschen, damit er groß erfunden werde und nicht niedrig und gemein. Daß Gott hilfsbedürftig ist, gibt der Religiosität des Romans diesen eminent produktiven, diesen aktiven und ermutigenden Zug.

Manns Gott ist Vater par excellence. Er trägt die Züge Jaakobs, des Vaters,[62] der das äffische Ägypterland als mutterrechtliche Unterwelt verabscheut. Das Antlitz des Vaters rettet Joseph in der Stunde der Versuchung. Es ist das Antlitz Gottes. Zweifellos sieht Gott aus wie ein Mensch – ist doch auch der Mensch nach seinem Bilde geschaffen. Für Thomas Mann ist es das Bild des Vaters. Nicht in jedem beliebigen Bild konnte Gott ihm erscheinen.

Keiner hat Gott je gesehen. Unser Reden von ihm geschieht immer in Bildern. Das ist auch bei der kirchlichen Theologie der Fall. Was im einzelnen dogmatisch für wahr gehalten wird, verliert so gesehen an Absolutheit, weil es nie das Eigentliche selber ist. Wenn man unter „glauben" nicht ein System von Sätzen versteht, sondern die faktisch sinnstiftenden Grundlagen eines Lebens, nicht ein Meinen, sondern ein Sein, dann relativiert sich die Differenz zwischen denen, die sich als gläubige Christen im richtigen Boot wähnen, und den „Ungläubigen".

Als Nietzscheaner ist Thomas Mann zunächst philosophischer Nihilist. „Zu glauben, ist eine große Wonne der Seele. Doch nicht zu glauben, das ist beinahe glückseliger noch als das Glauben" – das läßt er seinen Echnaton jubelnd vorbringen.[63] Er ist ein Ungläubiger auf der Suche. Er will herausfinden, wie man trotz unvermeidlichen Unglaubens sinnvoll leben kann. Er ist ein Pragmatiker des Glaubens. Er ist Nihilist in der Theorie, aber der Praxis nach befreit er die Religion aus den erstickenden Klischees ihrer bestallten Wächter, deren Lehren wie verlassene Häuser sind, „sie stehen aufrecht und dauern, aber niemand wohnt mehr darin".[64] Ihr Tun langweilt Gott. Beim Lesen des Joseph-Romans aber küßt Gott sich die Finger und ruft zum heimlichen Ärger der Engel: „Es ist unglaublich, wie weitgehend dieser Erdenkloß mich erkennt! Fange ich nicht an, mir durch ihn einen Namen zu machen?"[65]

Zum Ärger der Engel: Sie halten „das Engeltier"[66] (den Menschen) für eine Mißgeburt. Wozu mußte Gott sich auf Fleisch und Leib und Zeit und Tod einlassen? Wozu diese Vermischung des reinen Geistes mit dem Tierischen? Ironisch stellt Thomas Mann mit den Engeln die uralten Fragen nach dem Sinn der Schöpfung und dem Woher und Wozu des Leidens in der Welt. Aber seine Denkrichtung ist in Wahrheit umgekehrt. Wir finden den Menschen vor als Mischwesen zwischen Engel und Tier. Er kennt das Höchste und tut manchmal das Niederste. Wie kann man ihm helfen? Indem man ihm einen Gott gibt, der ihn nach oben zieht, den er nach oben zieht. Indem man ihn zur „Arbeit am Göttlichen" nötigt.[67]

Auch Gott kennt Rückfälle. „Gott hat nicht Schritt gehalten", beschwert sich Jaakob, als er den geliebten Joseph von wilden Tieren zerrissen glaubt, und nennt den Herrn gar einen Unhold.[68] Zwar irrt er sich in diesem Falle, weil das Zerrissenwerden nur die Vorbedingung der Auferstehung und Erhöhung Josephs ist und der Herr durchaus weiß, was er will, aber das Unholdhafte gehört schon ins Wesen dieses Gottes, der selbst einmal als kleiner Wüstendämon angefangen hat. Abraham und Jaakob verhelfen ihm zwar zu einer steilen Karriere zum Hohen und Reinen hin, aber bisweilen kommt das Urtümliche in ihm hoch und er hat atavistische Rückfälle wie seine Kinder. Dann nimmt er einem die Geliebte oder den Sohn. „Es sind Wüstenreste, such es dir so zu erklären."[69] Thomas Manns Gott ist nicht „gerecht", sondern durchaus parteilich, er erwählt, wen er will, ist auch einmal zerstreut und unachtsam.

„Er war nicht das Gute, sondern das Ganze."[70] Er ist deshalb auch die Finsternis, das Böse und das unberechenbar Schreckliche – „auch das Erdbeben, der knisternde Blitz, der Heuschreckenschwarm, der die Sonne verdunkelte, die sieben bösen Winde, der Staub-Abubu, die Hornissen und Schlangen waren von Gott".[71] „Da Gott das Ganze ist, ist er auch der Teufel", spitzt Doktor Riemer im Goethe-Roman zu.[72] Weil er das Ganze ist, ist seine Sache eine umfassende Ironie.

Ums einzelne kümmert er sich nicht. Ohne Mitleid ist er mit dem, der einem großen Plan im Wege steht. Er läßt den alten Minäer ins Weite ziehen, sobald er ihn nicht mehr braucht – obgleich wir ihn doch liebgewonnen haben. Potiphars Hausverwalter Mont-kaw geht es noch weit schlimmer, er wird abgeräumt, Gott selbst sorgt dafür, weil er Mont-kaws Stelle für Joseph braucht. „Joseph erschrak sehr, als er Gottes Absichten erkannte."[73] Auch gerecht kann Gott nicht sein, denn was dem einen nützt, schadet meistens irgendeinem anderen in dieser Welt. Wenn Gott den einen segnet, dem anderen flucht, hat das nichts mit sittlichen Mängeln des Verfluchten zu tun, als hätte dieser auch anders handeln können. Segen und Fluch sind nur Bestätigungen der vorweg schon Gesegneten, vorweg schon Verfluchten.[74] Der einzelne hat keine Wahl. Er findet sich vor, und wenn er's begreift, ist es gut. Es muß die Bösen geben um der Guten willen. Die Rolle des Kain muß gespielt werden, ebenso wie die Esaus, Ismaels oder des Oberbäckers. Thomas Mann macht uns hier nichts vor. Seine Religiosität kennt keinen billigen Trost. Der Oberbäcker wird eines grausamen Todes sterben. Sein Trost besteht nur darin, daß seine Rolle ebenso notwendig ist wie die des Mundschenks, der begnadigt wird. Gott ist nicht das Gute, sondern das Ganze:

Du aber, Bäckermeister, verzweifle nicht! Denn ich glaube, du hast dich dem Bösen verschworen, weil du's für ehrwürdig vorgeschrieben hieltest und es mit dem Guten verwechseltest, wie es denn wohl geschehen mag. Siehe, du bist des Gottes, wenn er unten ist, und dein Genoß ist des Gottes, wenn er oben ist. Aber Gottes seid ihr beide, und Haupterhebung ist Haupterhebung, sei's auch am Kreuz- und Querpfahl.[75]

Auf den mittleren Sprossen der Leiter ist Gott wie wir. Er will es gut machen, aber nicht immer glückt ihm das. Er schuf Eva aus Adams Rippe, und fand, daß es gut war, während der Roman spöttisch kommentiert: „Und es war sehr gut gemeint."[76] Aber es ging nicht gut aus. Mit der Liebe kam auch das Leid. Auch Gott ist einsam.[77] Er will geliebt werden. Er ist infolgedessen eifersüchtig.[78] Er billigt die weiche und wählerische Gefühligkeit nicht, mit der Jaakob sich Rahel zur Höchsten erwählt hat, sondern züchtigt ihn dafür. Das zügellose Gefühl eines Menschen für einen anderen ist Abgötterei. Gott straft Jaakob dafür und lehrt Joseph die Keuschheit.

Gott ist Vater, aber er hat seinerseits einen Vater, Abraham nämlich, der ihn erschaut und hervorgedacht hat und sich deshalb herausnehmen darf, mit ihm zu rechten. Daß man mit Gott zanken kann, gehört zu den Stärken des Alten Testaments, die Thomas Mann nicht christlich glattbügelt, sondern scharfkantig hervorhebt. „Höre, Herr", hatte Abraham damals schroff vorgebracht, was willst du eigentlich? „Willst du eine Welt haben, kannst du nicht Recht verlangen; ist es dir aber ums Recht zu tun, so ist es aus mit der

Welt."[79] Auch Kain beschwert sich geschickt, als Gott ihn wegen des Mordes an Abel zur Rede stellt. „Wer aber hat mich geschaffen wie ich bin [...]? Wer hat den bösen Trieb in mich gelegt zu der Tat, die ich unleugbar getan?"[80]

Man habe den bösen Gott so nötig wie den guten, hatte Nietzsche geschrieben.[81] Er liebte das Alte Testament. „In ihm finde ich große Menschen, eine heroische Landschaft und etwas vom Allerseltensten auf Erden, die unvergleichliche Naivität des *starken Herzens;* mehr noch, ich finde ein Volk. Im Neuen dagegen lauter kleine Sekten-Wirtschaft, lauter Rokoko der Seele, lauter Verschnörkeltes, Winkliges, Wunderliches, lauter Konventikel-Luft."[82]

Auch Thomas Mann hält das Alte Testament für das ehrlichere. Ein Jesus-Roman aus seiner Feder ist nur schwer vorstellbar. Daß die Erlösung schon gekommen sei, kann er nicht glauben, der Augenschein spricht dagegen. Man merkt von ihr nichts, nirgends ist unsere Zeit der Zeit vor Christus eindeutig überlegen. Die Begründungen der Theologen mit ihrem spitzfindigen Schon und Noch-nicht sind so vorwandhaft, wie Begründungen zu sein pflegen. Wes Brot ich eß, des Lied ich sing. Jesus ist nüchtern betrachtet doch nur einer von vielen, die vor ihm da waren, wie Tammuz, der zerrissen wird und wiederkommt, wie Osiris, der niederfährt und aufersteht, wie Adonis und Joseph und die vielen, die noch kommen werden und nach ihm in jedem Sterben die Auferstehung erfahren.

„Herr", ruft Jaakob, als er Rahel sterben sieht, „was tust du?" In solchen Fällen erfolgt keine Antwort.[83] Aber dem Leid, selbst dem schlimmsten, dem Gekreuzigtwerden, jedweder Folterung, der Qual Hiobs, der Klage Jaakobs, ist eine absolute Grenze gesetzt, jenseits derer es in Erlösung umschlägt. Seine Vorteile hat sogar der Tod.[84] Das Leben sei streng, grausam und böse zu jeder Zeit, meinte der unpolitische Betrachter, aber er wußte auch, daß jedes Herz nur eines begrenzten Maßes an Schrecken fähig sei, jenseits dessen Stumpfheit eintrete, oder Ekstase, oder auch eine religiöse Freiheit und Heiterkeit, die die Überwindung des Todes selbst bedeute.[85] Es gibt Auferstehung, es gibt Überwindung des Todes in diesem Roman, aber sie sind nicht exklusiv mit Jesus verknüpft. Er kommt zwar in allerlei Anspielungen vor, auf die Jungfrauengeburt,[86] auf sein Lehren im Tempel,[87] auf den Kuß des Judas,[88] auf das „Mich dürstet" am Kreuz[89] und auf den Gang nach Emmaus[90], aber Tammuz und Osiris sind nicht weniger präsent als er. Für den dem Volk Israel verheißenen Messias aber, den Jaakob Shiloh nennt, interessiert sich der Erzähler kaum.[91]

Von Zauberers Keuschheit

Grad und Art der Geschlechtlichkeit eines Menschen reichen bis in seine höchste Geistigkeit.[92] Wunschvoll-wunschunmöglich nennt Mann die Entbehrung, mit der er auf seinen Enthusiasmus für den unvergleichlichen Reiz männlicher Jugend antwortet. „Das Illusionäre, wolkenhaft Unfaßbare, Ungreifbare, das dennoch das Leidend-Begeisterungsvollste ist" – die unerfüllbare Leidenschaft eben wird ihm „Fundament der Kunstübung".[93] Die Enthaltsamkeit, zu der er sich durch seine Veranlagung genötigt sah, vergeistigt sich in ihm zum Weltprinzip. Er steigert sie schon im *Tonio Kröger* hinauf zur Wirklichkeitsreinheit. Der Künstler ist keusch. Er ist nur Zuschauer und Gestalter des Lebens, mischt sich aber nicht ein. Er ist Ironiker, daher keinem Interesse unterworfen. Ironie ist Vorbehalt gegen alles und jedes. In die Sprache der Religion übersetzt: Der Ironiker hat an nichts Irdischem teil. Paulinisch gesprochen: Er hat, als hätte er nicht (1 Kor 7, 27). Mit Martin Luthers Worten: „Ein Christenmensch ist ein freier Herr über alle Dinge und niemandem untertan. Ein Christenmensch ist ein dienstbarer Knecht aller Dinge und jedermann untertan."[94] Die Welt ist vom Standpunkt des Ironikers aus eitel, ein Windhauch, er gedenkt ihres möglichen Endes, er ist infolgedessen frei, durch nichts erpreßbar. Er liebt sie höchstens als ganze; alles einzelne aber ist ihm gleich nah oder gleich fern. Er liebt das Gewimmel, aber keinen von denen, die da wimmeln. Die Keuschheit wird zum fundamentalen Prinzip des Lebens und Wahrnehmens. Sie ist nicht nur die masochistische Zuflucht der Frustrierten. „Es ist nicht die Rede von finster-mühseliger Kasteiung, in deren hagerem Bilde ein neuzeitlicher Sinn die Keuschheit fast unvermeidlich erblickt."[95] Die Keuschheit hat vielmehr Humor, Überlegenheit, Spottlust. Sie ist heiter, übermütig, ja hochmütig, denn nicht ganz ohne Grund fühlt sie sich den andern überlegen. Sie ist die helle Vatertugend gegen die trübe Mutterversuchung. Die Unkeuschheit aber ist Vaterschändung, inzestuöser „Sohneseinbruch ins väterlich Vorbehaltene".[96] Es ist, als würde die zwiegeschlechtliche Sphinx, die Brüste hat, aber vielleicht auch baumelnde Hoden, ihre Tatze vom Sande heben und den Neugierigen an ihre Brüste reißen. Dem Joseph träumte, daß sie zu ihm sagte: „Ich liebe dich. Tu dich zu mir." Er aber antwortete: „Wie sollte ich ein solches Übel tun und wider Gott sündigen?"[97]

In der Keuschheit lebt eine Sehnsucht nach dem Höheren, die sich alles Irdischen schämt. Sie ist deshalb der letzte und höchste Inhalt auch der Gottesvorstellung. Gott will sie. Er ist eifersüchtig, wenn der Mensch sich an eine irdische Leidenschaft bindet. Der Sinn der Beschneidung ist die Verpfändung des Geschlechtsteils an Gott. Sie ist Ausdruck des Treubunds des Vorbehaltenen, weil Gottverlobten.[98] Keusch zu sein auch als Verheirateter, frei zu sein auch als vielfach Verpflichteter und Gebundener, angstlos, weil nichts Schlimmeres geschehen kann als der Tod, weil der Tod aber nicht schlimm ist für einen, der über jeder Grube den Sternenhimmel blinken sieht: so zu sein war Thomas Manns Wunsch, das war seine Religion, dazu brauchte er Gott. Seine Keuschheit ist Liebe zur Reinheit Gottes. „Die Läuterung Gottes aus trüber Tücke zur Heiligkeit schließt, rückwirkend, diejenige des Menschen ein, in welchem sie sich nach Gottes dringlichem Wunsche vollzieht."[99] Die Gruben sind da um der Auferstehung willen.

Militantes Christentum

Das Unreine ist trübe Tücke. Daß Thomas Mann den Faschismus dem rückständigen Mutterreich zuordnet, ist als politische Theorie vielleicht nicht viel wert. Ihm selbst aber hat es Kraft gegeben zum Widerstand, die Kraft seiner Keuschheit. Der Faschismus ist das Unreine, Ungesittete, lallende Baalsnarrheit, im Fruchtbarkeitsdunkel hausende Unvernunft. Der Gott der Väter Josephs aber ist ein geistiger Gott, der nichts zu schaffen hat mit dem Unteren und dem Tode.[100] Thomas Mann hält dem Faschismus ein vaterrechtliches Christentum entgegen. Die von Nationalsozialisten wie Alfred Rosenberg dreist propagierte „Überwindung des Christentums"[101] ruft seinen Widerstand auf den Plan. „Das Bewußtsein meines Kultur-Christentums, das freilich ansteht, 'gläubig' zu werden und sich der Offenbarung zu unterwerfen, ist in letzter Zeit sehr erstarkt." (Tagebuch 23. August 1934)

Sagt, was ihr wollt: das Christentum, diese Blüte des Judentums, bleibt einer der beiden Grundpfeiler, auf denen die abendländische Gesittung ruht und von denen der andere die mediterrane Antike ist.[102]

XVI. Haß auf Hitler

Princeton, 1939

Chronik 1936–1945

Am 19. November 1936 war Thomas Mann Tscheche geworden. Amerikanische Staatsbürger wurden er und Katia Mann am 23. Juni 1944. Nach dem Hinauswurf aus Deutschland war der Abschied von Europa der nächste große Wendepunkt. „Unruhe und Ergriffenheit von dem Abschluß dieser 5jährigen Lebensepoche." (15. September 1938)

Das Bekenntnis zum Exil hatte die Bahn wieder freigemacht für eine reiche internationale Vortragstätigkeit. Zum 80. Geburtstag Sigmund Freuds im Mai 1936 hält Thomas Mann in Wien die Festrede *Freud und die Zukunft.* Im Juni folgt ein Referat über *Humaniora und Humanismus* in Budapest. Der Verlust der Staatsangehörigkeit zog die Aberkennung der Ehrendoktorwürde der Universität Bonn nach sich. Auf sie antwortete der inzwischen bereits in Harvard mit einem Doktortitel Geehrte mit einer souveränen Zurückweisung, die unter dem Titel *Ein Briefwechsel* zur verbreitetsten antifaschistischen Stellungnahme des gesamten literarischen Exils werden sollte. Auch ins Deutsche Reich gelangten zahlreiche Exemplare.

Während nach Abschluß von *Joseph in Ägypten* der Goethe-Roman *Lotte in Weimar* zum dichterischen Hauptgeschäft wird, gehen die Nebenverpflichtungen weiter, ein Vortrag über *Richard Wagner und der 'Ring des Nibelungen'* zum Beispiel (November 1937), eine Einleitung zum Werk Arthur Schopenhauers (Januar bis Mai 1938), ein Essay *Bruder Hitler* (April 1938) und ein gegen das Münchener Abkommen gerichteter Essay *Dieser Friede* (Oktober 1938). Mann gründet seine eigene antifaschistische Kulturzeitschrift *(Maß und Wert,* erstes Heft September 1937*).* Er reist im April 1937 das dritte Mal nach Amerika, worauf im Februar 1938 die vierte (mit dem Vortrag *Vom zukünftigen Sieg der Demokratie)* und im September 1938 die fünfte und endgültige Ankunft folgen. Die Freundin Agnes E. Meyer hatte bei der Beschaffung der Einwanderungspapiere wirksam assistiert und an der University of Princeton eine Stelle als „Lecturer in the Humanities" besorgt. Thomas Mann versucht sich dort 1938 bis 1940 mit mehreren Vorlesungen als akademischer Lehrer.

Der Sommer 1939 bringt eine große Europareise (Nordwijk, Zürich, London, Stockholm) mit wegen des Kriegsausbruchs (1. September 1939) erschwerter, aber gelingender Rückkehr. Der Essay *Dieser Krieg* (geschrieben November bis Dezember 1939) erfüllt erneut eine Forderung des Tages. Mit der indischen Novelle *Die vertauschten*

Köpfe folgt eine weitere dichterische Einlage (Januar bis Juli 1940), bis endlich im August 1940 die Arbeit am Joseph-Roman wieder aufgenommen wird. Daneben ist ständig eine rege politische Publizistik im Gange – Vorträge, Lesereisen, Statements aller Art, Vorworte. Die Bibliographie verzeichnet von 1937 bis 1945 über dreihundert nichtdichterische Beiträge. Kein deutscher Autor im Exil hat auch nur annähernd eine so ausgedehnte publizistische Tätigkeit entfaltet. Vom Oktober 1940 bis Ende 1945 spricht Thomas Mann über BBC London monatlich eine Radiobotschaft nach Deutschland hinein *(Deutsche Hörer!).* Im Januar 1940 führt eine Vortragsreise nach Kanada (mit *The Problem of Freedom),* im Februar 1940 eine weitere (mit dem gleichen Vortrag) in zehn amerikanische Städte. Oktober/November 1941 werden (mit *The War and the Future,* erste Fassung) mehr als zwanzig amerikanische Großstädte besucht. Dazu kommen kleinere Reisen dieser Art. Er ist so berühmt wie man als ausländischer Schriftsteller nur sein kann. Sogar der Präsident der Vereinigten Staaten, Franklin D. Roosevelt, lädt ihn zu sich ein (13./14. Januar 1941). Nach dem Ende der Princeton-Professur wird er von 1941 bis 1944 „Consultant in German Literature" der Library of Congress in Washington.

Im Frühjahr 1941 zieht die Familie von Princeton nach Pacific Palisades in Kalifornien um, in die Region Los Angeles, wo es seit der Emigrationswelle des Jahres 1940 eine große deutsche Kolonie gab. Intensive Arbeit am *Joseph* füllt, außer den üblichen Nebenarbeiten, die Jahre 1941 und 1942. Nach dem Abschluß des großen Romanwerks im Januar 1943 wird noch als Nachspiel die Moses-Novelle *Das Gesetz* gefertigt (Januar bis März 1943), eine Auftragsarbeit für ein antifaschistisches Buch über die zehn Gebote, bis, nach kurzem Zögern, ob nicht besser der *Felix Krull* fortgesetzt werden sollte, und erstaunlich kurzer Konzeptions- und Sammelzeit, im Mai 1943 die Niederschrift des *Doktor Faustus* ihren Anfang nimmt. Im Juli 1943 beginnt die Bekanntschaft mit Theodor W. Adorno, der zum wichtigsten Berater des Faustromans werden sollte. Im August und Oktober 1943 entsteht der Vortrag *Schicksal und Aufgabe* (englisch *The War and the Future,* nicht identisch mit dem gleichnamigen Vortrag von 1941), in dem Thomas Mann sich weiter als jemals marxistischen Positionen annähert. Die wichtigsten Vortragsorte sind Washington, Boston, Manchester, New York, Montreal und Chicago (Oktober/November 1943). Gegenüber politischen Organisationsversuchen der Linken bleibt Thomas Mann jedoch skeptisch. Obgleich er sich an diversen Beratungen beteiligt, zieht er sich doch meistens zurück, wenn mehr als ein moralisches Engagement gefordert ist. Im Wahlkampf von 1944 setzt er sich für die Wiederwahl Roosevelts ein, die dann auch erfolgt. Roosevelts Tod im April 1945 erschüttert ihn tief.

Das Jahr 1945 bringt außer der Weiterarbeit am *Doktor Faustus* im Februar und März den grundlegenden Vortrag *Deutschland und die Deutschen* und im Mai 1945 als ersten wieder in Deutschland gedruckten Text den Artikel *Die Lager* (über die Enthüllung der deutschen KZ-Verbrechen). Am 7. Mai 1945 kapituliert Deutschland. Bereits wenige Tage später ist Klaus Mann als amerikanischer Soldat in München und berichtet von dort seinem Vater. Dieser will Deutschland vorerst nicht wiedersehen.

I Am an American

Das zu sagen gefällt Thomas Mann in einem Radio-Interview des Jahres 1940.[1] Er gibt sich gern amerikanisch, während er nie versucht hat, als Tscheche aufzutreten. Er nimmt viele Lebensformen des Landes dankbar an. Er ißt pancakes with maple-syrup.[2] Amerika lockert seine etwas steifen Manieren demokratisch auf.[3] Mit der Zeit bringt er es zu einer Lieblingszigarette (Edgeworth), einem Lieblingsschlager („Don't put your daughter on the stage" von Noel Coward)[4] und einem Lieblingskomiker (Jack Benny).[5]

Auf die rechtswirksame Einbürgerung ließ man ihn jedoch lange warten. Erst im Januar 1944 durfte er die Bürgerprüfung ablegen. Fünfzig Minuten lang wurde er examiniert, über Verfassung und Geschichte der Vereinigten Staaten, das war kein Spaß, da er, im Gegensatz zu Katia, nichts gelernt hatte; die prüfende Dame sei, meint er, erstaunt gewesen über die Mischung von Gescheitheit und Ignoranz, die er darstellte.[6]

Was Thomas Mann nicht wußte: [7] Diese Prüfungen pflegten normalerweise zehn Minuten zu dauern. Die Angestellte des Einwanderungsbüros ließ sich nicht anmerken, daß sie genau wußte, wer vor ihr stand. Sie nützte mit trockener List die Gelegenheit zu einem ausführlichen Gespräch mit dem berühmten Mann. Heimlich wird sie in sich hineingekichert haben. Als sie fertig war, zückte sie ein Exemplar von *Buddenbrooks* und ließ sich eine Widmung hineinschreiben. Ganz umsonst hatte Thomas Mann seinen Angstschweiß vergossen.

Den eigentlichen Bürgereid schwor er dann endlich am 23. Juni 1944. Die Datumszeile des Tagebucheintrags erhält an diesem Tag den feierlichen Zusatz: „Amerik. Bürger".

Moralisch gute Zeit

Hitler hatte den großen Vorzug, eine Vereinfachung der Gefühle zu bewirken, das keinen Augenblick zweifelnde Nein, den klaren und tödlichen Haß. Die Jahre des Kampfes gegen ihn waren moralisch gute Zeit.[8]

Vereinfachung der Gefühle. Der Neurastheniker Thomas Mann war von früh an der Mann der komplizierten Gefühle gewesen, ein Seelenzergliederer, der sich nach einfachen Gefühlen sehnte, sie aber nicht hatte. Der Widerstand gegen Hitler hat eine ähnliche Wirkung wie der Kriegsausbruch von 1914: Er vereinfacht, er befreit aus der Dekadenz.

Ein heller und angriffslustiger Ton erfüllt des Vereinfachten Reden und Schriften. „Es ist nicht fein, Hitler zu hassen", spricht er zu sich selbst (28. Januar 1941), aber er hat Lust dazu, Lust zu kämpfen und zu schimpfen. „Heute habe ich wieder einmal nach Deutschland gebroadcastet und bin ungewöhnlich ausfallend gegen Schicklgruber [= Hitler] geworden. Es tut doch wohl."[9] Das polemische Talent, das er früher manchmal an unwürdige Gegenstände verschwenden mußte, hat jetzt die Autorität eines epochalen Kampfes im Rücken. Mit Wucht prasseln die Worte auf die deutschen Unholde nieder. Depressionen gibt es in diesen Jahren kaum. Der feinnervige Träumer ist weit von sich abgekommen, genauer: die Zeit hat ihn von sich abgebracht. Die sublime Ironie der Frühzeit ist einem bisweilen fast polternden Stil gewichen, die zweifelnde Skepsis des Schopenhauerianers einem kämpferischen Zweckoptimismus. Nur selten erlaubt er sich so Inopportunes wie den Essay *Bruder Hitler.* Nur ganz privat kommen manchmal alte Ehrlichkeiten zum Zuge. „Vormittags an dem amerik. Vortrag. Demokratischer Idealismus. Glaube ich daran? Denke ich mich nicht nur hinein wie in eine Rolle?" (27. November 1937) In einem Brief an René Schickele vom gleichen Tag glaubt man den unpolitischen Betrachter zu hören, der Nietzsches Wagner-Kritik gelesen hat. „Finden Sie nicht, daß diese ästhetischen Probleme im Grunde viel interessanter sind und uns natürlicher als alle Politik?" Er müsse nun leider für Amerika politische Philosophie treiben und etwas über „den zukünftigen (sehr zukünftigen) Sieg der Demokratie" ausarbeiten.

Treulich entwickle ich da die Gedankenwelt des demokratischen Idealismus – ich glaube, ziemlich richtig; studiert habe ich sie nie, aber die Dinge haben ja ihre innere Logik –, und es kommt eine Art von politischer Sonntagspredigt zustande, bei der mir wohler wäre, wenn ich sie von einer Romanfigur halten lassen könnte, statt sie extemporischer und traumhafter Weise so ganz auf eigene Hand zu halten. Glaube ich denn daran? Weitgehend! Aber doch wohl nicht so, daß ich sie ganz im eigenen Namen halten dürfte. Unter uns gesagt, ist es eine Rolle, – mit der ich mich so weit identifiziere, wie ein guter Schauspieler sich mit der seinen identifiziert. Und warum spiele ich sie? Aus Haß auf den Faschismus und auf Hitler. Aber sollte man sich von solchem Idioten seine Gedanken und seine Rolle vorspielen lassen? Freiheit, Freiheit! In der Politik ist sie nicht zu finden, soviel dort davon die Rede ist.

Das ist die tiefere Wahrheit hinter allem, was kommt. Immer noch ist er nur mit dem väterlichen Pflichtbewußtsein bei der Sache, nicht mit dem frei schweifenwollenden künstlerischen Mutterherzen. Tief innen billigt er gar nicht, was er tut. Welch unsinniges Opfer, sich mit der Bekämpfung des Faschismus das Blut zu verderben! Keine Vorspanndienste mehr! Keine Äußerungen und Antworten! Wozu Haß erregen? Freiheit und Heiterkeit! Man sollte sich endlich das Recht dazu nehmen.[10] Er gibt sich überzeugt vom Sieg der Demokratie, weil das damals nötig war. „Ins Politische bin ich einzig und allein durch die Umstände getrieben worden, sehr gegen meine Natur und meinen Willen."[11] Er neigt sich weit nach links, aber nicht, weil er von Natur links wäre, sondern weil der Kahn nach rechts zu kentern droht.[12] Erst nach dem Krieg erlaubt er sich wieder, die Rolle als Wanderprediger der Demokratie ein wenig banal, ein wenig platt, ein wenig komisch zu finden.[13]

Der Kampf nach außen erfüllt das Herz so sehr, daß die Innenwelt zurücktritt. Es gibt in dieser Zeit kaum Geheimnisse. Aus den amerikanischen Jahren ist (außer Cynthia) keine Liebesgeschichte bekannt. Auch die Erinnerungen an früher spielen keine große Rolle mehr. Thomas Mann lebt in der Gegenwart. Die alte Heimat ist weit weg. München, wo er so viel erlebt hat, weckt nur noch Haß, die Zerstörung geschieht ihr recht, der dummen Stadt. Er ist überhaupt nicht sentimental. „Telegramm von Klaus aus München: Das Haus, mehrfach gebombt, in Umrissen erhalten, im Innern, das schon vorher verändert, vollständig zerstört. – Seltsamer Eindruck. Gut, daß ein neues Haus habe unter freundlicheren Zonen." (14. Mai 1945) Lübeck geht es ähnlich. Die Zerstörung des Buddenbrook-Hauses durch einen britischen Luftangriff läßt den in Sankt Marien Getauften beinahe kalt. Solche Trümmer könnten denjenigen nicht schrekken, der für die Zukunft lebe und nicht für das Vergangene.[14] Die Zerstörung Deutschlands muß sein um dieser neuen Zukunft willen.

Ein Ausdruck dieser Veräußerlichung ist die abnehmende Bedeutung der täglichen Aufzeichnungen. 1933 und 1934 werden jährlich bis zu 350 Seiten Tagebuch geschrieben. 1935 sind es noch rund 230, 1936, nachdem der Korrodi-Brief die politischen Fronten geklärt hat, noch 180. Von 1937 an umfaßt die Jahreseintragung meistens nur noch rund 160 Seiten, um 1944 und 1945 bis auf 140 und 145 abzusinken.

Thank you, Mr. Hitler!

Die Schweiz, Wahlheimat der Jahre von 1933 bis 1938, habe „Takt" verlangt von dem Gast ohne Papiere. Aber dann sei der Ruf nach Amerika gekommen,

und auf einmal, in dem riesigen freien Land, war nicht die Rede mehr von „Takt", es gab nichts als offene, unverschüchterte, deklarierte Freundwilligkeit, freudig, rückhaltlos, unter dem stehenden Motto: „Thank you, Mr. Hitler!"[15]

Es gefiel ihm gut in Amerika. Er pries den amerikanischen Mythos, lobte Freiheit und Gutwilligkeit, Offenheit und frische Weite anstelle der vergifteten Enge des müden Europa[16] und feierte rhetorisch „das Pionierhaft-Optimistische und Herzhaft-Menschengläubige seelischer Jugendlichkeit, die wohlwollend-zuversichtlichen Ideen und Prinzipien"[17] seines neuen Landes. Schon seit der Whitman-Lektüre 1922 war Amerika für ihn das Land der seelischen Gesundheit. Er atmete die amerikanische Luft mit Zustimmung, zumal ihm das Land als der stärkste Damm gegen die finsteren Mächte erschien, die ihn aus Europa vertrieben hatten.[18] Später ging ihm der ewig blaue Himmel manchmal auf die Nerven, aber beim ersten Besuch (1938 in Beverly Hills) gefiel ihm auch Kalifornien sehr.

Ein Himmel überhellen Lichtes, unter dem Palmenfächer schaukeln, strahlt durch die Jalousien herein; Orangenbäume duften, in Blüte und Frucht stehend zu gleicher Zeit, und malaiische Diener, Philippinos, räumen den Frühstückstisch ab im Nebenzimmer, gegen das ich die Schiebetüre geschlossen [...] Es ist ja wie immer. Ein Tisch ist da, ein Sessel mit Lampe zum Lesen, eine Bücherreihe auf der Konsole, – und ich bin allein. Was verschlägt es, daß ich „weit weg" bin? Weit weg wovon? Etwa von mir? Unser Zentrum ist in uns. Ich habe die Flüchtigkeit äußerer Seßhaftigkeit erfahren. Wo wir sind, sind wir „bei uns". Was ist Heimatlosigkeit? In den Arbeiten, die ich mit mir führe, ist meine Heimat. Vertieft in sie, erfahre ich alle Traulichkeit des Zuhauseseins. Sie sind Sprache, deutsche Sprache und

Gedankenform, persönlich entwickeltes Überlieferungsgut meines Landes und Volkes. Wo ich bin, ist Deutschland.[19]

Dieser Mann ist mein Bruder

Das „Wo ich bin, ist Deutschland" steht im Vorentwurf des Essays *Bruder Hitler* von 1938. Es ist eine trotzige Behauptung gegen das damals viel Offensichtlichere, daß Deutschland sei, wo Hitler war.

„Der Bursche ist eine Katastrophe; das ist kein Grund, ihn als Charakter und Schicksal nicht interessant zu finden."[20] Hier spricht der radikale Ästhet, der ein ungewöhnliches Phänomen fesselnd findet, gleichgültig, was die Moral dazu sagt. Der Satz macht Furore. Gottfried Bermann Fischer will ihn entfernt wissen, aber Mann antwortet ihm, „das mit dem Burschen-Sätzchen" habe er sich überlegt, es solle doch stehen bleiben. „Politisch macht es nach allem Übrigen auch nichts mehr aus, und rein stilistisch hat es in seiner Geradheit den Wert einer Erfrischung bei sonst vielfacher Kompliziertheit."[21]

Der Aufsatz sollte eigentlich das weithin sichtbare Schlußstück des Essay-Bandes *Achtung, Europa!* bilden. Weil er nicht hassen, sondern verstehen will, ist er wichtiger als die vielen Anti-Nazi-Polemiken und wahrhafter als viele demokratische Gutmütigkeiten aus jenen Jahren. Wer verstehen will, muß das Verhaßte in sich einlassen. Derlei ist in politisch aufgeheizten Zeiten aber stets unerwünscht. Bermann schrieb etwas vom Druck der schwedischen Obrigkeit, man befürchte, daß der Bruder-Aufsatz verschärfte Verfolgungen verursachen werde.[22] Der Druck am vorgesehenen Platz mußte deshalb unterbleiben. Das kecke Werkchen erschien lediglich in zwei Zeitschriften. Die aufmerksamen Nazis nahmen es dennoch wahr. Entgegen der offiziellen Totschweigepraxis reagierte die SS-Zeitschrift *Das Schwarze Korps* mit einem höhnischen Artikel.[23] Thomas Mann lebe noch, heißt es da, „wenn auch in der Kaschemmenwelt der Emigration" und „von den recht mageren Auflagenziffern, die man unter den emigrierten Juden erzielen kann". Er habe sich krampfhaft um den Anschluß bemüht, das sei jedoch mißlungen. Ein gutes Stück aus *Bruder Hitler* wird zitiert, das Burschen-Sätzchen vor allem und die ihm folgenden Wendungen über „das unergründliche Ressentiment, die tief schwärende Rachsucht des Untauglichen, Unmöglichen, zehnfach Gescheiterten, des extrem faulen, zu keiner Arbeit fähigen Dauer-Asylisten und abgewiesenen Viertelskünstlers". Triumphierend antwortet der Artikel mit dem Ausruf: „Fürwahr, was müßten das erst für Wichte sein, die sich von einem tristen Faulpelz, Dauerasylisten und Nichtskönner zu Paaren treiben ließen!"

Das Entscheidende hat sich der Autor des *Schwarzen Korps* entgehen lassen. Auch Thomas Mann war ja kein Faulpelz, Dauerasylist und Nichtskönner, und trotzdem nennt er Hitler seinen Bruder. Warum? Weil Hitler ein Künstler sei wie er. „Der Künstler ist ein Bruder des Verbrechers und des Verrückten", das weiß der Teufel.[24] Das folgende paßt nicht nur auf Hitler:[25]

Es ist, auf eine gewisse beschämende Weise, alles da: die „Schwierigkeit", Faulheit und klägliche Undefinierbarkeit der Frühe, das „Nicht-unterzubringen-Sein", das „Was-willst-du-nun-eigentlich?", das halb blöde Hinvegetieren in tiefster sozialer und seelischer Boheme, das im Grunde hochmütige, im Grunde sich für zu gut haltende Abweisen jeder vernünftigen und ehrenwerten Tätigkeit – auf Grund wovon? Auf Grund einer dumpfen Ahnung, vorbehalten zu sein für etwas ganz Unbestimmbares, bei dessen Nennung, wenn es zu nennen wäre, die Menschen in Gelächter ausbrechen würden. Dazu das schlechte Gewissen, das Schuldgefühl, die Wut auf die Welt, der revolutionäre Instinkt, die unterbewußte Ansammlung explosiver Kompensationswünsche, das zäh arbeitende Bedürfnis, sich zu rechtfertigen, zu beweisen, der Drang zur Überwältigung, Unterwerfung, der Traum, eine in Angst, Liebe, Bewunderung, Scham vergehende Welt zu den Füßen des einst Verschmähten zu sehen …

Thomas Mann beschreibt hier unverkennbar seine eigenen Probleme aus der Zeit vor dem Ruhm und sein eigenes Verhältnis zum Publikum. Die Kunstausübung treibt wie die Politik der Wille zur Macht. Beider Psychologie hat mit Trieb viel und mit Idealismus wenig zu schaffen. Auch wenn der Erfolg kommt, ist der Künstler nicht zufrieden. Mann kennt auch das aus eigener Erfahrung:

Aber auch die Unersättlichkeit des Kompensations- und Selbstverherrlichungstriebes ist da, die Ruhelosigkeit, das Nie-sich-Genüge-Tun, das Vergessen der Erfolge, ihr rasches Sichabnutzen für das Selbstbewußtsein, die Leere und Langeweile, das Nichtigkeitsgefühl, sobald nichts anzustellen und die Welt nicht in Atem zu halten ist, der schlaflose Zwang zum Immer-wieder-sich-neu-beweisen-Müssen …

Es geht noch viel weiter mit den Parallelen. Der Prior von San Marco aus dem Drama *Fiorenza* (1905) soll eine Art Hitler gewesen sein, weil er „das Wunder der wiedergeborenen Unbefangenheit" verkündete, ebenso Gustav von Aschenbach im *Tod in Venedig*, wegen seiner Absage an den Psychologismus der Zeit und seinem Willen zur Vereinfachung der Seele.[26] Faschismus ist Renaivisierung – wieder begegnet dieses Motiv, das schon zur Erklärung von 1914 dienen mußte. Vom „um 20 Jahre vorweggenommenen 'National-Sozialismus' des T. i. V." spricht eine Tagebuchnotiz.[27] Auch wenn die Zeittendenzen, die er damals gestaltet habe, im Faschismus kaum wiederzuerkennen seien, hätten sie damit zu tun und hätten gewissermaßen zu seiner moralischen Vorbereitung gedient.[28]

Ist Thomas Mann deshalb ein Nazi? Er kennt den Haß auf den Geist. Hatte der Geist ihn nicht immer gehindert, am Leben der Glücklichen teilzuhaben? Warum sollten die anderen bekommen, was ihm versagt war? Er erkennt ein faschistisches Potential in sich selbst, in den Vereinfachungssehnsüchten und geistfeindlichen Neigungen seines Frühwerks, die in die *Betrachtungen eines Unpolitischen* einmünden. Wenn die Nazis heute die Asphaltliteraten verfolgten, nun, hatte er nicht damals den Zivilisationsliteraten verfolgt? Er hat alles durchgemacht und durchgedacht, um sich davon freizumachen wie Nietzsche von Wagner. Nietzsches Abwendung von Wagner ist sein wichtigstes Vorbild geblieben. „Wagnerisch, auf der Stufe der Verhunzung, ist das Ganze",[29] befindet er im Bruder-Aufsatz. „Es ist viel 'Hitler' in Wagner", schreibt er nach dem Kriege.[30] Diese Art „Hitler" aber war auch in Thomas Mann, denn beide, Wagner und Hitler, sind seine Brüder.

Das Bruder-Argument gilt nur, soweit der Faschismus tatsächlich als Vereinfachung der Seele und als Antwort auf die Dekadenz verstanden wird. Wenn diese These richtig ist (und ganz falsch ist sie sicher nicht), hat das „Faschistische" einen riesigen Anteil am Innenleben des 20. Jahrhunderts, denn seelenvereinfachende Antworten auf die Dekadenz gibt es allenthalben, vom Natur- und Gesundheitskult bis zu den Fundamentalismen verschiedenster Prägung. Das „Faschistische", das es in Thomas Mann gibt, gibt es in uns allen. Weil die Dekadenz keineswegs überwunden ist, im Gegenteil, bleibt auch der Faschismus eine stets virulente Versuchung. Diese Versuchung zu kennen ist besser als sie zu leugnen. Die probaten Gegengifte sind die Analyse, die Ironie, die Vernunft und die Bürgerlichkeit.

Die Juden werden dauern

Er kämpft kontinuierlich gegen die Verfolgung, Entrechtung und Vernichtung der Juden. Schon als Thomas Mann im Frühjahr 1930 Jerusalem, Tel Aviv und die jüdischen Siedlungen in Palästina besucht, ist er beeindruckt von der Leistung und vom Unternehmungsgeist des zionistischen Judentums.[31] Er unterzeichnet im September 1930 einen Aufruf *Gegen den Antisemitismus*.[32] Er setzt sein Engagement für die jüdische Sache während der NS-Zeit mit zahlreichen Aktionen fort. Einer Prager jüdischen Monatsschrift sendet er 1936 als stärkendes Manifest die Erklärung *Die Juden werden dauern!* Sie zeigt die alten Standards seines Denkens und enthält deshalb auch manche Sätze, deren Vokabular heute bedenklich klingt. Er habe unter Juden seine besten Freunde und seine ärgsten Feinde gehabt, woraus persönlich-stimmungsmäßig zunächst einmal folge, daß er am liebsten weder Gutes noch Böses „von diesem Geblüt" sage. Es gebe zu verschiedene Juden, als daß er sich einen Philosemiten nennen wolle. Der Antisemitismus aber sei ihm in der Seele zuwider und verächtlich – das einfachste religiöse Gefühl habe ihn von jeher gehindert, diesem Unwesen das geringste Zugeständnis zu machen.[33] In einem Vortrag vor einer jüdischen Vereinigung in Zürich führt Thomas Mann wenig später (im März 1937) im einzelnen aus, was wir schon von früheren Stellungnahmen kennen: daß das Judentum dem Geist verbunden sei, daß das Jüdische ein unentbehrliches Kultur-Ferment für das Deutsche sei, daß die weltgeschichtliche Sendung der Juden so wenig erfüllt sei wie die der Deutschen. Antisemitismus bedeute stets, daß die Völker sich durch den jüdischen Geist in schlimmen Gelüsten geniert fühlen, weil sie Böses tun, hinter die Schule laufen und Kriegsmetzeleien anstellen wollen. Die Juden sind für ihn ein zäh überlebender Stamm, der „mit dem dunklen und klugen Auge der Vorwelt in unsre Welt blickt und mit seinem uralten Blutswissen, seiner Leidenserfahrung, seiner geprüften Geistigkeit und ironischen Vernunft ein heimliches Korrektiv unserer Leidenschaften bildet."[34] Er beschreibt die Juden wie sich selbst. Denn sie sind Märtyrer, wie er selbst. Er zitiert Goethe: „Ein deutscher Schriftsteller – ein deutscher Märtyrer."

Von den Lagern hatte er schon früh, schon 1933/34 Kenntnis.[35] Einem Pariser kommunistischen Kongreß sandte er 1936 eine Erklärung *Fort mit den Konzentrationslagern*.[36] Die Zunahme der Greueltaten verstärkte auch sein Engagement. Eine anti-antisemitische Radio-Ansprache hielt er in New York am 10. März 1940. Die Absicht der systematischen Ausrottung der Juden, von der es so oft heißt, kaum jemand habe davon etwas gewußt, blieb ihm nicht verborgen. Am 20. Januar 1942 hatte die Wannsee-Konferenz stattgefunden. Schon Ende Januar geißelte Thomas Mann in seiner *Deutsche Hörer*-Sendung die „Probevergasung" von vierhundert jungen holländischen Juden.[37] Am 17. September 1942 notiert er im Tagebuch: „Bericht über die jüdischen Greuel in Europa. Goebbels: Ob Deutschland siegt oder unterliegt, die Juden werden ausgemerzt." Die Empörung darüber speist das nächste Rundfunk-Statement, das mit der Überschrift *Der Judenterror* auch gedruckt erscheint. [38] Thomas Mann macht dort den „maniakalischen Entschluß zur völligen Austilgung der europäischen Judenschaft" bekannt und teilt den Deutschen mit, daß bereits 700000 Juden von der Gestapo ermordet oder zu Tode gequält worden seien. „Wißt ihr Deutsche das? Und wie findet ihr es?" Man wußte gut Bescheid im kalifornischen Exil im September 1942. Für die Vergasungen gab es zahlreiche Zeugen. Die *Deutsche Hörer*-Sendung berichtet von einem geflohenen Lokomotivführer, der mehrmals Züge voller Juden zu fahren hatte, die auf offener Strecke hielten und dann hermetisch verschlossen und durchgast wurden.

The Fall of the European Jews ist ein Vortrag vor zehntausend Zuhörern in San Francisco am 17. Juni 1943, der „the maniacal resolution of the total extermination of the European Jewry" erneut offen anspricht und die Millionen von Opfern nicht verschweigt.[39] Mit ähnlichen Intentionen folgten 1944 *An Enduring People* und eine Erklärung zum Jahrestag des Aufstands im Warschauer Ghetto. *Rettet die Juden Europas!* ist bereits ein Appell aus den Monaten nach Kriegsende, der Anklage führt, daß die giftige Saat Hitlers überall noch tief eingesenkt sei in die verwirrten Gemüter, so daß die Juden noch heute ein Paria-Leben führen und bitterste Not leiden müßten.[40] Als es 1948 eine Zeitlang so aussieht, als würden die USA die Gründung des Staates Israel hintertreiben, schreibt Mann einen scharfen Protest, dessen Titel *Gespenster von 1938* andeutet, daß ihm ein Verrat an den Juden gleich schändlich erschiene wie damals der Verrat an der Tschechoslowakei im Münchener Abkommen. Dies alles haben diejenigen zu bedenken, die Thomas Mann einen Antisemiten zu nennen belieben.

Unverschämt, aber fesselnd

Was seinem Anti-Antisemitismus gelegentlich zu schaffen machte, war die Paradoxie, daß es jüdische Faschisten gab. Solche Juden haßte er, aber nicht, weil sie Juden, sondern weil sie Faschisten waren. Theodor Lessing zum Beispiel ist für Thomas Mann ein intellektueller Faschist, weil er ein Buch gegen den Geist geschrieben hat *(Der Untergang der Erde am Geist,* 1924). Warum mußte man den ermorden? Wo er doch einer Gesinnung mit seinen Mördern war! So jedenfalls erschien es Thomas Mann, unter Hintansetzung notwendiger Differenzierungen, in einer Tagebuchnotiz von 1934.[41] Im gleichen Zusammenhang ist auch von Karl Wolfskehl und Oskar Goldberg[42] die Rede:

Dachte an den Widersinn, daß ja die Juden, die man in Deutschland entrechtet und austreibt, an den geistigen Dingen, die sich in dem politischen System gewissermaßen, sehr fratzenhaft natürlich, ausdrücken, starken Anteil haben und zum guten Teil als Wegbereiter der antiliberalen Wendung zu betrachten: nicht nur Angehörige des Georgekreises wie Wolfskehl, der, wenn man ihn ließe, sich sehr wohl in das heutige Deutschland einfügen könnte. Wie sehr gehört Goldberg mit seinem Buch „Die Wirklichkeit der Hebräer" dem herrschenden Zeitgeist an: anti-humanistisch, anti-universalistisch, nationalistisch, religiös-technicistisch – David und Salomo sind für ihn liberale Entartung. Das innere Verhalten dieses Schriftstellers z. B. zum neuen Staat muß recht schwierig [sein]. Er muß theoretisch billigen, daß er ihn mit Füßen tritt.

Die Wirklichkeit der Hebräer hatte Thomas Mann für den Joseph-Roman gelesen und, unter Vertauschung der intellektuellen Vorzeichen, fleißig ausgewertet. Im *Doktor Faustus* kommt der Typus des jüdischen Faschisten dann in der Gestalt des Privatgelehrten Dr. Chaim Breisacher vor, der in den Königen David und Salomo „bereits die heruntergekommenen Repräsentanten einer verblasenen Spät-Theologie" sieht, die von dem starken alten Volksgott Jahwe keine Ahnung mehr haben. „Kurzum, Volk und Blut und religiöse Wirklichkeit ist das längst nicht mehr, sondern humane Wassersuppe ..."[43]

So weit Breisacher. Thomas Mann ließ es Goldberg zunächst nicht entgelten. Er verhinderte nicht, daß Ferdinand Lion, der Redakteur von *Maß und Wert,* Goldberg als Mitarbeiter für Thomas Manns

Zeitschrift warb. „Unverschämt, aber fesselnd" findet Mann die erste Lieferung des Verhaßten, einen Aufsatz *Die Götter der Griechen,* der gegen den abstrakten Humanismus der üblichen Antikerezeption das „Volk" als kultfähige Macht betont. Die Mitwirkung an der Zeitschrift währte nicht lange. Das Unternehmen schlingerte. *Maß und Wert* „stinkt vor Langerweile", bemerkte ein guter Freund, René Schickele.[44] Überparteilich geplant, gerät das Blatt auch politisch ins Zwielicht, weil es zur sonstigen Exilpublizistik allzu deutlich Distanz halten will. Es stirbt auch an Lions Gesinnungslosigkeit.[45] Klaus Mann stellte deshalb seine Mitarbeit ein. „Mit 'Maß und Wert'", schreibt er an Lion, „will ich nichts mehr zu tun haben, so lange Sie noch Redakteur der Zeitschrift sind."[46] Lion muß schließlich seinen Platz räumen zugunsten von Golo Mann.

Thomas Mann läßt Dr. Breisacher im Faustroman auch von der volks- und rassehygienisch begründeten Tötung Lebensunfähiger schwadronieren.[47] Oskar Goldberg war in der Tat ähnlich weit gegangen. Die Streichung der Juden aus dem Buche der Geschichte stehe bevor, hatte er in seinem Buch *Maimonides* geschrieben (Wien 1935). „Entweder die Juden tun ihre Pflicht oder sie werden ausgeschaltet. Ein drittes gibt es nicht."[48]

Während Thomas Mann noch am 11. September 1941 so gutmütig gewesen war, ein Empfehlungsschreiben für Goldberg zu verfassen,[49] werden seine Urteile unter dem Eindruck des einsetzenden Holocaust kompromißloser. Am 1. Mai 1942 nennt er *Die Wirklichkeit der Hebräer* ohne Umstände ein „ausgesprochen faschistisches Buch".[50] Goldberg gehört für ihn zu den Vordenkern des Holocaust, weil er die Schuld der Juden gerade in dem sieht, was Thomas Mann immer fasziniert hat, nämlich daß sie Geist sind, Geist haben. Für Goldberg aber ist die Vergeistigung der Verrat an der uralten, starken Volkhaftigkeit – ein Verrat, der die gerechte Strafe der Ausrottung nach sich zieht.

Daß bei all dem manche unzulässige Vereinfachung unterläuft, ist klar. Es mag jüdische Faschisten gegeben haben, aber ihr Anteil am Geschehen war gering, und Bücher wie die Goldbergs und Lessings blieben eine Angelegenheit kleinster Gelehrtenkreise. Der angebliche Faschist Goldberg hat mit dem wirklichen Nationalsozialismus nichts zu schaffen. Er verläßt Deutschland bereits 1932, emigriert über Italien und Frankreich, wo er eine Weile interniert wird, in die USA. Er will seinen „Antisemitismus" nicht mit dem deutschen verwechselt wissen. „Mein Antisemitismus ist der von Moses, wenn er die Tafeln zerschmiß und der der Propheten, wenn sie die Juden ein

Sauvolk nannten, das Verrat an seiner Aufgabe und vor allem an seiner Macht übt."[51]

Daß man ihn wegen Breisacher und Fitelberg einen Antisemiten heißen würde, hat Thomas Mann geahnt. Er verteidigt sich. Seine Juden seien einfach Kinder ihrer Epoche, so gut wie andere, ja, kraft ihrer Gescheitheit oft ihre getreueren Kinder. Die deutschen Bewohner dieses Romans seien schließlich auch nicht sympathischer gezeichnet. „Es ist ja im ganzen ein wunderliches Aquarium von Geschöpfen der Endzeit!"[52]

Was er von den Juden hält, legt er seinem Goethe in *Lotte in Weimar* in den Mund. Er rühmt mit Goethe die Spezialbegabungen dieses merkwürdigen Samens, den Sinn für Musik, die medizinische Capacität und das literarische Vermögen. Selbst Durchschnittsjuden schrieben meistens einen reineren und genaueren Stil als die Nationaldeutschen. Die Juden seien eben das Volk des Buches, und da sehe man, daß man die menschlichen Eigenschaften und sittlichen Überzeugungen als säkularisierte Formen des Religiösen zu betrachten habe. Die Antipathie gegen sie sei eigentlich nur mit der gegen die Deutschen zu vergleichen, deren Schicksalsrolle die allerwunderlichste Verwandtschaft mit der jüdischen aufweise. Er gesteht seine Angst, es möchte eines Tages der Welthaß gegen das andere Salz der Erde, das Deutschtum, zu einem Ausbruch kommen, der der Judenvernichtung gleiche.[53]

Selbstverliebt

Heute gilt das Ich nur noch als Bühne, auf der verschiedene Schauspieler wechselnde Stücke aufführen. Die „Persönlichkeit", den unverwechselbaren Charakter, das gereifte Ergebnis des Bildungsromans kennt es nur noch als Sehnsucht. Wie Christian Buddenbrook will es manchmal ein nützliches Mitglied der Gesellschaft sein, aber es reicht nur zum Spitzen der Bleistifte, ins Hauptbuch eingetragen wird nichts mehr. Wie Thomas Buddenbrook will es vital sein, aber es reicht nur zur Maskerade. Das Ich ist nur noch eine Velleität.

„Alles was daher von mir bekannt geworden, sind nur Bruchstükke einer großen Konfession, welche vollständig zu machen dieses Büchlein ein gewagter Versuch ist", gestand Goethe in *Dichtung und Wahrheit* (II,7). Das war nicht so selbstverständlich, wie es heute klingt. Bis zur Mitte des 18. Jahrhunderts hatte Dichten kaum je etwas mit Konfession, mit Autobiographie zu tun. Die Poeten verarbeiteten nicht ihr Leben, sondern vorgegebene Stoffe, Mythen, Legenden, Historie. Das 18. Jahrhundert bringt dann den überaus erstaunlichen Aufstieg des bürgerlichen Ichs mit seiner selbstverliebten Psychologie, bringt in ihrem Gefolge die Originalitätsästhetik, das Originalgenie, die unverwechselbare Persönlichkeit und damit allmählich auch das autobiographische Schreiben. Mit Goethes *Leiden des jungen Werthers* beginnt das Dichten nach dem Erlebten.

Aber das heißt nicht, daß nun auf breiter Front nichts anderes mehr geschähe. Goethe selbst hat weiterhin auch viel Nichtautobiographisches verfaßt, *Iphigenie auf Tauris* zum Beispiel. In Schillers Werk sieht man sich vergebens nach Erlebtem um. Auch bei Heinrich von Kleist findet die Literaturpsychoanalyse trotz vieler Bemühungen nicht heraus, was seine gewaltigen Schöpfungen speiste.

Die Brücke vom religiös motivierten zum autobiographischen Schreiben war das Sendungsbewußtsein, das der In-spirierte (der Beatmete, vom Geist Angehauchte) für sein Dichten in Anspruch nahm. Daß Gott jede einzelne Seele führe, war die Grundannahme. Daraus entstand die moderne Selbstbeobachtung. Täglich wurde der Seele die Temperatur gemessen. Daraus erwuchs die bürgerliche Ich-Kultur. „Konfession" ist nicht umsonst ein religiöses Wort. Es geht um die Rechtfertigung des Lebens, zuerst vor Gott, dann aber zunehmend vor sich selbst und vor der Gesellschaft.

Das Dichten wird narzißtisch. Es dient der Wiederherstellung des durch die Mitwelt infragegestellten Ichs, der Heilung eines fragmentierten Ichs durch den Aufbau eines komponierten Ichs, der Tröstung eines winzigen Ichs durch ein Größenselbst. „Nicht von Euch ist die Rede, gar niemals, seid des nun getröstet, sondern von mir, von mir ..."[54] Die Motive des Dichters sind: Traumata abarbeiten (Sigmund Freud), dem Narzißmus Gutes erweisen (Heinz Kohut), einen unausgleichbaren Mangel ausgleichen (Jacques Lacan), eine unerfüllbare Sehnsucht stillen.

Das Bühnen-Ich als Narziß verwendet die Sprache dazu, sich selbst zu feiern. Goethes Sekretär Riemer in *Lotte in Weimar* spricht es aus. Die Poesie sei zwar einerseits etwas Religiöses, „ein Mysterium, die Menschwerdung des Göttlichen." Andererseits neige sie „auf eine Weise zur Selbstbespiegelung, die uns das alte, liebliche Bild des Knaben associieren läßt, der sich entzückt über den Widerschein seiner eigenen Reize neigt. Wie in ihr die Sprache lächelnd sich selber anschaut, so auch das Gefühl, der Gedanke, die Leidenschaft."[55]

Lebensgeschichte ists immer

Charlotte Kestner, geborene Buff, das Urbild von Werthers Lotte, besucht im Jahre 1816, selber 63jährig, den alternden Goethe (67). Sieht man eine einst Geliebte gern wieder? Meistens ist so etwas eher peinlich. Goethe empfängt Lotte kühl und steif, ein offizielles Mittagessen, erst ganz am Schluß ein heimliches Gespräch in seiner Kutsche, das erklärt, warum das Leben der Kunst zum Opfer gebracht werden muß.

Im Leben Thomas Manns gab es zwar diverse späte Wiederbegegnungen, mit Paul Ehrenberg, mit Klaus Heuser, aber die Liebe war in keinem Fall wieder erweckbar, das Peinliche überwog, das Förmliche blieb. Kein ehemals Geliebter hat ihn je gestellt, so wie Lotte das bei Goethe versucht. Der Roman ist eine autobiographische Phantasie über das Thema, wie es wäre, wenn ein einst Geliebter käme. Wenn das „Leben" käme und die „Kunst" zur Rechenschaft zöge. Denn Lotte ist das Leben, Goethe die Kunst. Es geht um das unausweichliche Opfer des Lebens zugunsten der Kunst, um den Kunstbau, der gegen die Liebe errichtet werden muß. „Sie sehen: wieder geht es mir um dieses Thema – der würdig gewordene Geist, der sich, sein Eigenstes unter steif-listigen Masken vor der neugierigen Welt versteckt."[56]

Goethe ist ein Gott, wie Thomas Mann.[57] Goethe ist Größenselbst und Wunsch-Ich, in ihm spiegelt Thomas Mann, so weit immer möglich und mit den Quellen recht und schlecht vereinbar, sein eigenes Leben und Sein. In der Goethe-Maske kann er sogar seine Eitelkeit und Egozentrik verteidigen. Es macht ihm Spaß, sich in dieser Maske gehen zu lassen und Frechheiten zu sagen, die sonst nicht salonfähig wären. Die Geschlechterreihe seiner Vorfahren sei nur dazu da gewesen, als Endprodukt den Künstler zu zeugen. „Egocentrisch –! Es soll wohl einer nicht egocentrisch sein, der sich Naturziel, Résumé, Vollendung, Apotheose weiß, ein Hoch- und Letztergebnis, das herbeizuführen Natur sich das Umständlichste hat kosten lassen."[58]

Daß es bei Goethes Liebesgeschichten um Frauen geht, stört den selbstverliebten Träumer wenig. In einem Brief rückt er Goethes sexuelle Konstitution ganz nahe an die eigene: „Ich glaube, unter uns, daß er zwar ein großer Erotiker, aber sexuell schwach war (bei allem 'Priapismus', den man ihm zeitweise nachsagte) und weit mehr dem Kusse zugetan als dem Koitus" – was mit seiner Bisexualität zusammenhänge.[59] Auch im Roman selbst stellt sich Goethe als Androgyner vor.[60] Es gibt überhaupt vielerlei Parallelen. Auch Goethe versagt sich in den meisten Fällen die Erfüllung, bricht die Beziehungen vor einer Bindung ab und verwandelt sie in Kunst. Das gilt für Friederike Brion und für Charlotte Buff, noch im Alter für Ulrike von Levetzow und für Marianne von Willemer. Goethe ist Ästhet und Entsagender wie Thomas Mann.

Im Alterstagebuch notiert dieser nicht selten und mit Stolz, wenn eine morgendliche Erektion sich einstellt. Gleich nach wenigen Zeilen nimmt auch sein erwachender Goethe wahr: „Wie, in gewaltigem Zustande? In hohen Prachten? Brav, Alter!“[61] Das Stichwort „Prachten“ übernahm Thomas Mann aus Goethes berühmtem Gedicht *Das Tagebuch*, in dem ein Goethe sehr Ähnlicher schildert, wie er, auf der Heimreise durch Wagen-Malheur aufgehalten, im Gasthaus eine hübsche und willige Kellnerin trifft, die ihn um Mitternacht aufsucht, aber, o Pein, „Meister Iste“ läßt ihn im Stich und die Schöne schläft ein. Er denkt an die Liebesnächte mit seiner Frau, wo das immer ganz anders war („Wir waren augenblicklich, unverdrossen / und wiederholt bedient vom braven Knechte!“). Nach dieser Rückerinnerung geschieht das nicht mehr Erwartete:

Doch Meister Iste hat nun seine Grillen
Und läßt sich nicht befehlen noch verachten,
Auf einmal ist er da, und ganz im stillen
Erhebt er sich zu allen seinen Prachten;
So steht es nun dem Wandrer ganz zu Willen,
Nicht lechzend mehr am Quell zu übernachten.
Er neigt sich hin, er will die Schläferin küssen,
Allein er stockt, er fühlt sich weggerissen.

Denn es war ja nicht die hübsche Kellnerin, sondern die Erinnerung an seine Frau, was den Iste erweckt hatte. Er zieht sich zurück. Betrügen will er die Schläferin nicht.

Der Roman-Goethe schwärmt von der Liebe wie Thomas Mann. „Was ist Jugendliebe gegen die geistige Liebesmacht des Alters? Was für ein Spatzenfest ist das, die Liebe der Jugend, gegen die schwindlichte Schmeichelei, die holde Jugend erfährt, wenn Altersgröße sie liebend erwählt und erhebt.“[62] Altersliebe ist Heimsuchung, Ur-Kram. Das dichterische Werk zelebriert „immer wieder dasselbe“, wie auch der Roman-Goethe weiß, „dasselbe auf ungleichen Stufen, Steigerung, geläuterte Lebenswiederholung.“ Das Gelebte hingegen muß einmalig bleiben. „Diese Verkörperung seh ich nicht wieder. Wollts, ward aber bedeutet, ich sollts nicht, da heißt es entsagen." Neues Werk, neue Liebe, es ist immer wieder gleich. „Die Geliebte kehrt wieder zum Kuß, immer jung, – (eher apprehensiv nur freilich, zu denken, daß sie in ihrer der Zeit unterworfenen Gestalt, alt, auch daneben noch irgendwo lebt)."[63]

„Geliebte Lippen, die ich küßte, – es war da, auch ich hatte es, ich werd es mir sagen können, wenn ich sterbe." (20. Februar 1942) Ein Kuß war körperlich der Gipfel dessen, was die gleichgeschlechtliche Liebe Thomas Mann je gewährte. Er baut sich eine hilfreiche Theorie, weshalb der Kuß mehr sei als das Bett. Denn der Koitus ist nur sinnlich. Der Kuß aber ist geistig und sinnlich zugleich, Siegel des Sakraments, „geistig, weil noch individuell und hoch unterscheidend, – zwischen deinen Händen das einzigste Haupt, rückgeneigt, unter den Wimpern den lächelnd ernst vergehenden Blick in deinem, und es sagt ihm dein Kuß: Dich lieb und mein ich, dich, holde Gotteseinzelheit, ausdrücklich in aller Schöpfung dich, – da das Zeugen anonym-creatürlich, im Grund ohne Wahl, und Nacht bedeckts."[64]

Der Homosexualität wird ausdrücklich gedacht, anläßlich Winckelmanns. „Kenn ich dein Geheimnis?" fragt „Goethe" und zitiert den Liebhaber antiker Plastiken: „Genau genommen kann man sagen, es sei nur ein Augenblick, in welchem der schöne Mensch schön sei." Winckelmann meinte den unwiederholbaren Liebesaugenblick, die kurz und hoch aufflackernde Schwärmerei. „Denn dein Aperçu paßt ja eigentlich so recht nur aufs Männlich-Vormännliche, auf den im Marmor nur haltbaren Schönheitsmoment des Jünglings." Auch die Raffinessen der Tarnung hat dieser Winckelmann von Thomas Mann. „Goethe" durchschaut sie: „Was gilts, du hattest das gute Glück, daß 'der Mensch' ein masculinum ist, und daß du also die Schönheit masculinisieren mochtest nach Herzenslust. Mir erschien sie in Jugend –, in Frauengestalt ... Aber auch nicht durchaus, und ich versteh mich schon auf deine Schliche, denk auch mit heiterster Offenheit des artigen blonden Kellnerburschen vorigen Sommer auf dem Geisberg oben in der Schenke."[65]

Andeutungsweise bildet sich eine Theorie, die die Homosexualität aus dem Narzißmus erklärt. Was ist Verführung? Die „süße, entsetzliche Berührung, von oben kommend, wenns den Göttern so beliebt: es ist die Sünde, deren wir schuldlos schuldig werden [...] es ist die Prüfung, die niemand besteht, denn sie ist süß [...] Dadurch, daß man eine Tat nicht begeht, entzieht man sich dem irdischen Richter, nicht dem oberen, denn im Herzen hat man sie begangen ... Die Verführung durchs eigene Geschlecht möchte als Phänomen der Rache und höhnender Vergeltung anzusehen sein für selbstgeübte Verführung – des Narkissos Betörung ist sie ewig durch das Spiegelbild seiner selbst. Rache ist ewig mit der Verführung, mit der durch Überwindung nicht zu bestehenden Prüfung verbunden."[66] Die Kunst rächt sich am Leben und tötet es: der Fall der Erzählung *Tristan.* Das Leben rächt sich an der Kunst: der Fall Adrian Leverkühns im *Doktor Faustus.* Der Künstler darf nicht lieben, tut er es dennoch, wird er bestraft.

Auch die Politik bot viel Gelegenheit zum doppelsinnigen Spiel. Wo ich bin, ist Deutschland, sagte Thomas Mann. „Sie meinen, sie sind Deutschland, aber ich bins", läßt er seinen Goethe sagen.[67] „Ihre Besten lebten immer bei ihnen im Exil" (wo doch Goethe gar nicht im Exil lebte). Die beiden Ironiker verspotten staatliche Schriftstellerverfolgungen: „Ist auch ganz unschicklich, einen Schriftsteller herunterzuputzen wie einen Schulknaben. Dem Staate hilfts nichts, und der Cultur schadets [...] Treibt ers nicht einfach fort wie bisher, so wirft er sich auf die Ironie, und vor der steht ihr vollends hilflos. Ihr kennt die Auswege des Geistes nicht. Zwingt ihn mit halben Maßnahmen zu einer Verfeinerung, die nur ihm zuträglich und nicht euch."

Auch ein Vater ist da und eine unordentliche Mutter und das Leben als Kunstwerk. „Je älter du wirst, je mehr tritt der gespenstische Alte in dir hervor, und du erkennst ihn, bekennst dich zu ihm, bist mit Bewußtsein und trotziger Treue wieder er, das Vatervorbild, das wir ehren [...] ist aber hinlänglicher Wahnsinn übrig in mir, als Untergrund des Glanzes, und hätt ich das Aufrechthalten in Ordnung nicht ererbt, die Kunst sorgfältiger Schonung, eines ganzen Systems von Schutzvorrichtungen – wo wäre ich!"[68] Goethes Haus sei ein „Kunsthaus", sagt Lotte,[69] und das ist nicht positiv gemeint, sondern im Sinne von steif und unnatürlich.

Der Roman läuft aus in eine Theorie des Lebensopfers. Opfer seiner Größe seien alle, die ihn umgeben, sagt Lotte ganz richtig. „Den Göttern opferte man, und zuletzt war das Opfer der Gott", antwortet Goethe. Der Falter, der sich sehnsüchtig in die Flamme stürzt, wird zum Gleichnis des Prozesses. Goethe ist die Flamme, in die sich die anderen stürzen, aber „die brennende Kerze doch auch, die ihren Leib opfert, damit das Licht leuchte". Zugleich ist er der trunkene Schmetterling, der der Flamme verfällt – „ich zuerst und zuletzt bin ein Opfer – und bin der, der es bringt. Einst verbrannte ich dir und verbrenne dir allezeit zu Geist und Licht [...] Tod, letzter Flug in die Flamme, – im All-Einen, wie sollte auch er denn nicht nur Wandlung sein? In meinem ruhenden Herzen, teure Bilder, mögt ihr ruhen – und welch freundlicher Augenblick wird es sein, wenn wir dereinst wieder zusammen erwachen."[70] Die Schlußwendung zitiert das Finis operis von Goethes *Wahlverwandtschaften.* Im Tod endlich können die Liebenden, denen Erfüllung im Leben notwendig versagt blieb, zusammenkommen. Im Tod wird sich Thomas Mann mit allen vereinen, im unvergänglichen Augenblick ihrer höchsten Schönheit, von dem Winckelmann schwärmte, und jede Liebe wird erfüllt sein.

„Lebensgeschichte ist's immer",[71] antwortet Goethe auf die Frage seines Sohnes August, was er gerade schreibe, ob die Autobiographie oder etwas anderes. So auch bei Thomas Mann. „Autobiographie ist alles."[72]

Oh – really??

Befreundung mit einer amerik. Dame und ihrer hübschen 16 jährigen Tochter, die hier den Zbg liest u. die es sehr aufregte, neben mir zu sitzen. Zärtliches Gefühl [...]

Die kleine Cynthia in roter Jacke, lieblich [...]

Die kleine Cynthia, nur von Weitem. Mit ihrem Vater im Lift. Andeutung Ulrikens [...]

Die Kleine, mit den Eltern in der Entfernung, zur Verabschiedung. Herzliche Freude. „It was always so pleasant to look at you." – „Oh – really??" Versteckte sich bei der Abfahrt u. schaute, ob ich nach ihr sähe. Werde sie nicht vergessen.

1 Uhr Agnes Meyer unten [...] Ich verschwieg ihr entschlossen die unvergleichlich bevorzugte kleine Cynthia.

(Tagebuchnotizen 20.–25. Juni 1945)

Es war schön, endlich einmal großtun zu dürfen. Er blies die Geringfügigkeit auf nach allen Regeln der Kunst. Agnes Meyer zwar verschwieg er Cynthia, aber sonst nahm er kein Blatt vor den Mund und erzählte verschiedentlich davon herum, mehr als im Tagebuch steht. Eine Andeutung der Liebesgeschichte Goethes mit Ulrike von Levetzow habe er zu verzeichnen, brüstet er sich gegenüber Kuno

Fiedler, zur lächelnden Befriedigung seines Sinnes fürs Mythische. Und er schwärmt von Cynthia, ein reizendes Kind sei sie, „lipstick-Engel mit schiefen Augen, von der unermeßlichen amerikanischen Naivität und Kulturbegierde, glühende 'Verehrerin', traumhaft glücklich, mit mir zusammen zu sein.“[73] Ein Flirt sei daraus geworden:

Ich sagte ihr: 'You like my books and I like you, *that's how it is between us.' Aber sie gab zu verstehen, daß ja unwillkürlich auch für den Verfasser etwas dabei abfiele. Ich sagte beim Abschied: 'Goodbye, Cynthia! I never shall forget you. It was always a pleasure to look at you.' – 'Oh – really??!' Unendliche Verschämtheit – und ein in den College-Alltag mitzunehmender ungeheuerer Stolz. Kurz, es war lieb und schön. Ich werde sie wirklich niemals vergessen.*

Er, der seine Liebesdinge sonst nur ins Tagebuch hineinschweigen durfte, prahlte Jahre später noch einmal und sogar öffentlich davon, in der *Entstehung des Doktor Faustus,* und wieder erfahren wir ein paar neue Einzelheiten. Cynthia soll das Dasein als College girl „very insignificant“ gefunden haben. Zum Trost las sie *The Magic Mountain,*

und es war recht lieblich, sie damit herumgehen zu sehen, besonders wenn sie ihre hellrote Jacke trug, ein mit Recht und meinetwegen auch aus Berechnung von ihr bevorzugtes Kleidungsstück, das ihrer leichten Gestalt vorzüglich zustatten kam. Dem Urheber ihrer beschwerlichen, aber eben darum erhebenden Unterhaltung hier zu begegnen war wohl eine Überraschung, ein jugendliches Abenteuer sogar, und als bei einer Abendmusik ihre gute Mutter die Bekanntschaft anbahnte, gab sie entschuldigend zu verstehen, daß Cynthia sehr aufgeregt sei. Wirklich hatte diese damals recht kalte Hände, aber später nicht mehr, bei freundschaftlichen Gesprächen im Gesellschaftszimmer oder auf dem das Haus umlaufenden deckartigen Balkon. Fand sie heraus, daß die zarte Bewunderung des Beschwerlich-Erhebenden sich beruhigen mag in einer erwidernden Bewunderung, die dem ewigen Reiz süßer Jugend gilt und beim letzten Blick in die braunen Augen nicht ganz ihre Zärtlichkeit verschweigt? „Oh, really?!“ –[74]

Endlich ein Mädchen: das war natürlich der erste Grund für das Prahlen. Eine *Zauberberg*-Verehrerin, das mochte der zweite Grund gewesen sein, ohne den es wahrscheinlich zu der Bekanntschaft gar nicht gekommen wäre. Der dritte und wichtigste aber ist – Goethe.

Begierig fast nimmt Mann die Chance wahr, Goethes Erlebnis mit Ulrike von Levetzow zu wiederholen. Er hatte es bisher immer ins Gleichgeschlechtliche übertragen müssen, schon als er den *Tod in Venedig* schrieb, der ursprünglich Goethes späte Liebe zum Gegenstand haben sollte, „die Entwürdigung eines hochgestiegenen Geistes durch die Leidenschaft für ein reizendes, unschuldiges Stück Leben".[75] Ach, wie gern hätte er Ähnliches mit Cynthia erlitten! Doch die kleine Cynthia ist zwar lieb und süß, aber seine tiefen Passionen sind nun einmal die homoerotischen. Der Ulrike-Vergleich ist deshalb viel zu hochgegriffen.

Denn, wenn man in der Biographie nachliest, die Thomas Mann verwendet hat, so wird dort kein harmloser Flirt, sondern eine tiefe Verwundung erzählt. Im Sommer 1821 lernt Goethe Frau von Levetzow mit ihren Töchtern, darunter die siebzehnjährige Ulrike, in Marienbad kennen. „Alter, hörst du noch nicht auf?" scherzt er über sich selbst, kommt im nächsten Sommer wieder und im übernächsten Sommer, 1823, noch einmal – „und das Liebesfeuer lodert aus dem Herzen des Greises in voller Macht hervor." Er tanzt die Nacht durch, der 74-jährige, in seinen Geburtstag hinein. Er will sie heiraten, allen Ernstes, der Großherzog selbst ist sein Brautwerber, aber Ulrike antwortet ausweichend. „Es war doch ein himmelweiter Unterschied, sich dem berühmten, herrlichen Manne, der ihr seine Zuneigung so deutlich zeigte, stolz beglückt anzuschmiegen, Zärtlichkeiten zu gestatten und zu erwidern, oder – ihn zu heiraten." Der Abschied ist schwer. Goethe hofft noch, als er das Glück und den Schmerz der entschwundenen Wochen in die *Marienbader Elegie* hineinschreibt. Im Oktober 1823 erst kennt er seinen Weg: Entsagung.[76]

Das alles paßte auf die homoerotischen Leidenschaften Thomas Manns viel besser als auf das Collegegirl. Wenn es ernst war, endete der Roman regelmäßig mit Entsagung, schreibt Thomas Mann in *Goethe und Tolstoi*.[77] Goethe habe „weder Lotte, noch Friederike, noch Lili, noch die Herzlieb, noch Marianne, noch endlich Ulrike, noch auch jemals Frau von Stein besessen". Thomas Mann hat weder Armin, noch Willri, noch Paul, noch Tadzio, noch Klaus, noch auch Franzl jemals besessen. Was heute der Nation vor Augen steht, ist ein Werk des Verzichts.

Die Entsagung ist „die Schicksalsvorschrift, der eingeborene und bei schwerer geistiger Strafe unverbrüchliche Imperativ jedes geistigen Deutschtums". Sie ist das Element der Verantwortlichkeit, das Christliche in Goethe, in Thomas Mann. Ihre Werke sind Werke der

Entsagung, „Werke deutsch-erzieherischen Verzichtes auf die Avantagen des Barbarismus, die der durchaus voluptuöse Richard Wagner mit so ungeheuerer Wirkung sich gönnte – und mit der gesetzmäßigen Straffolge, daß sein ethnisch-schwelgerisches Werk täglich einer roheren Popularität verfällt".

Ob Cynthia so große Gewichte hätte tragen können? Zu Recht zweifelte sie an ihrer Bedeutung. „Oh – really??"

Krieg und Frieden

Thomas Mann war hellsichtig. Schon im *Briefwechsel mit Bonn* hatte er prophezeit, daß es Sinn und Zweck des nationalsozialistischen Staats sei, das deutsche Volk für den kommenden Krieg in Form zu bringen und ein grenzenlos willfähriges Kriegsinstrument aus ihm zu machen.[78] Anders als Franz Kafka, der den Beginn des Ersten Weltkriegs nur beiläufig zur Kenntnis nahm, anders als Marguerite Yourcenar, die den Beginn des Zweiten vor lauter Privatleben fast verschlief, verfolgte er das politische Geschehen tagtäglich mit gespannter Aufmerksamkeit. Noch vor Hitlers Einmarsch in Österreich warnte er die Westmächte. „Die Demokratien können den Krieg nicht durch Nachgiebigkeit und durch Schwäche verhindern. Durch solche Taktik schieben sie die Katastrophe nur auf."[79] Er hatte ja völlig recht. „Käme der Krieg!" notiert er, als Österreich dann genommen ist, gequält von Gram und Haß. „Écrasez l'infâme! Befreiung von diesem Alp des Ekels! Man erstickt." (17. März 1938) Die Nachrichten aus Wien waren erschütternd. „Wien – furchtbar. Freud. Friedell aus dem Fenster. Massenverhaftungen im Hochadel, Mißhandlungen, niedrigster und feigster Sadismus wie gewohnt. Verhaftung der Tochter Bruno Walters. Dabei tritt das englisch-hitlerische Einverständnis klar hervor." (22. März 1938)

Er ahnt, was als nächstes kommen wird: „Inangriffnahme der Tschechoslowakei." (20. März 1938) Im September 1938 ist es so weit. Durch das Abkommen von München werden die sudetendeutschen Gebiete an Deutschland abgetreten. „Angewidert, beschämt und deprimiert." (30. September 1938) „Es ist zweifellos eine der größten Schändlichkeiten der Geschichte." (20. September 1938) Immerhin geht es um sein Adoptiv-Vaterland, er war ja damals Tscheche. Nach dem Verrat Englands und Frankreichs fürchtet er das Schlimmste. „Sehr wahrscheinlich, daß der Fascismus nach Amerika hinüberlangen wird." Vor zwanzigtausend Menschen redet er auf einer Massenkundgebung für die Tschechoslowakei im New Yorker Madison Square Garden.[80] Empört schreibt er den Artikel *Dieser Friede* (im Erstdruck *Die Höhe des Augenblicks),* der den europäischen Regierungen vorwirft, über die Köpfe ihrer Völker hinweg zu konspirieren,[81] dem Gestapo-Staat einen ungeheuren Erfolg zugeschanzt zu haben, die demokratische Festung im Osten vernichtet und bewußt zu einem geistig gebrochenen Anhängsel des Nationalsozialismus gemacht zu haben. „München" ist sein Trauma in der Folgezeit. „Die Opferung des Tschechenvolkes durch die Münchener Konferenz war die schrecklichste und demütigendste politische Erfahrung meines Lebens."[82] Die Rest-Tschechoslowakei wird bald auch noch besetzt, das Reichsprotektorat Böhmen und Mähren gebildet. „Kompletter Erfolg Hitlers im Osten. Okkupation Prags, des Stahlgebietes. Rumänien und Ungarn werden folgen. Am Schwarzen Meer. Öl und Getreide. Ungeheure Stärkung. England und Frankreich ohne Regung. Rußland – eine Sphinx." (14. März 1939) Es kam dann allerdings anders, denn diese Aktion Hitlers brachte das Ende der Appeasement-Politik.

Polen Ende August 1939. Thomas Mann fürchtet ein neues „München" und wünscht den Krieg trotz seiner unabsehbaren Schrecken. Tägliches Hin und Her im Tagebuch. Am 1. September 1939 stößt Mann bei einem Frühstück im schwedischen Saltsjöbaden mit Bertolt Brecht und Helene Weigel auf eine glückliche Wendung der Dinge an. Endlich ist England entschlossen, dem Nationalsozialismus ein Ende zu machen. „Nun wird unsere Sprache gesprochen, Hitler ein Wahnsinniger genannt. Spät, spät!" (2. September 1939) Er hatte recht behalten. „Ich denke viel an den Bonner Brief und seine Voraussagen." Er war stolz darauf und zitierte seine Kriegsprophezeiung ausführlich in dem wenig später entstehenden Kampf-Essay *Dieser Krieg.*[83] Er rief darin das deutsche Volk zum Widerstand auf. „Kein Volk muß müssen. Ein Volk, das frei sein will, ist frei in demselben Augenblick."[84] Aber zu einer entschiedenen Opposition sahen die meisten Deutschen damals keinen Anlaß.

Bermann und Landshoff

Als Wien an die Nazis fiel, wurde auch der dortige S. Fischer Verlag beschlagnahmt. Gottfried Bermann Fischer konnte entkommen, aber die Geschäftsräume und das Buchlager waren verloren. Der emigrierte Teil des Verlags schien nicht mehr zu existieren und wurde im Sommer 1939 juristisch aufgelöst. Die Verlags- und Vertriebsrechte hatte Bermann allerdings 1936 in Chur in der Schweiz deponiert. Das erwies sich nachträglich als überaus klug. Er wollte und konnte deshalb sogleich wieder neu anfangen. Aber es zeigte sich, daß Thomas Mann, der ja schon 1933–36 nur unter großen Skrupeln bei Bermann geblieben war, die Gelegenheit zum Absprung wahrzunehmen gedachte. In einem Brief vom 8. April 1938 rät er seinem Verleger von einer Neugründung in Amerika ab. Sein Verhältnis zu Deutschland sei politisch nicht so eindeutig gewesen, wie man es heute in den USA erwarte. Er sei doch ursprünglich Chirurg – wäre es nicht das beste, er würde zu jenem Beruf zurückkehren und sich in der neuen Welt als Arzt niederlassen? In einem zweiten, insistierenden Brief kündigt der Autor nach einer über vierzig Jahre währenden Geschäftsbeziehung dem Verlag auch persönlich die Treue auf (15. April 1938). Bermann ist schwer getroffen. „Ihr Brief war für mich niederschmetternd. Alles hätte ich erwartet, nur nicht dies, daß gerade Sie mich in diesem Augenblick, der weiß Gott schwer genug ist, im Stich lassen würden." (29. April 1938) Aber er ist eine zähe Katze. Er verfolgt seine Pläne unbeirrbar weiter. Es gelingt ihm, den Verlag in einer Kooperation mit Bonnier in Stockholm wieder auf die Beine zu bringen. Thomas Mann kabelt: „Kann mich zur Zeit an Ihre Neugründung nicht als gebunden erachten" (11. Mai 1938), notiert aber im Tagebuch: „Gemischte Gefühle", ferner: „Beratung mit Landshoff und Erika über die Verlagsfrage. Anerkannt, daß Konzentration notwendig." Am 16. Mai kommt ein „langes, insistentes Telegramm von Bermann mit falschen Argumenten, die mich an Zusammenarbeit nicht zu hindern brauchen". Nein, die falschen Argumente hinderten ihn nicht. „Später mit Landshoff über das Telegramm Bermanns und die Antwort. Depesche aufgesetzt, Zusammenkunft mit L[andshoff] befürwortet." Das Treffen brachte die erwünschte Klärung. Mit Schreiben vom 8. Juni 1938 teilt Bermann seinem Autor die mit Landshoff getroffenen Vereinbarungen mit. Die Verlage de Lange, Querido und Bermann-Fischer behalten ihre Namen, legen aber ihren gesamten Vertrieb für Europa zusammen. Bermann kooperiert darüber hinaus mit Bonnier in Stockholm. In Amerika beteiligen sich alle drei Verlage an einer Zusammenarbeit mit Longmans Green und veranstalten eine gemeinsame billige Reihe. Thomas Manns Produktion erscheint in Europa im Bermann-Fischer-Verlag Stockholm, in Amerika durch Bermann Fischer bei Longmans Green. Diese Konstruktion hielt vorerst, obgleich Bermann im April 1940 von der schwedischen Polizei wegen antinationalsozialistischer Betätigung in Schutzhaft genommen wurde und bald darauf das Land verlassen mußte. Er leitete den Verlag bis Kriegsende von New York aus.

Hinter der versuchten Absage an Bermann stand offensichtlich der Konkurrent Fritz H. Landshoff. Er war Erika und Klaus freundschaftlich verbunden, wollte Elisabeth eine Zeitlang heiraten und warb schon lange um Thomas Mann als Autor für den Querido-Verlag, dessen deutsche Abteilung er leitete. Jetzt, wo sich der berühmte Autor eindeutig auf die Seite des Exils gestellt hatte, schien es dafür eine Chance zu geben. Doch Bermann war schlau. Er verbündete sich mit dem Gegner und behielt letzten Endes die Nase vorn. Zumal der nächste Schicksalsschlag Landshoff traf, da Querido bei der deutschen Besetzung Hollands 1940 zugrunde ging und Landshoff nun seinerseits auf Bermann angewiesen war. Sie gründeten zusammen 1941 in New York die L. B. Fischer Publishing Corporation, die bis Herbst 1945 bestand. Nach dem Krieg nach Holland zurückgekehrt, baute Landshoff seine alte Firma zwar wieder auf. Sie fusionierte jedoch bald mit dem ein weiteres Mal neugegründeten S. Fischer Verlag der Nachkriegszeit, wobei der ruhmreiche Name Querido unterging.

Im Weißen Haus

Der Besuch verlief herzlich unbedeutend. Thomas Mann selbst hatte sich darum bemüht[85] und es dank starker Freunde auch geschafft. Er liebte die Nähe zur Macht. Außerdem brauchte er den Präsidenten des New Deal, der den Armen Hoffnung brachte, für Joseph, den Ernährer. Das Dinner mit FDR am 29. Juni 1935, nach dem Harvard-Ehrendoktor, lag schon zu weit zurück. „Gesprächseindrücke von seiner Energie und Selbstherrlichkeit" und „Geringschätzung der degenerierenden Demokratie" überlieferte damals das Tagebuch; daß seine Regierung diktatorische Züge trage, erwähnt ein kurz darauf folgender Brief an Gottfried Bermann Fischer.[86]

Dieses Mal aber war er zwei volle Tage Gast im Weißen Haus, am 13. und 14. Januar 1941. Am Montag um halb neun Frühstück mit Mrs. Eleanor Roosevelt, „einfach-herzliche u. brave Frau", die ihn und andere Gäste fast den ganzen Tag betreut. Sie bestellt den Doktor, denn Thomas Mann ist erkältet. Untätiger Vormittag, dann Lunch, Vortrag, Mittagsschlaf, Konzert, Tee, Dinner und Diskussion mit Studenten, alles von der Präsidentengattin auf die Beine gebracht. „Charakteristisch für die bemühte Aktivität der Frau."

Erst der Dienstag bringt ein Gespräch mit dem Präsidenten, der beim Frühstück auftaucht. Thomas Mann hat seinen Roman im Kopf. Joseph-Taugliches wird sogleich notiert: „Naivetät, Gläubigkeit, Schlauheit, Schauspielerei, Liebenswürdigkeit" – aber auch seltsam Gedämpftes: „Ermißt man die Macht u. Bedeutung, ist es sehr interessant an seiner Seite zu sitzen." (Sonst anscheinend nicht). Daraufhin wieder der Arzt, mittags ein Besuch im Senat, „einige Zeit der recht müßigen Sitzung beigewohnt". Mittagsschlaf, dann Pressekonferenz mit dem Präsidenten, Kaffee, rasiert und gepackt, dann das Größte: „Zum Cocktail beim Präsidenten in seinem Arbeitszimmer." Stolz: „Dieser Cocktail war auf besondere Weisung des Präsidenten eingelegt." Überreichung von Widmungsexemplaren. „To Franklin D. Roosevelt President of the United States and of a coming better world as a modest sign of deep admiration."[87] Beim Dinner mit diversen Geladenen kam fast nur der Präsident selber zu Wort. „Er nahm uns noch im Lift mit hinauf und entließ uns in der Halle vor seinen Zimmern sehr herzlich."

Im folgenden Brief an Agnes E. Meyer (vom 24. Januar 1941) wird das Erlebnis bereits hinaufstilisiert. Der Tonfall ist zwei Etagen feierlicher, zugleich Joseph-näher. Der „schwindelnde Gipfel der Auszeichnung" sei der Cocktail im Arbeitszimmer gewesen,

– während die anderen Dinner-Gäste gefälligst unten zu warten hatten. Und doch hatten wir schon das Erste Frühstück mit „ihm" gehabt! „Er" hat mir wieder starken Eindruck gemacht oder doch, mein sympathisches Interesse neu erregt: Diese Mischung von Schlauheit, Sonnigkeit, Verwöhntheit, Gefalllustigkeit und ehrlichem Glauben ist schwer zu charakterisieren, aber etwas wie Segen ist auf ihm, und ich bin ihm zugetan als dem, wie mir scheint, geborenen Gegenspieler gegen Das, was fallen muss. Hier ist einmal ein Massen-Dompteur modernen Stils, der das Gute oder doch das Bessere will und der es mit uns hält wie sonst vielleicht kein Mensch in der Welt. Wie sollte ich es nicht mit ihm halten? Ich bin gestärkt von ihm gegangen.

In einem Artikel für Roosevelt im Wahlkampf 1944 und einer Wahlrede ist daraus „ein ungeheueres, ein unvergeßliches Erlebnis" geworden.[88] Roosevelt sei ein Mann, klug wie die Schlangen und ohne Falsch wie die Tauben, erleuchtet mit intuitivem Wissen um den Willen des Weltgeistes, der Starke, Zähe und Schlaue, der große Politiker des Guten. Daß Thomas Mann das Diktatorische im Demokratischen immer noch für erforderlich hielt, zumindest in jenen bösen Tagen, ist nicht zu übersehen.

Golo, Klaus und Erika

Thomas Mann war ein Kollektiv, in jenen Jahren jedenfalls, als Katia, Erika und Golo für ihn tätig waren, teils gemeinsam, teils im Wechsel, ihn berieten und kritisierten, seine Manuskripte abschrieben, sie kürzten und druckfertig machten, in seinem Namen Texte und Briefe verfaßten, seine Geschäfte verwalteten, seine Konten führten, ihn chauffierten, für ihn Häuser besichtigten, Hotels aussuchten, Umzüge organisierten und vieles andere.

Golo Mann war nach seiner Emigration erst in Frankreich lehrend tätig gewesen, von wo aus er die Eltern häufig besuchte, und war dann als Redakteur von *Maß und Wert* nach Zürich gezogen. Er sollte den Fluchtweg über Lissabon nehmen (10. Mai 1940), aber er war zu mutig. Im Mai 1940 ging er als Kriegsfreiwilliger nach Frankreich, um gegen die Deutschen zu kämpfen. Dazu kam es nicht, weil „der verbrecherische Idiot wie auf Wolken zwischen gelähmten Millionen-Armeen hindurch an seine Ziele getragen wird" (22. Mai 1940), weil also Hitler zu schnell in Paris war. Golo Mann wurde in Annecy gefangengenommen und im Lager Les Milles interniert. Ein Fluchtversuch endete mit neuer Verhaftung.[89] Die Eltern sorgten sich um ihn (und um Heinrich Mann, der sich ebenfalls noch in Südfrankreich aufhielt). Sie rechnen mit dem Schlimmsten, mit Folterungen und KZ. „Auslieferungsforderung der Nazis mit Namen der militanten Emigranten. Möchten diese wenigstens militärisch erschossen werden." (25. Juni 1940) Sie schalten Diplomaten ein, mühen sich um Ausreisemöglichkeiten. Golo kommt frei. Gute Nachrichten erreichen sie aus Marseille (11. Juli 1940) und aus Le Lavandou (24. Juli), eine schlechte aus Nîmes (5. August), wo Golo erneut interniert worden sein soll, was sich aber als Falschmeldung herausstellt.[90] Erika reist nach Lissabon, und Agnes Meyer schaltet die höchsten Autoritäten ein (22. August). Erika treibt einen Fluchthilfe-Agenten auf (26. August). Am 20. September 1940 melden sich Golo

Golo Mann

und sein Onkel Heinrich nach abenteuerlicher Flucht durch Frankreich und Spanien von Lissabon aus. Am 13. Oktober werden sie mit großem Bahnhof in New York empfangen.

In der Folgezeit ist Golo ein geschätzter Mitarbeiter des Vaters. Manche Stellungnahmen, die unter dessen Namen erschienen sind, hat er verfaßt (zum Beispiel *Defense Saving Bonds,* 1942). Auf die Dauer allerdings hielt es ihn nicht im Hause. Er wird amerikanischer Soldat, ist für den Geheimdienst tätig (28. März 1944), wird zum Sergeant befördert (26. Februar 1945), geht als Presseoffizier nach Luxemburg (14. März) und als einer der ersten auch nach Deutschland. „Brief von Golo, trauernd über die deutschen Städte, das Maß der Zerstörung überhaupt, von dem man sich keine Vorstellung mache." (17. Mai 1945) Während sein Vater ziemlich entschieden der Ansicht war, daß die Deutschen bestraft werden müßten, hatte Golo an Katia geschrieben, daß die Deutschen durch die Zerstörung genug gestraft seien („if these people have not been punished I don't know who ever has").[91]

Golo wird geachtet, aber nicht so geliebt wie Erika. Seine Gegenwart ist nützlich, ihre aber belebend und erheiternd. Wenn sie abreist, spricht das Herz mit: „Verabschiedung. Wehmut. Schmerzen." (17. Juli 1937) „Abschied von Erika, Schmerz und Wehmut. Drückte ihre Hand an meine Wange und küßte sie." (30. Juni 1939) „Tiefe Bewegung, Schmerz und Segen." (17. Juni 1941) Und sie reist oft ab. Hitlers Erfolge jagen sie. Sie dichtet bisweilen Ergreifendes, frei nach Paul Gerhardt („O Jesu, Jesu setze / mir selbst die Fackel bei, / damit, was dich ergötze, / mir kund und wissend sei." – Refrain des Adventslieds *Wie soll ich dich empfangen):*

O Jesu, Jesu, hetze
Mich weiter um die Erd, –
Wohin ich immer setze,
Setz' ich aufs falsche Pferd![92]

Auch sie ist unglaublich mutig. Im Sommer 1940, als die Deutschen England angreifen, geht sie erst nach Lissabon und von dort nach London („Weh um das Kind und Vermissen", 12. August), wo sie sich in der Folgezeit häufig aufhält. Durch die Paß-Ehe mit dem Schriftsteller Wystan Hugh Auden war sie 1935 britische Staatsbürgerin geworden und hatte deshalb keine Einreiseprobleme. *Best papers* hatte sie zudem, weil sie für das britische Informationsministerium tätig war, später auch für den amerikanischen Geheimdienst. Sie wirkte ferner als Kriegskorrespondentin in London, Kairo, Palästina und an verschiedenen anderen Orten. Seit sie die *Pfeffermühle* hatte aufgeben müssen, war das väterliche Haus ihr Lebenszentrum geworden, von dem aus sie jedoch eine weit ausgreifende antifaschistische Aktivität entfaltete, mit zahlreichen Aufsätzen, Büchern, Vortragsreisen, Organisationsversuchen und Massenveranstaltungen aller Art. Ihre Fähigkeit zu hassen übertraf die ihres Vaters beträchtlich. „Hasse nicht zu viel", mahnte sie ihr Paß-Gatte.[93] Sie verteidigte den Vater, wo sie konnte.[94] Wenn sie im Hause war, half sie ihm. Er liebte sie und sorgte sich um sie, zumal sie, trotz Martin Gumpert und Annemarie Schwarzenbach, der Giehse und anderer Freunde und Freundinnen, privat keinen festen Halt fand. „Über Erikas etwas 'leichtsinniges' Liebesleben." (13. November 1940)

Klaus hat sich an den Sekretariatsarbeiten für den Vater nicht beteiligt. Er wollte ihn seinerseits einspannen, für *Decision,* seine

Erika Mann als Pierrot, aus der Zeit der 'Pfeffermühle'

zweite Exilzeitschrift. „Klaus schreibt wegen der Finanzierung von 'Decision', zu deren Bedingung man machen will, daß ich als Editor zeichne. Durchaus abzuwehren." (14. April 1941) Dieser Abwehr zum Trotz bemüht sich der Vater in den folgenden Wochen intensiv um Stützung des Blattes, spendet schließlich selbst 1500 Dollar (28. Juni 1941) und will auch bei der Liquidation des Unternehmens helfen, als diese unausweichlich scheint.[95] Klaus hat außerdem von ihm Beiträge verlangt, teils schon fertige, teils neue, und sie auch bekommen – „beschwerlich", notiert allerdings der Vater (16. Juni 1941), „Aufsatz für Klaus widerwillig unternommen" und „Auch nachmittags an dem Ärgernis" (19. Juni), nämlich an dem Artikel *Deutschlands Weg nach Hitlers Sturz*. „Brief an Klaus wegen eines Vorabdrucks aus 'Joseph' in 'Decision', – unlustig." (26. Januar 1942) Im Februar 1942 erschien die letzte Nummer.

Im Mai 1942 wurde Klaus Mann gemustert und abgewiesen, im September erneut gemustert und wieder abgewiesen, im Dezember noch einmal. Jetzt endlich hieß es: „Accepted!"[96] Im Januar 1943 begann er seine Grundausbildung als amerikanischer Soldat.

Klaus Mann

„Komm heim, wenn du elend bist“, hatte der Vater bei einer der zahlreichen Abreisen gesagt.[97] Und Klaus kam oft. Er wußte, wo er zu Hause war. „Ich habe es gut getroffen mit meiner family.“[98] Er hatte Schulden, Probleme als Homosexueller und war drogenabhängig. Alles zusammen machte den Eltern große Sorgen. Er ließ sich nichts sagen, zum Thema Heroin schon gar nicht. „Der Junge moralisch und selbstkritisch nicht recht intakt. Verträgt keine Autorität, verscherzt aber das Recht, sie nicht zu ertragen.“ (7. Juni 1937) Klaus war damals in Budapest und unterzog sich einer Entwöhnungskur. Was „das Unbürgerliche“ betrifft, wie Katia euphemistisch das Morphium nennt[99] und was Klaus sich sonst noch spritzte, sind die Eltern resigniert. „Genommen“, schrieb Klaus zeitweise fast täglich ins Tagebuch. Nach einem Kollaps seines Ältesten notiert der Vater, Klaus glaube, der Droge Herr bleiben zu können. „Der Weinkrampf wird ihn wohl über seinen Irrtum belehrt haben." (22. November 1935) Der Wunsch nach gänzlichem Bruch mit dem Mittel scheine nicht vorhanden.

Klaus bekannte sich zu Liebe, Tod und Sucht, anders als der Vater, der seinen Kunstbau dagegen errichtete. „Päderastie. Rausch (sogar Todesrausch) immer als Steigerung des Lebens, dankbar akzeptiert; nie als 'Verführung'."[100] Daß Klaus Soldat wird, findet Thomas Mann im Hinblick darauf höchst respektabel. Es kommt ihm wie ein Stück Kunstbau vor, löblich. „Weder das Schreiben noch die Liebe haben offenbar der Gesundheit Deiner Grundsubstanz etwas anhaben können."[101] Er zitiert seinen Moses, der sich um der zehn Gebote willen von den Brüsten seiner Mohrin getrennt hat. „Jetzt sollt ihr sehen, und alles Volk soll es sehen, ob euer Bruder entnervt ist von schwarzer Buhlschaft, oder ob Gottesmut in seinem Herzen wohnt, wie in keinem sonst."[102]

„Das Exerzieren fällt mir ziemlich *schwer;* vor allem mit dem Schießgewehr weiß ich gar nichts Rechtes anzufangen. Werde trotzdem mit einer Mischung aus Respekt und gutmütiger Ironie behandelt."[103] Im Januar 1944 endlich kommt Klaus in Nordafrika an und beteiligt sich als Mitglied des „Psychological Warfare Branch" an der Eroberung Italiens. Von Rom aus wird er im Mai 1945 als Sonderkorrespondent der Armeezeitung *Stars and Stripes* nach Deutschland geschickt und kann von dort dem Vater aus erster Hand berichten.[104]

Heinrich

Heinrich Mann blieb trotz oberflächlicher Versöhnung immer der „Zivilisationsliterat" aus der Zeit der *Betrachtungen eines Unpolitischen*. Die höchst ungerechte Tagebuchäußerung: „Zu denken, aufs neue, über die Verherrlichung des Bruders durch das nur hier siedelnde aktivistische Literatentum auf meine Kosten" wurde nicht in München, sondern in Pacific Palisades geschrieben. „Auferstehung alter Qual." (24. Juni 1944) Die Waffenbrüderschaft in den Exiljahren bringt keine bedeutenden gemeinsamen Aktionen hervor. Was sie jetzt an Briefen tauschen, ist längst nicht mehr so tiefgehend wie damals vor dem Ersten Krieg. Sie erzählen sich von Reisen, Auftritten, Terminen, Neuerscheinungen, loben einander und politisieren ein wenig. Etliche Manifeste werden gemeinsam unterschrieben.

Heinrich Mann, um 1949

Aber auch Absagen sind nicht selten. An einer Moskauer Zeitschrift, vermutlich der *Internationalen Literatur*, möchte Thomas sich nicht beteiligen, er will auf sein Gastland Rücksicht nehmen und mag sich, „bei aller Sympathie, nicht zu ausdrücklich aufs Kommunistische festlegen lassen".[105] Der alte Heinrich aber hält zu seinem Bruder trotz solcher Zurückweisungen. Selber staatsrechtlich Tscheche, wenngleich in Nizza lebend, war er es, der Thomas zur tschechischen Einbürgerung verholfen hatte.

Heinrich und seine zweite Frau Nelly flohen im September 1940 zusammen mit Lion und Martha Feuchtwanger, Franz und Alma Werfel sowie Golo Mann zu Fuß über die Pyrenäen nach Spanien, von dort nach Lissabon. Nun half Thomas, setzte seine Verbindungen ein, um Heinrich Geld und die nötigen Papiere zu beschaffen, holte ihn in New York ab, erleichterte ihm die ersten Schritte. Nach Ablauf des ersten amerikanischen Jahres, in dem er einen komfortablen Vertrag als Scriptwriter für Warner Brothers hatte, verarmte

Heinrich immer mehr. Katia und Thomas unterstützen ihn erst unregelmäßig, dann schließlich mit einem monatlichen Scheck. Heinrich wird immer stiller und sanfter. „Beschämt zu sein, verbietet mir unsere natürliche Verbundenheit, und auch meine – lieber sage ich Gottergebenheit als Resignation."[106] Er klagt nur leise und vornehm. Er sähe den Bruder gern öfter und substantieller. Er wartet darauf, daß noch etwas kommt. Aber es kommt nicht. Thomas ist natürlich sehr beschäftigt, er versteht das,

mich lassen sie in Ruhe, was nichts ausmacht. Nur mit Dir ist etwas versäumt und nicht mehr nachzuholen, oder dies wäre eine unzeitgemäße Vorstellung. Mag sein, dass zuletzt die persönliche Gegenwart zurücktritt hinter die Erinnerungen. Ohne Vorsatz und kaum dass ich weiss warum, habe ich plötzlich angefangen, „Buddenbrooks" zu lesen.

Es ist schmerzlich zu sehen, daß Thomas bei aller praktischen Solidarität seinen Bruder an seinem Leben nicht wirklich teilnehmen läßt. Er öffnet sich nicht mehr. Er hält ihn auf Distanz. Er behandelt ihn korrekt, aber nicht herzlich, nicht von gleich zu gleich, sondern wie einen, mit dem man leider verwandt ist. Je älter Heinrich wird, um so bitterer, ja bissiger werden die Tagebuchnotizen. „Das Problem Heinrich, mit seiner nurse, die wir nicht länger bezahlen können, in der Schwebe [...] Die schlaue Komik im Verhalten des Greises. Zu uns kommt er nicht mehr, da er zu Hause ebenso gut ißt." (2. September 1949)

Da war freilich auch das Problem Nelly. Katia und Thomas fanden die häufig betrunkene Schwägerin abstoßend, ordinär und albern, eine Zumutung, eine „schreckliche Trulle" (29. April 1942). Noch einmal lebt die alte Auseinandersetzung von 1903 auf. Der gepflegte Asket wehrt sich gegen freimütige Sexualität und Schlamperei. Einmal redet er sogar mit Heinrich, „über seine Lage, seine Absichten, seine Frau, von der ihn zu trennen ganz aussichtslos" (29. April 1942). Für eine alkoholisierte Schlampe Verständnis haben hätte seine eigene Ordnung zu sehr gefährdet. Hier liegen seine Grenzen. Heinrich war, obgleich er unter Nelly schwer zu leiden hatte, viel menschlicher und weicher. Er liebte seine Frau, obgleich sie ihn wirtschaftlich zugrundegerichtet hatte. Am 17. Dezember 1944 starb sie von eigener Hand durch Schlaftabletten – „ein nicht nur, ja, fast nicht beklagenswertes Ereignis", wie Thomas Mann brieflich zu bemerken sich nicht enthalten konnte.[107] Heinrich, notierte er, besitze „nicht einen Cent, da seine sehr günstigen Einkünfte durch das unselige Treiben der Frau bis weit ins Negative zerronnen" (20. Dezember 1944).

Nach dem Krieg wechselte der bald achtzigjährige Heinrich Mann Briefe mit der Ostberliner Prostituierten Margot Voss.[108] Er unterstützte sie mit Geld und Paketen. „Von den guten Sachen platzt mir die Bluse." Rührend, wie sie ihn liebt. Fraglos dominiert das Erotische, aber im Sinne einer achtungsvollen und dankbaren Zärtlichkeit, niemals ordinär. Wenigstens aus der Ferne will sie ihn an ihrem Körper teilhaben lassen. Sie erzählt ihm von ihrer derzeitigen Haarfarbe („Blond wäre auch nicht schlecht, aber unten dann auch, von einem alten Kenner muß man sich belehren lassen"), von ihrem Busen („5 cm zugenommen", dank Schinkenspeck im Paket), von ihren Beinen („so schön wie Nelli's glaube ich nicht, wenn sie auch nicht schlecht sind") und versichert ihm, vom Nabel abwärts auf verschiedene Sachen ganz besonders empfindlich zu sein. Heinrichs Gegenbriefe, wenn Margots Erben oder Freunde sie nicht irgendwo als geheimen Schatz bewahren, sind nicht erhalten. Er muß aber die Gabe gehabt haben, bei ihr den richtigen Ton zu treffen („da Sie ja so viel Verständnis für meinen Beruf haben ..."). Der alte Patriziersohn konnte mit einer Frau aus dem Volke sprechen, nicht leutselig, sondern von gleich zu gleich. Das hätte Thomas nicht gekonnt.

Ostberlin warb um den Verfasser des *Untertan* seit Jahren. Er sollte Präsident der Akademie der Künste werden. Er wollte die ehrenhafte Einladung zwar annehmen, aber etwas zögerte in ihm. Thomas Mann hätte die Verantwortung für seinen Bruder ganz gern abgegeben, riet ihm zu und ärgerte sich, als Heinrich keine Schiffskarte kaufte. „Sowjet-Geld gelangt an Heinrich, das er für Honorar ausgibt. Während es wohl das Reisegeld ist." (14. September 1949) Resigniert nimmt er hin, was nicht zu ändern ist. „Heinrich hat seinen Aufbruch bis zum Frühjahr 'verschoben'. Es wird nichts mehr daraus, muß nun so sein." (17. Oktober 1949)

Heinrichs Sterben und Begräbnis werden im Tagebuch knapp geschildert. „Gestern Nachmittag mit K[atia] bei Heinrich. Sehr greisenhafter Eindruck körperlich." (10. März 1950) „Gehirntod, bei noch schwach fortarbeitendem Herzen. K. dort. Das Ableben eine Frage von Stunden. Natürliche Erschütterung ohne Widerstand gegen dies Geschehen, da es nicht zu früh kommt und die gnädigste Lösung ist. Er hat den Abend unter Musikhören lange hingezogen [...] Müde und bewegt. Der Letztausharrende von Fünfen." (11. März) „Morgens um 7 Nachricht, daß nachts 1/212 Uhr das

Herz zum Stillstand gekommen. Feststellung des Todes und Überführung. – Die gnädigste Lösung [...] K. berichtet von dem Fund einer Menge obszöner Zeichnungen in des Verstorbenen Schreibtisch. Die Nurse wußte davon, daß er jeden Tag gezeichnet, dicke nackte Weiber. Das Sexuelle in seiner Problematik bei uns Geschwistern, Lula, Carla, Heinrich und mir. Vikko scheint simpel gewesen zu sein, freilich seine Frau reichlich betrogen zu haben." (12. März) „K. zum Friedhof in Santa Monica." (13. März) „Sorgfältige Trauertoilette [...] Die Teilnehmer nicht eben zahlreich. Kränze und Blumen ein schöner Anblick. Mein Kranz mit 'Meinem großen Bruder in Liebe'." (14. März)

Erschreckend linkse Dinge

„Nachher auf der Terrasse viel über Rußland, Stalin etc. Notwendigkeit der Distanzierung. Heinrichs allzu positive Haltung." (8. Juli 1937) Trotz vager Sympathien für den Kommunismus ließ er sich nicht blenden. Nach Moskau fuhr der Vielgereiste nie. Die Zukunft Deutschlands, schreibt er an den sowjetischen Schriftstellerverband zum 20jährigen Jubiläum der Sowjetunion, sei „bestimmt nicht die kommunistische Diktatur".[109] Trotzdem galt er hie und da als kommunistischer Schriftsteller,[110] bei den Nazis nämlich,[111] leider auch beim amerikanischen FBI, in dessen Thomas Mann-Dossier vom „Communistic background" die Rede ist.[112] Aber durchaus nicht alle Kommunisten sahen ihn als einen der ihren an. Alfred Kurella fand sich in einem Aufsatz mit dem Titel *Die Dekadenz Thomas Manns* zu so unglaublichen Sätzen veranlaßt wie dem, daß der Joseph-Roman „ein Beitrag zur Rückführung des deutschen Volkes in die Barbarei" sei und, „bei dem gleichgeschalteten und von einem SA-Führer kontrollierten Verlag S. Fischer in Berlin" erschienen, niemand anderem diene als Herrn Goebbels und seinem Propagandaministerium. „Das ist Geist vom Geiste der Henker Deutschlands", fügt der Unverschämte noch hinzu.[113]

Trotzdem bleibt Thomas Mann dem Lande Dostojewskis wohlgesonnen. Er schreibt Neujahrsgrüße an die Sowjetunion (1942),[114] einen Beitrag zum 25. Jahrestag der Oktoberrevolution, einen Glückwunsch an die russische Armee und andere rußlandfreundliche Texte.[115] Von Rußland abhängig werden wollte er freilich auf keine Weise. Seine tiefste Furcht war, der Westen könne sich irgendwann aus Angst vor dem Kommunismus mit Hitler verbünden. Diese Angst will er bekämpfen. Unter dem Einfluß von Beratungen mit Vertretern der deutschen Linken im Exil (Tagebuch 1. und 2. August 1943) äußert er infolgedessen „erschreckend ‘linkse’ Dinge“, hofft sie aber „durch das Darüberstreuen von ziemlich viel konservativem und traditionalistischem Puderzucker vor skandalöser Wirkung zu schützen“.[116] Die arme Agnes Meyer! Sie mußte übersetzen, was ihr politisch zuwider war, daß das weltbedrohende Bündnis von Junkertum, Generalität und Schwerindustrie zerstört werden müsse, daß man sich aus Angst vor dem Bolschewismus alle Scheußlichkeiten des Faschismus habe gefallen lassen, daß die Angst vor dem Wort Kommunismus die Grundtorheit der Epoche sei und daß die Zukunft der Welt schwerlich ohne kommunistische Züge vorzustellen sei.[117] Es kam, wie es kommen mußte. „Unverschämter und tief verstimmender Brief von der Meyer über den Vortrag“ (12. September 1943). Er antwortet freundlich beherrscht und leise ironisch. Manches nehme sich geschrieben schlimmer aus, als wenn er es mündlich vorbringe, „mit meiner sittsamen bürgerlichen Persönlichkeit“.[118]

Nach dem Ende des heißen Krieges und dem Beginn des kalten wird der Kampf gegen die Kommunistenhetze heftiger. „Zuweilen der Wunsch, Europa möchte als Ganzes kommunistisch organisiert und in Züchten aufgebaut werden. Es wäre Amerika zu gönnen.“ (22. November 1949)

Brecht

Bertolt Brecht beklagte sich brieflich am 1. Dezember 1943, daß Thomas Mann nicht genug Unterschiede mache zwischen dem Hitlerregime und den demokratischen Kräften in Deutschland.[119] Das stimmte zwar im allgemeinen, aber gerade für den Vortrag *Schicksal und Aufgabe* mit den linksen Dingen stimmte es zufällig nicht. „Nur eine dumme, korrupte Oberschicht, Verräterpack, dem nichts heilig ist, als Geld und Vorteil“, hatte die sittsame bürgerliche Persönlichkeit dort gesagt, arbeite mit den Nazis zusammen. Die Völker aber weigerten sich dessen. Sieben Millionen seien zur Zwangsarbeit deportiert, fast zwei Millionen seien exekutiert und ermordet, Zehntausende halte die Hölle der Konzentrationslager. Eine nach Millionen zählende innere Emigration warte in Deutschland auf das Ende Hitlers.[120]

Daß er das kurz vorher öffentlich vorgebracht hatte, machte es ihm leicht, Brecht seinerseits Vorwürfe zu machen. Tausend Menschen hätten ihm zugehört, als er in New York jenen Vortrag hielt, „aber, grundsonderbar und wohl echt deutsch, nicht ein einziger der Herren, mit denen ich damals versuchsweise über die Einigung der deutschen Hitlergegner im Exil zu beraten hatte, war darunter". Wäre einer dagewesen, hätten Zweifel an seiner Gesinnung nicht aufkommen können. Er faßt noch einmal zusammen (ohne Puderzucker), was er dort gesagt habe: „Nicht Deutschland oder das deutsche Volk sei zu vernichten und zu sterilisieren, sondern zu zerstören sei die schuldbeladene Machtkombination von Junkern, Militär und Großindustrie, die für zwei Weltkriege die Verantwortung trage. Alle Hoffnung beruhe auf einer echten und reinigenden Revolution, die von den Siegern nicht etwa zu verhindern, sondern zu begünstigen und zu fördern sei."[121]

Thomas Mann kannte Brecht und sein Theater bereits aus Münchener Tagen. Schon damals war die Antipathie gegenseitig. Im Exil traf man sich gelegentlich, am 1. September 1939, am 1. August 1943, am 26. November 1943, am 16. Mai 1944, am 7. April 1945 und noch öfter. Zwei Gentlemen vom FBI kamen einmal vorbei (am 18. August 1943) und fragten nach Brecht und anderen Kommunisten. Thomas Mann wird sich bedeckt gehalten haben, obgleich es kurz vorher Streit gegeben hatte. In Brechts Arbeitsjournal findet sich eine außerordentlich feindselige Darstellung davon: „als Thomas Mann vorigen sonntag, die hände im schoß, zurückgelehnt sagte: 'ja, eine halbe million muß getötet werden in deutschland', klang das ganz und gar bestialisch. der stehkragen sprach. kein kampf war erwähnt, noch in anspruch genommen für diese tötung, es handelte sich um kalte züchtigung, und wo schon hygiene als grund viehisch wäre, was ist da rache (denn das war ressentiment von dem tier)."[122]

Im Juli 1943 hatte das Politbüro der KPdSU die Gründung eines Nationalkomitees „Freies Deutschland" vorgeschlagen.[123] 38 deutsche Exilkommunisten, darunter Walter Ulbricht, Wilhelm Pieck und Johannes R. Becher, hatten ein Manifest beschlossen, das unter Vermeidung allzu kommunistischer Parolen die Deutschen zum Freiheitskampf gegen Hitler aufforderte. Thomas Mann reagierte gewunden zustimmend. An jenem 1. August 1943 wollte eine Gruppe deutscher Emigranten, darunter Brecht, Feuchtwanger, Heinrich und Thomas Mann, eine weitergehende Erklärung formulieren. Thomas Mann machte gequält mit. „Stundenlange Formulierungsversuche mit leidlichem Endresultat." (1. August 1943) Am nächsten Morgen aber Beunruhigung und Beschluß der Ablehnung. Brecht ist empört: „und heute morgen ruft TH MANN feuchtwanger an: er ziehe seine unterschrift zurück, da er einen 'katzenjammer' habe. dies sei eine 'patriotische erklärung', mit der man den alliierten 'in den rücken falle', und er könne es nicht unbillig finden, wenn 'die alliierten deutschland zehn oder zwanzig jahre lang züchtigen'. die entschlossene jämmerlichkeit dieser 'kulturträger' lähmte selbst mich wieder für einen augenblick [...] für einen augenblick erwog sogar ich, wie 'das deutsche volk' sich rechtfertigen könnte, daß es nicht nur die untaten des hitlerregimes, sondern auch die romane des herrn mann geduldet hat, die letzteren ohne 20–30 ss-divisionen über sich."[124]

Preisträger und Schattenpräsident

Ähnliche Vorgänge wiederholten sich. Der Theologe Paul Tillich wollte im Herbst 1943 mit anderen deutschen Emigranten, darunter wieder Brecht, erneut ein *Free Germany Committee* gründen. Zu den Hintergedanken gehörte stets, daß zum Zeitpunkt von Hitlers Ende eine Art Schattenregierung zur Machtübernahme bereitstehen sollte. Die Emigranten fühlten sich für eine solche prädestiniert. Moralisch waren sie im Recht, politisch aber in einem Wolkenkuckucksheim, bei dem höchstens die Frage war, wer ihre Gutwilligkeit am geschicktesten mißbrauchen würde. Thomas Mann erkundigte sich dieses Mal zuerst im State Department und zog sich zurück, als die amerikanische Regierung erwartungsgemäß kein Interesse zeigte.[125] Er mußte trotzdem eine Falschmeldung dementieren: „The Department of State has not invited me to join or preside over a Free German Committee, nor do I consider the moment opportune for the formation of such a body."[126] Er hätte sogar Präsident dieser Vereinigung werden sollen. Er berichtet Agnes Meyer über die Beratung vom 26. November: „Das Treffen mit der politischen Corona in New York war natürlich nicht angenehm, aber ich habe es standhaft durchgeführt und bin meiner Freiheit froh – trotz der Aeusserung Professor Tillichs, ich hätte 'Deutschland das Todesurteil gesprochen' und trotz dem höhnisch verbitterten Gesicht des Bert Brecht, eines Party liners, der, wenn die Russen ihm in Deutschland zur Macht verhelfen, mir alles Böse antun wird."[127]

Geschmeichelt war er natürlich schon, wenn er von irgendetwas

Präsident werden sollte. Die Meldung, man habe ihn als gegenwärtigen Präsidenten der geistigen Republik bezeichnet, kommentiert er untertreibend mit „Seltsam“ (28. Dezember 1938). Er ist der ungekrönte König der literarischen Emigration. „Klaus bemerkt, die Emigranten gleichen einer Nation, die mich als ihren Gesandten betrachtet. Es scheint selbstverständlich, daß jeder sich an mich wendet.“ (14. Juli 1940) Ludwig Marcuse bestätigt das: „Kaiser aller deutschen Emigranten“ sei Thomas Mann gewesen, „ganz besonders Schutzherr des Stamms der Schriftsteller“.[128] Die Träume steigen noch weiter hinauf. In der Zeitung soll gestanden haben, er sei nach Washington berufen und zum Präsidenten Deutschlands bestimmt worden. „Idealists dream of Th. M. as the president of the second German republic.“[129] Aber er weiß Bescheid. „Ich würde eher noch von Stalin, als von Washington dafür gewählt werden.“ (16. Februar 1943) Trotzdem notiert er dergleichen gerne. „Begegnung mit Bauunternehmer X., der fragt, ob ich President of Germany sein werde ...“ (27. April 1944) Vorher schon hatte ein Journalist auf die Frage „How shall Germany be ruled after Hitler's defeat?“ ihn als Präsidenten einer kommenden deutschen Republik vorgeschlagen.[130] Mit Ausnahme einer kleinen monarchistischen Minderheit und der extremen Linken besitze er das Vertrauen der meisten Deutschen. Abgesehen davon, daß das zu jenem Zeitpunkt sicher ein Irrtum war, antwortet Thomas Mann ihm ablehnend und erklärt das näher in einem Brief an Agnes Meyer: [131]

Nur unter stärkstem Druck würde ich mich jemals dazu verstehen, eine politische Rolle zu spielen und mir dabei bewusst sein, das schwerste Opfer zu bringen. Aber ich halte die Gefahr, dass es ernst werden könnte, für sehr gering. Vor allen Dingen hat ja auch „Washington“ mitzusprechen, und da hat man Leute meiner Art garnicht sehr gern. Wir sind „premature anti-fascists“, der Ausdruck hat mich sehr amüsiert, aber er wird ganz offiziell als Einwand gegen den Charakter, die Vertrauenswürdigkeit eines Menschen gebraucht.

Ja, das stimmt wohl, daß er das Vertrauen der amerikanischen Regierung nicht besaß. Für sie war er nicht ganz so unzuverlässig, aber doch immerhin in ähnlicher Weise verdächtig wie Bertolt Brecht. Politisch chancenlos waren sie beide. Sie hätten sich lieber vertragen sollen. Aber die Gründe ihrer Antipathie lagen wohl auch jenseits des Politischen. Was wollte dieser frech charmante, schäbig schicke Frauenverbraucher anderes als das Auskosten einer Lebensgier, die unsereiner immer im Zaum gehalten hat! Brechts aggressive Vitalität zielte auf den bürgerlichen Habitus, auf jene Beherrschtheit, die Thomas Mann doch so lebenswichtig brauchte. Brecht war es nicht gegeben, zu sehen, daß sein Gegner innerlich gar nicht bürgerlich war. Er fiel auf die Außenseite herein. Er kultivierte seinen Haß, denn so einen Gegner brauchte er. Er machte begabte, aber gemeine Gedichte auf ihn. „Die Hände im dürren Schoß", so beginnt eines davon, Keuschheit mit Unfruchtbarkeit verwechselnd, „verlangt der Geflüchtete den Tod einer halben Million Menschen. / Für ihre Opfer verlangt er / zehn Jahre Bestrafung. Die Dulder / sollen gezüchtigt werden."[132] So stellte sich ihm das dar. „Einen Hunderttausenddollarnamen zu gewinnen / für die Sache des gepeinigten Volkes / zog der Schreiber seinen guten Anzug an / Mit Bücklingen / nahte er sich dem Besitzer."

Auf Manns dichterisches Werk ließ er sich kaum ein. Man erinnert sich an ein paar spöttische Urteile. Thomas Mann kannte umgekehrt Brechts Werk ganz gut, schon in den zwanziger Jahren als Theatergänger, in den Dreißigern aber auch als Leser.[133] Er hielt ihn stets für ein „Theatergenie", fügte aber hinzu: „bei wirrem Doktrinarismus theoretisch" (8. Juli 1950).

Auch Neid spielt eine Rolle. Brechts Produktivitätshöhepunkt liegt in den zwanziger und dreißiger Jahren. Im amerikanischen Exil fehlte es ihm an Stimulation, er hatte kein Theater, Hollywood war kein gleichwertiger Ersatz, Margarete Steffin lebte nicht mehr, neue Musen fanden sich nicht so leicht. Thomas Mann hingegen trug seine Produktionsbedingungen in seinem Innern. Auch deshalb konnte er sagen: Wo ich bin, ist Deutschland. Was Brecht ihm prompt übelnahm. Er spielte Heinrich gegen ihn aus. „Heinrich Mann glaubte nicht wie sein talentierter Bruder, daß die deutsche Kultur da sei, wo er war [...] Als er, siebzigjährig, die Pyrenäen erkletterte, um den deutschen und französischen Faschisten zu entkommen, wandte *er* nicht dem deutschen Volk den Rücken, sondern den Bedrückern des deutschen Volkes."[134]

Wenn Brecht es erfahren hätte, hätte es ihn fürchterlich ärgern müssen: daß er erst die zweite Wahl gewesen war für den Internationalen Stalin-Preis „Für die Festigung des Friedens", den er im Mai 1955 in Moskau verliehen erhielt. Die erste Wahl war – Thomas Mann gewesen, und dieser hatte abgelehnt. „Anfrage, ob ich den Stalin-Friedenspreis (Goldner Stern und 100 000 Rubel) annehmen würde, was nun wirklich, wenn jemals, in diesem Jahr ganz unmöglich ist. Aber was man der 'freien Welt' zuliebe alles wegwirft. Es sind schon rund 300 000 Franken." (6. Dezember 1954) Er hatte vorher schon den Nationalpreis der DDR abgelehnt (100 000 Ostmark), gleich zweimal, 1953 und 1954.[135] Den immerhin hatte Brecht schon 1951 erhalten.

XVII. Doktor Faustus

1946

Chronik 1943–1949

Die Arbeit am Faustroman ging ziemlich kontinuierlich vonstatten. Zweihundert Seiten entstanden in der Regel pro Jahr, neben allerlei Ablenkung. Von Mitte März bis Mai 1943 wurde studiert und konzipiert. Am 23. Mai begann die Niederschrift. Am 31. Mai war das erste Kapitel fertig, am 7. Juni das zweite, am 24. Juni, nach essayistischen Einlagen, das dritte, am 7. Juli das vierte, am 13. Juli das fünfte, am 17. Juli das sechste, am 2. August das siebte. Einige Zwischenarbeiten folgten, so daß das große achte Kapitel, Wendell Kretzschmars Vorträge enthaltend, erst am 22. September abgeschlossen vorlag. Überarbeitungen geschahen noch in späterer Zeit, einige davon angeregt von Theodor W. Adorno, den Thomas Mann Anfang Juli kennengelernt hatte.

Der Oktober und der November bringen erst einmal große Unterbrechungen durch Vortragsreisen in den USA und andere Auftritte. Erst am 8. Dezember zurück in Pacific Palisades, verbessert Thomas Mann ein weiteres Mal das achte Kapitel, ehe am 21. Dezember das neunte in Angriff genommen wird. Trotz ständiger Einlagen, darunter immer wieder Radiobotschaften *Deutsche Hörer!,* werden jeden Monat ein bis zwei Kapitel zu Ende gebracht, am 9. Mai 1944 das fünfzehnte, am 24. Mai das sechzehnte, am 7. Juni das siebzehnte, am 11. Juni das achtzehnte. Am 4. Oktober ist das 22. Kapitel fertig, am 10. Dezember das 24. Das Teufelsgespräch im 25. Kapitel, handschriftlich 52 Seiten lang, beschäftigt den Dichter angestrengt bis zum 20. Februar 1945.

Danach kommt wieder eine größere Pause, in die der Vortrag *Deutschland und die Deutschen* fällt. Am 12. April 1945 geht es mit dem 26. Kapitel weiter. Die Arbeit daran wird durch den Artikel *Die Lager* und einige andere Texte anläßlich des Kriegsendes unterbrochen, die am 27. Kapitel durch eine Vortragsreise und einige Urlaubstage, so daß das 28. erst am 8. August begonnen wird. Trotz Abhaltungen aller Art wird bis Jahresende das 33. Kapitel fertig.

Das Jahr 1946 beginnt mit dem 34. Kapitel und den Vorarbeiten zum Vortrag *Nietzsches Philosophie im Lichte unserer Erfahrung,* bis die Monate April und Mai eine große Unterbrechung durch eine schwerwiegende, aber erfolgreiche Lungenkrebsoperation bringen. Von Juni bis zum Jahresende werden dann überaus zügig die Kapitel 35 bis 46 geschrieben, im Januar 1947 noch das 47. und letzte sowie die Nachschrift. Am 6. Februar vermeldet das Tagebuch „Champagner-Abendessen zur Feier der Beendigung des Faustus und Verlesung der Echo-Kapitel. Sichtliche Ergriffenheit. Die Gestalt des Kindes zweifellos das Beste und Dichterischste in dem Buch. Weiterer Champagner."

Der Roman erscheint aus Copyrightgründen zuerst in einer Auflage von 50 Exemplaren in New York und gleich darauf mit 14000 Stück am 17. Oktober 1947 in Stockholm. Er entfaltet seine Wirkung zunächst hauptsächlich in der Schweiz. In Deutschland wurde das Werk zwar in der Presse diskutiert, war aber in den Buchhandlungen erst seit der Suhrkamp-Ausgabe vom Herbst 1948 erhältlich, möglicherweise (einem Brief an Peter Suhrkamp zufolge) sogar erst im Januar 1949.

Ein Rechenschaftsbericht *Die Entstehung des Doktor Faustus. Roman eines Romans,* hauptsächlich geschrieben, um Theodor W. Adornos Mitwirkung zu würdigen, wird Ende Juni 1948 begonnen und ist Ende Oktober fertig. Er erscheint 1949.

Thomas Faust?

Als der Joseph-Roman fertig war, war Hitler immer noch nicht niedergeworfen. Was sollte man machen? Thomas Mann beschloß, dem Kriege noch einen Roman lang Zeit zu geben.[1] Er liebäugelte eine Weile mit der Wiederaufnahme des Hochstapler-Romans. Das würde die Leute zum Staunen bringen, wenn ein Jahrzehnte ruhendes Projekt fertig würde! Das wäre doch eine grandiose Selbstbestätigung! „Gefühl der Großartigkeit, nach 32 Jahren dort wieder anzuknüpfen, wo ich vor dem 'Tod in Venedig' aufgehört, zu dessen Gunsten ich den Krull unterbrach."[2] In so wilden Zeiten eine solche Geduld, ein so großer Bogen, eine so stolz behauptete Lebenseinheit! Schön müßte es sein, der Welt so sichtbar zu trotzen, unberührbar, unbeirrbar zurückzugreifen auf das, worüber so viel Sturm und Mühe hinweggegangen, „ein Beispiel innerlich heiterer Treue zu sich selbst, spöttisch überlegener Ausdauer zu geben" mit der Weiterführung dieser frivolen Späße aus dem versunkenen Kaiserreich.

Aber es sollte anders kommen. Der Bogen sollte noch größer werden, nicht drei, sondern vier Jahrzehnte überspannen. „Vormittags in alten Notizbüchern. Machte den 3 Zeilen-Plan des Doktor Faust vom Jahre 1901 ausfindig." (17. März 1943) Es war das siebte Notizbuch, in dem Thomas Mann damals blätterte. Es erwähnt den Faustplan an zwei Stellen, die allerdings nicht 1901, sondern 1904 geschrieben sind:[3]

Zum Roman. *Der syphilitische Künstler nähert sich von Sehnsucht getrieben einem reinen, süßen jungen Mädchen, betreibt die Verlobung mit der Ahnungslosen und erschießt sich dicht vor der Hochzeit.*

Novelle oder zu 'Maja'. *Figur des syphilitischen Künstlers: als Dr. Faust und dem Teufel Verschriebener. Das Gift wirkt als Rausch, Stimulans, Inspiration; er darf in entzückter Begeisterung geniale, wunderbare Werke schaffen, der Teufel führt ihm die Hand. Schließlich aber* holt ihn der Teufel: *Paralyse. Die Sache mit dem reinen jungen Mädchen, mit dem er es bis zur Hochzeit treibt, geht vorher.*

Der Plan stammt aus der Verlobungszeit, damit aus der Zeit der Ablösung von Paul Ehrenberg. Thomas Mann trieb es damals mit einem reinen jungen Mädchen bis zur Hochzeit. Syphilis hatte er zwar nicht, aber er fühlte sich auf andere Weise infiziert, durch sein

Künstlertum und durch die Homoerotik. Wenn ein solcher Künstler sich mit dem Leben einläßt, wird ihn die rächende Nemesis einholen. Er fürchtet, daß er entweder die Braut in den Abgrund ziehen oder aber als Ehemann sein Künstlertum einbüßen würde. Hatte nicht schon Friedrich Nietzsche gespottet, daß ein verheirateter Philosoph in die Komödie gehöre?[4] Mußte das nicht ebenso vom Künstler gelten? Die Inspiration würde nicht aus dem unschuldigen bürgerlichen Eheglück kommen. Sie konnte nur aus der sündigen Liebe, nur aus der Homoerotik erwachsen.

Was 1904 brandaktuell war, hatte 1943 allerdings etwas Abgehangenes und fast zu Routiniertes. Syphilis und Paralyse lagen inzwischen weit ab von seinem Pfad. Thomas Mann ist kein Faust. Biographisch betrachtet, hat er mit dem Stoff ein wenig hoch gegriffen. Er wurde nicht vom Teufel geholt, auch nicht andeutungsweise. Daß Gott ihn für sein bürgerliches Wohlleben noch einmal strafen würde, kann er nach bald vierzig Ehejahren nicht mehr ernsthaft geglaubt haben. Die Angst vor dem Einbruch der Homosexualität in sein geordnetes Leben war zwar sicher nicht versiegt. Aber auch in dieser Hinsicht zu bestehen konnte er, nach der Übung mit Klaus Heuser, einigermaßen sicher sein. Er hat sich eingerichtet. „Las abends lange in Platens Tagebüchern. Verglich und fand viel Grund zu Dankbarkeit.“[5] Er muß nicht mit jungen Männern ins Bett, begnügt sich mit der Illusion, ja, hält sie für befriedigender als die Wirklichkeit. „Das Illusionäre der Liebe in der Homoerotik ungeheuer verstärkt. Alle Wirklichkeit führt das Gefühl ad absurdum.“ Zwar schaut er sich auch in den vierziger Jahren noch nach hübschen Knaben um (gelegentlich auch nach hübschen Mädchen), aber eine große Leidenschaft ist aus der Faustus-Zeit nicht überliefert. Das alles ließ sich sehr gut auf Distanz halten. Der Faust-Roman ist zwar von Selbsterlebtem voll wie seit *Buddenbrooks* keiner vorher, aber zugleich ist er der berechnendste, abgekühlt Autobiographisches am kalkuliertesten als Wirkungsmittel einsetzende. Mit kaufmännisch geiziger Resteverwertung nutzt er alles Lebensmaterial, das bisher noch nicht untergekommen war. Eine „rücksichtslose Biographie“ kann man das nicht nennen, obgleich Thomas Mann dergleichen zu äußern beliebte.[6] Das Buch steht ihm einerseits nahe wie keines, nimmt andererseits aber durch seine Konstruiertheit das Private auch straffer ins Geschirr als irgendeines vorher.

Im Jahr 1904 war der Stoff viel zu persönlich, zu naheliegend und zu kompromittierend gewesen und mußte deshalb liegen bleiben.

Aber der Dichter verlor ihn nicht aus den Augen. Schon 1933 wußte er, daß der Faust sein nächstes Thema nach dem *Joseph* sein würde,[7] zugleich sein „letztes Werk".[8] Er legt in den dreißiger Jahren das eine oder andere Fundstück in die Mappe, offenbar bereits mit dem Ziel, Faust mit dem Faschismus zu verknüpfen. Auch damals liest er den Dreizeilenplan nach (6. Mai 1934). Beharrlich muß er die Idee im Hinterkopf bewahrt haben, denn prompt, ohne Pause, beginnt er noch am gleichen Tag, an dem er das Joseph-Material weggeräumt hat, mit dem neuen Projekt: „Gedanken an den alten Novellenplan 'Dr. Faust'. Umschau nach Lektüre." (14. März 1943)

Warum Faust? In diesem Stoff schoß alles zusammen, das Private wie das Öffentliche, die routinierte Pflege der alten Wunden und das hohe Ethos des Kampfes gegen Hitler. Der Ur-Kram kommt wieder herauf, das ist der erste Grund. Wieder haben wir eine Geschichte, in der ein Künstler an der Heimsuchung durch die Liebe scheitert, wieder erwachen Paul Ehrenberg und Katia Pringsheim, das „Warum vermählt ich mich?" und die verschämt-verschmitzten Heimlichkeiten. Der zweite Grund ist die Rache an München. Die ihn vertrieben hatten, konnten nun in die Vorgeschichte des Faschismus einmontiert werden. Beides wäre vorher aus Diskretionsgründen und anderen Rücksichten nicht möglich gewesen, wurde aber 1943 möglich, denn München war inzwischen so weit weg wie Lübeck in Rom, als die ersten Zeilen von *Buddenbrooks* zu Papier gebracht wurden. Porträts, schreibt er nachträglich, hätten sein Bewußtsein in der Faustuszeit gar nicht mehr berührt. „Dazu war Europa, war Deutschland und was dort lebte – oder nicht mehr lebte – zu tief und weit abgetrennt, versunken, zu sehr Vergangenheit und Traum geworden."[9]

Drittens war es notwendig, einen Faust zu schreiben, weil auch Goethe einen geschrieben hatte. Ehrgeiz und Ruhmsucht sind im Spiel, die Absicht, einen nationalen Mythos weiterzuschreiben, seine Landsleute dabei aber auch zu ermahnen und zu belehren. Nichts Geringeres schwebte ihm vor als der Roman seiner Epoche, verkleidet in die Geschichte eines Künstlerlebens.[10] Das machte sich groß und gut, war ja auch groß und gut. Und viertens ist da der Gedanke der Lebenseinheit. Der Faustroman sollte das letzte Werk sein. Schon in jungen Jahren habe er es sich vorgesetzt als sein Alterswerk, seinen *Parsifal.*[11] Danach wollte er sterben. Das wäre lebensoptisch schön gewesen, aber es kam anders, es kamen als Sterbensersatz eine Lungenkrebsoperation und noch eine Anzahl größerer Werke, hinter jeder Düne neue Dünen, eines absoluten Endes nicht bedürftig. Beliebig oft läßt sich das Lebensthema variieren. „An Ideen würde es mir nicht fehlen, und wenn ich 120 würde. Es ist schade um sie [...] Denn wer kann es sonst?"[12] Auch *Luthers Hochzeit,* der von Wagner übernommene[13] Werkplan, über dem Thomas Mann verstarb, wäre Urkram gewesen, hätte die Hochzeit des Mönchs mit der Nonne behandelt. Er sieht sich nicht ungern in der Rolle Schopenhauers, von dem er sagte, daß er das seltsame Schauspiel eines Greises biete, „der sich bis zum letzten Augenblick, in unheimlicher Treue, um sein Jugendwerk müht".[14]

Amerika hat ihn im Vergleich damit nicht fesseln können. Die alten Prägungen sind viel stärker. „Amerika ist Menschenfremde, die wenig haftende Eindrücke liefert. Irgendwie muß aus der Vergangenheit, aus Erinnerung, Bildern, Intuition schöpfen." (11. April 1943)

Retuschen

Die Wochen vergehen mit Exzerpten, Plänen und Notizen, bis das Tagebuch am 23. Mai 1943, einem Sonntagmorgen, vermerkt: „Begann vormittags 'Dr. Faust' zu schreiben." Es ist das gleiche Datum, an dem sich Serenus Zeitblom in seinem kleinen Studierzimmer in Freising an der Isar niedersetzt, um mit der Lebensbeschreibung seines verewigten Freundes Adrian Leverkühn zu beginnen. In der *Entstehung des Doktor Faustus* heißt es dazu:[15]

Daß Studienrat Zeitblom an dem Tage zu schreiben beginnt, an dem ich selbst, in der Tat, die ersten Zeilen zu Papier brachte, ist kennzeichnend für das ganze Buch: für das eigentümlich Wirkliche, das ihm anhaftet und das, von einer Seite gesehen ein Kunstgriff, das spielende Bemühen um die genaue und bis zum Vexatorischen gehende Realisierung von etwas Fiktivem, der Biographie und dem Hervorbringen Leverkühns, ist, von einer anderen aber eine nie gekannte, in ihrer phantastischen Mechanik mich dauernd bestürzende Rücksichtslosigkeit im Aufmontieren von faktischen, historischen, persönlichen, ja literarischen Gegebenheiten [...] Diese mich selbst fortwährend befremdende, ja bedenklich anmutende Montage-Technik gehört geradezu zur Konzeption, zur 'Idee' des Buches, sie hat zu tun mit einer seltsamen und lizenziösen seelischen Lockerung, aus der es hervorgegangen, seiner übertragenen und auch wieder baren

Direktheit, seinem Charakter als Geheimwerk und Lebensbeichte, der die Vorstellung seines öffentlichen Daseins überhaupt von mir fernhielt, solange ich daran schrieb.[16]

Geheimwerk und Lebensbeichte – wer erwartet, nun Geständnisse über verborgene Intimitäten zu hören, sieht sich enttäuscht, lediglich literarische und musikalische Quellen aller Art gibt Manns Rechenschaftsbericht preis. Wie bewußt die *Entstehung* das zutiefst Persönliche verschweigt, zeigt ein aufmerksamer Vergleich des Berichts mit dem Tagebuch. Die *Entstehung* erzählt, vorgeblich das Tagebuch zitierend:

„Vormittags in alten Notizbüchern", heißt es unterm 17. „Machte den Drei-Zeilen-Plan des Dr. Faust vom Jahre 1901 ausfindig. Berührung mit der Tonio Kröger-Zeit, den Münchener Tagen, den nie verwirklichten Romanplänen 'Die Geliebten' und 'Maja'. 'Kommt alte Lieb' und Freundschaft mit herauf'. Scham und Rührung beim Wiedersehen mit diesen Jugendschmerzen ..."[17]

Fehlt da nicht etwas? Im Original-Tagebuch (17. März 1943) hört sich die Stelle etwas anders an:

Vormittags in alten Notizbüchern. Machte den 3 Zeilen-Plan des Doktor Faust vom Jahre 1901 ausfindig. Berührung mit der P. E.- und Tonio Kr.-Zeit. Pläne „Die Geliebten" und „Maja". Scham und Rührung beim Wiedersehn mit diesen Jugendschmerzen. Man kann die Liebe nicht stärker erleben. Schließlich werde ich mir doch sagen können, daß ich alles ausgebadet habe. Das Kunststück war, es kunstfähig zu machen.

Es gibt kleine, aber wichtige Unterschiede. Es fehlt „P. E." und das, was ausgebadet wurde. An die Stelle dessen, worum es wirklich ging, an die Stelle der Liebe zu Paul Ehrenberg nämlich, setzt Mann eine Goethe-Anspielung, das im Tagebuch fehlende Zitat „Kommt alte Lieb und Freundschaft mit herauf" aus der *Zueignung* zum *Faust*. Damit konnte man sich doch besser sehen lassen! Wieder einmal tarnt er sein Leben hinter der großen Literatur.

Zu Tische leider die Herz

Die Nackedey, ein verhuschtes, ewig errötendes, jeden Augenblick in Scham vergehendes Geschöpf von einigen dreißig Jahren, das beim

Reden und auch beim Zuhören hinter dem Zwicker, den sie trug, krampfhaft-freundlich mit den Augen blinzelte und dazu kopfnikkend die Nase kraus zog, – diese also hatte sich eines Tages, als Adrian in der Stadt war, auf der vorderen Plattform einer Trambahn an seiner Seite gefunden und war, als sie es entdeckt hatte, in kopfloser Flucht durch den vollen Wagen auf die rückwärtige geflattert, von wo sie aber nach einigen Augenblicken der Sammlung zurückgekehrt war, um ihn anzusprechen, ihn bei Namen zu nennen, ihm errötend und erblassend den ihren zu gestehen, von ihren Umständen etwas hinzuzufügen und ihm zu sagen, daß sie seine Musik heilighalte, was alles er dankend zur Kenntnis genommen hatte.[18]

Als Thomas Mann noch selber Trambahn fuhr, geschah ihm eben dieses, im Jahre 1924 in Nürnberg, mit der Buchhändlerin Ida Herz. Ihre Eltern hatten eine Darm-, Gewürz- und Fleischerutensilienhandlung, und so stehen Züge von ihr nicht nur hinter Meta Nackedey, sondern auch hinter Kunigunde Rosenstiel, der Mitinhaberin eines Wursthüllenbetriebes, der zweiten der dienenden Frauen. Das Äußere der Rosenstiel allerdings, das schwer zu bändigende Wollhaar und die Augen, in deren Bräune uralte Trauer geschrieben stand, hat Thomas Mann anderswoher bezogen, vielleicht von Käte Hamburger, die mit Ida Herz befreundet war. Beide vermochten sie wohlgesetzte Briefe zu schreiben, beide waren sie Jüdinnen und beide jüngferlich, was nach Dichters Meinung seine Vorteile hat, „denn menschliche Entbehrung ist gewiß die Quelle einer prophetischen Intuition, die um solchen kümmerlichen Ursprungs willen keineswegs weniger schätzbar ist“.

Ida Herz – man pflegt heute entweder in des Meisters Spott einzustimmen oder des Meisters Lieblosigkeit zu beklagen. Aber wozu Partei nehmen, wenn doch beide Achtung verdienen. Die Herz war eine Frau mit Format und nahm nicht übel. Sie habe sich nie verletzt gefühlt. Im Gegenteil habe die Schilderung im *Faustus* ihr selbst ihre „dramatische Stellung“ innerhalb seines Lebens klar gemacht.[19] Sie war mit der Rolle der „dienenden Frau“ offenbar völlig einverstanden.

1922 hatte sie den Dichter das erste Mal gesehen, 1924 in der Trambahn angesprochen, 1925 seine Bibliothek geordnet, von da an, von ihm unterstützt, Drucke, Artikel, Fotos und Bücher von und über Thomas Mann gesammelt und der Nachwelt aufbewahrt durch schwierige Zeiten. Daß sie im Fasching von 1927, vom Meister ermuntert, als ungebildete Frau Stöhr aus dem *Zauberberg* auftrat[20] – nun. Unter Hitler hat sie viel durchgemacht. Unvorsichtig wie sie war und stolz auf ihren Kontakt zu Thomas Mann, wurde sie 1934 verhaftet, sieben Wochen später amnestiert, 1935 wegen Vergehens gegen das „Heimtückegesetz" erneut angezeigt (Beschimpfung führender Persönlichkeiten in Staat und Partei) und 1937, nachdem sie Deutschland bereits verlassen hatte, der deutschen Staatsangehörigkeit für verlustig erklärt. In der Begründung heißt es, sie sei Rasse- und Bekenntnisjüdin, eine fanatische Gegnerin des nationalsozialistischen Staates, habe Gauleiter Julius Streicher sittlicher Verfehlungen mit Kindern bezichtigt, habe ihrem Dienstmädchen gegenüber Hitler als Häuseranstreicher bezeichnet, habe auch nach der nationalen Erhebung aus ihrer schwärmerischen Verehrung für den inzwischen ausgebürgerten Schriftsteller Thomas Mann keinen Hehl gemacht und stehe mit ihm in persönlichem Gedankenaustausch. Der vorgesehenen erneuten Verhaftung habe sie sich durch Flucht ins Ausland entzogen.[21]

Dort half ihr Thomas Mann verschiedentlich, und sie besuchte ihn öfter. Das ging ihm auf die Nerven, so sehr er sie schätzte. „Zu Tische leider die Herz", notiert er eine Weile täglich ins Tagebuch.[22] Wem Besuch noch nie auf die Nerven ging, der werfe den ersten Stein. Er brauchte sie in der Ferne, nicht in der Nähe, aber wenn es sein mußte (und in den dreißiger Jahren mußte es sein), ertrug er sie auch in der Nähe, spielte seinen Part, knurrte aber ins Tagebuch Bösartigkeiten: „die unselige Herz, die an meinen Mienen hängt, namenlos lästig und enervierend" (16. April 1935). „Unglückselige und beschämende Aufdringlichkeiten der hysterischen alten Jungfer. Meine Starre dagegen und Kälte erinnert mich an Mama, die sich ähnlich gegen unerwünscht verliebten Zudrang verhielt. Immerhin bewährte ich zum Schluß einige allgemein zuredende Gutmütigkeit, entschlossen aber, dies nicht wieder zuzulassen." (19. April 1935) Doch schon im September kam sie wieder, auf der Flucht und deshalb nicht abweisbar. Sie wird als Hausgast aufgenommen für mehr als zwei Wochen – zu Tische leider die Herz.

Sie wußte, was sie an ihm hatte. Als sie, mit fünfundachtzig, die Tagebücher zu lesen bekam, schrieb sie an Klaus W. Jonas, daß sie trotz der Kränkung, die ihr die Enthüllungen zugefügt hätten, ihren Anspruch auf Freundschaft aufrechterhalte.[23] Zu Recht. Denn Thomas Mann hat nicht nur genommen, er hat auch gegeben. Mehrfach und meistens mit Erfolg hat er sich um Stellen für sie bemüht. Dreieinhalbhundert Briefe und Karten hat er ihr geschrieben im Verlauf von dreißig Jahren, nicht eben innige oder liebevolle, aber doch sachliche, geduldige, auch ausführliche darunter, von nie ermüdender Höflichkeit. Ihr Innerstes weist er allerdings zurück. Als sie ihre Lebensprobleme ausbreiten will, gar Selbstmordabsichten andeutet, bedeutet er ihr kühl, daß ihr dazu der Todesinstinkt fehle.[24] Als sie ihn wegen seines „Marxismus" zur Rede stellen will, weist er sie mit einem „töricht" unwirsch in die Schranken.[25] Stets sorgt sie sich, ob sie den Meister nicht störe, und stört ihn gerade damit. „Wenn ich etwas gegen Sie hätte, würde ich's Ihnen schon sagen. Ich habe aber nichts gegen Sie als eben dies."[26]

Sie schickt ihm Bücher und Schreibwaren, Torten und auch Ostereier – *dreizehn* Ostereier, wie er schaudernd bemerkt. „Ich öffnete das Packet und aß rasch eines roh mit Zucker, um den Fluch auf mich zu nehmen. Ich werde schon damit fertig werden."[27] Daß er schon zu Lebzeiten eine Archivarin hatte, ließ er sich gern gefallen, dergleichen saß ihm lächelnd ums Herz. Er hätte zwar nichts dagegen gehabt, wenn die Yale University Library, wo inzwischen Joseph W. Angell die Manniana archivierte, ihr die Sammlung abgekauft hätte, aber dazu kam es nicht, weil keiner das Geld geben wollte, des Kalten Krieges halber, und so liegen die Sachen heute in Zürich. Zum 60. Geburtstag beehrte er Ida Herz mit einem reizenden Brief, der, in der Leverkühn-Rolle geschrieben, scherzend die Trambahn und die Wursthüllen heraufruft:

Wie es anfing, und Sie, damals Inhaberin eines Darmgeschäfts, auf der Trambahn hin und her flatterten von einer Plattform zur anderen und mich schließlich ansprachen und wir Bekanntschaft machten; wie es dann weiter ging und Sie mir immer so wohlgesetzte Briefe schrieben, in besserem Deutsch als mancher Gelehrte es aufbringt und mich von Zeit zu Zeit in Pfeiffering besuchten; wie Sie zugegen waren am Sterbebett des armen kleinen Nepomuk Schneidewein, den wir leider dem Teufel überlassen mußten, und zuletzt noch wiederum zugegen waren, als ich aus „Fausti Weheklag" vorspielen wollte und dabei etwas abwegig wurde, sodaß alle Gäste davon liefen, nur Sie und Frau Schweigestill nicht – – das sind freilich weite, bedeutende, bewegende Erinnerungen, die an diesem Festtage vor unser beider Augen aufsteigen.[28]

Daß sie beide nun schon seit Jahrzehnten aneinander teilgenommen hätten, fährt er fort, der eine am Leben des anderen, sie mit rührender Treue an seinem Schicksal, Schreiben und Treiben, er mit großer Achtung und Sympathie an ihrem Ergehen und Wandel – „denn wie Sie sich geführt haben nach der Vertreibung aus Deutschland, sich gehalten und gearbeitet und das Leben bestanden haben, das ist so brav und ehrenhaft, daß es wirklich jeder Achtung und Sympathie und Freundschaft wert ist."

Schwabing und Polling, Palestrina und Pacific Palisades

Was im einzelnen alles er an Eigenem verarbeitet hat, es wäre des Aufzählens kein Ende. Traumata sind es in jedem Falle. Nur Traumata haben eine so brennende Erinnerungsschärfe, nur sie fügen sich einer immergleichen Matrix. Über Ehrenberg, den Flirtstreit, den sehr gewagten Brief und die rassige Familie haben wir bereits an früherer Stelle berichtet, desgleichen über Polling, die Mutter und den Selbstmord der Schwester Carla, desgleichen über Katia und Marie Godeau. Die Schwabinger Bohème und die Münchener Honoratiorenkreise sind präsent, wie Daniel zur Höhe (Ludwig Derleth nachgestaltet), Sixtus Kridwiß (Emil Preetorius), Leo Zink (Franz Blei), Chaim Breisacher (Oskar Goldberg) und viele andere Figuren des Romans zeigen. Nicht nur Feinde, auch Freunde wurden bisweilen porträtiert. Hinter Rüdiger Schildknapp verbirgt sich der Whitman-Übersetzer Hans Reisiger, hinter Saul Fitelberg der Filmagent Saul C. Colin,[29] hinter Jeannette Scheurl Annette Kolb. Meta Nackedey und Kunigunde Rosenstiel kennen wir schon. Das berüchtigte Opernglas war noch einmal hervorgeholt worden. Nach Erscheinen des Romans gab es entsprechende Auseinandersetzungen, mit Arnold Schönberg, mit Hans Reisiger, mit Emil Preetorius und manchen anderen. An Ida Herz mußte Thomas Mann begütigend schreiben, sie möge doch nicht, wegen der Wurstzipfel-Anspielung, glauben, sie sei die Rosenstiel. „Es wäre Größenwahn! Es wäre die ärgste Hypochondrie!! Und *gesetzt,* der Wahn enthielte ein elektron-kleines Körnchen Wahrheit? Was dann? Dann finden wir die wüstentraurige Rosenstiel, der Sie fesche Londonerin gleichen, wie ich dem Herkules, am Sterbebett des kleinen Nepomuk, und zuletzt steht sie wie eine Schildwache aufrecht und treu neben dem kollabierenden Leverkühn."

Über Thomas Manns Kindheit erfahren wir aus dem Roman wenig. Leverkühn wächst auf dem Dorfe auf, wofür Thomas Mann aus Polling und aus der Umgebung von Bad Tölz zwar ein bißchen Anschauung bezog, aber das reichte nicht, weshalb das Landleben arg stilisiert erscheint. Kaisersaschern hat zwar Züge von Lübeck. Aber sie tragen nicht weit, weil das Kindheitswichtige aus der Geburtsstadt literarisch längst verbraucht war.

Die Schauplätze Palestrina und Rom sind durch die frühen Italienaufenthalte Thomas Manns inspiriert. Dem Ort des Teufelsgesprächs liegen Erinnerungen aus dem Sommer 1897 zugrunde. In Palestrina war sich Thomas Mann seiner Berufung zum Dichter gewiß geworden. Hier hatte er seinen Pakt mit der Literatur geschlossen. Die Teufelserscheinung hat einen ganz leise okkultistischen Anklang. Einen ähnlichen Herrn auf dem Sofa will Thomas Mann damals selbst gesehen haben. Er wird spillerig von Figur gewesen sein, mit rötlichen Wimpern, käsigem Gesicht, widrig knapper Hose und gelben, vertragenen Schuhen.[30] Thomas Mann will gewußt haben, daß es kein anderer als der Teufel selbst gewesen sei.[31] Übrigens schreibt er seit seiner Lungenoperation in der Sofaecke, ein Klemmbrett als Unterlage benützend, nicht mehr am Schreibtisch. Das Sofa steht heute in Zürich. In seiner rechten Ecke sinkt man tief ein und hat gute Gedanken.

Pfeiffering ist Polling bei Weilheim an der Bahnstrecke München-Garmisch, wo Manns Mutter, nach Ferienaufenthalten seit 1899, von etwa 1906 an mit Unterbrechungen bis kurz vor ihrem Tod 1923 lebte. Wie vorher Schwabing war Polling eine Künstlerwahl, ein Bohème-Geheimtip, viele Maler waren dort und in der Nähe, in Murnau und Kochel. Den Zugang hatte Schwester Julias Verlobter Josef Löhr geschaffen, ein Bankier mit Malerbekanntschaften. Polling ist Idyll und Trauma zugleich, Ferienort, aber auch Ort der Begegnung mit der alternden Mutter, Ort des Todes der Schwester. Die Mutter kommt als Frau Senator Rodde im Roman vor, die sich nach dem Tod ihres Mannes von Bremen nach München begeben hat, um noch ein wenig Lebenslust zu kosten und ihre Töchter zu verheiraten. Die Schwestern Julia und Carla begegnen als Ines und Clarissa Rodde. Carla hatte sich 1910 in Polling getötet, was der Roman fast unmaskiert übernimmt.

Das Porträt der Mutter als Frau Senatorin Rodde fällt kühl aus:[32]

Ihre Bewandtnisse waren leicht zu durchschauen. Dunkeläugig, das braune, zierlich gekräuselte Haar nur wenig ergraut, von damenhafter Haltung, elfenbeinfarbenem Teint und angenehmen, noch ziemlich wohlerhaltenen Gesichtszügen, hatte sie ein Leben lang als ge-

feiertes Mitglied einer patrizischen Gesellschaft repräsentiert, einem dienstbotenreichen und verpflichtungsvollen Haushalt vorgestanden. Nach dem Tode ihres Gatten (dessen ernstes Portrait, im Amtsornat, ebenfalls den Salon schmückte), bei stark herabgesetzten Verhältnissen und wohl nicht ganz zu bewahrender Stellung in dem gewohnten Milieu, waren Wünsche einer unerschöpften und wahrscheinlich nie recht befriedigten Lebenslust in ihr frei geworden, die auf ein interessanteres Nachspiel ihres Lebens in menschlich wärmerer Sphäre abgezielt hatten.

Tochter Ines ist Sprachrohr Thomas Manns, sofern sie „die Mutter still und deutlich ablehnte". Adrian wird nicht der Julia-Mann-Typus als Mutter zugeordnet, sondern eine nichtautobiographische Wunschmutter. Als Kontrast zur leiblichen Mutter hat Thomas Mann mehrere andere Mutterfiguren in den Roman eingeführt, Elsbeth Leverkühn und Frau Schweigestill vor allem, die „Pietà-Mütter", wie man sie genannt hat. Sie erfüllen imaginäre Sehnsüchte nach Geborgenheit im Leiden, die die wirkliche Mutter wohl nicht erfüllen konnte. Als der Musiklehrer Wendell Kretzschmar um Adrian wirbt, heißt es, daß seine Mutter „den Kopf des bei ihr sitzenden Sohnes auf eigentümliche Weise an sich zog. Sie schlang gleichsam den Arm um ihn, aber nicht um seine Schultern, sondern um sein Haupt, die Hand auf seiner Stirn, und so, den Blick ihrer schwarzen Augen auf Kretzschmar gerichtet und mit ihrer wohllautenden Stimme zu ihm sprechend, lehnte sie Adrians Kopf an ihre Brust."[33] Ähnlich hebt Frau Schweigestill bei Leverkühns Zusammenbruch den Kopf des Bewußtlosen, „seinen Oberleib in mütterlichen Armen haltend." Die bergenden Gesten deuten auf Regressionswünsche hin, die auch Thomas Mann gehabt haben wird – wer hätte sie nicht.

Schwabing war der Ort des Aufstiegs aus der Bohème in die feine Gesellschaft gewesen. Die intellektuelle Avantgarde der Kaiserzeit hatte sich hier versammelt. Erfahrungen der Jahre um 1900 oder doch vor 1914 machen den Kern des Erzählten aus. Das spätere München, der Kriegsausbruch von 1914, die Räterepublik, die faschistoiden Züge vor 1933 hinterlassen Spuren hauptsächlich auf der Ebene der Erzählerfigur Serenus Zeitblom. Diese läßt Thomas Mann in Freising leben, zwanzig Kilometer nördlich von München. Den Freisinger Domberg und Menschen wie Monsignore Hinterpförtner mochte er gekannt haben. Doch fehlt es der Zeitblom-Sphäre, in der es eine Helene Ölhafen und zwei faschistische Söhne gibt, an eigener Anschauung.

Auch aus Pacific Palisades gehen noch Anregungen ein. Dazu gehören der liebliche Nepomuk Schneidewein, der im Roman 1928, fünf Jahre alt, grausam an Meningitis stirbt (in der Logik des Romans: vom Teufel genommen wird). Sein Vorbild in der Wirklichkeit blieb von einem solchen Schicksal verschont: der Enkel Frido Mann, dessen Liebreiz den Dichter während des Schreibens am Roman in Kalifornien erfreute. Nepomuks Tod ist von der Romanstruktur gefordert und schon vom Faust-Volksbuch vorgegeben, wo Doktor Faust ein Söhnlein mit seinem Buhlweib Helena hat.

Frido Mann lebt damit, daß sein Großvater ihn so wirkungsvoll und gräßlich sterben ließ. Das wird nicht immer leicht sein. Es heißt, er fürchte seitdem den Sog des Todes. Umgeben von übermächtigen präfigurativen Modellen, von den Lebensläufen des Vaters, des Großvaters, des Großonkels Heinrich, der Onkel und Tanten Klaus, Erika, Golo, Monika und Elisabeth, hatte er es schwer, seinen eigenen Lebenslauf zu finden. Er ist keinem der Vorbilder gefolgt. Er ging von Kalifornien zurück nach Deutschland, konvertierte zum Katholizismus, studierte Theologie, heiratete eine Tochter von Werner Heisenberg, schloß sich der 68er Bewegung an, studierte noch einmal (Psychologie und Humanmedizin) und wurde Dozent und Psychotherapeut in Münster. Sein reiches, aber offenbar belastetes und von unerfüllbaren Forderungen umstelltes Leben schilderte er in seinem autobiographischen Roman *Professor Parsifal* (1985).

Dem kalifornischen Exil geschuldet ist ferner die Begegnung mit Theodor W. Adorno, der dem Teufel nicht nur viele seiner Gedanken leiht, sondern auch vorübergehend die Erscheinungsform als bebrillter Musikintelligenzler. Auch eine Selbstparodie aus der Exilzeit gibt es. „Wo ich bin, da ist Kaisersaschern“ zu sagen schlägt der Teufel Adrian Leverkühn in Palestrina vor,[34] das „Wo ich bin, ist Deutschland“ nachäffend.

Das meiste Material aus der Exilzeit wird allerdings Zeitblom zugeteilt. Seine Urteile über die Hitlerzeit sind verschiedentlich direkt aus Manns Essays übernommen.[35] Das macht manchmal einen sonderbaren Eindruck, denn heute wissen wir, wie verschieden das Bewußtsein der inneren Emigranten von dem der ins Ausland Vertriebenen war.

Der Ratgeber

Theodor W. Adorno fühlte sich von Thomas Mann gleichsam aus dem Grabe heraus verleumdet.[36] Als 1965 der dritte Band der von Erika Mann herausgegebenen Auswahl von Briefen ihres Vaters erschien, fand sich darin auch ein Schreiben an Jonas Lesser, dem Adorno zu entnehmen hatte, er blähe sich in nicht ganz angenehmer Weise im Licht des Scheinwerfers, den Thomas Mann auf ihn gerichtet habe. Es komme ein wenig so heraus, als habe eigentlich er den *Faustus* geschrieben.[37]

Schlimme Sätze. Unzweifelhaft hat Thomas Mann bei Adorno 'gestohlen' – allerdings mit dessen Einverständnis, und das ändert die Sachlage entscheidend, von Stehlen kann man dann nicht sprechen. Der Autor des *Faustus* beherrschte zwar weite Bereiche des musikalischen Repertoires, hatte aber zum 20. Jahrhundert keinen rechten Zugang. Im Grunde war sein Musikgeschmack über das Werk Richard Wagners nicht hinausgekommen; die „Dreiklangwelt des 'Ringes'", er sagt es selbst, sei seine musikalische Heimat.[38] Aus Nietzsches *Fall Wagner* stammt auch die Problemstellung seines Faust. Daß bei Wagner alles gemacht und gerechnet, künstliches, effektbewußtes Artefakt sei, hatte Nietzsche festgestellt. Sollte aber ein großes Werk nicht empfangen und entsprungen sein? Wie kann der moderne Künstler das Bewußtsein der Mache überwinden? Die Paktleistung des Teufels ist die künstliche Inspiration. Wer die natürliche Naivität nicht mehr hat, bedarf einer Bewußtseinstrübung, bedarf einer Art Rausch. Diesen Rausch verkauft der Teufel in Gestalt der Krankheit. Sie ist das „Aphrodisiacum des Hirns"[39] und beschert die euphorischen Phasen, in denen die lähmende Verstandeskontrolle beseitigt ist. „Eine wahrhaft beglückende, entrückende, zweifellose und gläubige Inspiration" verspricht der Teufel, „eine Inspiration, bei der es keine Wahl, kein Bessern und Basteln gibt, bei der alles als seliges Diktat empfangen wird, der Schritt stockt und stürzt, sublime Schauer den Heimgesuchten von Scheitel zu den Fußspitzen überrieseln, ein Tränenstrom des Glücks ihm aus den Augen bricht."[40]

Wie aber dann die nachwagnerischen Kompositionen aussehen sollten, im allgemeinen wie im einzelnen, davon hatte Thomas Mann zunächst keine Ahnung. Der richtige Berater fand sich: Theodor W. Adorno. Er kannte nicht nur Thomas Manns Problem, er hatte auch Vorstellungen, wie es zu lösen sei, und kannte die wichtigste musikalische Antwort des 20. Jahrhunderts auf dieses Problem, nämlich das Kompositionsverfahren Arnold Schönbergs. Wie nie einem anderen Berater vorher hat Thomas Mann sich ihm anvertraut. Er las seine Schriften, traf sich mit ihm zu einer Anzahl stundenlanger Konferenzen, überließ ihm schließlich das gesamte Manuskript (5. Dezember 1945). Was die musikalische Realisierung betraf, muß Adorno geradezu als Co-Autor angesehen werden. Es war Adorno, der sich Leverkühns späte Kompositionen ausgedacht hat, nach sehr ungefähren Vorgaben Thomas Manns. Nach bürgerlichem Rechtsgefühl hätte ihm eine finanzielle Entschädigung zugestanden, wenn er eine solche verlangt hätte. Adorno aber hat es als eine Herausforderung höheren Ranges betrachtet, am *Faustus* mitwirken zu dürfen, nicht als eine bezahlbare Lieferantentätigkeit. Er betont dies 1957, als ein Angriff ihn zu einer Eidesstattlichen Erklärung nötigt:[41]

Während der gesamten Arbeit an dem Roman 'Doktor Faustus' habe ich Thomas Mann in allen musikalischen Fragen freundschaftlich beraten. Das Buch ist unter meinen Augen entstanden. Niemals hat der Dichter die Absicht gehabt, den Eindruck zu erwecken, daß die Zwölftontechnik seine Erfindung sei [...]

Ebenso absurd ist die Unterstellung, Thomas Mann hätte mein „geistiges Eigentum" in illegitimer Weise benützt, eben weil die Gestaltung der musikalischen Partien des Romans in vollstem Einverständnis zwischen uns beiden erfolgte [...]

Schließlich möchte ich mit allem Nachdruck erklären, daß ich niemals von Thomas Mann irgendeine materielle Remuneration erhalten habe.

Weit mehr als Schönberg hätte Adorno eine Nachbemerkung verdient, die das geistige Eigentumsrecht sicherstellt, denn viele Formulierungen Adrian Leverkühns, Wendell Kretzschmars und des Teufels selbst stammen, wie jeder Leser der *Philosophie der neuen Musik* und anderer Schriften des großen Musiktheoretikers leicht feststellen kann, wörtlich von Adorno.

Dieser durfte darauf vertrauen, daß Thomas Manns Auffassung von der seinen nicht abwich.[42] Nicht daß die beiden einander herzlich liebten, aber Hochschätzung war da, von Adornos Seite: „ich hing sehr an ihm",[43] wie von Manns Seite: „außerordentlich intelligent und kenntnisreich", „kennt jede Note der Welt".[44] Da die Montage Adornoscher Gedanken ja doch allemal ein wenig peinlich war,[45] wollte Thomas Mann der Öffentlichkeit gegenüber die Dinge eindeutig klarstellen. Darum hauptsächlich schrieb er *Die Entstehung des Doktor Faustus*. Unmißverständlich wird dort Adornos Anteil nicht nur einbekannt, sondern gefeiert:[46]

Wiederholt war ich in den folgenden Wochen mit Notizbuch und Stift bei ihm und nahm, bei einem guten, häuslich angesetzten Fruchtlikör, fliegend, in Stichworten [...], charakterisierende Einzelheiten auf, die er sich für das Oratorium zurechtgelegt hatte. Vollkommen vertraut mit den Absichten des Ganzen und denen dieses besonderen Stückes, zielte er mit seinen Anregungen und Vorschlägen genau auf das Wesentliche.

Was hier über Leverkühns Oratorium *Apocalipsis cum figuris* gesagt wird, gilt für die meisten anderen Kompositionen und musikalischen Partien des Romans auch. Bis dahin kann man Thomas Mann keinen Vorwurf machen, beider Verhältnis ist fair und harmonisch. Bedroht wird es jedoch von Katia und Erika. Ein Tagebuchvermerk nach einer Lesung aus der *Entstehung* bezeugt „Erikas Animosität gegen Adorno, den sie nicht so gefeiert sehen mag“ (12. September 1948). Das führt zu einer Kürzung der *Entstehung* um eine Reihe Adorno betreffender Passagen. Die wichtigste davon schloß sich an den oben zitierten Satz an. Vollkommen vertraut, hatte es dort geheißen, mit den Absichten des Ganzen und denen dieses besonderen Stückes, – und nun folgt die ursprüngliche Fortsetzung,[47]

traf er es vorzüglich mit Vorstellungen wie der Entwicklung der Chöre aus Flüstern, geteiltem Sprechen und Halbsingen zu reichster Vokal-Polyphonie, der des Orchesters vom magisch-primitiven Geräusch zu entwickeltster Musik.

Oder mit Klangvertauschung des Vokal- und des Instrumentalparts, der 'Verrückung der Grenze zwischen Mensch und Ding', der Idee, den Part der babylonischen Hure einem höchst graziösen Koloratur-Sopran zu übertragen und 'seine virtuosen Läufe mit flötenhafter Wirkung in den Orchesterklang eingehen' zu lassen, andererseits gewissen Instrumenten den Charakter einer grotesken vox humana zu verleihen. Der Einfall, daß in dem verzweifelten Stück die Dissonanz für den Ausdruck alles Ernsten und Geistigen, das Harmonische und Tonale aber für die Welt der Hölle, i. e. des Gemeinplatzes stehen solle, ist echte Schönberg- und mehr noch Berg-Schule. Aus Adrians melancholischer Neigung zur Parodie entwickelte er das dämonische Merry-go-round der spottenden Nachahmung aller mög-

lichen musikalischen Stile, aus dem Motiv der kleinen Seejungfrau das Wort von der 'Bitte um Seele', aus der Mischung von 'Kaisers-aschern' und musikalischem Radikalismus die Formel 'Explodierende Altertümlichkeit'.

Jeder Kenner des 34. Faustus-Kapitels sieht sogleich, wie weit das ins Detail geht. Thomas Manns Autorenstolz kam an dieser Stelle in Schwierigkeiten, man merkt es an der Fortsetzung:

Das alles hätte ebenso gut von mir sein können, es war von mir, wie auch die Wendung 'Neueste Berichte vom Weltuntergang', die auf den eisigen Part des hoch-tenoralen testis angewandt wird, – aber in mitdichtender Einfühlung sprach es der Ratgeber mir vor. Der sinnreichste und bestangepaßte Tip, den er mir gab, war die substanzielle Identität des Höllengelächters mit dem Engelskinderchor, deren bewegte Darstellung ich für den Kapitelschluß aufsparte. Es war so, daß ich zuerst das flüchtig Aufgenommene zu Hause 'befestigte', das heißt: in bestimmterer Ausführlichkeit niederschrieb, – und dann blieb mir nichts zu tun, als das Gegebene kompositionell zu ordnen, auszuformen, sozusagen in Verse zu bringen, will sagen: es den guten Serenus recht aus voller Brust, schwer atmend, in Entsetzen und Liebe vortragen zu lassen.

Aber die Familie wollte den Autorenruhm ungeteilt wissen, auch auf Kosten der Wahrheit. „Morgens mit K. belastendes Gespräch über die Adorno-Enthüllungen, die sie unerträglich desillusionierend findet." (27. Oktober 1948) Thomas Mann ist verstimmt, fügt sich aber, kürzt und schwächt ab. Er opfert Adorno auf dem Altar des Familienfriedens, gegen besseres Wissen. Das allenfalls kann man ihm vorwerfen. Daß Adorno sich gebläht habe, ist üble Nachrede als Folge langjähriger Unterminierung der Wahrheit durch Familienklatsch und Familieninteresse. Jonas Lesser wird es aus taktischen Gründen zugeraunt. Erika Mann verbreitet den Brief an ihn ganz ohne Not. Hätte Adorno die Veröffentlichung der Tagebücher noch erlebt, er hätte beruhigt sein können, hätte nicht jenen Brief für Thomas Manns wahre Meinung halten müssen.

Katia aber glaubte noch als 91jährige ihren Mann schützen und Adorno verkleinern zu müssen. Es sei ein großer Irrtum, wenn Adorno glaube, er hätte im wesentlichen den *Faustus* geschrieben. „Er war doch zuweilen wie närrisch vor Anspruch und Blasiertheit."[48] Sie tat ihm unrecht.

Der Eigentliche

„Warum sollte man nicht finden, daß dem Erfinder der 12 Ton-Musik alle Einkünfte aus meinem Buch zukommen?" Die zornige Frage steht im Tagebuch vom 30. Dezember 1948. Was war geschehen? Am 15. Januar 1948 hatte Thomas Mann eine Widmung ausgefertigt: „Arnold Schönberg, dem *Eigentlichen,* mit ergebenem Gruß", hatte er in ein Exemplar des eben erschienenen Romans eingetragen.[49] Das sollte schmeichelhaft sein, war aber ungeschickt. Der so Geehrte antwortete mit einem wütenden Pamphlet, in dem ein fiktiver „Hugo Triebsamen" aus dem dritten Jahrtausend davon berichtet, wie er in der „Encyclopaedia Americana" von 1988 gelesen habe, daß Thomas Mann der eigentliche Erfinder der Zwölfton-Technik sei, daß ein diebischer Komponist namens Arnold Schönberg sie sich habe aneignen wollen, was der Faust-Roman dann klarstelle. Thomas Mann hält das überdrehte Dokument zunächst für ein Erzeugnis des heiligen Eifers der Schönberg-Jüngerschaft, aber der Meister hatte es albernerweise selbst geschrieben. „Wer der Schöpfer der sogenannten Zwölf-Ton-Technik ist, weiß heute wohl jedes Mohrenkind", antwortet ihm Thomas Mann am 17. Februar. Er läßt schon damals erkennen, daß sein Buch mehr zum Ruhme als zum Schaden Schönbergs gereichen werde, und so ist es auch gekommen.

Schönberg hielt seinen Anspruch für ganz besonders bedroht. Jeder bald wolle der Urheber seiner Ideen sein, schreibt er am 25. Februar.[50] „Meine Situation ist ungewöhnlich im Vergleich zu anderen Neuerern. Den Deutschen bin ich Jude, den Romanen Deutscher, den Kommunisten bin ich Bourgeois und die Juden sind für Hindemith und Strawinsky." Obgleich Thomas Mann nicht die richtige Adresse für diese Klage war, reagierte er verständnisvoll und sorgte dafür, daß alle folgenden Ausgaben des Romans bis heute eine Nachbemerkung tragen. „Es scheint nicht überflüssig", so setzt sie ein, „den Leser zu verständigen, daß die im XXII. Kapitel dargestellte Kompositionsart, Zwölfton- oder Reihentechnik genannt, in Wahrheit das geistige Eigentum eines zeitgenössischen Komponisten und Theoretikers, Arnold *Schönbergs* ist [...]." Der Konflikt schien damit beigelegt. Schwer zu erklären ist, daß Schönberg noch einmal losschlug.[51] „Ich habe bis jetzt noch immer nicht das Buch gelesen", erklärt er, als ob das ein Verdienst wäre. Auch ohne eigene Kenntnis des Romans meint er davon ausgehen zu dürfen, „daß sein Leverkühn mich personifiziert", betonen zu müssen, daß er sich niemals die Syphilis zugezogen und auch nicht irrsinnig geworden sei. „Ich betrachte das als eine Beleidigung, für die ich vielleicht werde Rechenschaft verlangen müssen." Da Thomas Mann in diesem Falle ausnahmsweise ein gutes Gewissen hat, kann er mit Festigkeit antworten. „Der Gedanke, Adrian Leverkühn sei Schönberg, die Figur solle von ihm ein Porträt sein, ist so unsinnig, daß ich kaum weiß, wie ich darauf eingehen soll." Auch er leide nicht an Paralyse, obgleich der Held auch von ihm einiges habe.

Es ist schmerzlich anzusehen, wie ein bedeutender Mensch, in nur allzu verständlicher Überreiztheit durch ein zwischen Verherrlichung und Vernachlässigung schwebendes Dasein, sich beinahe willentlich einwühlt in Ideen des Verfolgt- und Bestohlenseins und sich in giftigem Zank verliert. Möge er sich doch über Bitterkeit und Mißtrauen erheben und im sicheren Bewußtsein seiner Größe und seines Ruhmes Ruhe finden!

Eine Versöhnung war geplant. Schönberg starb, ehe sie zustande kam. Im Reich der Musik kennt jeder seinen Namen. Unter den Unmusikalischen aber mag es manchen geben, der Schönberg und seine Art zu komponieren nur aus dem *Doktor Faustus* kennt.

Rudi und Paul

Am meisten Selbsterlebtes rankt sich um die Figur des Geigers Rudi Schwerdtfeger, der ein Verhältnis mit Ines Rodde hat, zu Adrian Leverkühn eine zart homoerotisch getönte Beziehung pflegt, ihm die Braut Marie Godeau wegnimmt und am Ende von Ines in der Straßenbahn erschossen wird. Das Vorbild für diese Figur ist, wir wissen es längst, der Maler Paul Ehrenberg.

Thomas Mann tritt dabei in mehreren Rollen auf. Er ist Ines, die leidend Verliebte. „Ines Rodde liebte den jungen Schwerdtfeger, und dabei fragte sich nur zweierlei: erstens, ob sie es wußte, und zweitens, wann, zu welchem Zeitpunkt, ihr ursprünglich geschwisterlich-kameradschaftliches Verhältnis zu dem Geiger diesen heißen und leidenden Charakter angenommen hatte."[52] Auch Ines ist eine Vernunftehe eingegangen, in der es an vitaler Basis fehlt, so daß für sie gilt, was auch Thomas Mann an furchtsamen Tagen ähnlich empfunden haben könnte: „Unter der Decke bürgerlicher Untadeligkeit, nach deren Schutz sie doch so heimwehkränklich verlangt hatte, lebte Ines Institoris im Ehebruch mit einem der seelischen Konstitution und selbst dem Gehaben nach knabenhaften Frauenliebling [...], in dessen Armen ihre von unlieber Ehe geweckten Sinne Genüge fanden."[53] Sofern Thomas Mann sich durch seine homoerotischen Verfallenheiten erniedrigt fühlte, wird ferner für ihn richtig sein, was Ines sagt, nämlich daß sie das leichtfertige, nette „Leben" zwingen wolle, um es „endlich, endlich, nicht einmal nur, sondern zur Bestätigung und Versicherung nie oft genug, in dem Zustand zu sehen, der seinem Wert gebührt, im Zustand der Hingebung, der tief aufseufzenden Leidenschaft!" Wir erinnern uns an Blüher, der meinte, Eros sei die Bejahung eines Menschen abgesehen von seinem Wert. Die Wertlosen einmal am Boden zu sehen, hingebungsvoll, nicht selbst der Flehende zu sein: das ersehnt Ines, davon träumt bisweilen Thomas Mann. Rudi fühlt sich an den biblischen Joseph erinnert: „Was wollen sie machen, wenn eine Frau sich wie eine Ertrinkende an Sie klammert und Sie durchaus zum Geliebten will? Wollen Sie ihr Ihr Obergewand in den Händen lassen und fliehen?"[54] Ines wird hier die Rolle der Frau des Potiphar zugewiesen, aber die Geschichte geht anders weiter als in der Bibel. Was Joseph im unkeuschen Falle erwartet hätte, wird hier ausgemalt. Vor einem solchen „Erfolg" aber hatte Thomas Mann Angst. Die sexuelle Erfüllung konnte er sich nicht anders als zerstörerisch vorstellen.

In erster Linie „ist" Thomas Mann jedoch der scheue und keusche Adrian, der von Rudi zäh umworben wird. Während Ines die ausphantasierte Erfüllung darstellt, herrscht in der Adrian-Version wie in der Wirklichkeit die Keuschheit, denn Adrian geht nicht weiter als bis zu Händedruck und Dusagen. Mehr erfahren wir jedenfalls nicht; der Text bietet nirgends vielsagende Pünktchen oder andere Ergänzungslizenzen an. Eine Erzählerreflexion über Homoerotik hat Mann später gestrichen[55] und nur eine ganz schwache Andeutung davon stehengelassen – nämlich daß die schwermütige Neigung, die Rudi bei Adrian erregte, die Merkmale erotischer Ironie nicht verleugne.[56] Die erotische Ironie war seit den *Betrachtungen eines Unpolitischen* eine Chiffre für die Liebe des einsamen Geistes zum blonden Leben, erotisch der Verliebtheit halber, ironisch als Selbstdemütigung des Geistigen im Bewußtsein der Geringwertigkeit des Geliebten. Mehr wollte Thomas Mann nicht sagen, denn er wollte offenbar nicht, daß der Leser homosexuelle Praktiken zwischen Rudi und Adrian imaginierte.

Die platonische Liebe erzeugt Kunstwerke. Das „Kind" dieser keuschen Beziehung ist ein Violinkonzert. Rudi will es hinlegen, daß den Leuten die Augen übergehen. „Einverleiben wollt' ich es mir, daß ich's im Schlafe spielen könnte, und es hegen und pflegen in jeder Note wie eine Mutter, denn Mutter wäre ich ihm, und Sie wären der Vater, – es wäre zwischen uns wie ein Kind, ein platonisches Kind, – ja, unser Konzert, das wäre so recht die Erfüllung von allem, was ich unter platonisch verstehe."[57] Rudi begehrt vom Künstler nicht menschliche, gar sinnliche Erfüllung, sondern ein Kunstwerk. Er reagiert deshalb auf seine Eroberung abwehrend, er will den Flirt, nicht das Bleigewicht eines verliebten pessimistischen Moralisten. Er hätte Adrian lieber weiterhin kalt, nicht heiß. Das schmerzt diesen: „Daß ich mit Menschlichkeit nichts zu tun habe, nichts zu tun haben darf, sagt mir einer, der mich mit staunenswerter Geduld fürs Menschliche gewann und mich zum Du bekehrte, einer, bei dem ich zum erstenmal in meinem Leben menschliche Wärme fand."[58] Adrian bekennt hier, was Thomas von Paul einst sagte, er sei ein menschlicher Freund anstelle eines Literaten und erkenntnisstummen Gespensts.[59]

Wichtiger als Worte sind Lippen. Paul hatte dicke Lippen, Rudi auch, noch im Tod. „Er hob den Kopf mit dem Versuche, etwas zu sagen, doch traten sogleich blutige Blasen zwischen seinen Lippen hervor, deren sanfte Dicke mir auf einmal rührend schön erschien."[60] Es waren Lippen, die wie Kissen aufeinander lagen, voll und weich aufeinander ruhten wie die der Zwillinge in *Wälsungenblut*,[61] aufgeworfene Lippen voll hochmütiger Sinnlichkeit wie die Josephs, deren lächelnde Doppelweichheit er von seiner Mutter Rahel hat.[62]

Marie Godeau „ist" Katia Pringsheim; ihre Augen beweisen es („schwarz wie Jett, wie Teer, wie reife Brombeeren");[63] ausphantasiert für den Fall, daß die Werbung mißlungen wäre und ihm die Homoerotik einen Strich durch die Rechnung gemacht hätte. Daß Adrian den Freund vorschickt und dieser dann Marie erwirbt, könnte Ausdruck von Ängsten um die Konkurrenzfähigkeit als Mann sein. Im wirklichen Leben hat Paul zu Tommys Hochzeit ein Glückwunschtelegramm geschickt. Er hat wohl nicht versucht, den Freund davon abzubringen, fühlte sich vielleicht sogar von einer Last befreit.

Als Adrian Marie und Rudi verloren hat, folgt eine Periode allerhöchster Produktivität, „und unmöglich konnte man sich des Eindruckes erwehren, als bedeute sie Sold und Ausgleich für den Entzug an Lebensglück und Liebeserlaubnis, dem er unterworfen gewesen war".[64] Es ist geblieben wie im *Tonio Kröger*. Der Verzicht im Leben befruchtet die Kunst.

Nicht Serenus, sondern Adrian

Thomas Mann hat sein bürgerliches Bügelfalten-Image so überzeugend inszeniert, daß bis heute die Meinung vorherrscht, der Autor habe Serenus Zeitblom und Adrian Leverkühn, dem Helden und seinem Erzähler, gleich viel von sich mitgegeben. Er hat diese Ansicht gezielt unterstützt, mit der Behauptung vom „Geheimnis ihrer Identität".[65] Sieht man näher hin, hat er aber alles Tiefenwichtige an Leverkühn gegeben. Der Urkram ist ausschließlich Leverkühns, nicht Zeitbloms Sache. Serenus ist katholisch, sinnlich, humanistisch-weltoffen; er trainiert antikisierend sexuelle Freiheit mit einer Küferstochter, heiratet eine Helene Ölhafen, lebt in der inneren Emigration und hat zwei hitlergläubige Söhne. Nichts davon paßt auf Thomas Mann. Leverkühn aber ist protestantisch, puritanisch, mittelalterlich-weltfeindlich, ein asketischer Homoerot, der sich gern eine Verfassung geben würde, aber zum Alleinsein verurteilt ist. Er ist der zum Schaffen verdammte Künstler mit der Sehnsucht nach dem Leben, der kalte Ironiker mit dem Heimweh nach der Kuhwärme der Kindheit, der Geist, der sich nach Verführung sehnt, der Berührte, der die Verführung fürchtet. Was verschlägt es dagegen, wenn Thomas Mann der Erzählerfigur einige äußere Lebensdetails mitgibt, die Kriegsbejahung von 1914, die Distanz zur Räterepublik 1918/19 und einige politische Ansichten aus den Radiobotschaften *Deutsche Hörer* und aus dem KZ-Artikel *Die Lager*? Das alles spielt auf der Ebene der Meinungen, nicht des Seins. Der Erzähler ist lediglich eine Maske, um das Persönliche zu verstecken. Die Maske erlaubt rhetorische Distanz zu Adrian, um sich in ihrem Schutze dessen Leiden von der Seele zu schreiben. Aber das sollte der Leser nicht so genau wissen.

Auch in diesem Betreff hat Thomas Mann den Entstehungsbericht retuschiert. Ob ihm bei Adrian ein Modell vorgeschwebt habe, hatte Leonhard Frank ihn gefragt. Er hat, laut *Entstehung,* geantwortet:

Leverkühn sei sozusagen eine Idealgestalt, ein „Held unserer Zeit", ein Mensch, der das Leid der Epoche trägt. Ich ging aber weiter und gestand ihm, daß ich nie eine Imagination [...] geliebt hätte wie ihn. Ich sprach die Wahrheit. Buchstäblich teilte ich die Empfindungen des guten Serenus für ihn, war sorgenvoll in ihn verliebt von seinen hochmütigen Schülertagen an, vernarrt in seine „Kälte", seine Le-

bensferne, seinen Mangel an „Seele" [...], in sein „Unmenschentum" und „verzweifelt Herz", seine Überzeugung, verdammt zu sein.

Im Tagebuch (22. Juli 1944) ist die entsprechende Passage deutlich kürzer. Es fehlt dort die christushafte Wendung vom Menschen, der das Leid der Epoche trägt. Es fehlt dort die Identifikation mit Serenus Zeitblom. Statt dessen kommt Persönliches: „Er ist eigentlich *mein* Ideal", ja Narzißtisches: „Eine bewunderungsvolle und ergriffene Zärtlichkeit erfüllt mich für ihn." Im Zusammenhang:

L. Frank fragte gestern, ob mir bei Adrian ein Modell vorgeschwebt habe. Verneinte und nannte ihn eine Idealgestalt, einen „Helden unserer Zeit". Er ist eigentlich mein Ideal, und nie habe ich eine Imagination so geliebt [...] Eine bewunderungsvolle und ergriffene Zärtlichkeit erfüllt mich für ihn.

Von einer ähnlichen Zärtlichkeit für Zeitblom ist nirgends die Rede.

Der Teufel

Zuweilen [...] hat man den Eindruck, daß die Welt nicht die alleinige Schöpfung Gottes, sondern ein Gemeinschaftswerk ist mit jemand anders.[66]

Natürlich glaubte Thomas Mann nicht in einem platten Sinn an den Teufel. Aber schon in unserem Okkultismus-Kapitel haben wir Merkwürdigkeiten zu konstatieren gehabt in bezug auf die Aufgeklärtheit unseres Autors. Ob es böse Geister gibt, ist eine Frage der Definition. Wenn man sie als Allegorien versteht, hat die aufgeklärte Seele halbwegs Ruh. Das Böse dieser Welt in literarische Gestalten auszudifferenzieren liegt für einen Dichter wie Thomas Mann so fern nicht. Daß es Wirklichkeit hatte, stand spätestens seit Hitler fest. Es müßte doch mit dem Teufel zugehen, wenn man den und seine Brut nicht vernichten könne. „Aber vielleicht geht es mit dem Teufel zu?"[67] Die Welt war nicht nur ein ästhetisches Phänomen, oder, wenn sie das von höherer Warte aus gesehen doch war, dann gab es im großen Weltenschauspiel auch den Gegenspieler. Kein Faust ohne Mephisto. Anders als bei Goethe, wo der Teufel noch recht handgreiflich verkörpert ist, können Manns Teufel verschiedene Gestalten annehmen. Im *Tod in Venedig* gab es diverse Hadesführer: den Fremden am Nordfriedhof, den Gondoliere, den Liftführer, den Straßensänger. Die Verführung zur verbotenen Liebe und zum Tode konnte schon damals in wechselnden Kostümen auftreten. Im Joseph-Roman gab es den Hundsköpfigen, der den Weg zur erotischen Vermischung ankündigt.[68] Die Engelfiguren, die Joseph den Weg zeigen, geleiten ihn jeweils in die Unterwelt, in die Grube und nach Ägypten.[69] Auch sie sind Totenführer, wenn auch nicht geradezu Teufel. Es mag sie in der platten Wirklichkeit nicht geben, aber das Bedürfnis produziert sie und deutet dann auch im wirklichen Leben begegnende Figuren in typologischen Schemata dieser Art.

Der Faustroman verwendet die gleiche Technik. Zuhälter und Totenführer zugleich sind Wendell Kretzschmar, der Adrian in die Kunst einführt, der Religionspsychologe Schleppfuß, der ihn die Theologie des Bösen und der sexuellen Verführung lehrt, der Dienstmann, der ihn ins Bordell schleppt, der bebrillte Musikintellektuelle im Teufelsgespräch und der Impresario Saul Fitelberg, der ihm, Jesu Versuchung in der Wüste imitierend, die Reiche dieser Welt zu Füßen legen will. Sie alle deuten auf reale Versuchungen Thomas Manns: auf die Versuchung, der Kunst Leben und Menschlichkeit zu opfern, auf die Versuchung der Sexualität, auf die Versuchung des Hochmuts und auf die Versuchung von Ruhm und Macht. Ähnlich deuten die drei Rollen des Teufels im 25. Kapitel, als Zuhälter, als Theologe und als Intellektueller, auf drei Grundängste hin: die Angst vor der Sexualität, die vom Herkunftsprotestantismus frühkindlich eingeprägte Sündenangst und die Angst vor der Sterilität einer kalten und lebensfeindlichen Geistigkeit.

Thomas Mann hat das faschistische Deutschland leidenschaftlich bekämpft und sich trotzdem tief mit ihm identifiziert. Er hat 1945 vom Teufelspakt Hitlerdeutschlands gesprochen und es im Bilde Fausts gesehen, des einsamen Denkers in seiner Klause, der aus Verlangen nach Weltgenuß und Weltherrschaft seine Seele dem Teufel verschreibt und dann, 1945, buchstäblich vom Teufel geholt wird.[70] Thomas Mann liegt daran, er betont es ausdrücklich, eine Verbindung des deutschen Gemüts mit dem Dämonischen zu suggerieren. Er fügt hinzu, diese Verbindung sei eine Sache seiner inneren Erfahrung. Und er definiert an gleicher Stelle:

Wo der Hochmut des Intellektes sich mit seelischer Altertümlichkeit und Gebundenheit gattet, da ist der Teufel.

Der Hochmut des Intellektes: das ist Adrian Leverkühn, das ist Thomas Mann. Aber auch seelische Altertümlichkeit und Gebundenheit liegen nicht nur bei Leverkühn vor, sondern auch bei Thomas Mann, in seiner uralten Sympathie mit dem Tode und den daraus resultierenden Regressionswünschen. Der Teufel ist da, wo sich die höchste Geistigkeit gattet mit der tiefsten Sehnsucht nach Bewußtseinsverlust. Thomas Manns und Deutschlands Teufel sind eins. „*Bruder* Hitler" heißt, Thomas Mann sucht nach dem Faschismus in sich selbst.

Ob er den Deutschen damit zuviel Ehre angetan hat, sei dahingestellt. „Deutschland" ist Thomas Mann, dem sein Bestes durch Teufelslist zum Bösen ausschlägt – seine Innerlichkeit, seine Musikalität, seine Romantik, seine Kunst. Das Böse ist der alte Ästhetizismus, der das Leben tötet, es der Kunst zum Opfer bringt.

Biographisch konnte Thomas Mann damit freilich nur sein Frühwerk meinen. Als Ehemann und Familienvater schon hatte er dem Leben Raum gegeben neben der Kunst, und politisch hat er seit seiner republikanischen Wende alles getan, um dem Vorwurf lebensfeindlicher Verantwortungslosigkeit zu entgehen. Auch in dieser Hinsicht haftet dem Faustus-Thema, biographisch gesehen, etwas Überholtes, Gekünsteltes und Überzüchtetes an. Der Teufelspakt ist eine vom Dichter selbst längst überwundene Versuchung, der erlegen zu sein er den Deutschen zuschreibt.

Das Pathos der Unreinheit

Unbegrenzte Möglichkeiten in dieser Welt, dafür Verlust der Seele und ewige Verdammnis in jener, das ist der traditionelle Inhalt eines Pakts mit dem Teufel. Thomas Mann hat das etwas säkularisiert. Die Paktleistung des Künstlers ist der Lebens- und Liebesverzicht. Die Paktleistung des Teufels ist die künstlerische Inspiration, das perfekte Kunstwerk, der verfeinerte Geschmack.

„Du darfst nicht lieben", gebietet der Teufel.[71] Er präzisiert: „Liebe ist dir verboten, insofern sie wärmt." Verboten also ist die Liebe mit Gemüt und Seele, die zum Hausstand führt. Erlaubt ist die reine Sinnlichkeit, ja, sie ist sogar das Mittel des Paktabschlusses, denn durch die fleischliche Vermischung mit der Prostituierten Hetaera Esmeralda ist die syphilitische Infektion und damit der Pakt zustande gekommen.

„Sinnlichkeit (Liebe) darf durch kein menschliches Wesen, sondern nur durch succubi, Buhlteufel gestillt werden." Das steht auf einem

Notizblatt.[72] Es folgen Merkwürdigkeiten, die der Vermutung Nahrung geben, homosexueller Verkehr habe mit Teufelsbuhlschaft zu tun:

Wut des Teufels, weil er sich ehelich verheiraten will [...] Hält ihn schadlos durch Teufelsbuhlschaft. Treibt mit dem Teufel Unzucht (im Weiblichen steckt der Teufel, es ist homosexueller Verkehr). – Er ist gezwungen, seinen Ehewunsch gerade dazu zu gebrauchen, den Menschen zu töten, mit dem er Lust gehabt.

Im Weiblichen steckt der Teufel: das hat Thomas Mann im *Hexenhammer* gelesen, mit dessen Hilfe Dozent Schleppfuß die Ansicht entwickelt, daß das Weib die Repräsentantin sämtlicher Fleischlichkeit auf Erden sei[73] – sämtlicher, also auch der homosexuellen. Für Adrian gilt Zeitbloms Wort, „daß die stolzeste Geistigkeit dem Tierischen, dem nackten Triebe am allerunvermitteltsten gegenübersteht, ihm am allerschnödesten preisgegeben ist".[74] Seit Adrian der Hetäre Esmeralda nachgefahren ist und in Preßburg mit ihr zusammen war, ist er ein Berührter. Er führt zwar weiterhin, wie Zeitblom sich ausdrückt, „das Leben eines Heiligen", aber seine Keuschheit entspringt seitdem „nicht mehr dem Ethos der Reinheit, sondern dem Pathos der Unreinheit".[75]

Ohne den Durst nach Reinheit gäbe es keine Hölle. Bereits der Erzähler des Joseph-Romans denkt darüber nach. „Die Hölle ist für die Reinen, das ist das Gesetz der moralischen Welt." Sündigen kann man nur gegen seine Reinheit. „Ist man ein Vieh, so kann man nicht sündigen und spürt von keiner Hölle nichts. So ist's eingerichtet, und ist die Hölle ganz gewiß nur von besseren Leuten bewohnt, was nicht gerecht ist, aber was ist unsere Gerechtigkeit."[76]

Zu den besseren Leuten gehört auch Thomas Mann. Auch er ist ein Asket, aber zugleich ein Eingeweihter. Das dichterische Werk und die Tagebücher sind so voller Kenntnisse und Offenheiten in sexueller Hinsicht, daß von „Unschuld" sicher nicht gesprochen werden kann. Vielmehr wendet Thomas Mann diesem Gebiet lebenslänglich eine gebannte Aufmerksamkeit zu.

Daß er als Ehemann Sexualität erfahren hat, ist zwar unstrittig, reicht aber als Erklärung nicht aus. Das Gefühl der Berührtheit, der Versehrtheit, der verlorenen Unschuld muß aus der homosexuellen Sphäre kommen, auf die seine tiefsten Sehnsüchte gerichtet sind. Die homosexuelle Buhlschaft, so muß es ihm erschienen sein, ist des Teufels. Nun wissen wir über homosexuelle Körperkontakte nichts. Keine einzige Spur hat sich erhalten. So bleiben wir auf psychologische Evidenz angewiesen, ein sehr unsicheres Terrain. Sie legt uns die Vermutung nahe, daß es, wahrscheinlich in früher Zeit, irgendeine Art körperlichen Kontakt gegeben hat, der als erniedrigend, demütigend und beschmutzend erfahren wurde und ein lebenslanges Trauma hinterlassen hat. Es mochten die Strichjungen in Neapel gewesen sein. Jedenfalls erklärt das Pathos der Unreinheit Thomas Manns Werk und Leben besser, als es das Ethos der Reinheit könnte. Wie sein Joseph, wie sein Adrian ist er keusch und berührt zugleich. Wie von jenen gilt auch von ihm, daß seine Keuschheit nicht hölzerne Gimpelhaftigkeit in Liebesdingen war.[77]

Aber auch ein anderes ist möglich. In einem Umfeld radikaler Tabuisierung ist ein Kuß oder eine andere flüchtige Liebkosung so viel wie unter liberalen Verhältnissen eine volle sexuelle Verrichtung. An einem verbotenen Kuß kann deshalb eine gleich tiefe Erfahrung gemacht werden wie an einem vollzogenen Koitus. Die Erschütterung durch die ersten scheuen Berührungen in der Pubertät kann tiefer sein als alles spätere. Eine Hand, aus dem Fenster gereicht, ein Handgelenk umspannt, als wolle man den anderen hochziehen, was natürlich nur in der Phantasie geschieht – so eine Verheißung kann so tief haften wie eine Liebesnacht. Esmeralda streift Adrian nur flüchtig mit dem Arm, und doch ist er von da an nicht mehr frei. „Der Hochmut des Geistes hatte das Trauma der Begegnung mit dem seelenlosen Triebe erlitten."[78] Die Berührung brennt von da an auf seiner Wange. Das war genug, alles andere kann die Phantasie ergänzen, die Adrian dann nach Preßburg fahren läßt.

Ein rätselhafter Traum ist in diesem Zusammenhang hörenswert. „Merken, Entgegenkommen, Zusammenwandel, nicht übermäßig glücklich. Es bleibt die Erinnerung des Arm in Arm mit Umfassen des Handgelenks."[79] Eine Reflexion schließt sich an.

Der Traum ist im Grund nicht von schlechterer Substanz, als das wirkliche Erlebnis, das sich auch abschwächt und verfliegt, in die Vergangenheit sinkt u. auch nur noch Traum ist. Auch dieselbe Art von „Erlebnisstolz" kann der Traum erzeugen, wie die Wirklichkeit, und ist ihr durchaus verwandt in der Mischung von Glück und Peinlichkeit. Die Traumgestalt, nach deren Identität ich vergeblich suchte und suche, hatte meine Neigung (Schwäche) durchschaut und nötigte mich im Traum, oder vom Traum, zur Wirklichkeit, wodurch gerade der Traum den Charakter und den Stoff des Lebens gewann.

Klöpfgeißel

Dozent Schleppfuß vertritt so manches, das nicht weit weg von den Auffassungen seines Erfinders ist. Wie in der *Zauberberg*-Zeit, als er dem weltfeindlichen Jesuiten Naphta mehr von sich mitgab als dem fortschrittsfrohen Zivilisationsliteraten Settembrini, hat sich Thomas Mann in der Schleppfuß-Figur ein Sprachrohr geschaffen für Ansichten, die er geäußert wissen wollte, die aber in der öffentlichen Meinung als nicht korrekt galten. Sein Zeitblom protestiert denn auch mit eifrig humanistischer Rhetorik, aber sein Leverkühn schweigt.[80]

Daß das Böse so notwendig sei wie das Gute, lehrte schon der Joseph-Roman, und daß Gott nicht das Gute sei, sondern das Ganze. Schleppfuß verschärft das zur dialektischen Abhängigkeit des Guten vom Bösen. Das Böse sei ein unvermeidliches Zubehör der heiligen Existenz Gottes. Das Laster ziehe seine Lust aus der Besudelung der Tugend. Das Verruchte sei ein Korrelat des Heiligen, und dieses eine fast unwiderstehliche Herausforderung zur Schändung. Wäre das Gute überhaupt gut, wenn es das Böse nicht gäbe? Augustinus – wie vieles andere aus diesem Kapitel verdankte Mann das Zitat dem *Hexenhammer*[81] – Augustinus habe gar gelehrt, die Funktion des Schlechten sei es, das Gute deutlicher hervortreten zu lassen, das mehr gefalle, wenn es mit dem Schlechten verglichen werde.

Der Brennpunkt des Bösen ist das Geschlecht – das „Naturböse" nennt es Adrian Leverkühn geradezu.[82] Größere Hexenmacht hat Gott dem Gegenspieler zugestanden über den Beischlaf als über jede andere menschliche Handlung, „nicht nur wegen der äußeren Unflätigkeit dieser Verübung, sondern vor allem, weil die Verderbtheit des ersten Vaters als Erbsünde dabei auf das ganze Menschengeschlecht übergegangen war. Der Zeugungsakt, gekennzeichnet durch ästhetische Scheußlichkeit, war Ausdruck und Vehikel der Erbsünde, – was Wunder, daß dem Teufel besonders viel freie Hand dabei gelassen war."[83]

Gegen den Vorwurf, homosexuelle Praktiken seien unästhetisch, hatte Thomas Mann schon früher einmal erinnert, daß es in dieser Hinsicht mit dem gewöhnlichen Beischlaf auch nicht zum besten stehe.[84] Was Häßlichkeit, Dämonie und Sündigkeit des Geschlechtlichen betrifft, dürften die Ansichten des Schleppfuß den seinen nahe stehen. Von dem Freimut, der heute die öffentliche Debatte über Sexualität beherrscht, war er gewiß weit entfernt. Was er vom „Berührtsein" redet, klingt zunächst ein wenig zimperlich. Aber der Hintergrund davon ist die Unstillbarkeit des geschlechtlichen Begehrens. Wenn er sich als Sünder vorkam, dann war das nicht irgendein abergläubisches Gefühl, das durch Mündigkeit aus der Welt zu schaffen wäre, sondern eine Folge der Einsicht in die generelle Mangelhaftigkeit des Menschen, dessen sinnliches Verlangen die Möglichkeiten der Erfüllung immer weit übersteigt.

Zwei Beispiele aus dem *Hexenhammer* läßt er seinen Dämonologen näher ausführen. Sie haben beide mit seinen eigenen Lebensängsten zu tun. Ein verworfener Jüngling (nennen wir ihn in Gedanken Thomas) hatte jahrelang mit einem Succubus gelebt (wir nennen ihn Paul), bis er, „aus Nützlichkeitsgründen mehr denn aus wahrer Neigung“, mit einem anständigen Weibe die Ehe geschlossen hatte. Er „war aber gehindert gewesen, sie zu erkennen, weil stets das Idol sich dazwischengelegt hatte. Darum hatte das Weib, in gerechter Verstimmung, ihn wieder verlassen, der sich denn zeit seines Lebens auf das unduldsame Idol beschränkt gesehen hatte.“[85] Soviel über das erste Beispiel.

„Es war auch in der Stadt Merßburg der Diözese Konstanz ein Jüngling so behext worden, daß er keinen Beischlaf mit den Frauen, eine einzige ausgenommen, ausüben konnte.“[86] Aus diesen wenigen Zeilen des *Hexenhammers* entwickelt Thomas Mann eine große, vorzüglich erzählte Geschichte:[87]

Zu Mersburg bei Konstanz lebte gegen Ende des fünfzehnten Jahrhunderts ein ehrlicher Bursch, Heinz Klöpfgeißel geheißen und Faßbinder seines Zeichens, von guter Gestalt und Gesundheit. Er stand in inniger Wechselbeziehung mit einem Mädchen, Bärbel, der einzigen Tochter eines verwitweten Glöckners, und wollte sie ehelichen, doch stieß des Pärchens Wunsch auf väterlichen Widerstand, denn Klöpfgeißel war ein armer Kerl, und der Glöckner forderte erst eine stattliche Lebensstellung von ihm, daß er Meister würde in seinem Gewerbe, bevor er ihm seine Tochter gäbe. Die Neigung der jungen Leute aber war stärker gewesen als ihre Geduld, und aus dem Pärchen war vor der Zeit schon ein Paar geworden. Denn nächtlich, wenn der Glöckner glöckeln gegangen war, stieg Klöpfgeißel ein bei Bärbel, und ihre Umarmungen ließen das eine dem andern als das herrlichste Wesen auf Erden erscheinen.

Eines Tages aber stach ihn mit anderen jungen Gesellen der Haber, so daß sie beschlossen, in eine Schlupfbude zu Weibern zu gehen. Dort aber versagte der sonst gut Gebaute, und auch ein zweites Mal, als er eine Wirtsfrau willig fand, stand sein Fleisch nicht auf. Nur mit seiner Bärbel hatte er, während der Glöckner glöckelte, weiterhin die wohlgeratensten Stunden. Daß er behext sei, weil er nur mit einer einzigen konnte, litt für ihn nun keinen Zweifel mehr, er vertraut sich einem Pfaffen an, der übergibt den Fall an die Inquisition, das Bärbelchen gesteht und kommt auf den Scheiterhaufen. „Heinz Klöpfgeißel, der Verzauberte, stand entblößten Hauptes und Gebete murmelnd in der Zuschauermenge."

Klöpfgeißel ist wie Adrian, wie Thomas Mann, ein Berührter. Der psychologische Inhalt der Erzählung läßt sich in dem Satz zusammenfassen: Das Pathos der Unreinheit hat Angst vor der Heimsuchung. Die Angst um die Ehe erzeugt die magische Tabuisierung des Seitensprungs. Es scheint gewiß, daß jeder anderwärtige, vor allem jeder homosexuelle Vollzug mit einer demütigenden Impotenzerfahrung enden müßte. Der so Berührte würde auch sein unschuldiges Bärbelchen vernichten. Der Seitensprung würde auf die Dauer eine zerstörerische Gewalt entwickeln. Denn das Seelische *hat* Gewalt. Das Bewußtsein des Fehltritts allein, auch wenn das jeweilige Bärbelchen nichts davon wüßte, würde beider Unbefangenheit allmählich zersetzen. Die Liebe, besonders eine unter so prekären Bedingungen stehende wie die zu Katia, ist empfindlich, sie bedarf, wenn man ein Berührter ist, sorgfältigster Schonung.

Für die Wirkungen der gesunden Seele auf den Körper interessiert sich Schleppfuß nicht, nur für die der kranken. Der Körper, doziert er, erkalte und erhitze sich vermöge der Furcht und des Zornes, er magere ab vor Gram, erblühe vor Freude, bloßer Gedankenekel könne die Wirkung verdorbener Speisen hervorbringen, der Anblick eines Tellers mit Erdbeeren die Haut des Allergikers mit Pusteln bedecken, ja Krankheit und Tod könnten die Folge rein seelischer Einwirkungen sein. Das alles lehrt heute die Psychosomatik. Wenn Schleppfuß dann freilich folgert, daß auch eine fremde Seele einen fremden Körper zu beeinflussen, zu verzaubern vermöge, wenn er die Realität der Magie damit zu erhärten versucht, fühlen wir uns an Freiherrn von Schrenck-Notzing erinnert und verweigern die Gefolgschaft.

Superbia et gratia

Jeder christlich Erzogene kennt das Ringen um die Demut. In der Pubertät, wenn der Mensch zu denken beginnt, erfährt er sich sogleich als hochmütig. Erkennen ist Lust, Macht, Überlegenheit, Grausamkeit. Trotz schlechter Leistungen hatte Thomas Mann schon als Schüler das Gefühl, ein Berufener und Auserwählter, für etwas Besonderes Aufgesparter zu sein. Wie sollte er da demütig sein? Und doch ist die superbia die christliche Ursünde, das Sein-wollen-wie-Gott, der Hochmut. Der Erkennende steht auf einem sehr hohen Berg, von wo aus ihm der Teufel die Welt zu Füßen legt (Mt 4, 8–10).

„Hebe dich weg von mir, Satan!" hatte Jesus auf dem Berge geantwortet. Aber der Teufel hatte nicht nur die Reiche der Welt und ihre Herrlichkeit anzubieten, sondern für die ganz Anspruchsvollen noch sein listigstes Versprechen in der Hinterhand: „Eritis sicut Deus scientes bonum et malum" – Ihr werdet sein wie Gott, erkennend das Gute und das Böse (Gen 3, 5). Das lockt Thomas Mann, er ißt vom Apfel und wird verflucht. Künstler sind Verfluchte, die, selbst vom Leben ausgeschlossen, das Leben durchschauen, als wären sie Gott.

Thomas Manns Ursünde ist die superbia. Das Versprechen der Schlange ist seine größte Versuchung. Er gestaltet sich als Faust, weil sein Hochmut ihm schon früh die mythische Furcht eingejagt hat vor dem Fall, vor Heimsuchung und Höllenpein. Er ringt um Demut, aber Bewußtsein läßt sich nicht abstellen, es sei denn im Rausch. Es ist ein Verhängnis, ein Fluch. Es tötet. Eine Liebe, die sich selbst kennt, stirbt. Der Mensch liebt den Menschen nur, solange er ihn nicht zu beurteilen vermag.[88] Eine Religion, die durchschaut ist, sagt Friedrich Nietzsche, ist tot.[89] Renaivisierung ist unmöglich. Man kann nicht vergessen *wollen,* sich künstlich zu begrenzen ist nur eine ästhetische Mummerei, nichts Echtes und Rechtes.[90]

Die subtilste Versuchung ist der Stolz auf die Demut. Er läßt sich nicht abstellen. Der Not gehorchend, tritt an die Stelle der Demut dann die Selbstdemütigung. Ihre Hauptmittel sind Arbeit, Kasteiung und Askese. Der Künstler lebt als Opfer. Der Opferrauch soll Gott angenehm in die Nase steigen und ihn milde stimmen. Auf dem Altar liegen als Opfergaben Lebensgenuß und Liebe. Der Künstler folgt Christus, sofern er sein Leben hingibt. Leverkühn ist ein Mensch, der das Leid der Epoche trägt.[91] Mit seinem durchgeistigten Ecce-Homo-Antlitz ist er am Ende nicht mehr Faust, sondern Christus, sein Abschiedsessen mit den Jüngern ist ein letztes Abendmahl und das hohe G des Cellos die Hoffnung auf Erlösung.[92]

Die Hoffnung nur. Niemals kann der Hochmütige sich selbst das Heil erwerben, nicht einmal durch die Hingabe seines Lebens. Er bedarf der Gnade, auf die er doch zugleich nicht rechnen kann. Seinen Faust läßt Mann stellvertretend flehen:[93]

Vielleicht auch siehet Gott an, daß ich das Schwere gesucht und mir's habe sauer werden lassen, vielleicht, vielleicht wird mir's angerechnet und zugute gehalten sein, daß ich mich so befleißigt und alles zähe fertig gemacht, – ich kann's nicht sagen und habe nicht Mut, darauf zu hoffen. Meine Sünde ist größer, denn daß sie mir könnte verziehen werden, und ich habe sie auf Höhest getrieben dadurch, daß mein Kopf spekulierte, der zerknirschte Unglaube an die Möglichkeit der Gnade und Verzeihung möchte das Allerreizendste sein für die ewige Güte, wo ich doch einsehe, daß solche freche Berechnung das Erbarmen vollends unmöglich macht. Darauf aber fußend, ging ich weiter im Spekulieren und rechnete aus, daß diese letzte Verworfenheit der äußerste Ansporn sein müsse für die Güte, ihre Unendlichkeit zu beweisen. Und so immer fort, also, daß ich einen verruchten Wettstreit trieb mit der Güte droben, was unausschöpflicher sei, sie oder mein Spekulieren, – da seht ihr, daß ich verdammt bin, und ist kein Erbarmen für mich, weil ich ein jedes im voraus zerstöre durch Spekulation.

Es gibt keinen Ausweg. Thomas Mann glaubt nicht, daß der Mensch sich selber helfen kann. Ohne Schuld geht es niemals ab. Jedes Leben nimmt anderem Leben die Luft weg. Richtig zu leben ist unmöglich. Thomas Mann empfindet sein Leben als „Schuld, Verschuldung, Schuldigkeit", als „Gegenstand religiösen Unbehagens, als etwas, das dringend der Gutmachung, Rettung und Rechtfertigung bedarf". Je älter er wird, um so öfter gibt er der Hoffnung Ausdruck, daß aus tiefster Heillosigkeit doch etwas wie Gnade keime, „die Transzendenz der Verzweiflung, – nicht der Verrat an ihr, sondern das Wunder, das über den Glauben geht".[94]

XVIII. Pein und Glanz

1947

Chronik 1945–1955

Mit dem Artikel *Die deutschen KZ,* der unter verschiedenen Titeln im Mai 1945 in der amerikanischen Lizenzpresse erschien, war Thomas Manns Stimme gleich bei Kriegsende in Deutschland wieder zu vernehmen. Es folgten *Warum ich nicht nach Deutschland zurückgehe* (September 1945) und Nachdrucke des Vortrags *Deutschland und die Deutschen.* Die intensive Arbeit am *Doktor Faustus,* aber auch die Enttäuschung über die Nachkriegsentwicklung lassen die politische Publizistik zurücktreten. Das Jahr 1946 ist, abgesehen von den Wochen der Lungenkrebsoperation (April/Mai), mit Arbeit am Faustroman erfüllt. Die immer wieder verschobene Europareise bringt erst das Jahr 1947 (April bis September). Sie führt zu Lese- und Vortragstourneen, unter anderem mit *Nietzsches Philosophie im Lichte unserer Erfahrung,* und Erholungsaufenthalten nach London, in die Schweiz und nach Holland. Deutschland bleibt ausgespart.

Anfang 1948 beginnt Thomas Mann den Roman *Der Erwählte* zu schreiben. Ende Juni unterbricht er nach Beendigung des achten Kapitels, um den Rechenschaftsbericht *Die Entstehung des Doktor Faustus* zu verfassen (bis Ende Oktober). Das Goethejahr 1949 nötigt ihn zu mehreren Vorträgen und Essays, darunter vor allem *Goethe und die Demokratie.* Vom 25. April bis zum 19. August dauert die zweite Nachkriegs-Europareise, die über England, Schweden, Dänemark und die Schweiz auch nach Deutschland führt. Am 25. Juli hält Thomas Mann in der Frankfurter Paulskirche seine *Ansprache im Goethejahr,* am 27. Juli in München den Vortrag *Goethe und die Demokratie,* am 1. August in Weimar wieder die *Ansprache im Goethejahr.* Daß er auch die Sowjetische Besatzungszone besucht, bringt ihm viel Ärger ein und führt zur Intensivierung des politischen Mißtrauens gegen ihn in Amerika. Als Folge davon wird er im Frühjahr 1950 von der *Library of Congress* ausgeladen. Er hatte dort die autobiographische Vorlesung *Meine Zeit* halten wollen.

Am 12. März 1950 war der Bruder Heinrich gestorben. Eine dritte Europareise folgt April bis Ende August 1950. Sie bringt, im Züricher Hotel Dolder, wieder einmal ein großes Herzenserlebnis, die Betörung durch den Kellner Franz Westermeier, die den 75jährigen tief aufwühlt. Der Essay *Die Erotik Michelangelo's* gehört zu den unmittelbaren literarischen Folgen.

In den Zwischenzeiten schreibt Thomas Mann immer wieder am

Erwählten weiter. Ende November 1950 ist die Arbeit abgeschlossen, und gleich geht es an die nächste, die Fortsetzung der jahrzehntelang liegengebliebenen *Bekenntnisse des Hochstaplers Felix Krull,* die mit vielen Unterbrechungen die Zeit von Dezember 1950 bis April 1954 in Anspruch nimmt. Zu einer weiteren Fortsetzung hat er keine Lust. Die Tillinger-Kontroverse, in der er als „fellow traveller" Moskaus denunziert wird, vergällt ihm in der ersten Jahreshälfte den Aufenthalt in Amerika. Im Juni 1951 entsteht ein langer Brief an Walter Ulbricht, damals stellvertretender Ministerpräsident der Deutschen Demokratischen Republik, in dem sich Thomas Mann engagiert für politische Gefangene in der Sowjetzone einsetzt. Von Juli bis Oktober zieht es ihn wieder nach Europa, zu Leseauftritten, aber hauptsächlich urlaubshalber (Zürich, inkognito München, dann Urlaubsorte in Österreich und der Schweiz).

1952 erscheint der Essayband *Altes und Neues.* Der Vortrag *Der Künstler und die Gesellschaft* entsteht (Februar/März) und wird im Laufe des Jahres mehrfach verwendet. *Die Betrogene* wird begonnen (Mai) und erst im März des folgenden Jahres fertig. Wieder geht es nach Europa, hauptsächlich in die Schweiz, nach Österreich, aber auch mehrfach nach München, schließlich auch nach Frankfurt. Die Reise beginnt Ende Juni, daß sie ohne Wiederkehr nach Pacific Palisades bleiben würde, ist ursprünglich nicht geplant. Weihnachten 1952 bezieht die Familie ein Haus mit geliehenen Möbeln in Erlenbach bei Zürich.

Am 29. April 1953 empfängt Papst Pius XII. den Dichter zu einer kurzen Audienz. Der Juni bringt einen Ehrendoktor in Cambridge, Lesungen in Hamburg und einen Aufenthalt in Lübeck und Travemünde. Am 24. Juli wird Katia siebzig. Das letzte Wohnhaus, Kilchberg am Zürichsee, Alte Landstraße 39, wird im Januar 1954 erworben und, nach einer Italienreise, am 15. April bezogen. Die Arbeit geht zunehmend schlechter von der Hand. Dennoch entstehen zwei große Essays, ein östlicher und ein westlicher, Juni/Juli 1954 der *Versuch über Tschechow,* seit August 1954 der achtzig Seiten lange *Versuch über Schiller*, der in mehreren Etappen bis Februar 1955 fertig wird. Eine gekürzte Fassung wird bei der Feier zu Schillers 150. Todestag in Stuttgart am 8. Mai 1955, in Weimar am 14. Mai vorgetragen. Studien zur Renaissancezeit (seit Mai 1954) verdichten sich Anfang 1955 zu einem Plan, ein Drama *Luthers Hochzeit* zu schreiben. Ein Konvolut mit Notizen entsteht.

Das Jahr 1955 bringt viele Feste und Ehrungen. Am 11. Februar

1955 wird Goldene Hochzeit gefeiert. Am 7. Mai trifft Thomas Mann mit dem deutschen Bundespräsidenten Theodor Heuss zusammen. Ende Mai erfolgt erneut ein Besuch in Lübeck und Travemünde. Am 11. Juli empfängt ihn Königin Juliana der Niederlande. Kurz darauf beginnt die Krankheit, die am 12. August zum Tode führt.

Nein, es ist kein großes Volk

„The bloody dog is dead",[1] das schien sicher, auch wenn die Leiche nicht gefunden wurde. Hitlers Tod, die Selbstmorde der übrigen Nazi-Größen, das Kriegsende mit all seinen Schauerlichkeiten, das alles wird im Tagebuch ausführlich kommentiert. Fast immer bietet es Anlaß zum Haß auf die Deutschen. Die als Sieger so unglaublich brutal waren – in der Niederlage wimmern sie. „Nein, es ist kein großes Volk." (4. Mai 1945) Schon am Kapitulationstag vermißt Thomas Mann Umkehr und Schuldbekenntnis bei den Besiegten. „Bis jetzt fehlt es an jeder Verleugnung des Nazitums." (7. Mai 1945) Jubel kommt deshalb nicht auf. „Es ist nicht gerade Hochstimmung, was ich empfinde." Das Urteil über die Deutschen hatte sich in den vielen Jahren der Verbannung längst festgefressen. Von Wandlungen, so tief und ergreifend, daß dieses Urteil unhaltbar geworden wäre, war ja auch wirklich wenig zu sehen. Eine Selbstdemütigung, die der Ungeheuerlichkeit der Verbrechen gemäß gewesen wäre, übersteigt ohnehin die Vorstellungskraft. Aber ein schuldbewußtes, bescheidenes und zur Gutmachung gewilltes Verhalten glaubte Thomas Mann erwarten zu dürfen. Den Presseberichten aber entnahm er nur verstockte Unverschämtheiten. Die Deutschen schienen unverbesserlich, ihr Nazitum unausrottbar. „Alles ist, wie es war." (8. November 1945) Konnte es überhaupt anders sein? „Mit was für einer revolutionierten, proletarisierten, umgestülpten, nackt und bloßen, zerrütteten, glaubenslosen, ruinierten Volksbande wird man es zu tun haben" – das hatte er sich schon lange vor dem Ende gefragt (9. Januar 1944). Er überlegt Gräßliches – rund eine Million Deutsche müßten ausgemerzt werden –, nimmt es aber zugleich wieder zurück: „Andererseits ist es nicht möglich, eine Million Menschen hinzurichten, ohne die Methoden der Nazis nachzuahmen." (5. Mai 1945) Aber eine strenge Bestrafung muß sein.

Die Härte ist nicht unverständlich. Es waren schließlich die Täter, die jetzt litten, und ihnen geschah recht, so sah es jedenfalls aus der Entfernung aus. Zur Differenzierung neigte Thomas Mann in dieser Frage nicht. Ganz Deutschland erschien ihm schuldig. Er konnte vieles nicht genauer sehen, weil er selbst zu sehr verwundet und weil er zu weit weg war. Es gab ja durchaus Bußfertigkeit in Deutschland, wenn auch vielleicht nicht millionenfach und nicht öffentlich. Aber ist öffentliches Büßen nicht immer pharisäisch? Die man beim Büßen sieht, das sind Opportunisten, die sich auf die neuen Machtverhältnisse umstellen. Die Stillen im Lande dürften der alliierten Berichterstattung entgangen sein.

Aber hätte den großen Psychologen Thomas Mann nicht gerade die Psychologie der Täter interessieren müssen? Dieses bis heute nicht erklärte Gemisch aus Lust und Zwang, blauäugiger Gläubigkeit und neurotischem Ressentiment, himmelstürmendem Idealismus und finsterstem Verbrechertum? Gibt es eine größere Herausforderung für den Ästheten, als die Nazi-Täter zu verstehen? Hatte nicht einst der unpolitische Betrachter gefordert, daß in einem literarischen Werk „jede Person, und wäre sie der Teufel selbst, während sie dasteht und redet, *recht behält;* weil sie so *objektiv aufgefaßt ist,* daß wir in ihr Interesse gezogen und zur Teilnahme an ihr gezwungen werden“?[2] Als Mensch brachte Thomas Mann diesen Gleichmut nicht auf, im entferntesten nicht. Er haßte Hitler. Als Künstler hingegen sagte er, daß der Bursche zwar eine Katastrophe sei, aber interessant, ein Verwandter zudem *(Bruder Hitler)*. Auch der große Roman *Doktor Faustus* sucht nicht den Haß, sondern die Erkenntnis, wenn er das eigene Leben und die geliebte Kultur der romantischen Innerlichkeit ausdrücklich mit der Entstehung des Nationalsozialismus in Verbindung bringt. Der Künstler ist weiser, freier und unparteiischer, als es die harschen Urteile des Essayisten und Tagebuchschreibers vermuten lassen.

Aber er kann es keinem recht machen, weder als Künstler noch als Essayist. Von einer Verbindung zwischen deutscher Kultur und deutschen Verbrechen, wie sie der Faustroman zeigt, wollten die Deutschen nichts wissen. Drakonische Strafaktionen à la Morgenthau, die während des Krieges noch diskussionsfähig waren, waren bald nach Kriegsende nicht mehr im Interesse der Westmächte, weil man die Deutschen nun als Verbündete gegen Rußland brauchte. Trotz der Nürnberger und einiger anderer Prozesse kamen die Nazis im ganzen glimpflich davon. Ganz falsch war es nicht, was Thomas Mann schon am 19. Mai 1945 verbittert notierte, daß mit kaum glaublicher Ungeduld der Russenhaß aus dem Sack gelassen werde, daß es zur Prozessierung der Kriegsgefangenen nie kommen werde, daß die Luft von „München“ wieder wehe und der Sieg noch ärger werde verspielt werden als das vorige Mal.

Er hatte Nachrichten aus erster Quelle. Klaus Mann war schon im Mai 1945 in Deutschland, besuchte das Haus in der Poschingerstraße und ließ Hermann Göring interviewen.[3] Auch Tochter Erika hat wenig später die Nazi-Spitzen gesehen und berichtet über Görings Meinung, daß, hätte *er* den Fall Mann zu bearbeiten gehabt, alles anders gekommen wäre. „Ein Deutscher von T. M. s Format hätte dem Dritten Reich sicherlich angepaßt werden können."[4] Erika war als Sonderberichterstatterin beim großen Kriegsverbrecherprozeß in Nürnberg akkreditiert. Aus ihren Briefen und Erzählungen konnte Thomas Mann genaue Anschauung erhalten. Er bejahte den Prozeß als moralisches Fanal,[5] auch später noch, als klar wurde, wie begrenzt seine Wirkung war, und daß viele Nazis immer noch oder wieder an den alten Plätzen saßen. „Everybody knows that the denazification of Germany has failed completely – if there can be talk of failure where no earnest desire for success ever existed."[6]

Kommen Sie als guter Arzt!

Es stimmt nicht, daß man ihn nicht gerufen hätte. Schon im Juli 1945 rufen ihn die Russen, er sagt sofort ab, und die Zeitungen melden, „that I gently turned down the Berlin invitation".[7] In den Dienst Moskaus will er nicht treten. Aber auch die *Hannoversche Zeitung* lockt: „In der Tiefe unserer Not hoffen wir ein wenig auch auf ihn."[8] Aus einer weiteren „kommunistisch-christlichen" Berliner Zeitung erreichen ihn die Sätze: "We believe you now have a historic work to accomplish in Germany. We need your help. You belong to us."[9] Am bekanntesten aber wurde die Anfrage des Schriftstellers Walter von Molo. „Mit aller, aber wahrhaft aller Zurückhaltung, die uns nach den furchtbaren zwölf Jahren auferlegt ist", wendet er sich an den großen Kollegen:

Bitte, kommen Sie bald, sehen Sie in die von Gram durchfurchten Gesichter, sehen Sie das unsagbare Leid [...] Kommen Sie bald wie ein guter Arzt, der nicht nur die Wirkung sieht, sondern die Ursache der Krankheit sucht und diese vornehmlich zu beheben bemüht ist, der allerdings auch weiß, daß chirurgische Eingriffe nötig sind, vor allem bei den zahlreichen, die einmal Wert darauf gelegt haben, geistig genannt zu werden ...[10]

Das war ernster zu nehmen als die kommunistischen Einladungen. Aber Thomas Mann hatte schon mehrfach angekündigt, daß er nach dem Kriege in Amerika bleiben wolle.[11] Er dachte keinen Augenblick daran, der Bitte Molos Folge zu leisten. Lange feilte er in den ersten

Septemberwochen an seiner Absage.[12] Sie zeigt, wie tief der Schock noch immer saß, das „Herzasthma des Exils".[13] Atembeklemmend sei anno dreiunddreißig der Verlust von Haus und Land, Büchern, Andenken und Vermögen gewesen, kläglich die folgenden Ausbootungen, mörderisch die Radio- und Pressehetze gegen den Wagner-Aufsatz, die ihm die Rückkehr abgeschnitten hatte. Dann das Wanderleben, die Paß-Sorgen, das Hotel-Dasein, „während die Ohren klangen von den Schandgeschichten, die täglich aus dem verlorenen, verwildernden, wildfremd gewordenen Lande herüberdrangen". Er verstehe nicht, wie man im Dienste Hitlers „Kultur" habe machen können, ohne das Gesicht mit den Händen zu bedecken und aus dem Saal zu stürzen. Im übrigen sei er Amerikaner, sei da und dort ehrenhalber gebunden, habe englisch sprechende Enkel und ein schönes Haus in Kalifornien. Dennoch wolle er, so die höfliche Schlußformel, einmal hinüberfahren, sobald die Stunde komme. „Bin ich aber einmal dort, so ahnt mir, daß Scheu und Verfremdung, diese Produkte bloßer zwölf Jahre, nicht standhalten werden gegen eine Anziehungskraft, die längere Erinnerungen, tausendjährige, auf ihrer Seite hat. Auf Wiedersehen also, so Gott will."

Warum ich nicht nach Deutschland zurückgehe

Das alles ist verständlich, aber dennoch nicht zwingend, moralisch jedenfalls nicht, und Molo hatte moralisch gefragt. Hätte Thomas Mann nicht doch nach Deutschland gehen können? Nach München, mitwirkend am kulturellen Neuaufbau? Bruder Viktor schrieb im Dezember 1945, der Münchener Magistrat habe Rückgabe und Wiederaufbau des Hauses Poschingerstraße 1 beschlossen.[14] Das sollte sich zwar nicht bewahrheiten, aber Thomas Mann hat doch jedenfalls so etwas wie eine Einladung herausgehört. Man nehme an, er und seine Familie würden alljährlich dort für einige Monate Wohnung nehmen (9. Januar 1946). Das kam allerdings nicht in Frage. „Diktierte wegen Wiederaufbaus des Münchener Hauses warnenden Brief an Vikko." (11. Februar 1946) Es müsse den Münchenern klargemacht werden, daß er nicht daran denke, dorthin zurückzukehren.

Denn davor graute ihm zutiefst. Dieses vielfältig zusammengesetzte Grauen, das stärker ist als alles Moralische und fundamentaler als alle noch so berechtigten politischen Argumente, ist der wirkliche

Grund seiner Absage. Europa ist „a nightmare", wie Thomas Mann an Paul Amann schreibt,[15]

und wer mir wohlwill, warnt vor jedem Gedanken an „Heimkehr". Wir müssen bedenken, daß die Leute dort langsam, Jahr für Jahr, in ihren durchaus wilden und abenteuerlichen, bettelhaften und cynischen Zustand hineingeglitten und daran gewöhnt sind. Wir, plötzlich zurückverpflanzt, würden die Rolle des greenhorns dort in einer viel lächerlicheren Weise spielen, als hier, und wahrscheinlich in einem halben Jahr kaputt sein. Die Schwierigkeiten der Verständigung sind enorm, das zeigt mir jede Berührung. Die drüben und drinnen glauben nämlich, sie hätten gar viel erlebt und wir Drükkeberger nichts, während genau umgekehrt wir uns den Wind haben um die Nase wehen lassen und jene die 12 Jahre gerade nicht *erlebt haben: sie halten 1933 und wollen fortfahren, wo sie damals aufgehört haben.*

Aber wäre nicht gerade das die Aufgabe gewesen, den Deutschen zu erzählen, was in den zwölf Jahren wirklich geschah? Das muß wohl gänzlich aussichtslos geschienen haben. „Fern sei mir Selbstgerechtigkeit!" beteuert der von Molo Bedrängte rhetorisch. „Wir draußen hatten gut tugendhaft sein und Hitler die Meinung sagen." Ja, so ist es. Gut tugendhaft sagt Thomas Mann den Deutschen die Meinung, allzu tugendhaft. Molo aber hatte nach einem Arzt gefragt. Auch die Emigranten wurden durch die zwölf Jahre beschädigt. Auch sie sind durch die Weltlage vereinseitigt und zur Partei gemacht worden. Der Nachkriegs-Mann hat gelegentlich etwas von einem dogmatischen Antifaschisten, dem die Wahrheit seiner Theorie über das Leben geht, das, wie der unpolitische Betrachter doch wußte, in seiner unendlichen Vielgestalt jede politische Erklärung hinter sich läßt. Menschlichkeit anstelle von Doktrin hatte er damals gegen den Zivilisationsliteraten gefordert. Auch Faschisten sind Menschen. Was wäre gewesen, wenn Thomas Mann gekommen wäre? Wenn er versucht hätte, mit anzupacken beim inneren Aufbau, solidarisch zu sein mit den Zerstörten? Mit allen Mitteln ihr Ohr zu finden, ihr Herz zu berühren? „Kommen Sie wie ein guter Arzt ..." Das wäre wahrscheinlich sehr gefährlich gewesen. „In Bayern sind amerikanische Offiziere im Schlaf von Deutschen erschlagen und das Haus angezündet worden." (11. Januar 1946) Die meisten Schriftsteller, die die Deutschen umzuerziehen versucht haben, sind gescheitert und haben das Land nach kürzerer oder längerer Zeit wieder verlassen, wie

Alfred Döblin oder Carl Zuckmayer, und diese hatten bei weitem nicht so viel Haß auf sich gezogen wie Thomas Mann. Auch Erika warnt mit starken Worten: „Erwägt *auch nicht eine Minute lang,* in dieses verlorene Land zurückzukehren. Es ist einfach nicht menschenerkennbar."[16] Selbst bei feinstem Takt und intimster Kenntnis der Situation, schreibt sie am 10. Januar 1946 aus Zürich, noch einmal Besuchspläne abwehrend, „würdet Ihr nicht umhin können, Euch zwischen alle Stühle zu setzen, würdet von den Russen gegen die Yanks und von letzteren gegen die Tommies und Franzmänner ausgespielt werden und am Ende nur Ärger und Schaden heimbringen". Das ist sicher vollständig richtig. Alles in allem mußte Thomas Mann wohl so handeln, wie er gehandelt hat. Die Lage war für ihn damals nicht besser zu übersehen. Was ist Geschichte? Scharen von blinden Ameisen bewegen einen Felsblock, ohne zu wissen wohin. Sollte auch der Dichter noch unter den Block kriechen? Auch die großen Macher (Truman, Churchill, Stalin) geben kein Vorbild. „Die 3 weltordnenden Häupter machen nichts als Unsinn und spielen Klavier." (29. Juli 1945)

Aus der Ferne immerhin war Thomas Mann sofort bei Kriegsende publizistisch präsent, zuerst mit einem Nachdruck seines *Briefwechsels mit Bonn* in einer neuen Frankfurter Zeitung (Tagebuch 30. April 1945) und dann mit einem bewegenden Artikel über die Öffnung der Konzentrationslager, der zum Anlaß der Moloschen Einladung nach Deutschland wurde.

Vielleicht wäre er trotzdem gekommen, wenn nicht auf Molos Brief noch jener berüchtigte Artikel *Die innere Emigration* gefolgt wäre. Der Schriftsteller Frank Thieß spielte sich darin als Sprecher derjenigen auf, die nach innen emigriert seien. Solche gab es zwar wirklich, aber Thieß verfehlte den Ton. Er meinte, die innen hätten mehr gelitten als die draußen. Wovon er natürlich keine Ahnung hatte. Das Miterleben von Brand, Hunger und Bomben habe ihn reicher an Wissen und Erleben gemacht, als wenn er „aus den Logen und Parterreplätzen des Auslands" der deutschen Tragödie zugeschaut hätte.[17] Daß er auch Thomas Manns Radiobotschaften verächtlich machte, jenen bedeutendsten und beachtlichsten Versuch eines deutschen Emigranten, ins Reich hineinzuwirken, kommt dazu – die Tauben im Volk hätten sie ohnehin nicht vernommen, „während wir Wissenden uns ihnen stets um einige Längen voraus fühlten". Was wußten Leute wie Thieß – „wir Wissenden" – außer ihrer heimlichen Verstrickung? Thomas Mann leidet. „Die Angriffe, Falschheiten und Dummheiten arbeiten tagsüber in mir und ermüden mich wie schwere Arbeit." (19. September 1945)

Kästner

„Das Unverschämteste, was die Deutschen sich gegen mich geleistet haben, und ein klassisches Stück sächsischer 'Heemdicke'": das war Manns Kommentar[18] zu einer weiteren „Einladung" nach Deutschland. Sie stammte von Erich Kästner.[19] Subtil vergiftet spekulierte sie auf Vorurteile, die auch die NS-Zeit gepflegt hatte:

Wenn ich jemanden um hundert Mark bitte, der nur zehn Mark bei sich hat, wenn ich ihn wieder bitte und weiter bitte, muß er mit der Zeit wütend werden. Das ist klar. Thomas Mann ist ein Meister in der Gestaltung differenzierter Künstlernaturen, kränklicher, überfeinerter Charaktere, er tut sich sogar auf die Bedeutsamkeit des Nichtgesundseins seiner Bücherhelden etwas zugute, und er geht soweit, die Labilität, die Nervosität, die behutsame Abwegigkeit für Tugenden und hohe Werte zu halten. Dieser Kennerschaft und Vorliebe entsprach seit je eine physische Labilität des Autors selber. Die Athleten und Heroen waren ihm immer ein wenig verdächtig, und er ist selber keines von beiden. Wer kam nur zuerst auf die Idee, ihn über den Ozean zwischen unsere Trümmer zu rufen?

Kästner gehörte als Feuilletonredakteur der *Neuen Zeitung* und künftiger PEN-Präsident zu den einflußreichsten Köpfen der amerikanischen Besatzungszone. Nach 1945 liebte er es, sich als „zwölf Jahre verboten" auszugeben.[20] In Wirklichkeit war er, teils bei Schweizer Verlagen, teils unter Decknamen publizierend, einer der großen Lieferanten der Unterhaltungsindustrie des Dritten Reiches gewesen. Er schrieb vor allem Komödien und Filmdrehbücher; am bekanntesten wurde das für den UfA-Renommierfilm *Münchhausen* (1943). Nach 1945 gab er das als eine Art Martyrium aus. Er hätte es viel bequemer haben können, wenn er emigriert wäre, nach London, Hollywood oder Zürich, aber er habe in schlimmen Zeiten bei seinem Volke bleiben müssen. „Nun also, ich bin zwölf Jahre lang Zeuge gewesen."

Thomas Mann hat später Kästner als Gründungsmitglied für den deutschen Nachkriegs-PEN-Club vorgeschlagen. Auch Kästner merkte allmählich, wo er hingehörte, und berichtete fortan nur noch freundlich über Thomas Mann.

Hausmann

Diese ganze „Innere Emigration" kann mir, offen gestanden, gestohlen werden. Alle haben sie mitgemacht, alle profitiert, alle an den Bestand des Scheusslichen geglaubt, das sie nie wirklich als scheusslich empfunden und verabscheut haben. Und jetzt spielen sie die Helden und Märtyrer, die bei Deutschland blieben und mit ihm litten, während wir aus den bequemen Logen des Auslands etc. Es ist eine beträchtliche Unverschämtheit.[21]

Zu den Unverschämtheiten dieser inneren Emigration gehörte auch ein Offener Brief von Manfred Hausmann, in dem zu lesen war: „Im Jahre 1933 hat Thomas Mann in einem langen und bewegten Brief an den damaligen Innenminister Frick mit eindringlichen Worten darum gebeten, aus der Schweiz, wo er damals mit abgelaufenem Paß weilte, ins nationalsozialistische Deutschland zurückkehren zu dürfen. Er verpflichtete sich, so schrieb er, zu schweigen und sich nicht in das politische Getriebe einzumischen. Auf keinen Fall wolle er in die Emigration gehen. Der Brief wurde nicht beantwortet. Und so mußte Thomas Mann gegen seinen Willen das Dritte Reich meiden. Damals wäre er also gern ins Hitlersche Deutschland zurückgekehrt. Aber er durfte es nicht."[22]

Die Publikation dessen, was Thomas Mann damals wirklich an Frick geschrieben hatte,[23] widerlegte die Unterstellungen so sonnenklar, daß die hämische Debatte schnell erstickte. Der Angreifer wollte nachlegen, hatte aber keinen Erfolg. „Erwiderung Hausmanns, läppisch."[24]

Vikko, Pree und Pate Bertram

Der Haß ist, wie die Liebe, „ein Erzeugnis mangelhafter Erkenntnis".[25] Man haßt einen Menschen nur, solange man ihn nicht begreift. Das glückt aus der Ferne besser als aus der Nähe. Wenn Menschen, die ihn verraten hatten und Nazis geworden waren, versöhnungswillig zu ihm kamen, hielt Thomas Manns Haß nicht lange stand. Er war gütig und entgegenkommend im Einzelfall, bei aller Verbitterung über das Ganze.

Briefe kommen von lange Verschollenen, sie sind „voll lange ver-

Viktor Mann

schwiegener Anhänglichkeit" und verstören Thomas Mann erst einmal durch die naive Unmittelbarkeit des Wiederanknüpfens, als wären die zwölf Jahre nicht gewesen.[26] Vom Bruder Viktor kommt unangenehme Kunde, „verhaftet wegen angeblicher Mißhandlung französischer Gefangener."[27] Thomas Mann soll helfen und tut es auch sogleich mit einem Brief, der bescheinigt, brutales Verhalten sei dem Charakter des Bruders fremd.[28] Vikko ist dankbar, schreibt bald darauf Briefe, die sein Bruder als „rührend" (19. Oktober 1945) oder „verständig" (26. Oktober 1945) qualifiziert und freundlich beantwortet. Er läßt ihm warme Unterhosen und CARE-Pakete schikken.[29] Viktor begibt sich anhänglich und geschickt in den Dienst seiner berühmten Verwandten. Er gibt ihnen in allem recht.[30] Die Dienstwilligkeit gipfelt in dem Erinnerungsbuch *Wir waren fünf*, das 1949 erscheint und sich stilistisch wie sachlich so weit wie möglich den großen Brüdern anpaßt. „Immer treuherzig, lieb und gut und peinlich", kommentiert Thomas, als es erscheint.[31] „Viel heiteres Hin und Her über Vikkos Buch, das in seiner Lügenhaftigkeit, gutmütigen Beschönigung, Selbst- und Familienverherrlichung und dabei Talentiertheit ein ganz kurioser Fall.“[32] Viktor Mann verschweigt nicht, daß er ein Mitläufer gewesen ist.[33] Aber die Einzelheiten gibt er nicht preis. Lieber betont er die Verbundenheit mit Thomas. Zwei bis drei Briefe habe er ihm jährlich geschrieben. Das ist zumindest stark übertrieben. Thomas Mann hat die Briefe bewahrt; der letzte datiert vom 2. Juni 1936. Danach bricht der Kontakt so gut wie vollständig ab.

Was nahelag: Erika hatte Onkel Viktor in München besucht und gestellt.[34] Er sei aktives Mitglied im Nationalsozialistischen Kraftfahrer-Korps gewesen, außerdem Gruppenführer bei der Arbeitsfront. Man habe ihn auch würdig befunden, in die Partei einzutreten, wenn sein Dienst in der Wehrmacht ihn dann auch davon abgehalten habe, von diesem Angebot Gebrauch zu machen. Aber auch Erika ist im familiären Bereich nicht rachsüchtig. Sie ironisiert Onkel Vikko („old sweety“, „foolish old Benjamin“), aber hält zu ihm. Er habe im Zuge der Entnazifizierung seinen Job verloren, sie habe ihm zur Wiederanstellung verholfen.

Deutlicher wird, viel später, erst Golo Mann, der mit sarkastischer Treffsicherheit bemerkt:

Man mußte sich der Vorteile, die nun zu gewinnen waren, guten Gewissens erfreuen können. In der Bayerischen Handelsbank als Diplomlandwirt tätig und dort noch nicht einmal Prokurist, stieg Onkel Viktor nun rasch zum Direktor auf und vertauschte seine bescheidene Wohnung in München-Ost mit einer ungleich eleganteren in Schwabing; ein Aufstieg, welchen er dem Auszug seiner jüdischen Kollegen verdankte.

Thomas Mann ahnte oder wußte das alles, aber sein Familiensinn war stärker. Zur persönlichen Wiederbegegnung kam es im Juni 1947 in Zürich. Das Tagebuch vermerkt: „Lügen, Vernebelung, erdrückende Umarmung.“[35] Viktor hat seine Chance ergriffen, sie hieß Liebkosung des Sieghaften. Er hatte nicht mehr viel davon. Er starb überraschend am 21. April 1949.

„Gewiß, es ist viel ‘Hitler’ in Wagner, und das haben Sie ausgelassen“ – das schrieb Thomas Mann in einem Offenen Brief vom 6. Dezember 1949 an Emil Preetorius.[36] Dieser ihm seit Jahrzehnten befreundete Buchkünstler und Kunstsammler, von 1933 bis 1939 szenischer Leiter der Bayreuther Festspiele, war gemeint gewesen mit der rhetorischen Frage im Molo-Brief, ob es nicht ehrbarere Beschäftigungen gegeben habe, als für Hitler-Bayreuth Wagner-Dekorationen zu entwerfen oder mit Goebbelsscher Permission im Ausland mit gescheiten Vorträgen Kulturpropaganda zu machen fürs Dritte Reich.[37]

Pree, so nannten ihn seine Vertrauten, hatte, die Zeichen der Zeit erkennend, sogleich den Anschluß gesucht und am 6. Juni 1945 einen Geburtstagsbrief geschrieben,[38] der den Umworbenen am 12. Juli erreichte: „erstaunlicher Brief vom Emil Preetorius aus einem bayerischen Dorf. Klug, vielleicht spekulativ." Pree spekulierte in der Tat, und zwar nicht ungeschickt. „Diskussion über Preetorius", vermerkt das Tagebuch am 14. Juli. Trotzdem verkniff Mann sich den Fußtritt im Molo-Brief nicht. Ein zweiter „langer Freundschaftsbrief" des Angeklagten erreichte ihn am 12. Oktober. Das Tagebuch komprimiert ihn: „Vorschläge zu Erörterungen: Wagner, Nietzsche, die Deutschen. Der Erstere weißzuwaschen."

Fast zwei Wochen lang feilt Thomas Mann an einer Antwort, verändert immer wieder, beginnt dann von neuem und sendet am 25. Oktober ein sehr freundliches Schreiben ab, das auf Angriffe fast gänzlich verzichtet. Preetorius hatte inzwischen eine Antwort auf den Molo-Brief verfaßt, sich hörenswert verteidigt, aber auch zu den Sätzen hinreißen lassen: „Ihr Herz ist hart geworden, und Ihre Perspektive aus allzu weiter Ferne notwendig verzerrt."[39] Gerade noch rechtzeitig erhielt er Thomas Manns gutwilligen Brief, so daß er den geplanten Abdruck noch stoppen konnte. Ein Briefwechsel entspann sich, in dessen Verlauf Pree es sich nicht nehmen ließ, auch jenen unterdrückten Brief nachträglich noch mitzuteilen – jedenfalls behauptet er das am 23. Februar 1946.[40] Eine Tagebuchreaktion fehlt, weshalb das Schreiben den Angegriffenen wohl nicht erreicht hat, denn der Briefwechsel geht ungestört weiter. Auch ein großer Verteidigungsbrief ist noch einmal dabei, vom 10. Juni 1946 datiert, als Antwort auf einen ebenso grundsätzlichen Thomas Manns vom 24. Februar.[41] Das alles bleibt immer maßvoll, um Verständigung bemüht. Erst am Jahresausgang 1946 findet sich eine skeptische Bemerkung im Tagebuch: „Melancholischer Brief von Preetorius, typisch für den mimosenhaften Zustand der Deutschen."[42] Der Bühnenkünstler hatte inzwischen von weiteren skeptischen Äußerungen Thomas Manns über ihn gehört und fragte zerknirscht, ob er, trotz ihres Briefwechsels, dem Dichter zum Ärgernis geworden sei. Überdies höre er, daß Erika ihn en tout verwerfe. Aber wie auch immer, seine Bewunderung und seine innere Treue würden auch dadurch nicht gemindert. „Lieber Pree“, antwortet Thomas Mann am gleichen Tag, „wir draußen und ihr drinnen, wir haben beide eine wohl etwas krankhafte Sensitivität in Dingen dieses Dritten Reiches.“[43]

Das Ganze war vertuscht, aber nicht ausgestanden. 1947 erscheint der *Doktor Faustus,* und Thomas Mann muß zugeben,[44] daß er sich für die Gestalt jenes Darmstädter Dialekt redenden Kunstsammlers Sixtus Kridwiß, bei dem in München allerlei präfaschistische Diskussionen geführt werden, einige Züge bei Preetorius geliehen hat. Unverkennbar:

Kridwiß, Graphiker, Buchschmuck-Künstler und Sammler ostasiatischer Farbenholzschnitte und Keramik, ein Gebiet, über das er auch, eingeladen von dieser und jener kulturellen Vereinigung, in verschiedenen Städten des Reiches und sogar im Auslande kundige und gescheite Vorträge hielt, war ein kleiner, altersloser Herr von stark rheinhessischer Sprechweise und ungewöhnlicher geistiger Angeregtheit, der ohne feststellbare gesinnungsmäßige Bindung, rein neugierigerweise die Bewegungen der Zeit behorchte und dies und das, was ihm davon zu Ohren kam, als „scho' enorm wischtisch“ bezeichnete.[45]

Einen Mord nennt er das selbst, im Gespräch mit Katia. „Schlimm, schlimm.“ (18. Juli 1947) Aber die Charakterisierung war wohl nicht ganz falsch, Prees Wandlungsfähigkeit insbesondere gut getroffen. „Kridwiß“ heißt er umstandslos im Tagebuch (4. März 1948) – den Namen hatte Mann aus dem *Hexenhammer*[46] –, und wurde wohl auch in Deutschland so angeredet.[47] Mann schickt ihm ein Exemplar (6. Mai 1948). Preetorius antwortet unbeleidigt, den Dichter hymnisch preisend. Dieser kommentiert: „Die fast schon gewohnten höchsten Töne. ‘Großartige Selbststeigerung: Sie gehören damit zu den gesegneten Künstlern von der Sorte Goethe, Tizian, Verdi.’“ (28. Juni 1948)

Pree war inzwischen Präsident der Bayerischen Akademie der Schönen Künste geworden und ebnete Thomas Mann die Wege bei seinem Besuch in München im Sommer 1949. Ein tiefes Vertrauen freilich stellte auch die persönliche Wiederbegegnung nicht her, im Gegenteil. Wieder zu Hause, schreibt Thomas Mann *Richard Wagner und kein Ende,* einen Offenen Brief an Emil Preetorius. „Es steckt viel Hitler in Wagner“, das ist seine Antwort auf die Forderung, Wagner weißzuwaschen und damit auch Pree. Denn dieser war nie so richtig ehrlich. Sein 1941 erschienenes Wagner-Buch, das sich in manchen Passagen wie eine Polemik gegen Thomas Manns Wagner-Essay von 1933 liest, hat er in der Nachkriegsauflage um einige belastete Passagen gekürzt und eine Verbeugung vor Manns „glänzender Deutung“ hinzugefügt.[48] Thomas Mann ahnte die Unehrlichkeit. „Brief an Preetorius abgeschlossen“, notiert das Tagebuch am 7. Dezember 1949 und fügt hinzu: „Verdient ihn nicht.“ Der Kontakt wird danach schwächer. Aber Prees Nettigkeit war unbesieglich. „Anruf Preetorius, der auf dem Rückweg von St. Moritz nach München, mit uns dinierte. Herzlich.“ (25. September 1951) Bis zum Tode des Dichters werden freundliche Briefe gewechselt.

Pate Bertram, der Berater in der Weltkriegszeit, hatte 1918 Elisabethchen aus der Taufe gehoben. Im *Gesang vom Kindchen* ist er „der anhängliche Freund, im wohlgeschnittenen Gehrock, / bürgerlich vornehm, ein wenig altfränkisch, der deutsche Gelehrte / und Poet, voll kindlich artigen Frohmuts“.[49] Das waren noch schöne Zeiten! Schon ziemlich bald danach mischte sich Bitternis ein. Manns republikanische Wende konnte der Altfränkische nicht nachvollziehen. Er entwickelte sich allgemach zum überzeugten Nationalsozialisten. Ein langer, schmerzlich besessener Brief, „zart, wirr, melancholisch ergreifend“, kam noch am 4. Juni 1935. Thomas Mann schrieb zurück, „freundlich ironisch“ (16. Juni), vom Schiff aus, mit vom Ozean bewegter Hand, erhielt aber keine Antwort mehr. Das Schweigen währt vierzehn Jahre. Der erste indirekte Kontakt ergibt sich im Jahre 1948. Bertram war bei der Entnazifizierung als Belasteter eingestuft worden, sein Professorenamt war ihm genommen, sein Pensionsanspruch aberkannt worden. Ein Bertram-Schüler bittet Thomas Mann um ein gutes Wort. Der Angesprochene ist zwar gegen Bertrams Wiederberufung als akademischer Lehrer, wünscht ihm aber ein anständiges Ruhegehalt. Er charakterisiert ihn im Rückblick ziemlich treffend:[50]

Ernst Bertram ist ein lieber, feiner und reiner, geistig außerordentlich hochstehender Mensch und war durch viele Jahre mein und meines Hauses bester Freund. Was uns zu meinem Kummer einander immer mehr entfremdete, war [...] sein begeisterter Glaube an das heraufziehende „Dritte Reich“, ein Glaube, in dem er durch keine Warnung, keinen beschwörenden Hinweis auf den Unheilszug im Gesicht dieser Massenbewegung zu beirren war [...] Und diesem Glauben ist er, selbstlos und in persönlicher Reinheit, *treu geblieben nicht nur zur Zeit von Hitlers Trugsiegen, der Schändung und Plünderung Eu-*

ropa's, sondern bis in die Agonie des national-sozialistischen Staates hinein, bis in die Tage des Volkssturms und des Werwolfs.

Eine untergehende Sache verläßt man nicht, das dachte so mancher treue Verblendete. Das Tagebuch grübelt: „In Deutschland Welle von Selbstmorden von 'Edel-Nazi' mit Hinterlassung von 'Lieber tot als Sklave'. Offiziere, Professoren. Bertram? Wohl kaum." (26. Mai 1945) Ein Selbstmord-Typ war der sinnend-sanfte Pate nicht. Aber er hatte trotzdem mehr Stolz als Vikko und Pree, anders als sie wirft er sich Thomas Mann nicht gleich an den Hals. Er war allerdings auch tiefer verstrickt. Mögen auch keine persönlichen Schändlichkeiten bekannt sein – ideologisch hat Bertram dem Reiche treu gedient. Als Essayist und Lyriker hatte er schon in den zwanziger Jahren den deutschen Rhein gefeiert. Das brachte ihm 1940 den volksdeutschen Joseph von Görres-Preis ein. Der Verleihungs-Festakt der Universität Bonn, just jener Hochschule, die Thomas Mann Ende 1936 mit Aplomb und Eklat den Ehrendoktor aberkannt hatte, endete mit dem Programmpunkt *Führerehrung und Nationallieder.* Hitler war am 21. Jahrestag der „Schmach von Versailles", am 28. Juni 1940, ins Straßburger Münster eingezogen. Bertram läßt sich das in seiner Festrede nicht entgehen. Vor Partei und Wehrmacht, Staat und Stadt verkündete er die tiefe Symbolik jenes Vorgangs, die Heimkehr Straßburgs, das Herrlich-Unwahrscheinliche jener „Arminiustat" des Retters, den der tiefste Zusammenbruch „so innerst durchschütterte, daß diese Erschütterung Willensmagie wurde"[51] und die Vision der Dichter des Rheines wirklich werden ließ.

Ähnliches erfuhr auf Umwegen auch Thomas Mann, und ihm grauste. „Ein Gespenster-Reigen", schrieb er 1944 über die kulturellen Aktivitäten der Bertram und Preetorius.[52] Aber er mochte ihn doch gern, den Betörten, und hätte ihn bei seiner Deutschlandreise 1949 gern gesehen, ja, wartete fast sehnsüchtig auf ihn.[53] Bertram aber war krank (oder hatte Angst) und schickte nur einige freundliche Zeilen, auf die Thomas Mann am 9. August 1949 herzlich antwortete. Die Scham war zu groß, als daß etwas wie Freundschaft sich wieder hätte befestigen können. Tief innen aber arbeitete es, rebellierte das Menschliche gegen seine Schändung durch die Politik. „Unter der gestrigen Post mir nahe gehender Brief über *Bertram,* der sich immerfort mit mir beschäftigt, von mir träumt, sich nach einer Aussprache vor seinem Tode sehnt. Will ihn selbstverständlich sehen." (17. August 1954) Am 24. August besuchte Thomas Mann den alten Freund in Köln. „Freundlicher Aufenthalt in seiner sinnig-schönen Wohnung, voller persönlicher und künstlerischer Andenken. Sein Gesicht gealterte Vergangenheit. Seine gesprächige, sympathisch-altmodische Art unverändert. Herzliches Verhältnis, herzliche Verabschiedung."[54] Ein wirklicher geistiger Austausch über das Erlebte aber ist nicht möglich gewesen. Die Wunden durften nicht berührt werden. Das letzte Wort ist wehmütig-freundschaftlich. „Lieber Pate", schreibt der Achtzigjährige auf eine gedruckte Danksagungskarte (7. Juni 1955), „wir denken oft mit stiller Freude an unseren Besuch bei Ihnen zurück."

Die Goethe-Reise und ihre Folgen

Erst spät entschied es sich, daß Thomas Mann auch Deutschland besuchen würde. Ursprünglich hatte er nur eine Einladung nach Oxford gehabt. Daß Johannes R. Becher ihn fragt, ob er zur Goethe-Feier nach Weimar kommen und den neu gestifteten Goethe-Nationalpreis entgegennehmen wolle, kommentiert er im Tagebuch mit „mißlich" (27. Dezember 1948) und antwortet aufschiebend. Noch im Februar will er keinen Fuß auf deutschen Boden setzen. „Dass dort die Luft schon wieder – im Zeichen dieses 'Schon wieder' steht alles! – unatembar geworden ist, spürt man ja bis hierher."[55] Eingeladen von Emil Preetorius erwägt er seit März 1949 einen Besuch in München, aber auch das steht nicht fest. „Kommt es zu dem Besuch, so mag er leichthin improvisiert werden." Ein Besuch in Frankfurt zur Entgegennahme des Goethe-Preises wird am 3. Mai beschlossen und dann auch noch kurzfristig vorverlegt, vom 28. August auf den 25. Juli. Als Folge der Erschütterung durch den Tod des Sohnes Klaus sollte Anfang Juni überhaupt alles in Deutschland abgesagt werden. Nur die Schweizer Termine sollten eingehalten werden.[56] Weimar war damals ohnehin noch nicht beschlossen, aus politischen Gründen – „Abneigung, es mit Amerika zu verderben" (18. Juni 1949). Erst am 9. Juli stehen die Entscheidungen fest, und erst am 25. Juli in Frankfurt werden mit den ostzonalen Abgesandten die Einzelheiten verabredet.[57]

Aus Deutschland hatten ihn bösartige Briefe erreicht.[58] Er habe Deutschland verraten und möge draußen bleiben. Auch Morddrohungen waren dabei. Mal diskreter, mal aufdringlicher Polizeischutz auf der ganzen Reise wird die Folge sein. Auch die ihn einluden, waren

Thomas Mann nicht geheuer. „Was glauben Sie", fragt er seinen Fahrer und Reisemarschall Georges Motschan nach dem Frankfurter Auftritt, „wieviel Blut wohl an all den Händen klebt, die ich heute haben drücken müssen?"[59] Mit einem „Gefühl, als ob es in den Krieg ginge", war Thomas Mann am 23. Juli von Zürich aus aufgebrochen. Die Reise führt über Frankfurt, Stuttgart, München und Nürnberg (wo man ihm die Besichtigung der Kriegsverbrecher-Hinrichtungsstätte anbietet, worauf er zugunsten des Parteitagsgeländes dankend verzichtet[60]) schließlich doch noch nach Weimar. „Ich kenne keine Zonen", sagt er in Frankfurt und Weimar. „Mein Besuch gilt Deutschland selbst, Deutschland als Ganzem, und keinem Besatzungsgebiet."[61] München bewegt ihn nicht – „zerlumpte Vergangenheit, für die wenig Herz."[62] Sein ehemaliges Haus zu besuchen lehnt er ab.

„Ich weiß, daß der Emigrant in Deutschland wenig gilt", sagte er in Frankfurt.[63] Als er zu Bett gegangen war, sollen die Gäste, die ihn eben noch gefeiert hatten, Nazi-Lieder gegrölt haben.[64] In der westdeutschen Presse stand viel Haßerfülltes. Daß der Vaterlandsverräter, der die deutsche Tragödie nur von den Logen- und Parterreplätzen Kaliforniens aus gesehen hatte, auch noch in die russische Zone fahren wollte, führte zu einem Protest, der Thomas Mann besonders bitter traf, weil er nicht unberechtigt schien. Das ehemalige Nazi-Konzentrationslager Buchenwald bei Weimar wurde damals von den Russen weiterbenützt. Thomas Mann sollte, so die Forderung einer „Gesellschaft zur Bekämpfung der Unmenschlichkeit", bei seinem Besuch in der Ostzone auch Buchenwald besuchen.[65] Das wäre natürlich ein Affront gewesen. Andererseits mußte nun, wenn er ablehnte, sein Weimarbesuch als Billigung russischer Verbrechen gegen die Menschlichkeit erscheinen. Daß sie von Eugen Kogon ausging, der in der Hitlerzeit selbst in Buchenwald eingesessen war, gab der Aufforderung moralisches Gewicht. Thomas Mann mußte die Peinlichkeit einer Ablehnung des Ersuchens in Kauf nehmen. Er mußte auch in Kauf nehmen, daß die Ostberliner Regierung aus seinem Besuch propagandistisch herauspreßte, was irgend herauszupressen war. Man bereitete ihm einen überwältigenden Empfang, der an triumphaler Inszenierung Frankfurt und München weit in den Schatten stellte. Thomas Mann war davon doch beeindruckt. Er ließ sich zu den Sätzen hinreißen, daß der autoritäre Volksstaat zwar seine schaurigen Seiten habe, aber doch die Wohltat mit sich bringe, daß Dummheit und Frechheit endlich einmal das Maul zu halten hätten.[66]

Das schmissige Sätzchen war nun „in seiner vollkommenen Unnötigkeit ein wirklich dummer Streich".[67] „Denn ich bin ja nicht für Gewalt und Polizei."[68] Mit vielen anderen prokommunistisch wirkenden Bekundungen geriet die Erklärung in Thomas Manns FBI-Dossier. Die Weimar-Reise und ihre Begleiterscheinungen machten Thomas Mann im Nachkriegs-Amerika immer mehr politisch verdächtig. Viele einstige Freunde zogen sich von ihm zurück. Es regnete Absagen und Zurückweisungen. Es ging ihm dank einflußreicher Gönner wie Agnes Meyer nicht ganz so schlimm, aber doch ähnlich wie seiner Tochter Erika, die, nachdem man sie ewig hatte warten lassen, 1950 ihren Antrag auf Einbürgerung zurückzog. Sie, die als britische Staatsbürgerin viele Jahre im Dienst Amerikas gegen Hitler gekämpft hatte, schrieb an die Einwanderungsbehörde einen tief verbitterten Brief:[69]

Ich stellte meinen Antrag vor fast vier Jahren. Seit diesem Zeitpunkt ist eine Überprüfung im Gange, die unvermeidlich dazu führte, Zweifel an meinem Charakter zu wecken, meine berufliche Laufbahn allmählich zu ruinieren, mich meines Lebensunterhalts zu berauben und mich – kurz gesagt – von einem glücklichen, tätigen und einigermaßen nützlichen Mitglied der Gesellschaft zu einer gedemütigten Verdächtigten zu machen. Freunde von mir sind zwei und drei Stunden hintereinander verhört worden, bis sie fast zusammengebrochen sind. Als sich herausstellte, daß ich weder Kommunistin, noch „Mitläuferin", noch Mitglied einer als „subversiv" registrierten Organisation, noch sonst irgendwie politisch unerwünscht war, begannen die Behörden in meinem Privatleben herumzustochern in einer Weise, die alle Befragten äußerst schockierte.

Die krasse Form blieb Thomas Mann zwar erspart, die subtile jedoch nicht. In Amerika wurde es langsam einsamer um ihn, teils weil viele Amerikaner sich von ihm abwandten, teils weil immer mehr Emigranten nach Europa zurückreisten. Die Goethe-Reise von 1949 ist noch einmal eine Lebenswende. Sie bereitet den Abschied von den Vereinigten Staaten vor, ohne deshalb in Deutschland eine neue Wohnstatt aufzuzeigen. Der Dichter rettet sich in ein rhetorisches Weltbürgertum, das aber doch den Nachteil hatte, daß eine bestimmte Heimat damit nicht verbunden war. Es lief dann auf die Schweiz hinaus. Mit einigem Augenzudrücken konnte der Weltbürgerliche sich dort noch am ehesten aufgehoben fühlen. Anders als in den dreißiger Jahren war er jetzt dort hochwillkommen.

Warum nur konnte er in Deutschland keine Heimat mehr finden? Das beginnt damit, daß er sich dann für Ost oder West hätte entscheiden müssen. Er liebte die Bundesrepublik nicht, die „amerikanische Lieblingskolonie" mit ihrer „lächerlichen Wirtschaftsblüte".[70] Aber das war nicht des Pudels Kern. Auch wenn die Entscheidung eindeutig für den Westen ausgefallen wäre, wie man annehmen muß, blieb ein Tieferes übrig. Der Abgrund zwischen dem Emigranten und seiner ehemaligen Heimat ließ sich nicht mehr schließen, durch noch so viele Ehrungen nicht. An solchen fehlte es nicht, aber im tiefsten glaubte er ihnen nicht. Waren sie nicht ein Produkt des schlechten Gewissens? Überkompensationen nur, nicht freie und herzliche Liebesäußerungen? Die Schere zwischen offizieller Glorifizierung und untergründigem Haß schloß sich nicht mehr, zu Lebzeiten jedenfalls nicht, trotz einer gewissen Aussöhnung mit München und Lübeck. Allzuoft bekam er unter dem festlichen Firniß die faschistische Fratze zu sehen. Als er sich in Bayreuth ins Gästebuch eingetragen hatte, blätterte er ein paar Seiten zurück und sah, was zu erwarten war. „Da sind sie ja alle, – die ganze Teufelsbrut beisammen, Hitler, Himmler, Goebbels, Göring, alle, alle!!"[71] Im Osten war die festliche Oberfläche genauso inszeniert. Erbarmungslos verordneten sie Jubel. „Unvorbereitet wie sie sich hatten",[72] nutzten sie seinen Ruhm für ihre Zwecke, und weckten doch mit ihrer Blechmusik, ihren Schulkinderchören, Spruchbändern und Girlanden fatale Assoziationen. Daß die FDJ „von Morgen bis Abend ihr Friedens-Horst-Wessel-Lied grölte" und dazwischen im Chor schrie „Wir grüßen unseren Thomas Mann", veranlaßte Katia Mann zu der Erwägung, ob es richtig war, „der dortigen Propaganda als so überaus fetter Bissen zu dienen".[73] Der westdeutschen Presse ist das willkommener Anlaß für Haßorgien. In der *Frankfurter Allgemeinen*, die heute mit Scham darauf blickt, schreibt einer zum 75. Geburtstag, daß Thomas Mann, dumm vor Abneigung gegen Deutschland, zum Anwalt der östlichen Schinderwelt geworden sei, daß er alles tue, um die Rettung des Abendlandes zu verhindern, daß er zwar schreiben könne, aber nicht denken.[74]

Besonders tragisch ist es, daß sich nicht einmal mit der deutschen Hitler-Opposition ein fruchtbares Gespräch entfalten wollte. Warum war mit Eugen Kogon nicht zu reden, der doch wie er zu den Verfolgten gehört hatte? Warum nicht mit dem Ex-Luftwaffenoffizier und späteren Mitgründer des „Nationalkomitees Freies Deutschland" Heinrich Graf von Einsiedel, der sich dem Kogonschen Protest angeschlossen hatte?[75] Warum nicht mit der inneren Emigration? Zu ihr wollten freilich nachträglich zu viele zählen; die sich zu ihren Sprechern machten, waren nicht ihre besten. Von Thieß, Kästner und Hausmann war bereits die Rede. Auch die sich Anfang der fünfziger Jahre allmählich etablierende Gruppe 47, die doch den Antifaschismus auf ihre Gründungsfahnen geschrieben hatte, suchte keinen Kontakt zu Thomas Mann, obgleich einzelne Mitglieder von dieser Linie abwichen. Zu diesen Ausnahmen gehörte Alfred Andersch, der sich mit kühnen Plänen trug, Thomas Mann, Ernst Jünger und Bertolt Brecht an einen Tisch zu bringen.[76] Thomas Mann bezeichnete die Gruppe 47 ironisch als pöbelhafte „Rasselbande". Er kenne die Unverschämtheit der sogenannten jungen Generation.[77] Die Rasselbande suchte ihr Heil darin, über ihn zu witzeln, ihn sogar auszupfeifen,[78] jedenfalls sich von ihm zu distanzieren, anstatt von ihm zu lernen.

Diese ganze Generation mußte aussterben, um wieder ein unbefangenes Verhältnis zu Thomas Mann herzustellen – Achtung, Bewunderung, vielleicht sogar Liebe möglich zu machen, seine Vorbildlichkeit zu akzeptieren und sich nicht, wie es leider ständig geschieht, mit dem Blick auf seine kleinen Eitelkeiten – „Bekümmert über leichte Risse im Elfenbein der neuen Stockkrücke"[79] – und seine angebliche Kälte, die doch ein notwendiger Schutz für den im Alter immer gütiger Werdenden war, über ihn billig zu erheben.

Russischer Nerz

An einem ungewöhnlich heißen Maitag des Jahres 1954 passierte ein Bürger der Deutschen Demokratischen Republik, einen schweren Pelzmantel über den Arm gelegt, auf dem Flughafen von Zürich den Schweizer Zoll. Die Beamten nahmen keinen Anstoß. Es war Walter Janka, der Leiter des Ostberliner Aufbau-Verlags, auf dem Weg, Thomas Manns Ostmark-Honorare über die Grenze zu schmuggeln.

In jenen verschollenen Zeiten hatte Walter Ulbricht beschließen lassen, daß Bücher aus dem Westen, deren Autoren und Verleger nicht auf Verträge mit Zahlungen in Ostmark eingingen, um des Volkswohls willen trotzdem gedruckt werden sollten. Der Aufbau-Verlag brachte 1952 auf höhere Weisung *Lotte in Weimar* und *Buddenbrooks* in einer „Bibliothek fortschrittlicher deutscher Schriftsteller" in je 30000 Stück an den Tag. Thomas Mann verwahrte sich gegen solche Räuberei: „Mir wird aber bei Ihrem Idealismus und Ihrem Grundsatz: 'Die Volksbildung über alles!' nicht wohl, weil Sie diese gute Gesinnung mit Handlungen verbinden, durch die Ihr Verlag sich außerhalb aller rechtlichen Übereinkunft stellt [...] Wollen Sie fortan jedes Buch, das Ihnen für die Volksbildung unentbehrlich scheint, kontraktlos an sich reißen und 'wild' herausbringen?“[80]

Da man den gefeierten Autor nicht brüskieren wollte, kam es dann doch noch zu halbwegs vernünftigen Vereinbarungen. Bermann Fischer durfte für den Gegenwert der Ostmark-Konten in der DDR drucken lassen und stand sich gut dabei. Für Thomas Mann und seine Familie hatte Janka ein Extra-Bonbon. Er vermittelte ihnen den Einkauf hochwertiger Konsumgüter in der DDR. Nachdem Katia und Erika Ost-Pelze erhalten, geprüft und gelobt hatten, ließ Thomas Mann dem VEB Bekleidungswerk Fortschritt seine Körpermaße senden und einen Pelzmantel aus russischem Nerz maßschneidern.[81] Es war ein prächtiges Stück, mit Otterkragen.[82] Seit München hatte er keinen solchen besessen. Erinnerte er sich daran, wie er damals, 1918, seinen Pelz hervorgeholt hatte und wie peinlich es ihm gewesen war, sich in solcher Üppigkeit sehen zu lassen, „in den 'sozialen Zeiten'“?[83] Und nun lieferte ihm die erste Arbeiter- und Bauernrepublik auf deutschem Boden einen Pelz, in dem er aussah wie ein russischer Großgrundbesitzer in der Zarenzeit.

The Fireman

Daß aber für dieses Land, dessen Bürger zu werden mir eine Ehre und Freude war, der hysterische, irrationale und blinde Kommunistenhaß eine Gefahr darstellt, weit schrecklicher als der einheimische Kommunismus; ja, daß der Verfolgungswahnsinn und die Verfolgungswut, in die man verfallen und der sich mit Haut und Haar zu überlassen man im Begriffe scheint – daß all dies nicht nur zu nichts Gutem führen kann, sondern zum Schlimmsten führen wird, wenn man sich nicht schleunigst besinnt, wollte bei dieser Gelegenheit ausgesprochen sein.[84]

„Alger“ hieß der neue Pudel der Manns,[85] nach Alger Hiss, einem amerikanischen Diplomaten, den, wenn die Fama stimmt, die Kommunistenhatz der McCarthy-Ära zu Unrecht ruinierte.[86] Hätte *the fireman* das gewußt – er hätte einen vergifteten Pfeil daraus gemacht. Hätte er gewußt, daß die Galionsfigur der deutschen Emigration heimlich noch viel Schlimmeres zu Papier gebracht hatte als das, was in seinem denunziantischen Dossier gesammelt war – er hätte ihn zur Strecke gebracht. Daß Goethe es heute (im Februar 1949) eher mit Rußland als mit Amerika halten würde, schrieb Mann in einer vorsichtshalber unterdrückten Passage des Vortrags *Goethe und die Demokratie*.[87] Von der faschistischen Benebelung der amerikanischen Presse, vom erschreckenden moralischen Abstieg des Landes, von seiner gekauften Wissenschaft, die voll unter der Kontrolle der Armee stehe, von der Begünstigung derer, die unter Hitler ihre Vermögen angesammelt hatten, vom hellichten Skandal der Deutschland-Politik, von der Hysterie der Kommunistenverfolgung wäre Eindringliches zu lesen gewesen in einem Aufsatz, der dann nicht erschien.[88] Dort hätte man, wenn es die über die veröffentlichte Meinung wachenden *firemen* nicht gegeben hätte, auch die Anklage lesen können, daß Amerika zwar die Menschenrechtsverletzungen der Sowjetunion geißele, aber Tyrannei und grausamste Sklavenausbeutung in befreundeten Ländern wie dem Iran und Saudi-Arabien schweigend begünstige. „Solange die bürgerliche Welt", hieß es zusammenfassend in dem flammenden Artikel,

der kommunistischen Verheißung nichts anderes entgegenzustellen hat als das untauglich gewordene Ideal des privatwirtschaftlichen Erwerbslebens, des Profits, der Konkurrenz und des Kampfes um den besten Platz [...] solange wird es schlecht um unsere Aussichten stehen, den Kommunismus aus der Welt zu schaffen.

Da mochte einer noch so oft beteuern, er sei kein Kommunist und auch kein „Reisekamerad".[89] Im damaligen Amerika reichte schon viel weniger aus, einen Menschen zu brandmarken. *The Fireman* kennt die Technik. Der Journalist Eugene Tillinger, um ihn geht es, hatte bereits im Dezember 1949 Thomas Mann wegen seiner Weimar-Reise als „America's fellow traveller Nr. 1" bezeichnet.[90] In der ihm offenstehenden Zeitschrift *The Freeman*, die Thomas Mann als „Revolverblatt 'The Fireman'" etikettiert (28. März 1951), hatte Tillinger eine lange Liste prokommunistischer Aktivitäten des Verdächtigen aufgezählt. Ein wildes Hin und Her von Dementis, Presserklärungen, Statements und Anwaltsbriefen ist die Folge. Gar eine Satire will Thomas Mann schreiben: „Es beschäftigt mich die Idee eines schaurig-monotonen Schuldbekenntnis im russischen Stil." (27. April

1951) Alle Artikel und Dokumente werden auf Antrag eines Abgeordneten des Repräsentantenhauses hochoffiziell zu den Kongreß-Akten genommen. Thomas Mann mußte mit einer Vorladung vor das *Committee for Unamerican Activities* rechnen. *Listed* war er längst – zusammen mit so verdächtigen Zeitgenossen wie Albert Einstein, Lion Feuchtwanger, Marlon Brando und Norman Mailer.[91] Zur Vorladung kam es allerdings nicht. Vermutlich hatte er immer noch genug einflußreiche Freunde.

Die ungerechten und unwürdigen Vorwürfe und die publizistische Ächtung deprimieren Thomas Mann tief. „Ich mußte 75 Jahre alt werden und in einer Fremde leben, die mir zur Heimat geworden ist, um mich öffentlich der Lüge bezichtigt zu sehen, von Hexenverbrennern, die – und das ist das Bestürzende – niemandem glauben oder auch nur zuhören als ihren 'Hexen'."[92]

Aber hatte er nicht wirklich ein bißchen gelogen? Wenigstens in einem Punkt scheint Tillinger recht gehabt zu haben, nämlich daß Thomas Mann im Mai 1950 eine Deklaration *pour l'interdiction de l'arme atomique* unterschrieben habe. Ganz unabhängig von der Frage, ob ein Engagement gegen Atomwaffen als schändlich zu betrachten sei, bestreitet Mann seine Mitwirkung, weil die Aktion als kommunistisch gesteuert galt. Aber er hat unterschrieben, man kann es heute beweisen.[93] Es kann allerdings gut sein, daß er betrogen wurde. Eine Hörerin war nach des Dichters Vorlesung in der Sorbonne auf den Gedanken gekommen, ihm den Appell zur Unterschrift vorzulegen. Vielleicht war der Text halb zugedeckt. Das Foto des Dokuments zeige, so Thomas Mann, einen „hastigen Krickel-Krackel von Namenszug, wie man ihn nach einer Vorlesung, um wegzukommen, rechts und links auf vorgehaltene Autogrammzettel wirft, wie ich ihn aber nie als Unterschrift unter ein mir wichtiges Dokument setzen würde".

Warum ich in Amerika nicht bleibe

Das alles greift ihn sehr an. Immer stärker wird der Wunsch: Nicht hier sterben![94] So wird *The Fireman* zu einem der Anstöße für die Rückkehr, ja Flucht nach Europa und die den amerikanischen Behörden so lange wie möglich verschwiegene Niederlassung in der Schweiz. Bei allem Weltbürgertum sehnte er sich doch irgendwie nach Hause. „Es zieht mich zu der Erde, 'von der ich gekommen bin'."[95] „Mein irrationaler Wunsch nach der alten Erde." (6. Juni 1952) Trotz gelegentlicher Sehnsuchtsanfälle nach dem kalifornischen Haus unter Palmen empfindet er sich immer beglückter als Europäer. „Zum Thee feines Gebäck, von Erika besorgt. Gibt es nicht in Amerika." (Gastein, 4. September 1952) Der Bogen des Lebens will sich schließen. München wird in den fünfziger Jahren mehrfach aufgesucht, schließlich auch Lübeck und besonders Travemünde, der Sehnsuchtsort der Kindheit – „denn allen ist uns der Wunsch eingelegt, in das Gewesene heimzukehren und es zu wiederholen, damit es, wenn es unselig war, nun selig sei."[96]

Es gibt Tieferes als Politik. Als der Kampf gegen Hitler, der ihn nach Übersee getrieben hatte, beendet war, begann der amerikanische Boden unter den Füßen zu schwanken. Palmen allein waren eben nicht genug. Je mehr der politische Furor erlosch, desto mehr alte, lange verdrängte Wesensschichten trieb es aus der Tiefe ans Licht. Stunden gab es wieder, in denen ihm die ganze Politik als Irrweg erschien und das politische Moralisieren des Künstlers als etwas Plattes und Komisches,[97] in denen er nur noch Müdigkeit und Menschlichkeit kannte, nichts als Komik und Elend sah wie einst sein Tonio Kröger, in denen er Kunst und Religion, Moral und Innerlichkeit allem demokratischen Gerede vorzog wie einst der unpolitische Betrachter. Die Demokratie kommt von oben, hatte dieser geschrieben, hätte aber auch der pessimistische Emigrant im Nachkriegs-Amerika sagen können. „Sie sollte nicht Anspruch sein, Anmaßung, freche Forderung, sondern Abdankung, Scham, Verzicht, Menschlichkeit [...] Demokratie – aber ich sage immer dasselbe – sollte Moral sein, nicht Politik; sie sollte Güte sein von Mensch zu Mensch, Güte von beiden Seiten! Denn der Herr bedarf der Güte des Dieners ebenso sehr, wie dieser der Güte jenes bedarf."[98] Daß Goethe kein Demokrat war, ist der nur nachlässig verhüllte Tenor des Festvortrags *Goethe und die Demokratie* von 1949. „Er war gegen Pressefreiheit, gegen das Mitreden der Masse, gegen Konstitution und Majoritätsherrschaft, war überzeugt, daß 'alles Gescheite in der Minorität' sei und hielt es offen mit dem Minister, der gegen Volk und König seine Pläne einsam durchführt."[99]

Sein Ureigenes kommt wieder heraus, deshalb will er nach Europa. Es ist nicht etwas so Vordergründiges wie die Politik allein, was ihn aus Amerika vertreibt. Dennoch wollen wir bei ihr noch ein wenig verweilen, denn es bleibt noch etwas Problematisches anzusprechen: des Dichters Kontakt zum *Federal Bureau of Investigation* – jener übertrieben berüchtigten, in Wirklichkeit etwa dem Bundeskriminalamt vergleichbaren amerikanischen Polizeibehörde.

Thomas Mann war stets für einen starken Staat, sofern er denn vernünftig und menschlich wäre. Daß unter Umständen um der guten Ordnung willen die Bürger überwacht werden müßten, widerstand seinem Demokratieverständnis nicht. Wir haben gehört, daß er sich schon in frühen Jahren der Theater- und Filmzensur zur Verfügung stellte. Unter viel dramatischeren geschichtlichen Umständen, denen des Zweiten Weltkriegs, half er, wie seine Tochter Erika,[100] wie sein Sohn Golo,[101] gelegentlich der amerikanischen Polizei. „Längerer Besuch von zwei F. B. I. Gentlemen wegen der Gruppe in Mexiko, Katz, B. Brecht." (18. August 1943) Notate vom Typus „Besuch von FBI-Mann, Auskunft über E. Deutsch." (29. Januar 1944) gibt es in der Folgezeit mehrere.[102] Es geht oft wahrscheinlich nur um deutsche Emigranten, die eingebürgert werden wollten und Thomas Mann als Referenz angegeben hatten, doch müßte man, um die Sache wirklich beurteilen zu können, die andere Seite der Vorgänge kennen. Vermutlich hat der Befragte meistens Hilfreichseinsollendes gesagt. Daß er Otto Katz und Bertolt Brecht zum Schaden geredet hätte, dafür gibt es keinerlei Hinweise. Als Bruno Frank wegen Kommunismusverdacht einer FBI-*investigation* unterliegt, setzt sich Thomas Mann bei seiner mächtigen Freundin Agnes Meyer für ihn ein. „Ich bürge absolut für seine tadellose Gesinnung."[103] Nur einmal, im Falle des Bibliothekars und Literaturwissenschaftlers Curt von Faber du Faur, steht im Tagebuch der Vermerk: „Ungünstig geäußert." (24. Oktober 1944) Seit 1945 hat man ihn anscheinend nicht mehr gefragt.

Die Kehrseite der Medaille ist entschieden reicher ausgearbeitet. Er ahnte gewiß, daß es auch über ihn eine Akte gab – so wie in Deutschland, wie in der Schweiz. Er fürchtete, das FBI könne ihm bei der Einbürgerung einen Strich durch die Rechnung machen, „wegen premature anti-fascism"[104], vorzeitigem Antifaschismus, wie der groteske Terminus lautete. Fast alle wichtigen amerikanischen Künstler wurden überwacht, ebenso fast alle prominenten Emigranten, also auch Tochter Erika und Sohn Klaus.[105] Das Thomas Mann-Dossier enthielt weit über eintausend Stücke aus den Jahren 1937 bis 1954, von denen bislang nur ein kleiner Teil, und dieser mit geschwärzten Namen, freigegeben ist.[106] Ein abschließendes Urteil über diesen Komplex ist infolgedessen nicht möglich.

Das Überwachtwerden bedeutete schließlich nicht nur ein unangenehmes Gefühl, sondern hatte Konsequenzen. Daß man ihn 1950 in der *Library of Congress* nicht seinen jährlichen Vortrag halten ließ – er hatte dafür *Meine Zeit* geschrieben, in der Überzeugung, es handle sich um einen geschichtlich bedeutenden Auftritt –, daß sich die Angriffe verschärften, so daß er erst jedes öffentliche Wort zu wägen und schließlich politisch ganz zu verstummen hatte, und das nach seinem gewaltigen Einsatz im antifaschistischen Kampf, das nahm ihm das Gefühl von Freiheit, das würgte, erstickte ihn, verpestete die Luft. „Fühle mich gefangen in einer Welt des Unheils, aus der kein Entkommen." (22. April 1951) Das Land, das ihm einst so generös erschienen war, zeigte nun ein brutales Gesicht. Eine „stetige Weiterentwicklung zur fascistischen Diktatur" erschien ihm wahrscheinlich (1. März 1952). Er reiste Ende Juni 1952 nach Europa. In einem Brief an Agnes Meyer vom 7. November tut er immer noch so, als wolle er nach Amerika zurückkehren.

Er geht auch wegen seiner Tochter, „die hier bei vollkommenem Entzug jeder Aktivitätsmöglichkeit einfach verkümmert".[107] „Hierbleiben Erikas wegen ganz unmöglich, und ich selbst bin des Landes unaussprechlich müde." (19. März 1952) Thomas Mann hatte Angst um sie, ihrer übergroßen Bitterkeit und Reizbarkeit halber. Die freilich nicht unerklärlich war: „1½ stündige Befragung Erikas durch die beiden F. B. I. Bezahlte Stalin-Agentin oder doch Partei-Mitglied? Nicht zu glauben." (24. Oktober 1951) Auch Katia hat unter Erika zu leiden. (6. Juni 1952) Alles, alles treibt zur Flucht.

„Das Ziel erreicht." (Zürich, 1. Juli 1952)

Einstein und die Bombe

„So ganz einfach neben *dem*? Mir schwindelt." So lautet die Widmung auf einem Schnappschuß, der Thomas Mann im Gespräch mit Albert Einstein zeigt.[108] Im Tagebuch ist zwar von Schwindel keine Rede, aber doch immer von Hochachtung und Freundschaft. Sie kannten sich mindestens seit 1925 auch persönlich – das Zusammensein mit ihm sei ergreifend gewesen, heißt es damals, „dank seiner Sanftmut, Kindlichkeit, Bescheidenheit!"[109] In Manns Princetoner Zeit waren sie Nachbarn und besuchten einander häufig. Auch sonst verband sie manches (nicht nur ihr Mißverhältnis zur Schule) – die Vertreibung aus Deutschland, die gemeinsame Harvarder Ehrenpromotion 1935 und das darauffolgende Dinner mit Roosevelt, ihre politische Solidarität in den USA, gemeinsam unterschriebene Appelle;[110] auch „listed“, als *fellow travellers* denunziert[111] und vom FBI überwacht wurden sie schließlich beide. Beide waren gutherzige Weltverbesserer schon in der Weimarer Republik, wo Thomas Mann zusammen mit Albert Einstein für alles mögliche eintrat: Freiheit für die Kunst verlangte, die Kinderheime der Roten Hilfe förderte, das Schmutz und Schund-Gesetz bekämpfte, sich für „Pro Palästina“, für Max Hölz, gegen die Wehrpflicht und gegen einen Raubdruck von Joyce's *Ulysses* einsetzte,[112] wo er den großen Physiker ferner zu einem Aufruf gegen den Nationalsozialismus und für eine „drakonische Republik“ gewinnen wollte, der dann nicht zustande kam.[113]

1905 und 1915 hatte Einstein seine bahnbrechenden Theorien dem Fachpublikum, 1917 in einem Buch *Über die spezielle und allgemeine Relativitätstheorie* einer breiteren Öffentlichkeit vorgestellt. Thomas Mann interessierte sich zwar bald dafür im Hinblick auf die Zeitphilosophie im *Zauberberg*,[114] begriff aber nicht viel davon. „Einstein“ wurde für ihn zum Synonym für „moderne Physik“, von der er jedoch ebensowenig verstand. Sie fiel für ihn mit einem „kosmischen Weltbild“ zusammen, von dem er hoffte, es werde „die Grundlage und das Pathos des neuen Humanismus bilden, der hinter aller Verwilderung sich in den Besten vorbereite“.[115]

Zunächst geschah aber etwas ganz anderes. Die Formel $E=mc^2$ hatte postuliert, die Entdeckung der Kernspaltung praktisch erwiesen, daß Masse und Energie im Grunde dasselbe waren. Ein einziges Kilogramm Kohle würde, so ließ sich Thomas Mann belehren, wenn es ganz in Energie verwandelt wäre, 25 Billionen Kilowattstunden Strom liefern.[116] Der Weg zur Atombombe begann mit dem berühmten Brief, den Einstein zusammen mit Leo Szilard 1939 an Präsident Roosevelt schrieb. Die Bombe sollte gebaut werden, um den Deutschen zuvorzukommen. Eine gigantische Maschinerie lief an. Der Mann mit den „blanken und kugelrunden Kinderaugen“,[117] der der Atombombe unschuldig die Hand geboten hatte,[118] hatte sich längst von all dem distanziert, als Hiroshima und Nagasaki verglühten.

Die Bomben auf Japan kommentiert Thomas Mann faustkritisch, Goethe gegen den Strich zitierend: „Ins Innere der Natur dringt kein erschaffner Geist? Die innerste Kraft des Alls wird in den Dienst des Menschen gestellt. Sie ist dabei in zweifelhaften Händen.“[119] Die Tagebuchnotizen sind, was die Opfer der Bomben betrifft, ziemlich kühl, wie die Einsteins übrigens auch, der in einem Artikel erklärte, die Erfindung könne zwei Drittel der Menschheit, aber nicht diese selbst austilgen. Man könne wieder anfangen.[120] Als dann die Hydrogen-Bombe entwickelt wird, sieht er das nicht mehr so „optimistisch“. „Television-Rede Einsteins gegen die H-Bombe. Vernichtung der Menschheit technisch möglich.“ (13. Februar 1950) Gemeinsam rufen sie im Oktober 1945 zur Verhinderung eines Atomkriegs auf.[121] Eine weitere Proklamation Einsteins verzeichnet das Tagebuch am 18. November 1946. Beide rufen nach Vereinten Nationen und *World Government*,[122] aber der Glaube daran ist nicht groß, ein Settembrini ist Thomas Mann zu diesem Zeitpunkt nicht mehr. Er ist vielmehr überzeugt, „daß mein Bekenntnis noch prompter und lautloser vom Wogengang des Verhängnisses werde verschlungen werden als das Manifest des großen Gelehrten“.[123] Dennoch wird er sich gegen die Wiederaufrüstung Westdeutschlands aussprechen,[124] aber, vergleicht man frühere politische Stellungnahmen, nur mit halber Kraft. Ein letztes Mal, wieder mit Einstein, will er 1954 eine feierliche Warnung vor dem drohenden Atomkrieg aussprechen, „tief, ernst und lapidar“ (19. November 1954). Am 4. Juli bricht Erika im Auftrag ihres Vaters zu sondierenden Gesprächen nach London auf. Etwas Großes ist geplant,[125] doch kam die Krankheit zum Tode. So blieb Thomas Manns letztes Wort in dieser Sache ein markanter Satz im *Versuch über Schiller* (1955):

Wut und Angst, abergläubischer Haß, panischer Schrecken und wilde Verfolgungssucht beherrschen eine Menschheit, welcher der kosmische Raum gerade recht ist, strategische Basen darin anzulegen, und die die Sonnenkraft äfft, um Vernichtungswaffen frevlerisch daraus herzustellen.[126]

Das Winkelsternchen

Schon früh und dann immer wieder finden wir Figuren der Spaltung bei Thomas Mann – den Bürger und den Künstler in *Tonio Kröger*, den Moralisten und den Ästheten in *Fiorenza*, Lodovico Settembrini und Leo Naphta im *Zauberberg*, Serenus Zeitblom und Adrian Leverkühn im *Doktor Faustus*. Auch er selbst ist ja gespalten in einen optimistischen politischen Essayisten und einen antipolitischen pessimistischen Dichter. Der eine will der Welt helfen, der andere kannte seinen Schopenhauer und wußte immer schon, daß das Sein eine abgründige Erfindung ist.

Mit der gleichen Spaltung reagiert Thomas Mann auf das Weltbild der Astrophysik. Es überrascht ihn nicht als Leverkühn, aber er protestiert dagegen als Zeitblom. Ein Teufel ist es, ein erfundener Gelehrter namens Capercailzie, der Adrian aufklärt über die ungeheuerlichen Dimensionen der Galaxien, in deren Innerem sich irgendwo, „ganz nebensächlicher, schwer auffindbarer und kaum erwähnenswerter Weise, der Fixstern, um den, nebst größeren und kleineren Genossen, die Erde und ihr Möndchen spielten", befinde.[127]

Serenus aber nennt das einen teuflischen Angriff auf den Menschenverstand:

Die Daten der kosmischen Schöpfung sind ein nichts als betäubendes Bombardement unserer Intelligenz mit Zahlen, ausgestattet mit einem Kometenschweif von zwei Dutzend Nullen, die so tun, als ob sie mit Maß und Verstand noch irgend etwas zu tun hätten. Es ist in diesem Unwesen nichts, was meinesgleichen als Güte, Schönheit, Größe ansprechen könnte, und nie werde ich die Hosianna-Stimmung verstehen, in die gewisse Gemüter durch die sogenannten 'Werke Gottes', sofern sie Weltphysik sind, sich versetzen lassen. Ist überhaupt eine Veranstaltung als Gottes Werk anzusprechen, zu der man ebensogut 'Wenn schon' wie 'Hosianna' sagen kann? Mir scheint eher das erste als das zweite die rechte Antwort zu sein auf zwei Dutzend Nullen hinter einer Eins oder auch hinter einer Sieben, was schon gleich nichts mehr ausmacht, und keinerlei Grund kann ich sehen, anbetend vor der Quinquillion in den Staub zu sinken.

So weit der wackere Gelehrte. Er ist nicht völlig auf dem laufenden, denn er empört sich gegen Fakten, die mindestens seit Galilei bekannt sind. Sie figurieren für ihn wie für seinen Erzeuger Thomas Mann unter der Chiffre „Einstein". Warum eigentlich einem Gott, der das Einsteinsche All erschaffen habe, Anbetung zukommen solle, hatte Thomas Mann schon im *Fragment über das Religiöse* gefragt. „Das Einsteinsche All könnte noch viel großartiger und komplizierter sein, als es offenbar ist, und würde mir immer noch eine von Überschwang völlig freie Haltung gegenüber seinem Urheber gestatten."[128] Ganz wie Zeitblom schreibt er 1934: „Ich kann mir nicht helfen: die humane Erkenntnis, die Vertiefung ins Menschenleben hat reiferen, erwachseneren Charakter als die Milchstraßenspekulation."[129]

Aber die schlimmste Attacke der Weltphysik sollte erst noch kommen. Capercailzie verfügt über die in der Entstehungszeit des Faustromans brandneue Urknall-Theorie. Der Kosmos befinde sich im Zustande rasender Ausdehnung, woran die Rotverschiebung des

Lichtes, das uns von anderen Milchstraßensystemen erreiche, keinen Zweifel lasse.

Der Humanist wehrt sich erneut. Die Horrendheiten der physikalischen Schöpfung seien religiös unproduktiv. Welche Ehrfurcht könne ausgehen von der Vorstellung eines unermeßlichen Unfugs wie des explodierenden Weltalls? Gott sei in der Verpflichtung des Menschen auf Wahrheit, Freiheit und Gerechtigkeit – „in hundert Milliarden Milchstraßen kann ich ihn nicht finden."

Sein Antipode Adrian Leverkühn macht das Augenverschließen nicht mit. Allerdings ist auch er kein Physiker, sondern ein Moralist, wenn auch ein negativer. Er besteht darauf, daß die physikalische Schöpfung die Voraussetzung für die moralische sei. Sei die physikalische böse (aber warum sollte sie „böse" sein?), dann könne auch das Gute und Moralische nur „die Blüte des Bösen" sein. Er verspottet Zeitbloms geozentrischen Humanismus als „Kaisersascherner Kirchturmskosmologie".

Das alles hat sich Thomas Mann in seinen alten Schopenhauer zurückübersetzt. Die Welt ist ursprünglich „Wille" und blinder Trieb, auch als explodierendes All. Sie ist eigentlich ein stehendes Jetzt und Immer und Überall, das nur durch illusionäre Verzeitlichung und Verräumlichung die Erscheinungsform davonrasender Teile und Teilchen annimmt. Die Einsteinsche Relativität von Ort, Zeit und Bewegung liest Thomas Mann als Bestätigung der Schopenhauerischen Einheitsmystik. Aus Physik macht er Metaphysik. Die allgemeine Relativität bringt bei ihm deshalb ein recht bekanntes Ergebnis hervor: die Ironie. Seine Rettung vor dem Urknall ist der Spott. Leverkühn verspottet die Welt der Astrophysik mit seinem Orchesterwerk *Die Wunder des Alls*. Thomas Mann ironisiert ihr mikrokosmisches Gegenstück zwischen Kaffee und weichem Ei. „Amüsierte mich beim Frühstück über das gefundene missing link zwischen Energie und Materie, die gewichtlosen neutrino's, von denen, durch Atomexplosion die Welt voll ist, u. in welche wohl alle Körper sich auflösen werden." (13. Oktober 1948)

Nach diesem missing link hatte Thomas Mann schon seit den zwanziger Jahren gefahndet. „Die Tatsache, daß ich von der Lehre des berühmten Herrn Einstein sehr wenig weiß und verstehe", so erklärt er 1923 wahrheitsgemäß, hindere ihn nicht an der Beobachtung, daß in dieser Lehre die Grenze zwischen Physik und Metaphysik fließend geworden sei.[130] Sein Hans Castorp (im *Zauberberg)* forscht nach dem Ursprung des Lebens,[131] nach der Urzeugung, also jenem Augenblick, in dem das Leben aus dem Leblosen hervorgegangen war. Er macht sich auf den Weg zum immer Kleineren, vom Molekül zum Atom, das bereits so klein sei, daß es an der Grenze zwischen dem Materiellen und dem Immateriellen liege.

Weit entfernt, eine Antwort zu finden, weicht Hans an dieser Stelle erst einmal auf die vermeintliche Strukturähnlichkeit von Makrokosmos und Mikrokosmos aus. Das Atom, war es nicht auch ein energiegeladenes kosmisches System, worin Weltkörper rotierend um ein sonnenhaftes Zentrum rasten, und durch dessen Ätherraum mit Lichtjahrgeschwindigkeit Kometen fuhren, welche die Kraft des Zentralkörpers in ihre exzentrischen Bahnen zwang? Wiederholte sich nicht im Innersten der Natur, in weitester Spiegelung, die makrokosmische Sternenwelt, deren Schwärme, Haufen, Gruppen und Figuren dem Nachthimmel seine Tiefe gaben? Und, die Brücke zu Leverkühn und Capercailzie bildend: konnte es dann nicht auch in der Welt der Atome eine „Erde" geben?

War es unerlaubt, zu denken, daß gewisse Planeten des atomischen Sonnensystems – dieser Heere und Milchstraßen von Sonnensystemen, die die Materie aufbauten –, daß also einer oder der andere dieser innerweltlichen Weltkörper sich in einem Zustande befand, der demjenigen entsprach, der die Erde zu einer Wohnstätte des Lebens *machte?*

Die Thematik läßt den alten Thomas Mann nicht los. Im Tagebuch vom 23. Dezember 1951 sinniert er, wie doch alles ineinander übergehe, der Mensch ins Tierische, dieses ins Pflanzliche, das Organische ins unorganische Sein, das Sein ins Nichtsein.

Alles hat angefangen und wird aufhören, es wird wie vorher raum- und zeitloses Nichts sein. Das Leben *auf Erden eine* Episode, *so vielleicht alles* Sein ein Zwischenfall *zwischen Nichts und Nichts. Wie und wann trat im Nichts die erste Schwingung des Seins auf? Dies etwas Neues. Ebenso das Plus zum Anorganischen, das man Leben nennt, ein Hinzukommendes ohne ein Neues an Stoff. Etwas drittes Hinzukommendes, im Tierisch-Organischen ist das Menschliche. Das Übergängliche ist gewahrt, aber ein Unbestimmbares, wie bei der Wendung zum „Leben", tritt hinzu. – – –*

In den *Bekenntnissen des Hochstaplers Felix Krull*, deren entsprechendes Kapitel im November und Dezember 1951 geschrieben wurde, breitet Professor Kuckuck im Speisewagen des Zuges nach Lissabon vor dem Marquis de Venosta alias Felix Krull biologische und kosmologische Betrachtungen aus, die freundlicher sind als die zitierte Tagebuchstelle. Überraschend erscheint das, was Zeitblom die Horrendheiten der Physik genannt hatte, nun in einem versöhnten Licht, im Licht des Festes. Das Sein feiere sein tumultuöses Fest in den unermeßlichen Räumen.[132]

Und er sprach mir von dem Riesenschauplatz dieses Festes, dem Weltall, diesem sterblichen Kinde des ewigen Nichts, angefüllt mit materiellen Körpern ohne Zahl, Meteoren, Monden, Kometen, Nebeln, Abermillionen von Sternen, die aufeinander bezogen, zueinander geordnet waren durch die Wirksamkeit ihrer Gravitationsfelder zu Haufen, Wolken, Milchstraßen und Übersystemen von Milchstraßen, deren jede aus Unmengen flammender Sonnen, drehend umlaufender Planeten, Massen verdünnten Gases und kalten Trümmerfeldern von Eisen, Stein und kosmischem Staube bestehe …

Auch Professor Kuckuck weiß über die winzige Nebensächlichkeit unserer Erde Bescheid. Er gibt über sie schreckensfest Auskunft:

Unsere Milchstraße, vernahm ich, eine unter Billionen, schließe beinahe an ihrem Rande, beinahe als Mauerblümchen, dreißigtausend Jahreslichtläufe von ihrer Mitte entfernt, unser lokales Sonnensystem ein, mit seinem riesigen, vergleichsweise aber keineswegs bedeutenden Glutball, genannt 'die' Sonne, obwohl sie nur den unbestimmten Artikel verdiene, und den ihrem Anziehungsfeld huldigenden Planeten, darunter die Erde, deren Lust und Last es sei, sich mit der Geschwindigkeit von tausend Meilen die Stunde um ihre Achse zu wälzen und, in der Sekunde zwanzig Meilen zurücklegend, die Sonne zu umkreisen, wodurch sie ihre Tage und Jahre bilde, – die ihren wohlgemerkt, denn es gebe ganz andere. Der Planet Merkur etwa, der Sonne am nächsten, vollende seinen Rundlauf in achtundachtzig unserer Tage und drehe sich dabei auch einmal um sich selbst, so daß für ihn Jahr und Tag dasselbe seien. Da sehe man, was es auf sich habe mit der Zeit, – nicht mehr als mit dem Gewicht, dem ebenfalls jede Allgemeingültigkeit abgehe. Beim weißen Begleiter des Sirius zum Beispiel, einem Körper nur dreimal größer als die Erde, befinde sich die Materie im Zustande solcher Dichtigkeit, daß ein Kubikzoll davon bei uns eine Tonne wiegen würde. Erdenstoff, unsere Felsengebirge, unser Menschenleib gar seien lockerster, leichtester Schaum dagegen.

Felix Krull reagiert nicht wie Serenus Zeitblom mit altmodischer Empörung, sondern mit begeisterter Erregung. *Das Sein* in seiner unermeßlich mächtigen Ausdehnung erinnert ihn an das ozeanische Urgefühl, das er als Säugling an der Brust seiner Amme genossen und das sich ihm in jedem Liebeserleben wiederholt, erinnert ihn an das, was er als halbes Kind „mit dem Traumwort 'Die große Freude' bezeichnet hatte", einer Formel, der „von früh an eine berauschende Weitdeutigkeit eigen gewesen war".[133] Die Liebe sprengt die Körpergrenzen. Dem Schopenhauerianer öffnet sich in ihr das Ich zum All. Die sexuelle Entgrenzung hat religiöse Bedeutung. „Ich schrie und glaubte gen Himmel zu fahren", schreibt Krull über das Vergnügen, das er das erste Mal an des Zimmermädchens Genovefa weißer und wohlgenährter Brust erprobt. Eine erotische Allsympathie schließt das im *Faustus* so teuflisch sinnlose Wirbeln der kosmischen Räume zusammen. Das Weltgetümmel, für Schopenhauer nichtige Illusion, wird im Blickpunkt Nietzsches zum großartigen Fest. In einem Brief referiert Mann Kuckucks Theorien und fährt fort: „Die Liebe, verstanden als sinnliche Rührung durch das Episodische des *Seins* [...] Und das Sein also doch vielleicht ein Hervorruf der Liebe aus dem Nichts? – Unsinn, Sie verstehen kein Wort. Ein kleiner Enkel von mir hat gesagt, als er aus der Kirche kam: 'Wenn man anfängt über Gott nachzudenken, kriegt man '*Gehirnverschüttung*'. Ein neues Wort und kein schlechtes."[134] Wie unsere Augen nur ein schmales Tortenstück aus dem weiten Spektrum möglicher Strahlen sehen können, so erfaßt auch unsere gesamte Erkenntnis nur ein winziges Fragment des unermeßlichen Seins.

Auch die Humanität wird im *Krull* anders begründet als im Faustroman mit Zeitbloms zurecht verspotteter Kirchturmskosmologie. Sie erwächst aus dem Bewußtsein der Zeit. Das Sein ist nur eine Episode zwischen Nichts und Nichts, so viel steht fest,[135] und auch Raum und Zeit gibt es nur, solange es das Sein gibt. Raum- und zeitlos ist das Nichts, es ist ausdehnungslos in jedem Sinne, „stehende Ewigkeit". Trotzdem ist die Zeitlichkeit tröstlich. Was den Homo sapiens auszeichne, sagt Professor Kuckuck, sei das Wissen von Anfang und Ende. Daß das Leben nur eine Episode ist, mache es nicht wertlos, sondern gerade kostbar.

Fern davon nämlich, daß Vergänglichkeit entwerte, sei gerade sie es, die allem Dasein Wert, Würde und Liebenswürdigkeit verleihe. Nur das Episodische, nur was einen Anfang habe und ein Ende, sei inter-

essant und errege Sympathie, beseelt wie es sei von Vergänglichkeit. So sei aber alles – das ganze kosmische Sein sei beseelt von Vergänglichkeit, und ewig, unbeseelt darum und unwert der Sympathie sei nur das Nichts, aus dem es hervorgerufen worden zu seiner Lust und Last.

Sein sei nicht Wohlsein; es sei Lust und Last, und alles raumzeitliche Sein, alle Materie habe teil, sei es auch im tiefsten Schlummer nur, an dieser Lust, dieser Last, an der Empfindung, welche den Menschen, den Träger der wachsten Empfindung, zur Allsympathie lade. –

„Zur Allsympathie“, wiederholt Kuckuck noch einmal und steht auf. „Träumen Sie vom Getümmel der Milchstraßen“, rät er Felix Krull noch. Träumen Sie vom vollschlanken Arm und von der Blume. „Und vergessen Sie nicht vom Steine zu träumen, vom moosigen Stein, der im Bergbach liegt seit tausend und tausend Jahren, gebadet, gekühlt, überspült von Schaum und Flut! Sehen Sie mit Sympathie seinem Dasein zu, das wachste Sein dem tiefst schlummernden, und begrüßen Sie ihn in der Schöpfung!“

Wichtige Teile des Kuckuck-Gesprächs übernimmt Thomas Mann in einen Radio-Essay, der Anfang 1952 unter dem Titel *Lob der Vergänglichkeit* geschrieben wurde. Am Ende dieses Essays neigt Mann zwar doch wieder zur Kirchturmskosmologie, doch ist diese durch das Lob der Vergänglichkeit, das die Anerkennung der Kleinheit des Winkelsternchens Erde impliziert, neu gerechtfertigt:

Die Astronomie, eine große Wissenschaft, hat uns gelehrt, die Erde als ein im Riesengetümmel des Kosmos höchst unbedeutendes, selbst noch in ihrer eigenen Milchstraße ganz peripher sich umtreibendes Winkelsternchen zu betrachten. Das ist wissenschaftlich unzweifelhaft richtig, und doch bezweifele ich, daß in dieser Richtigkeit die Wahrheit sich erschöpft. In tiefster Seele glaube ich – und halte diesen Glauben für jede Menschenseele natürlich –, daß dieser Erde im Allsein zentrale Bedeutung zukommt. In tiefster Seele hege ich die Vermutung, daß es bei jenem „Es werde“, das aus dem Nichts den Kosmos hervorrief, und bei der Zeugung des Lebens aus dem anorganischen Sein auf den Menschen abgesehen war und daß mit ihm ein großer Versuch angestellt ist, dessen Mißlingen durch Menschenschuld dem Mißlingen der Schöpfung selbst, ihrer Widerlegung gleichkäme.

Möge es so sein oder nicht so sein – es wäre gut, wenn der Mensch sich benähme, als wäre es so.[136]

Solange von intelligenten Wesen bewohnte Planeten nur als *Science fiction* vorkommen, braucht das Winkelsternchen keine Minderwertigkeitskomplexe zu haben. Wenn man bedenkt, daß ein so großes Universum für die paar Menschen doch eigentlich eine grandiose Platzverschwendung ist, kann man im Grunde recht zufrieden sein.

Lobgold

Er hätte Grund gehabt, unausgesetzt Freudensprünge zu vollführen, denn er wurde in seinen letzten Lebensjahren mit Lobgold überschüttet wie Joseph nach seiner Ernennung zu Pharaos Oberstem Mund.[137] Wie jener hat Thomas Mann sich gewünscht, daß sein Vater, wenn auch mit einer Mischung aus Bedenken und Stolz, in der aber doch der Stolz überwogen haben würde, dem allem noch hätte zusehen können. Denn es war das väterliche Erbe, dem das Lob zuteil wurde. Es galt der gewaltigen Lebensleistung, dem Durchhalten und der hohen Qualität seiner Lieferungen.

Es ging wahrlich hoch her, als wollten sie's übertreiben. Der Regen der Ehrenvorsitze und Ehrenpräsidentschaften, der Ehrenmitgliedschaften, Ehrengaben und Ehrenbürgerschaften, der Festschriften und Festgaben, der Preise und Medaillen wollte gar kein Ende nehmen. Ein paar hübsche Auffangsklaven wären hilfreich gewesen, um nicht erdrückt zu werden von der Flut. Erst traf ihn 1949 der Goethepreis der Stadt Weimar (20 000 Ostmark) zugleich mit dem von Frankfurt (10 000 Westmark), dann 1952 der Feltrinelli-Preis (5 000 000 Lire) und 1954 der Stalin-Friedenspreis (100 000 Rubel), den er allerdings ausschlug. Dann kamen die Ehrendoktorhüte der altehrwürdigen Universität von Cambridge (1953), der Universität Jena (1955) und der Eidgenössischen Technischen Hochschule Zürich (1955) geflogen (insgesamt hatte er damit neun, den von Harvard zusammen mit Albert Einstein, den von Yale mit Walt Disney[138]). Zum Offizierskreuz der französischen Ehrenlegion (1952) gesellten sich 1955 das Ordenskreuz von Oranje-Nassau im Kommandeursrang und die Friedensklasse des Ordens Pour le mérite. Ein gütiges Geschick schenkt ihm das Fest der Goldenen Hochzeit, und der achtzigste Geburtstag bringt Glückwünsche aus der gesamten zivilisierten Welt. Es gibt persönliche Begegnungen mit dem französischen Außenminister Robert Schuman, dem deutschen Bundespräsidenten Theodor Heuss, der niederländischen Königin Juliana und mit Papst Pius

XII. Wenn nicht das unerbittliche Gesetz der Aussparung wäre, würden wir noch viel mehr aufzuzählen haben.

Der Gefeierte kommentiert: „Seltsam festlich geräuschvolles Abschnurren des Lebensrestes." (13. Juni 1953) Er ist melancholisch. Sosehr er die Ehrungen als ihm zustehend erachtet – „Ganz unerwartet kommt es mir nicht"[139] –, sosehr fehlt ihm doch etwas. Das Offizielle daran befriedigt eine tiefer innen liegende Sehnsucht nicht. Man kann ihn nicht täuschen. Die Lübecker Ehrenbürgerschaft zum Beispiel konnte nur deshalb einstimmig beschlossen werden, weil die Hälfte der Stimmberechtigten der Sitzung fernblieb.[140] Er spürt, daß man ihn auch aus schlechtem Gewissen so lautstark ehrt. Weil man seine Botschaften nicht hören will, besticht man ihn mit Lobgold. Etwas soll zugedeckt werden. Tief unten in ihm rumort und protestiert das ein halbes Jahrhundert lang Niedergehaltene, das Erbe der Mutter, das frei Künstlerische, die Sympathie mit dem Tode, die romantische Liederlichkeit, die Schwäche für schöne Knaben. „Gestern abend und noch vorm Einschlafen: Chadchi Murad. Das ist es! Wie blicke ich auf! Wie schäme ich mich der albernen 'Literaturpreise'!" (13. Juni 1952) Chadchi Murad, der Held der gleichnamigen Erzählung von Leo Tolstoi, ist ein halbwilder Tatar, der für eine Weile in die „Zivilisation" gerät und aus ihr wieder ausbricht – in den Tod. Der äußerlich so gepflegte Thomas Mann fühlte sich als ein solcher Halbwilder. In seinem Innersten war er durch das, was die gute Gesellschaft geben konnte, nie zufriedenzustellen. Er hat als Bürger seine Pflicht getan und dafür seinen Lohn erhalten, aber sein Tieferes, sein stummes Werben um herzliche Liebe und inniges Verständnis wurde nicht erhört.

XIX. Bis zum letzten Seufzer

1955

Statt einer Chronik

Man denkt wohl: mit fünfundsiebzig kann's so schlimm nicht mehr sein mit der Hörigkeit und knechtischen Lust, aber da irrt man sich. Das hält aus bis zum letzten Seufzer. Ein wenig stumpfer mag ja der Speer geworden sein, aber daß je die Herrin den Knecht entließe, das gibt es gar nicht.[1]

„Je älter er wurde", berichtet Kind Erika, „desto zugänglicher, ja weicher schien er. Hatte seine schwierige Jugend 'Kühle' vorgetäuscht, und war noch der Mann scheinbar fern gewesen, steif oft und konventionell (aus Scheu!), so gab er sich jetzt gelockert, konnte sehr 'nah' und zärtlich sein."[2] Man konnte mit ihm jetzt auch über die griechische Liebe plaudern. „Erika beim Abendessen, behauptet, Frido zeige alle Zeichen der Homosexualität. Ich bezweifelte die Möglichkeit, aus Kindergrazie den Schluß zu ziehen [...] Im Übrigen – sei es." (4. Januar 1949) „Erika auf der Heimfahrt über das Erz-Päderastische ('Schwule') der Szene. Soit." (31. Dezember 1951)

Soit: Es sei. Meinetwegen. Es kenne mich die Welt. Freimütig kann er es Katia sagen, daß er sich nach Franzl sehnt. Mit ihr und Erika wird eine leicht humoristische Besprechung einberufen über die Frage, wie er dem Jungen etwas Gutes tun könne.[3] Die Alterswerke und Alterstagebücher sind voll von erotischen Themen und sexuellen Anspielungen. „Er muß doch immer – –"[4] Den *Krull* bezeichnet er umstandslos als homosexuellen Roman.[5] Nach den politisch aufgeregten Zeiten des Kampfes gegen Hitler kommt das Erotische wieder zu seinem Recht. „Um uns Alten einmal noch das Gefühl zu wekken", sinnierte einst der Erzähler des Joseph-Romans, „muß schon was Besonderes kommen."[6] Es kam zwar nur das Übliche, ein hübscher Kellner im Züricher Hotel Dolder, aber das Gefühl weckte er ganz gewaltig.

Wagners *Tristan,* schreibt Thomas Mann in einem Offenen Brief an Emil Preetorius,[7] sei etwas für junge Leute, die mit ihrer Sexualität nicht aus noch ein wüßten. So betrachtet ist er jung geblieben. „Konnte nicht wieder einschlafen, da Tristan-Musik machte" (12. Juli 1952). Er findet keine Ruhe. „Sehr starke sexuelle Potenz und Not neuerdings. Das endet nie." (27. Februar 1947) „Das Kreuz des Geschlechtes, Aergernis, Leiden mit einem Einschlag von Eitelkeit." (14. Dezember 1947) „Die Sexualität – unglaublich." (12. November 1950) „Lebhaft vorhaltende Männlichkeit erwies sich bei Nacht." (31. Dezember 1951)

Depressionen stellen sich ein, wenn die Manneskraft einmal pausiert. Er verallgemeinert das dann gleich. „Mein Abnehmen, das Alter, zeigt sich darin, daß die Liebe von mir gewichen scheint und ich seit langem kein Menschenantlitz mehr sah, um das ich trauern könnte."

(20. Dezember 1952) Woraufhin er ein wenig den Alten Fritz spielt: „Mein Gemüt wird nur noch freundlich bewegt vom Anblick der Creatur, schöner Hunde, Pudel und Setter.“[8] In Wirklichkeit ist alles wie gehabt. „Anblick eines sich einölenden Jünglings, griechisches Vasenbild, Bild des Immerseins.“ (16. Juli 1947) „Erregte Nacht.“ (18. Oktober 1947) „Zur Nacht, nach einigem Schlaf, masturbiert.“ (29. August 1954) „Sexueller Kummer zwischenein, durch Bilder am Wege gespeister Schmerz und tiefes, leidvolles Verlangen nebst dem Wissen, daß es die Wirklichkeit nicht will.“ (1. Dezember 1949)

Nicht, daß er ihr je nachgegeben hätte – aber die Sehnsucht nach leiblicher Verwirklichung ist da, stärker als je. Er weiß, daß derlei nicht in Frage kommt, aber er denkt oft daran und schreibt seine Gedanken nieder, auf daß die Welt ihn kenne. „Las abends lange in Platens Tagebüchern. Verglich und fand viel Grund zur Dankbarkeit [...] Das Illusionäre der Liebe in der Homoerotik ungeheuer verstärkt. Alle Wirklichkeit führt das Gefühl ad absurdum. Mit dem Hauptmann im Bett zu liegen – wie wärs gewesen?“ (24. Januar 1946) „In diesen Tagen viel leidende Begierde“, lautet eine andere dieser grüblerischen Notizen, „und Nachsinnen über ihr Wesen und ihre Ziele, über erotische Begeisterung im Streit mit der Einsicht in ihr Illusorisches.“ (4. Dezember 1949) „Das höchste Schöne“, so die Fortsetzung, „ich würde es nicht anrühren wollen.“ Sein Leben lang hat er darüber geschrieben, aber immer nur verwandelt ins Gedicht, nie direkt. „Über das alles bekennend zu schreiben, würde mich zerstören. – – –“ Gleich drei Gedankenstriche.

Franzl

Münchener Kellner, hübsch. (Zürich, Grand Hotel Dolder, 25. Juni 1950)

Bedienung durch den kleinen „Münchener“. (29. Juni)

Immer grüßt der kleine Tegernseer mich strahlend, sagt auch „Herrlicher Abend!“ u. dergl.. Welche hübschen Augen und Zähne! Welche charmierende Stimme! Wüßte nicht, daß sein Körper mich anzöge. Aber hier ist etwas fürs Herz, was sich voriges Jahr nicht fand. [...]

Fragte nach seinem Namen, der, glaube ich, Westermaier ist, oder ähnlich, dann nach seinem Vornamen, der die Hauptsache. Was für ein liebes Gesicht und welche angenehme Stimme! [...] Es wäre mir sehr natürlich, Du zu ihm zu sagen. (3. Juli)

Franz Westermeier, Zürich 1950

Sehe den kleinen Westermaier zu wenig. (6. Juli)

Erika zupfte mich am Ärmel, während ich noch in sein Gesicht sah, und schalt mich unbeherrscht. Hätte auch wohl das Gespräch in der Halle nicht länger ausdehnen dürfen, war aber gleichgültig gegen Blicke, die etwa die Herzlichkeit meines Abschiedsnickens beobachteten. Er merkt sehr wohl, daß ich ihn gern habe. Sagte übrigens zu Erika, das Wohlgefallen an einem schönen Pudel sei nichts sehr Verschiedenes. Viel sexueller sei dies auch nicht. Was sie nicht ganz glaubte. (7. Juli)

Nachdenken über meine Gefühle für den Kleinen, die wirklich viel von Liebe zur Creatur haben. Gehen im Begehren nicht weit. Zu dem Reiz gehört der Gedanke, daß Tausende ein kurzes Gespräch als Glück und Auszeichnung genießen würden – wovon ihm etwas vorschweben mag. Ungerechtigkeit der Liebeswahl. Dann klingt an: „Wer das Tiefste gedacht, liebt das Lebendigste". Oft zitiert! [...] Das Gefühl für den Jungen geht recht tief. Denke beständig an ihn und versuche, Begegnungen herbeizuführen, die leicht zum Anstoß werden könnten. Seine Augen sind garzu hübsch, seine Stimme garzu einschmeichelnd, und obgleich mein Begehren nicht weit geht, sind doch meine Freude, Zärtlichkeit, Verliebtheit enthusiastisch und untergründen den ganzen Tag. Gern würde ich ihm Liebes tun, ihm nach Genf helfen oder dergleichen. Das Gefallen, das ich an ihm finde, hat er gewiß längst schon bemerkt, – was natürlich meinen Wünschen entspräche. [...] Erika unterdessen bei K.. Mit beiden scherzend über ihn und mein Faible. (8. Juli)

Noch einmal also dies, noch einmal die Liebe, *das Ergriffensein von einem Menschen, das tiefe Trachten nach ihm – seit 25 Jahren war es nicht da und sollte mir noch einmal geschehen. Abends, zum erstenmal, servierte der Junge bei uns. Berufsmäßige Gewandtheit, Höflichkeit und „Virtuosität" der Bewegungen. Blick für seine Mängel, das Profil nicht sangeswürdig, während en face das Gesicht unendlich gewinnt und die diskrete, höfliche, von Münchener Dialekt gefärbte Stimme zu „Herzen" geht ... Der Nacken zu plump. Der Wuchs kräftig. Muß etwa 25 Jahre alt sein, kein Knabe, sondern ein junger Mann. Braunes Haar, etwas gewellt. Die Hände feiner als ich dachte. Wechselte einige Worte mit ihm. [...] War sehr bewegt nachher und froh der Ruhe meines Zimmers. (9. Juli)*

Nachts, nach kurzem Schlaf, gewaltige Ermächtigung und Auslösung. Sei es darum, Dir zu Ehren, Tor! Ein gewisser Stolz auf die Vitalität meiner Jahre, wie auf das ganze Erlebnis, spricht mit. Banale Aktivität, Aggressivität, die Erprobung, wie weit er willens wäre, gehört nicht zu meinem Leben, das Geheimnis gebietet. Es ist auch keine Gelegenheit und Möglichkeit dazu. Zurückschrecken vor einer nach ihren Glücksmöglichkeiten sehr zweifelhaften Wirklichkeit. *[...]*

Den Erreger bekam den ganzen Tag nicht zu Gesicht. (10. Juli)

Durchtränkt und überschattet alles von entbehrender Trauer um den Erreger, Schmerz, Liebe, nervöse Erwartung, stündliche Träumereien, Zerstreutheit und Leiden. Sah sein Gesicht, das es mir angetan, einmal flüchtig bei der Herabkunft im Lift. Er wollte nichts von mir wissen. Sein Interesse an meiner Teilnahme scheint mir erloschen.

Weltruhm ist mir nichtig genug, aber wie garkein Gewicht hat er mehr gegen ein Lächeln von ihm, den Blick seiner Augen, die Weichheit seiner Stimme! Platen und andere, von denen ich nicht der Unterste, haben das in Scham, Schmerz und mutlosem Gefühl, das dennoch seinen Stolz hat, erlebt. Wie gering dabei die Energie zur Wirklichkeit. Schließlich bestünden Möglichkeiten, dem Gefühl zielstrebig nachzugehen, Begegnungen herbeizuführen. Wenn ich mich morgens gleich anzöge und auf der Terrasse frühstückte, könnte es leicht sein, daß er Dienst für mich hätte. Außer der Scheu vor der Erschütterung und außer dem Zwang, das Geheimnis zu wahren, ist es sogar Bequemlichkeit, was mich abhält, – Widerwille gegen Aktivität und Unternehmen, bei soviel Ergriffenheit! – Drei Tage noch, und ich werde den Jungen überhaupt nicht mehr sehen, sein Gesicht vergessen. Aber nicht das Abenteuer meines Herzens. Aufgenommen ist er in die Galerie, von der keine „Literaturgeschichte“ melden wird, und die über Klaus H. zurückreicht zu denen im Totenreich, Paul, Willri und Armin. (11. *Juli*)

Eine freundliche Fügung wollte, daß der Junge während des größeren Teils der Mahlzeit bei uns servierte. Zulächeln. Ich zeigte ihn K.: „Der aus Tegernsee“. Zulächeln und Koketterie. Nannte ihn Franzl. Bat um anderen Salat. Er bediente mit höflicher Zierlichkeit, auf die er sich beruflich zugute tat. Fragte nach seinen Aussichten in Genf. „Noch keine Stelle.“ Wonach ich eben gefragt hatte. Zündete mir die Cigarette an. Warten auf das brauchbare Brennen des Zündholzes in seiner hohlen Hand. Zulächeln. Von seinem Gesicht, seiner Stimme wieder tief entzückt. K. fand seine Augen sehr kokett. Sagte ihr, er wisse längst, daß ich ein Faible für ihn habe. Später verschwand er. War sehr glücklich und bewegt über die freundliche und schlichte Erheiterung der Beziehung. [...]

Als ich K. vom Essen wegführte Begegnung mit Jenem. Grüßte ihn unnötigerweise mit „Hallo“, worauf er nur ernst und unvertraulich mit Beugung erwiderte. Verdunkelung und neue Schmerzlichkeit. Hätte ich mehr Geistesgegenwart. Ihm 5 Franken zu geben für sein gewandtes Service heute Mittag, wäre recht gewesen. Furcht, daß es zu keiner Gelegenheit mehr kommen könnte, ihm Freude zu machen. [...] *Schlief ein im Gedanken an den Liebling, wie ich im Gedanken an ihn erwache. „Da wir noch von Liebe litten“. Man tut es noch mit 75. Noch einmal, noch einmal! Wie ganz ist es das Alte mit seinem Kummer und seinen Aufhellungen.* (12. *Juli*)

Beim Lunch war zeitweise der Berücker in der Nähe. Schenkte ihm 5 Franken, weil er „gestern so nett serviert" habe. Unbeschreiblich der Reiz des Lächelns seiner Augen beim Danksagen. Zu schwerer Nacken. Freundlichkeit K.'s gegen ihn, um meinetwillen. (13. Juli)

Ich weiß nicht, ob irgend eine günstige Gelegenheit sich finden wird, ihm Adieu zu sagen, ihm Gutes zu wünschen. Vorbei. Vielleicht ist es schon vorbei, und es wird wohl eine Erleichterung sein – die Rückkehr zur Arbeit als Ersatz für das Glück, so muß es sein. Es ist die Bestimmung (und der Ursprung?) alles Genies. – – – [...]

Franzl bediente vorwiegend. Ruhige freundschaftliche Unterhaltung mit ihm über seine Genfer Wünsche [...] Mitteilung unserer morgigen Abreise. „Oh!" Das unvergleichlich liebe Gesicht. War recht glücklich (sic venia verbo) und beruhigt nachher. Gefühl tröstlicher Harmonie. [...]

„Er" war in der Halle. Als ich K. beim Weggehen die Stufen hinaufführte, stand er, offenbar wartend, gerade aufgerichtet in der Nähe des Lifts und wollte sich verabschieden. Wir schüttelten uns lange die Hände. Er: „Wenn wir uns nicht mehr sehen sollten". Ich wußte nicht mehr als: „Franzl, alles Gute! Sie werden Ihren Weg schon machen!" Er war nicht ganz unbewegt. Das unvergleichlich liebe Gesicht. Eilte herbei zum Lift, sagte beim Einsteigen mit seiner leisen, weichen Stimme noch etwas von Wiedersehn, worauf ich nichts mehr zu antworten wußte. „Ein goldiger Bursch!" zu K., die meinte: „Du hast nun die Sympathie." Rühmte sehr glücklich gegen Erika, wie reizend er Adieu gesagt. Froh, daß schließlich eine gewisse Harmonie über dem Ganzen liegt. Schmerzlich und dankbar bewegt. Er hat meine Zuneigung wohl gefühlt, insgeheim auch das Zärtliche daran, und sich ihrer gefreut. Er sah, mit welcher Ehrerbietung Beidler sich in der Halle von mir verabschiedete. Die Eroberung, die er an mir gemacht, muß seinem Selbstvertrauen zuträglich sein, vielleicht zu sehr. Wahrscheinlich war ihm dergleichen noch nicht geschehen. Es ist so gut wie gewiß, daß ich ihn nie wiedersehen, auch nichts von ihm hören werde. Leb wohl in Ewigkeit, Du Reizender, später, schmerzlich aufwühlender Liebestraum! Ich werde noch etwas leben, noch etwas tun und sterben. Und Du reifst auch auf deinem tieferen Wege und gehst einmal dahin. O, unfaßliches Leben, das sich in der Liebe bejaht. (14. Juli)

Er hatte Gemüt, er spürte meine Liebe und war stolz genug darauf, sie in einem gewissen Grade zurückzugeben und den Abschied als einen Abschied zu empfinden. Am Lift zuletzt sagte er: „Vielleicht sieht man sich doch einmal wieder, Herr Mann." (Ich mag die Anrede nicht.) Aber wie leid ist es mir, daß ich nicht die Ruhe hatte, noch etwas Herzliches darauf zu erwidern. „Ich hoffe es. Ich habe Sie immer gern gesehen." Man flieht. Und doch war der Abschied tröstlich und beglückend. – –

[...] große Unruhe und Herzeleid. K., die herüberkam, sagte ich frei, daß ich „Zeitlang" nach dem jungen Menschen habe. Nahm zusätzlich Baldrian und schlief noch etwas. [...]

Der Gedanke meiner „letzten Liebe" erfüllt mich dauernd, ruft alle Unter- und Hintergründe meines Lebens wach. Der erste Gegenstand, Armin, wurde zum Trinker nach dem Verfall seines Zaubers durch die Pubertät, und starb in Afrika. Auf ihn meine ersten Gedichte. Er lebt im „T. K.", Willri im „Zbg.", Paul im Faustus. Eine gewisse Verewigung haben alle diese Leidenschaften gewonnen. Klaus H., der mir am meisten Gewährung entgegenbrachte, gehört die Einleitung zum Amphitryon-Essay. – Plan, den Zurückgelassenen per Karte um Nachricht über das Gelingen seiner Genfer Wünsche zu bitten und ihm zu sagen: „Ich habe Sie nicht vergessen." – – – (St. Moritz, 16. Juli)

Bei Tisch leicht humoristische Besprechung mit Erika und K. über meine Absicht, dem kleinen Westermeyer meine Empfehlung anzubieten. Frage der Schicklichkeit und Natürlichkeit. Es läßt sich machen. [...] Schrieb Folgendes an den Zurückgelassenen: „Herrn Franz Westermayer, Employé du Grand Hotel Dolder, Zürich. Lieber Franzl, es würde mich freuen, von Ihnen zu hören, ob der Brief Ihres Freundes an den Hotel-Direktor in Genf abgegangen ist und ob er vielleicht schon Erfolg gehabt hat. – Wenn ich selbst Ihnen mit irgend einer Empfehlung nützlich sein kann, so sagen Sie es mir, bitte. Ich tue es sehr gern. – Mit freundlichen Grüßen T. M." – Ein trockenes Dokument der Anteilnahme. Wird er antworten? Und wie? Natürlich fällt das Schreiben ihm schwer. Und doch, wie verlangt mich danach, daß etwas von der Hand, die herzlich die meine drückte, mich erreicht. (17. Juli)

„Gern, Frau, das ist wahr,
küßt ich ihn auf das Haar,
und, gäb' er Freude kund,
dann auf den Mund."

Die Verse aus Sibyllas Gebet fielen mir merkwürdiger Weise erst heute Morgen wieder ein. Unruhiger Schlaf, labile Nerven, bewegtes Herz. (18. Juli)

Wüßte der Junge in der weißen Jacke, wie ungeduldig ich bin, ein paar Worte von ihm in Händen zu haben, er würde sich etwas mehr beeilen! (20. Juli)

Warum schreibt er mir nicht, daß er geehrt und erfreut sei? Geliebter Dummkopf! (21. Juli)

[...] ich warte auf ein Wort des Jungen. – – (24. Juli)

Mit der Nachmittagspost [...] – lieber, schlichter Brief von „Franzl Westermeier." So nennt er sich, sogar auf dem Einschlag, da ich ihn immer so nannte. Hat „sich wirklich sehr gefreut, daß ich an ihn gedacht habe" (an ihn gedacht habe). Hat seine Stellung in Genf bekommen, muß aber bis Ende der Saison im Dolder bleiben. Sagt nochmals herzlichen Dank für alles. – Öffnete und las den Brief, der kleine grammatische Fehler aufweist, unter der Hand während des Gesprächs. War bewegt und glücklich, weil er „sich wirklich sehr gefreut hat", was ich ihm glaube. (26. Juli)

Mir bleiben die Worte: „Ich habe mich wirklich sehr gefreut, daß Sie an mich gedacht haben." Übrigens ist nichts mir lieber, als wenn Erika über jene Vorgänge, Gespräche mit ihm, das Geschenk von 5 Franken etc., scherzt. (28. Juli)

Schmerz um den Jungen dort. [...]

Erika empfiehlt [...] einen Aufenthalt auf dem Dolder [...] Sie tut es im Hinblick auf mich und den Franzl dort. Scheu vor der Gemütsbewegung und Furcht, es möchte das Wiedersehen, wenn es sich überhaupt fügt, halb oder ganz mißlingen. (1. August)

Absicht nicht *mit hinaufzugehen und den Jungen nur durch Erika grüßen zu lassen. Entsagung. Lieber nicht noch einmal. – – – (2. August)*

Es fehlte nur, daß ich den Jungen wiedersähe! Die Versuchung ist dennoch groß. (4. August)

Auf dem Tennisplatz unten, *während einer bestimmten Vormittagsstunde, junger Argentinier, schon ausgezeichneter Spieler, mit dem Trainer sich vervollkommnend. Dunkles Haar, Gesicht ungenau kenntlich, schlanker, bewundernswerter Wuchs, Hermesbeine. Das ausholende Schlagen, der spielende Umgang mit den Bällen, das Gehen, Laufen, Hinspringen, gelegentlich übermütige Tänzeln. Federnde Ruhelosigkeit des Körpers bei Inaktivität auf der Bank. Wechsel der Beinkreuzung, Schlenkern, Zusammenschlagen der weißbeschuhten Füße, Aufstehen, Weggehen, Wiederkommen, Ergreifen der Barriere mit den Händen. Weißes Spielkostüm, kurze Hose, nach der Übung Sweater über den Schultern. – Tiefes erotisches Interesse. Aufstehen von der Arbeit, um zu schauen. Schmerz, Lust, Kummer, zielloses Verlangen. Die Kniee. Er streichelt sein Bein, – was jeder möchte. – Der Schmerz um den auf dem Dolder hat sich in diesen Tagen […] zu einer allgemeinen Trauer um mein Leben und seine Liebe vertieft und verstärkt, dieser allem zum Grunde Liegenden, wahnhaften und doch leidenschaftlich behaupteten Enthusiasmus für den* unvergleichlichen, von nichts in der Welt übertroffenen *Reiz männlicher Jugend, die von jeher mein Glück und Elend, nicht auszusagen, enthusiastisch und stumm, – keine „promesse de bonheur", sondern nur der Entbehrung und zwar einer nicht zu bestimmenden, wunschvoll-wunschunmöglichen. – Las beim Signieren das Kapitel „Von der Schönheit" im „Jungen Joseph" nach. Scherzen über das Tiefste in mir. Das Illusionäre, wolkenhaft Unfaßbare, Ungreifbare, das dennoch das Leidend-Begeisterungsvollste ist, Unsinn und Schwur, Fundament der Kunstübung – – „In deinem Atem bildet sich mein Wort." – – –*

[…] Der von Weitem Schöne spielte vormittags nicht. Nach Tische war er da. Ich wurde nicht satt zu schauen, zwanghaft. Sein Schlagen, Laufen, Gehen, Stürzen, Federn, sich auf den Füßen Heben ist wundervoll. Ich las und stand immer wieder auf nach ihm, dessen Gesicht ich garnicht unterscheide. Krankhafter Enthusiasmus für den „göttlichen Jüngling". Tiefster Schmerz – um wen? um was? Wahrscheinlich würde ich den Schönen im Speisesaal garnicht erkennen. Als er sich zum Ausruhen gesetzt hatte, die himmlischen Beine gegen das Geländer gestemmt (wobei er mir übrigens manchmal den Kopf an die Schulter eines nicht auszumachenden weiblichen Wesens zu lehnen schien) schloß ich die Läden und dachte: „Lieber Junge, ich muß ruhen." Nähe des Wunsches, zu sterben, weil ich die Sehnsucht nach dem „göttlichen Knaben" (womit nicht gerade dieser gemeint ist) nicht länger ertrage […]

Die Anfänge dieser Reise liegen so fern, daß ich sie kaum noch für ein und dieselbe halten kann. Ich werde sie, weiß Gott, nicht vergessen. *Die Frage ist jetzt beherrschend, ob ich an dem Thee-Be-*

such auf dem Dolder teilnehmen soll, um noch einmal die lieben Augen zu sehen. Es wäre klüger, aber auch feiger, es nicht zu tun. Doch habe ich etwas für die Demonstration übrig, mich zu weigern und Erika nur mit einem Gruß zu beauftragen [...]

Erika glaubte mir im Speisesaal einen jungen Mann recht gleichgültigen Aussehens als den Tennisgott bezeichnen zu können. Der Glühwurm auf der flachen Hand. Illusion! Illusion! [...] Beträchtliche Beschämung in all dem Geschriebenen und Nichtgeschriebenen. Der Gott zieht, erhitzt vom Spiel seine weiße Überjacke aus, wirft sie dem Ballbübchen lässig zu. Zu denken, daß ich glücklich wäre, sie zu empfangen! Demütigung, die ich feststelle, und an der ich kein Gefallen finde. (6. August)

Beim Lunch machten wir mit Sicherheit die Identität des Gottes mit einem langen jungen Mann im blauen Sweater und mit bloßen Beinen aus. Der beim Sitzen einen zu runden Rücken machte und die Desillusion selber war. (7. August)

Es ist Zeit, daß ich wegkomme. Die „Bilder“ behalte ich im Herzen [...] Sogar ein Mädchen mit schönen Brauen und angenehmen Zügen (am 4 Mädchen-Tisch nahebei) gehört dazu. [...]
Ich werde ihn nie wirklich gesehen haben, und habe nun, da wir abreisen, nur zu vergessen, was mich an seinem Gebahren auf dem Spielplatz entzückte. Vergessen, verschmerzen. Das letzte Vergessen und Verschmerzen von allem ist der Tod. – Tieftraurig. Übermüdet von Gefühlsstürmen. – – – (8. August)

Oft der Gedanke, daß ich auf dieser Reise viel zu viel mich selbst verlor *– an Jugendreiz, an liebe Gesichter. Das beraubt tatsächlich des Selbstbewußtseins, macht alt und schwer, leidend und neidvoll – wo es nichts zu beneiden gibt. (Zürich, Baur au lac, 12. August)*

Zweifel, ob ich mich nachmittags dem Besuch auf dem Dolder anschließen soll [...] Erklärte, daß ich am Dolder-Besuch nicht teilnähme. (13. August)

Wir fahren mittags auf den Dolder. Ob ich den Jungen noch einmal sehe?

[...] im Speisesaal. Fremde Bedienung. Es scheint, daß Erika, unter dem Vorwand, zu telephonieren, den Jungen herbestellt hatte, „guten Tag zu sagen“. Er machte sich im Vorraum des Speisesaals zu schaffen [...] Meine Augen hatten ihn die ganze Zeit gesucht, sie

zögerten, zu glauben, daß er es sei. „Da ist ja der Franzl!" Er kam heran. Händeschütteln, Freude. „Das ist ja schön, daß man sich noch einmal sieht!" Seine reizende, gespielte und doch auch aufrichtige Gesichts- und Kopfbewegung bei der mündlichen Wiederholung des „Ich habe mich wirklich sehr *gefreut über Ihren Brief!" Ich hatte mich gefreut über seine guten Nachrichten. Sie waren schlecht geworden. Die Anstellung in Genf hätte nur für sofort gegolten, und er ist bis Ende der Saison im Dolder gebunden. So „steht er vor dem Nichts". Ich berührte teilnehmend seinen Arm. Es werde sich schon etwas anderes finden. Sah sein Gesicht so genau, die etwas schräg stehenden braunen Augen, die starken Zähne, den schmeichelnden Ausdruck. Robustheit des Kopfes und Körpers bei einer gewissen kindlichen Zartheit des Wesens, der Sprechweise. „Wie ich Ihnen schrieb: Wenn ich Ihnen auf irgendeine Weise behilflich sein kann –" Bat ihn, mir über sein Ergehen zu schreiben. Versuchte, ihm meine Adresse klar zu machen. Er verließ sich darauf, sie bei der Reception zu erfahren – der ich sie schreiben muß. Konnte mich nicht satt an ihm sehen, – der wohl bald ein etwas schwerer, oberbayrischer Wirtssohn sein wird. Kräftiger, freundschaftlicher Händedruck zum Abschied. – Auf Nie mehr wiedersehen. Er ist dankbar für meine Zuneigung, – die zu wenig praktische Energie erzeugt. Hätte ich ihm nicht helfen können, nicht mit dem Direktor sprechen sollen, daß er ihn entläßt. Ist mein Schauen, meine Liebe nur egoistischer Genuß? Zu meiner Entschuldigung dient die Schwierigkeit jedes Tuns für ihn, und er erwartet dergleichen auch wohl nicht. Aber ich würde an wen immer schreiben, wenn er meine Freundschaft ernst genug nähme und die Gewandtheit hätte, mich darum zu bitten. – Der Druck seiner kräftigen Hand. Sein Lächeln, seine Augen. Unvergeßlich auf jeden Fall. Eine Liebe, ein Gefallen im Extrem, eine Zuneigung aus Herzensgrund. Und doch sind es die entzückten Sinne, nicht das „Herz". Oder doch? Ich glaube wenig an das Wort „Herz", und doch gibt es, was es meint. (15. August)*

Junger Schaffner, hübsch, mit prächtigen Zähnen [...] Viel gehen die Gedanken zurück, gequält, beschämt, verwundert, zu den Abenteuern und Bildern der langen Reise, mein ständiges Vergafft sein in allerlei Jugend. (New York, 22. August)

Weh und schwer. Erinnerungen glimmen an erschaute und geliebte Jugend. O Dio! O Dio! O Dio! Wundes Herz. In vostro fiato son le mie parole. Das will mir nicht aus dem Sinn, Augen, Hermesbeine, la forza d'un bel viso. [...] Möchte vielleicht der Junge vom Dolder nur einmal schreiben! [...] Zuviel gelitten, zuviel gegafft und mich entzückt. Mich zuviel von der Welt am Narrenseil führen lassen. Wäre alles besser nicht *gewesen? Es war und der Händedruck, das „ich habe mich wirklich* sehr *gefreut" bleibt ein schmerzlicher Schatz. – – Warum schreibe ich dies alles? Um es noch rechtzeitig vor meinem Tode zu vernichten? Oder wünsche, daß die Welt mich* kenne? *(Chicago, 25. August)*

Aber zweifellos ist mein Enthusiasmus für das Jung-Männliche in letzter Zeit, vielleicht aus Torschluß-Gefühl, stürmisch gewachsen, mein Auge ungeheuer wach und schmerzlich-begierig für alle dergleichen Schönheit, die Nicht-Empfänglichkeit dafür mir bis zur Verachtung unbegreiflich. Daß die Bewunderungswürdigkeit des „göttlichen Jünglings" alles Weibliche weit übertrifft und eine Sehnsucht erregt, vergleichlich mit nichts *in der Welt, ist mir Axiom. Andeutungen des Ideals genügen dem Entzücken. (Im Zug nach Los Angeles, 28. August)*

Las in Platens Gaselen und Sonetten und fand die geisterhaften Liebesverse auf:

> *„Ich bin wie Leib dem Geist, wie Geist dem Leibe dir.*
> *Ich bin wie Weib dem Mann, wie Mann dem Weibe dir.*
> *Wen darfst du lieben sonst, da von der Lippe fort*
> *Mit ewigen Küssen ich den Tod vertreibe dir?"*
> *Wundervoll. (Pacific Palisades, 31. August)*

Reisetasche aus Zürich mit Wäsche und Papieren, darunter Franzl Westermeier's Brief, den ich genau so werte wie die Bleistiftschnitzel W. T.'s. Nichts hat sich in dieser Beziehung geändert. (15. September)

Festzustellen, daß ich in all diesen Wochen unter jeder Post einen Brief des Jungen vom Dolder-Hotel zu finden gehofft habe. Zähe Torheit. Aber man sehe, wie das vorhält. (28. Oktober)

Will notieren, daß ich tatsächlich bis heute jede neue Post darauf durchsehe, ob etwa eine Zuschrift des kleinen Westermeier dabei ist. Vollkommen oder fast vollkommen unsinnig. Schließlich sind erst 3 Monate, daß ich zuletzt seine etwas falschen Augen sah. (8. November)

Die Erotik Michelangelos

„Hoffentlich war der Junge nett, entgegenkommend, und hatte einen Begriff von der Ehre, die ihm durch das Gefühl des Gewaltigen geschah.“[9] Das zielt offiziell auf Tommaso Cavalieri, insgeheim aber auf „Franzl“, der sogleich in einen Essay verwandelt wird. Die Illusion der Liebe ist Fundament aller Kunstübung: „In deinem Atem bildet sich mein Wort.“ (6. August 1950) „Nel vostro fiato son le mie parole.“[10] Die Liebe ist Heimsuchung und süßes Gift, sie wird verwünscht und ist dennoch der Untergrund und inspirierende Genius des Schöpfertums.[11] In Michelangelo spiegelt sich Thomas Mann. Wie bei jenem hat sich auch bei ihm das Sinnliche ins eklatant Unwürdige verirrt und tief hinabgeführt unter den eigenen geistigen und menschlichen Rang[12] – wobei das Element der Erniedrigung grausamerweise das Verlangen furchtbar zu stacheln vermag.[13] Das „O Dio, o Dio, o Dio!“[14] ist das Pendant zum fassungslosen „Mein Gott!“ aus der Ehrenberg-Zeit.[15] Wenn Thomas Mann behauptet, daß für Michelangelo der Gott im Liebenden sei, nicht im Geliebten, dann legt er dem Renaissancekünstler kokett eine Formulierung aus dem *Tod in Venedig* in den Mund.[16] „Wie kann's nur sein, daß ich mich selbst verlor?“[17] – das ist wieder Michelangelo, jedoch mit Seitenblick aufs Eigene zitiert. Ganz und gar von sich selber spricht der Berückte auch, wenn er sie „tief rührend“ nennt,[18]

diese rettungslose Verfallenheit des Gewaltigen, weit über die schickliche Altersgrenze hinaus, an das bezaubernde Menschenantlitz, sei es nun des blendenden Jünglings oder der prangenden Frau, – tief rührend die unsterbliche Empfänglichkeit für „La forza d'un bel viso“, die er als die einzige Lust preist, welche die Welt ihm schenkt, und die er, unter Verwünschungen, unter immer wiederkehrenden Anklagen der Grausamkeit des Liebesgottes, eine Gnade *nennt, welche ihn bei lebendigem Leibe zu den Seligen trägt, – nichts, was ihn so beglücke!*

Der Essay wurde in St. Moritz geschrieben, Ende Juli 1950, unmittelbar nach dem Aufenthalt im Dolder, mit großer Hingabe. Sogleich, als ein Zufall ihm Michelangelos Dichtungen in die Hände spielt, erkennt er in ihnen sein Erleben mit Franz Westermeier wieder. „Immer ist vom Antlitz die Rede und von der 'Forza d'un bel viso', der man unterliegt. Wie ganz entstand mein Gefühl aus dem Anblick seines Gesichts." (19. Juli 1950) Seine Gestalt habe ihn kaum gekümmert. „Es müßte lieblich sein, mit ihm zu schlafen, aber ich stelle mir von seinen Gliedern nichts Besonderes vor und wäre zärtlich zu ihnen um seiner Augen – also beinahe um etwas 'Geistigen' willen."

Als der „Liebes-Aufsatz" fertig ist, ist er freilich enttäuscht. „Und doch war ich mit soviel Eifer bei der Arbeit." (31. Juli 1950) Sollte immer noch gelten, was schon Tonio Kröger schmerzte, daß das warme, tiefe Gefühl künstlerisch unbrauchbar sei? Nur durch Tarnung und Doppeldeutigkeit erhält der Aufsatz ein wenig Witz. Als Bekenntnis allein wäre er entschieden zu pathetisch. „Welche Fülle von Leidenschaft ist hier, Merkmal einer ungeheuren und gequälten Vitalität, ins Wort gebannt!"[19] Große Worte, grotesk fehldimensioniert, sobald man dabei an den Gegenstand dieser Leidenschaft, den schlichten Franzl denkt, dessen höchster Aufschwung die ausgetrocknete Floskel war: „Ich habe mich wirklich *sehr* gefreut!"[20] Aber ehrwürdig ist die Liebe, auch wenn sie lächerlich ist. Das Banale so erschütternd zu sagen, daß der Spott erstirbt: erst der sehr alte Thomas Mann hatte den Freimut dazu. Dieses eine Mal ist der ungefilterte Tagebuchbericht mit seinen Sentimentalitäten, seinen unvollständigen Sätzen, seinen Gedankenstrichen stärker als die ihm folgende artistische Verwandlung.

Mann als Madame

Als Rosalie von Tümmler verliebt sich Thomas Mann in Ken Keaton, als Madame Houpflé in Felix Krull, als Sibylla in Gregorius. Das Muster ist inzwischen ausreichend bekannt. Die Schilderungen der jeweiligen jungen Männer fallen stereotyp aus.

Nicht eben vom Geiste gezeichnet ist das harmlos freundliche Jungengesicht des Amerikaners Ken Keaton, der es der alternden Rosalie angetan hat, als es ihr schon nicht mehr nach der Weiber Weise geht (in der Erzählung *Die Betrogene*).[21] Kens Arsenal besteht aus gesunden Zähnen, langen Beinen, schmalen Hüften und, da er erschütternder Weise im ärmellosen Trikot herumläuft, sehr ansehnlichen Armen, auf denen Rosaliens Augen immer wieder für selbstvergessene Sekunden verweilen, „mit einem Ausdruck tiefer sinnlicher Trauer". Wie der alte Mann beim begehrlichen Blick auf den Tennisspieler war die liebe Frau „begeistert von der überlebenden Fähigkeit ihrer Seele, zu blühen in süßem Leide". Wie in seinem Falle spricht auch in ihrem die Vernunft, die in Gestalt ihrer Tochter Anna auftritt, eine andere Sprache, will der Heimsuchung aus dem Wege gehen, verlangt die Entfernung des Berückers und erwähnt, daß er bei Lichte betrachtet doch recht gewöhnlich sei. Doch die Betörte treibt es weiter, als es Thomas Mann je trieb, zu entschiedenen Küssen und dem Versprechen, am nächsten Tage auf sein Zimmer zu kommen. Die Liebe endet tödlich wie die Aschenbachs, wie die Friedemanns. Der Gebärmutterkrebs, dessen Anzeichen sie als Wiederkehr der Menstruation und als Verjüngung gedeutet hat, macht ihrem Leben ein rasches Ende.

Indem er sich hinter Madame Houpflé versteckt, der dichtenden Klosettschüsselfabrikantengattin mit dem Künstlernamen Diane Philibert, hat Thomas Mann eine Chance gefunden, seinen Wünschen noch freieren Lauf zu lassen. Niemandem war „das Erz-Päderastische ('Schwule') der Szene" aufgefallen außer seiner klugen und in manches eingeweihten Tochter. Geschrieben hatte er das Houpflé-Kapitel Ende März bis Anfang April 1951 und dabei gelegentlich ins Franzl-Tagebuch geschaut. Er geht weiter aus sich heraus als sonst. „Wir Weiber", läßt er Diane schwärmen, „mögen von Glück sagen, daß unsere runden Siebensachen euch so gefallen. Aber das Göttliche, das Meisterwerk der Schöpfung, Standbild der Schönheit, das seid ihr, ihr jungen, ganz jungen Männer mit den Hermes-Beinen."[22] Sie weiß noch mehr, was eigentlich nur er wissen kann. „C'est un amour tragique, irraisonable, nicht anerkannt, nicht praktisch, nichts fürs Leben, nichts für die Heirat." Madame Mann will die Schönheit dumm. „Der Geist ist wonnegierig nach dem Nicht-Geistigen, dem Lebendig-Schönen dans sa stupidité, verliebt, oh, so bis zur Narrheit und letzten Selbstverleugnung und Selbstverneinung verliebt ist er ins Schöne und Göttlich-Dumme, er kniet vor ihm, er betet es an in der Wollust der Selbstentsagung, Selbsterniedrigung, und es berauscht ihn, von ihm erniedrigt zu werden ..." Nichts schlimmer deshalb, als mit einem Denker zu schlafen – „ich verabscheue den Vollmann mit dem Vollbart, die Brust voller Wolle, den reifen und nun gar den bedeutenden Mann – affreux, entsetzlich! Bedeutend bin ich selbst, – das gerade würde ich als pervers empfinden: de me coucher avec un homme penseur." Sie gerät ins Dichten, fertigt gestelzte Alexandriner – wir schreiben das folgende in der ihm zukommenden Versgestalt, damit das hymnisch Aufgewühlte deutlich ins Auge fällt. Thomas Mann singt. Als Ästhet weiß er seit dem Desaster seiner Schülergedichte, daß das nicht gutgehen kann. Ein Trick muß her. Ein Kunstgriff macht das Schwärmen möglich: Er maskiert sich als

Trivialautorin Diane Philibert, um wie als Pennäler sentimental sein zu dürfen nach Herzenslust:

La fleur de ta jeunesse
remplit mon coeur âgé d'une éternelle ivresse.
Nie endigt dieser Rausch; ich werde mit ihm sterben,
doch immer wird mein Geist, ihr Ranken, euch umwerben.
Du auch, bien aimé, du alterst hin zum Grabe
gar bald, doch das ist Trost und meines Herzens Labe:
ihr werdet immer sein, der Schönheit kurzes Glück,
holdseliger Unbestand, ewiger Augenblick!

Nach Jahr und Jahren, wenn – le temps t'a détruit,
ce coeur te gardera dans ton moment bénit.
Ja, wenn das Grab uns deckt, mich und dich auch, Armand,
tu vivras dans mes vers et dans mes beaux romans,
die von den Lippen euch – verrat der Welt es nie! –
geküßt sind allesamt. Adieu, adieu, chéri ...

Das „Unnatürliche" sei doch eigentlich etwas ganz Natürliches, schreibt Thomas Mann über seinen Inzest-Roman *Der Erwählte*, „da man sich nicht wundern darf, wenn Gleich und Gleich sich liebt".[23] Sibylla ist der Meinung, daß eine, die nur dem eigenen Bruder angehört habe, nicht im gemeinen Sinne Frau geworden, sondern immer noch Jungfrau sei und zu Recht das Kränzlein trage.[24] Ähnlich rein ist die Homoerotik. Dennoch erkennt Thomas Mann sich nicht so sehr im Geschwisterinzest wieder als im Inzest mit der Mutter. Er „ist" Sibylla, in Gregorius verliebt. In der Franzl-Zeit war ihm nicht von ungefähr ein Stück aus dem Gebet eingefallen, das Sibylla flehentlich-begehrlich an die heilige Jungfrau und Mutter richtet. „Gern, Fraue, das ist wahr, küßt ich ihn auf das Haar, und gäb er Freude kund, dann auf den Mund."[25] Im Tagebuch steht das in Versen abgesetzt, weshalb wir auch in der Fortsetzung so verfahren wollen. Thomas Mann spricht hinter der Kulisse, während er dem Zuschauer eine Sibylla-Puppe zeigt:

Denn auch um den Knaben ist mir weh,
da ich ihn so jung erseh,
und bin doch selbst schon bei Jahren,
ein Weib, viel lieb- und leiderfahren,
wenn auch gottlob noch recht wohl instand,
dazu Herrin über das ganze Land.

Schmeicheln mag ihm wohl meine Gnad,
weiß er doch nicht, wie ich gesündigt hab.
Aber ob er mich auch mag minnen
mit Herz und Sinnen?

Er läßt das Paar für einige Zeit sehr glücklich werden, aber die Buße folgt, schonungslos, siebzehn Jahre verbringt Gregorius auf dem kahlen Stein.

Sünde und Gnade

Thomas Mann fühlte sich ausdrücklich als protestantischer Christ.[26] Der verspielte Gregorius-Roman bewahre, auch wenn er die Legende parodistisch belächle, „mit reinem Ernste ihren religiösen Kern, ihr Christentum, die Idee von Sünde und Gnade".[27] Der Gnade gegenüber, schrieb der Dichter an Ida Herz, kenne er keine Ironie.[28]

Die Sündigkeit besteht in der Verfallenheit ans Geschlecht. „Aus Sünde ist unser Leib gemacht."[29] Das Lebens-Werk ist die Buße. „Die Heiligkeit, verdient durch die Entstehung aus Geschwister-Verkehr und Blutschande mit der Mutter, abgebüßt auf dem Felsen"[30] – so lautet die Kurzfassung des Romans vom Erwählten. Thomas Mann sitzt mit Gregorius auf dem Stein. Allerdings schnurrt er dort nicht ein zum bemoosten Murmeltier, sondern er arbeitet. Die letzten Kapitel des *Erwählten* bringt er kurz nach der Franzl-Reise von 1950 zu Papier. Das Schreiben dient der Buße. „Denn selten wohl ist die Hervorbringung eines Lebens – auch wenn sie spielerisch, skeptisch, artistisch und humoristisch schien – so ganz und gar, von Anfang bis zum sich nähernden Ende, eben diesem bangen Bedürfnis nach Gutmachung, Reinigung und Rechtfertigung entsprungen, wie mein persönlicher und so wenig vorbildlicher Versuch, die Kunst zu üben."[31] Aller Mut und jede kühne Unternehmung, so sekundiert sein Gregorius, „entspringt nur dem Wissen von unsrer Schuld, dem heißen Verlangen entspringt es nach Rechtfertigung unsres Lebens und danach, vor Gott ein weniges abzugleichen von unsrer Sündenschuld".[32]

Aber das allein könnte nicht helfen. Was dazukommt und in Thomas Manns Spätzeit ganz neu belebt wird, ist der Gedanke der Gnade. Nicht die Bußleistung rechtfertigt, sondern Gottes freie Gnade allein; ein bußfertiges Leben ist Folge, nicht Grund der Begnadung.

Der alte Thomas Mann hofft sein Sünder-Sein in der Gnade geborgen. „Sehr wohl kann aus dem Schlimmen das Liebe kommen und aus der Unordnung etwas sehr Ordentliches."[33] Als Priester und Papst verkündet Gregorius die milde Lossprechung: „Selten hat der ganz Unrecht, der das Sündige nachweist im Guten, Gott aber sieht gnädig die Guttat an, habe sie auch in der Fleischlichkeit ihre Wurzel. Absolvo te."[34] Auch Rosalie wird begnadigt und stirbt, einverstanden mit dem „Betrug", den die Liebe an ihr verübte. „Ist ja doch der Tod ein großes Mittel des Lebens, und wenn er für mich die Gestalt lieh von Auferstehung und Liebeslust, so war das nicht Lug, sondern Güte und Gnade."[35] Manns Michelangelo nennt die Liebe bei aller Qual eine Gnade, welche ihn bei lebendigem Leibe zu den Seligen trägt.[36] Mit inniger Bewegung malte er schöne Jünglinge wie den Adam an der Decke der Sixtinischen Kapelle, den Gottvater zärtlich besorgt aus seinem Finger entläßt.

Er malte aber auch den Verdammten, üppig im Fleisch, der Thomas Mann schon in jungen Jahren in Rom beeindruckte. „Das 'Jüngste Gericht' erschütterte mich als Apotheose meiner durchaus pessimistisch-moralistischen und antihedonistischen Stimmung."[37] Auf der rechten Seite der Wand die Abwärtsbewegung, die sündigen Leiber, die zur Hölle fahren, die zum Himmel aufsteigende Bewegung zur Linken: Wo würde sein Platz sein? Fürchtete Thomas Mann das Gericht? Die „Apocalipsis cum figuris" seines Adrian Leverkühn malt in Tönen auch den Verdammten, der gräßliche Abfahrt hält, „indem er ein Auge mit der Hand bedeckt und mit dem anderen entsetzensvoll ins ewige Unheil starrt" – während nicht weit von ihm die Gnade zwei Sünderseelen noch aus dem Falle ins Heil emporzieht.[38]

Gnade – das sagt sich tröstlich und leichthin, als hätte Thomas Mann einer bequemen Wunschphantasie stattgegeben. Aber so leicht hat er es sich nicht gemacht. Er rechnete auch mit der Verdammung. Sein Adrian Leverkühn wirft zwar seine Leistung in die Waagschale, daß er doch alles zähe fertig gemacht, weiß aber, daß die Werke nicht erlösen, und das läßt ihn verzweifeln, so daß er, in der Logik des Faustromans, „vom Teufel geholt" wird.

Auch Thomas Mann sah keinen anderen Weg als den, seine Sünde abzubüßen durch unermüdliche Arbeit. Aber er wußte genau, daß die Theologie diesen Weg verworfen hatte,

und vermutlich hat sie sogar recht damit. Man würde sonst wohl mit mehr Genugtuung [...] auf das getane Werk zurückblicken. In Wirk-

lichkeit aber setzt der Prozeß der Schuldbegleichung, der – wie mir scheinen will, religiöse – Drang nach Gutmachung des Lebens durch das Werk sich im Werke selbst fort,

so daß jedes neue Werk für das vorige aufkommen muß, die Sünde immer mitrennt mit der Buße, der Stein des Sisyphos immer wieder herunterrollt und am Ende die pure Verzweiflung stünde, gäbe es nicht die Gnade, „diese souveränste Macht, deren Nähe man im Leben schon manchmal staunend empfand und bei der allein es steht, das Schuldiggebliebene als beglichen anzurechnen".[39]

Man muß zugeben, daß ihm die Sisyphosarbeit der Schuldbegleichung schon in diesem Leben ein wenig versüßt wurde. Das Werk ist ja nicht nur zähneknirschende Leistung, sondern imaginäre Erfüllung der Träume. Der Schreiber darf sich zur Königlichen Hoheit steigern oder in Lippen eintauchen, ganz wie er will. Das Schreiben ist nicht nur Buße, sondern auch verschmitzte Lust. Das Werk ist heilig und verdammt zugleich. Thomas Mann wollte vollkommen sein und empfand sich doch zugleich als verworfen. „Denn jeder sucht ein All zu sein, und jeder ist im Grunde nichts." (August von Platen)[40] Wer sich so anstrengt, wie sollte der seinen Mitmenschen als gelöster Zeitgenosse erscheinen können? Der in sich Versperrte hat sehr viel für andere getan und empfing trotzdem nicht viel Liebe. Die Leistung, auch die sittliche, erwirbt die Gnade nicht. Er verlangte von den anderen wenig, von sich selbst aber das Äußerste. Sein gewaltiges Briefwerk ist ein lebenslanger Versuch, aus der über ihn verhängten Einsamkeit auszubrechen und, wenn nicht die einzelnen Menschen, die er sich lieber vom Leibe hielt, so doch die Menschheit zu gewinnen.

Das beharrliche Ethos seines Lebens und seine immense Leistung in Dichtung, Gesellschaft und Politik, in Ehe und Familie sind Stützmauern gegen die Urangst vor dem Gericht. Wie Schopenhauer neigt Thomas Mann zu der Ansicht, „daß die Welt, also auch der Mensch etwas ist, das eigentlich nicht sein sollte". Bei Schopenhauer folgert daraus die mitfühlende Nachsicht eines jeden gegen jeden. Sollten nicht, fragt er, Anreden wie „Herr", „Sir" und „Monsieur" durch „Leidensgefährte", „my fellow sufferer" oder „compagnon de misères" ersetzt werden?[41]

Thomas Mann teilt die Diagnose, findet die Therapie aber zu lässig. Man soll sich anstrengen und nicht sich einrichten im weichlichen Bewußtsein der Unvollkommenheit. Es wäre vielleicht „natürlicher“ gewesen, er hätte sich annehmen können und verzichten können auf die Gewalt, die er sich sein Leben lang angetan hat. Aber schon als junger Mann glaubte er nicht, daß Natürlichkeit per se etwas Gutes sei. „Die Natur!“ höhnt eine Notiz des Jahres 1903, „Gehen Sie mir mit der Natur! Ich hasse sie.“[42] Fünfzig Jahre später sekundiert der Mönch, der uns die Gregoriuslegende erzählt: „Mein Geist will sich nicht finden in die Natur, er sträubt sich. Sie ist des Teufels, denn ihr Gleichmut ist bodenlos.“[43] Die Natur ist ohne Sitte. Sie weiß nichts von der Sünde. „Zum Sündigen gehört Geist.“[44] Wer an die Natur glaubt, muß auf die zivilisierende Sittigung der Menschen verzichten. Das Gespielte und Gemachte, das Steife, Angestrengte und Verkrampfte bei Thomas Mann hat seine tiefe Notwendigkeit. Alles Ethische, wenn es denn eben nicht Natur ist, ist zuerst gespielt. Die Sitte ist immer gelernt, immer mühsam antrainiert.

Und dennoch im Alter die Auflockerung, die Depression zwar auch, des Michelangelo Sehnsucht, Stein zu sein und nicht Mensch,[45] aber doch zugleich das Gefühl der Begnadung, der Erwähltheit, des Beschenktseins, der freundlichen Führung, die ihm im Ganzen zuteil geworden.[46] „Ich kenne die Gnade, mein Leben ist lauter Gnade, und ich bestaune sie.“[47] Gelebt und geliebet. Die Intensität des Liebens bemißt sich nicht an der sexuellen Erfahrung. Das Lieben ist Sünde gegen die Väterpflicht, aber dennoch kommt aus ihm die Erlösung, nicht aus der Pflichterfüllung. Was ist mir Weltruhm gegen ein Lächeln von ihm? (11. Juli 1950) „O, unfaßliches Leben, das sich in der Liebe bejaht.“ (14. Juli 1950)

XX. Die letzten Dinge

1955

Liebestod und Gerippe

Im Leben, predigte Martin Luther in seinem *Sermon von der Bereitung zum Sterben,* sollte man sich mit des Todes Gedanken üben und ihn zu sich fordern, wenn er noch fern ist und nicht treibt. „Aber im Sterben, wann er von selbst schon allzu stark da ist, ist es gefährlich und nichts nütze."[1] Thomas Mann hat sich daran gehalten. Als Todkranker sprach er nicht mehr vom Tod. Im Leben aber hatte er ihn oft zu sich gefordert. Sterbefälle waren seine Spezialität von Jugend auf. Oft ist bewundert worden, wie elegant er in *Buddenbrooks* eine vielköpfige Familie ausgerottet hat.

Wie hat er sich den Tod literarisch vorgestellt? Gräßlich und schön zugleich. Der Wunsch- und Angsttod schlechthin ist der Liebestod. Lebenslang verehrte Thomas Mann Wagners *Tristan und Isolde.* „Hörte vorzügliche Tristan-Platte", meldet sein Tagebuch. „Das mystische 'So stürben wir' wundervoll. Vollständige Vorwegnahme des Liebestodes." (22. Mai 1952) Sehnsüchtig imitieren Detlev und Gabriele (in der Burleske *Tristan* von 1903) die Träume von Wagners Liebespaar:

Starb je die Liebe? [...] Oh, des Todes Streiche erreichen die Ewige nicht! Was stürbe wohl ihm, als was uns stört, was die Einigen täuschend entzweit? [...] Und ein geheimnisvoller Zwiegesang vereinigte sie in der namenlosen Hoffnung des Liebestodes, des endlos ungetrennten Umfangenseins im Wunderreiche der Nacht [...] Banne du das Bangen, holder Tod! Löse du nun die Sehnenden ganz von der Not des Erwachens! [...] Sanftes Sehnen ohne Trug und Bangen, hehres, leidloses Verlöschen, überseliges Dämmern im Unermeßlichen![2]

Das ist die schöne Seite. In Wirklichkeit geht es anders zu. Auch Herr Friedemann stirbt einen Liebestod. Die äußeren Formen aber sind alles andere als lieblich. Das Sterben ist, mit Schopenhauers Augen gesehen, Auflösung des Individuums, Wiedervereinigung mit der Gattung, widerstandsloses Aufgehen in der unendlich gleichgültigen Natur.[3] Nur die Grillen verstummen für einen Augenblick, todesfromm. Von der Geliebten behandelt wie ein Hund, liegt Friedemann am Boden, durchdrungen von Ekel vor sich selbst,

der ihn mit einem Durst erfüllte, sich zu vernichten, sich in Stücke zu zerreißen, sich auszulöschen ...

Auf dem Bauche schob er sich noch weiter vorwärts, erhob den Oberkörper und ließ ihn ins Wasser fallen. Er hob den Kopf nicht wieder; nicht einmal die Beine, die am Ufer lagen, bewegte er mehr.

Bei dem Aufklatschen des Wassers waren die Grillen einen Augenblick verstummt. Nun setzte ihr Zirpen wieder ein, der Park rauschte leise auf, und durch die lange Allee herunter klang gedämpftes Lachen.[4]

Thomas Buddenbrook liest, als sein Leben zur Neige geht, Schopenhauers Abhandlung *Über den Tod* und ist berauscht davon:[5]

Der Tod war ein Glück, so tief, daß es nur in begnadeten Augenblicken [...] ganz zu ermessen war. Er war die Rückkunft von einem unsäglich peinlichen Irrgang, die Korrektur eines schweren Fehlers, die Befreiung von den widrigsten Banden und Schranken – einen beklagenswerten Unglücksfall machte er wieder gut.

Sterben bedeute „Heimkehr und Freiheit", so glaubt der Lesende. Doch der wirkliche Tod ist überhaupt nicht heimelig, sondern schäbig und schmutzig. Aufgerieben und gequält kommt Thomas Buddenbrook vom Zahnarzt, als eine nie gekannte Macht ihn niederwirft:

Es war genau, als würde sein Gehirn ergriffen und von einer unwiderstehlichen Kraft mit wachsender, fürchterlich wachsender Geschwindigkeit in großen, kleineren und immer kleineren konzentrischen Kreisen herumgeschwungen und schließlich mit einer unmäßigen, brutalen und erbarmungslosen Wucht gegen den steinharten Mittelpunkt dieser Kreise geschmettert ... Er vollführte eine halbe Drehung und schlug mit ausgestreckten Armen vornüber auf das nasse Pflaster.

Da die Straße stark abfiel, befand sich sein Oberkörper ziemlich viel tiefer als seine Füße. Er war aufs Gesicht gefallen, unter dem sofort eine Blutlache sich auszubreiten begann. Sein Hut rollte ein Stück des Fahrdammes hinunter. Sein Pelz war mit Kot und Schneewasser bespritzt. Seine Hände, in den weißen Glacéhandschuhen, lagen ausgestreckt in einer Pfütze.

So lag er und blieb so liegen, bis ein paar Leute herangekommen waren und ihn umwandten.[6]

Das ist nicht gerade festlich. Die Stelle zeigt, daß die Entindividuation normalerweise nicht die Gestalt sanfter Auflösung hat, sondern die der zerschmetternden Wucht. Dem Tod sind die Erwartungen der Menschen ganz gleichgültig. „Sein ganzes Leben lang hat man nicht ein Staubfäserchen an ihm sehen dürfen“, klagt seine schöne Frau angesichts dieses Abgangs. „Es ist ein Hohn und eine Niedertracht, daß das Letzte so kommen muß ...!“[7]

Wer nicht am Leben hängt, hat bessere Chancen auf einen akzeptablen Exitus. Hanno Buddenbrook stirbt fünfzehnjährig am Typhus. Das scheint sinnlos. Doch ist für Hanno der Tod nicht der absurde Würger, sondern willkommenes Entrinnen aus einer Qual. Der Fieberkranke ist auf einem „fremden, heißen Wege“, auf dem er vorwärts zum Tode wandelt und der „in den Schatten, die Kühle, den Frieden führt“.[8]

Die Cholera, an der Gustav von Aschenbach stirbt, ist eine häßliche Krankheit. Aber die Lust ist größer als die Angst. Er bleibt, während alle anderen abreisen. Der Tod in Venedig ist zugleich ein Liebestod. Das Sinnbild der Todessehnsüchte ist das Meer.

Er liebte das Meer aus tiefen Gründen: aus dem Ruheverlangen des schwer arbeitenden Künstlers, der vor der anspruchsvollen Vielheit der Erscheinungen an der Brust des Einfachen, Ungeheueren sich zu bergen begehrt; aus einem verbotenen, seiner Aufgabe gerade entgegengesetzten und ebendarum verführerischen Hange zum Ungegliederten, Maßlosen, Ewigen, zum Nichts.[9]

Das Ewige, das Nichts, der Tod und die Liebe, sie sind alle nur eines, sie beenden die Vielheit und damit die Eingesperrtheit des einzelnen in den Käfig seines Ichs. Der Erzähler fährt fort:

Am Vollkommenen zu ruhen, ist die Sehnsucht dessen, der sich um das Vortreffliche müht; und ist nicht das Nichts eine Form des Vollkommenen? Wie er nun aber so tief ins Leere träumte, ward plötzlich die Horizontale des Ufersaumes von einer menschlichen Gestalt überschnitten, und als er seinen Blick aus dem Unbegrenzten einholte und sammelte, da war es der schöne Knabe, der, von links kommend, vor ihm im Sande vorüberging.

Aschenbach wird mit Blick auf den Schönen am Meeressaum diese Welt verlassen. Der Knabe ist Hermes Psychagogos, der Seelenführer, der die Verstorbenen in die Unterwelt geleitet. „Ihm war aber, als ob der bleiche und liebliche Psychagog dort draußen ihm lächle, ihm winke; als ob er, die Hand aus der Hüfte lösend, hinausdeute, voranschwebe ins Verheißungsvoll-Ungeheure. Und wie so oft, machte er sich auf, ihm zu folgen.“[10]

In welchem Verhältnis stehen Schönheit und Gräßlichkeit des Todes? Erst die Kunst macht den Knochenmann schön. Aber Thomas Mann hat das Gräßliche nicht vergessen. Im Schallplattenkapitel des *Zauberberg* hört Hans Castorp Verdis *Aida*. Auch hier geht es um einen Liebestod. Radames findet im Kerker seine geliebte Aida wieder, die gekommen ist, sein Grabesschicksal mit ihm zu teilen. War das nicht schrecklich? Aber Hans Castorp genießt trotzdem

die siegende Idealität der Musik, der Kunst, des menschlichen Gemüts, die hohe und unwiderlegliche Beschönigung, die sie der gemeinen Gräßlichkeit der wirklichen Dinge angedeihen ließ. Man mußte sich nur vor Augen führen, was hier, nüchtern genommen, geschah! Zwei lebendig Begrabene würden, die Lungen voll Grubengas, hier miteinander, oder, noch schlimmer, einer nach dem anderen, an Hungerkrämpfen verenden, und dann würde an ihren Körpern die Verwesung ihr unaussprechliches Werk tun, bis zwei Gerippe unterm Gewölbe lagerten, deren jedem es völlig gleichgültig und unempfindlich sein würde, ob es allein oder zu zweien lagerte. Das war die reale und sachliche Seite der Dinge – eine Seite und Sache für sich, die vor dem Idealismus des Herzens überhaupt nicht in Betracht kam, vom Geiste der Schönheit und der Musik aufs triumphalste in den Schatten gestellt wurde. Für Radames' und Aida's Operngemüter gab es das sachlich Bevorstehende nicht. Ihre Stimmen schwangen sich unisono zum seligen Oktavenvorhalt auf, versichernd, nun öffne sich der Himmel und ihrem Sehnen erstrahle das Licht der Ewigkeit.[11]

Die Passage ist wegweisend. Daß die Kunst beschönigt, ist kein Argument gegen sie, als müßte man sie endlich der Verdrängung des Eigentlichen überführen. Das Beschönigen ist vielmehr ihre Aufgabe. Sie ist dazu da, das Gräßliche erträglich zu machen. Es ist Kultur, die Fratze des Todes zu schminken.

Thomas Mann weiß also, was er tut, wenn er uns, im stillen Hinblick auf das dabei ausgesparte Entsetzliche, einen der wohltuendsten Tode vorführt, die er je ersonnen hat. Es ist keine billige Lüge dabei. Wir wollen einen Blick auf Mont-kaw werfen, Josephs Vorläufer im Hause des Potiphar, dem ein Wunsch-Tod vergönnt ist. Des Hausmeiers Sterben ist zwar langsam und schmerzhaft, aber es wird begleitet vom Zuspruch eines schönen Knaben und ist dadurch ganz außerordentlich tröstlich:

Josephs Rechte lag auf den bleichen Händen des Abscheidenden, und mit der Linken hielt er ihm befestigend den Schenkel.

„Friede sei mit dir!" sprach er. „Ruhe selig, mein Vater, zur Nacht! Siehe, ich wache und sorge für deine Glieder, während du völlig sorglos den Pfad des Trostes dahinziehen magst und dich um nichts mehr zu kümmern brauchst, denke doch nur und sei heiter, um gar nichts mehr! [...] Aus ist's mit Plack und Plage und jeglicher Lästigkeit. Keine Leibesnot mehr, kein würgender Zudrang noch Krampfesschrecken. Nicht ekle Arznei, noch brennende Auflagen, noch schröpfende Ringelwürmer im Nacken. Auf tut sich die Kerkergrube deiner Belästigung. Du wandelst hinaus und schlenderst heil und ledig dahin die Pfade des Trostes, die tiefer ins Tröstliche führen mit jedem Schritt. Denn anfangs ziehst du durch Gründe noch, die du schon kennst, jene, die dich allabendlich aufnahmen durch meines Segens Vermittlung, und noch ist einige Schwere und Atemlast mit dir, ohne daß du's recht weißt, vom Körper her, den ich hier halte mit meinen Händen. Bald aber – du achtest des Schrittes nicht, der dich hinüberführt – nehmen Auen dich auf der völligen Leichtigkeit, wo auch von ferne nicht und auf das unbewußteste eine Mühsal von hier aus mehr an dir hängt und zieht, und alsogleich bist du jeglicher Sorge und Zweifelsnot ebenfalls ledig, wie es sei und sich etwa verhalte mit dir und was aus dir werden solle, und du staunst, wie du dich jemals mit solchen Bedenklichkeiten hast plagen mögen, denn alles ist, wie es ist, und verhält sich aufs allernatürlichste, richtigste, beste, in glücklichster Übereinstimmung mit sich selbst und mit dir, der du Mont-kaw bist in alle Ewigkeit. Denn was ist, das ist, und was war, das wird sein. [...] Fahr wohl denn, mein Vater und Vorsteher! Im Lichte und in der Leichtigkeit sehen wir beide uns wieder."[12]

Die Uhr läuft ab

„Man stirbt nicht, bevor man einverstanden damit ist ..."[13] Eigentlich hatte Thomas Mann mit siebzig sterben wollen.[14] Sein Testament hatte er rechtzeitig gemacht (am 13. Juni 1944). Aber auch achtzig ist schließlich ein geeignetes Alter, das meinte schon der Psalmist, den der Pastor bei der Beerdigung zitieren wird:[15] „Unser Leben währet siebzig Jahr, und wenn's hochkommt, sind es achtzig." (Psalm 90, 10) Immer hatte der Dichter die runden Zahlen geliebt, immer die Zeit gemessen, immer die Tage und Festtage, Karfreitag, Ostern, Pfingsten und Weihnachten, die Sonntage, die Monatsanfänge, die Jahresenden im Tagebuch markiert. „Mitte des Monats. Die Zeit, die Zeit! –

Gefühle über Wollust und Tod.“ (15. Februar 1949) Der Tod würde kommen zu seiner Zeit, es würde jedenfalls die rechte sein.

Er weiß, daß es noch nicht so weit ist. „Oft habe ich's satt, bin aber zu gesund, als daß Todeswünsche nicht komisch wären.“[16] Aber er wartet bereits. „Gefühl der Auflösung, der Ratlosigkeit, des Abstiegs und des Ruins erschüttert mehr und mehr meinen Nervenzustand, – nicht des Todes, leider, da meine Physis aushält.“ (17. Mai 1952) Er empfindet sich als überlebt. „Wagner schrieb mit annähernd 70 sein Schlußwerk, den Parsifal, und starb nicht lange danach. Ich habe ungefähr im selben Alter mein Werk letzter Konsequenz, den Faustus, Endwerk in jedem Sinn, geschrieben, lebte aber weiter [...] Was ich jetzt führe, ist ein Nachleben, das vergebens nach produktiver Stütze ringt.“ (6. Juli 1953) Er beobachtet den sich Nähernden mit Neugier. „Will jedenfalls in diesen Blättern die schwarze Entwicklung weiter verfolgen.“ Er empfindet weder Sehnsucht noch Panik. „Ich werde noch etwas leben, noch etwas tun und sterben.“ (14. Juli 1950) Er freut sich, wenn die Gäste gehen – „das Verlangen nach Alleinsein zielt schließlich auf die Ruhe im Grabe.“ (27. Juli 1953) Er rechnet mit dem Ende. „Wann ereilt es mich – noch vor dem Geburtstag? oder bald nachher?“ (25. April 1955) Die Freunde sterben, einer nach dem anderen. „Und wann ich?“ (22. April 1955) Er ahnt ihn, als er nicht mehr weit ist. „Ängstigendes Gefühl einer solennen Auflösung meines Lebens.“ (15. Juni 1955) „Dieser letzten Wochen Qual war groß“, schreibt er am 20. Juni 1955, auf Wallensteins Wort am Vorabend des Todes anspielend.[17] Die Leute seien verdächtig nett zu ihm, äußert er in einem Nachruf auf Ernst Penzoldt,[18] es müsse also bedenklich um ihn stehen.

„Man lebt so seinen Tag, der sich im West ja schon beruhigend rötet“, hatte er an Erich von Kahler schon ein Jahr vor seinem Tode geschrieben, „und wünscht denen, die noch des Längeren mitmachen sollen, alles Leidliche.“[19] Er liest dann im Krankenhaus Alfred Einsteins Mozart-Biographie und versieht die Stelle, in der Mozart den Tod den „wahren, besten Freund des Menschen“ nennt, dessen Bild „nicht allein nichts Schreckendes mehr für mich hat, sondern recht viel Beruhigendes und Tröstliches“,[20] mit einer kräftigen Anstreichung.

Media vita in morte sumus. Immer lebte er vom Tod umfangen. „Keinen Tag, seitdem ich wach bin, habe ich nicht an den Tod und an das Rätsel gedacht.“[21] Er sah in sein Grab, heißt es von Hans Castorp, als dieser im Röntgenbild seine Knochen sah, „und zum ersten Mal in seinem Leben verstand er, daß er sterben werde".[22] Die Verwesung würde auch an ihm ihr unaussprechliches Werk tun. Das ist traurig, aber, wir hörten schon davon, auch tröstlich, sofern erst die Vergänglichkeit dem Leben Wert, Würde und Interesse gibt. „Wo nicht Vergänglichkeit ist, nicht Anfang und Ende, Geburt und Tod, da ist keine Zeit, – und Zeitlosigkeit ist das stehende Nichts, so gut und so schlecht wie dieses, das absolut Uninteressante."[23] Bereits als Frau Potiphar hatte Thomas Mann Gelegenheit genommen, die Schönheit zu verteidigen gegen Josephs Gerippe-Argument, daß die Haare kläglich ausfallen würden, die Zähne auch, die Augen nur ein Gallert aus Blut und Wasser seien und der ganze Rest bestimmt, zu schrumpfen und zu verderben: „Denn weit gefehlt", kontert die ägyptische Schöne, „daß die Vergänglichkeit des Stoffes ein Grund weniger wäre [...], die Form zu bewundern, ist sie sogar einer mehr, weil sie in unsere Bewunderung eine Rührung mischt, deren diejenige ganz entbehrt, die wir der stofflich beständigen Schönheit widmen aus Erz und Stein."[24]

Im Blick auf den Tod werden am Vorabend des 77. Geburtstags die bis dahin geschriebenen Tagebücher versiegelt. „Daily notes from 33–51. Without literary value, but not to be opened by anybody before 20 years after my death." (5. Juni 1952) Mit dem Seufzer „O grundwunderliches Leben!" beginnt der nächste Tag. Auch Katias Neunundsechzigster wird Anlaß zu einer Bilanz. „Sprachen über den Ablauf des Lebens, der keineswegs huschend war, sodaß man sich fragen müßte: Wo sind die Jahre geblieben. Ist eine lange, langsame, erlebnis- und auch leistungsreiche Zeit seit unserer Heirat und den Tölzer Tagen." (24. Juli 1952)

Er hatte einen kleinen Enkel, Frido, der ihn bezauberte. Als Nepomuk Schneidewein („Echo") ging er in den *Faustus* ein. Wenn Frido/Echo von etwas genug hatte oder sich darüber trösten wollte, daß es nicht mehr davon gebe, dann sagte er „'habt!" Thomas Mann fand das ausgezeichnet. „Wenn ich sterbe, werde ich auch "habt' sagen."[25]

„Kurios, kurios", sagte der alte Johann Buddenbrook, als es ans Sterben ging.[26] Auch das will Thomas Mann nachmachen. „Kurios, kurios. Das habe ich früh gesagt und werde es zuletzt sagen." (9. Oktober 1954) „Kurios, kurios. Eine Merkwürdigkeit, dieses Leben." (30. Juni 1955)

Weihe und Verklärung

„Der Tod ist eine große Macht.“[27] Man geht auf Zehenspitzen in seiner Nähe. Es gibt andererseits Menschen, die so gewöhnlich sind, „von so unsterblicher Gemeinheit und Tüchtigkeit, daß man nicht denken kann, sie könnten jemals sterben, könnten jemals der Weihe und Verklärung des Todes teilhaftig werden“.[28] Das zielt auf die Blonden und Blauäugigen, auf die leider so verführerischen. Ihre Strafe ist das Ewig-Leben-Müssen im Banalen. Es war Paul Ehrenberg, der diesen Gedanken einst ausgelöst hatte. „P. ist so gemein, daß man nicht denken kann, er könne jemals sterben. Er ist der Weihe und Verklärung des Todes nicht wert.“[29] Kaum der des Schlafes, fügt eine boshafte Klammer hinzu, denn Schlaf und Tod sind Geschwister. „Du stirbst ja nicht“, hatte schon Thomas Buddenbrook gehöhnt, als Christian klagend seine Hypochondrien vor ihm ausgebreitet hatte.[30] Denn nicht Christian, sondern Thomas war der Weihe und Verklärung wert gewesen. Der Pastor, eine böse Karikatur, hat keine Ahnung davon. Das religiöse Signal setzt ausgerechnet der verbummelte Bruder Christian. Aus seiner Sicht ist Thomas' Tod ein Sieg, ein makabrer Sieg über ihn, ein Sieg in der Brüderkonkurrenz nämlich, wer mehr leide. Der Tod hatte Thomas geholt, den lebensgewandten, und den stets kränklichen und lebensunfähigen Christian ignoriert. Er hatte Thomas „ausgezeichnet und gerechtfertigt, ihn angenommen und aufgenommen, ihn ehrwürdig gemacht und ihm befehlshaberisch das allgemeine, scheue Interesse verschafft“, während er Christian verschmäht hatte und nur fortfahren würde,

ihn mit fünfzig Mätzchen und Schikanen zu hänseln, vor denen niemand Respekt hatte. Nie hatte Thomas Buddenbrook seinem Bruder mehr imponiert als zu dieser Stunde. Der Erfolg ist ausschlaggebend. Der anderen Achtung vor unseren Leiden verschafft uns nur der Tod, und auch die kläglichsten Leiden werden ehrwürdig durch ihn. Du hast recht bekommen, ich beuge mich, dachte Christian, und mit einer raschen, unbeholfenen Bewegung ließ er sich auf ein Knie nieder und küßte die kalte Hand auf der Steppdecke.[31]

Ohne den Gegenspieler hat das Leben keine Ehre. Wer es mit Sorgfalt liebt, sagt Thomas Mann mit Heinrich von Kleist, ist moralisch doch schon tot, „denn seine höchste Lebenskraft, es opfern zu können, modert, indem er es pflegt“.[32] In gemäßigterem Tone drückt auch der Erzähler des Joseph-Romans seine Ehrfurcht vor dem Ende aus. „Sterben, das heißt freilich die Zeit verlieren und aus ihr fahren, aber es heißt dafür Ewigkeit gewinnen und Allgegenwart, also erst recht das Leben."[33] Daß wir den Tod zwar nur durch das Sterben anderer erleben, schreibt Thomas Mann in einem Brief. „Er ist ein bitteres, rätselvolles, alles Gefühl und allen Geist tief verstörendes Erlebnis – und doch vielleicht das Erlebnis, das zu empfangen wir eigentlich geboren werden."[34]

Das ewige Leben

Die Natur sei verpflichtet, ihm eine andere Form des Daseins anzuweisen, wenn die jetzige seinen Geist nicht ferner auszuhalten vermöge, sagte Goethe zu Eckermann. „Der Mensch soll an Unsterblichkeit glauben, er hat dazu ein Recht, es ist seiner Natur gemäß."[35] Tod und Gericht, Himmel und Hölle: die letzten Dinge sind bei Thomas Mann präsent, wenn auch in mehr oder minder säkularisierten Formen. Selbst wenn sie Fiktionen wären, was macht das schon? Sie wären Kultivierungen des sonst aus dem Bewußtsein Verbannten. „Die natürliche Unfähigkeit, den Tod zu glauben", sinniert der Joseph-Roman, „ist die Verneinung einer Verneinung und verdient ein bejahendes Vorzeichen. Sie ist hilfloser Glaube, denn aller Glaube ist hilflos und stark vor Hilflosigkeit."[36] Wenn die graue Wahrheit trostlos ist und Trostloses aus ihr folgt, dann ist es Stärke, eine hilfreiche Fiktion zu pflegen. Die barsche Ehrlichkeit, die die Unsterblichkeit niedermacht, ist achtbar, aber sie ist hilflos nach ihrem leichten Sieg und weiß nicht weiter.

Nirgends bei Thomas Mann ist prononcierter Atheismus zu finden. Die Hoffnung auf das ewige Leben hatte er ganz sicher. Er meinte damit nichts Obskures. Wenn man im Jenseits nichts Besseres fertigbringe, spottete er nach einer spiritistischen Sitzung, als Geigen schweben und wimmern zu lassen und einen Knoten in ein Taschentuch zu schlingen, verzichte er gern auf ein Weiterleben nach dem Tode.[37] Er hatte eine andere, ziemlich genaue Vorstellung davon. „Im Lichte und in der Leichtigkeit sehen wir beide uns wieder," sagt Joseph zu Mont-kaw. Auch Thomas Mann will im Jenseits die einst Geliebten wiedersehen, den Vater und die Mutter, Armin Martens und Willri Timpe, Mary Smith und Cynthia, den Bruder Heinrich und den Paten Bertram, Katia *und* Paul, und zwar ohne die Erdenschwere, die sonst alles Glück mit Peinlichem vergällt. Das Wiedersehen nach dem Tod hat das letzte Wort in drei von Manns acht Romanen, in *Buddenbrooks,* in *Lotte in Weimar,* im *Erwählten,* und es ist nicht fern, wenn Gustav von Aschenbach sich aufmacht ins Verheißungsvoll-Ungeheure, um dort mit dem göttlichen Knaben zu lustwandeln. Clemens der Ire bittet seine Zuhörer, ihn einzuschließen in ihr Gebet, „daß wir alle uns einst mit ihnen, von denen ich sagte, im Paradiese wiedersehen" *(Der Erwählte).* „Welch freundlicher Augenblick wird es sein, wenn wir dereinst wieder zusammen erwachen." *(Lotte in Weimar)* „Es gibt ein Wiedersehen", sagt Friederike Buddenbrook. Tony zweifelt. „Ein Wiedersehen ... Wenn es so wäre ..." Das letzte Wort hat Sesemi Weichbrodt: „Es ist so!" sagt sie mit ganzer Kraft und blickt alle herausfordernd an. *(Buddenbrooks)*

Im Schutz der Dichtung konnte Thomas Mann sagen, was außerhalb ihrer der aufgeklärte Diskurs verbietet. Auf eigene Rechnung ausgedrückt ist das Religiöse peinlich. Als Tony Buddenbrook anhebt, ein lautes Gebet zu sprechen, zieht es alle zusammen vor Geniertheit.[38] Diese Scham ist die Maske, hinter der sich Thomas Manns Frömmigkeit verbirgt. Alles religiös Direkte erscheint ihm als Übergriff. Es will Gott in die Kästchen der Sprache einfangen, während er doch über alles Begreifen ist. Jedes gesprochene Wort bleibt im Banne der superbia. Nur wer selber schweigt, kann hören. Von Gott kann man so wenig reden wie von der Hölle, „weil sich das Eigentliche mit den Worten nicht deckt".[39] Gott ist ein Ironiker, vor dem sich schlechthin jede von Menschen gemachte Aussage unsterblich blamiert. Gerade wenn es ums Höchste geht, muß jede Erbaulichkeit vermieden werden.

Die Scham hat ihre Gründe. Der Name Gottes wurde viel zu oft mißbräuchlich im Munde geführt, als Deckmantel für allerlei Interessen. Der Dichter kann das abgewetzte religiöse Vokabular bis auf weiteres nicht verwenden. Seine Wortlosigkeit ist nicht trauriges Verstummen, sondern der Raum der Botschaft. Die Diskretion, die vom Ewigen schweigt, ist nicht Sackgasse und Ersticken des Religiösen, sondern die Brache, die das ausgeplünderte Land braucht, um sich zu erholen. Sie ist Schweigsamkeit mit geöffnetem Herzen. In ihr, nicht im bloß rhetorischen Überstieg der Immanenz, ist die Transzendenz, die eifrige christliche Kritiker Thomas Manns vermißten.[40]

Ganz selten nur überwindet Thomas Mann die Scham. „Wir gehen alle dahin als hoffnungslose Schuldner des Unendlichen", äußert er

„mit nassen Augen“[41] in einer Ansprache zum 70. Geburtstag seiner Frau.[42]

Wenn dann die Schatten sich senken und all das Verfehlte und Ungeschehene und Ungetane mich ängstet, dann gebe der Himmel, daß sie bei mir sitzt, Hand in Hand mit mir, und mich tröstet, wie sie mich hundertmal getröstet und aufgerichtet hat in Lebens- und Arbeitskrisen, und zu mir sagt: „Laß gut sein, du bist ganz brav gewesen, hast getan, was du konntest.“

Der dunkle Engel, der die Hände löst und jeden ins Alleinsein mit seinem Nichtsein weist, – hat er wirklich in jedem Falle Gebot und Macht, so zu tun? Ich glaube es nicht. Gerade diese Tage ihres Altersfestes, und was ihr an Dank, Bewunderung, Ehrerbietung dabei zuströmt, läßt mich gläubig zweifeln an des Engels Vermögen. Was so gewesen ist, dem bleibt das Sein. Wir werden zusammen bleiben, Hand in Hand, auch im Schattenreich. Wenn irgend ein Nachleben mir, der Essenz meines Seins, meinem Werk beschieden ist, so wird sie mit mir leben, mir zur Seite.

Eigentlich sagt man so etwas nicht. Aber es geht noch einmal gut. „Selbst der ‘dunkle Engel’ verdarb doch die Stimmung nicht ganz.“ (25. Juli 1953) Höchstens ganz ausnahmsweise sagt man so etwas. Engel brauchen viel Takt. Sie vertragen es nicht, wenn man sie zu Markte trägt. Was überraschend sein Bruder Heinrich im Alter schreibt,[43] mag auch für Thomas gelten: Nicht Unglaube, sondern Taktgefühl nötige dazu, das Dasein Gottes anheimzustellen. Es behaupten oder es leugnen, beides dementiert sich ironisch, denn wo ist die Zuständigkeit? Der Mensch – über Gott? „Mangels der Erkennbarkeit entscheidet das persönliche Bedürfnis.“ Muß man wissen, ob und wie Gott führt? „Aber nein, das Gewissen, die Vernunft sind Gottes genug. Immer darf unbekannt bleiben, wo er noch weilt, wenn nicht in uns.“ Der Glaube der Skeptiker deckt immer dieselbe „mutige Unterwerfung unter das Nichtwissen, mitsamt der inneren Gewißheit trotz allem“.

Das wirkliche Sterben

Am besten sterben wie Goethe! „Die Natur überlistete ihn liebevoll, sozusagen. Er hatte gelitten, er drückte sich bequem in die Ecke seines Sessels, um zu ruhen, zu schlummern, und war hinüber.“[44]

Goethe starb im Lehnstuhl. Das mag, der Nachahmung halber, auch Manns Wunsch gewesen sein. Als es ihm vorübergehend besser ging im Züricher Kantonsspital, durfte er zeitweise das Bett verlassen. Die allerletzten Sätze des Tagebuchs, geschrieben zwei Wochen vor dem Tod, nehmen den Stuhl in Aussicht: „Lasse mir's im Unklaren, wie lange dies Dasein währen wird. Langsam wird es sich lichten. Soll heute etwas im Stuhl sitzen. – Verdauungssorgen und Plagen." (29. Juli 1955)

In den letzten zwei Wochen konnte er kein Tagebuch mehr führen, in dem das sonst Verschwiegene stehen könnte, so daß wir nicht wissen, was Thomas Mann jenseits der offiziellen Verlautbarungen dachte. Sein Tagesbewußtsein rechnete wohl nicht mit dem Tode. Man hatte ihm ja auch etwas vorgemacht, ihm auf Anordnung Katias die Thrombose im Bein verschwiegen, von einer Venenentzündung gesprochen, und er hatte das gern geglaubt. Das war schon 1946 so gehandhabt worden. Es handle sich leider um Lungenkrebs, schrieb Katia damals an Klaus Mann. „Der Patient *weiß* es aber absolut nicht, und wenn er je den Verdacht hatte, was ich allerdings sicher glaube, so hat er ihn radikal verdrängt und völlig die ihm dargebotene Version eines harmlosen Lungen-Abszesses angenommen. Daran halten wir *eisern* fest der Welt gegenüber, weil es sonst ja doch zu ihm zurück käme, und weil es überhaupt unnötig ist, daß man ihn als gezeichnet betrachtet."[45]

Er kannte schließlich die Macht der Seele. Mit einer sympathischen Ärztin aus Rußland plauderte er am 14. März 1944 über die Frage, ob man Krebskranke in Unwissenheit lassen solle. Er notiert als Konsequenz der Redlichkeit: „Oft psychischer Collaps vor der Zeit." In seinem Theodor-Storm-Essay hatte er die Ärzte gepriesen, die Storms Magenkrebs wohltätig für eine Fehldiagnose erklärten. Es hatte sich herausgestellt, daß der Dichter auf die Wahrheit mit Schwermut reagierte, während die Lüge ihm schöpferische Euphorie und den *Schimmelreiter* bescherte.[46]

Die Krankheit zum Tode[47] begann am 18. Juli 1955 im holländischen Noordwijk mit einem ziehenden Schmerz im linken Bein. Er rührte von einer Thrombose her. Liegend wurde Thomas Mann nach Zürich geflogen. Die behandelnden Ärzte einigten sich mit Katia auf „Venenentzündung" und kündigten eine sechswöchige Behandlungszeit an. Aber es gibt ein tieferes Wissen als das des Tages. Das Bewußtsein bemühte sich, an die sechs Wochen zu glauben. Das tiefere Wissen registrierte das völlig Unvertraute, aus dem Rahmen aller bisherigen Erkrankungen Fallende des Zustands (22. Juli 1955). An Erich von Kahler schrieb der Kranke scherzend: „Tatsächlich war das Bein doppelt so dick wie das andere; aber wer kommt denn darauf, die Dicke seiner Beine zu vergleichen!“[48] Erika Mann, die in den letzten Tagen um ihn war, erwähnt sein auffallendes Desinteresse an allem, was „draußen“ geschah, so, als ginge ihn das nichts mehr an. Sein Blick, „der plötzlich *blau* war, – ein großer und blauer Blick aus grau-grünen Augen“, fragte nach der Meinung dieser Krankheit, und ob er das Krankenhaus lebend verlassen würde.[49] Es schien zwar aufwärts zu gehen. Aber „immer größer und blauer erschien der fragende Blick seiner grau-grünen Augen“.

Der Tod kam für die Ärzte überraschend. Die Behandlung der Thrombose war erfolgreich gewesen. Dem Patienten schien es besser zu gehen, als, nach einem Schwächeanfall am 11. August, am Morgen des 12. Augusts plötzlich ein schwerer Kollaps einsetzte, für den die Heilkunst keine Erklärung hatte. Am gleichen Abend um zwanzig Uhr starb Thomas Mann, im Beisein von Katia. Sein Gesichtsausdruck wechselte im Hinübergang. „Es war sein ‘Musikgesicht’“, berichtet Erika, „das er nun meiner Mutter zuwandte, das Gesicht dessen, der auf eine zugleich versunkene und tief aufmerksame Art dem Vertrautesten und Liebsten nachhorcht.“[50]

Erst eine partielle Obduktion konnte die Todesursache klären: Riß der unteren Bauchschlagader, plötzlicher großer Blutverlust und Kreislaufkollaps. Der Tod hatte die Mediziner überlistet. Er kam hinterrücks, aber sanft und schmerzlos, wie es willfährige Sterne einst verheißen hatten.

Totengeflüster

Jaakob wollte nicht in Ägypten begraben werden, trotz hochgetriebener Wickelkunst. Auch nicht am Wege bei Rahel wollte er ruhen, sondern im Erbbegräbnis bei Lea, der Mutter der Sechse, und bei seinen Vätern.[51] Thomas Mann aber mußte das Familiengrab ausschlagen. Die Politik war dazwischengekommen. Er blieb auch im Tode Exilant. Nicht in Lübeck wolle er liegen, hatte er 1937 seinem Neffen Siegmund Mann mitgeteilt[52] und sein Vorauseinverständnis erklärt, daß jeder andere Berechtigte in der Familiengruft auf dem Burgtorfriedhof bestattet werden dürfe. So ruht er heute an einem vergleichsweise traditionslosen Platz, auf dem schönen Friedhof seines letzten Wohnorts Kilchberg, mit Aussicht auf den Zürchersee und blauende Berge.

Eine Feuerbestattung wollte er nicht. „It may hurt."[53] Er hatte sich eine stille, aber noble evangelisch-christliche Trauerfeier gewünscht,[54] und so geschah es auch. Erspart blieb ihm das Bestattungsschicksal Schillers, „eine vollkommen skandalöse Geschichte",[55] wie er sie dann am Anfang des Schiller-Essays von 1955 ausführt: Ein billig gezimmerter Sarg wurde um Mitternacht zum alten Friedhof in Weimar, in das finstere, mit einer Falltür versehene Innere des Kassengewölbes getragen. Die Falltür kreischte beim Auftun in ihren verrosteten Angeln. „Der Sarg wurde in Seile gesetzt und in die Tiefe hinabgelassen, bis er Grund, irgendwelchen Grund fand, zwischen anderen Schreinen oder auf ihnen. Über der Modernacht, in die er versunken, schloß sich der Deckel."[56] Kein Wort aus Priester- oder Freundesmund, keine Kränze, kein Lorbeer. Zwanzig Jahre später hatte die inzwischen erwachte Pietät große Mühe, den richtigen Schädel und das zugehörige Gebein aus dem Wust der Vernichtung zu klauben.

Skurrilitäten gab es immerhin auch in Kilchberg. Nachts wurden zahlreiche Schleifen von den Kränzen abgeschnitten, von Gegnern, Chaoten oder Sammlern. Der Kalte Krieg verfolgte Thomas Mann bis ins Grab. Die Kränze der DDR paßten nicht durch die niedrige Tür der uralten Kilchberger Friedhofskapelle. Stephan Hermlin schlug vor, die feierlichen Wagenräder ein wenig zusammenzuquetschen und sie diagonal durch die Tür zu bringen, aber die Züricher Mentalität hatte für Hammer und Zirkel nichts übrig und sah die Kränze ohnehin lieber draußen vor der Tür. Da die Delegationen der Bundesrepublik und der DDR beide in der ersten Reihe sitzen wollten, entschied eine weise Friedhofsleitung, daß sie beide in der zweiten Reihe sitzen sollten. Überhaupt die Bundesrepublik. Ihr Auftritt war dürftig. Bundespräsident Theodor Heuss weilte in Lörrach und hätte es nicht weit gehabt. Adenauer – nun, den schätzte Thomas Mann nicht („nicht Adenauer, den verbitt' ich mir"[57]). Aber es kam nicht einmal ein Minister, nur der westdeutsche Gesandte aus Bern. Vermutlich scheute man die Begegnung mit den Offiziellen aus der DDR. Von dort war Kulturminister Johannes R. Becher mit großem Gefolge angereist. Wieviel daran propagandistisches Kalkül war, wieviel echtes Bewußtsein der Größe dessen, der da verstorben war, bleibe dahingestellt. Dichterkollegen waren nicht viele da, Max Frisch immerhin, der schon erwähnte Stephan Hermlin und, überraschenderweise, Werner Bergengruen. Hermann Hesse kam nicht, schrieb aber einen schönen Nachruf. Darin hat er dann recht behalten: Thomas Mann ist gewachsen mit der Zeit. „Was hinter seiner Ironie und seiner Virtuosität an Herz, Treue, Verantwortlichkeit und Liebesfähigkeit stand, jahrzehntelang völlig unbegriffen vom großen deutschen Publikum, das wird sein Werk und Andenken weit über unsere verworrenen Zeiten hinaus lebendig erhalten.“[58]

Das Grab ist sehr schlicht, mehr als bescheiden, verglichen mit dem stattlichen Denkmal für Conrad Ferdinand Meyer auf dem gleichen Friedhof. Man findet es kaum – irgendwo liegt es zwischen den Bürgergräbern. Kuriose Gespräche werden es sein, wenn die Toten miteinander wispern. Endlich sind sie ganz frei und verstehen einander vollkommen. Es gibt ja so viel zu erzählen, was im Leben nie ausgesprochen oder immer mißverstanden wurde. Wenn, wie am Schluß von Goethes *Faust*, der ewig Verzeihende alle erlöst, dann werden sie staunend auch die Seelen derer studieren, die ihnen im Diesseits fremd und unbegreiflich gewesen sind. Nahebei ruht Ludwig Klages, der Philosoph des Irrationalismus, den Thomas Mann nicht mochte. Mit ihm könnte der Abgeschiedene sich über Bachofen und die Gräbersymbolik unterhalten. Im Halbkreis vor dem schlichten Quader für Thomas und Katia waren fünf Grabplatten vorgesehen. Nur drei Plätze sind besetzt, die von Erika, Monika und Michael. Vielleicht kommt Elisabeth noch dazu, wenn sie nicht in der Neuen Welt zu fest verwurzelt ist. Klaus liegt in Cannes. Golo wollte nicht zum Vater, liegt aber ebenfalls in Kilchberg. Er muß sich nun mit Dora Schrepfer und Hans Ruedi unterhalten, zwischen denen er sein schmales Grab gefunden hat.

Der Stein verzeichnet nur den Namen und die Lebensdaten. Wir wollen nachreichen, was Thomas Mann selbst als „Grabschrift“ bezeichnet hat,[59] einen kleinen Dialog über das Leben als Kunststück, nämlich Goethes Spruch:

> *„Wohl kamst du durch, so ging es allenfalls. –“*
> *„Mach's einer nach und breche nicht den Hals!“*

Katia wurde fast siebenundneunzig Jahre alt. Es kam keine so richtig gute Zeit mehr. „Trotz Kindern und Enkeln hat mein Leben nun eben doch seinen Sinn verloren.“[60] Man muß die Kühle und Schnippische, die wie ihr Mann ihr Herz immer versteckt gehalten hatte, die, sonst immer gefaßt, erst bei seiner Beerdigung weinte, nach seinem Tod ziemlich allein gelassen haben. Klaus lebte schon lange nicht mehr, und noch vor Katia starben Erika und Michael. Monika und Elisabeth waren weit weg. Nur Golo lebte später bei ihr und tat sein Bestes. Die übrigen Besucher kamen vor allem des Copyrights wegen. Es war bitter, erfahren zu müssen, daß so wenig Gefühl für sie übrig geblieben war. Auch ihr haben die Deutschen ihr Herz nicht geöffnet, die meisten jedenfalls nicht. Thomas Mann hatte das anders gewollt. Ohne ihren stillen Dienst, ohne die Liebe, mit der sie sein Dasein behütet hat, hätte sein Leben nicht gelingen können. Er wünschte sich: „So lange Menschen meiner gedenken, wird ihrer gedacht sein."[61]

Zürich 1953, am siebzigsten Geburtstag von Katia Mann

Anhang

Anmerkungen

I. Kind und Schüler

1 Darüber sinniert Jaakob in *Joseph und seine Brüder*, GW IV, 110 *(Vom Öl, vom Wein und von der Feige)*.
2 Horoskop, undatiert, 4 S., Unterschrift unleserlich (TMA).
3 An Kuno Fiedler 4. 5. 1941.
4 Alle folgenden Zitate und Sachverhalte *Vom Öl, vom Wein und von der Feige*, GW IV, 108–110.
5 An Agnes E. Meyer am 29. 6. 1939.
6 Monika Mann, *Vergangenes und Gegenwärtiges*, S. 139.
7 *Bekenntnisse des Hochstaplers Felix Krull* I, 2; GW VII, 270.
8 *Lebenslauf 1936*, GW XI, 450.
9 Kopie TMA, hier nach Mendelssohn I, 69.
10 Johann Wolfgang Goethe, *Dichtung und Wahrheit*, erste Seite.
11 *Lebensabriß* (1930), E III, 222; GW XI, 144.
12 *Die Entstehung des Doktor Faustus* (1949), 1. Kapitel, GW XI, 145 f.
13 *Meine Zeit* (1950), E VI, 172; GW XI, 314.
14 Tagebuch 1. 6. 1952.
15 Inge Jens, *Tagebücher 1949–1950*, S. XIV.
16 An Eberhard Hilscher 3.11.1951.
17 Vgl. dazu die Radiobotschaft *Lübeck*, Mai 1942, E V, 180–182, 371–373; GW XI, 1033–1035.
18 Gustav Lindtke in *Lübeck zur Zeit der Buddenbrooks*, Ausstellungskatalog Lübeck 1975, S. 8 f.
19 *Der Zauberberg*, GW III, 36 f. *(Von der Taufschale und vom Großvater in zwiefacher Gestalt)*, dort auch das folgende Zitat.
20 *Zur jüdischen Frage* (1921), E II, 92; GW XIII, 473.
21 *Deutschland und die Deutschen* (1945), E V, 263; GW XI, 1130.
22 *Lübeck* (1942), E V, 181; GW XI, 1034.
23 Vgl. den Brief an Otto Passarge (Bürgermeister von Lübeck) vom 6. 8. 1948 (Regesten 48/425). Näheres Inge Jens in: *Tagebücher 1946–1948*, S. 773 f., 778, 826 u. ö.
24 *Buddenbrooks* I, 1; GW I, 13.
25 Vgl. Mendelssohn I, 101 f.
26 *Buddenbrooks* I, 1; GW I, 14.
27 *Bilse und ich* (1906), E I, 40; GW X, 15.
28 Friedrich Schiller, *Über naive und sentimentalische Dichtung*.
29 Nach *On Myself* (1940), TMS III, 73; in der in GW XIII gedruckten Textversion nicht enthalten.

30 In einer gestrichenen Passage des Manuskripts von *Meerfahrt mit Don Quijote* (1934), E IV, 362.
31 *Lübecker Nachrichten,* 11. 6. 1953, nach Volker Hage, *Eine Liebe fürs Leben. Thomas Mann und Travemünde,* Hamburg 1993, S. 9 f.
32 *Kinderspiele* (1904), E I, 31; GW XI, 327.
33 *Lebensabriß* (1930), E III, 191; GW XI, 112.
34 Wie das folgende Zitat aus *Kinderspiele*, E I, 31 f.; GW XI, 327 f.
35 *Der Zauberberg*, GW III, 277 *(Ewigkeitssuppe und plötzliche Klarheit).*
36 *Buddenbrooks,* VIII, 8; GW I, 533.
37 *Kinderspiele,* E I, 33; GW XI, 329.
38 *Kinderspiele,* Fassung TMS III, 63; nicht in E I und GW XI.
39 *On Myself*, GW XIII, 129.
40 *Buddenbrooks* VIII, 7; GW I, 520.
41 *Lebensabriß*, E III, 177; GW XI, 98, auch *Lebenslauf 1936,* GW XI, 451.
42 Zum Beispiel E III, 27, 177, 435, oder im Brief an Agnes E. Meyer vom 29. 6. 1939.
43 Wie das folgende Zitat *Lübeck als geistige Lebensform* (1926), E III, 26; GW XI, 386 f.
44 *Ansprache in Lübeck* (1955), GW XI, 536.
45 Heinrich Mann, *Ein Zeitalter wird besichtigt,* Ausgabe Reinbek 1976, S. 126.
46 In einem Artikel zum 50. Geburtstags seines Schulfreunds Heinrich Mann, hier nach Julia Mann, S. 311.
47 *Das Bild der Mutter* (1930), GW XI, 421.
48 Viktor Mann, S. 16.
49 So im Brief an Agnes E. Meyer vom 29. 6. 1939.
50 An Agnes E. Meyer 29. 6. 1939.
51 *Königliche Hoheit*, GW II, 59 *(Der Schuster Hinnerke).*
52 An Agnes E. Meyer 29. 6. 1939.
53 An Otto Grautoff Anfang März 1896.
54 Das Testament findet sich bei Mendelssohn I, 198.
55 *Der kleine Herr Friedemann,* vgl. Mendelssohn I, 357.
56 *Buddenbrooks* X, 5; GW I, 644 ff.
57 *Königliche Hoheit,* GW II, 60 *(Der Schuster Hinnerke).*
58 *Doktor Faustus,* GW VI, 261, 380, 431, 460 u. ö.
59 In einer später ausgeschiedenen Passage, Tagebücher 1953–1955, S. 806.
60 *Hundert Jahre Reclam* (1928), GW X, 239.
61 *Buddenbrooks* VIII, 5; GW I, 485.
62 *Tonio Kröger,* 4. Kapitel, GW VIII, 296.
63 Mendelssohn I, 198 f., wie das folgende Zitat.
64 An Ernst Bertram 29.12.1917.
65 *Lübeck als geistige Lebensform* (1926), E III, 27; GW XI, 387.
66 *Ansprache in Lübeck* (1955), GW XI, 535.
67 Tagebuch 3. 3. 1955.
68 Alle Zitate im folgenden, so weit nicht anders vermerkt, aus *Süßer Schlaf!* (1909), E I, 105–111; GW XI, 333–339.
69 *Der Kleiderschrank* (1899), GW VIII, 157.
70 *Bekenntnisse des Hochstaplers Felix Krull* I, 2; GW VII, 270.
71 *Buddenbrooks* XI, 2; GW I, 723.

72 *Buddenbrooks* XI, 2; GW I, 713.
73 *Buddenbrooks* VII, 8; GW I, 437.
74 An den ehemaligen Mitschüler Felix Neumann, 21. 8. 1946 (Stadtbibliothek Lübeck).
75 An Otto Grautoff 2. 9. 1900.
76 Korfiz Holm, *Ich – klein geschrieben. Heitere Erlebnisse eines Verlegers*, München-Wien 1966, S. 32.
77 Ein Facsimile des Zeugnisses im Katalog des Buddenbrookhauses: *Heinrich und Thomas Mann. Ihr Leben in Text und Bild*, Lübeck 1994, S. 71, und bei Wysling, *Leben*, S. 63.
78 *Buddenbrooks* X, 2; GW I, 622.
79 *Bekenntnisse des Hochstaplers Felix Krull* II, 2; GW VII, 328.
80 *Lebensabriß*, E III, 178; GW XI, 99.
81 Der Held der Erzählung *Enttäuschung* (entstanden 1896), GW VIII, 66.
82 *Bekenntnisse des Hochstaplers Felix Krull* I, 6; GW VII, 296.
83 *Bekenntnisse des Hochstaplers Felix Krull* I, 9; GW VII, 318.
84 *Im Spiegel* (1907), E I, 98; GW XI, 330.
85 *Der Frühlingssturm* (1893), GW XIII, 245 *(Das Sonntagskind)*.
86 An Otto Grautoff 27. 9. 1894.
87 *Bekenntnisse des Hochstaplers Felix Krull* I, 9; GW VII, 319 f.
88 *Bekenntnisse des Hochstaplers Felix Krull* I, 6; GW VII, 295.
89 *Buddenbrooks* XI, 2; GW I, 741.
90 *'Was war uns die Schule?'* (1930), GW XIII, 57.
91 *Was Nürnberger Prominente in ihrer Jugend werden wollten* (Ergänzungsteil *Stimmen aus dem Reich*). In: Bayerische Volkszeitung 9. 4. 1932, S. 4.
92 *Chamisso* (1911), GW IX, 56.
93 *Der Bajazzo* (1897), GW VIII, 111.
94 *Lebensabriß*, E III, 180; GW XI, 101.
95 Dieses und das folgende Zitat *Der Zauberberg*, GW III, 115 f. *(Herr Albin)*.
96 *Doktor Faustus*, 30. Kapitel, GW VI, 399.
97 Tagebuch 2. 5. 1933.
98 *Doktor Faustus*, 47. Kapitel, GW VI, 662.
99 *Zuspruch* (1918), E II, 15.
100 *Gegen das Abiturientenexamen* (1917), E I, 294; GW X, 846.
101 *Buddenbrooks* X, 2; GW I, 620.
102 *Pariser Rechenschaft* (1926), GW XI, 16.
103 An Frieda Hartenstein 2. 1. 1890.
104 *Lebensabriß*, E III, 187; GW XI, 108 f.
105 *Tonio Kröger*, 1. Kapitel, GW VIII, 277.
106 *Heinrich Heine, der „Gute“* (1893), E I, 13; GW XI, 711.
107 Vgl. E I, 309.
108 Vgl. *Das Bild der Mutter* (1930), GW XI, 422 f.
109 Heinrich Mann an Ludwig Ewers am 19. 11. 1890.
110 An Otto Grautoff 17. 5. 1895.
111 Ein Exzerpt aus Bourgets Roman *Le Disciple* im ersten Notizbuch, N I, 17.
112 *Versuch über das Theater* (1907), E I, 67; GW X, 37.
113 Facsimile bei Wysling, *Leben*, S. 67; unter dem Titel *Das Sonntagskind* (1893), GW XIII, 245.

114 Nietzsche, *Der Fall Wagner,* Nr. 1–3.
115 *Im Spiegel* (1907), E I, 98; GW XI, 330.
116 Nietzsche im 1. Abschnitt von *Was ist vornehm?* aus *Jenseits von Gut und Böse* (Nr. 257).
117 *Der Wille zum Glück* (1896), GW VIII, 44.
118 Die Informationen über die Mitschüler nach Mendelssohn I, 169–174, 144–150; ferner *Zur jüdischen Frage,* E II, 86–88; GW XIII, 467–469.
119 *Lebensabriß,* E III, 178; GW XI, 99.
120 Wie aus Heinrich Manns Brief an Ludwig Ewers vom 25.11.1889 hervorgeht.
121 Vgl. Erich Mühsam, *Tagebücher 1910–1924,* München 1994.

II. Frühes Lieben erstes Dichten

1 *Meine erste Liebe* (1931), E III, 295.
2 19. 3. 1955, *Briefe III,* übernommen ins Tagebuch des gleichen Tages.
3 *Der Künstler und der Literat* (1913), GW X, 66.
4 Beide Stellen *Betrachtungen eines Unpolitischen,* GW XII, 544, 546 *(Ästhetizistische Politik).*
5 *Tonio Kröger,* 1. Kapitel, GW VIII, 272.
6 Mendelssohn I, 179.
7 Alle im folgenden nicht näher bezeichneten Informationen über Armin und Ilse Martens stammen aus dem Katalog *Thomas Mann. Unbekannte Dokumente aus seiner Jugend.* Sammlung Prof. Dr. P. R. Franke. Ausstellung. Landesbank Saar Girozentrale Saarbrücken vom 2. bis 20. September 1991, Saarbrücken 1991.
8 *Königliche Hoheit,* GW II, 148 *(Albrecht II.).*
9 Im Gespräch mit Lisaweta Iwanowna, *Tonio Kröger,* 4. Kapitel, GW VIII, 295.
10 N I, 157.
11 *Der Zauberberg,* GW III, 463, 478, 483 *(Walpurgisnacht* und *Veränderungen).*
12 Alle Zitate aus *Der Zauberberg,* GW III, 169–174 *(Hippe).*
13 Überliefert durch Golo Mann, *Vater,* S. 6.
14 *Der Zauberberg,* GW III, 172 *(Hippe).*
15 *Der Zauberberg,* GW III, 206 f. *(Aufsteigende Angst).*
16 *Der Zauberberg,* GW III, 176 *(Hippe).*
17 An Otto Grautoff 2. 9. 1900.
18 *Der Zauberberg,* GW III, 171 f. *(Hippe),* dort auch das folgende Zitat Otto.
19 *Bekenntnisse des Hochstaplers Felix Krull* II, 4; GW VII, 348 f.
20 An Kuno Fiedler am 11. 11. 1954, *Tagebücher 1953–1955,* S. 696.
21 Tagebuch 24. 11. 1950.
22 *Dostojewski – mit Maßen* (1945), E VI, 19; GW IX, 661.
23 *Lebensabriß* (1930), E III, 190; GW XI, 111.
24 Tagebuch 11. 7. 1950. Die „Galerie" begegnet auch in den Tagebuchnotizen vom 24. 1. 1934 und vom 6. 5. 1934, ferner in der vom 16. 7. 1950.
25 N I, 183.
26 *Tonio Kröger,* 2. Kapitel, GW VIII, 288.
27 Zuerst *Buddenbrooks* III, 3; GW I, 123, dann von Tony oft wiederholt, z. B. 127, 292, 451.

28 *Buddenbrooks* III, 12; GW I, 156.
29 *Buddenbrooks* III, 9; GW I, 146.
30 *Joseph und seine Brüder,* GW V, 1497 f. *(Der versunkene Schatz).*
31 *On Myself* (1940), GW XIII, 133.
32 14.10.1889 an Frieda Hartenstein, *Briefe I.*
33 Tagebuch 16. 7. 1950.
34 Heinrich Mann an Ludwig Ewers 27. 3. 1890.
35 *On Myself,* GW XIII, 132.
36 *Tonio Kröger,* 1. Kapitel, GW VIII, 274.
37 *Tonio Kröger,* 7. Kapitel, GW VIII, 321 f.
38 Am 25.11.1889.
39 *Lebensabriß,* E III, 178 f., GW XI, 99.
40 An Roland Biermann-Ratjen 12. 5. 1954, DüD I, 8.
41 *An Bruno Walter zum siebzigsten Geburtstag* (1946), GW X, 511.
42 *On Myself,* GW XIII, 131.
43 An Frieda Hartenstein 14. 10. 1889, *Briefe I.*
44 *Lebensabriß,* E III, 178; GW XI, 99.
45 *Zur jüdischen Frage* (1921), E II, 88; GW XIII, 469.
46 *Der Bajazzo* (1897), GW VIII, 114.
47 Alle Zitate *On Myself,* GW XIII, 132.
48 Tagebuch 7. 5. 1954.
49 Alles Vorstehende, soweit nicht anders nachgewiesen, aus Briefen an Otto Grautoff vom 8. 1., 5. 3., 28. 3. und 7. 5. 1895.
50 *Lebensabriß,* E III, 179; GW XI, 100.
51 GW VIII, 1104.
52 GW VIII, 1103.
53 Alle folgenden Zitate GW VIII, 9–10.
54 *Tonio Kröger,* 4. Kapitel, GW VIII, 300 f. und 305.
55 *On Myself,* GW XIII, 133; auch in Briefen an Otto Grautoff Anfang September 1894 und 27. 9. 1894.
56 *On Myself,* GW XIII, 133.
57 *Der kleine Herr Friedemann* (1897), GW VIII, 105 u. ö.
58 *Gefallen* (1894), GW VIII, 16, 40.
59 *On Myself,* GW XIII, 132.
60 *Lebensabriß,* E III, 179; GW XI, 100.
61 Die Tanzstundenerlebnisse nach Mendelssohn I, 178–180.
62 2. Kapitel, GW VIII, 282.
63 *Der Zauberberg,* GW III, 110 *(Natürlich, ein Frauenzimmer!),* 131 *(Satana macht ehrenrührige Vorschläge),* 181 *(Analyse).*
64 *Tonio Kröger,* 2. Kapitel, GW VIII, 284.
65 Wysling, *Leben,* S. 149 (mit Foto).
66 *Doktor Faustus,* 16. Kapitel, GW VI, 190.
67 Heinrich Mann an Ludwig Ewers am 21. 11. 1890.
68 *Der Zauberberg,* GW III, 932 *(Fragwürdigstes).*
69 *Bekenntnisse des Hochstaplers Felix Krull* II, 6; GW VII, 379; die folgenden Zitate 379–383.
70 Alle Zitate *Bekenntnisse des Hochstaplers Felix Krull* I, 8; GW VII, 313.
71 Nach Mendelssohn I, 157.

72 An Frieda Hartenstein am 14.10.1889, *Briefe I.*
73 *Die Entstehung des Doktor Faustus* (1949), GW XI, 264.

III. Vor dem Ruhm

1 Erinnert im Tagebuch vom 25. 5. 1934.
2 GW VIII, 108, dort auch die folgenden *Bajazzo*-Zitate.
3 *Süßer Schlaf!* (1909), E I, 106; GW XI, 334.
4 *Doktor Faustus,* 23. Kapitel, GW VI, 260 f.
5 *On Myself* (1940), GW XIII, 131.
6 *Bekenntnisse des Hochstaplers Felix Krull* II, 5 und 6, GW VII, 372 und 380.
7 Wie das folgende Zitat *Betrachtungen eines Unpolitischen,* GW XII, 141 *(Bürgerlichkeit).*
8 *Lebensabriß* (1930), E III, 182; GW XI, 103.
9 *Bilse und ich* (1906), E I, 41; GW X, 15.
10 Im ersten erhaltenen Brief an Otto Grautoff vom September 1894.
11 *Lebensabriß,* E III, 183; GW XI, 104.
12 An Otto Grautoff 12. 4. 1895.
13 *Erinnerungen aus der deutschen Inflation* (1942), GW XIII, 181.
14 *Geist und Geld* (1921), E II, 43; GW XI, 746.
15 Heinrich Mann, *Zeitalter*, S. 151.
16 *Betrachtungen eines Unpolitischen*, GW XII, 460 f. *(Einiges über Menschlichkeit).*
17 *On Myself*, GW XIII, 140.
18 *Tonio Kröger,* 4. Kapitel, GW VIII, 297.
19 Hier nach der Handschrift im 3. Notizbuch, N I, 155 f.
20 *Betrachtungen eines Unpolitischen*, GW XII, 564 *(Ästhetizistische Politik).*
21 Vgl. Kommentar zu *Schopenhauer* (1938), E IV, 426 f.
22 *Schopenhauer*, E IV, 285; GW IX, 561.
23 *Lebensabriß,* E III, 190; GW XI, 111.
24 *Schopenhauer,* E IV, 284; GW IX, 560.
25 An Willy Sternfeld 25.11.1949, Kopie TMA.
26 *Der Tod in Venedig,* 2. Kapitel, GW VIII, 454.
27 *Bekenntnisse des Hochstaplers Felix Krull* I, 8; GW VII, 315.
28 *Tonio Kröger,* 3. Kapitel, GW VIII, 290.
29 An Otto Grautoff 13./14. 11. 1894, 20. 1. 1895, 5. 3. 1895.
30 An Otto Grautoff 5. 3. 1895.
31 *Siehst du, Kind, ich liebe dich* (1895), GW VIII, 1105.
32 An Otto Grautoff 18. 6. 1895.
33 An Otto Grautoff 16. 5. 1895.
34 *Gesang vom Kindchen,* GW VIII, 1088 *(Vom Morgenlande).*
35 *Gastspiel in München* (1927), E III, 49 f., 381 f.
36 In der Erzählung *Der Kleiderschrank* (1899), GW VIII, 159.
37 An Ida Herz am 19. 12. 1954 (Regesten 54/409).
38 *Gefallen* (1894), GW VIII, 14; die folgenden Zitate auf den Seiten 15, 19, 21 und 26.

39 *Gefallen*, GW VIII, 22, 23, 31; die nächsten 28, 29, 30.
40 *Tristan* (1903), GW VIII, 230.
41 *Enttäuschung* (1896), GW VIII, 66.
42 An Otto Grautoff 13./14. 11. 1894.
43 GW VIII, 42.
44 An Otto Grautoff 8. 11. 1896.
45 An Otto Grautoff 17. 2. 1896, dort auch das folgende Zitat.
46 *Morgenröte*, 2. Buch, Nr. 109.
47 *Was bedeuten asketische Ideale*, Nr. 8.
48 An Otto Grautoff 8. 11. 1896.
49 Goethe an Marianne von Willemer am 6. 10. 1816.
50 *Doktor Faustus*, 31. Kapitel, GW VI, 416.
51 Zeilen aus Platens Gedicht *Wie stürzte sonst mich in so viel Gefahr*, das auch in den *Betrachtungen* zitiert wird (GW XII, 191).
52 An Otto Grautoff 22. 12. 1898.
53 *Tonio Kröger*, 2. Kapitel, GW VIII, 284.
54 Heinrich von Kleist an Otto August Rühle von Lilienstern am 31. 8. 1806.
55 Heinrich von Kleist, *Über das Marionettentheater*.
56 An Otto Grautoff 17. 5. 1895.
57 Einlage in *Gefallen*, GW VIII, 33, 41.
58 An Otto Grautoff 28. 6. 1895.
59 An Otto Grautoff 23. 4. 1897
60 An Otto Grautoff 6. 4. 1897.
61 An Otto Grautoff 20. 8. 1897.
62 An Otto Grautoff 6. 4. 1897.
63 An Otto Grautoff 21. 7. 1897, dort auch das folgende Zitat.
64 An Felix Neumann am 21. 8. 1946 (Stadtbibliothek Lübeck).
65 An Otto Grautoff 8. 1., 5. 3., 28. 3. und 17. 5. 1895.
66 An Otto Grautoff 28. 3. 1895.
67 Tagebuch 2. 4. 1953.
68 Am 4. 4. 1933; Klaus Mann, *Tagebücher 1931–1949*, 6 Bände, Reinbek 1995.
69 *On Myself*, GW XIII, 135 f.; *Joseph und seine Brüder*, GW V, 1085 f. *(In Schlangennot)*.
70 *Der kleine Herr Friedemann*, 14. Kapitel, GW VIII, 100.
71 So im Fragebogen *Erkenne Dich selbst!* (1895), E I, 16.
72 *Der Zauberberg*, GW III, 180 *(Analyse)*.
73 GW VIII, 98, die folgenden Zitate 99, 102 und 105.
74 Arthur Schopenhauer, *Die Welt als Wille und Vorstellung*, § 38.
75 An Kurt Martens am 28. 3. 1906.
76 Kuno Fiedler an Thomas Mann am 28.11.1954, in: *Tagebücher 1953–1955*, S. 697.
77 C. G. Jung, zitiert im Tagebuch 16. 3. 1935.
78 *Lotte in Weimar*, 9. Kapitel, GW II, 763.
79 Die folgende Beschreibung nach *Tristan*, 4. Kapitel, GW VIII, 223 f.
80 Arthur Holitscher, *Lebensgeschichte eines Rebellen*, Berlin 1924, S. 219; dort S. 217–221 auch alle folgenden Holitscher-Zitate.
81 Arthur Eloesser, *Thomas Mann. Sein Leben und sein Werk*, Berlin 1925, S. 121 f.

82 An Katia Pringsheim Ende Mai 1904, *Briefe I.*
83 *Königliche Hoheit,* GW II, 204 *(Imma).*
84 Arthur Schopenhauer, *Die Welt als Wille und Vorstellung,* 1. Band 4. Buch, § 55; 2. Band, 4. Buch, Kapitel 47.
85 *Bilse und ich* (1906), E I, 43 (die Passage fehlt in den meisten späteren Drukken, auch in GW).
86 An Kurt Martens 28. 3. 1906.
87 *Tonio Kröger,* 2. Kapitel, GW VIII, 284.
88 Mendelssohn I, 721.
89 An Heinrich 27. 4. 1912, wie auch die folgende Schilderung.
90 Am 29. 6. 1900, *Briefe III.*
91 Viktor Mann, S. 92.
92 *Betrachtungen eines Unpolitischen,* GW XII, 247 *(Politik).*
93 *Betrachtungen eines Unpolitischen,* GW XII, 261 *(Politik).*
94 Alle Zitate *Meine Zeit* (1950), E VI, 164 f., GW XI, 306 f.
95 *Bekenntnisse des Hochstaplers Felix Krull* III, 9; GW VII, 610.
96 *Bekenntnisse des Hochstaplers Felix Krull* II, 8; GW VII, 417.
97 *Buddenbrooks* IV, 3 und 4.
98 *Buddenbrooks* III, 8; GW I, 138.
99 *Meine Zeit* (1950), E VI, 166; GW XI, 307 f.
100 An Otto Grautoff 28. 3. 1895.
101 Alle Zitate bisher ARE I, 11–14; GW XIII, 367–371.
102 *Tiroler Sagen* (1896), ARE I, 16–20; GW XIII, 371–375.
103 *Ein nationaler Dichter* (1896), E I, 18; GW XIII, 376.
104 *„Dagmar, Lesseps und andere Gedichte“* (1896), ARE I, 24; GW XIII, 379.
105 *Kritik und Schaffen* (1896), E I, 23; GW XIII, 521.
106 *Carl von Weber: Ehre ist Zwang genug* (1896), ARE I, 29–31; GW XIII, 381–383.
107 An Otto Grautoff 23. 4. 1897.
108 An Otto Grautoff 23. 5. 1896.
109 An Otto Grautoff 19. 3. 1896.
110 Friedrich Schiller, *Wilhelm Tell,* 2. Akt, 1. Szene.
111 An Otto Grautoff 19. 3. 1896, wie das folgende Zitat.
112 *Lebensabriß* (1930), E III, 183; GW XI, 104.
113 An Otto Grautoff 8. 11. 1896.
114 An Otto Grautoff 20. 8. 1897.
115 *Tonio Kröger,* 5. Kapitel, GW VIII, 305.
116 *Fragment über das Religiöse* (1930), E III, 296; GW XI, 423.
117 Zu seiner Tochter Monika, in: Monika Mann, *Vergangenes und Gegenwärtiges,* S. 162.
118 *Lebensabriß,* E III, 182; GW XI, 103, ferner Tagebuch 1. 5. 1953.
119 Alle Zitate, auch die folgenden, II, 2, GW VII, 324–327.
120 *Ein nationaler Dichter* (1896), E I, 20; GW XIII, 378.
121 Tagebuch 25. 2. 1954.
122 Thomas Mann an Reinhold Schneider am 18. 12. 1953, in: *Reinhold Schneider. Leben und Werk in Dokumenten,* Karlsruhe 1973, S. 187 f.
123 So Gustav René Hocke in einem Pressebericht 1953, TMUZ Nr. 152.
124 So Günther Schwarberg, *Es war einmal ein Zauberberg. Eine Reportage aus*

der Welt des deutschen Zauberers Thomas Mann, Hamburg 1996, S. 327.
125 Inge Jens im Kommentar zur Tagebuchnotiz vom 1. 5. 1953.
126 Überliefert im Brief an Otto Grautoff Anfang März 1896.
127 XI, 2; GW I, 743; Vorstufe N I, 180.
128 An Otto Grautoff 12. 4. 1895.
129 *Buddenbrooks* X, 8; GW I, 683 f.
130 *Ansprache vor Hamburger Studenten* (1953), GW X, 400.
130a *Der Zauberberg*, Abschnitt *Humaniora*, GW III, 369.
131 Vgl. Tagebuch 26. 2. 1920 (Taufe Michael Mann), 13. 3. 1921 (Konfirmation Klaus und Erika).
132 Vgl. „Beißers" (= Michael Mann) Gebet in *Unordnung und frühes Leid* (1924), GW VIII, 651.
133 Mendelssohn I, 198.
134 *Widmungen* Nr. 2.
135 *„Ostmarkklänge"* (1895), ARE I, 13; GW XIII, 369.
136 *Buddenbrooks* V, 5; GW I, 281.
137 Erika Mann, S. 365.
138 *Buddenbrooks* V, 5; GW I, 278 f.
139 Vgl. Konrad Ameln, *Über die „Rabenaas"-Strophe und ähnliche Gebilde,* in: *Jahrbuch für Liturgik und Hymnologie* 13, 1968, S. 190–194.
140 *Der Zauberberg,* GW III, 25 *(Im Restaurant).*
141 *Buddenbrooks* VIII, 8; GW I, 543.
142 *Buddenbrooks* IX, 2; GW I, 569.
143 *Buddenbrooks* VII, 7; GW I, 436.
144 *Buddenbrooks* X, 5; GW I, 660.
145 *Erkenne dich selbst!* E I, 16.
146 *Erkenne dich selbst!* E I, 16.
147 Spuren in *Ein nationaler Dichter,* E I, 18 (GW XIII, 376) und im Brief an Otto Grautoff vom 28. 6. 1895.
148 An Paul Ehrenberg 26. 5. 1901; James Northcote-Bade, *Thomas Manns Brief an Paul Ehrenberg vom 26. Mai 1901,* in: *Zeitschrift für deutsche Philologie* 108, 1989, S. 568–575, hier S. 572.
149 *Buddenbrooks* VIII, 3; GW I, 464; dort und 462 f. alle folgenden *Buddenbrooks*-Zitate.
150 An Otto Grautoff 6. 4. 1897.
151 *Des Knaben Wunderhorn. Alte deutsche Lieder.* Gesammelt von Achim von Arnim und Clemens Brentano. Kritische Ausgabe, hrsg. u. kommentiert von Heinz Rölleke. Band III, Stuttgart 1987, S. 276 f.
152 Walter Benjamin, *Illuminationen,* Frankfurt 1969, S. 308.
153 *Fragment über das Religiöse,* E III, 296; GW XI, 423.
154 *Buddenbrooks* IX, 1; GW I, 568.
155 Bei Angelus Silesius, *Heilige Seelen-Lust oder Geistliche Hirten-Lieder Der in ihren JESUM verliebten Psyche [...],* Breslau 1657, heißt das Lied (2. Buch, Nr. 53) *Die Seele Christi heilge mich.* Im zweihundert Jahre lang in zahlreichen Auflagen verbreiteten Porstschen Gesangbuch konnte auch Thomas Mann es leicht finden: *Geistliche und liebliche Lieder, welche der Geist des Glaubens [...] gedichtet [...].* Von Johann Porst, Ausgabe Berlin 1892, Nr. 75, zu singen auf die Melodie von *Nun laßt uns den Leib begraben.*

156 An Otto Grautoff Anfang Mai 1895.
157 *Buddenbrooks* X, 8; GW I, 684 f.; N I, 115.
158 *Lübeckisches evangelisch-lutherisches Gesangbuch für den öffentlichen Gottesdienst und die häusliche Andacht, auf Verordnung Eines Hohen Senates ausgefertigt durch das Ministerium,* Lübeck 1877, Nr. 287.
159 *Buddenbrooks* V, 2; GW I, 259 f., dort auch die folgenden Zitate.

IV. Thomas und Heinrich

1 Heinrich Mann an Karl Lemke 27. 10. 1948.
2 Viktor Mann, *S.* 13.
3 *Buddenbrooks* I, 2; GW I, 17.
4 *Buddenbrooks* IX, 2; GW I, 580.
5 *Buddenbrooks* V, 2; GW I, 264 f.
6 Heinrich Mann an Ludwig Ewers 20. 3. 1890. Weitere nicht erhaltene Briefe lassen sich erschließen für den 28. 4. 1890 und den 12. 3. 1891.
7 Heinrich Mann, *Zeitalter,* S. 158.
8 An Heinrich Mann am 18. 2. 1905.
9 Das folgende nach Viktor Mann, S. 36–44.
10 Erika Mann, S. 24.
11 Heinrich Mann, *Zeitalter*, S. 127 f.
12 Heinrich Mann, *Zeitalter*, S. 152.
13 Thomas an Heinrich 5. 12. 1903.
14 *Betrachtungen eines Unpolitischen,* GW XII, 539 *(Ästhetizistische Politik).*
15 Alle Zitate *Fiorenza,* GW VIII, 1058 f.
16 *Fiorenza,* GW VIII, 1063.
17 An Kurt Martens 28. 3. 1906.
18 Heinrich Mann an Ludwig Ewers am 10. 5. 1890.
19 Heinrich Mann an Ludwig Ewers am 10. 9. 1891.
20 Thomas an Heinrich 28. 2. 1901.
21 Thomas an Heinrich am 13. 2., 28. 2. und 7. 3. 1901.
22 *Königliche Hoheit,* GW II, 347 *(Die Erfüllung).*
23 Thomas an Heinrich 27. 2. 1904.
24 Thomas an Heinrich 17. 10. 1905.
25 TMUZ Nr. 29.
26 Heinrich Mann an Maximilian Harden 31. 3. 1906, TMUZ Nr. 22; Schaukals Kritik TMUZ Nr. 21.
27 N II, 82 f.
28 An Richard von Schaukal 26. 1. 1903, dort auch die folgenden Zitate (ungedruckt, TMA).
29 An Schaukal 18. 9. 1903 (ungedruckt, TMA).
30 Thomas an Heinrich 15. 9. 1903.
31 7. Notizbuch (1903), N II, 82 f.
32 Alle Zitate *Das Ewig-Weibliche* (1903), E I, 29 f.; GW XIII, 387 f.
33 *Der Antichrist,* Nr. 45.
34 *Götzen-Dämmerung, Die „Verbesserer" der Menschheit* Nr. 4.
35 Großherzog Albrecht in *Königliche Hoheit,* GW II, 146 *(Albrecht II.).*

36 Im Briefentwurf vom 5. 1. 1918.
37 Heinrich Mann, *Zeitalter*, S. 145.
38 Julia Mann an Heinrich Mann 10. 3. 1904.
39 Julia Mann an Heinrich Mann 20. 11. 1904.
40 Julia Mann an Heinrich Mann 16. 2. 1905.
41 Vgl. Julia Mann an Heinrich Mann 5. 1. 1905.
42 *Schwere Stunde* (1905), GW VIII, 372, die folgenden Zitate 377 und 379.
43 N II, 115.
44 *Schwere Stunde,* GW VIII, 374.
45 *Königliche Hoheit*, GW II, 54 *(Der Schuster Hinnerke).*
46 Erika Mann, S. 382.
47 *Königliche Hoheit,* GW II, 158 *(Albrecht II.).*

V. Der Weg zur Ehe

1 An Carl Ehrenberg 3. 4. 1903, *Briefe III.*
2 Hauptstellen N II, 48, 52, 53, 55, 56, 62.
3 Alle nicht anderweitig nachgewiesenen Zitate im folgenden *Ein Glück* (1904), GW VIII, 356–359.
4 *Tonio Kröger,* 4. Kapitel, GW VIII, 303.
5 *Tonio Kröger,* 4. Kapitel, GW VIII, 303 f.
6 N II, 72.
7 *Tonio Kröger,* GW VIII, 281, 287, 336.
8 *Tonio Kröger,* GW VIII, 336. Auch in *Die Hungernden* (1903) verwendet: GW VIII, 267.
9 N II, 46.
10 *Tonio Kröger,* 4. Kapitel, GW VIII, 295.
11 An Heinrich Mann 13. 2. 1901.
12 *Tonio Kröger,* 4. Kapitel, GW VIII, 295.
13 *Chamisso* (1911), GW IX, 56.
14 *Tonio Kröger,* 9. Kapitel, GW VIII, 338, nach 1 Kor 13, 1.
15 *Lebensabriß* (1930), E III, 186; GW XI, 107.
16 N I, 183.
17 Im Brief an Hilde Distel 28. 12. 1899, *Briefe I.*
18 *Briefe III*, 423.
19 N I, 185.
20 In *Briefe III,* wie alle im folgenden zitierten Briefe an Paul Ehrenberg.
21 *Die Hungernden,* GW VIII, 267.
22 Im 40. Kapitel des *Doktor Faustus,* GW VI, 571 ff.
23 N I, 198, auch N II, 53.
24 *Doktor Faustus,* zum Beispiel GW VI, 271, 392 (23. und 29. Kapitel).
25 *Doktor Faustus,* 41. Kapitel, GW VI, 583.
26 N II, 44 und 46.
27 *Tonio Kröger,* 1. Kapitel, GW VIII, 277.
28 An Paul Ehrenberg 26. 5. 1901, in: James Northcote-Bade, *Thomas Manns Brief an Paul Ehrenberg vom 26. Mai 1901,* in: *Zeitschrift für deutsche Philologie* 108, 1989, S. 568–575, hier S. 575.

29 N II, 55
30 An Paul Ehrenberg am 28. 1. 1902, *Briefe III.*
31 N II, 54.
32 *Doktor Faustus,* 38. Kapitel, GW VI, 552.
33 N II, 57.
34 N II, 58.
35 N II, 65.
36 *Doktor Faustus,* 29. Kapitel, GW VI, 391; Wiederaufnahme der „rassigen Töchter" 32. Kapitel, 445. Weitere Details aus N II, 64, 73.
37 Alle vorstehenden Zitate N II, 67, teilweise übernommen in *Doktor Faustus,* 29. Kapitel, GW VI, 390.
38 *Doktor Faustus,* 29. Kapitel, GW VI, 390 f.; N II, 52; vgl. auch *Ein Glück,* GW VIII, 357.
39 N II, 66.
40 Alle vorstehenden Zitate N II, 66 f.
41 *Die Hungernden,* GW VIII, 268.
42 *Tonio Kröger,* 2. Kapitel, GW VIII, 286; N II, 69.
43 N II, 69.
44 N II, 60 f., auch in *Tonio Kröger* verwendet, 4. Kapitel, GW VIII, 300 f.
45 N II, 85.
46 20./21. 8. 1902, *Briefe III.*
47 N I, 294.
48 *Briefe III,* 446.
49 Als Entwurf überliefert N II, 89.
50 Ungedruckt (TMA).
51 *Doktor Faustus,* 41. Kapitel, GW VI, 579.
52 Rückblick auf Paul im Tagebuch vom 17. 3. 1943.
53 N II, 90.
54 *Königliche Hoheit,* GW II, 87 *(Doktor Überbein).*
55 Tagebuch 13. 9. 1919.
56 Walter Opitz an Thomas Mann, *Tagebücher 1946–48,* S. 534 f., Manns Antwort vom 28. 2. 1947 *Tagebücher 1946–48,* S. 537 f.
57 Tagebuch 12. 9. 1949, der Brief an Opitz *Tagebücher 1949–50,* S. 452 f.
58 N II, 64.
59 *Doktor Faustus,* 23. Kapitel, GW VI, 266.
60 N II, 67.
61 *Doktor Faustus,* 29. Kapitel, GW VI, 389.
62 N II, 70.
63 *Doktor Faustus,* 33. Kapitel, GW VI, 466.
64 Abgedruckt *Tagebücher 1946–48,* S. 880, vgl. Tagebuch 31. 8. 1946, 21. 12. 1946.
65 *Joseph und seine Brüder,* GW V, 1137 *(Von Josephs Keuschheit).*
66 *An Bruno Walter zum siebzigsten Geburtstag* (1946), GW X, 507.
67 *Joseph und seine Brüder,* GW V, 1105 *(Das erste Jahr).*
68 *Der Zauberberg,* GW III, 457 *(Walpurgisnacht).*
69 *Der Zauberberg,* GW III, 470 *(Walpurgisnacht).*
70 N II, 62.
71 *Der Zauberberg,* GW III, 476 *(Walpurgisnacht).*
72 *Königliche Hoheit,* GW II, 103 *(Doktor Überbein).*

73 Die folgenden Zitate *Doktor Faustus,* 38./39. Kapitel, GW VI, 552f.
74 *Doktor Faustus,* 25. Kapitel, GW VI, 298.
75 An Otto Grautoff 6.11.1901.
76 N II, 112.
77 An Paul und Carl Ehrenberg 8.2. 1903, *Briefe III.*
78 N II, 74.
79 Alle Zitate zu Axel Martini *Königliche Hoheit,* GW II, 178f. *(Der hohe Beruf).*
80 *Doktor Faustus,* 19. Kapitel, GW VI, 207.
81 *Lebensabriß,* E III, 196; GW XI, 117f.
82 N I, 201.
83 N I, 200–203.
84 DüD I, 177f. (Auszug), der ganze Brief in: James Northcote-Bade, *Thomas Manns Brief an Paul Ehrenberg vom 26. Mai 1901,* in: *Zeitschrift für deutsche Philologie* 108, 1989, S. 568–575.
85 An Hilde Distel vom 14. März 1902, *Briefe I.*
86 N I, 210.
87 N I, 242.
88 N II, 77.
89 In einem Gespräch mit mir in Kilchberg im Sommer 1977.
90 Zahlen bei Mendelssohn I, 844.
91 *Ein Nachwort* (1905), GW XI, 549.
92 *Chamisso* (1911), GW IX, 57.
93 *Joseph und seine Brüder,* GW V, 1259 *(Das Antlitz des Vaters).*
94 *Die Ehe im Übergang* (1925), E II, 274. Unter dem Titel *Über die Ehe* GW X, 199.
95 *Die Ehe im Übergang,* E II, 276 (dort S. 405 die Quelle des Hegel-Zitats); *Über die Ehe,* GW X, 201.
96 *Betrachtungen eines Unpolitischen,* GW XII, 116 *(Bürgerlichkeit).*
97 *Katia Mann zum siebzigsten Geburtstag* (1953), E VI, 248f.
98 Das geht aus einem Brief an Katia Ende Mai 1904 hervor, *Briefe I,* 44, auch N II, 118.
99 Alle folgenden Katia-Mann-Zitate *Meine ungeschriebenen Memoiren,* S. 17–23
100 N II, 89.
101 N II, 97 und N I, 295.
102 *Gesang vom Kindchen,* GW VIII, 1088 *(Vom Morgenlande).*
103 *Der Zauberberg,* GW III, 463 *(Walpurgisnacht).*
104 *Der Zauberberg,* GW III, 206 *(Aufsteigende Angst).*
105 An Heinrich Mann 27.2. 1904.
106 An Katia Ende August 1904, *Briefe I.*
107 An Katia Anfang April 1904, *Briefe I.*
108 Katia Mann, S. 26.
109 N II, 98.
110 *Little Grandma* (1942), GW XI, 469.
111 Klaus Mann, *Wendepunkt,* S. 15.
112 *Little Grandma,* GW XI, 469.
113 *Little Grandma,* GW XI, 470. Die Szene wird auch in Katia Manns Memoiren überliefert, S. 29.

114 N II, 101.
115 Wie das folgende Zitat Katia Mann, S. 25 f.
116 *Liliencron* (1904), GW X, 405.
117 An Katia Mitte Mai und Anfang Juni 1904, *Briefe I.*
118 Teils nach Original (TMA), teils nach Mendelssohn I, 944 f.
119 An Katia Ende August 1904, *Briefe I.*
120 An Katia Ende August 1904, *Briefe I.*
121 An Katia Ende August 1904, *Briefe I.*
122 *Gesang vom Kindchen,* GW VIII, 1089 *(Vom Morgenlande).*
123 Katia Mann, S. 67.
124 Die folgenden Stellen aus *Königliche Hoheit* GW II, 281–285, 301–308, 327, 336 f.
125 Das wissen wir aus dem Briefexzerpt von Ende September 1904, *Briefe I.*
126 N II, 112.
127 *Schwere Stunde* (1905), GW VIII, 378 f.
128 *Königliche Hoheit,* GW II, 357 *(Der Rosenstock).*
129 Julia Mann an Heinrich Mann 16. 2. 1905.
130 N I, 302.
131 In *Wälsungenblut* (1905), GW VIII, 385.
132 An Heinrich Mann 27. 2. 1904.
133 *Königliche Hoheit,* GW II, 361 f. *(Der Rosenstock).*
134 Julia Mann an Heinrich Mann 4. 1. 1905.
135 Thomas Mann an Heinrich Mann 23. 12. 1904.
136 *Beim Propheten* (1904), GW VIII, 363, 368, 370, die folgenden Zitate aus dieser Erzählung 367 und 370.
137 Thomas Mann an Heinrich Mann 27. 2. 1904.
138 *Der Künstler und der Literat* (1912), E I, 161.
139 *Königliche Hoheit,* GW II, 243 *(Imma), Briefe I,* 43, die folgenden Stellen *Königliche Hoheit*, Kapitel *Imma*, 269 und 265, der Ausritt 238 ff. und 272, vgl. Katia Mann, S. 24.
140 *Wälsungenblut,* GW VIII, 394, zuerst 386.
141 Thomas an Heinrich 17. 1. 1906, wie das folgende Zitat.
142 *Bilse und ich* (1906), E I, 41 f.; GW X, 16.
143 *Joseph und seine Brüder,* GW IV, 228 *(Jaakob kommt zu Laban).*
144 *Joseph und seine Brüder,* Abschnitte *Die Geburt* und *Benoni.*
145 *Joseph und seine Brüder,* GW IV, 313 *(Jaakobs Hochzeit).*
146 *Joseph und seine Brüder,* GW V, 1778 *(Nach dem Gehorsam).*
147 *Doktor Faustus,* 39. Kapitel, GW VI, 555, dort 560 und im 41. Kapitel 579 und 576 die folgenden Zitate.
148 Eintrag in ein Poesiealbum für Brigitte Fischer, *Widmungen* Nr. 52.

VI. Ehrgeizige Pläne

1 *Fiorenza* III, 7; GW VIII, 1064.
2 *Bilse und ich* (1906), E I, 49; GW X, 21.
3 *Mitteilung an die literarhistorische Gesellschaft in Bonn* (1907), GW XI, 716 f., dort auch das folgende Zitat.

4 *Schwere Stunde* (1905), GW VIII, 376.
5 Erika Mann, S. 279.
6 Zitate aus einem Brief an Heinrich vom 17. 1. 1906.
7 An Kurt Martens am 28. 3. 1906.
8 *Schwere Stunde,* GW VIII, 376, das vorige Zitat 374.
9 So steht es in den *Betrachtungen eines Unpolitischen,* GW XII, 141 *(Bürgerlichkeit).*
10 *Der Tod in Venedig,* 2. Kapitel, GW VIII, 456.
11 Tagebuch 11. 8. 1919.
12 An Kurt Martens am 28. 3. 1906.
13 An Julius Bab am 15. 1. 1913, *Briefe I.*
14 *Betrachtungen eines Unpolitischen,* GW XII, 94 *(Einkehr).*
15 *Betrachtungen eines Unpolitischen,* GW XII, 94 *(Einkehr).*
16 *Mitteilung an die literarhistorische Gesellschaft in Bonn* (1907), GW XI, 715.
17 TMUZ Nr. 27, erschienen am 5. 1. 1913.
18 An Julius Bab am 21. 1. 1913.
19 *Fiorenza* III, 5; GW VIII, 1040.
20 *Fiorenza* III, 5; GW VIII, 1044.
21 An Heinrich Mann 5.12.1905, wie auch das folgende Zitat.
22 An Heinrich 17. 1. 1906, dort auch die folgenden Zitate.
23 Mendelssohn II, 1144.
24 Alle Zitate *Bilse und ich,* E I, 46 f.; GW X, 19 f.
25 *Bilse und ich,* E I, 49; GW X, 21.
26 Tagebuch 10. 1. und 18. 3. 1919.
27 An Ernst Bertram 28. 1. 1910.
28 *Bilse und ich,* E I, 49; GW X, 22, der Zitatfundort E VI, 598.
29 N II, 112.
30 *Ein Nachwort* (1905), GW XI, 549.
31 *Bilse und ich,* E I, 44 f.
32 An Heinrich Mann am 15. 10. 1905.
33 Unveröffentlicht, TMA.
34 An Heinrich 20. 3. 1910.
35 *Der Künstler und der Literat* (1912), E I, 158; GW X, 62.
36 *Mitteilung an die Literarhistorische Gesellschaft in Bonn* (1906), GW XI, 716.
37 Tagebuch 29. 12. 1933.
38 An Otto Grautoff 16. 5. 1895.
39 *Braucht man zum Dichten Schlaf und Zigaretten?* (1927), GW XI, 765.
40 Notiz zu *Goethe und Tolstoi* (1921), E II, 316.
41 An Erika Mann 7. Juni 1954.
42 An Erika Mann 23. 12. 1926.
43 Golo Mann, *Vater,* S. 11.
44 *Braucht man zu Dichten Schlaf und Zigaretten,* GW XI, 765.
45 *Über den Alkohol* (1906), GW XI, 719.
46 *Braucht man zu Dichten Schlaf und Zigaretten,* GW XI, 766.
47 Thomas Mann an Paul Ehrenberg 18. 7. 1901, *Briefe III.*
48 *Über den Alkohol,* GW XI, 718 f.
49 *Zur Physiologie des dichterischen Schaffens* (1927), E III, 103; GW XI, 778.
50 *Tonio Kröger,* 3. Kapitel, GW VIII, 291.

51 *Versuch über das Theater* (1907), E I, 81 f.; GW X, 51 f.
52 *Bilse und ich*, E I, 50; GW X, 22.
53 An Heinrich Mann am 17. 1. 1906.
54 Einzelheiten nach dem Bericht des *Regensburger Anzeigers* vom 3. Mai 1906.
55 Alle folgenden Zitate aus *Das Eisenbahnunglück*(1909), GW VIII, 416–426.
56 Heinrich von Kleist, *Sämtliche Werke*, Brandenburger Ausgabe II, 3, S. 27.
57 *Gedanken im Kriege* (1914), E I, 193; GW XIII, 533.
58 Zitate *Königliche Hoheit*, GW II, 23 *(Die Hemmung)* und 43 *(Das Land)*.
59 *Betrachtungen eines Unpolitischen*, GW XII, 485 *(Einiges über Menschlichkeit)*.
60 An Samuel Fischer am 15. 7. 1906.
61 An Kurt Martens am 11. 1. 1910.
62 An Frank Wedekind am 7. 12. 1912.
63 *Über die Theaterzensur*, ARE I, 137.
64 Potempa, *Aufrufe* Nr. 2.
65 *Gutachten über Frank Wedekinds 'Lulu'* (1913), E I, 166 f.
66 *Gutachten* (1911), ARE I, 223 f.
67 *Wie Jappe und Do Escobar sich prügelten* (1911), GW VIII, 427, S. 428 die folgenden Zitate.
68 An Frank Donald Hirschbach 14. 6. 1952.
69 *Der Tod in Venedig*, 3. Kapitel, GW VIII, 470.
70 *Wie Jappe und Do Escobar sich prügelten*, GW VIII, 431, dort und auf den Seiten 433 und 443 auch die folgenden Zitate.
71 *Der Tod in Venedig*, 4. Kapitel, GW VIII, 495.
72 Er wurde identifiziert durch den Artikel *Ich war Thomas Manns Tadzio* in der Zeitschrift *twen*, Heft 8, 1965, S. 10.
73 *Der Tod in Venedig*, 2. Kapitel, GW VIII, 450.
74 Alle Zitate *Der Tod in Venedig*, 2. Kapitel, GW VIII, 453.
75 *Der Tod in Venedig*, 2. Kapitel, GW VIII, 452.
76 *Der Fall Wagner*, Nr. 7.
77 *Der Tod in Venedig*, 2. Kapitel, GW VIII, 454.
78 *Joseph und seine Brüder*, GW V, 1087 *(In Schlangennot)*.
79 *Der Tod in Venedig*, 3. Kapitel, GW VIII, 469, die folgenden Zitate aus dem 4. und 5. Kapitel, 494, 498, 502, 515, 517, 503 und 522.
80 An Kuno Fiedler, in: *Tagebücher 1953–1955*, S. 696.
81 Über die Familie Mann in Polling unterrichtet Max Biller, *Pollinger Heimatlexikon*, Polling 1992, Band 2, S. 1122–1133.
82 Viktor Mann, S. 140.
83 *Richtigstellung* (1951), GW XI, 800.
84 Thomas Mann an Ernst Bertram am 16. 3. 1923.
85 Überliefert von Golo Mann, *Erinnerungen*, S. 94 f.
86 *Doktor Faustus*, GW VI, 503–511.
87 Mit Ausnahme der in manchen Einzelheiten abweichenden Aufzeichnung *Carla* von Heinrich Mann, in: *Heinrich Mann 1871–1950. Werk und Leben in Dokumenten und Bildern*, Berlin/Weimar 1971, S. 461–464.
88 Julia Mann (Mutter) an Heinrich Mann am 19. 2. 1911.
89 Julia Mann an Heinrich Mann am 13. 2. 1911, dort auch das folgende Zitat.
90 Julia Mann an Heinrich Mann am 20. 1. 1911.
91 Das folgende nach Heinrich Mann, *Zeitalter*, S. 143 f.

92 Sein Bericht in *Wir waren fünf,* S. 217–225.
93 Das folgende nach Golo Mann, *Erinnerungen,* S. 220 f.
94 *Lotte in Weimar,* 7. Kapitel, GW II, 654 (Goethe über seine Schwester Cornelia).
95 Überliefert von Golo Mann, *Erinnerungen,* S. 221.
96 An Heinrich am 4. 8. 1910.
97 *Lebensabriß* (1930), E I, 199 f.; GW XI, 121.
98 Tagebuch 13. 4. 1921.
99 So im *Lebensabriß,* E I, 190; GW XI, 111.
100 An Heinrich Mann am 13. 2. und 28. 2. 1901.
101 Heinrich Mann, *Zeitalter,* S. 152.
102 Klaus Mann an Eva Herrmann am 1. 12. 1932.
103 Klaus Mann an Erich Ebermayer am 24. 2. 1933.

VII. Juden

1 *Der Wille zum Glück* (1896), GW VIII, 49, das folgende Zitat S. 48.
2 Thomas an Heinrich 17. 1. 1906, dort auch das folgende Zitat.
3 An Heinrich 5. 12. 1905.
4 An Heinrich 17. 1. 1906, dort auch die vorstehenden Zitate.
5 *Die Hemmung,* GW II, 28, das folgende Zitat S. 31 f.
6 *Die Lösung der Judenfrage* (1907), E I, 95; GW XIII, 460.
7 Hübinger, Dokument Nr. 33, S. 401.
8 In einem Brief an Ida Boy-Ed vom 11. 11. 1913.
9 *Die Lösung der Judenfrage,* E I, 94; GW XIII, 459.
10 Aus den Materialien zu *Königliche Hoheit* (TMA), zitiert nach Mendelssohn I, 944 f.
11 Näheres Mendelssohn I, S. 825–842.
12 Thomas an Heinrich am 20. 11. 1905.
13 An Kurt Martens am 7. 3. 1910.
14 Tagebuch 31. 7. 1940.
15 Adolf Bartels, *Die deutsche Dichtung der Gegenwart,* Leipzig 1907, S. 292.
16 Zitate aus Adolf Bartels, *Nochmals Thomas Mann,* in: *Deutsches Schrifttum,* Weimar Juli 1910, S. 111.
17 Nachweise und Näheres E I, 365.
18 *An die Redaktion der „Staatsbürger-Zeitung", Berlin* (1912), E I, 154 f.
19 Die folgenden Stellen aus dem seitenlangen Thomas-Mann-Artikel in dem heute schwer erreichbaren Werk: *Sigilla veri (Ph. Stauff's Semi-Kürschner). Lexikon der Juden, – Genossen und – Gegner aller Zeiten und Zonen, insbesondere Deutschlands, der Lehren, Gebräuche, Kunstgriffe und Statistiken der Juden sowie ihrer Gaunersprache, Trugnamen, Geheimbünde usw.* Zweite, um ein Vielfaches vermehrte und verbesserte Auflage. Unter Mitwirkung gelehrter Männer und Frauen aller in Betracht kommenden Länder im Auftrage der „Weltliga gegen die Lüge" in Verbindung mit der „Alliance chrétienne arienne". Herausgegeben von E. Ekkehard. U. Bodung Verlag, o. O. 1931, Band IV, S. 295–304. Die meisten zitierten Stellen sind auch in der ersten Auflage schon enthalten: *Semi-Kürschner oder Literarisches Lexikon der*

Schriftsteller, Dichter, Bankiers, Geldleute, Ärzte, Schauspieler, Künstler, Musiker, Offiziere, Rechtsanwälte, Revolutionäre, Frauenrechtlerinnen, Sozialdemokraten usw. jüdischer Rasse und Versippung, die von 1813–1913 in Deutschland tätig oder bekannt waren, [...] herausgegeben von Philipp Stauff, Berlin 1913.

20 Adolf Bartels, *Geschichte der deutschen Literatur,* Berlin und Hamburg [18]1942, die Zitate S. 667–670.

21 *Über die Kritik* (1905), E I, 34; GW XIII, 246.

22 An Harry F. Young am 24. 7. 1948, *Tagebücher 1946–1948,* S. 931 f.

23 *Bilse und ich* (1906), E I, 48 f. (in späteren Fassungen verändert und ohne Namensnennung).

24 Nicht erhalten, vgl. Bürgin/Mayer, S. 49.

25 *Betrachtungen eines Unpolitischen,* GW XII, 87 *(Einkehr),* Nachweis bei Ariane Martin, *Der europäische Publizist. Thomas Manns unbekannter Kriegs-Essay über Maximilian Harden: neue Quellen zu den 'Betrachtungen eines Unpolitischen',* in: Heinrich-Mann-Jahrbuch 14, 1996, S. 185–209.

26 *Monsieur Harden, der europäische Publizist,* jetzt abgedruckt bei Ariane Martin.

27 Das Folgende in einigen Punkten nach Böhm, S. 302–306.

28 An Heinrich 6. 2. 1908.

29 Katia Mann, S. 28, dort auch das folgende Zitat.

30 An Heinrich 6. 2. 1908.

31 In einem *Protest der Prominenten gegen die geplante Beibehaltung und Verschärfung des § 175* (1930), E I, 280.

32 Thomas Mann an Willy Sternfeld 6. 4. 1943, Kopie TMA.

33 *Kritik und Schaffen* (1896), E I, 21–24; GW XIII, 519–522.

34 N II, 49, vgl. Mendelssohn I, 738.

35 Katia Mann, S. 17.

36 *Über die Kritik,* E I, 34; GW XIII, 246.

37 Unveröffentlicht (TMA).

38 Frank Wedekind an Alfred Kerr am 13. 3. 1914? (Poststempel, kaum leserlich), Kopie TMA.

39 *Bilse und ich,* E I, 48. Die Passage fehlt in späteren Drucken der Bilse-Schrift.

40 *Der Tag*, Berlin 10. 10. 1909.

41 An Heinrich 10. 1. 1910; das Original des Zitats in Kerrs Aufsatz *Shaws Anfang und Ende,* in: *Die neue Rundschau*, 1910, Band I, S. 115–125, hier S. 123.

42 An Hugo von Hofmannsthal am 9. 1. 1913, *Briefwechsel mit Autoren.*

43 Abdruck TMUZ Nr. 27.

44 An Julius Bab 21. 1. 1913, *Briefe I.*

45 Thomas Mann an Ernst Bertram am 18. 1. 1913.

46 An Julius Bab 15. 1. 1913, *Briefe I.*

47 Alfred Kerr, *Tagebuch*, in: *Pan* 1. 4. 1913, S. 635–641.

48 An Arthur Schnitzler 22. 5. 1913, *Briefe I.*

49 Thomas Mann an Hans von Hülsen 20. 4. 1913 (TMA), DüD I, 385 f.

50 Alfred Kerr, *Caprichos. Strophen des Nebenstroms,* Berlin 1926, S. 199–201.

51 Hanns Johst, *Revue – Kerr – Kino,* in: *Münchener Neueste Nachrichten* 11. 4. 1926 (E III, 365).

52 *Eine Erwiderung* (1926), E III, 14 (nicht in GW).
53 *Pariser Rechenschaft* (1926), GW XI, 24.
54 Pester Lloyd 17. 5. 1926, abgedruckt TMS I, 335.
55 Alfred Kerr, *Caprichos,* 1926, S. 168–171.
56 *Politische Novelle,* GW X, 690.
57 TMUZ S. 63.
58 Tagebuch 11. 4. 1935, Vorstufe N II, 186 (1912).
59 Im folgenden zahlreiche Informationen aus Lessings Broschüre *Samuel zieht die Bilanz und Tomi melkt die Moralkuh oder Zweier Könige Sturz,* Hannover 1910 (künftig abgekürzt Samuel/Tomi), hier S. 78. Eine Kopie dieser im Leihverkehr der deutschen Bibliotheken nicht erhältlichen Schrift verdanke ich Georg Potempa.
60 Samuel/Tomi, S. 80, dort und S. 3 auch das Folgende.
61 Samuel/Tomi, S. 37, dazu einschränkend Thomas Mann ebd. S. 45.
62 Sie finden sich allerdings in seinem Nachlaß nicht (Stadtarchiv Hannover).
63 Nachweise E I, 325.
64 *Doktor Faustus,* 32. Kapitel, vor allem GW VI, 439 f.
65 An Otto Falckenberg 3. 2. 1910, *Briefe III.*
66 Nachweise und Näheres E I, 348.
67 *Betrachtungen eines Unpolitischen,* GW XII, 195 *(„Gegen Recht und Wahrheit“).*
68 *Der Doktor Lessing* (1910), E I, 116; GW XI, 724, in der Nähe auch die übrigen Zitate.
69 Das Vorstehende Samuel/Tomi, S. 8, S. 13.
70 Das folgende und die vorstehenden Zitate Samuel/Tomi, S. 78–82.
71 *Gedanken im Kriege* (1914), E I, 192; GW XIII, 532.
72 *Der Tod in Venedig,* 5. Kapitel, GW VIII, 504.
73 Tagebuch 5. 11. 1918.
74 An Klaus Mann 1. 9. 1933.
75 Alle im 9. Notizbuch, N II, 185 f.
76 Samuel/Tomi, S. 18, zitiert E I, 113.
77 Zitate aus Alfred Kerr, *Walther Rathenau,* in: *Pan* 2, 1912, S. 1193–1200.
78 Die Zitate zum Elenden in *Der Tod in Venedig,* 2. Kapitel, GW VIII, 450 und 455.
79 An Otto Grautoff 8. 1. 1895.
80 Die folgenden Zitate aus der letzten Szene, *Fiorenza,* GW VIII, 1063 f.
81 *Der Tod in Venedig,* 5. Kapitel, GW VIII, 522.
82 *Betrachtungen eines Unpolitischen,* GW XII, 199 f. *(„Gegen Recht und Wahrheit“).*
83 *Gedanken im Kriege,* E I, 192; GW XIII, 532.
84 *Betrachtungen eines Unpolitischen,* GW XII, 195 *(„Gegen Recht und Wahrheit“).*
85 Vgl. die Polemik *Die Wiedergeburt der Anständigkeit* (1931), GW XII, besonders 670 und 677.

VIII. Krieg

1 TMUZ Nr. 30.
2 *Betrachtungen eines Unpolitischen,* GW XII, 153 *(„Gegen Recht und Wahrheit")*, die folgenden Stellen dort 160 und 185.
3 *Der Tod in Venedig,* 5. Kapitel, GW VIII, 504.
4 An S. Fischer, nicht im Briefwechselband, Auszug DüD I, 454.
5 *Gedanken im Kriege* (1914), E I, 192, GW XIII, 532.
6 *Der Tod in Venedig,* 2. Kapitel, GW VIII, 455.
7 *Der Tod in Venedig,* 5. Kapitel, GW VIII, 522.
8 *Betrachtungen eines Unpolitischen,* GW XII, 201 *(„Gegen Recht und Wahrheit")*.
9 *Brief an die Zeitung 'Svenska Dagbladet', Stockholm* (1915), E I, 274, GW XIII, 551.
10 *Gute Feldpost* (1914), E I, 207 f., wie das folgende Zitat.
11 Zitate *Der Tod in Venedig,* 4. Kapitel, GW VIII, 491 f.
12 *Joseph und seine Brüder,* GW V, 1020 *(Die Öffnung der Augen)*.
13 In Privatbesitz, auszugsweise in DüD I, 453 f. Ähnliches auch in einem Brief an Kurt Martens vom 23. 8. 1914.
14 Überliefert von Golo Mann, *Erinnerungen,* S. 40.
15 An Hans von Hülsen 21. 10. 1914 (TMA), Regesten 14/69 (fehlerhaft).
16 An Philipp Witkop am 11. 11. 1914, *Briefe I.*
17 An Hans von Hülsen, 13. 11. 1914 (TMA), Regesten 14/74.
18 Richard Dehmel an Thomas Mann am 25. 11. 1914, *Briefwechsel mit Autoren.*
19 An Richard Dehmel 14. 12. 1914, *Briefwechsel mit Autoren.*
20 An Heinz Pringsheim 15. 12. 1914 (TMA), Regesten 14/80.
21 Dies und das folgende Zitat E I, 207 und 208; GW XIII, 526, 527.
22 Thomas Mann an Hans von Hülsen 21. 10. 1914 (TMA), Regesten 14/69, ferner *Gute Feldpost,* E I, 207 f.; GW XIII, 526, und *Die Bücher der Zeit,* 9. 11. 1914, ARE II, 33.
23 An Philipp Witkop 11. 11. 1914, *Briefe I.*
24 Erich Mühsam, *Tagebücher 1910–1924,* München 1994, Eintragung vom 8. 3. 1915.
25 Thomas Mann an Karl Hönn 12. 11. 1916 (TMA).
26 Alle Zitate *Lebensabriß* (1930), E III, 205 f.; GW XI, 127.
27 *Friedrich und die große Koalition* (1914), E I, 228; GW X, 95.
28 *Gedanken im Kriege,* E I, 202; GW XIII, 542.
29 *Friedrich und die große Koalition,* E I, 228, GW X, 95.
30 Nachweise E IV, 440, 445.
31 Alle Zitate und Bezüge *Friedrich und die große Koalition,* E I, 211 f., 220–225; GW X, 79, 87–92.
32 *Friedrich und die große Koalition,* E I, 266; GW X, 133.
33 Vgl. *Friedrich und die große Koalition,* E I, 265, 267; GW X, 132, 134, übernommen aus *Gedanken im Kriege,* E I, 194; GW XIII, 534; *Der Tod in Venedig,* 2. Kapitel, GW VIII, 455, ferner *Betrachtungen eines Unpolitischen,* GW XII, 28 *(Vorrede)* und *Goethe und Tolstoi* (1921/25), GW IX, 170 f.
34 *Friedrich und die große Koalition,* E I, 268; GW X, 135.

35 *Betrachtungen eines Unpolitischen,* GW XII, 148 *(Bürgerlichkeit).*
36 *Friedrich und die große Koalition,* E I, 250; GW X, 117.
37 *Friedrich und die große Koalition,* E I, 256; GW X, 122 f.
38 *Gedanken im Kriege,* E I, 195; GW XIII, 535.
39 *Gedanken im Kriege,* E I, 193, ferner ebd. 192; GW XIII, 531, 533 und Brief an Richard Dehmel 14. 12. 1914.
40 *Joseph und seine Brüder,* GW V, 1085 f. *(In Schlangennot)*; wiederaufgenommen in *On Myself* (1940), GW XIII, 136. „Gefaßtes" (groß) anstelle von „gefaßtes" (klein) ist, wie der Vergleich mit der Handschrift und mit GW XIII ergibt, Druckfehler.
41 *Joseph und seine Brüder,* GW V, 1021 f. *(Die Öffnung der Augen).*
42 An Heinrich Mann 7. 8. 1914.
43 *Gedanken im Kriege,* E I, 191; GW XIII, 530 f.
44 So Thomas Mann im Tagebuch vom 21. 6. 1952.
45 *„Gegen Recht und Wahrheit",* GW XII, 193 f., die meisten Zitate Heinrich Mann, *Zola,* in: Heinrich Mann, *Macht und Mensch,* S. 112 ff.
46 *Von der Tugend,* GW XII, 425.
47 *Vorrede,* GW XII, 11 f.
48 Die folgenden Zitate *Vorrede,* XII, 18 f.
49 *Vorrede,* GW XII, 25, dort auch die folgenden.
50 *Einkehr,* GW XII, 91.
51 Die folgenden Zitate *Ironie und Radikalismus,* GW XII, 568 f.
52 *Fiorenza* III, 5; GW VIII, 1040; *Einkehr,* GW XII, 94, wie die folgenden.
53 *Ästhetizistische Politik,* GW XII, 544.
54 *„Gegen Recht und Wahrheit",* GW XII, 190 f.
55 *Einiges über Menschlichkeit,* GW XII, 453.
56 *„Gegen Recht und Wahrheit",* GW XII, 203.
57 *Von der Tugend,* GW XII, 405 f.
58 *Zola*, in: Heinrich Mann, *Macht und Mensch,* S. 112; dort S. 112 ff. auch die übrigen *Zola*-Zitate, fast alle verwendet in *„Gegen Recht und Wahrheit",* GW XII, 193 f.
59 *„Gegen Recht und Wahrheit",* GW XII, 217.
60 *„Gegen Recht und Wahrheit",* GW XII, 219.
61 *Ironie und Radikalismus,* GW XII, 580 f.
62 1917, in: Heinrich Mann, *Macht und Mensch,* S. 141.
63 Friedrich Nietzsche, *Der Fall Wagner* Nr. 7.
64 *Einiges über Menschlichkeit,* GW XII, 434.
65 *Vorrede,* GW XII, 30.
66 *Politik,* GW XII, 261.
67 *Einiges über Menschlichkeit,* GW XII, 469.
68 *Politik,* GW XII, 326.
69 *Einiges über Menschlichkeit,* GW XII, 470.
70 *Einiges über Menschlichkeit,* GW XII, 459 f.
71 *Ironie und Radikalismus,* GW XII, 585.
72 *Einiges über Menschlichkeit,* GW XII, 469.
73 *Ironie und Radikalismus*, GW XII, 586, dort auch das folgende.
74 *Ästhetizistische Politik,* GW XII, 545.
75 *Politik,* GW XII, 226.

76 *Monolog* (1899), GW VIII, 1106.
77 *Vom Glauben,* GW XII, 491.
78 *Weltfrieden?* (1917), E I, 297; GW XIII, 561, teilweise auch *Einiges über Menschlichkeit,* GW XII, 478, 544.
79 Thomas Mann an Heinrich Mann am 3. 1. 1918.
80 *Vorrede,* GW XII, 12.
81 *Der Zauberberg,* GW III, 50 *(Bei Tienappels),* wie auch das folgende Zitat.
82 *Einiges über Menschlichkeit,* GW XII, 464, ähnlich schon *Gedanken im Kriege,* E I, 190; GW XIII, 530.
83 *Der Zauberberg,* GW III, 749 *(Strandspaziergang).*
84 *Politik,* GW XII, 325.
85 *Einiges über Menschlichkeit,* GW XII, 458.
86 An Eberhard Hilscher 8. 2. 1953.
87 *Gesang vom Kindchen,* GW VIII, 1090 *(Die Taufe).*
88 *Gesang vom Kindchen,* GW VIII, 1080 *(Schwesterchen).*
89 *Buddenbrooks* IX, 1; GW I, 559 f.
90 *Lebensabriß* (1930), E III, 182; GW XI, 103.
91 An Heinrich Mann 17. 12. 1900.
92 Die folgenden Zitate *Einiges über Menschlichkeit,* GW XII, 480 f.
93 Am 29. 3. 1917 an Lilli Diekmann, *Briefe I.*
94 An Gottfried Bermann Fischer am 27. 5. 1953.
95 An Reinhold Schneider am 18. 12. 1953, *Briefwechsel mit Autoren.*
96 Joseph von Eichendorff, *Geschichte der poetischen Literatur Deutschlands,* Paderborn 1857, 2. Teil, S. 208.
97 *Politik,* GW XII, 371.
98 In seinem Essay *Die Christenheit oder Europa.*
99 *Einiges über Menschlichkeit,* GW XII, 479.
100 *Vom Glauben,* GW XII, 535.
101 *Der Zauberberg,* GW III, 403 *(Totentanz).*
102 *Politik,* GW XII, 325.
103 *Politik,* GW XII, 259; „*Seine* Sozial-Religiosität" ist Druckfehler.
104 *Vom Glauben,* GW XII, 519.
105 Übernommen von Hans Pfitzner, vgl. *Von der Tugend,* GW XII, 423–427.
106 Alle Zitate *Vom Glauben,* GW XII, 535. Im Druck der Grabrede (Heinrich Mann, *Zu Ehren Wedekinds,* in: *Berliner Tageblatt,* Abendausgabe, 22. 3. 1918) fehlen die von Thomas Mann zitierten Stellen.
107 Die folgenden Stellen *Vom Glauben,* GW XII, 534 und 536.
108 *Gesang vom Kindchen,* GW VIII, 1098 *(Die Taufe).*
109 *Vom Glauben,* GW XII, 504.

IX. Orientierungsversuche

1 Tagebuch 21. 6. 1952.
2 Zum Beispiel 4. 10. 1918, 14. 11. 1918, 19. 2. 1920, 11. 3. 1921.
3 *Für eine Schicksalsgemeinschaft von Bürgertum und arbeitendem Volk* (Potempa, *Aufrufe* Nr. 11, Tagebuch 7. 5. 1919); *Zur Rettung von Georg Lukács,* November 1919 (Potempa, *Aufrufe* Nr. 14).

4 E II, 287, 297, 311
5 Goethe zu Eckermann am 12. 5. 1825.
6 TMUZ Nr. 36.
7 So Serenus Zeitblom im *Doktor Faustus,* 33. Kapitel, GW VI, 453.
8 *Gesang vom Kindchen,* GW VIII, 1098 *(Die Taufe).*
9 *Goethe und Tolstoi* (Fassung 1921), E II, 80.
10 *Dementi* (1919), E II, 20 (nicht in GW).
11 Tagebucheintragungen hierzu gibt es z. B. vom 24. 1. 1919, vom 14. 3. 1921 („wobei ich eine unwürdige Textstelle beanstandete"), vom 19. 5. und vom 23. 9. 1921.
12 E II, 11 (nicht in GW).
13 E II, 14–17 (nicht in GW).
14 Potempa, *Aufrufe* Nr. 11.
15 Potempa, *Aufrufe* Nr. 12.
16 *Doktor Faustus,* 33. Kapitel, GW VI, 453 f.
17 Personenidentifikation *Tagebücher 1918–1921,* Kommentar.
18 Potempa, *Aufrufe* Nr. 12, dazu Tagebuch 8. 6. 1919.
19 Tagebuch 3. 6. 1919, vgl. auch E II, 51 f., 382 f.
20 Rückblickend erwähnt im Tagebuch vom 8. 5. 1919.
21 Heinrich Mann an Thomas Mann, Briefentwurf vom 5. 1. 1918.
22 *Politik,* GW XII, 298.
23 *Politik,* GW XII, 367.
24 *Von der Tugend*, GW XII, 384. Bei jenem „Wilhelm Liebknecht", den Thomas Mann hier zitiert, handelt es sich um den bekannten Arbeiterführer Karl Liebknecht.
25 *Einiges über Menschlichkeit*, GW XII, 441.
26 *Vom Glauben,* GW XII, 527–534, alle folgenden Zitate 528 f.
27 *Politik*, GW XII, 366.
28 Tagebuch 14. 3. 1920.
29 *Über Lenin* (1924), E II, 228 (nicht in GW), die *Zauberberg*-Textparallele *Vom Gottesstaat und von übler Erlösung*, GW III, 559.
30 *Zum Geleit* (1921), E II, 35; GW X, 596.
31 *Ironie und Radikalismus,* GW XII, 587.
32 *Doktor Faustus,* 33. Kapitel, GW VI, 452.
33 *Herr und Hund,* GW VIII, 583 *(Das Revier).*
34 *Geist und Geld* (1921), E II, 43; GW XI, 746.
35 *Zum Geleit*, E II, 42; GW X, 603.
36 *Das Problem der deutsch-französischen Beziehungen* (1922), E II, 111; GW XII, 619.
37 *Goethe und Tolstoi*, (Fassung 1921), E II, 71.
38 *Gesang vom Kindchen,* GW VIII, 1089 *(Vom Morgenlande).*
39 *Meine Zeit* (1950), E VI, 160; GW XI, 322.
40 Nachweise E II, 294.
41 *Dementi,* E II, 20, datiert 18. 3. 1919. Nicht in GW.
42 *Zum Geleit,* E II, 37; GW X, 598, weitere Nachweise E II, 309.
43 5. 9. 1920 an Julius Bab.
44 Im Januar 1920, E II, 26.
45 Tagebuch 22./23.12.1919

46 In *Goethe und Tolstoi* (Fassung von 1925), GW IX, 170, wiederaufgenommen in *Kultur und Sozialismus* (1927), E III, 63.
47 *Zur jüdischen Frage* (1921), E II, 93; GW XIII, 473.
48 *Goethe und Tolstoi*, GW IX, 169, übernommen in *Deutschland und die Demokratie* (1925), E II, 248 f.; GW XIII, 577.
49 Tagebuch 28. 10. 1921, rückblickend auf den 18. 10.
50 An Efraim Frisch 18. 10. 1921, DüD II, 39.
51 *Zur jüdischen Frage,* E II, 91; GW XIII, 472. Die folgenden Zitate E II, 85; GW XIII, 466.
52 *Einiges über Menschlichkeit,* GW XII, 470.
53 Fontane an Friedländer am 23. 7. 1890 (Theodor Fontane, *Briefe an Georg Friedländer,* Heidelberg 1954, S. 131).
54 *Thomas Mann und das Judentum,* in: *Selbstwehr. Jüdisches Volksblatt, Prag* 25. 1. 1935; *Interviews* S. 206.
55 Im Kapitel *Politik,* GW XII, 369, weitere, zum Teil krasse Äußerungen zu diesem Thema 366–374.
56 *Im Spiegel* (1907), E I, 100; GW XI, 332.
57 Golo Mann, *Erinnerungen,* S. 430.
58 *Einiges über Menschlichkeit,* GW XII, 484, die folgenden Zitate ebd. 483 f.
59 Klaus Mann, *Wendepunkt*, alle Zitate zu Affa S. 79–85. Die Prozeßakten scheinen verloren zu sein.
60 *Lotte in Weimar,* 7. Kapitel, GW II, 651.
61 *Einiges über Menschlichkeit,* GW XII, 434.
62 *Bekenntnisse des Hochstaplers Felix Krull* III, 3; GW VII, 491 f., dazu aus den Krull-Materialien die Ansichtskarte *Bild und Text*, S. 100.
63 *Unordnung und frühes Leid* (1925), GW VIII, 631, 644.
64 *Die Ehe im Übergang* (1925), E II, 268; GW X, 192.
65 Tagebuch 9. 5. 1945.
66 Alle Zitate aus der Erzählung *Die Hungernden* (1903), GW VIII, 268–270.
67 *Einiges über Menschlichkeit,* GW XII, 447.
68 Tagebuch 29. 12. 1948.
69 *Herr und Hund,* GW VIII, 541.
70 Näheres Thomas Mann an Paul Amann 1. 10. 1915.
71 *Herr und Hund,* GW VIII, 553, wie auch das folgende Zitat.
72 *Unordnung und frühes Leid,* GW VIII, 645.
73 *An Jack* (1922), E II, 125; GW XI, 587.
74 Tagebuch 16. 1. 1920. Die Verse stammen aus August von Platens Sonett *Bewunderung, die Muse des Gesanges.*

X. Familie, auch kein Spaß

1 Golo Mann, *Erinnerungen*, S. 37.
2 Erika Mann, S. 15.
3 *Widmungen* Nr. 72.
4 Klaus Mann, *Wendepunkt,* S. 31.
5 Monika Mann, *Papa,* in: *The Stature of Thomas Mann,* hrsg. v. Charles Neider, Ausgabe London 1951, S. 79.

6 Tagebuch 23. 11. 1934.
7 Golo Mann, *Erinnerungen*, S. 19.
8 Christian Virchow, *Katia Mann und der Zauberberg*, TMS XVI, S. 179.
9 *Die Ehe im Übergang* (1925), alle folgenden Zitate E II, 279; GW X, 203 f.
10 Katia Mann an Erika Mann am 21. 1. 1936, Erika Mann, S. 96.
11 Golo Mann, *Vater*, S. 20.
12 Etliche Male durch den Herausgeber Peter de Mendelssohn durch Pünktchen ersetzt, andere Male aber unzensiert: „K. beigewohnt (leichtsinnig, hoffentlich straflos)." (11. 8. 1919)
13 *Der Erwählte*, GW VII, 255 *(Die Audienz)*.
14 *Tonio Kröger*, 3. Kapitel, GW VIII, 288.
15 Tagebuch 22. 5. 1919, dort und Tagebuch 5. 7. 1935 auch die folgenden Stellen.
16 Tagebuch 20. 11. 1921.
17 *Bekenntnisse des Hochstaplers Felix Krull* III, 10; GW VII, 630.
18 *Joseph und seine Brüder*, GW V, 1552 *(Thamar erlernt die Welt)*; GW V, 1259 *(Das Antlitz des Vaters)*.
19 Erika Mann, S. 23.
20 *Erinnerungen aus der deutschen Inflation* (1942), GW XIII, 189.
21 *Unordnung und frühes Leid* (1925), GW VIII, 622.
22 Thomas Mann an Ernst Bertram, 4. 2. 1925.
23 *Unordnung und frühes Leid*, GW VIII, 645.
24 *Erinnerungen aus der deutschen Inflation*, GW XIII, 188 f., dort auch die folgenden Zitate.
25 Katia Mann, S. 36.
26 Im *Lebensabriß* (1930), E III, 213; GW XI, 135.
27 *Unordnung und frühes Leid*, GW VIII, 643.
28 Golo Mann, *Vater*, S. 13.
29 Brief an Otto Hoerth vom 12. 6. 1930, DüD II, 367 f.
30 *Mario und der Zauberer* (1930), GW VIII, 703.
31 Monika Mann, *Papa*, in: *The Stature of Thomas Mann*, hrsg. v. Charles Neider, Ausgabe London 1951, S. 79.
32 Viktor Mann, S. 124.
33 Tagebuch 15.12.1919.
34 *Unordnung und frühes Leid*, GW VIII, 619 f.
35 *Unordnung und frühes Leid*, GW VIII, 654.
36 *Unordnung und frühes Leid*, GW VIII, 656.
37 Tagebuch 10. 3. 1920.
38 An Erika Mann 6. 6. 1929.
39 1968 in einem Gespräch mit Roswitha Schmalenbach, in: Erika Mann, S. 14, auch überliefert in Klaus Mann, *Kind dieser Zeit*, S. 37.
40 Erika Mann, S. 11.
41 Erika Mann, *Bildnis des Vaters*, in: Erika und Klaus Mann, *Escape to Life. Deutsche Kultur im Exil*, Ausgabe München 1991, S. 102.
42 *Der Laienbund deutscher Mimiker* (1919), E II, 12 f.; GW XI, 350 f.
43 Im Gespräch mit Roswitha Schmalenbach, Erika Mann, S. 29.
44 Golo Mann, *Vater*, S. 13.
45 Erika Mann, *Brief an meinen Vater* (1945), in: Erika Mann, S. 265.
46 An Erika 6. 11. 1925.

47 *Rundum das Haus* (ca. 1930), in: Erika Mann, S. 251 f.
48 *Rundfragen* (ca. 1930), in: Erika Mann, S. 250.
49 *Unordnung und frühes Leid,* GW VIII, 623.
50 Klaus Mann an Pamela Wedekind am 26. 7. 1926.
51 Klaus Mann, *Kind dieser Zeit,* S. 37.
52 Klaus Mann, *Wendepunkt,* S. 202.
53 Klaus Mann, *Kind dieser Zeit,* S. 25.
54 Klaus Mann, *Kind dieser Zeit,* S. 229.
55 Klaus Mann, *Kind dieser Zeit,* S. 212.
56 Erika Mann, S. 22.
57 Die beiden Briefe Geheeb-Mann und Mann-Geheeb in *Der Rabe* 36, S. 60–63.
58 Klaus Mann, *Wendepunkt,* S. 197.
59 *Richtigstellung* (1926), E III, 13; nicht in GW.
60 Golo Mann, *Erinnerungen,* S. 22.
61 Klaus Mann, *Kind dieser Zeit,* S. 17.
62 Golo Mann, *Erinnerungen,* S. 41.
63 Golo Mann, *Erinnerungen,* S. 147.
64 Golo Mann, *Erinnerungen,* S. 434.
65 Golo Mann, *Erinnerungen,* S. 544.
66 Golo Mann, *Erinnerungen,* S. 541.
67 Elisabeth Mann in einem Gespräch mit Ronald Hayman, in: Ronald Hayman, *In pursuit of Thomas Mann,* in: *Times Literary Supplement* 9. 9. 1994, S. 11.
68 Die folgenden Zitate Monika Mann, *Vergangenes und Gegenwärtiges,* S. 15, S. 69, S. 73, S. 105 f., S. 138.
69 Monika Mann, *Tupfen im All,* Köln 1963, S. 65.
70 Thomas Mann an Elisabeth Mann 21. 1. 1951, *Briefe III.*
71 So über Lorchen in *Unordnung und frühes Leid,* GW VIII, 626.
72 11. 7. 1918, unveröffentlicht, Stadtbibliothek Lübeck.
73 Elisabeth Mann-Borgese, *Aufstieg der Frau,* München 1965, S. 253; zuerst englisch unter dem Titel *Ascent of Women,* New York 1963.
74 Tagebuchnotiz 23. 10. 1975, in: Michael Mann, *Fragmente,* S. 122; die folgenden Zitate S. 216, 138, 118.
75 *Unordnung und frühes Leid,* GW VIII, 625 und 629.
76 *Joseph und seine Brüder,* GW IV, 647 *(Die Versuchungen Jaakobs).*
77 Elisabeth Mann-Borgese im Gespräch mit Ronald Hayman, in: Ronald Hayman, *In pursuit of Thomas Mann,* in: *Times Literary Supplement* 9. 9. 1994, S. 11.
78 Michael Mann an Hermann Kurzke 30. 12. 1976.

XI. Im Zauberberg

1 *Der Donnerschlag,* GW III, 993.
2 *Der Donnerschlag,* GW III, 990, 994.
3 *Betrachtungen eines Unpolitischen,* GW XII, 292 f. u. ö. *(Politik).*
4 *Die Entstehung des Doktor Faustus* (1949), GW XI, 265.
5 An Otto Grautoff 17. 1. 1796.
6 *On Myself* (1940), GW XIII, 153.

7 Ida Herz, *Erinnerungen an Thomas Mann,* in: *German Life and Letters* 9, 1956, S. 281–290.
8 Tagebuch 17. 6. 1920.
9 *Launen des Merkur,* GW III, 320.
10 *„Mein Gott, ich sehe!"*, GW III, 288; vgl. N II, 46.
11 *„Mein Gott, ich sehe!"*, GW III, 299.
12 *Vingt et un,* GW III, 784.
13 *Hippe,* GW II, 163; *Launen des Merkur,* GW III, 319.
14 *Nr. 34,* GW III, 24.
15 *Ehrbare Verfinsterung,* GW III, 59.
16 *„Mein Gott, ich sehe!"*, GW III, 299.
17 *„Mein Gott, ich sehe!"*, GW III, 302.
18 Robert Musil, *Tagebücher, Aphorismen, Essays und Reden,* Hamburg 1955, S. 337.
19 *Veränderungen,* GW III, 483.
20 *Hippe,* GW III, 174.
21 *Walpurgisnacht,* GW III, 476.
22 *Humaniora,* GW III, 370.
23 Die folgenden Zitate *Forschungen,* GW III, 388–390.
24 *Joseph und seine Brüder,* GW IV, 541 f. *(Der Mann auf dem Felde).*
25 *Schnee,* GW III, 686.
26 *Frühlingssturm!* (1893), E I, 11; GW XI, 545.
27 TMUZ Nr. 161.
28 Erika Mann, S. 278.
29 Thomas Mann an Ida Herz am 4. 12. 1925, Regesten 25/220.
30 *Buddenbrooks* III, 5, GW I, 128
31 *Buddenbrooks* X, 1 und X, 5; GW I, 612, 651.
32 *Bei Tienappels,* GW III, 49, 53.
33 *Neckerei,* GW III, 71 f.
34 *Strandspaziergang,* GW III, 757.
35 So in der frühen Erzählung *Vision* (1893), GW VIII, 9 f.
36 *Zur Physiologie des dichterischen Schaffens* (1928), E III, 103; GW XI, 778.
37 *Lebensabriß* (1930), E III, 183; GW XI, 104.
38 Viktor Mann, S. 112 f.
39 *Humaniora,* GW III, 353 ff.
40 N II, 64.
41 *Vingt et un,* GW III, 781.
42 *Mario und der Zauberer* (1930), GW VIII, 675.
43 Vgl. *Die Entstehung des Doktor Faustus,* GW XI, 278 f.
44 *Die Entstehung des Doktor Faustus,* GW XI, 279; *Mynheer Peperkorn (des weiteren),* GW III, 849 f.
45 *Von deutscher Republik* (1922), GW XI, 812.
46 Reinhold Schneider, *Winter in Wien,* Freiburg 1958, S. 114, wörtlich: „Ein Kaiser kann nicht im Lift fahren."
47 *Mynheer Peeperkorn (des weiteren),* GW III, 807.
48 *Der Donnerschlag,* GW III, 994.
49 N I, 23 f.
50 Kurt Martens, *Schonungslose Lebenschronik,* Wien 1921, S. 257 f.

51 Thomas Mann an Kurt Martens im November 1900.
52 Dies berichtet Harry Matter im Kommentar zu ARE III, 799.
53 N I, 167.
54 So in *Okkulte Erlebnisse* (1924), E II, 183; GW X, 140.
55 Stuttgart 1892.
56 *Dr. A. Freiherr von Schrenck-Notzing, sein Werdegang und Lebenswerk.* In: *Psychische Studien* 49, Mai 1922, S. 1–14 (hier S. 6).
57 *Materialisations-Phänomene. Ein Beitrag zur Erforschung der mediumistischen Teleplastie,* München 1914.
58 *Okkulte Erlebnisse,* E II, 183; GW X, 140, dort 186/184 bzw. 143/141 auch die folgenden Zitate.
59 Im letzten der *Drei Berichte über okkultistische Sitzungen,* GW XIII, 47.
60 *Okkulte Erlebnisse,* E II, 184; GW X, 141.
61 *Betrachtungen eines Unpolitischen,* GW XII, 458–460 *(Einiges über Menschlichkeit).*
62 *Als Soldat und brav,* GW III, 743.
63 *Fragwürdigstes,* GW III, 942.
64 *Okkulte Erlebnisse,* E II, 198; GW X, 154 f.
65 E II, 186; GW X, 143.
66 Monika Mann, *Vergangenes und Gegenwärtiges,* S. 25.
67 *Experimente der Fernbewegung,* hrsg. v. Albert von Schrenck-Notzing, Stuttgart/Berlin/Leipzig 1924.
68 Otto Heinrich Strohmeyer, *Begegnung mit dem Jenseitigen,* in: *Begegnungen. Jahrbuch Freie Akademie der Künste in Hamburg,,* Hamburg 1953, S. 33–41, hier S. 41.
69 *Okkulte Erlebnisse,* E II, 214 f.; GW X, 171.
70 *Mario und der Zauberer,* GW VIII, 690 f.
71 *Buddenbrooks* IX, 2; GW I, 578.
72 *Fragwürdigstes,* GW III, 926.
73 Vgl. *Okkulte Erlebnisse,* E II, 180; GW X, 136 f.
74 *Drei Berichte über okkultistische Sitzungen,* GW XIII, 36.
75 *Okkulte Erlebnisse,* E II, 196; GW X, 153.
76 *Fragwürdigstes,* GW III, 940 f.
77 Tagebuch 23.10.1950.
78 *Fragwürdigstes,* GW III, 938.
79 *Der Tod in Venedig,* 4. Kapitel, GW VIII, 493.

XII. Republikanische Politik

1 An Emil Liefmann 19. 2. 1922, Regesten 22/13 (Kopie TMA).
2 *Von deutscher Republik* (1922), E II, 344, 138; GW XI, 811, 824.
3 *Von deutscher Republik,* E II, 160; GW XI, 847.
4 *Von deutscher Republik,* E II, 143; GW XI, 829.
5 *Von deutscher Republik,* E II, 160 ff.; GW XI, 847 ff.
6 *Von deutscher Republik,* E II, 136; GW XI, 822.
7 *Von deutscher Republik,* E II, 131 f.; GW XI, 817 (ohne Namensnennung).
8 *Kultur und Sozialismus* (1928), E III, 55; GW XII, 640.

9 *Von deutscher Republik,* E II, 165; GW XI, 851.
10 *Die Stellung Freuds in der modernen Geistesgeschichte* (1929), E III, 126; GW X, 258.
11 *Pariser Rechenschaft* (1926), GW XI, 51.
12 *Rede, gehalten zur Feier des 80. Geburtstages Friedrich Nietzsches am 15. Oktober 1924,* E II, 239f., dort 238–240 auch die folgenden Zitate. Unter dem Titel *Vorspruch zu einer musikalischen Nietzsche-Feier* GW X, 180–184.
13 *Pariser Rechenschaft,* GW XI, 26.
14 An Kurt Martens 28. 3. 1906.
15 *Der Künstler und die Gesellschaft* (1952), E VI, 233; GW X, 397.
16 *Unordnung und frühes Leid* (1925), GW VIII, 650.
17 Alle Zitate GW XIII, 186–190.
18 Golo Mann, *Erinnerungen,* S. 220.
19 Das hat Dirk Heisserer ermittelt: *Wellen, Wind und Dorfbanditen. Literarische Erkundungen am Starnberger See,* München ^{2}1996, S. 247.
20 Walter Boehlich, *Zu spät und zu wenig. Thomas Mann und die Politik,* in: *Text und Kritik,* Sonderband *Thomas Mann,* München 1976, S. 45–60.
21 Alle folgenden Zitate *Deutschland und die Demokratie* (1925), E II, 249–252; GW XIII, 577–580.
22 *Rettet die Demokratie!* (1925), E II, 253 (nicht in GW).
23 *Betrachtungen eines Unpolitischen,* GW XII, 366 *(Politik).*
24 Thomas Mann an Paul Amann 25. 3. 1917, ungedruckt, Stadtbibliothek Lübeck.
25 *Der Zauberberg,* GW III, 906f. *(Fülle des Wohllauts).*
26 Thomas Mann an Walter Goetz am 26. 3. 1932, Regesten 32/53.
27 Zitate aus *Der Weltkampf,* Nr. 99, 1932, Näheres E II, 392.
28 Alle im folgenden erwähnten Texte finden sich in E III.
29 *Deutsche Ansprache* (1930), E III, 278; GW XI, 889.
30 Potempa, *Aufrufe* Nr. 46.
31 *Sieg deutscher Besonnenheit* (1932), E III, 343f. (nicht in GW).
32 Vgl. das Kapitel *Von Josephs Keuschheit* im sechsten Hauptstück des Romans *Joseph in Ägypten.*
33 *Gedanken im Kriege* (1914), E I, 188; GW XIII, 528.
34 *Die Entstehung des Doktor Faustus* (1949), 12. Kapitel, GW XI, 254.
35 *Das Problem der deutsch-französischen Beziehungen* (1922), E II, 115; GW XII, 623.
36 *Ein Briefwechsel* (1937), E IV, 185;
37 Nachweise E IV, 445f.
38 Faksimile in: Kurt Ziesel, *Das verlorene Gewissen,* München ^{6}1960, S. 198.
39 *An einen neuen Republikaner. Offener Brief an Thomas Mann,* In: *München-Augsburger Abendzeitung* 28. 11. 1922. Weitere Nachweise E III, 366.
40 1925 in einer Rezension von Thomas Manns Essayband *Bemühungen,* TMUZ Nr. 55.
41 In: *Hellweg,* 7. Jahrgang, Heft 11, Essen 10. 6. 1927.
42 Gedruckt in: Kurt Pätzold, *Zur politischen Biographie Thomas Manns (1933),* in: *Weimarer Beiträge* 21, 1975, H. 9, S. 178–182.
43 Nachweise, auch für das Folgende, E III, 385f.
44 *Kultur und Sozialismus,* E III, 56; GW XII, 641.

45 *Kultur und Sozialismus,* E III, 61; GW XII, 647.
46 Dazu gibt es zahlreiche Dokumente bei Hübinger.
47 *Die Flieger, Cossmann, ich* (1928), E III, 99; GW XIII, 613.
48 Bibliographiert bei Harry Matter Nr. 12694–12712.
49 *Thomas Mann – Praeceptor Monachiae,* in: *Münchener Neueste Nachrichten* 12. 8. 1928.
50 Hübinger, S. 403.
51 *German Letters III* (1923), GW XIII, 288. Zum ganzen Jürgen Kolbe, *Heller Zauber. Thomas Mann in München 1894–1933,* Berlin 1987.
52 Alle Zitate *'Amnestie'* (März 1930), GW XIII, 614–618.
53 Die folgenden Zitate aus *arnolt bronnen gibt zu protokoll,* Hamburg 1954, S. 252 f.
54 Bruno Walter, *Thomas Mann,* in: *Die Neue Rundschau,* Sonderausgabe zu Thomas Manns 70. Geburtstag, 6. Juni 1945, S. 172 f.
55 Tagebuch 24. 9. 1949.
56 Das bestätigt Frau Dr. Liselotte Jünger in einem Brief ihres Sekretärs an mich vom 7. 4. 1998.
57 Alexander Mitscherlich, *Ein Leben für die Psychoanalyse,* Frankfurt 1980, S. 84.
58 Friedrich Georg Jünger, *Der entzauberte Berg,* in: *Der Tag,* Berlin, 7. 3. 1928, Ausgabe A, S. 3.
59 *Thomas Mann gegen die „Berliner Nachtausgabe"* (1928), E III, 78–84; GW XI, 766–773.
60 *„Ein Brüderschafttrinken mit dem Tod". Der 87-jährige Schriftsteller Ernst Jünger über Geschichte, Politik und die Bundesrepublik,* in: *Der Spiegel* 16. 8. 1982, S. 158.
61 So in einem Interview von 1982, nachgedruckt unter dem Titel *„Wer hat nicht Fehler gemacht im Leben?"* in: *Süddeutsche Zeitung* 21./22. 2. 1998, Feuilleton-Beilage *SZ am Wochenende.*
62 Ernst Jünger, *Siebzig verweht V,* Stuttgart 1997, S. 152 ff.
63 In einem Brief an Agnes E. Meyer vom 14. 2. 1945.
64 So am 21. 8. 1946 an Alexander Moritz Frey, Regesten 46/300.
65 Tagebuch 7. 4. 1933.
66 Ernst Jüngers Sekretär Albert Knapp in einem im Auftrag Ernst Jüngers geschriebenen Brief an mich vom 11. 10. 1997.

XIII. Homoerotik der Lebensmitte

1 Arthur Schopenhauer, *Sämtliche Werke,* hrsg. v. Wolfgang Freiherr von Löhneysen, Darmstadt 1976, Band II, S. 723 f., dort auch das folgende Zitat.
2 *Betrachtungen eines Unpolitischen,* GW XII, 245 *(Von der Tugend).*
3 „Vergleiche Dich! Erkenne, was du bist!" lautet eines der Motti der *Betrachtungen,* aus Goethes Drama *Torquato Tasso,* V, 5.
4 Jena 1919, gelesen 13. 9. 1919 u. ö. (Tagebuch).
5 Definiert bei Blüher, *Die Rolle der Erotik in der männlichen Gesellschaft,* Band I, Jena 1917, S. 29 f.
6 Am Anfang des Kapitels *Ironie und Radikalismus,* GW XII, 568, bei Blüher,

Die Rolle der Erotik, Band I, S. 226f.; dort und S. 229 auch die folgenden Zitate.

7 An Carl Maria Weber, 4. 7. 1920, *Briefe I.*

8 *Von deutscher Republik* (1922), E II, 161; GW XI, 847.

9 Weitere Beispiele 14. 5. 1919, 1. 6. 1919, 13. 1. 1920, 16. 2. 1920, 28. 2. 1920, 25. 7. 1920, 26. 6. 1921, 5. 7. 1921, 26. 7. 1921, 17. 9. 1921.

10 Tagebuch 11. 8. 1919.

11 Thomas Mann dankt Weber dafür am 9. 8. 1913; Regesten 13/68.

12 Von 1912 bis 1951, Einzelnachweise in Regesten I.

13 Das bezeugt ein Briefentwurf von Otto Steckhan an Thomas Mann vom 17. 1. 1955, Archiv der deutschen Jugendbewegung, Nachlaß Wyneken Nr. 1644.

14 Gustav Wyneken, *Eros,* Lauenburg 1921, S. 23, die folgenden Zitate S. 62 und S. 18.

15 An Carl Maria Weber am 4. 7. 1920, *Briefe I.*

16 An Carl Maria Weber am 29. 7. 1920, Regesten 20/72.

17 *Briefe I*, S. 179, zitiert aus GW XII, 569.

18 Alle Nachweise zum folgenden E II, 27f., 299ff., der Text auch in GW X, 589–590.

19 *Der Zauberberg,* GW III, 476f. *(Walpurgisnacht),* Handschriftenfaksimile bei Thomas Sprecher, *Davos im Zauberberg,* München 1996, S. 275.

20 *Bekenntnisse des Hochstaplers Felix Krull* II 9; GW VII.

21 *Die Weiber am Brunnen* (1922), E II, 119; GW X, 619, das nächste Zitat E II, 118; GW X, 618.

22 *Tonio Kröger*, 4. Kapitel, GW VIII, 296f.

23 Alle folgenden Zitate *Von deutscher Republik* (1922), E II, 158, 160–162; GW XI, 845, 847–849.

24 Thomas Mann an Erika Mann 26. 8. 1925.

25 *Die Ehe im Übergang* (1925), E II, 271; *Über die Ehe,* GW X, 195; Blüher, *Die Rolle der Erotik,* Band I, S. 24f.

26 *Die Bekenntnisse des Hochstaplers Felix Krull* II, 9; GW VII, 446.

27 Vgl. E III, 93 und 404f.

28 Text und Kommentar E III, 280ff., 461ff.

29 Näheres Böhm, S. 371–381.

30 *Widmungen* Nr. 125.

31 *Widmungen* Nr. 126.

32 Golo Mann an Marcel Reich-Ranicki 20. 1. 1985, in: *„Lieber Marcel". Briefe an Marcel Reich-Ranicki,* hrsg. v. Jochen Hieber, Stuttgart 1995, S. 216.

33 *Faust I*, Vers 3521.

34 So Klaus Heuser, Böhm, S. 380. Es habe sich um etwa zehn Briefe gehandelt.

35 Tagebuch 29. 8. 1954.

36 Böhm, S. 379f., wie die folgenden Stellen aus diesem Gespräch.

37 Tagebuch 16. 7. 1950.

38 *Die große Szene in Kleists 'Amphitryon'* (1927), E III, 64–74, 389–393, die folgenden Zitate 71 und 74.

39 Tagebuch 6. 5. 1934.

40 *Kleists 'Amphitryon'. Eine Wiedereroberung* (1927), GW IX, 187.

41 *Die Ehe im Übergang,* E II, 271, *Über die Ehe,* GW X, 196.

42 Klaus Mann, *Wendepunkt,* S. 256–261.

43 André Gide, *Journal 1889–1939*, Paris [2]1940, S. 1044.
44 *„Si le grain ne meurt –“* (1929), E III, 170; GW X, 716.
45 *„Si le grain ne meurt –“*, E III, 167; GW X, 713.
46 Thomas Mann an André Gide am 20. 1. 1930, *Briefe I.*
47 Vgl. E III, 430.
48 *Platen – Tristan – Don Quichotte* (1930), E III, 251, dort 249–253 (GW IX, 270–275) alle folgenden Zitate.
49 Golo Mann, *Vater,* S. 15.
50 *Der Tod in Venedig,* 4. Kapitel, GW VIII, 492.
51 Tagebuch 22. 10. 1950, dort auch das folgende Zitat.

XIV. In Acht und Bann

1 *Königliche Hoheit,* GW II, 103 *(Doktor Überbein).*
2 Tagebuch 7. 7. 1934.
3 Tagebuch 5. 7. 1934.
4 Die folgenden Zitate Tagebuch 1. 10. 1933.
5 Tagebuch 8. 9. 1933.
6 Tagebuch 2. 5. 1934.
7 Tagebuch 30. 12. 1934.
8 Wie das folgende Zitat Tagebuch 20. 4. 1933, 10. 6. 1933.
9 Tagebuch 4. 8. 1933.
10 Friedrich Nietzsche, *Der Fall Wagner,* Nr. 5.
11 N II, 43.
12 Golo Mann, *Erinnerungen,* S. 522.
13 Eine aktengestützte Rekonstruktion der Koffer-Affäre steht bei Jürgen Kolbe, *Heller Zauber. Thomas Mann in München 1894–1933,* Berlin 1987, S. 414–416.
14 Erika Mann, S. 363.
15 In der Tagebuchedition ausgelassen, mitgeteilt von Michael Mann, *Fragmente,* S. 159.
16 Friedrich Nietzsche, *Jenseits von Gut und Böse,* 9. Hauptstück *(Was ist vornehm?)* Nr. 270.
17 Einzelheiten im Tagebuch und bei Kolbe, S. 416–418.
18 Erika Mann, S. 522, S. 182.
19 Tagebuch 13. 7. 1935.
20 Einem Interview von 1949 zufolge, Potempa II, K 376.
21 *An das Reichsministerium des Innern, Berlin* (1934), E IV, 81; GW XIII, 98.
22 Genaue Zahlen bei Sprecher, S. 48 und in den Tagebüchern.
23 Tagebuch 13. 7. 1935.
24 Tagebuch 1. 11. 1933.
25 Hübinger, Dokument 86.
26 Tagebuch 13. 7. 1935.
27 Hübinger, Dokumente Nr. 96 und 147.
28 Die Geschichte de Hauses nach Kolbe, S. 418–424.
29 Tagebuch 29. 9. 1945.
30 Thomas Mann an James Francis Byrnes am 4. 9. 1945, Regesten 45/384.
31 *Dieser Krieg* (1940), E V, 84; GW XII, 865.

32 Der Text mit Unterzeichnerliste und Kommentar E IV, 342–346.
33 TMUZ Nr. 81 und Nr. 79.
34 Alfred Rosenberg, *Der Sumpf. Querschnitte durch das „Geistes"-Leben der November-Demokratie,* München [3]1939, S. 262.
35 *Westdeutscher Beobachter,* 5. 12. 1936, Hübinger, S. 557.
36 Christoph Steding, *Das Reich und die Krankheit der europäischen Kultur,* Hamburg [4]1942, S. 672 und 728.
37 TMUZ Nr. 111.
38 Tagebuch 9. 5. 1933.
39 Tagebuch 14. 3. 1934, wie das folgende Zitat.
40 Tagebuch 5. 5. 1933.
41 Anfang Januar 1934, zitiert in einem Brief Suhrkamps an Hans Friedrich Blunck, in *Thomas Mann und Hans Friedrich Blunck. Briefwechsel und Aufzeichnungen,* Hamburg 1969, S. 78.
42 20. 7. 1933, dort auch die folgenden Zitate.
43 Tagebuch 1. 5. 1933.
44 Tagebuch 3. 9. 1933.
45 Tagebuch 12. 9. 1933.
46 Klaus Mann, *Briefe und Antworten,* S. 135.
47 Klaus Mann an Thomas Mann am 21. 8. 1933, dort auch das folgende Zitat.
48 Thomas Mann an Klaus Mann am 24. 8. 1933.
49 Thomas Mann an Klaus Mann am 1. 9. 1933, ferner Tagebuch 29. 8. 1933.
50 Thomas Mann an Klaus Mann am 13. 9. 1933.
51 Klaus Mann, *Tagebücher,* 15. 9. 1933.
52 Tagebuch 10.12.1933.
53 E IV, 374.
54 *Der Zauberberg,* GW II, 686f. *(Schnee).*
55 *Ein Protest,* NZZ 18. 1. 1936, E IV, 168, Näheres dort im Kommentar S. 383f.
56 Erika Mann, S. 91–93, die folgenden Briefwechsel-Zitate dort S. 93–109.
57 *Ein Brief von Thomas Mann [An Eduard Korrodi]* E IV, 174; GW XI, 793.
58 Belege E IV, 389f.

XV. Joseph und seine Brüder

1 An Hermann Ebers 11. 4. 1924, Regesten 24/35.
2 *Lebensabriß* (1930), E III, 214; GW XI, 136.
3 *Unterwegs* (1925), GW XI, 360.
4 *Bilse und ich* (1906), E I, 40f.; GW X, 15.
5 An Victor Polzer am 23. 3. 1940, *Briefe II.*
6 Thomas Manns Münchener Abschreiberin, nach Erika Mann, S. 36.
7 Wie das folgende Zitat aus *Sechzehn Jahre* (1948), GW XI, 670.
8 *Das Kind der Höhle,* GW V, 1414.
9 *In Schlangennot,* GW V, 1086.
10 Einzelnachweise und Textbeziehungen E IV, 371.
11 *Joseph wird zum andern Mal verkauft und wirft sich aufs Angesicht,* GW IV, 813.
12 Vgl. Eckhard Heftrich, *Geträumte Taten,* Frankfurt 1993, S. 75–78.

13 *Mont-kaw,* GW IV, 804.
14 Familiengruppe des Zwerges Seneb, *Bild und Text,* S. 248.
15 Thomas Mann an Klaus Mann 1.9.1933.
16 *Der Amtmann über das Gefängnis,* GW V, 1310.
17 Erika Mann an Thomas Mann 13.4.1941.
18 *Das Kind der Höhle,* GW V, 1423.
19 *Urim und Tummim,* GW V, 1511
20 Tagebuch 15.7.1935.
21 *Das erste Jahr,* GW V, 1114f.
22 *Thamar erlernt die Welt,* GW V, 1550f.
23 *Die Sterbeversammlung,* GW V, 1798.
24 *Die Entschlossene,* GW V, 1558.
25 Thomas Mann an Agnes E. Meyer 11.1.1942.
26 Thomas Mann an Agnes E. Meyer 11.4.1942.
27 Tagebuch 4.4.1942.
28 Agnes E. Meyer, *Out of These Roots. The Autobiography of an American Woman,* Boston 1953, S. 186.
29 Thomas Mann an Agnes E. Meyer am 12.1.1943.
30 Tagebuch 6.5.1934.
31 Thomas Mann an Agnes E. Meyer am 26.5.1943.
32 Agnes E. Meyer an Thomas Mann am 12.5.1939.
33 *Thamar erlernt die Welt,* GW V, 1550.
34 *Von Josephs Keuschheit,* GW V, 1146.
35 Das überliefert Katherine Graham, *Personal History,* New York 1997, S. 99f.
36 Agnes E. Meyer an Thomas Mann am 28.5.1943.
37 Tagebuch 6.8.1950, wie das folgende Zitat.
38 *Die Öffnung der Augen,* GW V, 1021f.
39 Das folgende in Anlehnung an die Tagebuchnotiz vom 6. Mai 1934.
40 *Das erste Jahr,* GW V, 1114f., dort auch die folgenden Stellen.
41 *Das Mädchen,* GW V, 1512, die folgenden Stellen S. 1515f., 1518.
42 *Joseph macht Hochzeit,* GW V, 1528.
43 *Die Ehe im Übergang* (1925), E II, 276; *Über die Ehe,* GW X, 201.
44 *Von der Schönheit,* GW IV, 395.
45 *Joseph redet vor Potiphar,* GW IV, 888.
46 *Das zweite Jahr,* GW V, 1133.
47 *Von Josephs Keuschheit,* GW V, 1139.
48 *Das zweite Jahr,* GW V, 1120.
49 *Der Zauberberg,* GW III, 477 *(Walpurgisnacht).*
50 *Das Wort der Verkennung,* GW V, 1009.
51 Alle Zitate *Vom Buch der Bücher und Joseph* (1944), GW XIII, 199–206.
52 Thomas Mann an Kuno Fiedler 19.3.1940, *Briefe II.*
53 Erika Mann, S. 45.
54 *„Nicht durch uns!“,* GW V, 1564.
55 Thomas Mann an Eberhard Hilscher am 3.11.1951.
56 *„Ich glaub' nicht dran!“,* GW V, 1452.
57 *Vorspiel in Oberen Rängen,* GW V, 1283.
58 *Vorspiel in Oberen Rängen,* GW V, 1281.

59 Zitate *Der Himmelstraum,* GW IV, 466–468.
60 Thomas Mann an Ernst Bertram 31. 8. 1925.
61 *„Ich glaub' nicht dran!"*, GW V, 1451 f.
62 *Thamar erlernt die Welt,* GW V, 1552.
63 *„Ich glaub' nicht dran!"*, GW V, 1450.
64 *Huij und Tuij,* GW IV, 860.
65 *Wie Abraham Gott entdeckte,* GW IV, 435.
66 *Vorspiel in Oberen Rängen,* GW V, 1280.
67 *Benoni,* GW IV, 388.
68 *Jaakob trägt Leid um Joseph,* GW IV, 644.
69 *„Nicht durch uns!"*, GW V, 1565.
70 *Wie Abraham Gott entdeckte,* GW IV, 430, *„Ich glaub' nicht dran!"*, GW V, 1451.
71 *Wie Abraham Gott entdeckte,* GW IV, 430.
72 *Lotte in Weimar,* 3. Kapitel, GW II, 439.
73 *Bericht von Mont-kaws bescheidenem Sterben,* GW V, 988.
74 *Eliphas,* GW IV, 135.
75 *Joseph hilft aus als Deuter,* GW V, 1360.
76 *Das Mädchen,* GW V, 1512.
77 *Von Josephs Keuschheit,* GW V, 1138.
78 *Von Gottes Eifersucht,* GW IV, 319 f.
79 *Wie Abraham Gott entdeckte,* GW IV, 429.
80 *Vorspiel in Oberen Rängen,* GW V, 1283.
81 *Der Antichrist,* Nr. 16.
82 *Was bedeuten asketische Ideale?* Nr. 22.
83 *Benoni,* GW IV, 388.
84 *Die Gewöhnung,* GW IV, 662.
85 *Betrachtungen eines Unpolitischen,* GW XII, 469 und 458 *(Einiges über Menschlichkeit).*
86 *Joseph redet vor Potiphar,* GW IV, 891.
87 *Joseph redet vor Potiphar,* GW IV, 894.
88 *Der Verkauf,* GW IV, 612.
89 *Joseph schreit aus der Grube,* GW IV, 568.
90 *Joseph redet vor Potiphar,* GW IV, 896.
91 *Thamar erlernt die Welt,* GW V, 1557 f.
92 So Thomas Mann, Nietzsche zitierend, im Platen-Essay, E III, 252 und Kommentar.
93 Tagebuch 6. 7. 1950.
94 Martin Luther, *Von der Freiheit eines Christenmenschen* (Anfang).
95 *Von Josephs Keuschheit,* GW V, 1137.
96 *Von Josephs Keuschheit,* GW V, 1144.
97 *Joseph bei den Pyramiden,* GW IV, 746.
98 *Der Angeber,* GW IV, 79 f.
99 *Von Gottes Eifersucht,* GW IV, 319 f.
100 *Von Josephs Keuschheit,* GW V, 1142.
101 Näheres *Hoffnungen und Befürchtungen für 1936,* E IV, 166, 382, weitere Stellen E V, 300.
102 *Meerfahrt mit Don Quijote* (1934), E IV, 123 f.; GW IX, 461.

XVI. Haß auf Hitler

1 *I Am an American* (1940), E V, 132–135; nicht in GW.
2 Thomas Mann an Agnes E. Meyer am 7. 1. 1944.
3 Golo Mann, *Vater,* S. 26.
4 An Carolyn Willjoung Stagg am 31. 7. 1944, Regesten 44/11.
5 Mehrfach erwähnt im Tagebuch 1946–1948.
6 Thomas Mann an Agnes E. Meyer am 7. 1. 1944.
7 Das Folgende nach den Ermittlungen von Hans R. Vaget, AEM, 997.
8 *Die Entstehung des Doktor Faustus* (1949), 12. Kapitel, GW XI, 253 f.
9 Thomas Mann an Heinrich Mann 30. 12. 1941, dazu *Deutsche Hörer!* (Dezember 1941), E V, 172–174; GW XI, 1023–1024.
10 Tagebuch 13. 11. 1937.
11 An Agnes E. Meyer 22. 1. 1938.
12 An Karl Kerenyi 20. 2. 1934.
13 *Der Künstler und die Gesellschaft* (1952), E VI, 233–235; GW X, 397–399.
14 *Lübeck* (1942), E V, 182; *Deutsche Hörer!* (April 1942), GW XI, 1035.
15 *Warum ich nicht nach Deutschland zurückgehe* (1945), E VI, 35 f.; GW XII, 956, wie das folgende Zitat.
16 *Kindness* (1943), GW XIII, 757; *Tagebücher 1940–1943,* S. 1090.
17 In ausgeschiedenen Teilen des Vortrags *Joseph und seine Brüder* (1942), E V, 390.
18 *Botschaft an Amerika* (1938), E IV, 245; nicht in GW.
19 *Tagebuchblätter* (1938), E IV, 439 f., nicht in GW.
20 *Bruder Hitler* (1938), E IV, 306; GW XII, 846.
21 An Gottfried Bermann Fischer am 15. 9. 1938.
22 Gottfried Bermann Fischer an Thomas Mann 14. 10. 1938, Tagebuch 26. 10. 1938.
23 *So sahen die deutschen Geistesheroen aus,* in: *Das Schwarze Korps,* 4. 5. 1939, S. 18
24 *Doktor Faustus,* 25. Kapitel, GW VI, 315.
25 *Bruder Hitler* (1938), E IV, 307 f.; GW XII, 848 f., wie auch das folgende Zitat.
26 *Bruder Hitler,* E IV, 309 f.; GW XII, 850.
27 Tagebuch 26. 1. 1938.
28 An Agnes E. Meyer 30. 5. 1939.
29 *Bruder Hitler,* E IV, 307; GW XII, 848.
30 *Richard Wagner und kein Ende* (1949), E VI, 145; GW X, 926.
31 *A Living and Human Reality* (1932), GW XIII, 476.
32 Potempa, *Aufrufe* Nr. 47.
33 *Die Juden werden dauern!* (1936), E IV, 177; nicht in GW.
34 *Zum Problem des Antisemitismus* (1937), GW XIII, 485, das folgende Zitat 482.
35 Tagebuch 29. 3. 1933, 10. 9. 1933.
36 *Fort mit den Konzentrationslagern!* (1936), E IV, 179; nicht in GW.
37 *Deutsche Hörer!* (Januar 1942), E V, 175; GW XI, 1025.
38 Die folgenden Zitate *Der Judenterror,* E V, 201–203; *Deutsche Hörer!* (September 1942), GW XI, 1050–1053.
39 *The Fall of the European Jews* (1943), GW XIII, 495.

40 *Rettet die Juden Europas!* (1945), GW XIII, 514.
41 Tagebuch 15. 7. 1934, überarbeitet auch in *Leiden an Deutschland* (1945), GW XII, 743.
42 Viele Informationen zu diesem Abschnitt entstammen dem Buch von Christian Hülshörster, *Thomas Mann und Oskar Goldberg,* Diss. Münster 1997 (im Druck).
43 *Doktor Faustus,* 28. Kapitel, GW VI, 374 f.
44 René Schickele an Annette Kolb 4. 11. 1937, TMS X, 359.
45 Näheres E VI, 430.
46 Klaus Mann am 8. 6. 1938 an Ferdinand Lion, in: Klaus Mann, *Briefe und Antworten.*
47 *Doktor Faustus,* 34. Kapitel (Fortsetzung), GW VI, 492.
48 Oskar Goldberg, *Maimonides. Kritik der jüdischen Glaubenslehre,* Wien 1935, S. 374; hier nach Hülshörster, S. 116.
49 Deutsches Literaturarchiv Marbach, Goldberg-Nachlaß, hier nach Hülshörster, S. 114.
50 An E. B. Cohn 1. 5. 1942, DüD II, 252.
51 Oskar Goldberg in einem Brief, nach Hülshörster, S. 56.
52 *Die Entstehung des Doktor Faustus,* 14. Kapitel, GW XI, 280 f.
53 Das Vorstehende frei nach *Lotte in Weimar,* 8. Kapitel, GW II, 732 f., mit zahlreichen Parallelen in Manns Essays.
54 *Bilse und ich* (1906), E I, 50; GW X, 22.
55 *Lotte in Weimar,* 3. Kapitel, GW II, 467.
56 *On Myself* (1940), GW XIII, 168.
57 *Lotte in Weimar,* 3. Kapitel, GWS II, 445.
58 *Lotte in Weimar,* 7. Kapitel, GW II, 653.
59 An Paul Orlowski 19. 1. 1954, *Tagebücher 1953–1955,* S. 558.
60 *Lotte in Weimar,* 7. Kapitel, GW II, 664.
61 *Lotte in Weimar,* 7. Kapitel, GW II, 617.
62 *Lotte in Weimar,* 7. Kapitel, GW II, 626.
63 *Lotte in Weimar,* 7. Kapitel, GW II, 648 f.
64 *Lotte in Weimar,* 7. Kapitel, GW II, 647.
65 *Lotte in Weimar,* 7. Kapitel, GW II, 681.
66 *Lotte in Weimar,* 7. Kapitel, GW II, 681 f.
67 *Lotte in Weimar,* 7. Kapitel, GW II, 658, die folgenden 665 und 637.
68 *Lotte in Weimar,* 7. Kapitel, GW II, 655 f.
69 *Lotte in Weimar,* 9. Kapitel, GW II, 763.
70 Alle Zitate *Lotte in Weimar,* 9. Kapitel, GW II, 763 f.
71 *Lotte in Weimar,* 7. Kapitel, GW II, 684.
72 Vorwort zu *Altes und Neues* (1952), GW X, 695, wörtlich: „Autobiographie aber ist alles."
73 Thomas Mann an Kuno Fiedler am 20. 8. 1945, DüD I, 319 f.
74 *Die Entstehung des Doktor Faustus,* 10. Kapitel, GW XI, 230 f.
75 *On Myself,* GW XIII, 148.
76 Das Vorstehende nach Albert Bielschowsky, *Goethe. Sein Leben und seine Werke,* München 1920, Band II, S. 481–487.
77 Das folgende nach *Goethe und Tolstoi* (Fassung 1925), Kapitel *Natur und Nation,* GW IX, 123 f.

78 *Ein Briefwechsel* (1937), E IV, 188 f., *Briefwechsel mit Bonn,* GW XII, 790.
79 *Botschaft an Amerika* (Februar 1938), E IV, 246; nicht in GW.
80 Näheres E V, 22, 296.
81 *Die Höhe des Augenblicks* (1938), E V, 289 (Textvariante, nicht in GW).
82 *Schicksal und Aufgabe* (1943), E V, 233.
83 *Dieser Krieg* (1940), E V, 94; GW XII, 875.
84 *Dieser Krieg,* E V, 115; GW XII, 897.
85 Tagebuch 15. 12. 1940.
86 Thomas Mann an Gottfried Bermann Fischer am 10. 7. 1935.
87 *Widmungen* Nr. 280.
88 *Rede für Franklin D. Roosevelt im Wahlkampf 1944,* GW XI, 982, das Folgende dort und in *Roosevelt, Tagebücher 1944–1946,* S. 813 f.
89 Näheres AEM, 220–233, 885.
90 Thomas Mann an Agnes E. Meyer 12. 8. 1940.
91 *Tagebücher 1944–1946,* S. 640 f.
92 Erika Mann an Thomas Mann am 29. 1. 1943.
93 Wystan H. Auden an Erika Mann-Auden Mai 1939, Erika Mann, *Briefe und Antworten* I, 131.
94 Zum Beispiel Erika Mann an Leopold Schwarzschild, 28. 5. 1938; Erika Mann, *Briefe und Antworten* I, 127–129.
95 Dazu Briefwechsel mit Klaus April bis August 1941.
96 Klaus Mann, *Wendepunkt,* S. 502.
97 Klaus Mann, *Wendepunkt,* S. 202.
98 Klaus Mann an Thomas Mann 3. 8. 1939.
99 Katia Mann an Klaus Mann 4. 6. 1937.
100 Klaus Mann, Tagebuch 4. April 1933.
101 Thomas Mann an Klaus Mann am 27. 4. 1943.
102 Thomas Mann an Klaus Mann 27. 4. 1943, das Zitat aus *Das Gesetz* (1943), 17. Kapitel, GW VIII, 860.
103 Klaus Mann an Katia Mann 14. 2. 1943.
104 Klaus Mann an Thomas Mann 16. 5. 1945, Klaus Mann, *Wendepunkt,* S. 546–565.
105 Thomas Mann an Heinrich Mann 11. 2. 1936.
106 Heinrich an Thomas 15. 4. 1942, dort auch das folgende Zitat.
107 Thomas Mann an Caroline Newton am 13. 1. 1945, in: *The Letters of Thomas Mann to Caroline Newton,* New Jersey 1971.
108 Veröffentlicht in *Sinn und Form,* Heft 4, Juli/August 1986.
109 *An den sowjetischen Schriftsteller-Verband,* 5. 4. 1937, *Briefe II.*
110 Das bezeugt der genannte Brief vom 5. 4. 1937.
111 Im Ausbürgerungsantrag, Hübinger, Dokument Nr. 147, und an vielen anderen Stellen.
112 Das Dokument (vom 5. 5. 1942) wurde zuerst veröffentlicht von Hans R. Vaget, *Vorzeitiger Antifaschismus und andere unamerikanische Umtriebe,* in: *Horizonte,* Tübingen 1990, S. 173–204.
113 Alfred Kurella, *Die Dekadenz Thomas Manns,* in: *Internationale Literatur* (Moskau) 4, 1934, Heft 2, S. 155–158.
114 *Neujahrsgrüße an die Sowjetunion* (1943), E V, 207; nicht in GW.
115 Vgl. Potempa G 777, 779, 789, 811, 824, 841, 847, 860 und 861.

116 An Konrad Kellen 19. 8. 1943.
117 *Schicksal und Aufgabe* (1943), E V, 228, 231, 234 f.; GW XII, 928 f., 931, 934 f.
118 An Agnes E. Meyer 13. 9. 1943.
119 Bertolt Brecht, *Gesammelte Werke,* Frankfurt 1967, Band 19, S. 478–480.
120 *Schicksal und Aufgabe,* E V, 220, 222; GW XII, 920 f., 923.
121 An Bertolt Brecht 10.12.1943, *Briefe II.*
122 Bertolt Brecht, *Arbeitsjournal,* Frankfurt 1973, Eintragung vom 9. 8. 1943.
123 Näheres dazu E V, 404–406.
124 Brecht, *Arbeitsjournal* 2. 8. 1943.
125 Näheres AEM, 993 f.
126 *No Committee for Mr. Mann,* in: *The New York Times* 29. 11. 1943, Potempa G 870.1.
127 An Agnes E. Meyer 5.12.1943.
128 Ludwig Marcuse, *Mein zwanzigstes Jahrhundert. Auf dem Weg zu einer Autobiographie,* München 1960, S. 288.
129 Tagebuch 14. 1. 1944.
130 Das Folgende nach AEM, 979–981.
131 Thomas Mann an Agnes E. Meyer 21. 7. 1943.
132 Bertolt Brecht, *Als der Nobelpreisträger Thomas Mann den Amerikanern und Engländern das Recht zusprach, das deutsche Volk für die Verbrechen des Hitlerregimes zehn Jahre lang zu züchtigen,* in: *Gesammelte Werke* 10, 871–873.
133 Vgl. Tagebuch 13. 6., 21. 6. und 23. 8. 1938.
134 Bertolt Brecht, *Heinrich Mann* (März 1946), in: *Gesammelte Werke* 19, 480 f.
135 Tagebuch 14. 7., 31. 7., 11. 10. 1953, 18. 5., 22. 5., 3. 6. 1954.

XVII. Doktor Faustus

1 An Bruno Walter 6. 5. 1943, *Briefe II.*
2 Mit Umgebung Tagebuch 21. 3. 1943.
3 N II, 107 und 121.
4 Friedrich Nietzsche, *Was bedeuten asketische Ideale?* Nr. 7.
5 Tagebuch 24. 1. 1946, wie auch das folgende Zitat.
6 An Jonas Lesser 29. 1. 1948, DüD III, 130.
7 Tagebuch 3. 4. 1933.
8 Tagebuch 28. 12. 1933.
9 *Die Entstehung des Doktor Faustus* (1949), 8. Kapitel, GW XI, 202.
10 *Die Entstehung des Doktor Faustus,* 5. Kapitel, GW XI, 169.
11 *Die Entstehung des Doktor Faustus,* 3. Kapitel, GW XI, 157.
12 An Karl Kerényi am 20. 3. 1952.
13 Thomas Mann fand die Anregung bei Nietzsche, *Was bedeuten asketische Ideale?* Nr. 2.
14 *Schopenhauer* (1938), E IV, 284; GW IX, 560.
15 *Doktor Faustus,* 1. Kapitel, GW VI, 9.
16 *Die Entstehung des Doktor Faustus,* 4. Kapitel, GW XI, 165.
17 *Die Entstehung des Doktor Faustus,* 3. Kapitel, GW XI, 155.
18 *Doktor Faustus,* 31. Kapitel, GW VI, 416 f., dort auch die folgenden Stellen.

19 Ida Herz an Käte Hamburger, 22. 6. 1975, Deutsches Literaturarchiv, im Anhang zum Briefwechsel Thomas Mann – Käte Hamburger, hrsg. v. Hubert Brunträger (Publikation in Vorbereitung).
20 14. 2. 1927, Regesten 27/31, Kopie TMA.
21 Geheime Staatspolizei, Staatspolizeistelle Nürnberg-Fürth, Schreiben Nr. 6003/II. vom 11. 11. 1937. Faksimile in: *Flucht. Vertreibung. Exil. Asyl. Frauenschicksale im Raum Erlangen, Fürth, Nürnberg, Schwabach.* Ausstellungskatalog Fürth 1990, S. 79–81.
22 Tagebuch 18. 9.–4. 10. 1935.
23 Ida Herz an Klaus W. Jonas am 29. 1. 1979, Privatbesitz.
24 Thomas Mann an Ida Herz 27. 9. 1931, Regesten 31/111, Kopie TMA.
25 Thomas Mann an Ida Herz 28. 2. 1933, Regesten 33/41.
26 Thomas Mann an Ida Herz 8. 12. 1937, *Briefe II.*
27 Thomas Mann an Ida Herz 9. 4. 1929, Regesten 29/44, Kopie TMA.
28 Thomas Mann an Ida Herz 15. 10. 1954, Teildruck DüD III, 283 f., Originalbrief TMA.
29 *Tagebücher 1937–1939*, S. 674.
30 *Doktor Faustus,* 25. Kapitel, GW VI, 298.
31 Mendelssohn I, 441–446.
32 *Doktor Faustus,* 23. Kapitel, GW VI, 261, das folgende Zitat 263.
33 *Doktor Faustus,* 15. Kapitel, GW VI, 172.
34 *Doktor Faustus,* 25. Kapitel, GW VI, 302.
35 Zum Beispiel GW VI, 637 f., 669; *Die deutschen KZ* (1945), E VI, 11 f., *Warum ich nicht nach Deutschland zurückgehe* (1945), E VI, 36.
36 Adorno an B. Bräutigam am 18. 3. 1968, wie andere ungedruckte Adorno-Briefe hier zitiert nach dem Aufsatz von Rolf Tiedemann, *„Mitdichtende Einfühlung". Adornos Beiträge zum 'Doktor Faustus' – noch einmal,* in: Frankfurter Adorno-Blätter 1, 1992, S. 9–33.
37 Thomas Mann an Jonas Lesser 15. 10. 1951, *Briefe III.*
38 *Die Entstehung des Doktor Faustus,* 8. Kapitel, GW XI, 208 und Tagebuch 28. 9. 1944.
39 *Doktor Faustus,* 25. Kapitel, GW VI, 331.
40 *Doktor Faustus,* 25. Kapitel, GW VI, 317.
41 Teildruck DüD III, 450.
42 So Adorno an Erika Mann 19. 4. 1962, Tiedemann, S. 14.
43 Adorno an Kracauer 1. 9. 1955, Tiedemann, S. 30.
44 Tagebuch 30. 9. 1944, *Die Entstehung des Doktor Faustus,* 5. Kapitel, GW XI, 173.
45 So Tagebuch 29. 9. 1944.
46 *Die Entstehung des Doktor Faustus,* 12. Kapitel, GW XI, 249.
47 Die ausgeschiedenen Passagen sind im Anhang zu *Tagebücher 1946–1948* als Dokumente 55–62 zu finden.
48 Katia Mann, S. 147.
49 *Widmungen* Nr. 398.
50 Arnold Schönberg an Thomas Mann 25. 2. 1948, Faksimile in *„und was werden die Deutschen sagen??" Thomas Manns Roman Doktor Faustus,* hrsg. v. Hans Wißkirchen und Thomas Sprecher, Lübeck 1997, S. 149.
51 Die folgenden Zitate aus dem Briefwechsel *Der Eigentliche* (1948), E VI, 98–103.

52 *Doktor Faustus,* 29. Kapitel, GW VI, 393 f.
53 *Doktor Faustus,* 32. Kapitel, GW VI, 440, das folgende Zitat 443.
54 *Doktor Faustus,* 33. Kapitel, GW VI, 465.
55 Abgedruckt *Tagebücher 1946–1948,* S. 879 ff.
56 *Doktor Faustus,* 38. Kapitel, GW VI, 551.
57 *Doktor Faustus,* 33. Kapitel, GW VI, 467.
58 *Doktor Faustus,* 41. Kapitel, GW VI, 579.
59 N II, 72.
60 *Doktor Faustus,* 42. Kapitel, GW VI, 597.
61 *Wälsungenblut* (1906), GW VIII, 381, 408.
62 Die Lippenzitate *Joseph und seine Brüder,* GW IV, 65 *(Ruhm und Gegenwart),* 286 *(Der Üble),* 378 *(Benoni).*
63 *Doktor Faustus,* 39. Kapitel, GW VI, 555, dazu N I, 295; N II, 97.
64 *Doktor Faustus,* 46. Kapitel, GW VI, 639 f.
65 *Die Entstehung des Doktor Faustus,* 8. Kapitel, GW XI, 204.
66 *Deutschland und die Deutschen* (1945), E V, 274; GW XI, 1141.
67 Thomas Mann an Ida Herz 22. 7. 1941, Regesten 41/279.
68 *Joseph und seine Brüder,* Abschnitt *Der Üble.*
69 *Joseph und seine Brüder,* Abschnitte *Der Mann auf dem Felde* und *Ein Wiedersehen.*
70 *Deutschland und die Deutschen,* E V, 264; GW XI, 1131.
71 *Doktor Faustus,* 25. Kapitel, GW VI, 331 f.
72 TMA Blatt 203 (verschollen), hier nach Lieselotte Voss, *Die Entstehung von Thomas Manns Roman 'Doktor Faustus',* Tübingen 1975, S. 110.
73 *Doktor Faustus,* 13. Kapitel, GW VI, 142.
74 *Doktor Faustus,* 17. Kapitel, GW VI, 197.
75 *Doktor Faustus,* 24. Kapitel, GW VI, 294.
76 *Joseph und seine Brüder,* GW V, 1548 *(Astaroth).*
77 *Joseph und seine Brüder,* GW V, 1135 *(Von Josephs Keuschheit).*
78 *Doktor Faustus,* 17. Kapitel, GW VI, 198.
79 Tagebuch 3. 2. 1952.
80 *Doktor Faustus,* 13. Kapitel, GW VI, 147, die folgenden Zitate auf den Seiten 134, 135, 139.
81 *Der Hexenhammer. Von Jakob Sprenger und Heinrich Institoris,* hrsg. v. J. W. R. Schmidt, Berlin 1906, Erster Teil, S. 162 (TMA, Anstreichung).
82 *Doktor Faustus,* 22. Kapitel, GW VI, 249.
83 *Doktor Faustus,* 13. Kapitel, GW VI, 140, übernommen aus *Hexenhammer* I, 210 f. (TMA, Anstreichung).
84 *Die Ehe im Übergang* (1925), E II, 272.
85 *Doktor Faustus,* 13. Kapitel, GW VI, 142 f.; *Hexenhammer* I, 7 (TMA, Anstreichung).
86 *Hexenhammer* II, 78 (TMA, Anstreichung).
87 Alles Folgende *Doktor Faustus,* 13. Kapitel, GW VI, 143–149.
88 *Der Tod in Venedig,* 4. Kapitel, GW VIII, 496.
89 *Nietzsches Philosophie im Lichte unserer Erfahrung* (1947), E VI, 69; GW IX, 688.
90 *Nietzsches Philosophie im Lichte unserer Erfahrung,* E VI, 70; GW IX, 689.

91 *Die Entstehung des Doktor Faustus,* 8. Kapitel, GW XI, 203.
92 *Doktor Faustus,* 46. Kapitel, GW VI, 640, 650f.
93 *Doktor Faustus,* 47. Kapitel, GW VI, 666.
94 *Doktor Faustus,* 46. Kapitel, GW VI, 651.

XVIII. Pein und Glanz

1 Tagebuch 2. 5. 1945, Zitat aus Shakespeares *Richard III.*, der englischen Presse entnommen.
2 *Betrachtungen eines Unpolitischen,* GW XII, 226 *(Politik).*
3 Klaus Mann, *Tagebücher* 10. und 11. 5. 1945
4 Erika Mann an Katia Mann am 22. 8. 1945, Erika Mann, *Briefe und Antworten.*
5 *Zu den Nürnberger Prozessen* (1945), E VI, 45; nicht in GW.
6 An Benjamin H. Cook, 12. 2. 1949, *Tagebücher 1949–1950*, S. 643 f.
7 Tagebuch 27. 7., 28. 7. und 3. 8. 1945.
8 Tagebuch 13. 7. 1945, *Tagebücher 1944–1946*, S. 675.
9 Tagebuch 1. 9. 1945, Zitat im Kommentar der *Tagebücher 1944–1946*, S. 693.
10 TMUZ Nr. 127.
11 In Interviews von 1941 und 1943, Potempa II, K 306 und 308.
12 Näheres E VI, 386–388.
13 *Warum ich nicht nach Deutschland zurückgehe* (1945), E VI, 34; GW XII, 955, dort E VI, 34–42; GW XII, 955–962 alle folgenden Zitate.
14 Thomas Mann an Viktor Mann 15. 12. 1945, *Briefe II.*
15 Thomas Mann an Paul Amann 11. 12. 1945, Stadtbibliothek Lübeck, unveröffentlicht.
16 Erika Mann an Katia Mann 20. 9. 1945, Erika Mann, *Briefe und Antworten.*
17 TMUZ Nr. 128.
18 Thomas Mann an Anna Jacobson, 9. 6. 1946, *Briefe II,* auch Tagebuch 8. 6. 1946.
19 Erich Kästner, *Betrachtungen eines Unpolitischen* (zuerst 14. 1. 1946), in: *Gesammelte Schriften für Erwachsene,* Zürich 1969, Band 8, S. 50–54.
20 Erich Kästner, *Gescheit und trotzdem tapfer,* in: *Gesammelte Schriften für Erwachsene,* Zürich 1969, Band 7, S. 27, wie die folgenden Kästner-Zitate (zuerst *Pinguin* Januar 1946).
21 Thomas Mann an Emil Preetorius 14. 1. – 24. 2. 1946 (TMA).
22 Manfred Hausmann, *Thomas Mann,* in: *Weser-Kurier,* Bremen 28. 5. 1947, TMUZ, S. 519.
23 *An das Reichsministerium des Innern, Berlin* (1934), E IV, 79–89; GW XIII, 96–106; alles Nähere im Kommentar E IV, 352 f. und *Tagebücher 1946–1948*, S. 579–581.
24 Tagebuch 23. 8. 1947.
25 *Der Tod in Venedig,* 4. Kapitel, GW VIII, 496 f.
26 *Warum ich nicht nach Deutschland zurückgehe,* E VI, 37; GW XII, 957.
27 Tagebuch 27. 8. 1945.
28 Am 4. 9. 1945 an Peter Salm, Regesten 45/385.
29 Thomas Mann an Viktor Mann 15. 12. 1945, *Briefe II,* Viktor Mann an Thomas Mann 12. 2. 1946, 28. 10. 1946, TMA.

30 Viktor Mann an Thomas Mann 7. 1. 1946, TMA.
31 Tagebuch 10. 11. 1949.
32 Tagebuch 3. 12. 1949.
33 Viktor Mann, *Wir waren fünf,* S. 386f.
34 Erika Mann an Katia Mann 20. 9. 1945, Erika Mann, *Briefe und Antworten;* Erika Mann an Katia und Thomas Mann 4. 11. 1945, in: Erika Mann, S. 182, S. 583, dort auch die folgenden Zitate.
35 Tagebuch 2. Juli 1947; detaillierter, aber im Tenor völlig anders Viktor Mann, *Wir waren fünf,* S. 413–415.
36 *Richard Wagner und kein Ende* (1949), E VI, 145; GW X, 926.
37 *Warum ich nicht nach Deutschland zurückgehe,* E VI, 37; GW XII, 957f.
38 Nicht erhalten. Soweit gedruckt, finden sich die folgenden Briefzitate in: *Aus dem Briefwechsel Thomas Mann – Emil Preetorius,* hrsg. v. Hans Wysling, in: *Blätter der Thomas Mann-Gesellschaft* 4, 1963, S. 3–24, manche auch in *Briefe II.*
39 Abdruck in: J. F. G. Grosser, *Die große Kontroverse. Ein Briefwechsel um Deutschland,* Hamburg 1963, S. 60.
40 In einem Brief an J. F. G. Grosser, in: *Die große Kontroverse,* Hamburg 1963, S. 57.
41 Thomas Mann an Emil Preetorius 14. 1.–24. 2. 1946, Regesten 46/33, TMA.
42 Gedruckt *Tagebücher 1946–1948,* S. 506.
43 Thomas Mann an Emil Preetorius 30. 12. 1946, *Briefe II.*
44 Thomas Mann an Emil Preetorius 12. 12. 1947.
45 *Doktor Faustus,* 34. Kapitel (Fortsetzung), GW VI, 481.
46 *Der Hexenhammer. Von Jakob Sprenger und Heinrich Institoris,* hrsg. v. J. W. R. Schmidt, Berlin 1906, Erster Teil, S. XXVIII (Unterstreichung).
47 Tagebuch 4. 5. 1948.
48 Nachweise E VI, 466.
49 *Gesang vom Kindchen,* GW VIII, 1095 *(Die Taufe).*
50 Thomas Mann am 30. 7. 1948 an den Bertram-Schüler Werner Schmitz (Briefe Bertram S. 195–198).
51 Zitate aus der Broschüre *Ansprachen bei der feierlichen Verleihung des volksdeutschen Joseph-von-Görres-Preises an den rheinischen Dichter Ernst Bertram am 6. Juli 1940,* Bonn 1940.
52 An Agnes E. Meyer 29. 5. 1944.
53 Motschan, S. 70.
54 Tagebuch 29. 8. 1954.
55 Thomas Mann an Willy Sternfeld 3. 2. 1949, Kopie TMA.
56 Motschan, S. 59.
57 Motschan, S. 64.
58 Motschan, S. 67.
59 Motschan, S. 96.
60 Motschan, S. 115.
61 Motschan, S. 84, *Ansprache im Goethejahr 1949,* GW XI, 488.
62 Tagebuch 4. 8. 1949.
63 Motschan, S. 81, *Ansprache im Goethejahr 1949,* GW XI, 485.
64 Motschan, S. 97.
65 Näheres E VI, 463.

66 *Antwort an Paul Olberg* (1949), GW XIII, 797.
67 Thomas Mann an Agnes E. Meyer 27. 3. 1950.
68 Thomas Mann an Willy Sternfeld 9. 11. 1949, Kopie TMA.
69 Am 11. 12. 1950 an Edward J. Shaughnessy, Erika Mann, *Briefe und Antworten.*
70 An Klaus Mampell 17. 5. 1954, *Briefe III.*
71 Berichtet von Georges Motschan, S. 119, in einigen Einzelheiten richtiggestellt von Paul Schommer, *Thomas Manns Aufenthalt in Bayreuth im Juli 1949,* in: TMJ 11, 1998.
72 Thomas Mann nach Motschan, S. 138.
73 Katia Mann an Erika Mann am 4. 8. 1949, in: Erika Mann, *Briefe und Antworten.*
74 Im Anhang zum Tagebuch 1949/50, S. 562.
75 Näheres Inge Jens im Kommentar zu den Tagebüchern 1949/50, S. 431–433.
76 Vgl. Stephan Reinhardt, *Alfred Andersch. Eine Biographie,* Zürich 1990, S. 215.
77 Thomas Mann an Klaus Mampell 17. 5. 1954, *Briefe III.*
78 Tagebuch 11. 5. 1954.
79 Tagebuch 9. 10. 1951.
80 Thomas Mann an Erich Wendt 25. 5. 1952, hier wie andere Informationen dieses Abschnitts nach: Carsten Wurm, *„Es sind aber auch Menschen und auch Deutsche". Wie Thomas Mann und Hermann Hesse zum Aufbau-Verlag kamen,* in: *Neue deutsche Literatur* 43, 1995, Heft 4, S. 137–143.
81 Carsten Wurm, S. 141.
82 Tagebuch 15. und 16. 5. 1954, Kommentar S. 575.
83 Tagebuch 21. 11. 1918.
84 *Ich stelle fest ...* (1951), E VI, 209 f.; GW XI, 798.
85 Tagebuch 8. 2. 1950.
86 Näheres E VI, 470 f.
87 E VI, 454 f.
88 *Anlaßlich einer Zeitschrift* (1950), E VI, 147–159, dort alle Zitate (nicht in GW).
89 *Ich stelle fest ...,* E VI, 209; GW XI, 798.
90 Nachweise E VI, 473.
91 Näheres zu den Vorgängen E VI, 513–516.
92 *Ich stelle fest ...,* E VI, 207; GW XI, 796.
93 Einzelheiten E VI, 516 f.
94 Tagebuch 4. 5. und 9. 5. 1951 u. ö.
95 Am 19. 4. 1952 an Theodor W. Adorno, *Tagebücher 1951–1952,* S. 629.
96 *Der Erwählte,* GW VII, 152 *(Sibylla's Gebet).*
97 *Der Künstler und die Gesellschaft* (1952), E VI, 233; GW X, 397.
98 *Betrachtungen eines Unpolitischen,* GW XII, 485 *(Einiges über Menschlichkeit).*
99 *Goethe und die Demokratie* (1949), E VI, 116; GW IX, 767.
100 Tagebuch 19. 6. 1951, dazu Inge Jens im Kommentar S. 469 f.
101 Hinweise Tagebuch 31. 1., 14. 2. und 28. 3. 1944.
102 Zum Beispiel 12. 4. 1943, 19. 1., 4. 2., 12. 2. und 24. 10. 1944.
103 An Agnes E. Meyer 30. 7. 1944.

104 An Agnes E. Meyer 22. 1. 1944.
105 Näheres AEM, 984.
106 Alle Informationen zu diesem Thema aus: Hans R. Vaget, *Vorzeitiger Antifaschismus und andere unamerikanische Umtriebe. Aus den geheimen Akten des FBI über Thomas Mann,* in: *Horizonte. Festschrift für Herbert Lehnert zum 65. Geburtstag,* Tübingen 1990, S. 173–204.
107 An Adorno 19. 4. 1952, Kopie TMA.
108 An Klaus W. Jonas am 29. 1. 1954, siehe Klaus W. Jonas, *Über meine Thomas-Mann-Bibliographie,* in: *Der Wagen,* Lübeck 1997/98, S. 138–159, hier S. 152.
109 An Ida Herz 31. 10. 1925, Regesten 25/193.
110 Nachweise Potempa, *Aufrufe,* Register S. 144 f.
111 Tagebuch 2. 4. 1949.
112 Potempa, *Aufrufe* Nr. 21, 23, 28, 32, 33, 37, 48
113 An Gerhart Hauptmann 23. 10. 1930.
114 Tagebuch 25. 2. und 3. 3. 1920.
115 Tagebuch 11. 7. 1934.
116 Lincoln Barnett, *The Universe and Dr. Einstein,* New York 1948, S. 58, von Thomas Mann angestrichen (TMA).
117 *Meerfahrt mit Don Quijote* (1934), E IV, 109; GW IX, 447.
118 So Thomas Mann in *Zum Tode Albert Einsteins* (1955), GW X, 549
119 Tagebuch 7. 8. 1945, vgl. Goethe, *Allerdings* (dort Zitat nach Albrecht von Haller).
120 Zitiert in Manns Tagebuch am 27. 10. 1945.
121 Potempa, *Aufrufe* Nr. 79.
122 Thomas Mann an Albert Einstein am 15. 12. 1951, Regesten 51/498.
123 *Die Entstehung des Doktor Faustus,* 14. Kapitel, GW XI, 289.
124 *Gegen die Wiederaufrüstung Deutschlands* (1954), E VI, 281–289; GW XIII, 805–813.
125 Näheres Erika Mann, *Das letzte Jahr,* in: Erika Mann, S. 433–436.
126 *Versuch über Schiller* (1955), E VI, 370; GW IX, 950.
127 Wie die folgenden Zitate aus dem Capercailzie-Komplex *Doktor Faustus,* 27. Kapitel, GW VI, 360–366.
128 *Fragment über das Religiöse* (1931), E III, 297; GW XI, 424.
129 *Meerfahrt mit Don Quijote,* E IV, 109; GW IX, 447.
130 *Okkulte Erlebnisse* (1923), E II, 183.
131 Das Folgende *Zauberberg,* GW III, 394–396 *(Forschungen).*
132 Zitate *Bekenntnisse des Hochstaplers Felix Krull* III, 5; GW VII, 543 f. Die physikalischen Einzelheiten hat Thomas Mann von Lincoln Barnett, *The Universe and Dr. Einstein,* New York 1948, z. B. S. 32, 39, 41, 87 f., 89, 96b (laut Tagebuch gelesen Ende Dezember 1948, TMA, Anstreichungen).
133 *Bekenntnisse des Hochstaplers Felix Krull* III, 5; GW VII, 547; zuerst I, 8; GW VII, 312.
134 An Paul Amann 23. 12. 1951.
135 *Bekenntnisse des Hochstaplers Felix Krull* III, 5; GW VII, 542, die folgenden Stellen 543 und 547 f.
136 *Lob der Vergänglichkeit* (1952), E VI, 221; GW X, 385.
137 Vgl. zum Folgenden *Joseph und seine Brüder,* 4. Hauptstück des 4. Romans, Abschnitt *Die Vergoldung.*

138 Tagebuch 23. 6. 1938.
139 *Joseph und seine Brüder,* GW IV, 463. *(Der Himmeltraum).*
140 TMUZ Nr. 161.

XIX. Bis zum letzten Seufzer

1 *Joseph und seine Brüder,* GW V, 1798 *(Die Sterbeversammlung).*
2 Erika Mann, S. 385.
3 Tagebuch 16. und 17. 7. 1950.
4 Thomas Mann an Erika Mann 20. 5. 1951, *Briefe III.*
5 Tagebuch 25.11.1950.
6 *Joseph und seine Brüder,* GW V, 1550 *(Thamar erlernt die Welt).*
7 *Richard Wagner und kein Ende* (1949), E VI, 145; GW X, 926.
8 Vgl. *Friedrich und die große Koalition* (1914), E I, 266 f., GW X, 133.
9 *Die Erotik Michelangelo's* (1950), GW IX, 788; nicht im Erstdruck (Zensureingriff, vgl. E VI, 502, 507).
10 *Die Erotik Michelangelo's,* GW IX, 793; E VI 201.
11 *Die Erotik Michelangelo's,* GW IX, 792; E VI, 200.
12 *Die Erotik Michelangelo's,* GW IX, 787; E VI, 195.
13 *Joseph und seine Brüder,* GW V, 1089 *(In Schlangennot).*
14 *Die Erotik Michelangelo's,* GW IX, 783; E VI, 191.
15 N II, 46.
16 *Die Erotik Michelangelo's,* GW IX, 788; E VI, 196 und 507; *Der Tod in Venedig,* 4. Kapitel, GW VIII, 547.
17 *Die Erotik Michelangelo's,* GW IX, 785; E VI, 193; Tagebuch 12. 8. 1950.
18 *Die Erotik Michelangelo's,* GW IX, 785; E VI, 193.
19 *Die Erotik Michelangelo's,* GW IX, 785; E VI, 191.
20 Franzls Brief ist erhalten und faksimiliert in Wysling, *Leben,* S. 463.
21 Zitate im folgenden *Die Betrogene* (1953), GW VIII, 893, 895, 900, 903, 913, 945 f.
22 *Bekenntnisse des Hochstaplers Felix Krull,* II, 9, GW VII, 444, die folgenden Zitate 443–446 und 450.
23 Thomas Mann an Walter Rilla 11. 1. 1951, DüD III, 378.
24 *Der Erwählte,* GW VII, 38 *(Die schlimmen Kinder).*
25 *Königliche Hoheit,* GW VII, 156 *(Sibylla's Gebet)*; Tagebuch 18. 7. 1950.
26 Thomas Mann an Karl Boll 29. 10. 1950, DüD III, 373.
27 *Bemerkungen zu dem Roman „Der Erwählte"* (1951), E VI, 206; GW XI, 691.
28 Thomas Mann an Ida Herz 10. 9. 1951, Regesten 51/382.
29 *Der Erwählte,* GW VII, 149 *(Der Handkuß).*
30 Tagebuch 12. 10. 1945.
31 *Meine Zeit* (1950), E VI, 160; GW XI, 302.
32 *Der Erwählte,* GW VII, 150 *(Der Handkuß).*
33 *Der Erwählte,* GW VII, 113 *(Der Disput).*
34 *Der Erwählte,* GW VII, 232 *(Die Wandlung).*
35 *Die Betrogene,* GW VIII, 950.
36 *Die Erotik Michelangelo's,* E VI, 193; GW IX, 785.
37 *Lebensabriß* (1930), E VI, 182; GW XI, 103.

38 *Doktor Faustus,* 34. Kapitel, GW VI, 476.
39 *Meine Zeit,* E VI, 161; GW XI, 303.
40 Zitiert in *Das Lieblingsgedicht* (1948), GW X, 922.
41 Arthur Schopenhauer, *Parerga und Paralipomena* § 156 (Ende).
42 N II, 76,
43 *Der Erwählte,* GW VII, 160 *(Die Hochzeit).*
44 *Joseph und seine Brüder,* GW V, 1142 *(Von Josephs Keuschheit).*
45 *Die Erotik Michelangelo's,* GW IX, 784; E VI, 192.
46 Thomas Mann an Herrn Schwarz 19. 9. 1949 (ungedruckt, nicht in Regesten, Privatbesitz).
47 An Ida Herz 10. 9. 1951, Regesten 51/382.

XX. Die letzten Dinge

1 Martin Luther, *Eyn Sermon von der bereytung zum sterben,* in: Martin Luther, *Werke. Kritische Gesamtausgabe,* Band 2, Weimar 1884, S. 687 (hier orthographisch modernisiert).
2 *Tristan* (1903), GW VIII, 246.
3 *Der kleine Herr Friedemann* (1897), GW VIII, 98.
4 *Der kleine Herr Friedemann,* GW VIII, 105.
5 *Buddenbrooks* X, 5; GW I, 656 f., dort auch das folgende Zitat.
6 *Buddenbrooks* X, 7; GW I, 680.
7 *Buddenbrooks* X, 7; GW I, 681.
8 *Buddenbrooks* XI, 3; GW I, 754.
9 *Der Tod in Venedig,* 3. Kapitel, GW VIII, 475.
10 *Der Tod in Venedig,* 5. Kapitel, GW VIII, 525.
11 *Der Zauberberg,* GW III, 896 f. *(Fülle des Wohllauts).*
12 *Joseph und seine Brüder,* GW V, 1001 f. *(Bericht von Mont-kaws bescheidenem Sterben).*
13 *Der Tod* (1897), GW VIII, 73.
14 *Lebensabriß* (1930), E III, 222; GW XI, 144.
15 Sprecher, S. 295.
16 Am 7. 2. 1953 an Karl Kerényi.
17 An Hedda Eulenberg 20. 6. 1955, *Briefe III,* Friedrich Schiller, *Wallensteins Tod* V, 5.
18 *Ernst Penzoldt zum Abschied* (1955), GW X, 547.
19 Thomas Mann an Erich von Kahler 12. 8. 1954.
20 Alfred Einstein, *Mozart,* Ausgabe Stuttgart 1953, S. 273 (TMA).
21 *Fragment über das Religiöse* (1931), E III, 297; GW XI, 424.
22 *Der Zauberberg,* GW III, 306 *(„Mein Gott, ich sehe!").*
23 *Lob der Vergänglichkeit* (1952), E VI, 219; GW X, 383.
24 *Joseph und seine Brüder,* GW V, 1131 *(Das zweite Jahr).*
25 In einem Brief an Bruno Walter, 6. 5. 1943 (DüD III, 9); *Doktor Faustus,* 44. Kapitel, GW VI, 614.
26 *Buddenbrooks* II, 4; GW I, 72.
27 *Der Zauberberg,* GW III, 685 *(Schnee).*
28 *Süßer Schlaf!* (1909), E I, 110; GW XI, 338.

29 N II, 93.
30 *Buddenbrooks,* IX, 2; GW I, 578.
31 *Buddenbrooks* X, 8; GW I, 686 f.
32 Heinrich von Kleist in einem Brief an Wilhelmine von Zenge vom 21. 7. 1801, zitiert von Thomas Mann, *Süßer Schlaf!*, E I, 109; GW XI, 337.
33 *Joseph und seine Brüder,* GW IV, 53 *(Vorspiel: Höllenfahrt).*
34 An einen Unbekannten („Lieber Herr Doctor") am 16. 5. 1913 über den Tod von Friedrich Huch. Ungedruckt, nicht in Regesten (Universitätsbibliothek Tübingen).
35 Goethe zu Eckermann am 4. 2. 1829.
36 *Joseph und seine Brüder,* GW IV, 648 *(Die Versuchungen Jaakobs).*
37 Überliefert von Otto Heinrich Strohmeyer, *Begegnung mit dem Jenseitigen,* in: *Begegnungen. Jahrbuch Freie Akademie der Künste in Hamburg,* Hamburg 1953, S. 41.
38 *Buddenbrooks* X, 8; GW I, 684 f.
39 *Doktor Faustus,* 25. Kapitel, GW VI, 326.
40 Vgl. Tagebuch 26. 12. 1953 u. ö. (Hans Egon Holthusen, Wilhelm Grenzmann).
41 Tagebuch 20. 7. 1953.
42 *Katia Mann zum siebzigsten Geburtstag* (1953), E VI, 251 f.; GW XI 526, wie die folgende Stelle.
43 Das folgende nach Heinrich Mann, *Zeitalter*, S. 142 f.
44 *Goethe und Tolstoi* (1925), GW IX, 139.
45 Katia Mann an Klaus Mann 21. 5. 1946, Klaus Mann, *Briefe und Antworten.*
46 *Theodor Storm* (1930), E III, 243 f.; GW IX, 266 f.
47 Das Medizinische im folgenden nach Thomas Sprecher und Ernst O. Wiethoff, *Thomas Manns letzte Krankheit,* in: TMJ 10, 1997, S. 249–276.
48 Thomas Mann an Erich von Kahler 5. 8. 1955.
49 Erika Mann, *Das letzte Jahr,* in: Erika Mann, S. 446 f.
50 Erika Mann, *Das letzte Jahr,* in: Erika Mann, S. 453.
51 *Joseph und seine Brüder,* GW V, 1778 *(Nach dem Gehorsam).*
52 Thomas Mann an Siegmund Mann, 3. 12. 1937, Regesten 37/217.
53 *Die Entstehung des Doktor Faustus* (1949), 13. Kapitel, GW XI, 262.
54 Alle Einzelheiten zur Beerdigung nach TMUZ Nr. 162 und Sprecher, S. 291–297.
55 Thomas Mann an Erich von Kahler am 12. 8. 1954.
56 *Versuch über Schiller* (1955), E VI, 290–292; GW IX, 870–872.
57 Thomas Mann am 15. 10. 1954 an Ida Herz, TMA.
58 *Hermann Hesse – Thomas Mann: Briefwechsel,* Frankfurt 1968, S. 192.
59 Goethe, *Zahme Xenien VII,* Thomas Mann an Peter Hacks am 6. 2. 1949, *Sinn und Form,* Sonderheft Thomas Mann, Berlin 1965, S. 238; auch an vielen anderen Stellen zitiert, zum Beispiel *Goethe als Repräsentant des bürgerlichen Zeitalters* (1932), E III, 332; GW IX, 323; *Vorwort [zu Ferdinand Lion]* (1947), E VI, 94; GW XIII, 214; *Goethe und die Demokratie* (1949), E VI, 109; GW IX, 760; *Die drei* Gewaltigen (1949), GW X, 379; *Ansprache im Goethejahr* (1949), GW XI, 493.
60 Katia Mann an Gustav Hillard, nach Gustav Hillard (d. i. Gustav Steinbömer), *Wert der Dauer. Essays, Reden, Gedenkworte,* Hamburg 1961, S. 142 f.
61 *Katia Mann zum siebzigsten Geburtstag,* E VI, 252; GW XI, 526.

Quellenverzeichnis

Beim Zitieren habe ich mir aus Gründen gefälligerer Lesbarkeit gelegentlich die Freiheit erlaubt, die Zeichensetzung am Zitatende, selten auch Groß- und Kleinschreibung am Zitatanfang, nach den Bedürfnissen meines Satzbaus einzurichten.

1. Abgekürzt zitierte Titel

AEM
Thomas Mann – Agnes E. Meyer: Briefwechsel*, hrsg. v. Hans Rudolf Vaget, Frankfurt 1992.

ARE
Thomas Mann, *Aufsätze, Reden, Essays,* hrsg. v. Harry Matter, 3 Bände (bis 1925), Berlin/Weimar 1983–1986.

Bild und Text
Bild und Text bei Thomas Mann. Eine Dokumentation, hrsg. v. Hans Wysling unter Mitarbeit von Yvonne Schmidlin, Bern/München 1975.

Böhm
Karl Werner Böhm, *Zwischen Selbstzucht und Verlangen. Thomas Mann und das Stigma Homosexualität,* Würzburg 1991.

Briefe I, II, III
Thomas Mann, *Briefe,* hrsg. v. Erika Mann. Band I: *Briefe 1889–1936,* Frankfurt 1962; Band II: *Briefe 1937–1947,* Frankfurt 1963; Band III: *Briefe 1948–1955 und Nachlese,* Frankfurt 1965.

Briefwechsel mit Autoren
Thomas Mann, *Briefwechsel mit Autoren,* hrsg. v. Hans Wysling, Frankfurt 1988 [dort S. 753–757 eine Liste sämtlicher bis dahin erschienener Briefsammlungen].

Bürgin/Mayer
Hans Bürgin und Hans-Otto Mayer, *Thomas Mann. Eine Chronik seines Lebens,* Frankfurt 1965, als Taschenbuch 1974.

DüD
Dichter über ihre Dichtungen. Thomas Mann, hrsg. v. Hans Wysling und Marianne Fischer, 3 Bände, Zürich/München/Frankfurt 1975–1981.

E
Thomas Mann, *Essays.* Nach den Erstdrucken, textkritisch durchgesehen, kommentiert und hrsg. v. Hermann Kurzke und Stephan Stachorski, 6 Bände, Frankfurt 1993–1997.

Erika Mann
Erika Mann, *Mein Vater, der Zauberer,* hrsg. v. Irmela von der Lühe und Uwe Naumann, Reinbek 1996 (Essays, Reden, Artikel, Interviews, Briefwechsel).

Erika Mann, *Briefe und Antworten*
Erika Mann, *Briefe und Antworten,* Band 1: 1922–1950, Band 2: 1951–1969, hrsg. v. Anna Zanco Prestel, München 1984–1985.

Golo Mann, *Erinnerungen*
Golo Mann, *Erinnerungen und Gedanken. Eine Jugend in Deutschland,* Frankfurt 1986.

Golo Mann, *Vater*
Golo Mann, *Mein Vater Thomas Mann*, Lübeck 1970.
GW
Thomas Mann, *Gesammelte Werke in dreizehn Bänden*, Frankfurt 1974 und 1990.
Heinrich Mann, *Briefe an Karl Lemke und Klaus Pinkus*
Heinrich Mann, *Briefe an Karl Lemke und Klaus Pinkus*, Hamburg o. J.
Heinrich Mann, *Macht und Mensch*
Heinrich Mann, *Macht und Mensch*, Frankfurt 1989.
Heinrich Mann, *Zeitalter*
Heinrich Mann, *Ein Zeitalter wird besichtigt* (1945), Ausgabe Reinbek 1976.
Hübinger
Paul Egon Hübinger, *Thomas Mann, die Universität Bonn und die Zeitgeschichte. Drei Kapitel deutscher Vergangenheit aus dem Leben des Dichters 1905–1955*, München/Wien 1974.
Interviews
Frage und Antwort. Interviews mit Thomas Mann 1909–1955, hrsg. v. Volkmar Hansen und Gert Heine, Hamburg 1983.
Julia Mann
Julia Mann, *Ich spreche so gern mit meinen Kindern. Erinnerungen, Skizzen, Briefwechsel mit Heinrich Mann*, Berlin/Weimar 1991.
Katia Mann
Katia Mann, *Meine ungeschriebenen Memoiren*, hrsg. v. Elisabeth Plessen und Michael Mann, Frankfurt 1974.
Klaus Mann, *Briefe und Antworten*
Klaus Mann, *Briefe und Antworten 1922–1949*, hrsg. v. Martin Gregor-Dellin, München 1987.
Klaus Mann, *Kind dieser Zeit*
Klaus Mann, *Kind dieser Zeit*, Ausgabe München 1965 (zuerst 1932).
Klaus Mann, *Tagebücher*
Klaus Mann, *Tagebücher 1931–1949*, hrsg. v. Joachim Heimannsberg, Peter Laemmle und Wilfried F. Schoeller, München 1989, Taschenbuchausgabe in 6 Bänden Reinbek 1995.
Klaus Mann, *Wendepunkt*
Klaus Mann, *Der Wendepunkt. Ein Lebensbericht*, Ausgabe München 1981 (zuerst 1952, englisch unter dem Titel *The Turning Point. Thirty-Five Years in this Century*, New York 1943).
Kolbe
Jürgen Kolbe, *Heller Zauber. Thomas Mann in München 1894–1933*, Berlin 1987.
Matter
Harry Matter, *Die Literatur über Thomas Mann*, 2 Bände, Berlin/Weimar 1972
Mendelssohn I–III.
Peter de Mendelssohn, *Der Zauberer. Das Leben des deutschen Schriftstellers Thomas Mann. Erster Teil: 1875 bis 1918* (= Bände I und II). *Zweiter Teil: Jahre der Schwebe: 1919 und 1933 (Nachgelassene Kapitel)* (= Band III). Überarbeitete und erweiterte Neuausgabe in 3 Bänden, hrsg. v. Cristina Klostermann, Frankfurt 1996 (zuerst in zwei Bänden 1975 und 1992).

Michael Mann, *Fragmente*
Michael Mann: *Fragmente eines Lebens,* hrsg. v. Frederic C. und Sally P. Tubach, München 1983.
Monika Mann, *Papa*
Monika Mann, *Papa,* in: *The Stature of Thomas Mann,* hrsg. v. Charles Neider, Ausgabe London 1951.
Monika Mann, *Vergangenes und Gegenwärtiges*
Monika Mann, *Vergangenes und Gegenwärtiges,* München 1956.
Motschan
Georges Motschan, *Thomas Mann – von nahem erlebt,* Nettetal 1988.
N
Thomas Mann, *Notizbücher,* hrsg. v. Hans Wysling, 2 Bände, Frankfurt 1991/92.
Potempa
Georg Potempa, *Thomas-Mann-Bibliographie,* Morsum/Sylt 1992 [Grundlegende Primärbibliographie sämtlicher Drucke der Texte Thomas Manns].
Potempa II
Georg Potempa, *Thomas-Mann-Bibliographie,* Band II (Übersetzungen, Interviews), Morsum/Sylt 1997.
Potempa, *Aufrufe*
Georg Potempa, *Thomas Mann. Beteiligung an politischen Aufrufen und anderen kollektiven Publikationen. Eine Bibliographie,* Morsum/Sylt 1988.
Regesten
Die Briefe Thomas Manns. Regesten und Register, hrsg. v. Hans Bürgin und Hans-Otto Mayer, fortgeführt von Gert Heine und Yvonne Schmidlin, 5 Bände, Frankfurt 1976.
Samuel/Tomi
Theodor Lessing: *Samuel zieht die Bilanz und Tomi melkt die Moralkuh oder Zweier Könige Sturz,* Hannover 1910
Sprecher
Thomas Sprecher, *Thomas Mann in Zürich,* Zürich 1992.
Tagebuch
Thomas Mann, *Tagebücher,* 10 Bände, hrsg. v. Peter de Mendelssohn (5 Bände, 1918–1943) und Inge Jens (5 Bände, 1943–1955), Frankfurt 1977–1995.
Tagebücher 1918–1921 [etc.]
Kommentar und Anhang zu den Einzelbänden der Tagebuch-Edition.
TMA
Thomas Mann-Archiv der Eidgenössischen Technischen Hochschule Zürich, Schönberggasse 15, CH-8001 Zürich.
TMJ
Thomas Mann-Jahrbuch 1, 1988–11, 1998.
TMS I
Paul Scherrer, Hans Wysling, *Quellenkritische Studien zum Werk Thomas Manns,* Bern/München 1967.
TMS III
Hans Wysling, *Dokumente und Untersuchungen. Beiträge zur Thomas Mann-Forschung,* Bern/München 1974.
TMS
Thomas Mann-Studien.

TMUZ
Thomas Mann im Urteil seiner Zeit. Dokumente 1891 bis 1955, hrsg. v. Klaus Schröter, Hamburg 1969.
Viktor Mann
Viktor Mann, *Wir waren fünf. Bildnis der Familie Mann*, Frankfurt 1976 (zuerst 1949).
Widmungen
„Herzlich zugeeignet". Widmungen von Thomas Mann 1887–1955, hrsg. v. Gert Heine und Paul Schommer, Lübeck 1998.
Wysling, *Leben*
Hans Wysling und Yvonne Schmidlin, *Thomas Mann. Ein Leben in Bildern*, Zürich 1994.

2. Briefwechsel

Amann
Thomas Mann. Briefe an Paul Amann 1915–1952, hrsg. v. Herbert Wegener, Lübeck 1959.
Bermann Fischer
Thomas Mann. Briefwechsel mit seinem Verleger Gottfried Bermann Fischer 1932–1955, Frankfurt 1973, als Taschenbuch in zwei Bänden 1975.
Bertram
Thomas Mann an Ernst Bertram, hrsg. v. Inge Jens, Pfullingen 1960.
Fiedler
Aus dem Briefwechsel Thomas Mann – Kuno Fiedler, hrsg. v. Hans Wysling, in: *Blätter der Thomas Mann-Gesellschaft* 11, 1971, S. 5–40, und 12, 1972, S. 5–37.
Fischer, Samuel
Samuel und Hedwig Fischer, *Briefwechsel mit Autoren*, hrsg. v. Dierk Rodewald und Corinna Fiedler, Frankfurt 1989.
Grautoff
Thomas Mann. Briefe an Otto Grautoff 1894–1901 und Ida Boy-Ed 1903–1928, hrsg. v. Peter de Mendelssohn, Frankfurt 1975.
Hamburger
Briefwechsel Thomas Mann – Käte Hamburger, hrsg. v. Hubert Brunträger (Publikation in Vorbereitung).
Harden
Frank Wedekind, Thomas Mann, Heinrich Mann, *Briefwechsel mit Maximilian Harden*, hrsg. v. Ariane Martin, Darmstadt 1996.
Hauptmann
Der Briefwechsel zwischen Thomas Mann und Gerhart Hauptmann, hrsg. v. Hans Wysling und Cornelia Bernini, in: TMJ 6, 1993 und 7, 1994.
Hesse
Hermann Hesse – Thomas Mann: Briefwechsel, hrsg. v. Anni Carlsson, Frankfurt 1968.
Hilscher
Eberhard Hilscher, *Thomas Mann. Leben und Werk*, Berlin/DDR [9]1986 (Briefanhang).

Kahler
Thomas Mann – Erich von Kahler. Briefwechsel 1931–1955, hrsg. v. Michael Assmann, Hamburg 1993.
Kerényi
Thomas Mann – Karl Kerényi: Gespräch in Briefen, Zürich 1960, Taschenbuch München 1967.
Mann, Erika
s. *Erika Mann* oder Erika Mann, *Briefe und Antworten.*
Mann, Heinrich
Thomas Mann – Heinrich Mann: Briefwechsel 1900–1949,, hrsg. v. Hans Wysling, Frankfurt 1968, als Taschenbuch 1975, erweiterte Neuausgaben 1984 und 1995.
Mann, Julia (Mutter)
s. *Julia Mann.*
Mann, Klaus
s. Klaus Mann, *Briefe und Antworten.*
Martens
Briefwechsel Thomas Mann – Kurt Martens, hrsg. v. Hans Wysling und Thomas Sprecher, in: TMJ 3, 1990 und 4, 1991.
Meyer, Agnes
s. AEM.
Ponten
Dichter oder Schriftsteller. Der Briefwechsel zwischen Thomas Mann und Josef Ponten 1919–1930, hrsg. v. Hans Wysling, Bern/München 1988 (= TMS VIII).
Preetorius
Aus dem Briefwechsel Thomas Mann – Emil Preetorius, hrsg. v. Hans Wysling, in: *Blätter der Thomas Mann-Gesellschaft* 4, 1963, S. 3–24.
Schickele
Jahre des Unmuts. Thomas Manns Briefwechsel mit René Schickele 1930–1940, hrsg. v. Hans Wysling und Cornelia Bernini, Frankfurt 1992 (= TMS)
Weitere Briefpartner s. *Briefe I–III, Briefwechsel mit Autoren,* DüD, Regesten und an verstreuten Stellen (der jeweilige Fundort wird in der Fußnote nachgewiesen).

3. Andere Quellen, Dokumente, Verzeichnisse und Sammlungen

Adorno, Theodor, *Zu einem Porträt Thomas Manns.* In: Theodor W. Adorno, *Noten zur Literatur III,* Frankfurt 1965, S. 19–29.
Auf dem Weg zum „Zauberberg". Die Davoser Literaturtage 1996, hrsg. v. Thomas Sprecher, Frankfurt 1997 (= TMS VI).
Bermann Fischer, Gottfried, *Bedroht – bewahrt. Weg eines Verlegers,* Frankfurt 1967.
Grosser, J. F. G., *Die große Kontroverse. Ein Briefwechsel um Deutschland,* Hamburg 1963.
Hage, Volker, *Eine Liebe fürs Leben. Thomas Mann und Travemünde,* Hamburg 1993.

Hamacher, Bernd, *Thomas Manns letzter Werkplan „Luthers Hochzeit". Edition, Vorgeschichte und Kontexte,* Frankfurt 1998.

Heinrich Mann 1871–1950. Werk und Leben in Dokumenten und Bildern, Berlin/Weimar 1971.

Herz, Ida, *Erinnerungen an Thomas Mann,* in: *German Life and Letters* 9, 1956, S. 281–290.

Holm, Korfiz, *Ich – klein geschrieben. Heitere Erlebnisse eines Verlegers,* München/Wien 1966.

Jens, Inge, *Dichter zwischen rechts und links. Die Geschichte der Sektion Dichtkunst der Preußischen Akademie der Künste dargestellt nach den Dokumenten,* München 1971.

Jonas, Klaus W., *Die Thomas Mann-Literatur. Bibliographie der Kritik,* 3 Bände, Berlin 1972, Berlin 1980, Frankfurt 1997.

Korruhn, Wolfgang, *Hautnah. Indiskrete Gespräche,* Düsseldorf ²1994 [Gespräch mit Golo Mann kurz vor seinem Tod].

Kuhn, Heribert, *Thomas Mann – „Rollende Sphären". Eine interaktive Biographie,* hrsg. v. Franz-Maria Sonner und Thomas Sprecher. München 1995 [CD-ROM].

Mann, Erika und Klaus, *Escape to Life. Deutsche Kultur im Exil,* Ausgabe München 1991.

Mann, Heinrich, *Briefe an Ludwig Ewers 1889–1913,* hrsg. v. Ulrich Dietzel und Rosemarie Eggert, Berlin/Weimar 1980.

Mühsam, Erich: *Tagebücher 1910–1924,* hrsg. v. Chris Hirte, München 1994.

Steinbach, Ernst, *Gottes armer Mensch. Die religiöse Frage im dichterischen Werk von Thomas Mann,* in: *Zeitschrift für Theologie und Kirche* 50, 1953, S. 207–242 [vgl. Tagebuch 26.–30.12.1953].

Thomas Mann und seine Quellen. Festschrift für Hans Wysling, hrsg. v. Eckhard Heftrich und Helmut Koopmann, Frankfurt 1991.

Thomas Mann. Unbekannte Dokumente aus seiner Jugend. Sammlung Prof. Dr. P. R. Franke. Ausstellung. Landesbank Saar Girozentrale Saarbrücken vom 2. bis 20. September 1991, Saarbrücken 1991.

Thomas Mann-Handbuch, hrsg. v. Helmut Koopmann, Stuttgart, 2., ergänzte Auflage 1995.

Vaget, Hans R., *Thomas Mann – Kommentar zu sämtlichen Erzählungen,* München 1984.

Wagner – Nietzsche – Thomas Mann. Festschrift für Eckhard Heftrich, hrsg. v. Heinz Gockel, Michael Neumann und Ruprecht Wimmer, Frankfurt 1993.

Wysling, Hans, *Narzißmus und illusionäre Existenzform. Zu den Bekenntnissen des Hochstaplers Felix Krull,* Bern/München 1982 (= TMS V).

Wysling, Hans, *Ausgewählte Aufsätze 1963–1995,* Frankfurt 1996 (= TMS XIII).

Quellen, die nur ein- oder zweimal benötigt wurden, sind in der jeweiligen Fußnote komplett bibliographiert und wurden in das vorstehende Verzeichnis nicht aufgenommen.

Jeder Thomas Mann-Forscher steht auf den Schultern seiner Vorläufer und im Reigen seiner Mitläufer. Auch wenn ich es in diesem Buch aus stilistischen Gründen vermieden habe, aus der Forschungsliteratur zu zitieren, verdanke ich den Freunden und Kollegen natürlich viel. Ihre Bücher und Aufsätze aus dem letzten

Vierteljahrhundert an dieser Stelle aufzuführen, würde viele Seiten füllen. So möchte ich hier nur pauschal und alphabetisch sagen, daß ich am meisten gelernt habe aus den Arbeiten von: Reinhard Baumgart, Karl Werner Böhm, Manfred Dierks, Joachim Fest, Gerhard Härle, Volkmar Hansen, Eckhard Heftrich, Helmut Jendreiek, Inge Jens, Walter Jens, Klaus W. Jonas, Helmut Koopmann, Børge Kristiansen, Herbert Lehnert, Michael Maar, T. J. Reed, Marcel Reich-Ranicki, Hans-Joachim Sandberg, Thomas Sprecher, Hans Rudolf Vaget, Ruprecht Wimmer, Hans Wißkirchen und Hans Wysling. Die ich zu nennen vergessen habe, mögen mir verzeihen.

Abbildungsverzeichnis

Danksagung

Das *Für wen?* dieses Buches ist klar: Für meine Familie, ihr ist es gewidmet. Was ich vom Leben weiß, verdanke ich am meisten ihr. Die mich ertragen haben all die Jahre, die mich angeregt, korrigiert und inspiriert, auch abgehalten haben, wenn es nötig war: Marle, Lena, Matthias, Philipp und Johanna Kurzke also, sie müssen an erster Stelle genannt sein. Marle hat mir endlos scheinende Zeitmengen eingeräumt, mit mir den Stress getragen und mich mit ihrer wachsamen Skepsis zu zahlreichen Verbesserungen angestachelt, Lena hat alles mit geübtem Lektorenauge durchgesehen, Matthias im Einstein- und Winkelsternchen-Kapitel die schlimmsten naturwissenschaftlichen Dilettantismen ausgemerzt. Johanna (5) hatte besonders unter mir zu leiden, weil sie mich nicht stören durfte. Was sie natürlich nicht abgehalten hat, dies doch zu tun und mir damit wohlzutun. Was will man auch machen, wenn ein kleines Mädchen hereinkommt und fragt: „Papa, würdest du mir helfen, mich abzuregen?"

Zwar ist Einsamkeit nötig zum Schreiben, aber ab und zu muß man aus ihr auftauchen, um die Freunde zu sehen. Manfred Dierks hat mich durch sein Buch *Der Wahn und die Träume* und durch darauffolgende Gespräche zu einem leise humoristischen Verfahren ermutigt, das sich von der üblichen Wissenschaftspedanterie freizumachen sucht, ohne deshalb, so hoffe ich, ins Unseriöse und Beliebige abzugleiten. Daß es verboten sei, Fiktionen als biographische Tatsachen zu nehmen, lernt man im germanistischen Proseminar. Es geschieht trotzdem in diesem Buch, das das dichterische Werk als die am reichsten sprudelnde biographische Quelle betrachtet, und hofft auf Plausibilität. Wo diese sich nicht einstellt, geben die detaillierten Quellenangaben dem mißtrauischen Leser die Möglichkeit, den eingeschlagenen Weg zu überprüfen.

Am meisten verdanke ich Ulrich Kocher. Wir haben eine Unzahl von Briefen gewechselt. Seine waren immer viel dicker als meine, weil er, unerschöpflich, Ideen, Fundstücke, Zitate und Zimelien herbeischaffte. Er wußte einfach zu jedem Kapitel etwas, manchmal nur eine hübsche Verzierung, manchmal präzise Ortskundigkeit, oft aber auch wichtige Gedanken. Was über Religion in diesem Buche steht, verdankt dem Gespräch mit ihm Wesentliches.

Auch mit Stephan Stachorski war ich in einem ständigen Gedankenaustausch. Ohne die jahrelange gemeinsame Arbeit an Edition und Kommentierung der Essays Thomas Manns hätte diesem Buch das philologische Fundament gefehlt. Sie hat eine Verbundenheit geschaffen, in der man schließlich nicht mehr weiß, was wer zuerst herausgefunden hat. Aber bei jeder Fußnote vom Typus „Näheres E VI, 551–582" muß der Leser gewärtig sein, daß nicht meine Bemühung, sondern die Gründlichkeit von Stephan Stachorski die Einzelheiten herbeigeschafft hat.

Die theologischen Teile hat mein Vetter Peter Knauer SJ gegengelesen. Das heißt nun nicht, daß er für meine Häresien verantwortlich gemacht werden könnte. Er hat mich im Gegenteil in vielen Fällen zu erneutem Nachdenken genötigt. Einige meiner hausgemachten Gedanken über Religion habe ich trotz fachtheologischer Kritik stehengelassen, mit schlechtem Gewissen.

Ein besseres Gewissen habe ich, was die hymnologische Nische dieses Buches betrifft. Hier standen mir das Archiv und die Beratung der Mitglieder des Mainzer Arbeitskreises für Gesangbuchforschung zur Verfügung. Am meisten habe ich von Christa Reich und Hansjakob Becker gelernt. Im einzelnen haben mir Arno Claas, Christiane Schäfer und Ulrike Süß auf diesem und anderem Felde viel geholfen.

Georg Potempa, der allzu Bescheidene, der nie eine Gegengabe verlangt, hat viele Einzelheiten und seltene Texte geliefert. Hans R. Vaget hat die Tillinger- und FBI-Passagen kritisch gegengelesen. Thomas Sprecher hat im Thomas Mann-Archiv grünes Licht auch für aufwendige Wünsche gegeben.

Ohne die Kenner und Förderer, die einem das Neueste unverlangt ins Haus schicken, wäre man arm dran. Monika Schoeller, Cristina Klostermann und die Mitarbeiter des S. Fischer Verlags sind hier vor allem zu nennen, dann aber auch die vielen, die mir Bücher und Sonderdrucke geschenkt haben, Sammler wie Wilhelm Braun, Ulrich Kocher und Paul Schommer, Forscher und Kritiker wie Dieter Borchmeyer, Hubert Brunträger, Manfred Dierks, Volker Hage, Eckhard Heftrich, Jürgen Hillesheim, Helmut Koopmann, Herbert Lehnert, Ariane Martin, Franz Orlik, Marcel Reich-Ranicki, Thomas Sprecher, Joëlle Stoupy, Hans R. Vaget, Hans Wißkirchen, Hans Wysling und viele andere. Für weitere Hinweise und Anregungen danke ich Rosi Becker, Malte Herwig, Sonja Hilzinger, Klaus W. Jonas, Liselotte Jünger, Georg Knapp, Hans K. Matussek, Winfried Mogge, Nicolai Riedel, Erwin Rotermund, Hans-Rüdiger Schwab und all den anderen, die man jetzt nicht aufzählen kann.

Schließlich ist dem Thomas-Mann-Archiv in Zürich und seinen Mitarbeiterinnen zu danken, Katrin Bedenig, Martina Peter und Cornelia Bernini, ferner dem Archiv der deutschen Jugendbewegung auf Burg Ludwigstein, den Stadtbibliotheken von Mainz, München und Lübeck, dem Stadtarchiv Hannover und dem Buddenbrookhaus in Lübeck.

Mainz, im Juni 1998 H. K.

Verzeichnis der erwähnten Werke Thomas Manns

Personenverzeichnis

Mythologische und literarische Personen erscheinen kursiv

Zürich 1955